유형

해결의 법칙

내신에 최적화된

문제 기본서

개념과 문제를 유형화하여 공부하는 것은
수학 실력 향상의 밑거름입니다.
가장 효율적으로 유형을 나누어 연습하는

최고의 유형 문제집!

이책의 구성과 특징

Structure

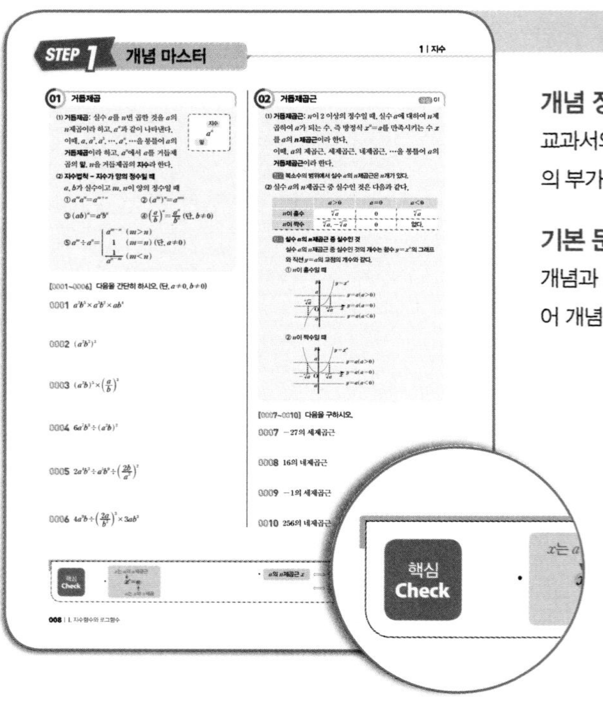

STEP 1 | 개념 마스터

개념 정리

교과서의 핵심 개념 및 기본 공식, 정의 등을 정리하고 예, 참고 등의 부가설명을 통해 보다 쉽게 개념을 이해할 수 있도록 하였습니다.

기본 문제

개념과 공식을 바로 적용하여 해결할 수 있는 기본적인 문제를 다루어 개념을 확실하게 익힐 수 있도록 하였습니다.

핵심 Check

핵심 개념을 도식화하여 요점 정리하였습니다.

STEP 2 | 유형 마스터

유형 & 해결 전략

중단원의 핵심 유형을 선정하고, 그 유형 학습에 필요한 개념 및 해결 전략을 제시하여 문제 해결력을 키울 수 있도록 하였습니다.

• 대표문제 • 각 유형에서 시험에 자주 출제되는 문제를 대표문제로 지정하였습니다.

★중요 내신 출제율이 높고 꼭 알아두어야 할 유형에 중요 표시 하였습니다.

발전 유형 정규 교과 과정의 내용은 아니나 알아둬야 할 유형 또는 발전 유형을 기본 유형과 다른 색으로 표시하여 수준별 학습이 가능하도록 하였습니다.

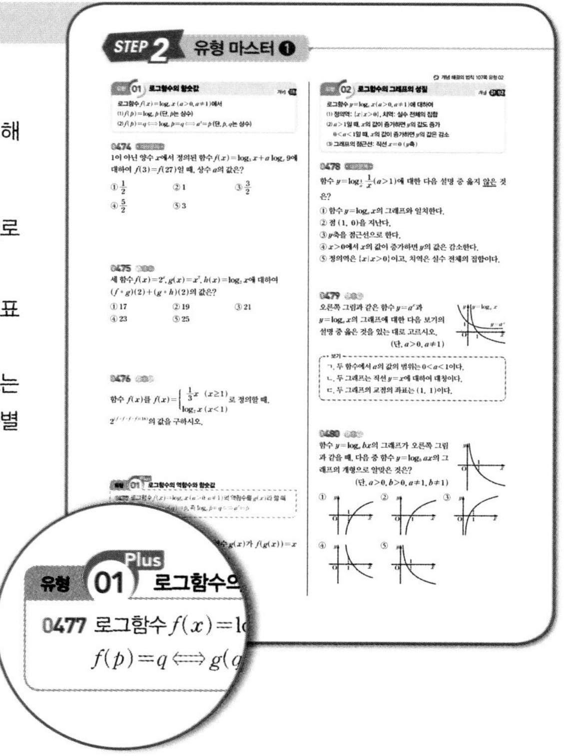

유형 Plus

각 유형에서 약간 응용되어 변별력이 있는 문제들을 'Plus'로 구분하고 추가 풀이 전략을 제시하여 보다 쉽게 접근하도록 하였습니다.

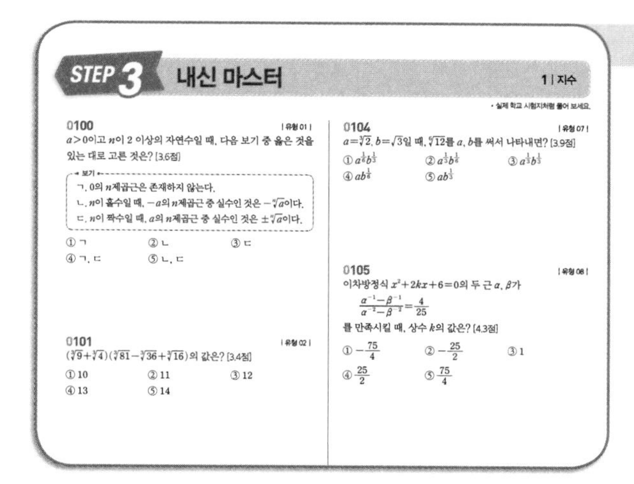
STEP 3 내신 마스터 1 | 지수

• 실제 학교 시험지처럼 풀어 보세요.

0100 | 유형 01 |
$a>0$이고 n이 2 이상의 자연수일 때, 다음 보기 중 옳은 것을 있는 대로 고른 것은? [3.6점]

보기
ㄱ. 0의 n제곱근은 존재하지 않는다.
ㄴ. n이 홀수일 때, $-a$의 n제곱근 중 실수인 것은 $-\sqrt[n]{a}$이다.
ㄷ. n이 짝수일 때, a의 n제곱근 중 실수인 것은 $\pm\sqrt[n]{a}$이다.

① ㄱ ② ㄴ ③ ㄷ
④ ㄱ, ㄷ ⑤ ㄴ, ㄷ

0101 | 유형 02 |
$(\sqrt[3]{9}+\sqrt[3]{4})(\sqrt[3]{81}-\sqrt[3]{36}+\sqrt[3]{16})$의 값은? [3.4점]

① 10 ② 11 ③ 12
④ 13 ⑤ 14

0104 | 유형 07 |
$a=\sqrt[3]{2}$, $b=\sqrt{3}$일 때, $\sqrt[6]{12}$를 a, b를 써서 나타내면? [3.9점]

0105 | 유형 08 |
이차방정식 $x^2+2kx+6=0$의 두 근 α, β가
$\frac{\alpha^{-1}-\beta^{-1}}{\alpha^{-2}-\beta^{-2}}=\frac{4}{25}$
를 만족시킬 때, 상수 k의 값은? [4.3점]

① $-\frac{75}{4}$ ② $-\frac{25}{2}$ ③ 1
④ $\frac{25}{2}$ ⑤ $\frac{75}{4}$

STEP 3 | 내신 마스터

문항별로 점수를 제시하고, 서술형 문제들을 따로 모아 제공하여 실제 학교 시험지처럼 구성하였습니다.

문항별로 관련 유형을 링크하여 어떤 유형과 연계된 문제인지 알 수 있도록 하였습니다.

성/취/도 Check 중단원 학습을 마무리하고, 자신의 실력을 체크하여 성취도에 맞춰 피드백할 수 있도록 하였습니다. 유형 학습이 부족한 경우는 관련 유형을 다시 한 번 익히도록 합니다.

창의·융합 교과서 속 심화문제

교과서 속 심화 문제 및 도전해 볼만한 수능·모의고사 기출 문제를 제공하여 고득점에 대비할 수 있도록 하였습니다.

창의력, **융합형**, **창의·융합** 문제를 통해 다각화된 수학적 문제 해결 능력을 강화할 수 있도록 하였습니다.

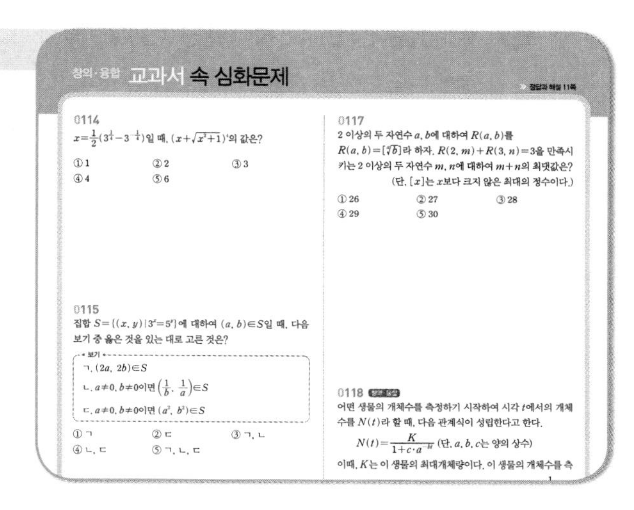
창의·융합 교과서 속 심화문제

0114
$x=\frac{1}{2}(3^{\frac{1}{n}}-3^{-\frac{1}{n}})$일 때, $(x+\sqrt{x^2+1})^n$의 값은?

① 1 ② 2 ③ 3
④ 4 ⑤ 6

0115
집합 $S=\{(x, y)\,|\,3^x=5^y\}$에 대하여 $(a, b)\in S$일 때, 다음 보기 중 옳은 것을 있는 대로 고른 것은?

보기
ㄱ. $(2a, 2b)\in S$
ㄴ. $a\neq0$, $b\neq0$이면 $\left(\frac{1}{b}, \frac{1}{a}\right)\in S$
ㄷ. $a\neq0$, $b\neq0$이면 $(a^2, b^2)\in S$

① ㄱ ② ㄷ ③ ㄱ, ㄴ
④ ㄴ, ㄷ ⑤ ㄱ, ㄴ, ㄷ

0117
2 이상의 두 자연수 a, b에 대하여 $R(a, b)$를 $R(a, b)=[\sqrt[a]{b}]$라 하자. $R(2, m)+R(3, n)=3$을 만족시키는 2 이상의 두 자연수 m, n에 대하여 $m+n$의 최댓값은?
(단, $[x]$는 x보다 크지 않은 최대의 정수이다.)

① 26 ② 27 ③ 28
④ 29 ⑤ 30

0118
어떤 생물의 개체수를 측정하기 시작하여 시각 t에서의 개체수를 $N(t)$라 할 때, 다음 관계식이 성립한다고 한다.
$N(t)=\frac{K}{1+c\cdot a^{-bt}}$ (단, a, b, c는 양의 상수)
이때, K는 이 생물의 최대개체량이다. 이 생물의 개체수를 측

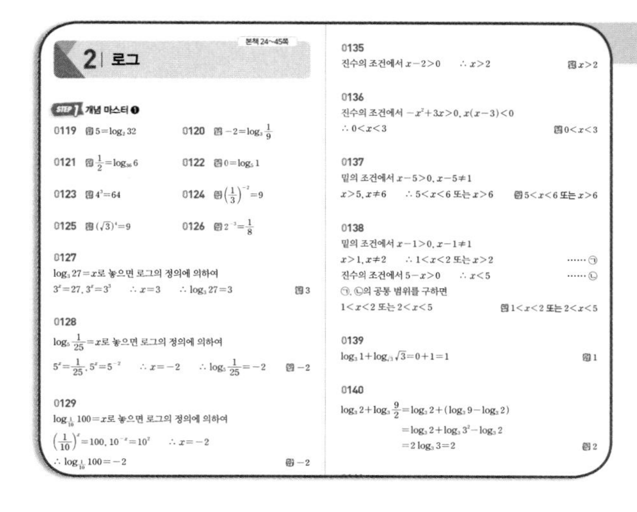
2 | 로그

STEP 1 개념 마스터 ❶

0119 $5=\log_2 32$
0120 $-2=\log_3\frac{1}{9}$
0121 $\frac{1}{2}=\log_{36}6$
0122 $0=\log_5 1$
0123 $4^3=64$
0124 $\left(\frac{1}{3}\right)^{-2}=9$
0125 $(\sqrt{3})^4=9$
0126 $2^{-3}=\frac{1}{8}$

0127
$\log_3 27=x$로 놓으면 로그의 정의에 의하여
$3^x=27$, $3^x=3^3$ ∴ $x=3$ ∴ $\log_3 27=3$ 답 3

0128
$\log_5\frac{1}{25}=x$로 놓으면 로그의 정의에 의하여
$5^x=\frac{1}{25}$, $5^x=5^{-2}$ ∴ $x=-2$ ∴ $\log_5\frac{1}{25}=-2$ 답 -2

0129
$\log_{\frac{1}{10}}100=x$로 놓으면 로그의 정의에 의하여
$\left(\frac{1}{10}\right)^x=100$, $10^{-x}=10^2$ ∴ $x=-2$
∴ $\log_{\frac{1}{10}}100=-2$ 답 -2

0135
진수의 조건에서 $x-2>0$ ∴ $x>2$ 답 $x>2$

0136
진수의 조건에서 $-x^2+3x>0$, $x(x-3)<0$
∴ $0<x<3$ 답 $0<x<3$

0137
밑의 조건에서 $x-5>0$, $x-5\neq1$
$x>5$, $x\neq6$ ∴ $5<x<6$ 또는 $x>6$ 답 $5<x<6$ 또는 $x>6$

0138
밑의 조건에서 $x-1>0$, $x-1\neq1$
$x>1$, $x\neq2$ ∴ $1<x<2$ 또는 $x>2$ ······ ㉠
진수의 조건에서 $5-x>0$ ∴ $x<5$ ······ ㉡
㉠, ㉡의 공통 범위를 구하면
$1<x<2$ 또는 $2<x<5$ 답 $1<x<2$ 또는 $2<x<5$

0139
$\log_5 1+\log_{\sqrt{3}}\sqrt{3}=0+1=1$ 답 1

0140
$\log_3 2+\log_3\frac{9}{2}=\log_3 2+(\log_3 9-\log_3 2)$
$=\log_3 2+\log_3 3^2-\log_3 2$
$=2\log_3 3=2$ 답 2

정답과 해설

자세하고 친절한 해설을 수록하였습니다.

전략 문제에 접근할 수 있는 실마리를 제공하였습니다.

다른 풀이 일반적인 풀이 방법 외에 다른 원리나 개념을 이용한 풀이를 제시하였습니다.

Lecture 풀이를 이해하는데 도움이 되는 내용, 풀이 과정에서 범할 수 있는 실수, 주의할 내용들을 짚어줍니다.

유형 해결의 법칙의

특장과 활용법

Merits & Use

특장

❶ 수학의 모든 유형의 문제를 다룬다.

전국 고등학교의 내신 기출 문제를 수집, 분석하여 유형별로 수록함으로써 개념을 익힐 수 있는 충분한 문제 연습이 가능하도록 하였습니다.

❷ 내신에 최적화된 문제 기본서

기본 문제로 개념 확인하기, 유형별로 문제 익히기, 실전 시험에 대비하기, 교과서 속 심화 문제를 통해 응용력 강화하기 등 단계별로 학습이 가능한 내신에 최적화된 시스템으로 구성하였습니다.

❸ 전략을 통한 문제 해결 방법 제시

유형별 해결 전략을 제시하여 핵심 유형을 마스터하고 해결 능력을 스스로 향상시킬 수 있도록 하였습니다.

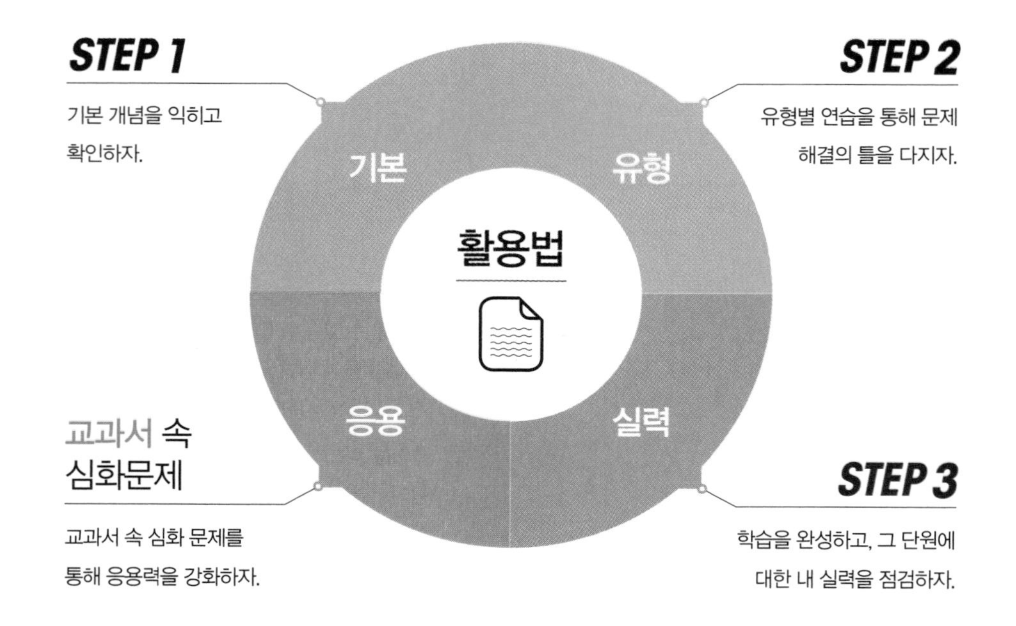

이책의 차례

Contents

수학 I

1

지수

지구에서 달까지의 거리가 얼마나 되는지 아십니까?
놀라지 마세요, 그 거리가 무려 약 380000000 m 입니다.
도대체 0이 몇 개나 붙는 거야?
지수로 표현하면 간단하잖아요.
3.8×10⁸ m
거길 내가 다녀왔다고!
훗! 저는 A4용지 한 장만 있으면 앉아서 달까지 갈 수 있습니다. 단, 종이를 접는 간단한 도움만 있다면요.
진짜?
A4
A4용지의 두께는 약 0.2 mm 반으로 접으면 두께는 두 배가 되죠. 계속해서 40번 더 접으면 종이의 두께는 약 440000000 m!
0.2×2^{41} mm
⇨ 약 4.4×10^{8} m

기출 문제 분석

빅 데이터

＊ 전국 300여 개 고등학교 기출 문제를 분석하였습니다.

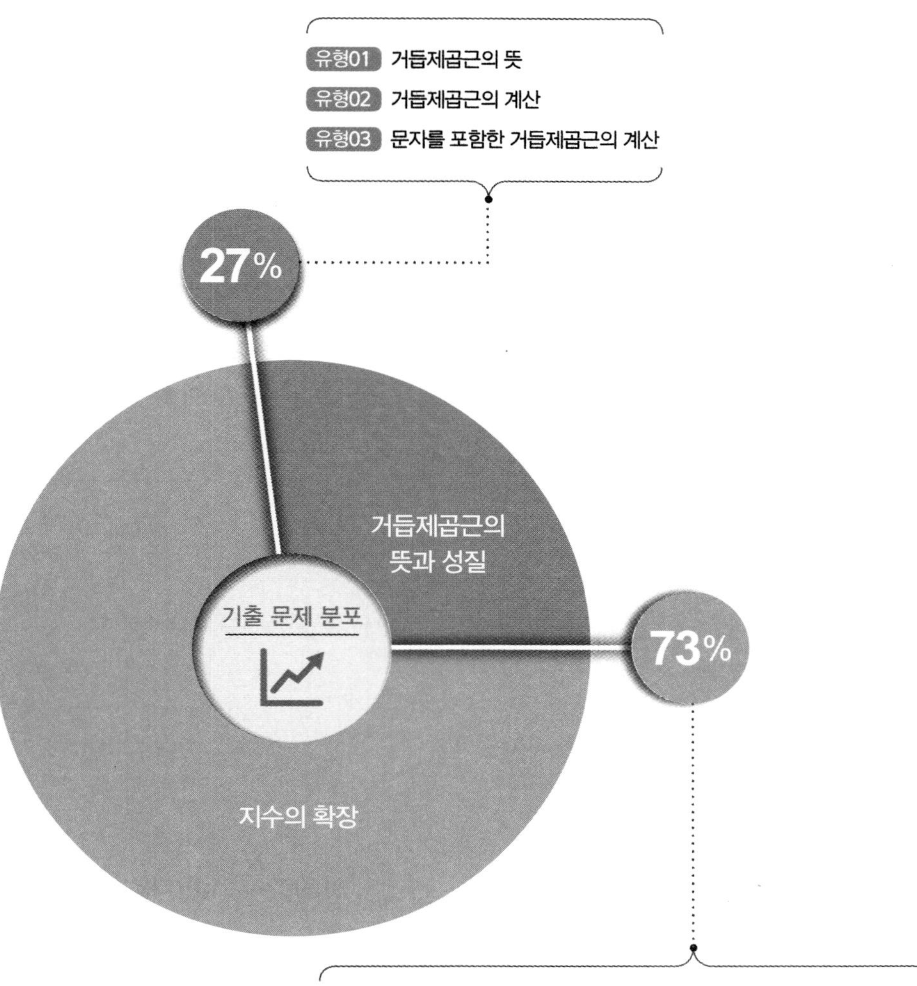

- 유형04 지수가 0 또는 음의 정수인 식의 계산
- 유형05 지수가 실수인 식의 계산
- 유형06 거듭제곱근을 유리수인 지수로 나타내기
- 유형07 유리수인 지수로 나타내기
- 유형08 곱셈 공식을 이용한 식의 전개
- 유형09 $a^x+a^{-x}=k$ (k는 상수) 꼴의 조건이 주어진 경우 식의 값 구하기
- 유형10 $\frac{a^x-a^{-x}}{a^x+a^{-x}}$ 꼴의 식의 값 구하기
- 유형11 $a^x=k$ (k는 상수)의 조건이 주어진 경우 식의 값 구하기
- 유형12 $a^x=b^y$의 조건이 주어진 경우 식의 값 구하기
- 유형13 거듭제곱근과 지수로 표현된 수의 대소 관계
- 유형14 지수법칙의 실생활에의 활용

STEP 1 개념 마스터

01 거듭제곱

(1) **거듭제곱**: 실수 a를 n번 곱한 것을 a의 n제곱이라 하고, a^n과 같이 나타낸다.
이때, $a, a^2, a^3, \cdots, a^n, \cdots$을 통틀어 a의 **거듭제곱**이라 하고, a^n에서 a를 거듭제곱의 **밑**, n을 거듭제곱의 **지수**라 한다.

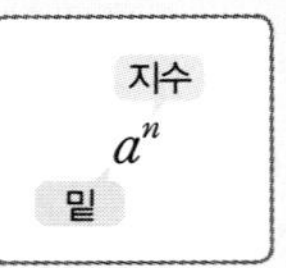

(2) **지수법칙 – 지수가 양의 정수일 때**
a, b가 실수이고 m, n이 양의 정수일 때

① $a^m a^n = a^{m+n}$
② $(a^m)^n = a^{mn}$
③ $(ab)^n = a^n b^n$
④ $\left(\frac{a}{b}\right)^n = \frac{a^n}{b^n}$ (단, $b \neq 0$)
⑤ $a^m \div a^n = \begin{cases} a^{m-n} & (m>n) \\ 1 & (m=n) \\ \frac{1}{a^{n-m}} & (m<n) \end{cases}$ (단, $a \neq 0$)

[0001~0006] 다음을 간단히 하시오. (단, $a \neq 0, b \neq 0$)

0001 $a^2b^5 \times a^3b^2 \times ab^4$

0002 $(a^2b^3)^3$

0003 $(a^2b)^5 \times \left(\frac{a}{b}\right)^3$

0004 $6a^7b^3 \div (a^2b)^2$

0005 $2a^4b^3 \div a^5b^9 \div \left(\frac{2b}{a^2}\right)^2$

0006 $4a^9b \div \left(\frac{2a}{b^2}\right)^3 \times 3ab^3$

02 거듭제곱근

유형 01

(1) **거듭제곱근**: n이 2 이상의 정수일 때, 실수 a에 대하여 n제곱하여 a가 되는 수, 즉 방정식 $x^n=a$를 만족시키는 수 x를 a의 **n제곱근**이라 한다.
이때, a의 제곱근, 세제곱근, 네제곱근, $\cdots$을 통틀어 a의 **거듭제곱근**이라 한다.

참고 복소수의 범위에서 실수 a의 n제곱근은 n개가 있다.

(2) 실수 a의 n제곱근 중 실수인 것은 다음과 같다.

	$a>0$	$a=0$	$a<0$
n이 홀수	$\sqrt[n]{a}$	0	$\sqrt[n]{a}$
n이 짝수	$\sqrt[n]{a}, -\sqrt[n]{a}$	0	없다.

참고 **실수 a의 n제곱근 중 실수인 것**
실수 a의 n제곱근 중 실수인 것의 개수는 함수 $y=x^n$의 그래프와 직선 $y=a$의 교점의 개수와 같다.

① n이 홀수일 때

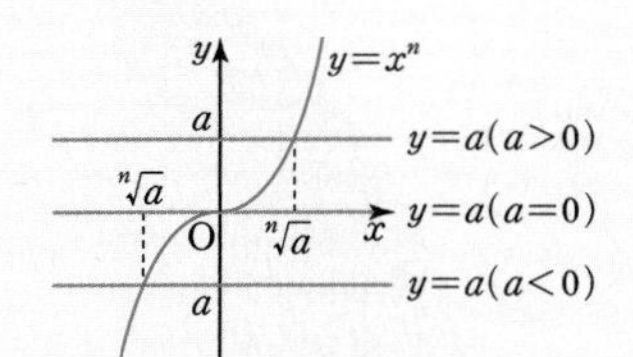

② n이 짝수일 때

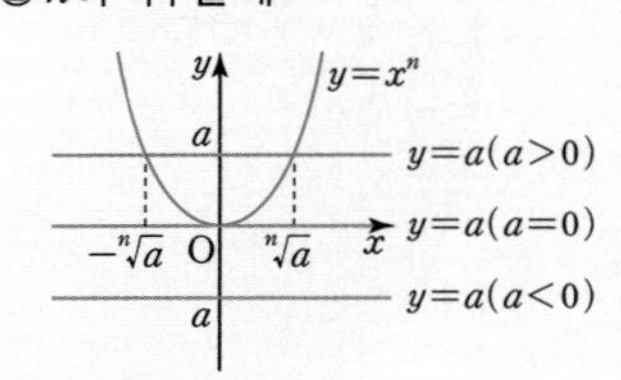

[0007~0010] 다음을 구하시오.

0007 -27의 세제곱근

0008 16의 네제곱근

0009 -1의 세제곱근

0010 256의 네제곱근

핵심 Check

• 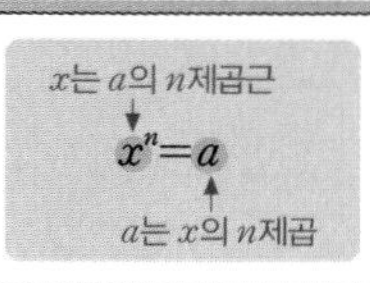

• a의 n제곱근 x $\iff$ n제곱하여 a가 되는 수 x
$\iff$ $x^n=a$를 만족시키는 x

[0011~0014] 다음을 간단히 하시오.

0011 $\sqrt[3]{125}$

0012 $\sqrt[4]{0.0016}$

0013 $\sqrt[3]{-\frac{27}{64}}$

0014 $\sqrt[5]{-3^5}$

[0015~0018] 다음 거듭제곱근 중 실수인 것을 구하시오.

0015 64의 세제곱근

0016 $\frac{1}{16}$의 네제곱근

0017 -125의 세제곱근

0018 -81의 네제곱근

03 거듭제곱근의 성질

유형 02, 03, 06, 13

$a>0$, $b>0$이고 m, n이 2 이상의 정수일 때

(1) $\sqrt[n]{a}\sqrt[n]{b}=\sqrt[n]{ab}$

(2) $\frac{\sqrt[n]{a}}{\sqrt[n]{b}}=\sqrt[n]{\frac{a}{b}}$

(3) $(\sqrt[n]{a})^m=\sqrt[n]{a^m}$

(4) $\sqrt[m]{\sqrt[n]{a}}=\sqrt[mn]{a}=\sqrt[n]{\sqrt[m]{a}}$

(5) $\sqrt[np]{a^{mp}}=\sqrt[n]{a^m}$ (단, p는 양의 정수)

참고 $a>0$이고 n이 2 이상의 정수일 때
$\sqrt[n]{a^n}=(\sqrt[n]{a})^n=a$

[0019~0024] 다음을 간단히 하시오.

0019 $\{\sqrt[3]{(-3)^2}\}^3$

0020 $\sqrt[4]{3}\times\sqrt[4]{27}$

0021 $\frac{\sqrt[3]{2}}{\sqrt[3]{16}}$

0022 $(\sqrt[4]{16})^2$

0023 $\sqrt[3]{\sqrt{27}}$

0024 $\sqrt[12]{4^4}\times\sqrt[6]{2^2}$

• 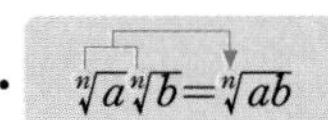

• $(\sqrt[n]{a})^m=\sqrt[n]{a^m}$

04 지수의 확장

유형 04~14

(1) 0 또는 음의 정수인 지수

$a \neq 0$이고 n이 양의 정수일 때

$a^0=1,\ a^{-n}=\dfrac{1}{a^n}$

참고 0^0, 0^{-n}(n은 양의 정수)은 정의하지 않는다.

(2) 유리수인 지수

$a>0$이고 $m,\ n(n \geq 2)$이 정수일 때

$a^{\frac{m}{n}}=\sqrt[n]{a^m},\ a^{\frac{1}{n}}=\sqrt[n]{a}$

(3) 지수법칙 – 지수가 실수일 때

$a>0,\ b>0$이고 $x,\ y$가 실수일 때

① $a^x a^y=a^{x+y}$ ② $a^x \div a^y=a^{x-y}$

③ $(a^x)^y=a^{xy}$ ④ $(ab)^x=a^x b^x$

참고 지수법칙이 성립하기 위한 지수의 범위에 따른 밑(a)의 조건은 다음과 같다.

지수	자연수	정수	유리수	실수
밑(a)	$a \neq 0$	$a \neq 0$	$a>0$	$a>0$

[0025~0028] 다음을 간단히 하시오.

0025 6^0

0026 $\left(-\dfrac{1}{5}\right)^0$

0027 $(-4)^{-3}$

0028 $\left(-\dfrac{2}{3}\right)^{-2}$

[0029~0032] 다음을 a^r 꼴로 나타내시오. (단, $a>0$, r는 유리수)

0029 $\sqrt[5]{a}$

0030 $\sqrt[4]{a^3}$

0031 $\dfrac{1}{\sqrt[5]{a^4}}$

0032 $\dfrac{1}{\sqrt[6]{a^{-5}}}$

[0033~0036] 다음 수를 근호를 사용하여 나타내시오.

0033 $10^{0.5}$

0034 $81^{\frac{1}{3}}$

0035 $32^{-\frac{1}{10}}$

0036 $\left(\dfrac{1}{8}\right)^{-\frac{1}{4}}$

[0037~0040] 다음을 간단히 하시오. (단, $a>0,\ b>0$)

0037 $8^{-\frac{1}{2}} \times 2^{\frac{3}{2}}$

0038 $2^{\frac{3}{2}} \times (\sqrt{2})^2 \div (2^{\frac{1}{6}})^3$

0039 $(\sqrt[4]{a^3} \times \sqrt[3]{a^2})^{12}$

0040 $(a^3b^2)^{\frac{1}{6}} \div (a^{\frac{1}{4}}b^{-\frac{1}{3}})^2$

[0041~0044] 다음을 간단히 하시오. (단, $a>0,\ b>0$)

0041 $2^{\sqrt{8}} \times 2^{\sqrt{2}}$

0042 $5^{\sqrt{2}} \times 5^{\sqrt{18}} \div 5^{\sqrt{8}}$

0043 $(a^{\sqrt{2}})^{\sqrt{2}}$

0044 $\left(a^{\sqrt{\frac{2}{3}}} \times b^{\sqrt{\frac{3}{2}}}\right)^{\sqrt{6}}$

- 지수가 0 또는 음의 정수일 때 ⟶ $a^0=1,\ a^{-n}=\dfrac{1}{a^n}$
- 지수가 유리수일 때 ⟶ $a^{\frac{m}{n}}=\sqrt[n]{a^m},\ a^{\frac{1}{n}}=\sqrt[n]{a}$
- 지수가 실수일 때 ⟶ $a^x a^y=a^{x+y},\ a^x \div a^y=a^{x-y},\ (a^x)^y=a^{xy},\ (ab)^x=a^x b^x$

STEP 2 유형 마스터

중요 유형 01 거듭제곱근의 뜻

개념 02

실수 a의 n제곱근 중 실수인 것은 다음과 같다.

	$a>0$	$a=0$	$a<0$
n이 홀수	$\sqrt[n]{a}$	0	$\sqrt[n]{a}$
n이 짝수	$\sqrt[n]{a},\ -\sqrt[n]{a}$	0	없다.

0045 대표문제

다음 설명 중 옳은 것은?

① $\sqrt{(-2)^2}$의 제곱근은 ±2이다.
② 5의 세제곱근은 $\sqrt[3]{5}$뿐이다.
③ -16의 네제곱근 중 실수인 것은 $\sqrt[4]{-16}$이다.
④ n이 짝수일 때, -8의 n제곱근 중에서 실수인 것은 2개이다.
⑤ n이 홀수일 때, 3의 n제곱근 중에서 실수인 것은 1개뿐이다.

0046 상중하

다음 보기의 설명 중 옳은 것의 개수는?

보기
ㄱ. 4는 64의 세제곱근 중 하나이다.
ㄴ. -36의 네제곱근 중 실수인 것은 $\pm\sqrt[4]{36}$이다.
ㄷ. 27의 세제곱근 중 실수인 것은 3뿐이다.
ㄹ. $\sqrt[3]{-27}$의 네제곱근 중 실수인 것은 없다.

① 0 ② 1 ③ 2
④ 3 ⑤ 4

0047 상중하 서술형

$\sqrt[3]{-512}$의 세제곱근 중 실수인 것을 a라 하고, $-a$의 네제곱근 중 양의 실수인 것을 b라 할 때, $\left(\frac{a}{b}\right)^4$의 값을 구하시오.

0048 상중하

실수 a와 자연수 n에 대하여 a의 n제곱근 중 실수인 것의 개수를 $f(a, n)$으로 나타낼 때,

$$f(10, 9)+f(9, 10)-f(-10, 9)+f(-9, 10)$$

의 값을 구하시오.

0049 상중하

두 집합 $A=\{-3, -2, 2, 3\}$, $B=\{b\,|\,b=a^2, a\in A\}$에 대하여 $x\in A$, $y\in B$일 때, $\sqrt[y]{x}$가 실수가 되도록 하는 순서쌍 (x, y)의 개수를 구하시오.

중요 유형 02 거듭제곱근의 계산

개념 03

근호 안의 수를 소인수분해한 후 거듭제곱근의 성질을 이용한다.
⇨ $a>0$, $b>0$이고 m, n이 2 이상의 정수일 때

(1) $\sqrt[n]{a}\sqrt[n]{b}=\sqrt[n]{ab}$ (2) $\frac{\sqrt[n]{a}}{\sqrt[n]{b}}=\sqrt[n]{\frac{a}{b}}$ (3) $(\sqrt[n]{a})^m=\sqrt[n]{a^m}$

(4) $\sqrt[m]{\sqrt[n]{a}}=\sqrt[mn]{a}=\sqrt[n]{\sqrt[m]{a}}$ (5) $\sqrt[np]{a^{mp}}=\sqrt[n]{a^m}$ (단, p는 양의 정수)

0050 대표문제

다음 보기 중 옳은 것을 있는 대로 고르시오.

보기
ㄱ. $(\sqrt[4]{2})^4=(\sqrt[3]{-2})^3$ ㄴ. $\sqrt[3]{\sqrt{3}}=\sqrt[6]{3}$
ㄷ. $\sqrt[12]{4^3}=\sqrt[4]{2}$ ㄹ. $\sqrt[3]{5}\sqrt[3]{2}=\sqrt[3]{10}$

0051 상중하

다음 중 그 값이 나머지 넷과 다른 하나는?

① $\sqrt[3]{27}$ ② $\sqrt{\sqrt{81}}$ ③ $(\sqrt[4]{9})^2$
④ $\frac{\sqrt[4]{243}}{\sqrt{3}}$ ⑤ $\sqrt[6]{3}\times\sqrt[6]{243}$

0052 상중하

$(\sqrt[5]{32})^2 \div \sqrt[3]{2^6} \times \sqrt{\sqrt[3]{64}}$를 간단히 하시오.

0053 상중하

$\sqrt[4]{\dfrac{\sqrt[3]{16}}{16}} + \sqrt{\dfrac{\sqrt{16}}{\sqrt[3]{16}}}$을 간단히 하시오.

유형 03 문자를 포함한 거듭제곱근의 계산 개념 03

$a>0$이고 $m, n(n \ge 2)$이 정수일 때

$\sqrt[np]{a^{mp}} = \sqrt[n]{a^m}$ (p는 양의 정수)

임을 이용하여 주어진 식을 변형한다.

0054 • 대표문제 •

$a>0$, $b>0$일 때, $\sqrt{a^4b} \times \sqrt[6]{a^4b} \div \sqrt[3]{a^5b^2}$을 간단히 하면?

① ab　② $b\sqrt{a}$　③ b
④ a　⑤ a^2b

0055 상중하

$\sqrt{\dfrac{\sqrt[6]{a}}{\sqrt[4]{a}}} \times \sqrt[4]{\dfrac{\sqrt[3]{a^4}}{\sqrt{a}}} = \sqrt[m]{a^n}$이 성립할 때, 서로소인 두 자연수 m, n에 대하여 $m+n$의 값을 구하시오. (단, $a>0$)

0056 상중하

$x>0$일 때, $\sqrt[3]{\dfrac{\sqrt[5]{x}}{\sqrt{x}}} \times \sqrt{\dfrac{\sqrt[3]{x}}{\sqrt[10]{x}}} \div \sqrt[5]{\dfrac{\sqrt[3]{x}}{\sqrt[4]{x}}}$를 간단히 하면?

① $\dfrac{1}{2}$　② 1　③ 2
④ x　⑤ x^2

0057 상중하

양의 실수 a에 대하여 $\sqrt{a\sqrt[3]{a^2\sqrt[4]{a}}} = \sqrt[m]{a^n}$이 성립할 때, $m+n$의 값은? (단, m, n은 서로소인 자연수이다.)

① 10　② 15　③ 20
④ 25　⑤ 30

0058 상중하

2 이상의 두 자연수 a, b에 대하여 $R(a, b)$를

$R(a, b) = \sqrt[a]{b}$

로 정의할 때, 다음 보기 중 옳은 것을 있는 대로 고른 것은?

보기

ㄱ. $R(2, 4) = R(4, 16)$
ㄴ. $R(5, a) \cdot R(5, b) = R(5, ab)$
ㄷ. $R(a, a) = R(3a, 27)$이면 $a=3$이다.

① ㄱ　② ㄷ　③ ㄱ, ㄴ
④ ㄴ, ㄷ　⑤ ㄱ, ㄴ, ㄷ

유형 04 지수가 0 또는 음의 정수인 식의 계산

개념 04

$a\neq0$이고 n이 양의 정수일 때

(1) $a^0=1,\ a^{-n}=\dfrac{1}{a^n}$

(2) $a^{-n}+a^{-n+1}=a^{-n}(1+a)$

(3) $\dfrac{1}{a^{-n}+a^{-n+1}}=\dfrac{1}{a^{-n}(1+a)}=\dfrac{a^n}{a+1}$

0059 • 대표문제 •

등식 $\dfrac{3^{-5}+27^{-2}}{4}\times\dfrac{5}{4^3+16^2}=6^k$을 만족시키는 정수 k의 값은?

① -6　② -3　③ -2

④ 3　⑤ 6

0060 상중하

$f(x)=\dfrac{1+x+x^2+\cdots+x^{10}}{x^{-2}+x^{-3}+x^{-4}+\cdots+x^{-12}}$일 때, $f(\sqrt[6]{3})$의 값은?

① 3　② 4　③ 6

④ 9　⑤ 12

0061 상중하

$$\frac{1}{2^{-5}+1}+\frac{1}{2^{-4}+1}+\frac{1}{2^{-3}+1}+\cdots+\frac{1}{2^0+1}+\frac{1}{2+1}+\cdots+\frac{1}{2^5+1}$$

을 간단히 하면?

① 4　② $\dfrac{9}{2}$　③ 5

④ $\dfrac{11}{2}$　⑤ 6

유형 05 지수가 실수인 식의 계산

개념 04

$a>0,\ b>0$이고 $x,\ y$가 실수일 때

(1) $a^xa^y=a^{x+y}$　(2) $a^x\div a^y=a^{x-y}$

(3) $(a^x)^y=a^{xy}$　(4) $(ab)^x=a^xb^x$

0062 • 대표문제 •

$\left\{\left(\dfrac{27}{125}\right)^{-\frac{1}{3}}\right\}^{\frac{3}{2}}\times\left(\dfrac{27}{5}\right)^{\frac{1}{2}}$을 간단히 하시오.

0063 상중하

등식 $(a^{\sqrt{2}})^{2\sqrt{3}}\div a^{3\sqrt{6}}\times(\sqrt[3]{a})^{6\sqrt{6}}=a^k$을 만족시키는 실수 k에 대하여 k^2의 값을 구하시오. (단, $a>0,\ a\neq1$)

0064 상중하

$a>b>0$인 두 수 $a,\ b$에 대하여

$$\left(\frac{a-b}{a+b}\right)^{\frac{a+3b}{a-b}}\times\left(\frac{a+b}{a-b}\right)^{\frac{2a}{a-b}}\times\left(\frac{a+b}{a-b}\right)^{\frac{2b}{a-b}}$$

을 간단히 하면?

① $\dfrac{a-b}{a+b}$　② $\dfrac{a+b}{a-b}$　③ 1

④ $\left(\dfrac{a+b}{a-b}\right)^2$　⑤ $\left(\dfrac{a-b}{a+b}\right)^2$

0065 상중하 서술형

집합 $A=\left\{x\,\middle|\,x=\left(\dfrac{1}{64}\right)^{\frac{1}{k}},\ k\text{는 0이 아닌 정수}\right\}$의 원소 중에서 자연수인 x의 값의 합을 구하시오.

유형 06 거듭제곱근을 유리수인 지수로 나타내기 (중요)

개념 03, 04

$a>0$이고 m, n이 2 이상의 정수일 때

$\sqrt[n]{a}=a^{\frac{1}{n}}$, $\sqrt[m]{\sqrt[n]{a}}=a^{\frac{1}{mn}}$

0066 • 대표문제 •

$\sqrt{\sqrt[4]{3}}\times 3\sqrt{3\sqrt{3\sqrt{3}}}=3^k$을 만족시키는 유리수 k의 값을 구하시오.

0067 상중하

$a>0$일 때, $\sqrt[3]{a\sqrt[5]{a^k}}=a^{\frac{3}{2}}$을 만족시키는 유리수 k의 값은?

① $-\frac{35}{2}$　② $-\frac{25}{2}$　③ -1　④ $\frac{25}{2}$　⑤ $\frac{35}{2}$

0068 상중하

$a>0$, $a\neq 1$일 때, $\sqrt[4]{a\sqrt[6]{a}\sqrt[3]{a^2}}=\sqrt[3]{a\sqrt[8]{a^k}}$을 만족시키는 자연수 k의 값을 구하시오.

0069 상중하

$\sqrt[3]{4\sqrt{4}\times\frac{4}{\sqrt[4]{4}}}=2^{\frac{n}{m}}$이 성립할 때, 서로소인 두 자연수 m, n에 대하여 mn의 값은?

① 2　② 3　③ 4　④ 6　⑤ 12

유형 07 유리수인 지수로 나타내기

개념 04

$a>0$이고 x가 0이 아닌 정수일 때

$a^x=k \Longleftrightarrow a=k^{\frac{1}{x}}$ (단, k는 상수)

0070 • 대표문제 •

$a=9^4$, $b=8^3$일 때, $12^{12}=a^m b^n$을 만족시키는 두 유리수 m, n에 대하여 $m+n$의 값은?

① $\frac{11}{3}$　② $\frac{13}{3}$　③ $\frac{23}{6}$　④ $\frac{25}{6}$　⑤ $\frac{25}{8}$

0071 상중하

$a=2^{3x+1}$일 때, 64^x을 a에 대한 식으로 나타내시오.

0072 상중하

32의 세제곱근 중 실수인 것을 a, 27의 네제곱근 중 양수인 것을 b라 할 때, 144를 a, b를 써서 나타내면?

① $a^{\frac{5}{12}}b^{\frac{3}{8}}$　② $a^{\frac{6}{5}}b^{\frac{4}{3}}$　③ $a^{\frac{12}{5}}b^{\frac{8}{3}}$　④ $a^5b^{\frac{4}{3}}$　⑤ a^5b^3

0073 상중하

세 양수 a, b, c에 대하여 $a^6=3$, $b^5=7$, $c^2=11$일 때, $(abc)^n$이 자연수가 되도록 하는 자연수 n의 최솟값은?

① 21　② 30　③ 42　④ 52　⑤ 60

유형 08 곱셈 공식을 이용한 식의 전개

개념 04

$a>0$, $b>0$이고 p, q가 실수일 때
(1) $(a^p+b^q)(a^p-b^q)=a^{2p}-b^{2q}$
(2) $(a^p\pm b^q)^2=a^{2p}\pm 2a^pb^q+b^{2q}$ (복호동순)
(3) $(a^p\pm b^q)^3=a^{3p}\pm 3a^{2p}b^q+3a^pb^{2q}\pm b^{3q}$ (복호동순)

0074 • 대표문제 •

$a>0$일 때, $(a^{\frac{1}{2}}+a^{-\frac{1}{2}}+1)(a^{\frac{1}{2}}+a^{-\frac{1}{2}}-1)$을 간단히 하면?

① $a+a^{-1}$ ② $a+a^{-1}-2$ ③ $a+a^{-1}+1$
④ $a+2a^{-1}+1$ ⑤ $2a+a^{-1}-1$

0075 상중하

$(2^{\frac{1}{3}}+2^{-\frac{2}{3}})^3+(2^{\frac{1}{3}}-2^{-\frac{2}{3}})^3$을 간단히 하시오.

0076 상중하

$a=\sqrt[3]{8}$, $b=\sqrt[4]{2}$일 때,

$$(a^{\frac{1}{8}}-b^{\frac{1}{2}})(a^{\frac{1}{8}}+b^{\frac{1}{2}})(a^{\frac{1}{4}}+b)(a^{\frac{1}{2}}+b^2)$$

의 값은?

① -2 ② $-\sqrt{2}$ ③ 0
④ $\sqrt{2}$ ⑤ 2

0077 상중하

$x=\sqrt{5}$일 때, 다음 식의 값을 구하시오.

$$\frac{1}{1-x^{\frac{1}{8}}}+\frac{1}{1+x^{\frac{1}{8}}}+\frac{2}{1+x^{\frac{1}{4}}}+\frac{4}{1+x^{\frac{1}{2}}}+\frac{8}{1+x}$$

유형 09 $a^x+a^{-x}=k$ (k는 상수) 꼴의 조건이 주어진 경우 식의 값 구하기

개념 04

양수 a에 대하여 a^x+a^{-x}에서
(1) $(a^{\frac{1}{2}}\pm a^{-\frac{1}{2}})^2=a\pm 2+a^{-1}$ (복호동순)
(2) $(a^{\frac{1}{3}}\pm a^{-\frac{1}{3}})^3=a\pm 3(a^{\frac{1}{3}}\pm a^{-\frac{1}{3}})\pm a^{-1}$ (복호동순)
임을 이용하여 주어진 식을 변형한다.

0078 • 대표문제 •

$a^{\frac{1}{2}}-a^{-\frac{1}{2}}=2$일 때, $\dfrac{a^2+a^{-2}-7}{a+a^{-1}-3}$의 값은? (단, $a>0$)

① 9 ② 11 ③ 13
④ 15 ⑤ 17

0079 상중하

$a+a^{-1}=11$일 때, $\dfrac{a^{\frac{3}{2}}-a^{-\frac{3}{2}}+14}{a^{\frac{1}{2}}-a^{-\frac{1}{2}}+2}$의 값을 구하시오.

(단, $a>1$)

0080 상중하

$x=3^{\frac{1}{3}}-3^{-\frac{1}{3}}$일 때, x^3+3x의 값은?

① $\dfrac{2}{3}$ ② $\dfrac{4}{3}$ ③ $\dfrac{8}{3}$
④ 6 ⑤ 8

0081 상중하

$\sqrt{a}-\dfrac{1}{\sqrt{a}}=\sqrt{2}$일 때, $\dfrac{a^3+a^2}{a+1}-\dfrac{a^{-3}+a^{-2}}{a^{-1}+1}$의 값을 구하시오.

(단, $a>0$)

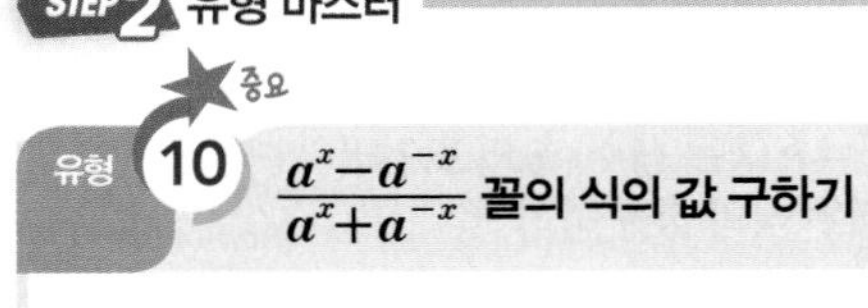

유형 10 $\dfrac{a^x-a^{-x}}{a^x+a^{-x}}$ 꼴의 식의 값 구하기

중요

개념 04

조건 $a^x=k(a>0,\ k$는 상수)가 주어질 때, 이를 이용할 수 있도록 주어진 식의 분모, 분자에 a^x을 곱한다.

0082 • 대표문제 •

$a^{2x}=5$일 때, $\dfrac{a^{3x}-a^{-x}}{a^x+a^{-x}}$의 값은? (단, $a>0$)

① $\dfrac{7}{2}$　② $\dfrac{11}{3}$　③ $\dfrac{23}{6}$

④ 4　⑤ $\dfrac{25}{6}$

0083 상중하

$2^{\frac{1}{x}}=9$일 때, $\dfrac{3^{3x}-3^{-3x}}{3^x+3^{-x}}$의 값을 구하시오.

0084 상중하

$2^{2x}=\sqrt{2}+1$일 때, $\dfrac{2^{5x}+2^{-3x}}{2^x+2^{-x}}$의 값은?

① $3\sqrt{2}$　② $4\sqrt{2}$　③ $5\sqrt{2}$

④ $6\sqrt{2}$　⑤ $7\sqrt{2}$

0085 상중하 서술형

$\dfrac{a^x-a^{-x}}{a^x+a^{-x}}=\dfrac{1}{3}$일 때, $\dfrac{a^{\frac{3}{2}x}-a^{-\frac{1}{2}x}}{a^{\frac{1}{2}x}+a^{-\frac{3}{2}x}}$의 값을 구하시오. (단, $a>0$)

유형 11 $a^x=k$(k는 상수)의 조건이 주어진 경우 식의 값 구하기

개념 04

$a^x=k,\ b^y=k(a>0,\ b>0,\ xy\neq0,\ k$는 상수)일 때

⇨ $a=k^{\frac{1}{x}},\ b=k^{\frac{1}{y}}$

⇨ $ab=k^{\frac{1}{x}+\frac{1}{y}},\ a\div b=k^{\frac{1}{x}-\frac{1}{y}}$

0086 • 대표문제 •

$67^x=27,\ 603^y=81$인 두 실수 $x,\ y$에 대하여 $\dfrac{3}{x}-\dfrac{4}{y}$의 값은?

① -2　② -1　③ 0

④ 1　⑤ 2

0087 상중하

$2^x=3^y=36$인 두 실수 $x,\ y$에 대하여 $\dfrac{1}{x}+\dfrac{1}{y}$의 값은?

① $\dfrac{1}{3}$　② $\dfrac{1}{2}$　③ 2

④ 3　⑤ 6

0088 상중하

양수 $a,\ b,\ c,\ x,\ y,\ z$에 대하여 $abc=27,\ a^x=b^y=c^z=243$일 때, $\dfrac{xy+yz+zx}{xyz}$의 값은?

① $\dfrac{1}{3}$　② $\dfrac{3}{5}$　③ 1

④ $\dfrac{5}{3}$　⑤ 3

0089 상중하

$20^a=3$, $20^b=2$인 두 실수 a, b에 대하여 $10^{\frac{2a}{1-b}}$의 값은?

① 2 ② 3 ③ 5
④ 7 ⑤ 9

유형 12 $a^x=b^y$의 조건이 주어진 경우 식의 값 구하기

개념 04

$a^x=b^y=c^z$과 같이 밑이 서로 다른 경우가 주어지면 새로운 변수를 사용하여 밑을 같게 한다. (단, $a>0$, $b>0$, $c>0$, $xyz\neq0$)
⇨ $a^x=b^y=c^z=k(k>0)$로 놓는다.

0090 대표문제

세 실수 x, y, z에 대하여 $3^x=5^y=15^z$이 성립할 때, $\frac{1}{x}+\frac{1}{y}-\frac{1}{z}$의 값은? (단, $xyz\neq0$)

① -1 ② $-\frac{1}{2}$ ③ 0
④ $\frac{3}{2}$ ⑤ 2

0091 상중하 서술형

1이 아닌 두 양수 a, b에 대하여 $a^x=b^y=3^z$이고 $\frac{1}{x}+\frac{1}{y}=\frac{2}{z}$일 때, ab의 값을 구하시오. (단, $xyz\neq0$)

유형 13 거듭제곱근과 지수로 표현된 수의 대소 관계

개념 03, 04

$a>0$, $b>0$, $k>0$일 때, $a<b \Longleftrightarrow a^k<b^k$
⇨ $a>0$, $b>0$, n은 2 이상의 정수일 때, $a<b \Longleftrightarrow \sqrt[n]{a}<\sqrt[n]{b}$

0092 대표문제

세 수 $A=\sqrt[3]{\sqrt{10}}$, $B=\sqrt{3}$, $C=\sqrt{\sqrt[3]{16}}$의 대소 관계를 바르게 나타낸 것은?

① $A<B<C$ ② $A<C<B$ ③ $B<A<C$
④ $B<C<A$ ⑤ $C<A<B$

0093 상중하

세 수 5^{30}, 4^{40}, 3^{50}의 대소 관계를 바르게 나타낸 것은?

① $3^{50}<4^{40}<5^{30}$ ② $3^{50}<5^{30}<4^{40}$ ③ $4^{40}<5^{30}<3^{50}$
④ $5^{30}<3^{50}<4^{40}$ ⑤ $5^{30}<4^{40}<3^{50}$

0094 상중하

세 수

$$A=2\sqrt{2}+\sqrt[3]{3},\ B=\sqrt{2}+2\sqrt[3]{3},\ C=2\sqrt[4]{5}+\sqrt{2}$$

의 대소 관계를 바르게 나타낸 것은?

① $A<B<C$ ② $A<C<B$ ③ $B<A<C$
④ $B<C<A$ ⑤ $C<A<B$

0095 상중하

n이 양의 정수일 때, 세 수 n, $\sqrt[4]{2018}$, $n+1$의 대소 관계가 다음과 같다. n의 값을 구하시오.

$$n<\sqrt[4]{2018}<n+1$$

발전 유형 14 **지수법칙의 실생활에의 활용** 개념 04

(1) 식이 주어진 경우 ⇨ 주어진 식에 알맞은 값을 대입한다.
(2) 식을 구하는 경우 ⇨ 조건에 맞도록 식을 세운 후 지수법칙을 이용한다.

0096 • 대표문제 •

어떤 약품의 A 성분은 복용한 후 일정한 비율로 흡수되어 복용한 지 2일 후에는 처음의 양의 $\frac{1}{2}$이 된다고 할 때, A 성분의 처음의 양을 m_0, t일 후의 양을 m_t라 하면

$$m_t=m_0\cdot r^{-t}\ (r>0)$$

인 관계가 성립한다. 복용한 지 8일 후 이 약품의 A 성분의 양을 km_0이라 할 때, 실수 k의 값은?

① $\frac{1}{32}$ ② $\frac{1}{16}$ ③ $\frac{1}{8}$
④ $\frac{1}{4}$ ⑤ $\frac{1}{2}$

0097 상중하

용액 1 L 속에 들어 있는 수소이온(H^+)의 g이온수가 10^{-m}일 때, 이 용액의 수소이온농도를 pH$=m$으로 정의한다. pH$=6.3$인 용액 1 L 속에 들어 있는 수소이온의 g이온수는 pH$=7.7$인 용액 1 L 속에 들어 있는 수소이온의 g이온수의 몇 배인가? (단, $10^{0.6}=4$로 계산한다.)

① 25배 ② 50배 ③ 100배
④ 200배 ⑤ 400배

0098 상중하

발전소에서 생산된 전기가 긴 송전선을 타고 흐르는 동안 송전선의 저항 때문에 열이 발생하여 전력이 손실되는데, 이때 손실되는 전력 P'은 다음과 같다.

$$P'=\left(\frac{P}{V}\right)^2R\ (\text{단, } P\text{: 전력, } V\text{: 전압, } R\text{: 저항})$$

어떤 가정에 전력을 공급하려고 한다. 100 V의 전압으로 송전할 때의 손실 전력은 1000 V의 전압으로 송전할 때의 손실 전력의 몇 배인가?

① 0.01배 ② 0.1배 ③ 1배
④ 10배 ⑤ 100배

0099 상중하

지면으로부터 H_1인 높이에서 풍속이 V_1이고 지면으로부터 H_2인 높이에서 풍속이 V_2일 때, 대기 안정도 계수 k는 다음 식을 만족시킨다.

$$V_2=V_1\times\left(\frac{H_2}{H_1}\right)^{\frac{2}{2-k}}$$

(단, $H_1<H_2$이고, 높이의 단위는 m, 풍속의 단위는 m/s이다.)
A 지역에서 지면으로부터 12 m와 36 m의 높이에서 풍속이 각각 2 m/s와 8 m/s이고, B 지역에서 지면으로부터 10 m와 90 m인 높이에서 풍속이 각각 a m/s와 b m/s일 때, 두 지역의 대기 안정도 계수 k가 서로 같았다. $\frac{b}{a}$의 값은?

(단, $a>0$, $b>0$)

① 10 ② 13 ③ 16
④ 19 ⑤ 22

• 실제 학교 시험지처럼 풀어 보세요.

0100 | 유형 01 |

$a>0$이고 n이 2 이상의 자연수일 때, 다음 보기 중 옳은 것을 있는 대로 고른 것은? [3.6점]

보기
ㄱ. 0의 n제곱근은 존재하지 않는다.
ㄴ. n이 홀수일 때, $-a$의 n제곱근 중 실수인 것은 $-\sqrt[n]{a}$이다.
ㄷ. n이 짝수일 때, a의 n제곱근 중 실수인 것은 $\pm\sqrt[n]{a}$이다.

① ㄱ ② ㄴ ③ ㄷ
④ ㄱ, ㄷ ⑤ ㄴ, ㄷ

0101 | 유형 02 |

$(\sqrt[3]{9}+\sqrt[3]{4})(\sqrt[3]{81}-\sqrt[3]{36}+\sqrt[3]{16})$의 값은? [3.4점]

① 10 ② 11 ③ 12
④ 13 ⑤ 14

0102 | 유형 03 |

양의 실수 a와 2보다 큰 두 정수 m, n에 대하여

$$\sqrt[3]{\frac{\sqrt[4]{a}}{\sqrt[5]{a}}}\times\sqrt[5]{\frac{\sqrt[3]{a}}{\sqrt[4]{a}}}=\sqrt[m]{\sqrt[n]{a}}$$

가 성립할 때, $m+n$의 최댓값은? [4.2점]

① 11 ② 13 ③ 15
④ 17 ⑤ 19

0103 | 유형 06 |

$a>0$, $a\neq1$일 때, $\sqrt{\sqrt{\sqrt{\sqrt{a}}}}\times\sqrt[4]{a\sqrt[4]{a\sqrt[4]{a}}}=a^k$을 만족시키는 유리수 k의 값은? [3.8점]

① $\frac{15}{64}$ ② $\frac{5}{16}$ ③ $\frac{25}{64}$
④ $\frac{15}{32}$ ⑤ $\frac{5}{8}$

0104 | 유형 07 |

$a=\sqrt[3]{2}$, $b=\sqrt{3}$일 때, $\sqrt[6]{12}$를 a, b를 써서 나타내면? [3.9점]

① $a^{\frac{1}{6}}b^{\frac{1}{3}}$ ② $a^{\frac{1}{3}}b^{\frac{1}{6}}$ ③ $a^{\frac{1}{3}}b^{\frac{1}{3}}$
④ $ab^{\frac{1}{6}}$ ⑤ $ab^{\frac{1}{3}}$

0105 | 유형 08 |

이차방정식 $x^2+2kx+6=0$의 두 근 α, β가

$$\frac{\alpha^{-1}-\beta^{-1}}{\alpha^{-2}-\beta^{-2}}=\frac{4}{25}$$

를 만족시킬 때, 상수 k의 값은? [4.3점]

① $-\frac{75}{4}$ ② $-\frac{25}{2}$ ③ 1
④ $\frac{25}{2}$ ⑤ $\frac{75}{4}$

0106 | 유형 09 |

$x^{\frac{1}{3}}+x^{-\frac{1}{3}}=1+\sqrt{2}$일 때, $x+x^{-1}$의 값은 $a+b\sqrt{2}$이다. 두 유리수 a, b에 대하여 $a+b$의 값은? (단, $x>0$) [4점]

① 4 ② 5 ③ 6
④ 7 ⑤ 8

0107 | 유형 10 |

$\frac{a^x+a^{-x}}{a^x-a^{-x}}=3$일 때, $\frac{a^{2x}-a^{-x}}{a^x+a^{-2x}}$의 값은?

(단, $a>0$, $a\neq1$, $x\neq0$) [4.1점]

① $\frac{1}{8}$ ② $\frac{-8+9\sqrt{2}}{7}$ ③ $\frac{3-\sqrt{2}}{5}$
④ 1 ⑤ $\frac{5+5\sqrt{3}}{9}$

0108 | 유형 11 |

세 양수 a, b, c에 대하여

$$a^x=5,\ (ab)^y=5^2,\ (abc)^z=5^3$$

일 때, $5^{\frac{1}{x}+\frac{2}{y}-\frac{3}{z}}$을 a, b, c를 써서 나타내면? [4.1점]

① ac ② bc ③ abc
④ $\frac{a}{c}$ ⑤ $\frac{bc}{a}$

0109 | 유형 13 |

세 수 $\sqrt[3]{3}$, $\sqrt[4]{5}$, $\sqrt[3]{\sqrt{7}}$ 중에서 가장 큰 수를 a, 가장 작은 수를 b라 할 때, $a^{12}-b^{12}$의 값은? [4.1점]

① 32 ② 44 ③ 52
④ 63 ⑤ 76

0110 | 유형 14 |

어떤 문서를 확대 복사한 후 출력된 복사본을 같은 배율로 다시 확대 복사하는 작업을 반복하였다. 5회째의 복사본의 글자 크기가 원본의 2배이고, 7회째 복사본의 글자 크기가 5회째 복사본의 $2^{\frac{q}{p}}$배일 때, $p+q$의 값은?

(단, p, q는 서로소인 자연수이다.) [4.5점]

① 6 ② 7 ③ 8
④ 9 ⑤ 10

서술형 문제

• 풀이 과정에 점수가 부여되니 풀이 과정 및 정답을 상세하게 서술하세요.

단답형

0111 | 유형 06 |

$1\le m\le 3$, $1\le n\le 8$인 두 자연수 m, n에 대하여 $\sqrt[3]{n^m}$이 자연수가 되도록 하는 순서쌍 (m, n)의 개수를 구하시오. [7점]

0112 | 유형 12 |

0이 아닌 세 실수 a, b, c가 다음 조건을 만족시킬 때, 양수 x의 값을 구하시오. [7점]

(가) $\frac{6}{a}+\frac{5}{b}=\frac{10}{c}$ (나) $243^a=64^b=x^c$

단계형

0113 | 유형 02 |

가로의 길이가 $\sqrt{8}$, 세로의 길이가 $\sqrt[3]{64}$, 높이가 $\sqrt{\sqrt[3]{128}}$인 직육면체와 부피가 같은 정육면체의 한 모서리의 길이는 $\sqrt[m]{2^n}$이다. 이때, 다음 물음에 답하시오.

(단, m, n은 서로소인 자연수이다.) [12점]

(1) 직육면체의 부피를 구하시오. [4점]

(2) 정육면체의 한 모서리의 길이를 구하시오. [6점]

(3) $m+n$의 값을 구하시오. [2점]

성/취/도 Check

• 이 단원은 70점 만점입니다.

점수 / 70점

30점 STEP 1 개념+기본 문제 학습

STEP 2 유형 대표 문제 학습

STEP 3의 틀린 문제에 해당하는 STEP 2 유형 학습

STEP 3의 틀린 문제 복습

교과서 속 심화문제 시작

» 정답과 해설 11쪽

0114

$x=\frac{1}{2}(3^{\frac{1}{4}}-3^{-\frac{1}{4}})$일 때, $(x+\sqrt{x^2+1})^4$의 값은?

① 1　② 2　③ 3
④ 4　⑤ 6

0115

집합 $S=\{(x, y)\,|\,3^x=5^y\}$에 대하여 $(a, b)\in S$일 때, 다음 보기 중 옳은 것을 있는 대로 고른 것은?

보기

ㄱ. $(2a, 2b)\in S$

ㄴ. $a\neq 0$, $b\neq 0$이면 $\left(\frac{1}{b}, \frac{1}{a}\right)\in S$

ㄷ. $a\neq 0$, $b\neq 0$이면 $(a^2, b^2)\in S$

① ㄱ　② ㄷ　③ ㄱ, ㄴ
④ ㄴ, ㄷ　⑤ ㄱ, ㄴ, ㄷ

0116

세 수 $\sqrt[3]{\frac{n}{3}}$, $\sqrt[4]{\frac{n}{4}}$, $\sqrt[5]{\frac{n}{5}}$이 모두 자연수가 되도록 하는 자연수 n의 최솟값을 $2^a3^b5^c$ 꼴로 나타낼 때, 세 자연수 a, b, c에 대하여 $a+b+c$의 값을 구하시오.

0117

2 이상의 두 자연수 a, b에 대하여 $R(a, b)$를 $R(a, b)=[\sqrt[a]{b}]$라 하자. $R(2, m)+R(3, n)=3$을 만족시키는 2 이상의 두 자연수 m, n에 대하여 $m+n$의 최댓값은? (단, $[x]$는 x보다 크지 않은 최대의 정수이다.)

① 26　② 27　③ 28
④ 29　⑤ 30

0118 창의·융합

어떤 생물의 개체수를 측정하기 시작하여 시각 t에서의 개체수를 $N(t)$라 할 때, 다음 관계식이 성립한다고 한다.

$$N(t)=\frac{K}{1+c\cdot a^{-bt}}\ \text{(단, } a, b, c\text{는 양의 상수)}$$

이때, K는 이 생물의 최대개체량이다. 이 생물의 개체수를 측정하기 시작하여 $t=5$일 때의 개체수는 최대개체량의 $\frac{1}{2}$이었고, $t=7$일 때의 개체수는 최대개체량의 $\frac{3}{4}$이었다. 이 생물의 개체수를 측정하기 시작하여 $t=9$일 때의 개체수를 나타낸 것은?

① $\frac{6}{7}K$　② $\frac{7}{8}K$　③ $\frac{8}{9}K$
④ $\frac{9}{10}K$　⑤ $\frac{10}{11}K$

2

로그

별 사이의 거리를 계산하는 데만
몇 날 며칠이 걸리네.
그래서 복잡한 계산을
간단히 해주는 로그
계산법을 만들었습니다.
17세기 네이피어
네이피어 선생님.
로그의 밑이 10이면
훨씬 유용할 것 같아요.
인정?
인정!
상 용 로 그 표
브리그스
나 역시 로그를 연구했지.
log라는 기호를 처음
사용한 것도 나야.
log
케플러

기출 문제 분석

빅 데이터

* 전국 300여 개 고등학교 기출 문제를 분석하였습니다.

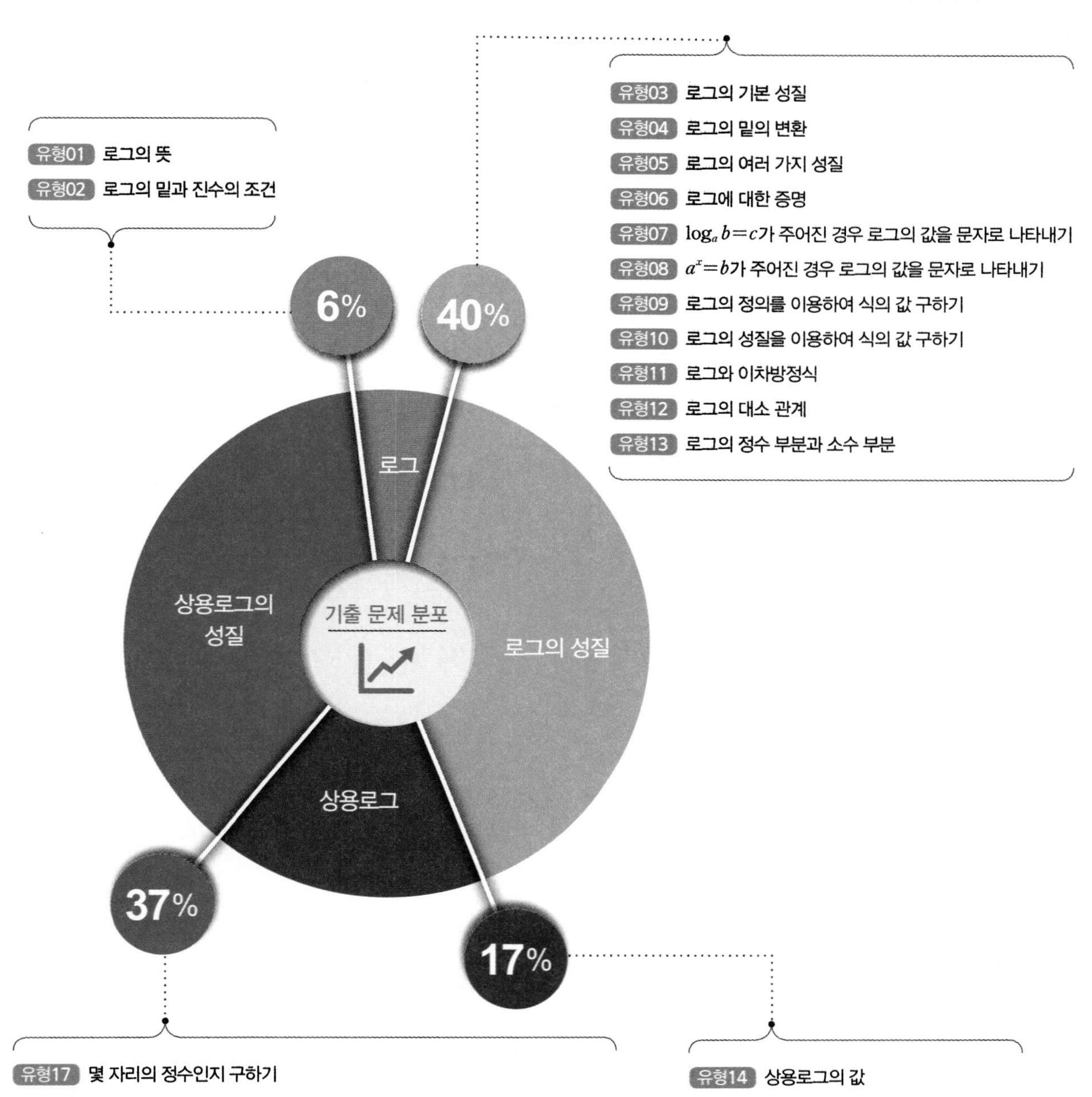

유형17 몇 자리의 정수인지 구하기
유형18 소수점 아래 n째 자리에서 처음으로 0이 아닌 숫자가 나타나는 자리 구하기
유형19 숫자의 배열이 같은 양수의 상용로그
유형20 최고 자리의 숫자 구하기
유형21 소수 부분이 같은 상용로그
유형22 소수 부분의 합이 1인 상용로그
유형23 상용로그의 정수 부분과 소수 부분이 조건으로 주어진 경우
유형24 가우스 기호와 상용로그

유형14 상용로그의 값
유형15 상용로그의 정수 부분과 소수 부분
유형16 상용로그의 정수 부분과 소수 부분을 근으로 갖는 이차방정식
유형25 상용로그의 실생활에의 활용 – 관계식이 주어진 경우
유형26 상용로그의 실생활에의 활용 – 일정한 비율로 변화하는 경우

01 로그

유형 01, 02, 06, 08, 09

$a>0$, $a\neq1$일 때, 양수 N에 대하여 등식 $a^x=N$을 만족시키는 실수 x를 기호로 $\log_a N$과 같이 나타내고, a를 **밑**으로 하는 N의 **로그**라 한다.

진수 → $\log_a N$ ← 밑

이때, N을 $\log_a N$의 **진수**라 한다. 즉,

$a^x=N \Longleftrightarrow x=\log_a N$

예 $2^4=16 \Longleftrightarrow 4=\log_2 16$

참고 $\log_a N$은 $a>0$, $a\neq1$, $N>0$일 때만 정의된다.
(밑의 조건: $a>0$, $a\neq1$ / 진수의 조건: $N>0$)

[0119~0122] 다음 등식을 $x=\log_a N$ 꼴로 나타내시오.

0119 $2^5=32$

0120 $3^{-2}=\frac{1}{9}$

0121 $36^{\frac{1}{2}}=6$

0122 $5^0=1$

[0123~0126] 다음 등식을 $a^x=N$ 꼴로 나타내시오.

0123 $\log_4 64=3$

0124 $\log_{\frac{1}{3}} 9=-2$

0125 $\log_{\sqrt{3}} 9=4$

0126 $\log_2 \frac{1}{8}=-3$

[0127~0130] 로그의 정의를 이용하여 다음 값을 구하시오.

0127 $\log_3 27$

0128 $\log_5 \frac{1}{25}$

0129 $\log_{\frac{1}{10}} 100$

0130 $\log_{\frac{1}{3}} \frac{1}{81}$

[0131~0134] 다음 등식을 만족시키는 x의 값을 구하시오.

0131 $\log_2 x=3$

0132 $\log_{\sqrt{2}} x=4$

0133 $\log_x 3=\frac{1}{2}$

0134 $\log_x \frac{1}{16}=2$

[0135~0138] 다음 로그가 정의되도록 하는 x의 값의 범위를 구하시오.

0135 $\log_3 (x-2)$

0136 $\log_2 (-x^2+3x)$

0137 $\log_{x-5} 3$

0138 $\log_{x-1} (5-x)$

$a^x=N \Longleftrightarrow x=\log_a N$ (진수: N, 밑: a)

02 로그의 기본 성질

유형 03, 06~13

$a>0,\ a\neq1,\ M>0,\ N>0$일 때

(1) $\log_a 1=0,\ \log_a a=1$

(2) $\log_a MN=\log_a M+\log_a N$ — 진수의 곱셈은 로그의 덧셈으로 생각한다.

(3) $\log_a \frac{M}{N}=\log_a M-\log_a N$ — 진수의 나눗셈은 로그의 뺄셈으로 생각한다.

(4) $\log_a N^k=k\log_a N$ (단, k는 실수)

주의 착각하기 쉬운 로그의 성질

① $\log_a (M+N)\neq\log_a M+\log_a N$

② $(\log_a M)\cdot(\log_a N)\neq\log_a M+\log_a N$

③ $\log_a(M-N)\neq\log_a M-\log_a N$

④ $\frac{\log_a M}{\log_a N}\neq\log_a M-\log_a N$

⑤ $\log_a N^k\neq(\log_a N)^k$

[0139~0141] 다음 식을 간단히 하시오.

0139 $\log_3 1+\log_{\sqrt{3}}\sqrt{3}$

0140 $\log_3 2+\log_3 \frac{9}{2}$

0141 $\log_{10}\sqrt{10}+\log_{10}\sqrt{5}+\frac{1}{2}\log_{10}\frac{1}{5}$

[0142~0145] $\log_{10}2=a,\ \log_{10}3=b$일 때, 다음을 $a,\ b$로 나타내시오.

0142 $\log_{10}72$

0143 $\log_{10}600$

0144 $\log_{10}\frac{16}{27}$

0145 $\log_{10}\frac{5}{54}$

03 로그의 밑의 변환

유형 04, 06~12

$a>0,\ a\neq1,\ b>0,\ b\neq1,\ c>0,\ c\neq1$일 때

(1) $\log_a b=\frac{\log_c b}{\log_c a}$ (2) $\log_a b=\frac{1}{\log_b a}$

참고 ① $\log_a b\cdot\log_b a=1$ ② $\log_a b\cdot\log_b c\cdot\log_c a=1$

[0146~0147] $\log_5 2=a,\ \log_5 3=b$일 때, 다음을 $a,\ b$로 나타내시오.

0146 $\log_2 3$

0147 $\log_{12}24$

[0148~0149] 다음 값을 구하시오.

0148 $\log_2 9\cdot\log_3 8$

0149 $\log_2 5\cdot\log_5 7\cdot\log_7 16$

04 로그의 여러 가지 성질

유형 05, 08, 10~13

$a>0,\ a\neq1,\ b>0$일 때

(1) $\log_{a^m} b^n=\frac{n}{m}\log_a b$ (단, $m,\ n$은 실수, $m\neq0$)

(2) $a^{\log_c b}=b^{\log_c a}$ (단, $c>0,\ c\neq1$)

(3) $a^{\log_a b}=b$

[0150~0153] 다음 값을 구하시오.

0150 $\log_{81}9$

0151 $\log_{\frac{1}{10}}\sqrt[4]{1000}$

0152 $4^{\log_2 3}$

0153 $3^{\log_3 2+\log_3 5}$

- $\log_a (M\times N)=\log_a M+\log_a N$
- $\log_a \frac{M}{N}=\log_a M-\log_a N$
- $\log_a b=\frac{\log_c b}{\log_c a}$
- $a^{\log_c b}=b^{\log_c a}$

STEP 2 유형 마스터 ❶

유형 01 로그의 뜻
개념 01

$a>0$, $a\neq1$일 때, 양수 N에 대하여 $a^x=N \Longleftrightarrow x=\log_a N$

0154 • 대표문제 •

$\log_a 5=3$, $\log_b 7=3$일 때, ab의 값을 구하시오.

0155 상중하

다음 중 옳지 <u>않은</u> 것은?

① $3^4=81 \Longleftrightarrow \log_3 81=4$

② $10^0=1 \Longleftrightarrow \log_{10} 1=0$

③ $\log_{\sqrt{2}} 2=2 \Longleftrightarrow (\sqrt{2})^2=2$

④ $\log_{125}\frac{1}{5}=-\frac{1}{3} \Longleftrightarrow 125^{-\frac{1}{3}}=\frac{1}{5}$

⑤ $5^{\frac{1}{2}}=\sqrt{5} \Longleftrightarrow \log_{\sqrt{5}} 5=\frac{1}{2}$

0156 상중하 서술형

$x=\log_3(2+\sqrt{3})$일 때, $\frac{3^x-3^{-x}}{3^x+3^{-x}}$의 값을 구하시오.

0157 상중하

$\log_2\{\log_4(\log_3 x)\}=0$, $\log_4\{\log_3(\log_2 y)\}=0$일 때, $x-y$의 값을 구하시오.

유형 02 로그의 밑과 진수의 조건
중요 · 개념 01

$\log_a N$이 정의되려면

(1) 밑의 조건 ⇨ $a>0$, $a\neq1$ (2) 진수의 조건 ⇨ $N>0$

0158 • 대표문제 •

$\log_{x-2}(-x^2+5x+14)$가 정의되도록 하는 정수 x의 개수는?

① 1 ② 2 ③ 3
④ 4 ⑤ 5

0159 상중하

$\log_{|x+1|}(-x^2+x+2)$가 정의되도록 하는 x의 값의 범위를 구하시오.

0160 상중하

모든 실수 x에 대하여 $\log_a(x^2-ax+a+3)$이 정의되도록 하는 모든 정수 a의 값의 합은?

① 11 ② 12 ③ 13
④ 14 ⑤ 15

중요 유형 03 로그의 기본 성질

개념 02

$a>0$, $a\neq1$, $M>0$, $N>0$일 때

(1) $\log_a 1=0$, $\log_a a=1$

(2) $\log_a MN=\log_a M+\log_a N$

(3) $\log_a \frac{M}{N}=\log_a M-\log_a N$

(4) $\log_a N^k=k\log_a N$ (단, k는 실수)

0161 • 대표문제 •

$4\log_2\sqrt{2}+\frac{1}{2}\log_2 3-\log_2\sqrt{6}$을 간단히 하면?

① $\frac{1}{2}-\log_2 3$ ② $-\frac{1}{2}$ ③ $\frac{1}{2}$
④ $-\frac{1}{2}+\log_2 3$ ⑤ $\frac{3}{2}$

0162 상중하

$\frac{1}{2}\log_2 18+\frac{1}{3}\log_2 3-\frac{2}{3}\log_2 9$를 간단히 하면?

① $\frac{1}{2}$ ② $\frac{2}{3}$ ③ 1
④ $\frac{3}{2}$ ⑤ 2

0163 상중하

세 양수 a, b, c가 $\log_6 a+\log_6 2b+\log_6 3c=2$를 만족시킬 때, abc의 값은?

① 1 ② 2 ③ 3
④ 6 ⑤ 12

0164 상중하

함수 $f(x)=\log_a\left(1+\frac{1}{x+2}\right)$에 대하여

$$f(1)+f(2)+f(3)+\cdots+f(93)=5$$

일 때, 상수 a의 값을 구하시오.

0165 상중하

1000의 모든 양의 약수를 작은 수부터 차례대로 a_1, a_2, a_3, $\cdots$, a_n이라 할 때,

$$\log_{10} a_1+\log_{10} a_2+\log_{10} a_3+\cdots+\log_{10} a_n$$

의 값을 구하시오.

유형 04 로그의 밑의 변환

개념 03

$a>0$, $a\neq1$, $b>0$, $b\neq1$, $c>0$, $c\neq1$일 때

(1) $\log_a b=\frac{\log_c b}{\log_c a}$

(2) $\log_a b=\frac{1}{\log_b a}$

0166 • 대표문제 •

1이 아닌 양수 x에 대하여 등식

$$\frac{1}{\log_3 x}+\frac{1}{\log_4 x}+\frac{1}{\log_5 x}=\frac{1}{\log_a x}$$

이 성립할 때, 1이 아닌 양수 a의 값을 구하시오.

0167 상중하

a, b, x가 1이 아닌 양수이고 $\log_a x=3$, $\log_b x=4$일 때, $\log_{ab} x$의 값은?

① $\frac{1}{12}$　② $\frac{3}{7}$　③ $\frac{7}{12}$
④ $\frac{6}{7}$　⑤ $\frac{12}{7}$

0168 상중하

$\frac{\log_5 4}{a}=\frac{\log_5 9}{b}=\frac{\log_5 36}{c}=\log_5 6$일 때, $a+b+c$의 값을 구하시오.

0169 상중하

$\log_6(\log_2 125)+\log_6(\log_5 49)+\log_6(\log_7 64)$를 간단히 하면?

① 1　② 2　③ 3
④ 4　⑤ 5

0170 상중하

1이 아닌 서로 다른 두 양수 a, b에 대하여

$\log_a b=\log_b a$

일 때, 다음 중 $a+b$의 값이 될 수 없는 것은?

① 2　② $1+\sqrt{2}$　③ $2\sqrt{2}$
④ 3　⑤ 4

유형 05 로그의 여러 가지 성질

개념 04

$a>0$, $a\neq1$, $b>0$일 때

(1) $\log_{a^m} b^n=\frac{n}{m}\log_a b$ (단, m, n은 실수, $m\neq0$)

(2) $a^{\log_c b}=b^{\log_c a}$ (단, $c>0$, $c\neq1$)

(3) $a^{\log_a b}=b$

0171 • 대표문제 •

$\frac{1}{3}\log_2 36+\log_4 \sqrt[3]{3^4}+\log_{\frac{1}{8}} 81$을 간단히 하시오.

0172 상중하

$(\log_2 3+\log_4 9)(\log_3 4-\log_9 8)$을 간단히 하면?

① $\frac{1}{4}$　② $\frac{1}{2}$　③ 1
④ 2　⑤ 4

0173 상중하

$9^{\log_3 5-2\log_{\frac{1}{3}} 4-\log_3 10}$을 간단히 하면?

① 16　② 25　③ 36
④ 49　⑤ 64

0174 상중하

두 실수 a, b가 $5^{a+b}=8$, $2^{a-b}=3$을 만족시킬 때, $5^{a^2-b^2}$의 값을 구하시오.

유형 06 로그에 대한 증명
개념 01~03

로그의 정의와 성질을 이용하여 빈칸에 알맞은 식을 구한다.

0175 • 대표문제 •

다음은 세 양수 a, b, c에 대하여

$$\log_a b=\frac{\log_c b}{\log_c a}\ (a\neq1,\ c\neq1)$$

가 성립함을 증명한 것이다.

증명

$\log_a b=x$라 하면 (가)

위의 식의 양변에 c를 밑으로 하는 로그를 취하면

$\log_c a^x=$ (나)

즉, $x\log_c a=$ (나), $x=$ (다)

$\therefore \log_a b=\frac{\log_c b}{\log_c a}$

위의 증명 과정에서 (가), (나), (다)에 알맞은 것을 차례대로 나열한 것은?

① $a^x=b,\ \log_c b,\ \frac{\log_a b}{\log_a c}$
② $a^x=b,\ \log_c b,\ \frac{\log_c b}{\log_c a}$
③ $b^x=a,\ \log_b c,\ \frac{\log_c b}{\log_c a}$
④ $b^x=a,\ \log_c b,\ \frac{\log_c b}{\log_c a}$
⑤ $x^a=b,\ \log_b c,\ \frac{\log_a b}{\log_c a}$

0176 상중하

다음은 $\log_2 3$이 무리수임을 증명한 것이다.

증명

$\log_2 3$이 유리수라고 가정하면 서로소인 두 자연수 m, n $(m<n)$에 대하여 $\log_2 3=\frac{n}{m}$으로 나타낼 수 있다.

로그의 정의에 의하여 $2^{\frac{n}{m}}=3$ $\therefore 2^n=3^m$

이때, 2^n은 (가) 이고, 3^m은 (나) 이므로 2^n과 3^m은 항상 같지 않다.

따라서 $\log_2 3$은 무리수이다.

위의 증명 과정에서 (가), (나)에 알맞은 것을 써넣으시오.

유형 07 중요 $\log_a b=c$가 주어진 경우 로그의 값을 문자로 나타내기
개념 02, 03

(i) 주어진 식과 구하는 식의 밑을 통일한다.
(ii) 구하는 식의 진수를 곱의 형태로 바꾼 다음 로그의 성질을 이용한다.

0177 • 대표문제 •

$\log_2 3=a$, $\log_3 7=b$일 때, $\log_{42} 56$을 a, b로 나타내면?

① $\frac{3+a+b}{1+ab}$ ② $\frac{2+a+b}{a+ab}$ ③ $\frac{3+ab}{1+a+ab}$
④ $\frac{1+ab}{1+a+b}$ ⑤ $\frac{2+ab}{1+ab}$

0178 상중하

$\log_7 2=a$, $\log_7 3=b$일 때, $\log_{12}\sqrt{18}$을 a, b로 나타내면?

① $\frac{a+b}{2a+b}$ ② $\frac{a+2b}{2a+b}$ ③ $\frac{a+b}{4a+2b}$
④ $\frac{a+2b}{4a+2b}$ ⑤ $\frac{3a+b}{4a+2b}$

0179 상중하 서술형

$\log_3 10=a$, $\log_3 \frac{4}{5}=b$일 때, $\log_3 20$을 a, b로 나타내시오.

0180 상중하

$\log_2 5=a$, $\log_5 3=b$, $\log_3 7=c$일 때, $\log_{21} 70$을 a, b, c로 나타내시오.

2 로그

유형 08 $a^x=b$가 주어진 경우 로그의 값을 문자로 나타내기

개념 01~04

문자가 지수 형태로 주어진 경우
(i) 로그의 정의를 이용하여 주어진 식을 로그로 나타낸 다음 밑을 통일한다.
(ii) 구하는 식의 진수를 곱의 형태로 바꾼 다음 로그의 성질을 이용한다.

0181 • 대표문제 •

$5^x=a$, $5^y=b$, $5^z=c$일 때, $\log_{ab} bc$를 x, y, z로 나타내시오. (단, $xy\neq 0$, $x+y\neq 0$)

0182 상중하

$10^a=2$, $10^b=3$일 때, $\log_{25} 12$를 a, b로 나타내면?

① $\frac{2a+b}{2-2a}$ ② $\frac{a-2b}{2-2a}$ ③ $\frac{a+2b}{1-2a}$
④ $\frac{2a-b}{1-a}$ ⑤ $\frac{2a+b}{2-a}$

0183 상중하

두 양수 a, b에 대하여 $a^m=b^n=3$일 때, $\log_{ab} a^2$을 m, n으로 나타내면? (단, $ab\neq 1$)

① $\frac{2m}{m+n}$ ② $\frac{2n}{m+n}$ ③ $\frac{m}{m-n}$
④ $\frac{n}{m-n}$ ⑤ $\frac{m+n}{2m}$

0184 상중하

$49^a=x$, $49^b=y$, $49^c=z$일 때, $\log_{\sqrt{xy}} \frac{y^2}{z^3}$을 a, b, c로 나타내시오. (단, $xy\neq 1$)

유형 09 로그의 정의를 이용하여 식의 값 구하기

개념 01~03

$a^x=k_1$, $b^y=k_2$가 주어지고 x, y에 대한 식의 값을 구할 때는 로그의 정의를 이용하여 x, y를 로그로 나타낸 다음 주어진 식에 대입한다.
⇨ $a^x=k_1$, $b^y=k_2$이면 $x=\log_a k_1$, $y=\log_b k_2$

0185 • 대표문제 •

$16^x=81^y=216$일 때, $\frac{1}{x}+\frac{1}{y}$의 값은?

① $\frac{1}{2}$ ② $\frac{3}{4}$ ③ 1
④ $\frac{4}{3}$ ⑤ 2

0186 상중하

$12^x=16$, $24^y=32$일 때, $\frac{4}{x}-\frac{5}{y}$의 값은?

① -3 ② -1 ③ 1
④ 3 ⑤ 5

0187 상중하

세 자연수 a, b, c $(a>b>c)$와 네 실수 p, q, r, s에 대하여

$$a^p=b^q=c^r=231^s,\ \frac{1}{p}+\frac{1}{q}+\frac{1}{r}=\frac{1}{s}$$

이 성립할 때, $a-b-c$의 값은?

① 0 ② 1 ③ 2
④ 3 ⑤ 4

유형 10 로그의 성질을 이용하여 식의 값 구하기

개념 02~04

로그의 성질을 이용하여 식의 값을 구할 때는 다음과 같은 순서로 한다.
(i) 주어진 조건을 이용하여 미지수 사이의 관계식을 구한다.
(ii) 구하는 식을 변형한 다음 (i)의 식을 대입한다.

0188 • 대표문제 •

두 양수 a, b에 대하여 $\log_2 a+\log_4 b^2=2$일 때, $4^{\log_2 a}\cdot 2^{\log_{\sqrt{2}} b}$의 값은?

① 4 ② 8 ③ 16
④ 32 ⑤ 64

0189 상중하

1보다 큰 세 실수 a, b, c에 대하여 $\log_a c : \log_b c=2:1$일 때, $\log_a b+\log_b a$의 값은?

① $\frac{3}{2}$ ② 2 ③ $\frac{5}{2}$
④ 3 ⑤ $\frac{7}{2}$

0190 상중하

1이 아닌 두 양수 a, b가 $a^2b^3=1$을 만족시킬 때, $\log_a a^3b^2$의 값을 구하시오.

0191 상중하

1이 아닌 세 양수 a, b, c에 대하여

$\log_a x=3$, $\log_b x=8$, $\log_c x=24$

일 때, $\log_{abc} x$의 값을 구하시오.

유형 11 로그와 이차방정식

개념 02~04

이차방정식 $ax^2+bx+c=0$의 두 근이 $\log_p \alpha$, $\log_p \beta$이면
(1) $\log_p \alpha+\log_p \beta=\log_p \alpha\beta=-\frac{b}{a}$
(2) $\log_p \alpha\cdot\log_p \beta=\frac{c}{a}$

0192 • 대표문제 •

$\log_{10} a$, $\log_{10} b$가 이차방정식 $x^2-4x+2=0$의 두 근일 때, $\log_a b+\log_b a$의 값을 구하시오.

0193 상중하

이차방정식 $x^2-6x+2=0$의 두 근을 α, β라 할 때, $\log_{\alpha\beta}\left(\alpha+\frac{1}{\beta}\right)+\log_{\alpha\beta}\left(\beta+\frac{1}{\alpha}\right)$의 값은?

① 2 ② $\log_2 \frac{9}{2}$ ③ $\log_2 5$
④ $\log_2 \frac{11}{2}$ ⑤ $\log_2 6$

0194 상중하

이차방정식 $x^2+ax+b=0$의 두 근이 2, $\log_2 3$일 때, 두 실수 a, b에 대하여 $\frac{b}{a}$의 값은?

① $-2\log_{12} 3$ ② $-\log_{12} 3$ ③ $\log_{12} 3$
④ $2\log_{12} 3$ ⑤ $3\log_{12} 3$

0195 상중하 서술형

α, β가 이차방정식 $x^2-5x+5=0$의 두 근이고 $a=\alpha-\beta$일 때, $\log_a \alpha+\log_a \beta$의 값을 구하시오. (단, $\alpha>\beta$)

유형 12 로그의 대소 관계

개념 02~04

로그의 성질을 이용하여 A, B, C의 값을 구하고, 대소를 비교한다.

0196 • 대표문제 •

세 수 $A=\log_{\frac{1}{2}}\frac{1}{8}$, $B=\log_4 32$, $C=9^{\log_3\sqrt{2}}$의 대소 관계를 바르게 나타낸 것은?

① $A<B<C$ ② $A<C<B$ ③ $B<A<C$
④ $B<C<A$ ⑤ $C<B<A$

0197 상중하

세 수

$$A=3^{\log_9 4},\ B=3^{\log_3 8-2},\ C=\log_9 27+\log_{\frac{1}{9}} 3$$

의 대소 관계를 바르게 나타낸 것은?

① $A<B<C$ ② $A<C<B$ ③ $B<A<C$
④ $B<C<A$ ⑤ $C<A<B$

0198 상중하

1이 아닌 세 양수 a, b, c에 대하여 $a^3=b^4=c^5$이 성립할 때, 세 수 $A=\log_a b$, $B=\log_b c$, $C=\log_c a$의 대소 관계를 바르게 나타낸 것은?

① $A<B<C$ ② $A<C<B$ ③ $B<A<C$
④ $B<C<A$ ⑤ $C<A<B$

유형 13 로그의 정수 부분과 소수 부분

개념 02, 04

양수 M과 정수 n에 대하여 $a^n\le M<a^{n+1}$ $(a>0, a\ne1)$일 때
⇨ $\log_a a^n\le\log_a M<\log_a a^{n+1}$ $\quad\therefore n\le\log_a M<n+1$
⇨ $\log_a M$의 정수 부분은 n, 소수 부분은 $\log_a M-n$이다.

0199 • 대표문제 •

$\log_3 25$의 정수 부분을 a, 소수 부분을 b라 할 때, $3^a+3^b=\frac{n}{m}$이라 한다. $m+n$의 값을 구하시오.
(단, m, n은 서로소인 자연수이다.)

0200 상중하

$\log_2 7$의 정수 부분을 x, 소수 부분을 y라 할 때, $\frac{2^{-x}+2^{-y}}{2^x+2^y}$의 값은?

① $\frac{1}{14}$ ② $\frac{1}{7}$ ③ 2
④ 7 ⑤ 14

0201 상중하 서술형

$x=\log_4 28$에 가장 가까운 정수를 y라 할 때, 2^x+2^y의 값을 구하시오.

05 상용로그

유형 14, 25~27

(1) **상용로그** : 10을 밑으로 하는 로그를 **상용로그**라 하며, 양수 N의 상용로그 $\log_{10} N$은 보통 밑 10을 생략하여 $\mathbf{\log N}$과 같이 나타낸다.

(2) **상용로그표** : 0.01의 간격으로 1.00부터 9.99까지의 수에 대한 상용로그의 값을 반올림하여 소수점 아래 넷째 자리까지 나타낸 표

참고 상용로그표에 있는 상용로그의 값은 반올림하여 구한 것이지만 편의상 등호를 사용하여 나타낸다.

예 $\log 2.38$의 값은 상용로그표에서 2.3의 가로줄과 8의 세로줄이 만나는 곳의 수를 찾으면 된다. 즉, $\log 2.38=0.3766$

수	0	8	9
1.0	.0000	.0334	.0374
1.1	.0414	.0719	.0755
⋮	⋮	⋮	⋮
2.3	.3617	.3766	.3784
2.4	.3802	.3945	.3962

[0202~0205] 다음 값을 구하시오.

0202 $\log 1000$

0203 $\log 10\sqrt{10}$

0204 $\log \frac{1}{100}$

0205 $\log \frac{1}{\sqrt[3]{100}}$

[0206~0207] 아래 상용로그표를 이용하여 다음 값을 구하시오.

수	0	1	2	3	4	5	6	7
3.1	.4914	.4928	.4942	.4955	.4969	.4983	.4997	.5011
3.2	.5051	.5065	.5079	.5092	.5105	.5119	.5132	.5145
3.3	.5185	.5198	.5211	.5224	.5237	.5250	.5263	.5276

0206 $\log 3.10$

0207 $\log 3.37$

[0208~0211] $\log 2.64=0.4216$임을 이용하여 다음 값을 구하시오.

0208 $\log 26.4$

0209 $\log 26400$

0210 $\log 0.264$

0211 $\log 0.00264$

06 상용로그의 표현

유형 15, 16, 24

임의의 양수 N에 대하여 상용로그의 값은

$$\log N = n + \alpha \quad (n\text{은 정수, } 0 \le \alpha < 1)$$

(n: $\log N$의 정수 부분, α: $\log N$의 소수 부분)

와 같이 나타낼 수 있다.

예 ① $\log 58.3=1.7657=1+0.7657$
⇨ $\log 58.3$의 정수 부분은 1, 소수 부분은 0.7657

② $\log 0.013=-1.8861=-2+0.1139$
⇨ $\log 0.013$의 정수 부분은 -2, 소수 부분은 0.1139

[0212~0214] 양수 N에 대하여 $\log N$의 값이 다음과 같을 때, $\log N$의 정수 부분과 소수 부분을 구하시오.

0212 $\log N=0.0755$

0213 $\log N=3.2455$

0214 $\log N=-2.3288$

핵심 Check: 상용로그 → 밑이 10인 로그 → $\log_{10} N$ → $\log N$

07 상용로그의 성질 유형 17~24

(1) **상용로그의 정수 부분**

① 정수 부분이 n자리인 수의 상용로그의 정수 부분은 $n-1$이다.

참고 $N>1$일 때, $\log N$의 정수 부분이 n이다.
$\Longleftrightarrow n \le \log N < n+1$
$\Longleftrightarrow 10^n \le N < 10^{n+1}$
$\Longleftrightarrow N$의 정수 부분은 $(n+1)$자리이다.

예 123은 정수 부분이 3자리이므로 $\log 123$의 정수 부분은 2이다.

② 소수점 아래 n째 자리에서 처음으로 0이 아닌 숫자가 나타나는 수의 상용로그의 정수 부분은 $-n$이다.

예 0.0123은 소수점 아래 둘째 자리에서 처음으로 0이 아닌 숫자가 나타나므로 $\log 0.0123$의 정수 부분은 -2이다.

(2) **상용로그의 소수 부분**

숫자의 배열이 같고 소수점의 위치만 다른 양수의 상용로그의 소수 부분은 모두 같다.

예 0.123, 12.3, 1230은 숫자의 배열은 같고 소수점의 위치만 다르므로 $\log 0.123$, $\log 12.3$, $\log 1230$의 소수 부분은 모두 같다.

참고 ① $\log A$와 $\log B$의 소수 부분이 같다.
⇨ $\log A-\log B=$(정수)
② $\log A$와 $\log B$의 소수 부분의 합이 1이다.
⇨ $\log A+\log B=$(정수)

[0215~0218] 다음 상용로그의 정수 부분을 구하시오.

0215 $\log 6.52$

0216 $\log 652000$

0217 $\log 0.501$

0218 $\log 0.00501$

[0219~0220] 다음 양수 A는 정수 부분이 몇 자리인 수인지 구하시오.

0219 $\log A=2.7135$

0220 $\log A=23.855$

[0221~0222] 다음 양수 A는 소수점 아래 몇째 자리에서 처음으로 0이 아닌 숫자가 나타나는지 구하시오.

0221 $\log A=-1.3716$

0222 $\log A=-4.2464$

[0223~0224] $\log 4.64=0.6665$임을 이용하여 다음 상용로그의 정수 부분과 소수 부분을 구하시오.

0223 $\log 464000$

0224 $\log 0.0464$

[0225~0228] $\log 1.59=0.2014$임을 이용하여 다음 등식을 만족시키는 x의 값을 구하시오.

0225 $\log x=2.2014$

0226 $\log x=4.2014$

0227 $\log x=-0.7986$

0228 $\log x=-2.7986$

0229 다음 보기 중 $\log 25600$과 소수 부분이 같은 것을 있는 대로 고르시오.

보기
ㄱ. $\log 0.0256$　　ㄴ. $8\log 2$
ㄷ. $\frac{1}{2}\log 20$　　ㄹ. $-\log 2.56$

핵심 Check
- 상용로그의 정수 부분 → 진수의 정수 부분의 자릿수 결정
- 상용로그의 소수 부분 → 진수의 숫자의 배열 결정

STEP 2 유형 마스터 ❷

유형 14 상용로그의 값

개념 05

양수 A에 대하여 $\log A=k$일 때

⇨ ① $\log A^n=n\log A=nk$

② $\log(10^n\times A)=\log 10^n+\log A=n+k$ (단, n은 실수)

0230 • 대표문제 •

$\log 2=0.3010$, $\log 3=0.4771$일 때, $\log 24+\log 50$의 값을 구하시오.

0231 상중하

$\log 2.51=0.3997$, $\log 3.97=0.5988$일 때, 25.1^4의 값은?

① 3.84×10^4 ② 3.97×10^4 ③ 3.84×10^5
④ 3.94×10^5 ⑤ 3.97×10^5

0232 상중하 서술형

다음 상용로그표를 이용하여 $\sqrt{0.0635}$의 값을 구하시오.

수	0	1	2	3	4	5
2.5	.3979	.3997	.4014	.4031	.4048	.4065
2.6	.4150	.4166	.4183	.4200	.4216	.4232
⋮	⋮	⋮	⋮	⋮	⋮	⋮
6.3	.7993	.8000	.8007	.8014	.8021	.8028
6.4	.8062	.8069	.8075	.8082	.8089	.8096

유형 15 상용로그의 정수 부분과 소수 부분

개념 06

(1) 양수 N에 대하여 $\log N$은 정수 부분과 소수 부분의 합으로 나타낼 수 있다.

⇨ $\log N=n+\alpha$ (단, n은 정수, $0\le\alpha<1$)

⇨ $\alpha=\log N-n$

(2) 상용로그의 값이 음수일 때는 $0\le$(소수 부분)<1이 되게 한 다음 정수 부분을 결정한다.

0233 • 대표문제 •

$\log x=-3.3978$일 때, $\log x^2+\log\sqrt{x}$의 정수 부분과 소수 부분을 차례대로 나열한 것은?

① -8, 0.4945 ② -8, 0.5055 ③ -9, 0.4945
④ -9, 0.5055 ⑤ -9, 0.6022

0234 상중하

$\log 20=n+\alpha$일 때, $\dfrac{10^n+10^\alpha}{10^n-10^\alpha}$의 값을 구하시오.

(단, n은 정수, $0\le\alpha<1$)

0235 상중하

$\log 30$과 $\log\dfrac{100}{3}$의 정수 부분의 합을 a, 소수 부분의 합을 b라 할 때, $a-b$의 값을 구하시오.

0236 상중하

양수 N에 대하여 $\log N$의 정수 부분이 4이고 소수 부분이 a일 때, $\log\dfrac{1}{\sqrt[3]{N}}$의 소수 부분은? (단, $a\ne0$)

① $\dfrac{a}{2}$ ② $1-\dfrac{a}{2}$ ③ $\dfrac{a}{3}$
④ $\dfrac{2-a}{3}$ ⑤ $1-\dfrac{a}{3}$

유형 16 상용로그의 정수 부분과 소수 부분을 근으로 갖는 이차방정식

개념 06

$\log A=n+\alpha$(n은 정수, $0\le\alpha<1$)일 때, $\log A$의 정수 부분과 소수 부분이 이차방정식 $ax^2+bx+c=0$의 두 근이면

$n+\alpha=-\frac{b}{a}$, $n\alpha=\frac{c}{a}$

0237 •대표문제•

$\log A$의 정수 부분과 소수 부분이 이차방정식 $3x^2+10x+k=0$의 두 근일 때, 상수 k의 값은?

① -10 ② -8 ③ -6
④ -4 ⑤ -2

0238 상중하

$\log 200$의 정수 부분과 소수 부분이 이차방정식 $x^2+ax+b=0$의 두 근일 때, 두 상수 a, b의 합 $a+b$의 값은?

① $\log 0.02$ ② $\log 0.2$ ③ $\log 1.2$
④ $\log 2$ ⑤ $\log 12$

0239 상중하

$\log 30$의 정수 부분과 소수 부분을 각각 n, α라 할 때, 다음 중 3^n, $3^{\frac{1}{\alpha}}$을 두 근으로 하고, x^2의 계수가 1인 이차방정식은?

① $x^2-9x+10=0$ ② $x^2-10x+15=0$
③ $x^2-11x+20=0$ ④ $x^2-12x+25=0$
⑤ $x^2-13x+30=0$

0240 상중하

삼차방정식 $2x^3+5x^2+px-q=0$의 한 근이 -1이고 다른 두 근이 $\log A$의 정수 부분과 소수 부분일 때, 두 상수 p, q에 대하여 $p-q$의 값을 구하시오.

유형 17 몇 자리의 정수인지 구하기 (중요)

개념 07

(i) 주어진 수에 상용로그를 취한 다음 정수 부분을 찾는다.
(ii) 양수 N에 대하여 $\log N$의 정수 부분이 n이면 N은 $(n+1)$자리의 정수임을 이용한다.

0241 •대표문제•

$\log 2=0.3010$, $\log 3=0.4771$일 때, 12^{10}은 몇 자리의 정수인가?

① 8자리 ② 9자리 ③ 10자리
④ 11자리 ⑤ 12자리

0242 상중하

2^n이 22자리의 정수가 되도록 하는 모든 자연수 n의 값의 합은? (단, $\log 2=0.3$으로 계산한다.)

① 142 ② 145 ③ 213
④ 216 ⑤ 286

0243 상중하

53^{100}이 173자리의 정수일 때, 53^{20}은 몇 자리의 정수인가?

① 32자리 ② 33자리 ③ 34자리
④ 35자리 ⑤ 36자리

0244 상중하

7^{100}은 85자리의 정수, 11^{100}은 105자리의 정수일 때, 77^{10}은 몇 자리의 정수인지 구하시오.

중요

유형 18 소수점 아래 n째 자리에서 처음으로 0이 아닌 숫자가 나타나는 자리 구하기

개념 07

(i) 주어진 수에 상용로그를 취한 다음 정수 부분을 찾는다.
(ii) 양수 N에 대하여 $\log N$의 정수 부분이 $-n$이면 N은 소수점 아래 n째 자리에서 처음으로 0이 아닌 숫자가 나타남을 이용한다.

0245 • 대표문제 •

3^{10}은 m자리의 정수이고, $\left(\frac{3}{4}\right)^{30}$은 소수점 아래 n째 자리에서 처음으로 0이 아닌 숫자가 나타날 때, $m+n$의 값은?

(단, $\log 2=0.3010$, $\log 3=0.4771$로 계산한다.)

① 5 ② 6 ③ 7
④ 8 ⑤ 9

0246 상중하

$x=2^{30}$일 때, $\sqrt{x}$는 m자리의 정수이고 $\frac{1}{x}$은 소수점 아래 n째 자리에서 처음으로 0이 아닌 숫자가 나타난다고 한다. 이때, $m+n$의 값을 구하시오. (단, $\log 2=0.3010$으로 계산한다.)

0247 상중하 서술형

자연수 A에 대하여 A^{20}이 41자리의 정수일 때, $\frac{1}{A^6}$은 소수점 아래 몇째 자리에서 처음으로 0이 아닌 숫자가 나타나는지 구하시오. (단, A는 10의 배수가 아니다.)

0248 상중하

두 자연수 A, B에 대하여 $\frac{A^3}{B^2}$은 6자리의 수이고, $\frac{B^2}{A}$은 소수점 아래 셋째 자리에서 처음으로 0이 아닌 숫자가 나타날 때, A는 몇 자리의 자연수인지 구하시오.

유형 19 숫자의 배열이 같은 양수의 상용로그

개념 07

(1) 진수의 숫자의 배열이 같으면 상용로그의 소수 부분이 같다.
(2) 상용로그의 소수 부분이 같으면 진수의 숫자의 배열이 같다.

0249 • 대표문제 •

$\log 5.43=0.7348$일 때, $\log 543=a$, $\log b=-1.2652$이다. 이때, $a+b$의 값을 구하시오.

0250 상중하

다음 보기에 주어진 상용로그 중 $\log 1.25$와 소수 부분이 같은 것의 개수는?

보기

ㄱ. $\log \frac{1}{8}$ ㄴ. $\log \frac{1}{25}$ ㄷ. $\log 0.000125$
ㄹ. $\log \frac{1}{20}$ ㅁ. $\log 1250$ ㅂ. $\log (5^3 \times 10^5)$

① 1 ② 2 ③ 3
④ 4 ⑤ 5

0251 상중하

$\log 4=0.6021$일 때, $\log x^3=-1.1937$을 만족시키는 x의 값을 구하시오.

2 로그

유형 20 최고 자리의 숫자 구하기 (중요) 개념 07

a^k의 최고 자리의 숫자는 다음과 같은 순서로 구한다.
(i) $\log a^k$의 소수 부분 α를 구한다.
(ii) $\log N < \alpha < \log (N+1)$을 만족시키는 한 자리의 자연수 N의 값을 구한다. ⇨ N이 a^k의 최고 자리의 숫자

0252 • 대표문제 •
4^{10}의 자리의 수를 a, 최고 자리의 숫자를 b라 할 때, $a+b$의 값은? (단, $\log 2=0.3010$으로 계산한다.)

① 6 ② 7 ③ 8
④ 9 ⑤ 10

0253 상중하
$A=\left(\frac{1}{50}\right)^5$일 때, A는 소수점 아래 n째 자리에서 처음으로 0이 아닌 숫자 m이 나타난다. 이때, mn의 값은?
(단, $\log 2=0.3010$, $\log 3=0.4771$로 계산한다.)

① 10 ② 15 ③ 24
④ 27 ⑤ 30

0254 상중하
$\log x=-\frac{4}{5}$일 때, x^2은 소수점 아래 a번째 자리에서 처음으로 0이 아닌 숫자 b가 나타난다. 이때, $a+b$의 값을 구하시오.
(단, $\log 2=0.30$, $\log 3=0.48$로 계산한다.)

0255 상중하
3^{24}의 최고 자리의 숫자를 a, 일의 자리의 숫자를 b라 할 때, $a+b$의 값을 구하시오.
(단, $\log 2=0.3010$, $\log 3=0.4771$로 계산한다.)

유형 21 소수 부분이 같은 상용로그 개념 07

$\log A=m+\alpha$, $\log B=n+\alpha$ (m, n은 정수, $0\le\alpha<1$)이면
$\log A-\log B=m-n$ (정수)

0256 • 대표문제 •
$\log x$의 정수 부분이 5일 때, $\log x^2$의 소수 부분과 $\log x^5$의 소수 부분이 같도록 하는 모든 실수 x의 값의 곱은?

① 10^{15} ② 10^{16} ③ 10^{17}
④ 10^{18} ⑤ 10^{19}

0257 상중하
$10<x<100$이고 $\log x$의 소수 부분과 $\log\frac{1}{x}$의 소수 부분이 같을 때, x^2의 값을 구하시오.

0258 상중하
다음 조건을 모두 만족시키는 모든 양수 x의 값의 곱을 k라 할 때, $\log k^3$의 값은?

(가) $\log x$의 정수 부분은 2이다.
(나) $\log x^2$의 소수 부분은 $\log\sqrt{x}$의 소수 부분과 같다.

① 11 ② 12 ③ 13
④ 14 ⑤ 15

유형 22 소수 부분의 합이 1인 상용로그

개념 07

$\log A=m+\alpha$, $\log B=n+\beta$(m, n은 정수, $0<\alpha<1$, $0<\beta<1$)의 소수 부분의 합이 1이면
⇨ $\alpha+\beta=1$
⇨ $\log A+\log B=m+n+1$ (정수)

0259 • 대표문제 •

$10<x<1000$일 때, $\log x$의 소수 부분과 $\log\sqrt{x}$의 소수 부분의 합이 1이 되도록 하는 모든 양수 x의 값의 곱은?

① 10^2 ② 10^3 ③ 10^4
④ 10^5 ⑤ 10^6

0260 상중하 서술형

$\log x$의 정수 부분이 2일 때, $\log x$의 소수 부분과 $\log x^2$의 소수 부분의 합이 1이 되도록 하는 모든 실수 x의 값의 곱을 k라 하자. 이때, $\log k$의 값을 구하시오.

0261 상중하

두 양수 x, y가 다음 조건을 모두 만족시킬 때, $\log y$의 정수 부분을 구하시오.

(가) $\log x$의 정수 부분은 1이다.
(나) $\log x$의 소수 부분과 $\log y$의 소수 부분의 합은 1이다.
(다) $\log xy^2=4.5$

발전유형 23 상용로그의 정수 부분과 소수 부분이 조건으로 주어진 경우

개념 07

양수 A에 대하여 $\log A$의 정수 부분을 $f(A)$라 하면
$f(A)=n$(n은 정수) $\Longleftrightarrow 10^n\le A<10^{n+1}$

0262 • 대표문제 •

$\log\dfrac{1}{n}$의 정수 부분이 -2가 되도록 하는 자연수 n의 개수는?

① 90 ② 99 ③ 900
④ 990 ⑤ 9000

0263 상중하

양수 x에 대하여 $\log x$의 정수 부분을 $f(x)$라 하자.

$f(n+10)=f(n)+1$

을 만족시키는 100 이하의 자연수 n의 개수는?

① 11 ② 13 ③ 15
④ 17 ⑤ 19

0264 상중하

자연수 n에 대하여 $\log n$의 정수 부분과 소수 부분을 각각 $f(n)$, $g(n)$이라 할 때, 다음 보기 중 옳은 것을 있는 대로 고르시오.

보기

ㄱ. $f(n)=g(n)$이기 위한 필요충분조건은 $n=1$이다.
ㄴ. $10^{f(50)}\cdot10^{g(50)}=50$
ㄷ. $f(10n)g(10n)=f(n)g(n)+g(n)$

발전 유형 24 가우스 기호와 상용로그

개념 06, 07

$[x]$가 x보다 크지 않은 최대의 정수를 나타낼 때,
$\log N=n+\alpha$ (n은 정수, $0\le\alpha<1$)이면
(1) $[\log N]$은 $\log N$의 정수 부분 ⇨ $[\log N]=n$
(2) $\log N-[\log N]$은 $\log N$의 소수 부분 ⇨ $\log N-[\log N]=\alpha$

0265 • 대표문제 •

$[x]$가 x보다 크지 않은 최대의 정수를 나타낼 때,

$$[\log 1]+[\log 2]+[\log 3]+\cdots+[\log 100]$$

의 값은?

① 90 ② 92 ③ 94
④ 96 ⑤ 98

0266 상중하

양수 x에 대하여 $\log x$의 정수 부분이 -3이고,

$$\log x-[\log x]=\log 72-[\log 72]$$

가 성립할 때, x의 값을 구하시오.
(단, $[x]$는 x보다 크지 않은 최대의 정수이다.)

0267 상중하

10보다 큰 두 실수 x, y에 대하여 $2[\log x]+3[\log y]=7$이 성립할 때, $\log xy$의 정수 부분은 a 또는 b이다. 이때, $a+b$의 값은? (단, $[x]$는 x보다 크지 않은 최대의 정수이다.)

① 5 ② 6 ③ 7
④ 8 ⑤ 9

유형 25 상용로그의 실생활에의 활용 – 관계식이 주어진 경우

개념 05

(i) 주어진 관계식에 알맞은 문자 또는 값을 대입한다.
(ii) (i)의 관계식에 로그의 정의 및 성질을 이용한다.

0268 • 대표문제 •

소리의 크기를 D, 소리의 세기를 I라 할 때,

$$D=120+10\log I\ (\text{dB})$$

가 성립한다고 한다. 크기가 130 dB인 소리의 세기는 크기가 20 dB인 소리의 세기의 몇 배인가?

① 10^9배 ② 10^{10}배 ③ 10^{11}배
④ 10^{12}배 ⑤ 10^{13}배

0269 상중하

별의 등급 m과 별의 밝기 I 사이에는 다음의 관계식이 성립한다고 한다.

$$m=-\frac{5}{2}\log I+C\ (\text{단, } C\text{는 상수})$$

이때, 2등급인 별의 밝기는 3등급인 별의 밝기의 몇 배인지 구하시오. (단, $\sqrt[5]{100}=2.5$로 계산한다.)

0270 상중하

어느 물탱크에 서식하고 있는 박테리아를 제거하기 위해 약품을 투여하려고 한다. 물탱크에 있는 물 1 mL당 초기 박테리아의 수를 C_0, 약품을 투여한 지 t시간이 지나는 순간 1 mL당 박테리아의 수를 C라 할 때,

$$\log\frac{C}{C_0}=-kt\ (k\text{는 양의 상수})$$

가 성립한다고 한다. 물 1 mL당 초기 박테리아의 수가 8×10^5이고 약품을 투여한 지 3시간이 지나는 순간 1 mL당 박테리아의 수는 2×10^5이 된다고 한다. 약품을 투여한 지 a시간 후에 처음으로 1 mL당 박테리아의 수가 8×10^3 이하가 되었다고 할 때, a의 값을 구하시오. (단, $\log 2=0.3$으로 계산한다.)

유형 26 상용로그의 실생활에의 활용 – 일정한 비율로 변화하는 경우

개념 05

올해의 양이 A이고 매년 a %씩 증가할 때, k년 후의 양은
$A\left(1+\frac{a}{100}\right)^k$

0271 • 대표문제 •

현재 가격이 2000만 원인 새 차가 있다. 이 자동차의 중고 가격은 매년 10 %씩 하락할 때, 10년 후의 중고 가격을 구하시오. (단, $\log 2=0.3010$, $\log 3=0.4771$, $\log 6.97=0.8430$으로 계산한다.)

0272 상중하

수면 아래의 빛의 밝기는 물이 1 m씩 깊어짐에 따라 10 %씩 감소한다고 한다. 수면 위의 빛의 밝기의 $\frac{1}{2}$이 되는 순간의 물의 깊이는? (단, $\log 2=0.30$, $\log 3=0.48$로 계산한다.)

① 6 m ② 6.5 m ③ 7 m
④ 7.5 m ⑤ 8 m

0273 상중하

현재 인구가 10만 명인 두 도시가 있다. 두 도시의 인구 증가율이 각각 매년 2 %, 4 %일 때, 한 도시의 인구가 다른 도시의 인구의 3배가 되는 것은 몇 년 후인가? (단, $\log 1.02=0.01$, $\log 1.04=0.02$, $\log 3=0.48$로 계산한다.)

① 45년 후 ② 46년 후 ③ 47년 후
④ 48년 후 ⑤ 49년 후

0274 • 대표문제 •

이메일을 통해 어떤 컴퓨터 바이러스에 감염되는 컴퓨터의 수는 1시간마다 4배로 증가한다고 한다. 현재 100대의 컴퓨터가 이 바이러스에 감염되어 있을 때 이와 같은 일정한 속도로 계속해서 컴퓨터가 바이러스에 감염된다면 8시간 후 바이러스에 감염된 컴퓨터의 수는 약 $k\cdot 10^4$대가 된다고 한다. 이때, 자연수 k의 값을 구하시오.

(단, $\log 2=0.3$, $\log 6.31=0.8$로 계산한다.)

0275 상중하

어떤 승용차는 공장에서 출고된 이후 1년마다 신차 가격의 80 %로 중고차의 가격이 산정된다고 한다. 신차를 구입한 후 7년이 지났을 때의 중고차의 가격은 신차 가격의 몇 %인지 구하시오. (단, $\log 2=0.3$으로 계산한다.)

0276 상중하

어떤 회사의 올해 매출은 작년에 비해 50 % 감소할 것으로 예상된다. 이 회사가 다시 계획을 세워 올해 예상 매출을 기준으로 매년 15 %씩 매출을 증가시켜 10년 후의 매출이 작년 매출의 k배가 되게 하려고 한다. 이때, k의 값을 구하시오.

(단, $\log 2=0.30$, $\log 1.15=0.06$으로 계산한다.)

2 로그

• 실제 학교 시험지처럼 풀어 보세요.

0277 | 유형 01 |

두 집합 $A=\left\{x \middle| \log_x \sqrt{2}=\frac{1}{4}\right\}$, $B=\left\{x \middle| \log_{\frac{1}{3}} x^2=2\right\}$에 대하여 $A \cup B$의 모든 원소의 합은? [3.3점]

① $-2\sqrt{3}$ ② -2 ③ 2
④ 4 ⑤ $4\sqrt{3}$

0278 | 유형 03 |

삼각형 ABC의 세 변의 길이 a, b, c 사이에

$$\log_a \sqrt{b+c}=1-\log_a \sqrt{b-c}$$

인 관계가 성립할 때, 이 삼각형은 어떤 삼각형인가? (단, $a\neq1$, $b>c$) [3.7점]

① $a=b$인 직각이등변삼각형
② $a=c$인 이등변삼각형
③ $b=c$인 이등변삼각형
④ 빗변의 길이가 b인 직각삼각형
⑤ 빗변의 길이가 c인 직각삼각형

0279 | 유형 04 |

$\frac{1}{\log_2 5!}+\frac{1}{\log_3 5!}+\frac{1}{\log_4 5!}+\frac{1}{\log_5 5!}$을 간단히 하면? [3.8점]

① 1 ② 2 ③ 3
④ 4 ⑤ 5

0280 | 유형 03 + 유형 04 + 유형 05 |

$(3^{\log_3 4+\log_3 2})^2+(2^{\log_3 4+\log_3 2})^{\log_2 3}$을 간단히 하면? [4.3점]

① 64 ② 68 ③ 72
④ 76 ⑤ 80

0281 | 유형 07 |

함수 $f(x)=\frac{x+1}{2x-1}$이고 $\log_5 2=a$, $\log_5 3=b$라 할 때, $f(\log_3 6)$의 값을 a, b를 써서 나타낸 것은? [4.3점]

① $\frac{a+2b}{a+b}$ ② $\frac{2a+b}{a+b}$ ③ $\frac{2a+b}{a+2b}$
④ $\frac{a+b}{2a+b}$ ⑤ $\frac{a+2b}{2a+b}$

0282 | 유형 10 |

세 양수 x, y, z에 대하여 $\log_2 xy=1$, $\log_2 yz=2$, $\log_2 zx=3$일 때, $\log_2 \frac{y^3z}{x^2}$의 값은? [4.3점]

① -2 ② -1 ③ 0
④ 1 ⑤ 2

0283 | 유형 11 |

이차방정식 $3x^2-6x-1=0$의 두 근을 α, β라 할 때, $\log_7 \{(3\alpha^2-3\alpha+2)(3\beta^2-3\beta+2)\}$의 값은? [4점]

① 1 ② $\log_7 10$ ③ $\log_7 14$
④ $\log_7 19$ ⑤ $\log_7 24$

0284 | 유형 12 |

다음 세 실수 중 가장 작은 수와 같은 값은? [4.3점]

$\log_9 3+\log_{25} 5$, $2^{\log_{\sqrt{3}}\sqrt{3}}$, $\log_3 5+\log_5 3$

① 1 ② 2 ③ 3 ④ 4 ⑤ 5

0285 | 유형 18 |

$P=\left(1-\frac{1}{2}\right)\left(1-\frac{1}{3}\right)\left(1-\frac{1}{4}\right)\cdots\left(1-\frac{1}{64}\right)$일 때, P^{10}은 소수점 아래 n째 자리에서 처음으로 0이 아닌 숫자가 나타난다. 이때, n의 값은? (단, $\log 2=0.301$로 계산한다.) [4.3점]

① 18 ② 19 ③ 20 ④ 21 ⑤ 22

0286 | 유형 22 |

두 양수 x, y가 다음 조건을 모두 만족시킬 때, $\log xy$의 값은? [3.9점]

(가) $\log x$의 정수 부분은 2이다.
(나) $\log y$의 정수 부분은 3이다.
(다) $\log x$의 소수 부분과 $\log y$의 소수 부분의 합은 1이다.

① 5 ② 6 ③ 7 ④ 8 ⑤ 9

0287 | 유형 23 |

자연수 x에 대하여 $\log x$의 정수 부분을 $N(x)$라 할 때,

$$N(1)+N(2)+N(3)+\cdots+N(k)=500$$

을 만족시키는 자연수 k의 값은? [5.1점]

① 300 ② 301 ③ 302 ④ 303 ⑤ 304

0288 | 유형 23 |

임의의 양의 정수 x에 대하여 $\log x$의 정수 부분을 $f(x)$라 할 때, 다음 보기 중 옳은 것을 있는 대로 고른 것은? [4.6점]

보기
ㄱ. $f(2019)=4$
ㄴ. 자연수 n에 대하여 $f(x)=n$인 x는 $9\cdot 10^n$개이다.
ㄷ. 자연수 n에 대하여 $f(10^n)=f(2^n)+f(5^n)+1$

① ㄱ ② ㄴ ③ ㄱ, ㄷ ④ ㄴ, ㄷ ⑤ ㄱ, ㄴ, ㄷ

0289 | 유형 21 + 유형 24 |

다음 조건을 모두 만족시키는 실수 x의 개수는?
(단, $[x]$는 x보다 크지 않은 최대의 정수이다.) [4점]

(가) $[\log x]=3$
(나) $\log x^2-[\log x^2]=\log\frac{1}{x}-\left[\log\frac{1}{x}\right]$

① 1 ② 2 ③ 3 ④ 4 ⑤ 5

0290 | 유형 25 |

디지털 사진을 압축할 때 원본 사진과 압축한 사진의 다른 정도를 나타내는 지표인 최대 신호 대 잡음비를 P, 원본 사진과 압축한 사진의 평균제곱오차를 E라 하면

$$P=20\log 255-10\log E\ (E>0)$$

가 성립한다고 한다. 두 원본 사진 A, B를 압축했을 때 최대 신호 대 잡음비를 각각 P_A, P_B라 하고, 평균제곱오차를 각각 $E_A(E_A>0)$, $E_B(E_B>0)$라 하자. $E_B=100E_A$일 때, P_A-P_B의 값은? [4.1점]

① 10 ② 15 ③ 20 ④ 25 ⑤ 30

서술형 문제

• 풀이 과정에 점수가 부여되니 풀이 과정 및 정답을 상세하게 서술하세요.

단답형

0291 | 유형 08 |

0이 아닌 세 실수 x, y, z에 대하여 $4^x=a$, $4^y=b$, $4^z=c$일 때, $\log_{abc}\sqrt{c}$를 x, y, z로 나타내시오. (단, $abc\neq1$) [6점]

0292 | 유형 02 + 유형 13 |

$\log_{x-1}(-x^2+2x+8)$의 값이 존재하도록 하는 자연수 x에 대하여 $\log_2 x$의 정수 부분을 a, 소수 부분을 b라 할 때, 2^{2a-b}의 값을 구하시오. [7점]

0293 | 유형 17 |

두 양의 정수 a, b에 대하여 a^{100}은 95자리의 수이고, b^{100}은 135자리의 수일 때, $(ab)^{20}$은 몇 자리의 정수인지 구하시오. [7점]

단계형

0294 | 유형 17 + 유형 20 |

18^{20}의 자리의 수를 a, 최고 자리의 숫자를 b라 할 때, 다음 물음에 답하시오.

(단, $\log 2=0.3010$, $\log 3=0.4771$로 계산한다.) [12점]

(1) $\log 18^{20}$의 값을 구하시오. [3점]

(2) a의 값을 구하시오. [3점]

(3) b의 값을 구하시오. [5점]

(4) $a+b$의 값을 구하시오. [1점]

0295 | 유형 16 + 유형 24 |

$\log A$에 대하여 $n=[\log A]$, $\alpha=\log A-[\log A]$라 하자. 이차방정식 $5x^2-12x+k=0$의 두 근이 n, α일 때, 다음 물음에 답하시오.

(단, k는 상수이고, $[x]$는 x보다 크지 않은 최대의 정수이다.) [10점]

(1) 이차방정식 $5x^2-12x+k=0$의 두 근 n, α의 값을 각각 구하시오. [8점]

(2) k의 값을 구하시오. [2점]

성/취/도 Check 점수 / 100점

- 50점 STEP 1 개념+기본 문제 학습
- 60점 STEP 2 유형 대표 문제 학습
- 70점 STEP 3의 틀린 문제에 해당하는 STEP 2 유형 학습
- 80점 STEP 3의 틀린 문제 복습
- 90점 교과서 속 심화문제 시작

0296

자연수 k에 대하여 a_k가 0 또는 1이고

$$\log_5 2=\frac{a_1}{2}+\frac{a_2}{2^2}+\frac{a_3}{2^3}+\frac{a_4}{2^4}+\cdots$$

일 때, $a_1+a_2+a_3$의 값을 구하시오.

0297

1보다 큰 두 양수 a, b에 대하여

$$a*b=\log_3(\log_a b)$$

로 정의할 때, 두 양수 x, y에 대하여 다음 보기 중 옳은 것을 있는 대로 고른 것은?

보기

ㄱ. $a*a=0$　　ㄴ. $b*a=a*b$　　ㄷ. $a*b^3-a^3*b=2$

① ㄱ　② ㄴ　③ ㄱ, ㄷ
④ ㄴ, ㄷ　⑤ ㄱ, ㄴ, ㄷ

0298 융합형

1보다 큰 두 수 A, B에 대하여

$\log A=m+\alpha$ (m은 음이 아닌 정수, $0\le\alpha<1$),

$\log B=n+\beta$ (n은 음이 아닌 정수, $0\le\beta<1$)

일 때, 두 점 P, Q를 $\mathrm{P}(m, n)$, $\mathrm{Q}(\alpha, \beta)$라 하자. 점 P는 곡선 $y=\frac{12}{x}$ 위에 있고, 점 Q는 직선 $y=-x+1$ 위에 있을 때, AB의 최댓값은 10^k이다. 이때, 실수 k의 값을 구하시오.

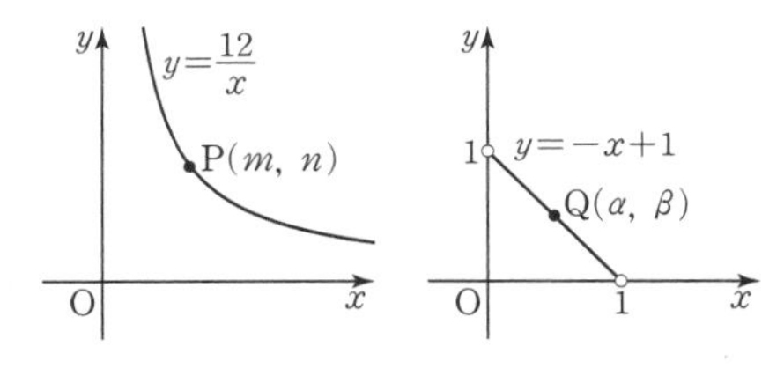

0299

자연수 n에 대하여 $\log n$의 정수 부분과 소수 부분을 각각 $f(n)$, $g(n)$이라 하자. 세 자연수 x, y, z가 다음 조건을 모두 만족시킬 때, $x+f(y)+f(z)$의 값을 구하시오.

(가) $f(x)=f(y)-1=f(z)-2$
(나) $g(x)=g(y)=g(z)$
(다) $x+y+z=15873$

0300

자연수 n에 대하여 좌표평면에서 직선

$$\frac{x}{3}+\frac{y}{4}=\left(\frac{3}{4}\right)^n$$

을 l_n이라 하자. 직선 l_n과 x축, y축으로 둘러싸인 부분의 넓이가 $\frac{1}{10}$ 이하가 되도록 하는 자연수 n의 최솟값을 구하시오. (단, $\log 2=0.30$, $\log 3=0.48$로 계산한다.)

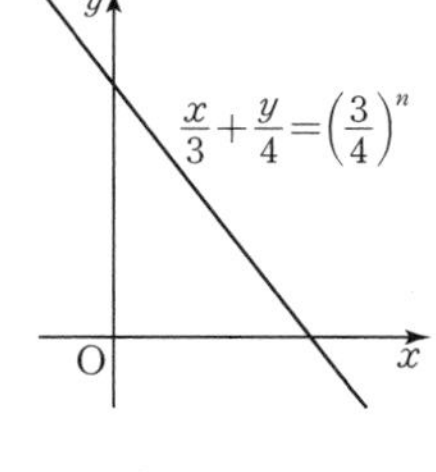

0301 창의·융합

어느 도시의 올해 신생아의 남녀 성비는 1 : 1이다. 이 도시의 신생아의 수는 매년 2 %씩 증가하고 그중 남자 아기의 수는 매년 5 %씩 증가한다고 한다. 10년 후에 이 도시의 신생아 100명 중 남자 아기는 몇 명인지 구하시오.
(단, $\log 1.02=0.009$, $\log 1.05=0.021$, $\log 1.32=0.120$으로 계산한다.)

3

지수함수

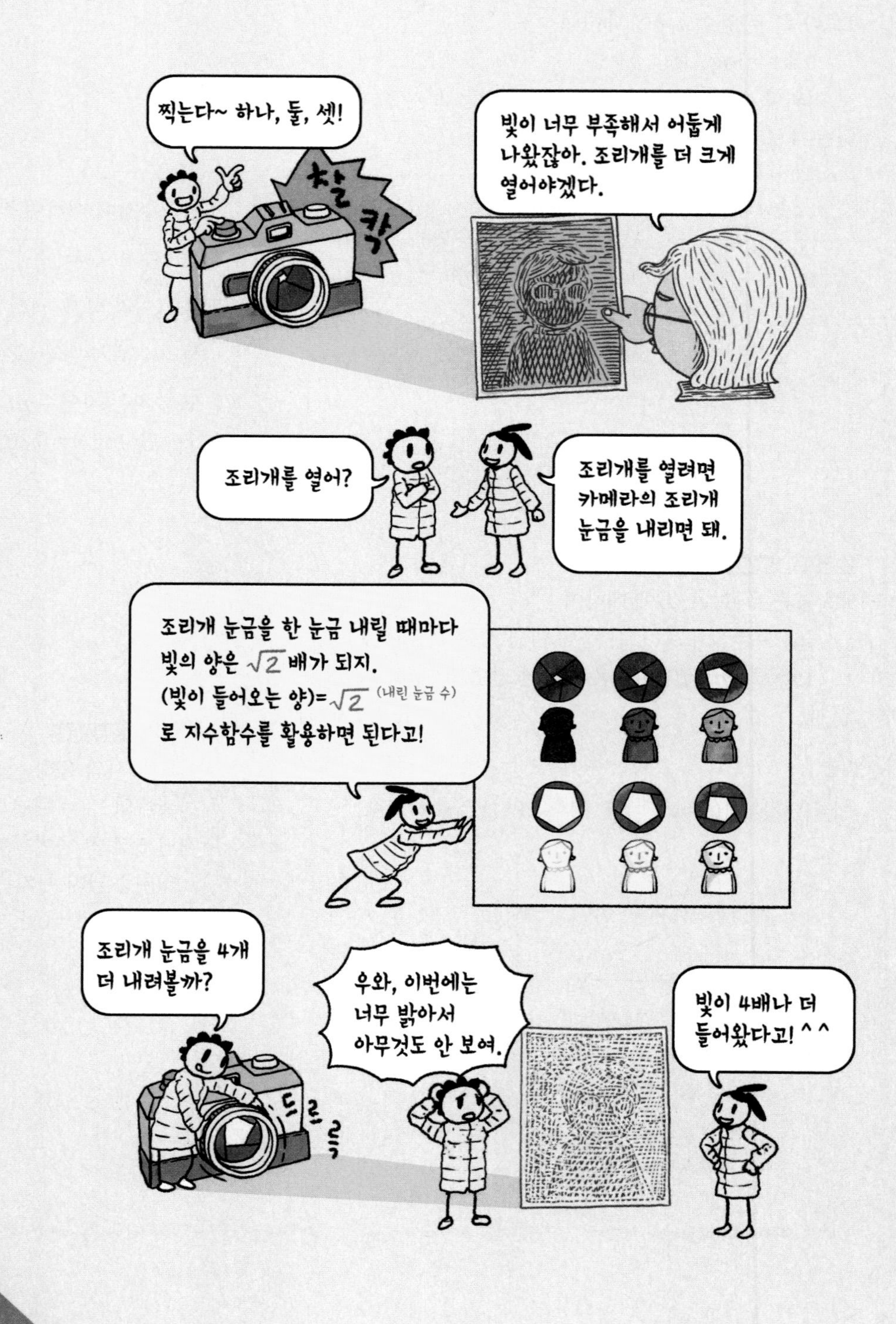
찍는다~ 하나, 둘, 셋!
찰칵
빛이 너무 부족해서 어둡게 나왔잖아. 조리개를 더 크게 열어야겠다.
조리개를 열어?
조리개를 열려면 카메라의 조리개 눈금을 내리면 돼.
조리개 눈금을 한 눈금 내릴 때마다 빛의 양은 $\sqrt{2}$ 배가 되지. (빛이 들어오는 양)= $\sqrt{2}^{(내린 눈금 수)}$ 로 지수함수를 활용하면 된다고!
조리개 눈금을 4개 더 내려볼까?
드르륵
우와, 이번에는 너무 밝아서 아무것도 안 보여.
빛이 4배나 더 들어왔다고! ^^

기출 문제 분석

빅 데이터

* 전국 300여 개 고등학교 기출 문제를 분석하였습니다.

유형01 지수함수의 함숫값
유형02 지수함수의 그래프의 성질
유형03 지수함수의 그래프에서의 함숫값
유형04 지수함수를 이용한 수의 대소 비교
유형05 지수함수의 그래프의 평행이동과 대칭이동
유형06 지수함수의 실생활에의 활용

유형07 지수함수의 최대·최소 – $y=a^{px+q}+r$ 꼴
유형08 함수의 최대·최소 – $y=a^{f(x)}$ 꼴
유형09 함수의 최대·최소 – 치환
유형10 지수함수의 최대·최소
– 산술평균과 기하평균의 관계 이용

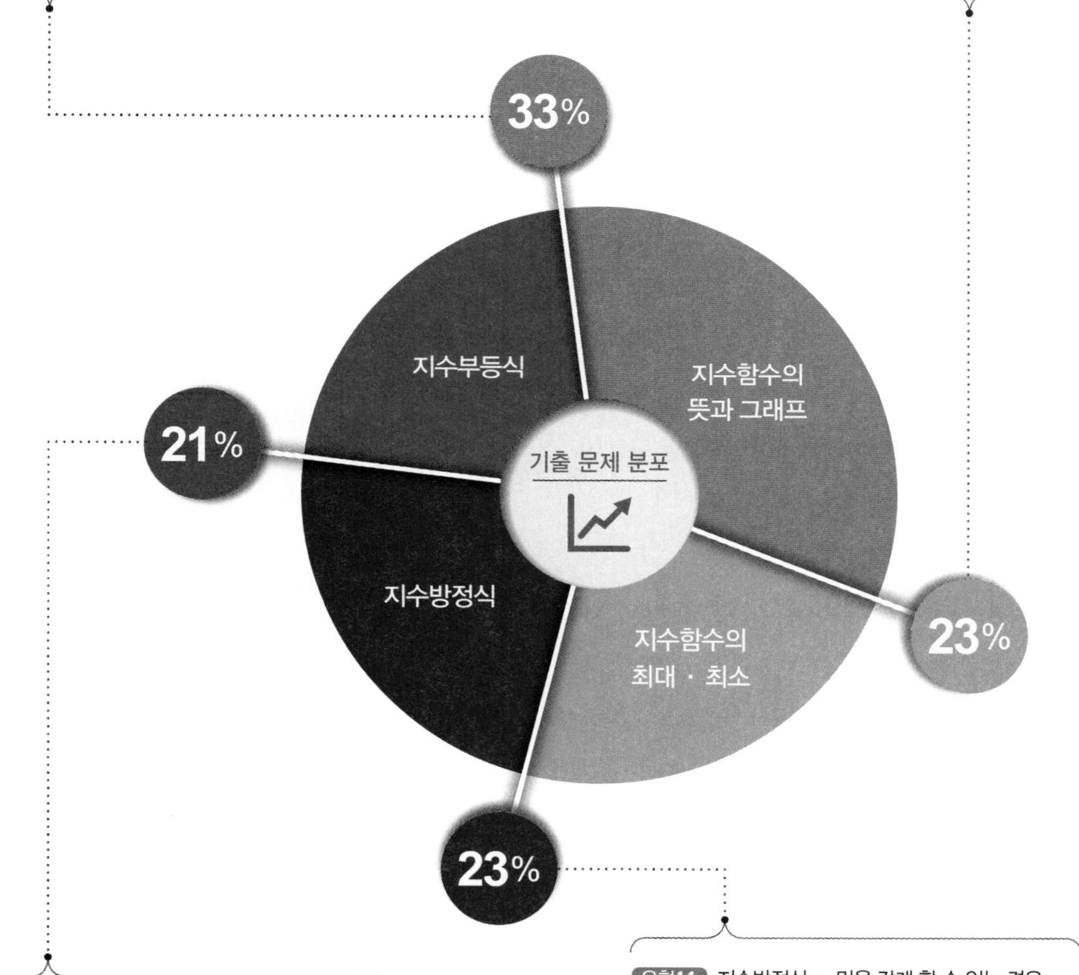

유형16 지수부등식 – 밑을 같게 할 수 있는 경우
유형17 지수부등식 – 치환
유형18 지수부등식 – 밑에 미지수가 있는 경우
유형19 지수부등식의 활용
유형20 지수방정식 및 지수부등식의 실생활에의 활용

유형11 지수방정식 – 밑을 같게 할 수 있는 경우
유형12 지수방정식 – 치환
유형13 지수방정식 – 연립방정식
유형14 지수방정식 – 밑에 미지수가 있는 경우
유형15 지수방정식의 활용
유형20 지수방정식 및 지수부등식의 실생활에의 활용

STEP 1 개념 마스터 ❶

01 지수함수

유형 01, 03, 06

실수 전체의 집합을 정의역으로 하는 함수

$y=a^x\ (a>0,\ a\neq1)$

을 a를 밑으로 하는 **지수함수**라 한다.

참고 ① $a>0,\ a\neq1$일 때, 실수 x에 대하여 a^x의 값은 하나로 정해지므로 $y=a^x$은 x의 함수이다.

② $y=a^x$은 $a=1$일 때 $y=1$로 상수함수가 된다.
따라서 지수함수에서는 $a\neq1\ (a>0)$인 경우만 생각한다.

예 ① $y=2^x,\ y=\left(\frac{1}{3}\right)^x,\ y=2\cdot5^{-x}$ ⇨ 지수함수

② $y=\left(\frac{1}{x}\right)^3,\ y=x^4,\ y=3\cdot x^{-5}$ ⇨ 지수함수가 아니다.

0302 다음 보기 중 지수함수인 것을 있는 대로 고르시오. (단, x는 실수)

보기
ㄱ. $y=3^x$　　ㄴ. $y=x^2$　　ㄷ. $y=-2x^3$
ㄹ. $y=0.1^x$　　ㅁ. $y=3\cdot2^x$

[0303~0306] 지수함수 $f(x)=2^x$에 대하여 다음 값을 구하시오.

0303 $f(0)$

0304 $f(-1)$

0305 $f\left(\frac{1}{2}\right)$

0306 $f(2)+f(-2)$

[0307~0310] 지수함수 $f(x)=\left(\frac{1}{3}\right)^x$에 대하여 다음 값을 구하시오.

0307 $f(0)$

0308 $f(4)$

0309 $f(-2)$

0310 $f(2)+f(-1)$

02 지수함수 $y=a^x\ (a>0,\ a\neq1)$의 성질

유형 02~04

(1) 정의역은 실수 전체의 집합이고, 치역은 양의 실수 전체의 집합이다. — $a>0,\ a\neq1$일 때, 모든 실수 x에 대하여 $a^x>0$

(2) $a>1$일 때, x의 값이 증가하면 y의 값도 증가한다. ($x_1<x_2 \Longleftrightarrow a^{x_1}<a^{x_2}$)
$0<a<1$일 때, x의 값이 증가하면 y의 값은 감소한다. ($x_1<x_2 \Longleftrightarrow a^{x_1}>a^{x_2}$)

(3) 그래프는 점 $(0,\ 1)$을 지나고, x축을 점근선으로 갖는다.

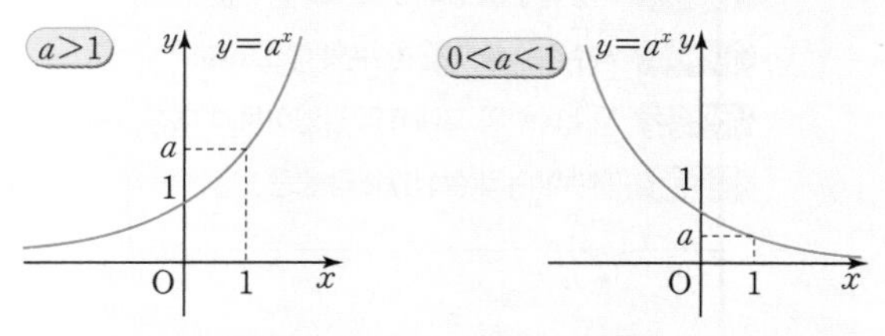

참고 곡선 위의 점이 어떤 직선에 한없이 가까워질 때, 이 직선을 그 곡선의 점근선이라 한다.

0311 다음 보기 중 지수함수 $f(x)=a^x\ (a>0,\ a\neq1)$에 대한 설명으로 옳은 것을 있는 대로 고르시오.

보기
ㄱ. 그래프는 점 $(0,\ 1)$을 지난다.
ㄴ. x축을 점근선으로 한다.
ㄷ. $a>1$일 때, $x_1<x_2$이면 $f(x_1)>f(x_2)$이다.
ㄹ. 정의역은 실수 전체의 집합이고, 치역은 양의 실수 전체의 집합이다.

[0312~0315] 지수함수를 이용하여 다음 수의 대소를 비교하시오.

0312 $3^{\pi},\ 3^{3.5}$

0313 $\left(\frac{1}{2}\right)^{0.5},\ \left(\frac{1}{2}\right)^{\frac{4}{7}}$

0314 $\sqrt{5},\ \sqrt[3]{5^2},\ \sqrt[4]{5^3}$

0315 $\left(\frac{1}{3}\right)^{-0.5},\ \left(\frac{1}{3}\right)^{0.5},\ \left(\sqrt{\frac{1}{3}}\right)^3$

03 지수함수의 그래프의 평행이동과 대칭이동 유형 05

지수함수 $y=a^x (a>0, a\neq1)$의 그래프를

(1) x축의 방향으로 m만큼, y축의 방향으로 n만큼 평행이동
⇨ $y=a^{x-m}+n$

(2) x축에 대하여 대칭이동 ⇨ $y=-a^x$

(3) y축에 대하여 대칭이동 ⇨ $y=a^{-x}=\left(\frac{1}{a}\right)^x$

(4) 원점에 대하여 대칭이동 ⇨ $y=-a^{-x}=-\left(\frac{1}{a}\right)^x$

예 지수함수 $y=2^x$의 그래프를

① x축의 방향으로 1만큼, y축의 방향으로 -2만큼 평행이동
⇨ $y=2^{x-1}-2$

② x축에 대하여 대칭이동 ⇨ $y=-2^x$

③ y축에 대하여 대칭이동 ⇨ $y=2^{-x}=\left(\frac{1}{2}\right)^x$

④ 원점에 대하여 대칭이동 ⇨ $y=-2^{-x}=-\left(\frac{1}{2}\right)^x$

[0316~0319] 함수 $y=3^{-x}$의 그래프를 다음과 같이 평행이동 또는 대칭이동한 그래프의 식을 구하시오.

0316 x축의 방향으로 1만큼, y축의 방향으로 2만큼 평행이동

0317 x축에 대하여 대칭이동

0318 y축에 대하여 대칭이동

0319 원점에 대하여 대칭이동

[0320~0322] 함수 $y=a^x$의 그래프가 오른쪽 그림과 같을 때, 다음 함수의 그래프를 그리시오.

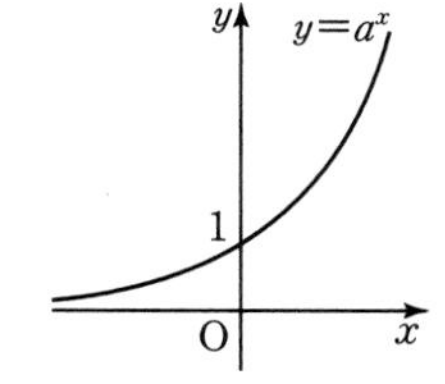

0320 $y=-a^x$

0321 $y=\left(\frac{1}{a}\right)^x$

0322 $y=-\left(\frac{1}{a}\right)^x$

[0323~0326] 함수 $y=2^x$의 그래프를 이용하여 다음 함수의 그래프를 그리고, 치역과 점근선의 방정식을 구하시오.

0323 $y=2^{x+1}$

0324 $y=2^x-1$

0325 $y=-2^x+1$

0326 $y=-2^{x-1}+1$

04 지수함수의 최대 · 최소 유형 07~10

정의역이 $\{x|m\leq x\leq n\}$인 지수함수 $y=a^x$은

(1) $a>1$이면 $x=m$일 때 최솟값 a^m, $x=n$일 때 최댓값 a^n을 갖는다.

(2) $0<a<1$이면 $x=m$일 때 최댓값 a^m, $x=n$일 때 최솟값 a^n을 갖는다.

참고 • 지수함수에서 a^x 꼴이 반복될 때는 $a^x=t(t>0)$로 치환한 후 t의 값의 범위 내에서 최대 · 최소를 구한다.
• 지수함수 $y=a^{f(x)}$은
① $a>1$이면 $f(x)$의 값이 최대일 때 최댓값, $f(x)$의 값이 최소일 때 최솟값을 갖는다.
② $0<a<1$이면 $f(x)$의 값이 최대일 때 최솟값, $f(x)$의 값이 최소일 때 최댓값을 갖는다.

[0327~0330] 다음 함수의 최댓값과 최솟값을 구하시오.

0327 정의역이 $\{x|-1\leq x\leq 2\}$인 함수 $y=5^x$

0328 정의역이 $\{x|-2\leq x\leq 0\}$인 함수 $y=\left(\frac{1}{3}\right)^x$

0329 정의역이 $\{x|-1\leq x\leq 0\}$인 함수 $y=4^{x+1}-1$

0330 정의역이 $\{x|-1\leq x\leq 2\}$인 함수 $y=2^{1-x}+1$

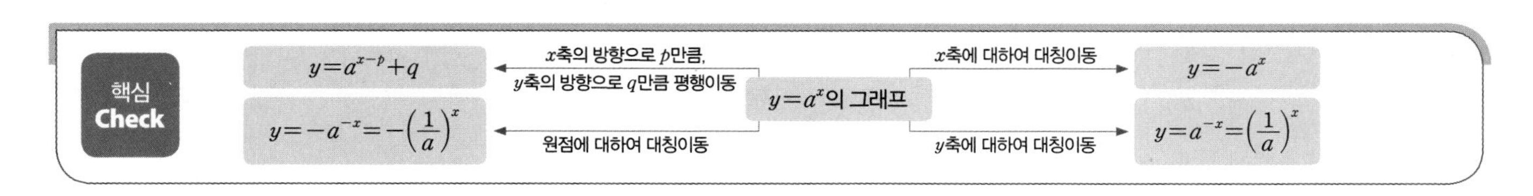

STEP 2 유형 마스터 ❶

유형 01 지수함수의 함숫값
개념 01

지수함수 $f(x)=a^x(a>0, a\neq1)$의 함숫값 $f(p)$(p는 상수)는 $f(x)$의 식에 x 대신 p를 대입하고 지수법칙을 이용하여 구한다.

0331 • 대표문제 •

함수 $f(x)=a^{bx+c}(a>0, a\neq1)$에서 $f(1)=2$, $f(2)=4$일 때, $f(3)$의 값은? (단, b, c는 상수)

① 6 ② 8 ③ 10
④ 12 ⑤ 14

0332 상중하

함수 $f(x)=2^{-x}$에 대하여

$f(2a)f(b)=4, f(a-b)=2$

일 때, $a+b$의 값을 구하시오. (단, a, b는 상수)

0333 상중하

1이 아닌 양수 a에 대하여 $f(x)=\frac{1}{2}(a^x-a^{-x})$이다. $f(p)=2$일 때, $f(2p)$의 값은? (단, p는 상수)

① $-4\sqrt{5}$ ② $-2\sqrt{5}$ ③ 0
④ $2\sqrt{5}$ ⑤ $4\sqrt{5}$

유형 01 Plus 지수함수의 역함수와 함숫값

0334 함수 $y=f(x)$의 역함수를 $y=g(x)$라 할 때
(1) $f(g(x))=x$
(2) $f(a)=b \Longleftrightarrow g(b)=a$

0334 상중하

함수 $f(x)=\left(\frac{1}{3}\right)^{x-2}+3$의 역함수 $g(x)$가

$g(a)=2, g(6)=b$

를 만족시킬 때, 두 상수 a, b에 대하여 $a+b$의 값을 구하시오.

중요 유형 02 지수함수의 그래프의 성질
개념 02

지수함수 $y=a^x(a>0, a\neq1)$에 대하여
(1) 정의역: 실수 전체의 집합, 치역: $\{y|y>0\}$
(2) $a>1$일 때, x의 값이 증가하면 y의 값도 증가
$0<a<1$일 때, x의 값이 증가하면 y의 값은 감소
(3) 그래프의 점근선: 직선 $y=0$(x축)

0335 • 대표문제 •

함수 $f(x)=a^x$ $(a>0, a\neq1)$에 대하여 $f(2)=9$일 때, $y=f(x)$에 대한 다음 설명 중 옳지 않은 것은?

① y축과의 교점의 좌표는 $(0, 1)$이다.
② x축과 한 점에서 만난다.
③ $x_1<x_2$일 때, $f(x_1)<f(x_2)$이다.
④ 그래프가 제1, 2사분면을 지난다.
⑤ 치역은 양의 실수 전체의 집합이다.

0336 상중하

다음 보기 중 임의의 두 실수 a, b에 대하여 $a<b$일 때, $f(a)<f(b)$를 만족시키는 함수를 있는 대로 고른 것은?

보기
ㄱ. $f(x)=\left(\frac{3}{2}\right)^x$ ㄴ. $f(x)=\left(\frac{1}{\pi}\right)^{x-1}$
ㄷ. $f(x)=(p^2-2p+3)^x$ (단, p는 실수)

① ㄱ ② ㄴ ③ ㄷ
④ ㄱ, ㄷ ⑤ ㄱ, ㄴ, ㄷ

0337 상중하 서술형

함수 $y=(a^2-a+1)^x$에서 x의 값이 증가할 때 y의 값은 감소하도록 하는 실수 a의 값의 범위를 구하시오.

유형 03 지수함수의 그래프에서의 함숫값

개념 01.02

지수함수 $y=a^x(a>0, a\neq1)$의 그래프가 점 (m, n)을 지난다.
⇨ $n=a^m$

0338 • 대표문제 •

오른쪽 그림은 함수 $y=2^x$의 그래프이다. 세 점 $(-p, a)$, (q, b), $(p+q, c)$가 이 그래프 위에 있을 때, 다음 중 a, b, c 사이의 관계식으로 옳은 것은?

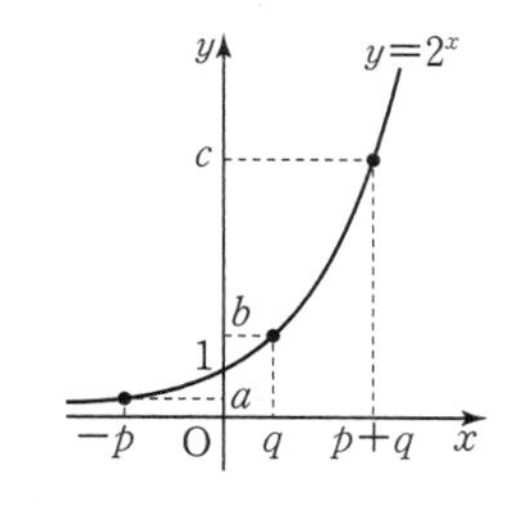

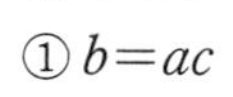

① $b=ac$　　② $a=bc$
③ $c=ab$　　④ $a^2=b^2c$
⑤ $b^2=ac$

0339 상중하

오른쪽 그림은 두 함수 $y=2^x$, $y=x$의 그래프이다. 이 그래프를 이용하여 $a+b+c$의 값을 구하시오. (단, 점선은 x축 또는 y축에 평행하다.)

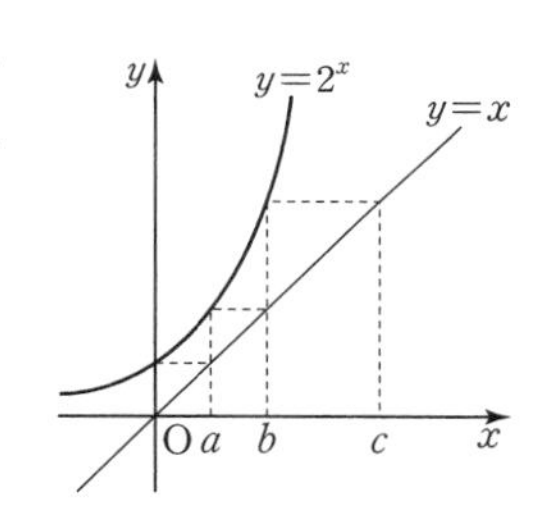

0340 상중하

지수함수 $f(x)=a^x$의 그래프가 오른쪽 그림과 같다. $f(b)=3$, $f(c)=6$일 때, $f\left(\frac{b+c}{2}\right)$의 값은?

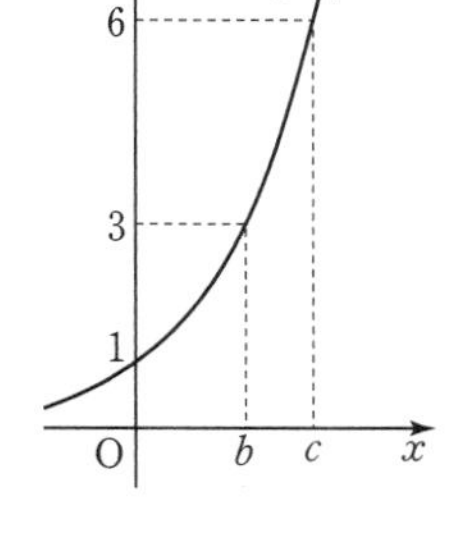

① 4　　② $\sqrt{17}$
③ $3\sqrt{2}$　　④ $\sqrt{19}$
⑤ $2\sqrt{5}$

0341 상중하

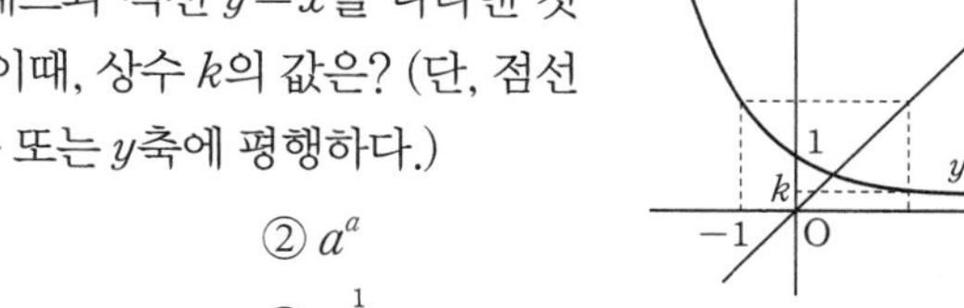

오른쪽 그림은 함수 $y=a^x(0<a<1)$의 그래프와 직선 $y=x$를 나타낸 것이다. 이때, 상수 k의 값은? (단, 점선은 x축 또는 y축에 평행하다.)

① a　　② a^a
③ $\sqrt{a}$　　④ $a^{\frac{1}{a}}$
⑤ $\frac{1}{a}$

0342 상중하

오른쪽 그림과 같이 함수 $y=3^{-x}$의 그래프 위의 한 점 A를 지나면서 x축에 평행한 직선이 함수 $y=9^x$의 그래프와 만나는 점을 B, 점 B를 지나면서 y축에 평행한 직선이 $y=3^{-x}$의 그래프와 만나는 점을 C라 하자. $\overline{AB}$의 길이가 3일 때, $\overline{BC}$의 길이를 구하시오.

(단, 점 A는 제2사분면 위에 있다.)

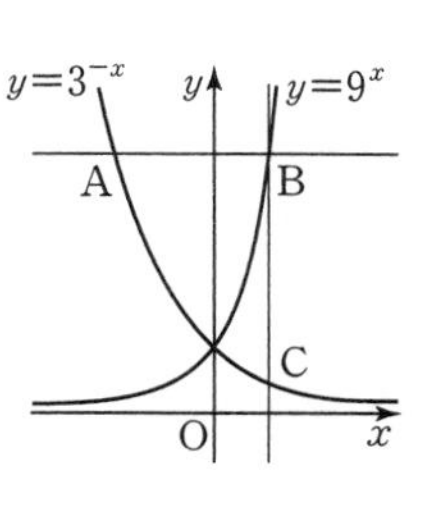

0343 상중하

오른쪽 그림과 같이 세 함수 $y=2^x$, $y=4^x$, $y=8^x$의 그래프가 직선 $y=k(k>1)$와 만나는 점을 각각 A, B, C라 할 때, $\frac{\overline{BC}}{\overline{AC}}$의 값은?

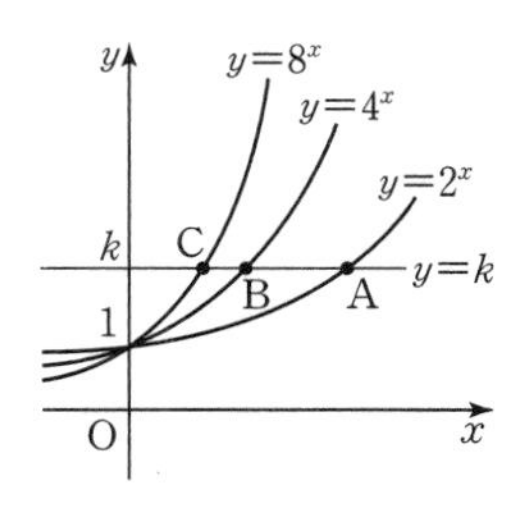

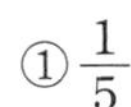
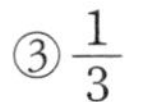

① $\frac{1}{5}$　　② $\frac{1}{4}$
③ $\frac{1}{3}$　　④ $\frac{1}{2}$
⑤ 1

유형 04 지수함수를 이용한 수의 대소 비교

개념 02

주어진 수의 밑을 같게 한 다음 지수함수 $y=a^x\ (a>0, a\neq1)$의 성질을 이용한다.

(1) $a>1$일 때, $m<n \Longleftrightarrow a^m<a^n$ — 부등호 방향 그대로

(2) $0<a<1$일 때, $m<n \Longleftrightarrow a^m>a^n$ — 부등호 방향 반대로

0344 대표문제

세 수 $(\sqrt{2})^3$, $0.5^{\frac{1}{3}}$, $\sqrt[3]{4}$ 중 가장 큰 수와 가장 작은 수를 차례대로 나열한 것은?

① $(\sqrt{2})^3$, $0.5^{\frac{1}{3}}$ ② $(\sqrt{2})^3$, $\sqrt[3]{4}$ ③ $0.5^{\frac{1}{3}}$, $\sqrt[3]{4}$
④ $\sqrt[3]{4}$, $0.5^{\frac{1}{3}}$ ⑤ $\sqrt[3]{4}$, $(\sqrt{2})^3$

0345 상중하

$0<a<1$일 때, 세 수 a, a^a, a^{a^a}의 대소 관계는?

① $a<a^a<a^{a^a}$ ② $a<a^{a^a}<a^a$ ③ $a^a<a<a^{a^a}$
④ $a^a<a^{a^a}<a$ ⑤ $a^{a^a}<a^a<a$

0346 상중하

n이 자연수일 때, 세 수

$$A=\sqrt[n+1]{a^n},\ B=\sqrt[n+2]{a^{n+1}},\ C=\sqrt[n+3]{a^{n+2}}$$

의 대소 관계에 대한 다음 보기의 설명 중 옳은 것을 있는 대로 고른 것은?

보기
ㄱ. $a=1$이면 $A=B=C$
ㄴ. $0<a<1$이면 $C<B<A$
ㄷ. $a>1$이면 $A<B<C$

① ㄱ ② ㄴ ③ ㄱ, ㄴ
④ ㄴ, ㄷ ⑤ ㄱ, ㄴ, ㄷ

유형 05 지수함수의 그래프의 평행이동과 대칭이동 (중요)

개념 03

지수함수 $y=a^x(a>0, a\neq1)$의 그래프를

(1) x축의 방향으로 m만큼, y축의 방향으로 n만큼 평행이동
⇨ $y=a^{x-m}+n$ — x 대신 $x-m$, y 대신 $y-n$을 대입

(2) x축에 대하여 대칭이동 ⇨ $y=-a^x$ — y 대신 $-y$를 대입

(3) y축에 대하여 대칭이동 ⇨ $y=a^{-x}=\left(\frac{1}{a}\right)^x$ — x 대신 $-x$를 대입

(4) 원점에 대하여 대칭이동 ⇨ $y=-a^{-x}=-\left(\frac{1}{a}\right)^x$ — x 대신 $-x$, y 대신 $-y$를 대입

0347 대표문제

평행이동 $f:(x,\ y) \longrightarrow (x+m,\ y-n)$에 의하여 함수 $y=3^{2x}$의 그래프가 함수 $y=81\cdot3^{2x}-4$의 그래프로 옮겨진다고 할 때, $m+n$의 값은? (단, m, n은 상수)

① -6 ② -2 ③ 2
④ 4 ⑤ 6

0348 상중하

다음 보기의 함수의 그래프 중 함수 $y=4^x$의 그래프를 평행이동 또는 대칭이동하여 겹쳐질 수 있는 것을 있는 대로 고른 것은?

보기
ㄱ. $y=-4^x-1$ ㄴ. $y=4^{2-x}$ ㄷ. $y=2^{2x-1}$

① ㄱ ② ㄴ ③ ㄱ, ㄴ
④ ㄴ, ㄷ ⑤ ㄱ, ㄴ, ㄷ

0349 상중하

오른쪽 그림은 함수 $y=2^x$의 그래프를 y축에 대하여 대칭이동한 후 x축의 방향으로 a만큼, y축의 방향으로 b만큼 평행이동한 그래프와 그 점근선을 나타낸 것이다. 이때, $a-b$의 값을 구하시오. (단, a, b는 상수)

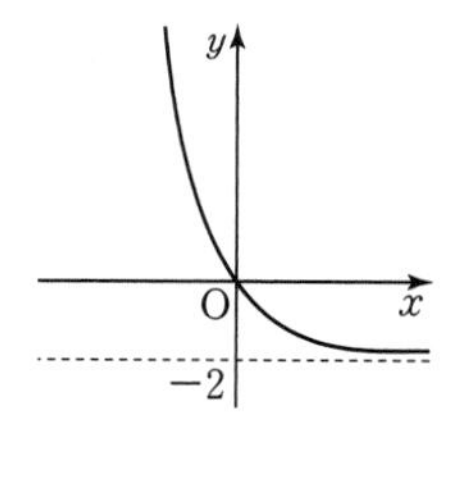

0350 상중하

함수 $y=\left(\frac{1}{2}\right)^{x-1}+k$의 그래프가 제1사분면을 지나지 않도록 하는 정수 k의 최댓값을 구하시오.

0351 상중하

두 함수 $y=3^x$, $y=3^x+2$의 그래프와 두 직선 $x=0$, $x=1$로 둘러싸인 도형의 넓이를 구하시오.

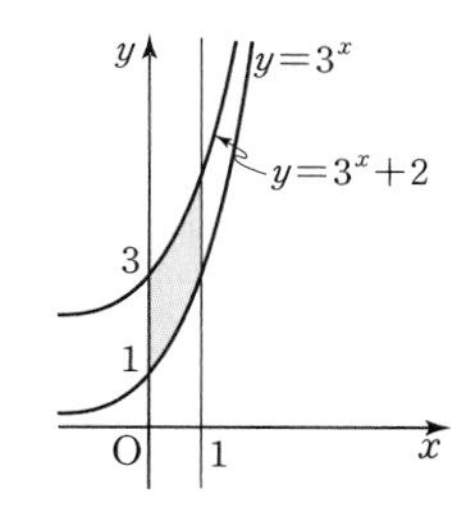

유형 06 지수함수의 실생활에의 활용 개념 01

(i) 주어진 관계식의 문자가 나타내는 것이 무엇인지 파악한다.
(ii) 문제에 주어진 조건을 관계식에 대입하여 식으로 표현한다.
(iii) 구한 식을 연립하여 미정계수를 구한다.

0352 • 대표문제 •

어떤 컵에 온도가 T_0 ℃인 뜨거운 물을 부었을 때, 물을 부은 지 x분 후 컵 속의 물의 온도를 y ℃라 하면

$y=T_0\cdot 4^{-x}$

이 성립한다고 한다. 이 컵에 온도가 T_0 ℃인 뜨거운 물을 붓고 몇 분 후 물의 온도를 측정하였더니 처음 물의 온도의 $\frac{1}{16}$이라 할 때, 물의 온도를 측정한 것은 몇 분 후인가?

① 1분 후 ② 2분 후 ③ 3분 후
④ 4분 후 ⑤ 5분 후

0353 상중하

전자레인지로 S조각의 피자를 요리하는 데 걸리는 시간 T분은

$T=\frac{4}{3}\cdot S^a$ (a는 양의 상수)

으로 나타내어진다. 2조각을 요리하는 데 걸리는 시간이 2분일 때, 8조각을 요리하는 데 걸리는 시간은?

① 4분 ② 4분 30초 ③ 5분
④ 5분 30초 ⑤ 6분

0354 상중하

어느 도시의 t년도 인구수를 $P\times 10^6$(명)이라 하면

$P=k\cdot 2^{\frac{t-2011}{18}}$ (k는 상수)

인 관계가 성립한다고 한다. 2020년 이 도시의 인구수가 400만 명일 때, 2035년 이 도시의 인구수는 2020년 인구수의 a배가 된다. 이때, a의 값은?

① $2^{\frac{1}{2}}$ ② $2^{\frac{2}{3}}$ ③ $2^{\frac{3}{4}}$
④ $2^{\frac{4}{5}}$ ⑤ $2^{\frac{5}{6}}$

0355 상중하

샬레에 배양되는 어느 박테리아는 경과 시간 x와 개수 y에 대하여 다음과 같은 관계식을 유지하면서 증가한다고 한다.

$y=p\cdot 5^{kx}$ (단, p, k는 상수)

1만 마리의 박테리아를 배양하기 시작하여 9시간 후에 16만 마리가 되었다면, 배양을 시작하여 18시간 후의 박테리아의 수는?

① 56만 ② 64만 ③ 81만
④ 128만 ⑤ 256만

유형 07 지수함수의 최대·최소 – $y=a^{px+q}+r$ 꼴

개념 04

정의역이 $\{x|m\le x\le n\}$인 지수함수
$f(x)=a^{px+q}+r(a>0, a\ne1, p>0)$에 대하여
(1) $a>1$일 때 ⇨ 최댓값: $f(n)$, 최솟값: $f(m)$
(2) $0<a<1$일 때 ⇨ 최댓값: $f(m)$, 최솟값: $f(n)$

0356 대표문제

정의역이 $\{x|0\le x\le 2\}$인 함수 $y=3^x\cdot2^{2-x}$의 최댓값을 M, 최솟값을 m이라 할 때, Mm의 값은?

① 6 ② 12 ③ 20
④ 36 ⑤ 42

0357 상중하 서술형

정의역이 $\{x|-2\le x\le a\}$인 함수 $y=\left(\frac{1}{2}\right)^{x-1}+b$의 최댓값이 20, 최솟값이 14일 때, 두 상수 a, b에 대하여 $a+b$의 값을 구하시오.

0358 상중하

정의역이 $\{x|0\le x\le 4\}$인 함수 $f(x)=a^{x+1}$의 최댓값을 α, 최솟값을 β라 할 때, $\alpha=16\beta$이다. 이때, 모든 실수 a의 값의 합은? (단, $a>0$, $a\ne1$)

① $\frac{1}{2}$ ② 1 ③ $\frac{3}{2}$
④ 2 ⑤ $\frac{5}{2}$

유형 08 함수의 최대·최소 – $y=a^{f(x)}$ 꼴

개념 04

함수 $y=a^{f(x)}(a>0, a\ne1)$의 최대·최소
(1) $a>1$일 때 ⇨ $f(x)$의 값이 최대이면 y의 값도 최대
$f(x)$의 값이 최소이면 y의 값도 최소
(2) $0<a<1$일 때 ⇨ $f(x)$의 값이 최대이면 y의 값은 최소
$f(x)$의 값이 최소이면 y의 값은 최대

0359 대표문제

정의역이 $\{x|1\le x\le 4\}$인 함수 $y=\left(\frac{1}{2}\right)^{-x^2+4x-5}$의 최댓값과 최솟값의 차는?

① 28 ② 30 ③ 32
④ 34 ⑤ 36

0360 상중하 서술형

함수 $y=a^{-x^2+2x+1}$의 최댓값이 9일 때, 상수 a의 값을 구하시오. (단, $a>1$)

0361 상중하

정의역이 $\left\{x\middle|\frac{1}{2}\le x\le 3\right\}$인 함수 $y=3^{-x^2+2x+k}$의 최솟값이 1, 최댓값이 m일 때, $k+m$의 값을 구하시오. (단, k는 상수)

0362 상중하

정의역이 $\{x|0\le x\le 3\}$인 함수 $y=2^{-|x-1|+1}$의 치역은?

① $\left\{y\middle|\frac{1}{4}\le y\le 1\right\}$ ② $\left\{y\middle|\frac{1}{2}\le y\le 2\right\}$
③ $\{y|0<y\le 2\}$ ④ $\{y|1\le y\le 2\}$
⑤ $\{y|2\le y\le 4\}$

유형 09 함수의 최대·최소 – 치환
개념 04

함수 $y=(a^x)^2+pa^x+q$($a>0$, $a\neq1$, p, q는 상수)의 최대·최소
⇨ $a^x=t\,(t>0)$로 놓으면 $y=t^2+pt+q$이므로 이차함수의 최대·최소를 이용한다.

0363 • 대표문제 •

정의역이 $\{x\mid -1\le x\le 2\}$인 함수 $y=2^{x+1}-4^x+3$의 최댓값을 M, 최솟값을 m이라 할 때, $M-m$의 값은?

① 1 ② 3 ③ 5
④ 7 ⑤ 9

0364 상중하

함수 $y=4^x-2^{x+a}+b$가 $x=1$에서 최솟값 3을 가질 때, 두 상수 a, b에 대하여 $a+b$의 값은?

① 5 ② 6 ③ 7
④ 8 ⑤ 9

0365 상중하

$x\le a$에서 정의된 함수 $y=2^{x+2}-2^{2x+1}$의 최솟값이 -16, 최댓값이 b일 때, a^2+b^2의 값은? (단, $a>1$)

① 8 ② 9 ③ 11
④ 13 ⑤ 16

유형 10 지수함수의 최대·최소 – 산술평균과 기하평균의 관계 이용
중요
개념 04

$a>0$, $a\neq1$일 때, 모든 실수 x에 대하여 $a^x>0$, $a^{-x}>0$이므로
$a^x+a^{-x}\ge 2\sqrt{a^x\cdot a^{-x}}=2$ (단, 등호는 $x=0$일 때 성립)

0366 • 대표문제 •

함수 $f(x)=3^x+3^{-x+4}$이 $x=a$에서 최솟값 b를 가질 때, $a+b$의 값을 구하시오.

0367 상중하

함수 $y=2^{x+a}+\left(\frac{1}{2}\right)^{x-a}$의 최솟값이 128일 때, 상수 a의 값은?

① 5 ② 6 ③ 7
④ 8 ⑤ 9

0368 상중하

좌표평면 위에서 오른쪽 그림과 같은 직선 위의 점 $\mathrm{P}(a,\ b)$에 대하여 9^a+27^b의 최솟값을 구하시오.

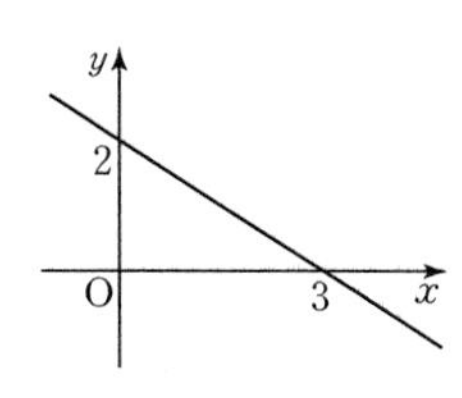

유형 10 Plus a^x+a^{-x} 꼴이 반복되어 있는 함수의 최대·최소

0369 주어진 함수를 a^x+a^{-x} 꼴로 정리하고 $a^x+a^{-x}=t\,(t\ge2)$로 치환하여 산술평균과 기하평균의 관계를 이용한다.

0369 상중하

함수 $y=2(4^x+4^{-x})-4(2^x+2^{-x})$의 최솟값은?

① -6 ② -4 ③ -2
④ 2 ⑤ 4

STEP 1 개념 마스터 ❷

05 지수방정식

유형 11~15, 20

지수에 미지수가 포함된 방정식을 지수방정식이라 하고, 다음과 같이 푼다. (단, $a>0$, $a\neq1$)

(1) 밑을 같게 할 수 있는 경우 — 지수가 같음을 이용한다.

주어진 방정식을 $a^{f(x)}=a^{g(x)}$ 꼴로 변형한 후

$a^{f(x)}=a^{g(x)} \Longleftrightarrow f(x)=g(x)$

임을 이용하여 방정식 $f(x)=g(x)$를 푼다.

예 $2^x=16$에서 $16=2^4$이므로 $2^x=2^4$ $\therefore x=4$

참고 지수함수 $y=a^x(a>0, a\neq1)$은 일대일함수이므로

$a^{f(x)}=a^{g(x)} \Longleftrightarrow f(x)=g(x)$

(2) a^x 꼴이 반복되는 경우

$a^x=t$로 치환하여 t에 대한 방정식을 푼다.

이때, $a^x>0$이므로 $t>0$임에 주의한다.

예 $4^x+2^x-2=0$에서 $(2^x)^2+2^x-2=0$

$2^x=t(t>0)$로 놓으면

$t^2+t-2=0$, $(t+2)(t-1)=0$ $\therefore t=1$ $(\because t>0)$

즉, $2^x=1$이므로 $x=0$

참고 $a^{2x}+a^x+k=0$에서 $a^x=t(t>0)$로 놓으면 $t^2+t+k=0$

이 이차방정식의 해가 $t=\alpha$이면 $a^x=\alpha$를 만족시키는 x의 값이 구하는 해이다.

(3) 지수가 같은 경우 — 밑이 같거나 지수가 0임을 이용한다.

$a^{f(x)}=b^{f(x)}(a>0, b>0)$ 꼴의 방정식은 $a=b$ 또는 $f(x)=0$을 푼다.

└ $a^0=b^0=1$

[0370~0373] 다음 지수방정식을 푸시오.

0370 $2^{2x-5}=128$

0371 $\left(\frac{1}{9}\right)^x=3\sqrt{3}$

0372 $5^{2x}=125^x$

0373 $\left(\frac{2}{3}\right)^{2(x-2)}=\left(\frac{3}{2}\right)^{x+1}$

0374 다음은 지수방정식 $9^x-3^x-6=0$의 해를 구하는 과정이다.

> $3^x=t(t>0)$로 놓으면
> t^2-t- (가) $=0$ $\therefore t=$ (나)
> 즉, $3^x=$ (나) 이므로 $x=$ (다)

위의 과정에서 (가)~(다)에 알맞은 수를 써넣으시오.

[0375~0378] 다음 지수방정식을 푸시오.

0375 $4^x-3\cdot2^x+2=0$

0376 $9^x-3^{x+1}=54$

0377 $2^{2x+1}+3\cdot2^x-2=0$

0378 $3^x-18\cdot3^{-x}=7$

[0379~0380] 다음 지수방정식을 푸시오.

0379 $2^{2x-3}=3^{2x-3}$

0380 $(x+2)^{2x-4}=3^{2x-4}$ (단, $x>-2$)

핵심 Check

지수방정식
- 밑을 같게 할 수 있을 때 → 지수가 같음을 이용
- a^x 꼴이 반복될 때 → $a^x=t$로 치환
- 지수가 같을 때 → 밑이 같거나 지수가 0임을 이용

06 지수부등식

유형 16~20

지수에 미지수가 포함된 부등식을 지수부등식이라 하고, 다음과 같이 푼다. (단, $a>0$, $a\neq1$)

(1) 밑을 같게 할 수 있는 경우 – 지수의 대소 관계를 이용한다.

주어진 부등식을 $a^{f(x)}>a^{g(x)}$ 꼴로 변형한 후

① $a>1$일 때 ⇨ 부등식 $f(x)>g(x)$를 푼다. – 부등호 방향 그대로

② $0<a<1$일 때 ⇨ 부등식 $f(x)<g(x)$를 푼다. – 부등호 방향 반대로

예 $2^{2x}<64$에서 $64=2^6$이므로 $2^{2x}<2^6$

이때, $2>1$이므로 $2x<6$

$\therefore x<3$

참고 지수부등식을 풀 때는 밑이 1보다 큰지 작은지에 따라 부등호의 방향이 달라짐에 유의해야 한다.

(2) a^x 꼴이 반복되는 경우

$a^x=t$로 치환하여 t에 대한 부등식을 푼다.

이때, $a^x>0$이므로 $t>0$임에 주의한다.

예 $4^x-2^x-2<0$에서 $(2^x)^2-2^x-2<0$

$2^x=t\,(t>0)$로 놓으면

$t^2-t-2<0$, $(t+1)(t-2)<0$

$\therefore -1<t<2$

그런데 $t>0$이므로 $0<t<2$

즉, $0<2^x<2^1$이므로 $x<1$

[0381~0384] 다음 지수부등식을 푸시오.

0381 $2^{x-1}<32$

0382 $4^{2x+1}\leq2\sqrt{2}$

0383 $5^{2x-1}>\left(\frac{1}{5}\right)^{x-2}$

0384 $\left(\frac{4}{5}\right)^{x-3}<\left(\frac{5}{4}\right)^{2x+1}$

0385 다음은 지수부등식 $9^x-4\cdot3^{x+1}+27<0$의 해를 구하는 과정이다.

> $3^x=t\,(t>0)$로 놓으면
> t^2- (가) $t+27<0$ $\quad\therefore$ (나) $<t<$ (다)
> 즉, (나) $<3^x<$ (다) 이므로
> (라) $<x<$ (마)

위의 과정에서 (가)~(마)에 알맞은 수를 써넣으시오.

[0386~0388] 다음 지수부등식을 푸시오.

0386 $3^{2x}-2\cdot3^x-3>0$

0387 $4^x-3\cdot2^{x+1}+8\leq0$

0388 $\left(\frac{1}{4}\right)^x-2\cdot\left(\frac{1}{2}\right)^x>8$

[0389~0391] 다음 지수부등식을 푸시오.

0389 $\frac{1}{9}<3^{2x-1}<27\sqrt{3}$

0390 $\left(\frac{1}{2}\right)^{2x-1}<\frac{\sqrt{2}}{8}<2^{2-x}$

0391 $\left(\frac{1}{5}\right)^{3x-1}<125<\left(\frac{1}{25}\right)^{2x-1}$

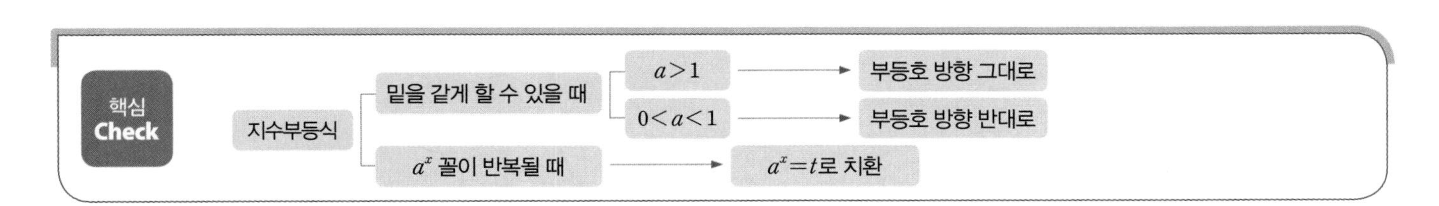

STEP 2 유형 마스터 ❷

유형 11 지수방정식 – 밑을 같게 할 수 있는 경우

개념 05

방정식의 각 항의 밑을 같게 한 다음 지수를 비교한다.
$a^{f(x)}=a^{g(x)} \Longleftrightarrow f(x)=g(x)$ (단, $a>0, a\neq1$)

0392 • 대표문제 •

방정식 $(\sqrt{2})^x=32\cdot2^{-2x}$을 만족시키는 정수 x의 값을 구하시오.

0393 상중하

방정식 $8^x=\left(\frac{1}{2}\right)^{x^2-4}$의 두 근을 α, β라 할 때, $\alpha-\beta$의 값은? (단, $\alpha>\beta$)

① -5　② -3　③ 0　④ 3　⑤ 5

0394 상중하

방정식 $(2^x-8)(3^{2x}-9)=0$의 두 근을 α, β라 할 때, $\alpha^2+\beta^2$의 값을 구하시오.

0395 상중하

방정식 $\frac{9^{x^2+1}}{3^{x-1}}=81$의 두 근을 α, β라 할 때, $\alpha+\beta$의 값은?

① -1　② $-\frac{1}{2}$　③ 0　④ $\frac{1}{2}$　⑤ 1

중요 유형 12 지수방정식 – 치환

개념 05

$a^x(a>0, a\neq1)$ 꼴이 반복되는 경우
(i) $a^x=t(t>0)$로 치환하여 t에 대한 방정식을 푼다.
(ii) (i)에서 구한 해에 t 대신 a^x을 대입하여 x의 값을 구한다.

0396 • 대표문제 •

방정식 $2^x+2^{5-x}=33$의 모든 근의 합은?

① 4　② 5　③ 6　④ 7　⑤ 8

0397 상중하

두 함수 $f(x)=4^x$, $g(x)=9\cdot2^{x-1}-2$의 그래프의 교점의 x좌표를 구하시오.

0398 상중하

두 함수 $f(x)=2^x$, $g(x)=2x+3$에 대하여 방정식

$$(f\circ g)(x)=(g\circ f)(x)$$

의 근을 α라 할 때, 2^α의 값을 구하시오.

0399 상중하

방정식 $25^x+25^{-x}+5^x+5^{-x}-4=0$을 푸시오.

유형 13 지수방정식 – 연립방정식

개념 05

a^x, $b^y(a>0, a\neq1, b>0, b\neq1)$에 대한 연립방정식의 경우

⇨ $a^x=X$, $b^y=Y(X>0, Y>0)$로 치환하여 X, Y에 대한 연립방정식을 푼다.

0400 • 대표문제 •

연립방정식 $\begin{cases} 2^x+2^y=10 \\ 2^{x+y-3}=2 \end{cases}$의 해를 $x=\alpha$, $y=\beta$라 할 때, $\alpha^2+\beta^2$의 값을 구하시오.

0401 상중하 서술형

연립방정식 $\begin{cases} 3\cdot2^x-2\cdot3^y=6 \\ 2^{x-2}-3^{y-1}=-1 \end{cases}$의 해를 $x=\alpha$, $y=\beta$라 할 때, $\alpha^2+\beta^2$의 값을 구하시오.

유형 14 지수방정식 – 밑에 미지수가 있는 경우

개념 05

두 양의 실수 a, b에 대하여

(1) $a^{f(x)}=a^{g(x)}$ ⇨ $a=1$ 또는 $f(x)=g(x)$

(2) $a^{f(x)}=b^{f(x)}$ ⇨ $a=b$ 또는 $f(x)=0$

0402 • 대표문제 •

방정식 $(x-1)^{2x+3}=(x-1)^{x^2}$의 모든 근의 합을 구하시오.

(단, $x>1$)

0403 상중하

두 집합

$A=\{x\,|\,(x-1)^{2x}=(x-1)^{x+3},\ x>1\}$,

$B=\{x\,|\,(x+1)^{2x-1}=3^{2x-1},\ x>-1\}$

에 대하여 $A-B$를 구하면?

① $\{2\}$　② $\{3\}$　③ $\left\{\frac{1}{2}\right\}$

④ $\left\{\frac{1}{2}, 2\right\}$　⑤ $\left\{\frac{1}{2}, 3\right\}$

발전 유형 15 지수방정식의 활용

중요

개념 05

방정식 $pa^{2x}+qa^x+r=0(a>0, a\neq1, p, q, r$는 상수)의 근이 α, β일 때

⇨ $a^x=t(t>0)$로 치환하면 이차방정식 $pt^2+qt+r=0$의 근은 a^α, a^β이다.

0404 • 대표문제 •

방정식 $3^{2x}-4\cdot3^x+1=0$의 두 근을 α, β라 할 때, $9^\alpha+9^\beta$의 값은?

① 12　② 14　③ 16

④ 18　⑤ 20

0405 상중하

x에 대한 방정식 $2^{2x}-2^{x+1}+k=0$의 두 근의 합을 -1이라 할 때, 상수 k의 값은?

① $\frac{1}{4}$　② $\frac{1}{2}$　③ $\frac{3}{4}$

④ 1　⑤ 2

0406 상중하

x에 대한 방정식 $9^x-3^{x+1}-k=0$이 서로 다른 두 실근을 가질 때, 실수 k의 값의 범위는?

① $k>-\frac{9}{4}$　② $k\geq-3$　③ $-\frac{9}{4}<k<0$

④ $-3<k<0$　⑤ $-2<k\leq0$

0407 상중하

방정식

$$4^x+4^{-x}+a(2^x-2^{-x})+7=0$$

이 적어도 하나의 실근을 갖기 위한 양수 a의 최솟값을 구하시오.

3 지수함수

유형 16 지수부등식 - 밑을 같게 할 수 있는 경우

개념 06

부등식의 각 항의 밑을 같게 한 다음 지수를 비교한다.

(1) $a>1$일 때, $a^{f(x)}>a^{g(x)} \Longleftrightarrow f(x)>g(x)$ ─부등호 방향 그대로

(2) $0<a<1$일 때, $a^{f(x)}>a^{g(x)} \Longleftrightarrow f(x)<g(x)$ ─부등호 방향 반대로

0408 • 대표문제 •

부등식 $3^{x^2-2x} \geq \left(\frac{1}{3}\right)^x$을 만족시키는 양수 x의 최솟값은?

① 1 ② 2 ③ 3
④ 4 ⑤ 5

0409 상중하

$0<a<1$일 때, $a^{2x+1}>\sqrt[3]{a}\cdot a^{3x}$을 만족시키는 실수 x의 값의 범위는?

① $x<-3$ ② $x>-3$ ③ $-3<x<2$
④ $x<\frac{2}{3}$ ⑤ $x>\frac{2}{3}$

0410 상중하

부등식 $\left(\frac{1}{5}\right)^{x+2}<\left(\frac{1}{5}\right)^{x^2}<5^{2-3x}$을 풀면?

① $-1<x<1$ ② $x<-1$ ③ $-1<x<0$
④ $x>1$ ⑤ $0<x<1$

0411 상중하

부등식 $\left(\frac{1}{16}\right)^{x^2}>2^{ax}$을 만족시키는 정수 x의 개수가 2일 때, 모든 자연수 a의 값의 합은?

① 36 ② 38 ③ 40
④ 42 ⑤ 44

유형 17 지수부등식 - 치환 (중요)

개념 06

$a^x(a>0, a\neq1)$ 꼴이 반복되는 경우

(i) $a^x=t(t>0)$로 치환하여 t에 대한 부등식을 푼다.

(ii) (i)에서 구한 해에 t 대신 a^x을 대입하여 x의 값의 범위를 구한다.

0412 • 대표문제 •

부등식 $3^{2x+1}-28\cdot3^x+9<0$을 만족시키는 모든 정수 x의 값의 합을 구하시오.

0413 상중하 서술형

부등식 $\left(\frac{1}{4}\right)^x-9\cdot\left(\frac{1}{2}\right)^{x+1}+2\leq0$을 만족시키는 x의 최댓값을 M, 최솟값을 m이라 할 때, $M+m$의 값을 구하시오.

유형 18 지수부등식 - 밑에 미지수가 있는 경우

개념 06

$x^{f(x)}>x^{g(x)}$ 꼴의 부등식은 $0<x<1$, $x=1$, $x>1$일 때로 나누어 푼다.

0414 • 대표문제 •

부등식 $x^{x^2}>x^{2x+3}$의 해가 $0<x<\alpha$ 또는 $x>\beta$일 때, $\alpha+\beta$의 값은? (단, $x>0$)

① 3 ② 4 ③ 5
④ 6 ⑤ 7

0415 상중하

부등식 $x^{2x}<x^{x+2}$의 해를 구하시오. (단, $x>0$)

발전 유형 19 지수부등식의 활용

개념 06

$a>0$, $a\neq1$일 때

$pa^{2x}+qa^{x}+r>0$ …… ㉠ $\xrightarrow{a^x=t(t>0)\text{로 치환}}$ $pt^2+qt+r>0$ …… ㉡

모든 실수 x에 대하여 부등식 ㉠이 성립한다.

⇨ $t>0$인 모든 실수 t에 대하여 부등식 ㉡이 성립한다.

0416 • 대표문제 •

모든 실수 x에 대하여 부등식 $4^x-k\cdot2^{x+1}+9\geq0$이 성립할 때, 실수 k의 값의 범위를 구하시오.

0417 상중하

모든 실수 x에 대하여 부등식 $2^{x+1}-2^{\frac{x+4}{2}}+a\geq0$이 성립하도록 하는 실수 a의 최솟값은?

① $\frac{1}{2}$ ② 1 ③ $\frac{3}{2}$
④ 2 ⑤ $\frac{5}{2}$

0418 상중하

모든 실수 x에 대하여 부등식

$$4x^2-2(3^t-4)x+(3^t-4)>-\frac{5}{4}$$

를 만족시키는 실수 t의 값의 범위는?

① $0<t<4$ ② $0<t<2$ ③ $t>1$
④ $t<2$ ⑤ $1<t<2$

발전 유형 20 지수방정식 및 지수부등식의 실생활에의 활용

개념 05, 06

처음의 양을 a, 일정한 비율 p로 x시간 후 변화된 양을 y라 하면

$y=a\cdot p^x$

0419 • 대표문제 •

두 종류의 박테리아 A, B가 있다. A는 매분 1개가 8개로 분열되고, B는 매분 1개가 2개로 분열된다. 현재 A는 1개, B는 4^{10}개로 배양을 시작할 때, A, B의 개수가 같아지는 때는 몇 분 후인지 구하시오.

0420 상중하

어떤 세균 A는 그 수가 한 시간에 2배씩 증가하고, 세균 B는 그 수가 한 시간에 4배씩 증가한다고 한다. 두 접시에 각각 세균 A를 2마리, 세균 B를 4마리 넣고 시간이 경과한 후 열어 보았더니 두 접시의 세균 수의 합이 72마리였다면 몇 시간이 경과한 후인가?

① 2시간 ② 3시간 ③ 4시간
④ 5시간 ⑤ 6시간

0421 상중하

초기 방사능이 y_0인 어떤 방사성 물질이 일정한 비율로 붕괴되어 x년 후에는 방사능이 $y=y_0a^{-x}$이라고 한다. 50년 후의 방사능이 초기 방사능의 $\frac{1}{2}$이 되었다고 할 때, 이 물질의 방사능이 초기 방사능의 1 %가 되는 것은 α년 후이다. 다음 중 α의 값의 범위로 옳은 것은? (단, $a>1$)

① $100<\alpha<150$ ② $150<\alpha<200$
③ $200<\alpha<250$ ④ $250<\alpha<300$
⑤ $300<\alpha<350$

• 실제 학교 시험지처럼 풀어 보세요.

0422 | 유형 01 |

함수 $f(x)=a^x(a>0,\ a\neq1)$에서 $f(2)=m,\ f(6)=n$일 때, $f(4)$의 값은? (단, m, n은 상수) [3.8점]

① m^2n　② mn^2　③ mn
④ $\frac{m}{n}$　⑤ $\frac{n}{m}$

0423 | 유형 02 |

$a>0$일 때, 함수 $y=2a^{-x+4}-5$의 그래프는 a의 값에 관계없이 일정한 점 A를 지난다. 이때, 원점 O에서 점 A까지의 거리는? [4.1점]

① 3　② 4　③ $3\sqrt{2}$
④ 5　⑤ $4\sqrt{2}$

0424 | 유형 03 |

오른쪽 그림은 함수 $y=2^x$의 그래프와 직선 $y=x$를 나타낸 것이다. 이때, 2^{2a+b-c}의 값은? (단, 점선은 x축 또는 y축에 평행하다.) [4점]

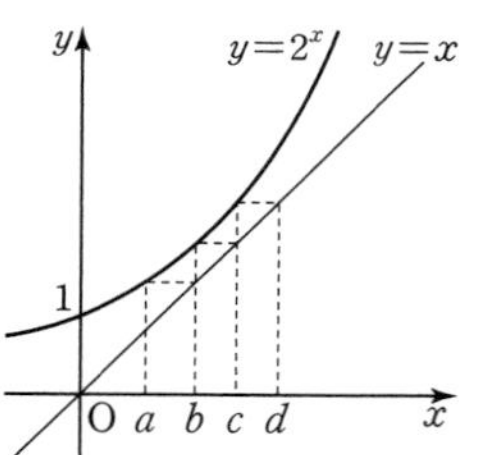

① $\frac{2ab}{c}$　② $\frac{a^2b}{c}$
③ $\frac{2bc}{d}$　④ $\frac{b^2c}{d}$
⑤ $\frac{b^2}{cd}$

0425 | 유형 03 + 유형 04 |

지수함수 $f(x)=3^{-x}$에 대하여

$a_1=f(2),\ a_{n+1}=f(a_n)$ $(n=1,\ 2,\ 3)$

일 때, a_2, a_3, a_4의 대소 관계를 옳게 나타낸 것은? [4점]

① $a_2<a_3<a_4$　② $a_4<a_3<a_2$　③ $a_2<a_4<a_3$
④ $a_3<a_2<a_4$　⑤ $a_3<a_4<a_2$

0426 | 유형 03 + 유형 05 |

오른쪽 그림은 두 함수 $y=3^x$, $y=3^{x-k}$의 그래프이다. x축 위의 한 점 $A(k,\ 0)$을 한 꼭짓점으로 하는 직사각형 ABCD의 넓이가 18일 때, 양수 k의 값은? [4.8점]

① 1　② 2
③ 3　④ 4
⑤ 5

0427 | 유형 06 |

해수면으로부터의 높이가 x m인 지점의 기압 P hPa은 다음과 같다.

$P=k\cdot a^x$ (단, k, a는 상수)

해발 0 m에서의 기압이 1000 hPa이고, 해발 3000 m의 산꼭대기에서의 기압이 700 hPa이라 할 때, 해발 6000 m의 산꼭대기에서의 기압은? (단, hPa는 '헥토파스칼'이라 읽는다.) [4.7점]

① 450 hPa　② 460 hPa　③ 470 hPa
④ 480 hPa　⑤ 490 hPa

0428 | 유형 09 |

정의역이 $\{x|-1\le x\le 1\}$인 함수 $y=-9^x+2\cdot 3^x+2$는 $x=a$일 때 최댓값 b를 갖고, $x=c$일 때 최솟값 d를 갖는다. 이때, $a+b+c+d$의 값은? [4.5점]

① -3 ② -1 ③ 0
④ 1 ⑤ 3

0429 | 유형 11 |

방정식 $(3^{x-5}\cdot 9^{x+4})^x=27^{x+5}$을 만족시키는 모든 실수 x의 값의 합은? [4.3점]

① 0 ② $2\sqrt{2}$ ③ 5
④ $4\sqrt{5}$ ⑤ 10

0430 | 유형 12 |

x에 대한 방정식 $a^{2x}-a^x=2$의 해가 $x=\frac{1}{7}$이 되도록 하는 상수 a의 값은? (단, $a>0$, $a\neq 1$) [4.4점]

① 32 ② 64 ③ 128
④ 256 ⑤ 512

0431 | 유형 13 |

연립방정식 $\begin{cases} 2^{x-1}+3^{y+1}=11 \\ 2^{x+2}-3^{y-1}=15 \end{cases}$의 해를 $x=\alpha$, $y=\beta$라 할 때, $\alpha+\beta$의 값은? [4.5점]

① 3 ② 4 ③ 5
④ 6 ⑤ 7

0432 | 유형 14 |

방정식 $(x^2-x-1)^{x+2}=1$을 만족시키는 모든 정수 x의 값의 합은? [5.1점]

① -2 ② -1 ③ 0
④ 1 ⑤ 2

0433 | 유형 16 |

부등식 $2^{x^2}>2^{2ax-25}$이 모든 실수 x에 대하여 항상 성립하도록 하는 정수 a의 개수는? [4.5점]

① 5 ② 6 ③ 7
④ 8 ⑤ 9

0434 | 유형 18 |

두 집합

$A=\{x|x^{2x-1}<x^{x+3}, x>0\}$,
$B=\{x|x^{x-1}\ge x^{-x+5}, x>0\}$

에 대하여 $A\cap B^C=\{x|\alpha<x<\beta\}$일 때, $\beta-\alpha$의 값은? [5.3점]

① 1 ② 2 ③ 3
④ 4 ⑤ 5

서술형 문제

• 풀이 과정에 점수가 부여되니 풀이 과정 및 정답을 상세하게 서술하세요.

단답형

0435 | 유형 05 |

함수 $y=2^x$의 그래프를 x축의 방향으로 a만큼, y축의 방향으로 3만큼 평행이동한 후 y축에 대하여 대칭이동하면 점 $(1,\ k)$를 항상 지난다. 이때, $a+k$의 값을 구하시오.

(단, a, k는 상수) [6점]

0436 | 유형 10 |

함수 $y=9^x+9^{-x}-4(3^x+3^{-x})+5$는 $x=\alpha$일 때 최솟값 β를 갖는다. 이때, $\alpha^2+\beta^2$의 값을 구하시오. [7점]

0437 | 유형 16 |

연립부등식 $\begin{cases} \left(\dfrac{1}{3}\right)^{2x} \geq \dfrac{1}{81} \\ 8^{x^2+2x-4} \leq 4^{x^2+x} \end{cases}$ 의 해를 구하시오. [7점]

단계형

0438 | 유형 08 |

두 함수 $f(x)$, $g(x)$를

$$f(x)=x^2-6x+3,\ g(x)=a^x\ (a>0,\ a\neq1)$$

이라 하자. $1\leq x\leq4$에서 함수 $(g\circ f)(x)$의 최댓값이 27, 최솟값이 m일 때, 다음 물음에 답하시오. [10점]

(1) $1\leq x\leq4$에서 함수 $f(x)$의 치역을 구하시오. [3점]

(2) m의 값을 구하시오. [7점]

0439 | 유형 15 |

x에 대한 방정식 $4^{2x}+a\cdot4^{x+1}+44-4a=0$의 두 근의 비가 $1:2$일 때, 다음 물음에 답하시오. [12점]

(1) 두 근을 m, $2m$이라 할 때, $4^m=p$로 치환하고 근과 계수의 관계를 이용하여 p의 값을 구하시오. [8점]

(2) 상수 a의 값을 구하시오. [4점]

성/취/도 Check 점수 / 100점

50점 STEP 1 개념+기본 문제 학습

STEP 2 유형 대표 문제 학습

STEP 3의 틀린 문제에 해당하는 STEP 2 유형 학습

STEP 3의 틀린 문제 복습

교과서 속 심화문제 시작

≫ 정답과 해설 48쪽

0440

오른쪽 그림과 같이 두 함수

$f(x)=a^{x-k}$, $g(x)=\left(\dfrac{1}{a}\right)^{x-k}$

의 그래프와 직선 $x=1$의 교점을 각각 P, Q라 할 때, $\overline{PQ}=\dfrac{8}{3}$이다. 두 함수 $y=f(x)$, $y=g(x)$의 그래프가 직선 $x=2$에 대하여 대칭일 때, $a-k$의 값을 구하시오.

(단, $a>1$)

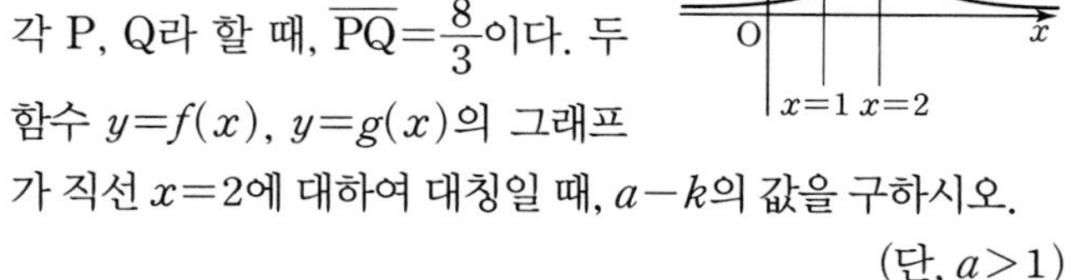

0441 융합형

함수

$$f(x)=\left|x-\frac{1}{2}\right|+1\left(-\frac{1}{2}\le x<\frac{3}{2}\right)$$

이 모든 실수 x에 대하여 $f(x+2)=f(x)$를 만족시킬 때, 함수 $y=2^{\frac{x}{n}}$의 그래프와 함수 $y=f(x)$의 그래프의 교점의 개수가 5가 되도록 하는 모든 자연수 n의 값의 합은?

① 7 ② 9 ③ 11
④ 13 ⑤ 15

0442

함수 $f(x)=\left(\dfrac{1}{2}\right)^{x-5}-64$에 대하여 함수 $y=|f(x)|$의 그래프와 직선 $y=k$가 제1사분면에서 만나도록 하는 자연수 k의 개수를 구하시오.

(단, 좌표축은 어느 사분면에도 속하지 않는다.)

0443

부등식 $9^x+p\cdot 3^x+q<0$의 해가 $-1<x<0$일 때, 부등식 $\left(\dfrac{1}{9}\right)^x-2p\left(\dfrac{1}{3}\right)^x-3q<0$의 해를 구하시오. (단, p, q는 상수)

0444

함수

$f(x)=a^{bx}+k(0<a<1,\ b>0)$

의 그래프가 오른쪽 그림과 같다. 직선 $x=-1$, $x=1$과 이 그래프의 교점을 각각 A, C라 하고, B$(-1,\ 0)$, D$(1,\ 0)$이다. 두 삼각형 ABO와 CDO에 대하여 $\triangle$ABO$>3\triangle$CDO일 때, a^b의 값의 범위를 구하시오. (단, 함수 $y=f(x)$의 그래프는 원점 O를 지난다.)

4

로그함수

방금 느꼈냐? 지진이다, 지진.
무슨 소리야? 지진이라니. 미동도 안 했는데.
팡팡
역시 둔감하구먼, 일반인이란… 나 같은 예민한 사람은 지진계만이 알 수 있는 진동도 느낄 수 있다고.
지진의 강도 (리히터 규모)
지진계로만 탐지 가능 0~3.5 미만
창문 흔들림 3.5~5.4
건물 흔들림 5.5~6.0
이쯤 돼야 모든 사람이 느낄 수 있어.
3.5와 5.5는 별로 차이도 안나네. 겨우 리히터 규모 2.0 차이잖아.
리히터 규모는 로그함수로 나타낸다고. 리히터 규모가 1.0 증가할 때 진폭은 10배나 증가해.
(리히터 규모) = log₁₀(진폭)
그렇다면 2.0 증가하면 진폭은 100배 증가!

기출 문제 분석

빅 데이터

* 전국 300여 개 고등학교 기출 문제를 분석하였습니다.

유형01 로그함수의 함숫값
유형02 로그함수의 그래프의 성질
유형03 로그함수의 그래프에서의 함숫값
유형04 로그함수를 이용한 수의 대소 비교
유형05 로그함수의 그래프의 평행이동과 대칭이동
유형06 지수함수와 로그함수의 관계
유형07 로그함수의 실생활에의 활용

유형08 함수의 최대 · 최소 – $y=\log_a f(x)$ 꼴
유형09 함수의 최대 · 최소 – 치환
유형10 로그를 취하여 구하는 로그함수의 최대 · 최소
유형11 로그함수의 최대 · 최소 – 산술평균과 기하평균의 관계 이용

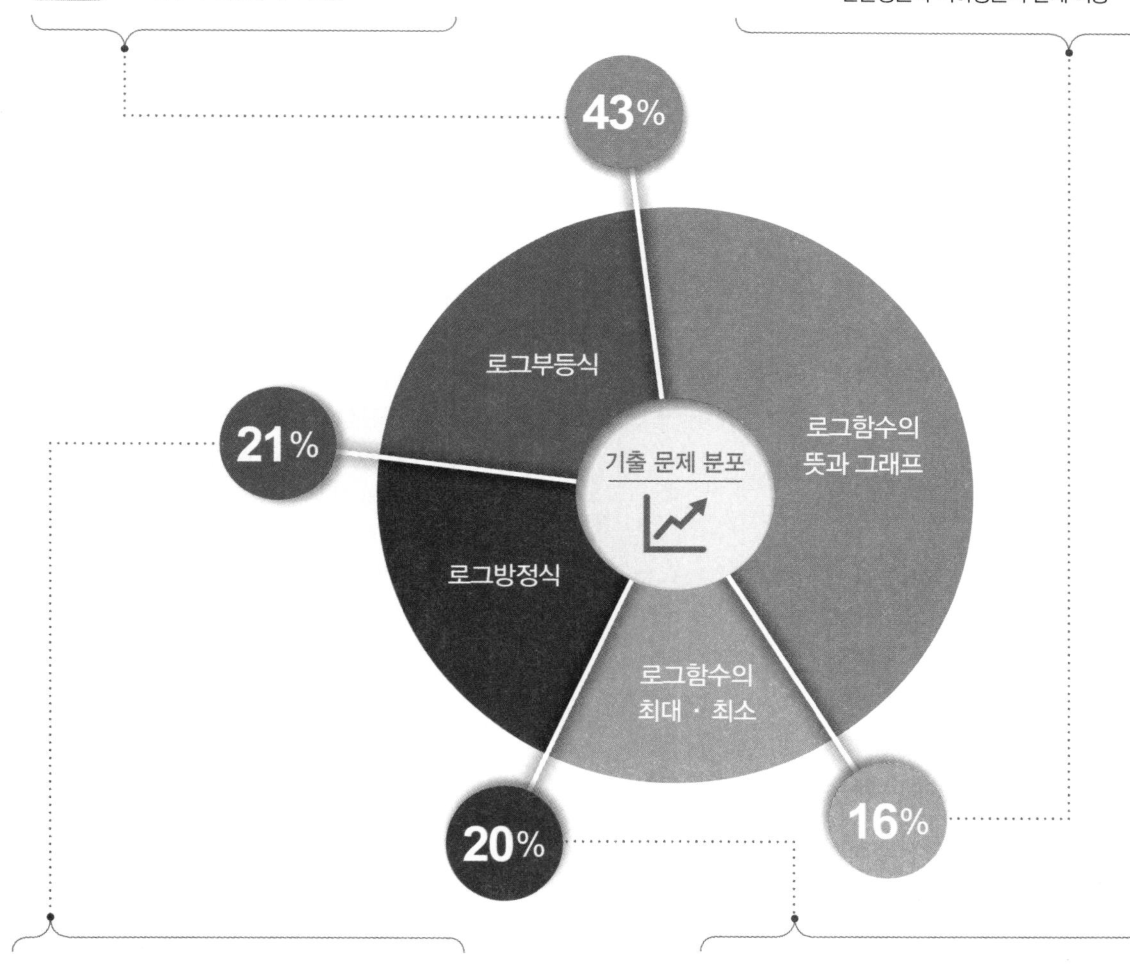

유형17 로그부등식 – 밑을 같게 할 수 있는 경우
유형18 로그부등식 – 진수에 로그를 포함한 경우
유형19 로그부등식 – 치환
유형20 양변에 로그를 취하는 부등식
유형21 로그부등식의 활용
유형22 로그방정식 및 로그부등식의 실생활에의 활용

유형12 로그방정식 – 밑 또는 진수를 같게 할 수 있는 경우
유형13 로그방정식 – 치환
유형14 로그방정식 – 연립방정식
유형15 양변에 로그를 취하는 방정식
유형16 로그방정식의 활용
유형22 로그방정식 및 로그부등식의 실생활에의 활용

STEP 1 개념 마스터 ❶

01 로그함수

유형 01~03, 07

지수함수 $y=a^x(a>0, a\neq1)$의 역함수

$y=\log_a x\ (a>0, a\neq1)$

를 a를 밑으로 하는 **로그함수**라 한다.

참고 지수함수 $y=a^x(a>0, a\neq1)$은 실수 전체의 집합에서 양의 실수 전체의 집합으로의 일대일대응이므로 역함수가 존재한다.

예 $y=\log_2 x$, $y=\log_3 \frac{1}{x}$, $y=\log_5 x^2$ ⇨ 로그함수

[0445~0447] 다음 함수의 역함수를 구하시오.

0445 $y=3^x$

0446 $y=2^{x-1}$

0447 $y=(\sqrt{3})^x+1$

[0448~0451] 로그함수 $f(x)=\log_2 x$에 대하여 다음 값을 구하시오.

0448 $f\left(\frac{1}{8}\right)$

0449 $f(1)$

0450 $f(\sqrt{2})$

0451 $f(4)-f(2)$

[0452~0455] 로그함수 $f(x)=\log_{\frac{1}{3}} x$에 대하여 다음 값을 구하시오.

0452 $f(1)$

0453 $f\left(\frac{1}{3}\right)$

0454 $f(3)$

0455 $f(9)-f\left(\frac{1}{9}\right)$

02 로그함수 $y=\log_a x(a>0, a\neq1)$의 성질

유형 02~04, 06

(1) 정의역은 양의 실수 전체의 집합이고, 치역은 실수 전체의 집합이다.

(2) $a>1$일 때, x의 값이 증가하면 y의 값도 증가한다.
└ $x_1<x_2 \Longleftrightarrow \log_a x_1<\log_a x_2$

$0<a<1$일 때, x의 값이 증가하면 y의 값은 감소한다.
└ $x_1<x_2 \Longleftrightarrow \log_a x_1>\log_a x_2$

(3) 그래프는 점 $(1,\ 0)$을 지나고, y축을 점근선으로 갖는다.

(4) 지수함수 $y=a^x$의 그래프와 직선 $y=x$에 대하여 대칭이다.

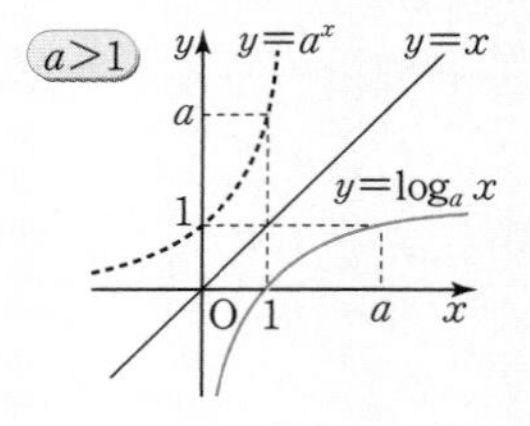

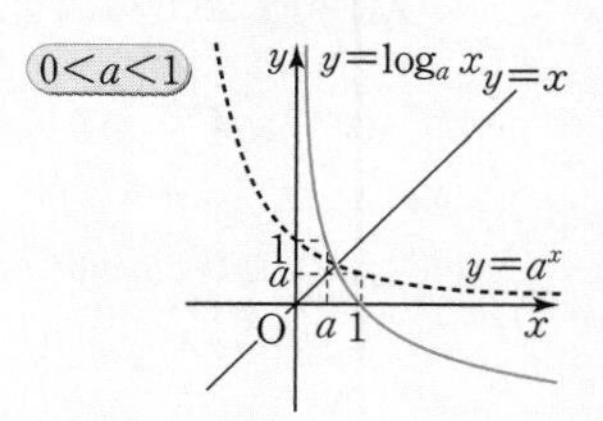

0456 다음 보기 중 로그함수 $y=\log_a x\ (a>0,\ a\neq1)$에 대한 설명으로 옳은 것을 있는 대로 고르시오.

보기
ㄱ. 그래프는 점 $(1,\ 0)$을 지난다.
ㄴ. 그래프의 점근선의 방정식은 $x=0$이다.
ㄷ. $0<a<1$일 때, x의 값이 증가하면 y의 값도 증가한다.
ㄹ. 정의역은 양의 실수 전체의 집합이다.
ㅁ. $y=a^x$의 그래프와 직선 $y=-x$에 대하여 대칭이다.

[0457~0459] 로그함수를 이용하여 다음 두 수의 대소를 비교하시오.

0457 $\log_5 20$, $3\log_5 3$

0458 $\frac{1}{3}\log_{\frac{1}{2}} 27$, $\frac{1}{2}\log_{\frac{1}{2}} 5$

0459 $\log_3 10$, $\log_9 25$

핵심 Check

로그함수 $y=\log_a x$ $(a>0, a\neq1)$
- $a>1$일 때 → x의 값이 증가하면 → y의 값도 증가
- $0<a<1$일 때 → x의 값이 증가하면 → y의 값은 감소

03 로그함수의 그래프의 평행이동과 대칭이동 유형 05

로그함수 $y=\log_a x(a>0, a\neq1)$의 그래프를
(1) x축의 방향으로 m만큼, y축의 방향으로 n만큼 평행이동
⇨ $y=\log_a(x-m)+n$
(2) x축에 대하여 대칭이동 ⇨ $y=-\log_a x$
(3) y축에 대하여 대칭이동 ⇨ $y=\log_a(-x)$
(4) 원점에 대하여 대칭이동 ⇨ $y=-\log_a(-x)$
(5) 직선 $y=x$에 대하여 대칭이동 ⇨ $y=a^x$

참고 $y=\log_{\frac{1}{a}} x=-\log_a x$이므로 두 함수 $y=\log_a x$와 $y=\log_{\frac{1}{a}} x$의 그래프는 x축에 대하여 대칭이다.

예 로그함수 $y=\log_2 x$의 그래프를
① x축의 방향으로 1만큼, y축의 방향으로 -2만큼 평행이동
⇨ $y=\log_2(x-1)-2$
② x축에 대하여 대칭이동 ⇨ $y=-\log_2 x$
③ y축에 대하여 대칭이동 ⇨ $y=\log_2(-x)$
④ 원점에 대하여 대칭이동 ⇨ $y=-\log_2(-x)$
⑤ $y=x$에 대하여 대칭이동 ⇨ $y=2^x$

[0460~0462] 함수 $y=\log_{\frac{1}{3}} x$의 그래프를 다음과 같이 평행이동 또는 대칭이동한 그래프의 식을 구하시오.

0460 x축의 방향으로 -1만큼, y축의 방향으로 2만큼 평행이동

0461 $y=x$에 대하여 대칭이동

0462 원점에 대하여 대칭이동

[0463~0465] 함수 $y=\log_a x$의 그래프가 오른쪽 그림과 같을 때, 다음 함수의 그래프를 그리시오.

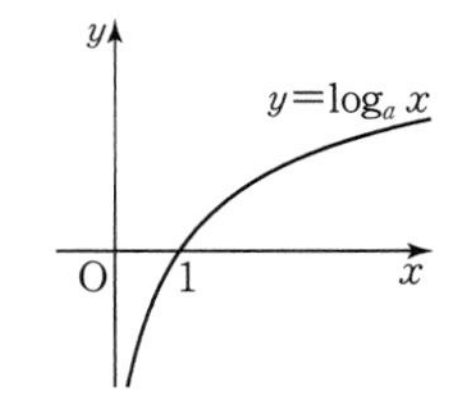

0463 $y=\log_a ax$

0464 $y=\log_a(-x)$

0465 $y=\log_a \frac{1}{x}$

[0466~0469] 다음 함수의 그래프를 그리고, 정의역과 점근선의 방정식을 구하시오.

0466 $y=\log_3(x-2)$

0467 $y=\log_3 x-2$

0468 $y=\log_{\frac{1}{2}}(x+1)-1$

0469 $y=-\log_2 x+1$

04 로그함수의 최대·최소 유형 08~11

정의역이 $\{x|m\leq x\leq n\}$인 로그함수 $y=\log_a x$는
(1) $a>1$이면 $x=m$일 때 최솟값 $\log_a m$, $x=n$일 때 최댓값 $\log_a n$을 갖는다.
(2) $0<a<1$이면 $x=m$일 때 최댓값 $\log_a m$, $x=n$일 때 최솟값 $\log_a n$을 갖는다.

참고 • 로그함수에서 $\log_a x$ 꼴이 반복될 때에는 $\log_a x=t$로 치환한 후 t의 값의 범위 내에서 최대·최소를 구한다.
• 로그함수 $y=\log_a f(x)$는
① $a>1$이면 $f(x)$의 값이 최대일 때 최댓값, $f(x)$의 값이 최소일 때 최솟값을 갖는다.
② $0<a<1$이면 $f(x)$의 값이 최대일 때 최솟값, $f(x)$의 값이 최소일 때 최댓값을 갖는다.

[0470~0473] 다음 함수의 최댓값과 최솟값을 구하시오.

0470 정의역이 $\{x|2\leq x\leq 32\}$인 함수 $y=\log_2 x$

0471 정의역이 $\left\{x\middle|\frac{1}{2}\leq x\leq 8\right\}$인 함수 $y=\log_{\frac{1}{2}} x$

0472 정의역이 $\{x|1\leq x\leq 5\}$인 함수 $y=\log_2(x+3)$

0473 정의역이 $\left\{x\middle|\frac{1}{27}\leq x\leq 9\right\}$인 함수 $y=\log_{\frac{1}{3}} x+1$

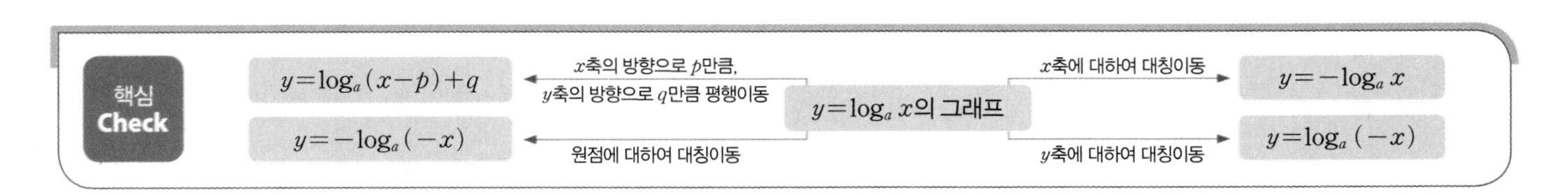

STEP 2 유형 마스터 ❶

유형 01 로그함수의 함숫값
개념 01

로그함수 $f(x)=\log_a x\ (a>0, a\neq1)$에서
(1) $f(p)=\log_a p$ (단, p는 상수)
(2) $f(p)=q \Longleftrightarrow \log_a p=q \Longleftrightarrow a^q=p$ (단, p, q는 상수)

0474 • 대표문제 •
1이 아닌 양수 x에서 정의된 함수 $f(x)=\log_3 x+a\log_x 9$에 대하여 $f(3)=f(27)$일 때, 상수 a의 값은?

① $\frac{1}{2}$　② 1　③ $\frac{3}{2}$
④ $\frac{5}{2}$　⑤ 3

0475 상중하
세 함수 $f(x)=2^x$, $g(x)=x^2$, $h(x)=\log_2 x$에 대하여 $(f\circ g)(2)+(g\circ h)(2)$의 값은?

① 17　② 19　③ 21
④ 23　⑤ 25

0476 상중하
함수 $f(x)$를 $f(x)=\begin{cases}\frac{1}{3}x & (x\geq1)\\ \log_2 x & (x<1)\end{cases}$로 정의할 때,
$2^{(f\circ f\circ f\circ f)(18)}$의 값을 구하시오.

유형 01 Plus 로그함수의 역함수와 함숫값

0477 로그함수 $f(x)=\log_a x\ (a>0, a\neq1)$의 역함수를 $g(x)$라 할 때
$f(p)=q \Longleftrightarrow g(q)=p$, 즉 $\log_a p=q \Longleftrightarrow a^q=p$

0477 상중하
함수 $f(x)=\log_3 x+1$에 대하여 함수 $g(x)$가 $f(g(x))=x$를 만족시킬 때, $g(5)$의 값을 구하시오.

유형 02 로그함수의 그래프의 성질
개념 01, 02

로그함수 $y=\log_a x\ (a>0, a\neq1)$에 대하여
(1) 정의역: $\{x\,|\,x>0\}$, 치역: 실수 전체의 집합
(2) $a>1$일 때, x의 값이 증가하면 y의 값도 증가
　$0<a<1$일 때, x의 값이 증가하면 y의 값은 감소
(3) 그래프의 점근선: 직선 $x=0$ (y축)

0478 • 대표문제 •
함수 $y=\log_{\frac{1}{a}}\frac{1}{x}\,(a>1)$에 대한 다음 설명 중 옳지 않은 것은?

① 함수 $y=\log_a x$의 그래프와 일치한다.
② 점 $(1,\ 0)$을 지난다.
③ y축을 점근선으로 한다.
④ $x>0$에서 x의 값이 증가하면 y의 값은 감소한다.
⑤ 정의역은 $\{x\,|\,x>0\}$이고, 치역은 실수 전체의 집합이다.

0479 상중하
오른쪽 그림과 같은 함수 $y=a^x$과 $y=\log_a x$의 그래프에 대한 다음 보기의 설명 중 옳은 것을 있는 대로 고르시오.
(단, $a>0$, $a\neq1$)

보기
ㄱ. 두 함수에서 a의 값의 범위는 $0<a<1$이다.
ㄴ. 두 그래프는 직선 $y=x$에 대하여 대칭이다.
ㄷ. 두 그래프의 교점의 좌표는 $(1,\ 1)$이다.

0480 상중하
함수 $y=\log_a bx$의 그래프가 오른쪽 그림과 같을 때, 다음 중 함수 $y=\log_b ax$의 그래프의 개형으로 알맞은 것은?
(단, $a>0$, $b>0$, $a\neq1$, $b\neq1$)

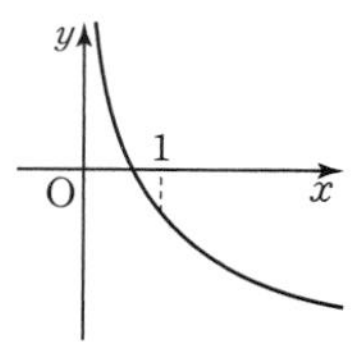

① ② 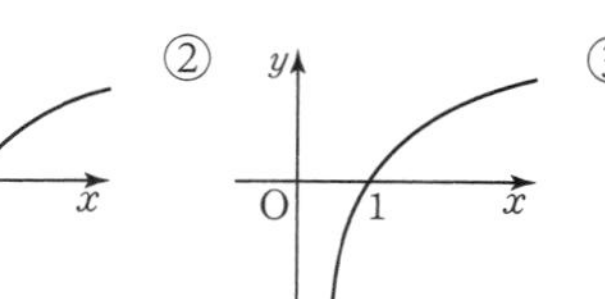
③ 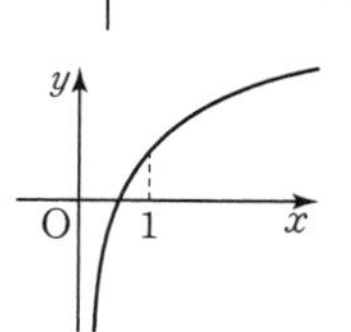
④ 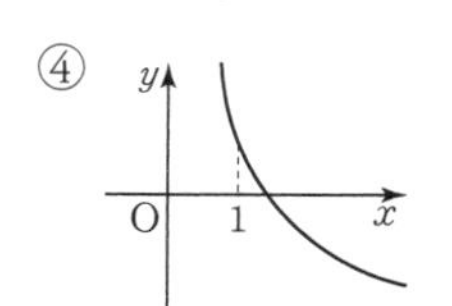
⑤ 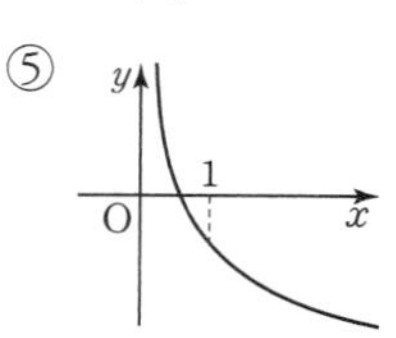

유형 03 로그함수의 그래프에서의 함숫값

개념 01, 02

로그함수 $y=\log_a x\,(a>0,\ a\neq1)$의 그래프가 점 $(m,\ n)$을 지난다.
⇨ $n=\log_a m \qquad \therefore a^n=m$

0481 • 대표문제 •

오른쪽 그림은 함수 $y=\log_3 x$의 그래프와 직선 $y=x$이다. 이때, $\left(\dfrac{1}{3}\right)^{b-c}$의 값은? (단, 점선은 x축 또는 y축에 평행하다.)

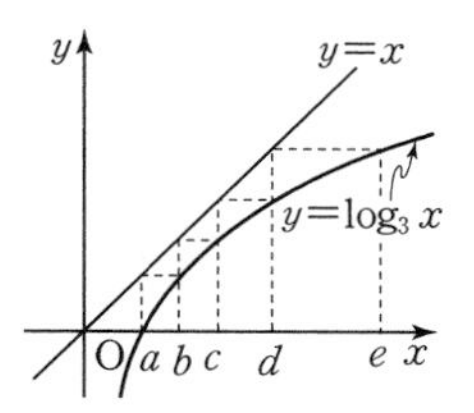

① bc　② $ad-bc$　③ $\dfrac{d}{c}$　④ $\log_3(b+c)$　⑤ $\log_3\dfrac{d}{b}$

0482 상중하

오른쪽 그림에서 사각형 ABCD는 한 변의 길이가 2인 정사각형이고, 점 A는 함수 $y=\log_2 x$의 그래프 위에 있다. 이때, 점 C의 x좌표를 구하시오.
(단, 두 점 B, C는 x축 위의 점이다.)

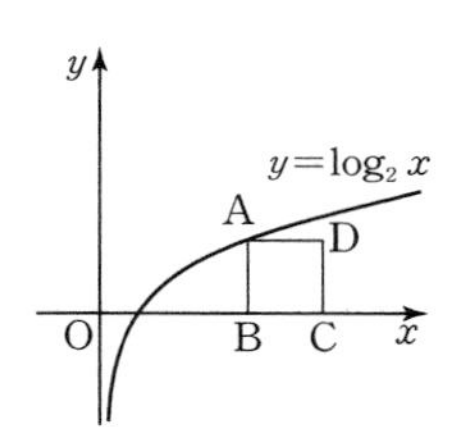

0483 상중하

오른쪽 그림과 같이 두 직선 $x=a$, $x=b$가 두 곡선 $y=\log_3 x$, $y=\log_9 x$와 네 점 A, B, C, D에서 만난다. $\overline{AB}:\overline{CD}=1:3$일 때, 다음 중 a, b 사이의 관계식으로 옳은 것은? (단, $1<a<b$)

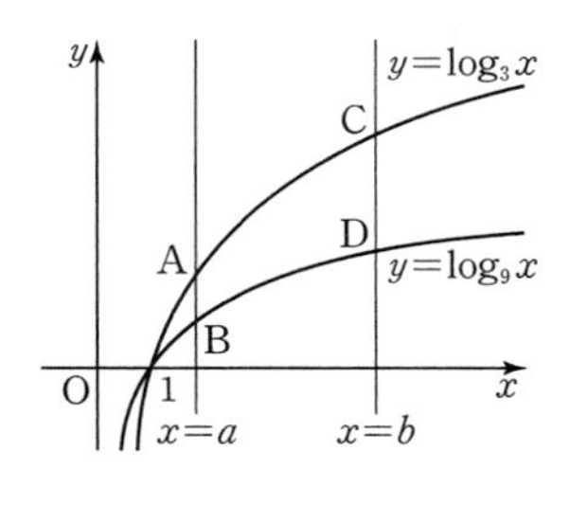

① $2b=3a$　② $3b=4a$　③ $b=a^2$　④ $b=a^3$　⑤ $b=a^4$

0484 상중하

오른쪽 그림과 같이 곡선 $y=\log_a x$ 위의 점 $\mathrm{A}(2,\ \log_a 2)$를 지나고 x축에 평행한 직선이 곡선 $y=\log_b x$와 만나는 점을 B, 점 B를 지나고 y축에 평행한 직선이 곡선 $y=\log_a x$와 만나는 점을 C라 하자. $\overline{AB}=\overline{BC}=2$일 때, a^2+b^2의 값을 구하시오.
(단, $1<a<b$)

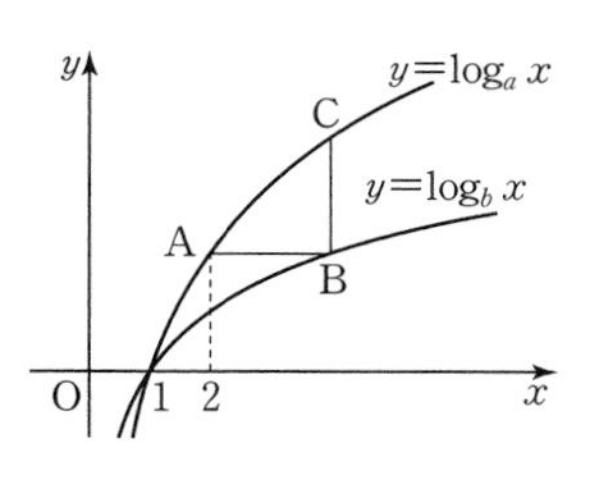

0485 상중하

오른쪽 그림과 같이 함수 $y=\log_3 x$의 그래프 위에 세 점 A, B, C가 있다. 삼각형 ABC의 무게중심이 $\mathrm{G}\left(\dfrac{13}{3},\ 1\right)$일 때, 선분 BC의 길이는? (단, 점 A는 x축 위에 있고, 점 B의 x좌표는 점 C의 x좌표보다 작다.)

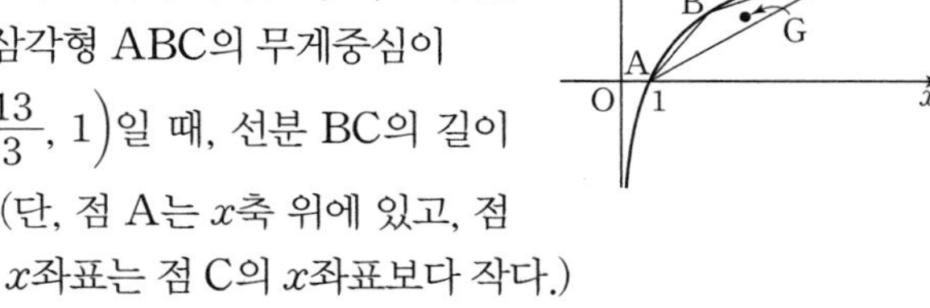

① $\sqrt{35}$　② $\sqrt{37}$　③ $\sqrt{39}$　④ $\sqrt{41}$　⑤ $\sqrt{43}$

0486 상중하 서술형

오른쪽 그림과 같이 함수 $y=\log_4 x$의 그래프와 직선 $y=x+k$가 서로 다른 두 점 P, Q에서 만날 때, 점 P, Q의 x좌표를 각각 α, β라 하자. 선분 PQ의 길이가 $4\sqrt{2}$일 때, $\dfrac{\beta}{\alpha}$의 값을 구하시오. (단, k는 상수이고, $\alpha<\beta$)

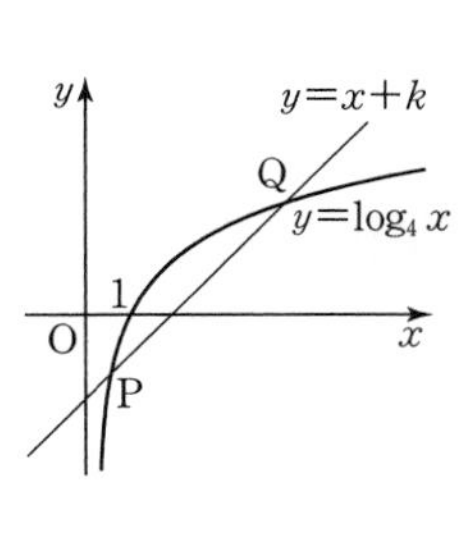

유형 04 로그함수를 이용한 수의 대소 비교

개념 02

주어진 수의 밑을 같게 한 다음 로그함수 $y=\log_a x\,(a>0, a\neq1)$의 성질을 이용한다.

(1) $a>1$일 때, $0<m<n \Longleftrightarrow \log_a m<\log_a n$ — 부등호 방향 그대로

(2) $0<a<1$일 때, $0<m<n \Longleftrightarrow \log_a m>\log_a n$ — 부등호 방향 반대로

0487 • 대표문제 •

$0<a<1<b$일 때, 다음 세 수의 대소 관계로 옳은 것은?

$$A=1,\ B=\log_a b,\ C=\log_a \frac{a}{b}$$

① $A<B<C$ ② $B<C<A$ ③ $B<A<C$
④ $C<A<B$ ⑤ $C<B<A$

0488 상중하

다음 세 수의 대소 관계를 바르게 나타낸 것은?

$$A=2\log_{0.1} 3\sqrt{3},\ B=\log\frac{1}{25},\ C=\log_{0.1} 3-1$$

① $A<B<C$ ② $A<C<B$ ③ $B<A<C$
④ $C<A<B$ ⑤ $C<B<A$

0489 상중하

$1<x<9$일 때, 세 수

$$A=\log_3 x^2,\ B=(\log_3 x)^2,\ C=\log_3(\log_3 x)$$

의 대소 관계를 구하시오.

유형 05 로그함수의 그래프의 평행이동과 대칭이동

중요

개념 03

로그함수 $y=\log_a x\,(a>0, a\neq1)$의 그래프를

(1) x축의 방향으로 m만큼, y축의 방향으로 n만큼 평행이동
⇨ $y=\log_a(x-m)+n$ — x 대신 $x-m$, y 대신 $y-n$을 대입

(2) x축에 대하여 대칭이동 ⇨ $y=-\log_a x$ — y 대신 $-y$를 대입

(3) y축에 대하여 대칭이동 ⇨ $y=\log_a(-x)$ — x 대신 $-x$를 대입

(4) 원점에 대하여 대칭이동 ⇨ $y=-\log_a(-x)$ — x 대신 $-x$, y 대신 $-y$를 대입

(5) 직선 $y=x$에 대하여 대칭이동 ⇨ $y=a^x$ — x 대신 y, y 대신 x를 대입

0490 • 대표문제 •

오른쪽 그림은 함수 $y=\log_2 x$의 그래프를 x축의 방향으로 a만큼, y축의 방향으로 b만큼 평행이동한 것이다. 이때, $b-a$의 값은? (단, a, b는 상수)

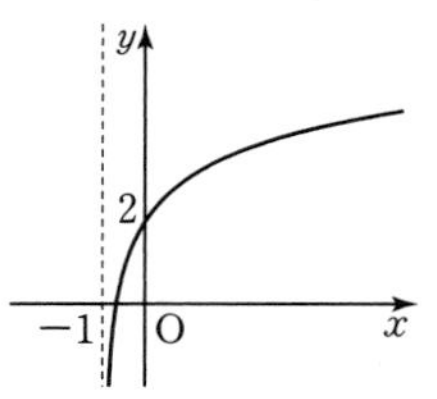

① 0 ② 1
③ 2 ④ 3
⑤ 4

0491 상중하

함수 $y=\log_3\left(\frac{x}{9}-1\right)$의 그래프는 함수 $y=\log_3 x$의 그래프를 x축의 방향으로 m만큼, y축의 방향으로 n만큼 평행이동한 것이다. 이때, $m-n$의 값은? (단, m, n은 상수)

① -11 ② -7 ③ 1
④ 7 ⑤ 11

0492 상중하 서술형

함수 $y=\log_3(x-1)$의 그래프를 y축의 방향으로 -1만큼 평행이동한 후 y축에 대하여 대칭이동하였더니 함수 $y=\log_3(ax+b)$의 그래프가 되었다. 이때, $a+b$의 값을 구하시오. (단, a, b는 상수)

0493 상중하

다음 보기의 함수의 그래프 중 함수 $y=\log_2 x$의 그래프를 평행이동 또는 대칭이동하여 겹쳐질 수 있는 것을 있는 대로 고른 것은?

보기
ㄱ. $y=\log_2(4x-3)$　　ㄴ. $y=\log_4 x^2$
ㄷ. $y=\log_{\frac{1}{2}}(-x+1)$

① ㄱ　② ㄷ　③ ㄱ, ㄴ
④ ㄱ, ㄷ　⑤ ㄴ, ㄷ

0494 상중하

두 함수 $y=\log_2 x$, $y=\log_2 4x$의 그래프와 두 직선 $x=1$, $x=4$로 둘러싸인 도형의 넓이는?

① 6　② 8　③ 9
④ $8\log_2 3$　⑤ $9\log_2 3$

0495 상중하

양의 실수 전체의 집합에서 정의된 두 함수

$y=\log_3 9x$, $y=\log_9 27x^2$

의 그래프와 직선 $x=k$가 만나는 점을 각각 P, Q라 하고, 선분 PQ의 길이를 $f(k)$라 할 때,

$f(1)+f(2)+f(3)+\cdots+f(10)$

의 값은? (단, k는 상수)

① $\frac{5}{2}$　② 5　③ $\frac{15}{2}$
④ $\frac{17}{2}$　⑤ 10

유형 06 지수함수와 로그함수의 관계

개념 02

두 함수 $y=a^x$, $y=\log_a x(a>0, a\neq1)$는 서로 역함수 관계이므로 두 함수의 그래프는 직선 $y=x$에 대하여 대칭이다.
⇨ 점 (m, n)이 함수 $y=a^x$의 그래프 위의 점이면 점 (n, m)은 함수 $y=\log_a x$의 그래프 위의 점이다.

0496 • 대표문제 •

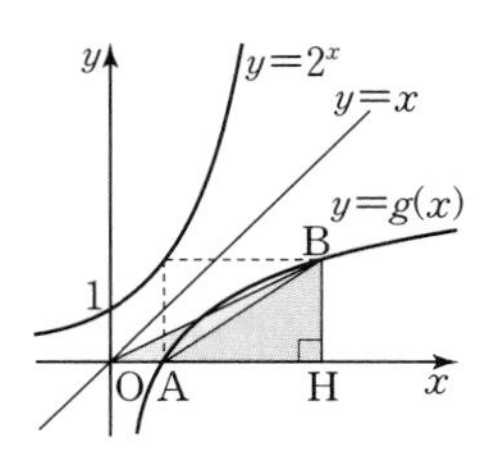

오른쪽 그림과 같이 함수 $y=2^x$의 역함수를 $y=g(x)$라 할 때, 두 점 A, B는 함수 $y=g(x)$의 그래프 위의 점이다. 점 B에서 x축에 내린 수선의 발을 H라 할 때, 삼각형 OAB와 삼각형 AHB의 넓이의 비는? (단, O는 원점이고, 점선은 x축 또는 y축에 평행하다.)

① 1 : 2　② 1 : 3　③ 2 : 3
④ 3 : 4　⑤ 2 : 5

0497 상중하

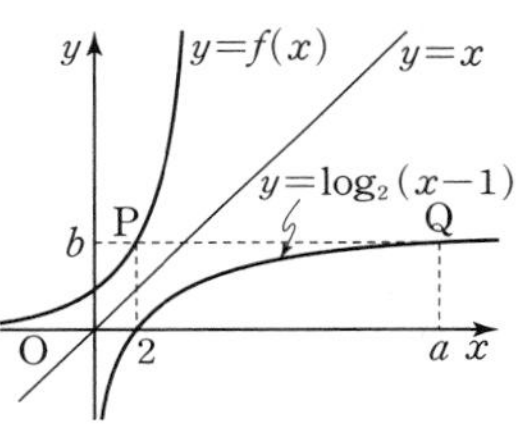

오른쪽 그림에서 함수 $y=f(x)$의 그래프는 함수 $y=\log_2(x-1)$의 그래프와 직선 $y=x$에 대하여 대칭이다. 두 점 P$(2, b)$, Q(a, b)가 각각 $y=f(x)$, $y=\log_2(x-1)$의 그래프 위에 있을 때, $a+b$의 값을 구하시오.

0498 상중하

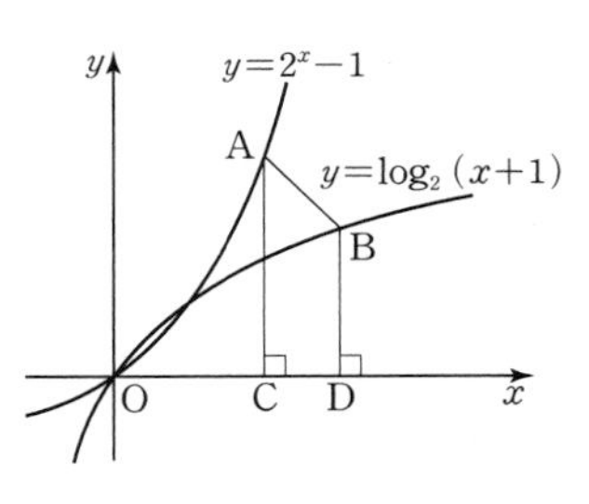

오른쪽 그림과 같이 곡선 $y=2^x-1$ 위의 점 A$(2, 3)$을 지나고 기울기가 -1인 직선이 곡선 $y=\log_2(x+1)$과 만나는 점을 B라 하자. 두 점 A, B에서 x축에 내린 수선의 발을 각각 C, D라 할 때, 사각형 ACDB의 넓이는?

① $\frac{5}{2}$　② $\frac{11}{4}$　③ 3
④ $\frac{13}{4}$　⑤ $\frac{7}{2}$

유형 07 로그함수의 실생활에의 활용

개념 01

(i) 주어진 관계식의 문자가 나타내는 것이 무엇인지 파악한다.
(ii) 문제에 주어진 조건을 관계식에 대입하여 식으로 표현한다.
(iii) 구한 식을 연립하여 미정계수를 구한다.

0499 • 대표문제 •

미국의 천문학자 섀플리는 외부 은하에 있는 세페이드 변광성의 변광 주기와 광도 사이의 관계를 확인하였다. 세페이드 변광성의 변광 주기 P(일)와 광도 M(절대등급)은 다음 식을 만족시킨다고 한다.

$$M=-2.81\log P-1.43$$

변광 주기가 50일인 세페이드 변광성의 광도를 M_1, 변광 주기가 5일인 세페이드 변광성의 광도를 M_2라 할 때, M_2-M_1의 값은?

① 1.43 ② 2.81 ③ 3.64
④ 4.24 ⑤ 5.62

0500 상중하

어떤 학교의 실기시험에서 작품을 만드는 데 걸린 시간 t(시간)에 대하여 작품의 성취도 $f(t)$를

$$f(t)=50+30\log(t+1)$$

로 평가한다고 한다. 어떤 작품의 성취도가 80일 때, 이 작품을 만드는 데 걸린 시간은?

① 6시간 ② 7시간 ③ 8시간
④ 9시간 ⑤ 10시간

0501 상중하

어떤 제품을 n개 만들어서 팔았을 때 얻을 수 있는 순이익금 $f(n)$이

$$f(n)=\frac{300n}{1+\log_5 n}\ (n\text{은 자연수})$$

으로 나타내어진다고 한다. 제품 200개를 만들어서 팔았을 때의 순이익금은 제품 20개를 만들어서 팔았을 때의 순이익금의 몇 배인가?

① $\frac{10}{3}$배 ② 5배 ③ $\frac{20}{3}$배
④ $\frac{25}{3}$배 ⑤ 10배

유형 08 함수의 최대·최소 – $y=\log_a f(x)$ 꼴 (중요)

개념 04

함수 $y=\log_a f(x)\ (a>0, a\neq1)$의 최대·최소
(1) $a>1$일 때 ⇨ $f(x)$의 값이 최대이면 y의 값도 최대
$f(x)$의 값이 최소이면 y의 값도 최소
(2) $0<a<1$일 때 ⇨ $f(x)$의 값이 최대이면 y의 값은 최소
$f(x)$의 값이 최소이면 y의 값은 최대

0502 • 대표문제 •

정의역이 $\{x|2\leq x\leq4\}$인 함수 $y=\log_3(x^2-2x+1)$의 최댓값을 M, 최솟값을 m이라 할 때, $M+m$의 값은?

① -1 ② 0 ③ 1
④ 2 ⑤ 3

0503 상중하

정의역이 $\{x|0\leq x\leq3\}$인 함수 $y=\log_a(x^2-2x+3)$의 최댓값이 -1일 때, 상수 a의 값을 구하시오. (단, $0<a<1$)

0504 상중하

$x>0$, $y>0$, $x+y=10$일 때, $\log_5 x+\log_5 y$는 $x=a$일 때 최댓값 M을 갖는다. 이때, $a+M$의 값을 구하시오.

0505 상중하

정의역이 $\{x|1\leq x\leq3\}$인 함수 $y=\log_{\frac{1}{5}}|-x^2+4x+1|$의 최솟값은?

① -2 ② -1 ③ 0
④ 1 ⑤ 2

유형 09 함수의 최대·최소 – 치환 (중요)
개념 04

함수 $y=(\log_a x)^2+p\log_a x+q$ ($a>0$, $a\neq1$, p, q는 상수)의 최대·최소

⇨ $\log_a x=t$로 놓으면 $y=t^2+pt+q$이므로 이차함수의 최대·최소를 이용한다.

0506 • 대표문제 •

정의역이 $\left\{x \middle| \frac{1}{2}\le x\le 4\right\}$인 함수

$y=(\log_{\frac{1}{2}} x)^2+2\log_{\frac{1}{2}} x+3$의 최댓값과 최솟값의 합은?

① 3　② 5　③ 6　④ 8　⑤ 9

0507 상중하 서술형

함수 $y=(\log_3 x)^2+a\log_{27} x^2+b$가 $x=\frac{1}{3}$에서 최솟값 1을 가질 때, 두 상수 a, b에 대하여 $a+b$의 값을 구하시오.

0508 상중하

$2\le x\le 16$에서 함수 $y=(\log_2 2x)\left(\log_2 \frac{16}{x}\right)$의 최댓값을 M, 최솟값을 m이라 할 때, $M+m$의 값을 구하시오.

0509 상중하

함수 $y=6^{\log x}\cdot x^{\log 6}-6(6^{\log x}+x^{\log 6})$이 $x=a$에서 최솟값 m을 가질 때, $|a+m|$의 값을 구하시오. (단, $x>1$)

유형 10 로그를 취하여 구하는 함수의 최대·최소
개념 04

$y=f(x)$에서 $f(x)$가 지수에 미지수가 있는 식이면 양변에 상용로그를 취하여 $\log y$의 최대·최소를 구한다.

0510 • 대표문제 •

함수 $y=10x^{2-\log x}$이 $x=a$에서 최댓값 b를 가질 때, $b-a$의 값은?

① 9　② 10　③ 90　④ 100　⑤ 900

0511 상중하

함수 $y=\frac{100x^2}{x^{\log x}}$이 $x=a$에서 최댓값 b를 가질 때, $\log_a b$의 값을 구하시오. (단, $x>0$)

유형 11 로그함수의 최대·최소 – 산술평균과 기하평균의 관계 이용
개념 04

$\log_a b>0$, $\log_b a>0$일 때

$\log_a b+\log_b a\ge 2\sqrt{\log_a b\cdot\log_b a}=2$

(단, 등호는 $\log_a b=\log_b a$일 때 성립)

0512 • 대표문제 •

$1<x<100$일 때, 함수 $y=\log x\cdot\log\frac{100}{x}$은 $x=a$에서 최댓값 m을 갖는다. 이때, $a-m$의 값을 구하시오.

0513 상중하

$x>0$, $y>0$일 때, $\log_3\left(x+\frac{1}{y}\right)+\log_3\left(y+\frac{4}{x}\right)$의 최솟값은?

① 1　② $\sqrt{3}$　③ 2　④ 3　⑤ $3\sqrt{3}$

05 로그방정식

유형 12~16, 22

로그의 진수 또는 밑에 미지수가 포함된 방정식을 로그방정식이라 하고, 다음과 같이 푼다.

(단, $a>0$, $a\neq1$, $f(x)>0$, $g(x)>0$)

(1) $\log_a f(x)=b$ 꼴인 경우

$\log_a f(x)=b \Longleftrightarrow f(x)=a^b$임을 이용하여 푼다.

(2) 밑을 같게 할 수 있는 경우 – 진수가 같음을 이용한다.

주어진 방정식을 $\log_a f(x)=\log_a g(x)$ 꼴로 변형한 후

$\log_a f(x)=\log_a g(x) \Longleftrightarrow f(x)=g(x)$

임을 이용하여 방정식 $f(x)=g(x)$를 푼다.

참고 로그의 밑이 같지 않은 경우에는 로그의 밑의 변환 공식

$\log_a N=\dfrac{\log_b N}{\log_b a}$, $\log_a b=\dfrac{1}{\log_b a}$ $(b>0, b\neq1)$을 이용하여 밑을 같게 한 후 푼다.

(3) 진수가 같은 경우 – 밑이 같거나 진수가 1임을 이용한다.

$\log_a f(x)=\log_b f(x)$ $(b>0, b\neq1)$이면 $a=b$ 또는 $f(x)=1$을 푼다.

$\log_a 1=\log_b 1=0$

(4) $\log_a x$ 꼴이 반복되는 경우

$\log_a x=t$로 치환하여 t에 대한 방정식을 푼다.

(5) 지수에 로그가 있는 경우

양변에 로그를 취하여 푼다.

참고 $a^{\log x}=b \Longleftrightarrow \log_a a^{\log x}=\log_a b \Longleftrightarrow \log x=\log_a b$

참고 로그방정식을 풀 때에는 구한 해가 (밑)>0, (밑)$\neq1$, (진수)>0의 조건을 모두 만족시키는지 확인한다.

[0514~0515] 다음 로그방정식을 푸시오.

0514 $\log_3(2x+1)=2$

0515 $\log_{x+1}9=2$

[0516~0517] 다음 로그방정식을 푸시오.

0516 $\log_2(x+3)=\log_2(2x-3)$

0517 $\log_3 x+\log_3(x+2)=3\log_3 2$

[0518~0519] 다음 로그방정식을 푸시오.

0518 $\log_3(x-2)=\log_9(7-2x)$

0519 $\log_{\frac{1}{2}}x=\log_{\frac{1}{4}}(x+2)$

[0520~0521] 다음 로그방정식을 푸시오.

0520 $\log_{x+3}x=\log_{2x+1}x$

0521 $\log_{x+2}(2x+1)=\log_{3-x}(2x+1)$

[0522~0523] 다음 로그방정식을 푸시오.

0522 $(\log x)^2-3\log x+2=0$

0523 $(\log_3 x)^2=\log_3 x^3+4$

0524 다음은 로그방정식 $x^{\log x}=x^2$의 해를 구하는 과정이다.

> 진수의 조건에서 $x>0$ ······ ㉠
> $x^{\log x}=x^2$의 양변에 상용로그를 취하면
> $\log x^{\log x}=\log x^2$, ((가))$^2=2$ (가)
> (가) $=t$로 놓으면
> $t^2-2t=0$, $t(t-2)=0$ $\therefore t=0$ 또는 $t=2$
> 즉, (가) $=0$ 또는 (가) $=2$이므로
> $x=$ (나) 또는 $x=$ (다)
> 이것은 ㉠을 만족시키므로 구하는 해이다.

위의 과정에서 (가)~(다)에 알맞은 것을 써넣으시오.

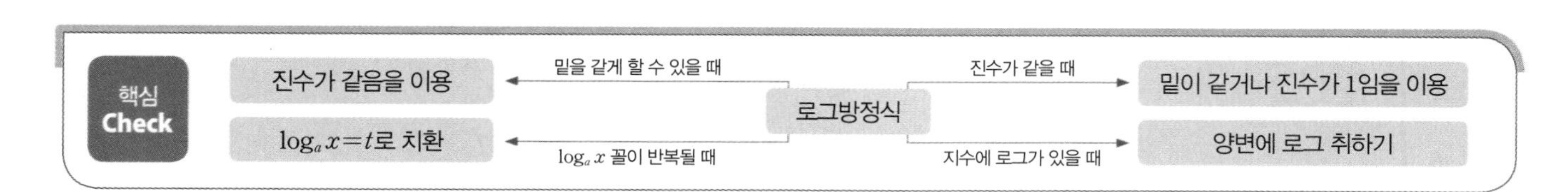

로그부등식

유형 17~22

로그의 진수 또는 밑에 미지수가 포함된 부등식을 로그부등식이라 하고, 다음과 같이 푼다.

(단, $a>0$, $a\neq1$, $f(x)>0$, $g(x)>0$)

(1) 밑을 같게 할 수 있는 경우 – 진수의 대소 관계를 이용한다.

주어진 부등식을 $\log_a f(x)>\log_a g(x)$ 꼴로 변형한 후

① $a>1$일 때 ⇨ 부등식 $f(x)>g(x)$를 푼다. – 부등호 방향 그대로

② $0<a<1$일 때 ⇨ 부등식 $f(x)<g(x)$를 푼다. – 부등호 방향 반대로

예 ① $\log_3 x<2$에서 $\log_3 x<\log_3 3^2$ $\quad\therefore x<9$

이때, 진수의 조건에서 $x>0$이므로 부등식의 해는 $0<x<9$

② $\log_{\frac{1}{3}} x<2$에서 $\log_{\frac{1}{3}} x<\log_{\frac{1}{3}}\left(\frac{1}{3}\right)^2$ $\quad\therefore x>\frac{1}{9}$

참고 로그의 진수에 미지수가 있는 부등식을 풀 때에는 밑이 1보다 큰지 작은지에 따라 부등호의 방향이 달라짐에 유의해야 한다.

① $a>1$일 때, 함수 $y=\log_a x$는 x의 값이 증가하면 y의 값도 증가하므로

$\log_a f(x)>\log_a g(x) \Longleftrightarrow f(x)>g(x)>0$

② $0<a<1$일 때, 함수 $y=\log_a x$는 x의 값이 증가하면 y의 값은 감소하므로

$\log_a f(x)>\log_a g(x) \Longleftrightarrow 0<f(x)<g(x)$

(2) $\log_a x$ 꼴이 반복되는 경우

$\log_a x=t$로 치환하여 t에 대한 부등식을 푼다.

(3) 지수에 로그가 있는 경우

양변에 로그를 취하여 푼다.

참고 로그부등식을 풀 때에는 구한 해가 (밑)>0, (밑)$\neq1$, (진수)>0의 조건을 모두 만족시키는지 확인한다.

[0525~0528] 다음 로그부등식을 푸시오.

0525 $\log_2(2x-4)\leq1$

0526 $\log_{\frac{1}{3}}(1-x)\leq-2$

0527 $\log_5(x^2+1)\geq1$

0528 $\log_2(x^2+x+2)>2$

[0529~0531] 다음 로그부등식을 푸시오.

0529 $\log_2(2+3x)>\log_2(1-5x)$

0530 $\log_5(5x-3)\geq\log_5(3x+5)$

0531 $\log_{\frac{1}{3}}(3x-5)\geq\log_{\frac{1}{3}}(x+1)$

[0532~0534] 다음 로그부등식을 푸시오.

0532 $\log_2 x^3+(\log_2 x)^2\leq4$

0533 $(\log_{\frac{1}{2}} x)^2-\log_{\frac{1}{2}} x^2\leq0$

0534 $(\log_{\frac{1}{3}} x)^2-\log_{\frac{1}{3}} x-2>0$

0535 다음은 로그부등식 $x^{\log_3 x}>9x$의 해를 구하는 과정이다.

> 진수의 조건에서 $x>$ (가) ······ ㉠
> $x^{\log_3 x}>9x$의 양변에 밑이 3인 로그를 취하면
> $\log_3 x^{\log_3 x}>\log_3 9x$, ((나) $)^2>$ (나) $+2$
> (나) $=t$로 놓으면
> $t^2>t+2$, $t^2-t-2>0$, $(t+1)(t-2)>0$
> $\therefore t<-1$ 또는 $t>2$
> 즉, (나) <-1 또는 (나) >2이므로
> (나) $<\log_3 3^{-1}$ 또는 (나) $>\log_3 3^2$
> $3>1$이므로 $x<$ (다) 또는 $x>$ (라) ······ ㉡
> ㉠, ㉡의 공통 범위를 구하면
> (가) $<x<$ (다) 또는 $x>$ (라)

위의 과정에서 (가)~(라)에 알맞은 것을 써넣으시오.

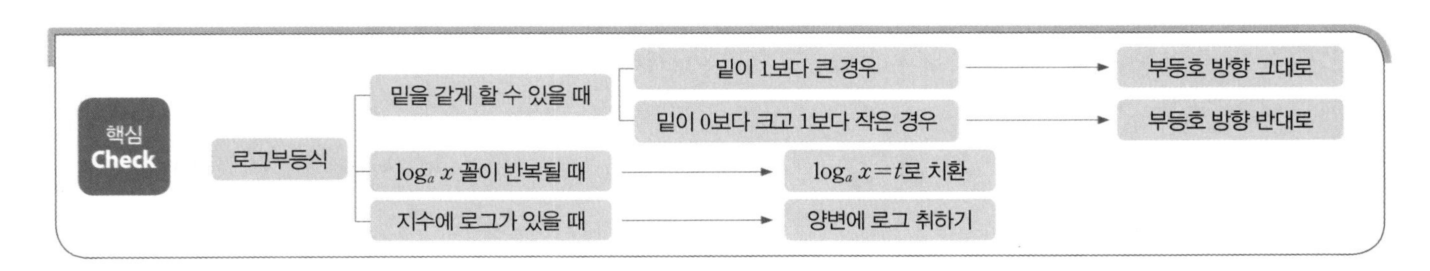

STEP 2 유형 마스터 ❷

유형 12 로그방정식 – 밑 또는 진수를 같게 할 수 있는 경우

중요

개념 01

(1) $\log_a f(x)=\log_a g(x)$
$\Longleftrightarrow f(x)=g(x)$ (단, $a>0, a\neq 1, f(x)>0, g(x)>0$)
(2) $\log_a f(x)=\log_b f(x)$
$\Longleftrightarrow a=b$ 또는 $f(x)=1$ (단, $a>0, a\neq 1, b>0, b\neq 1, f(x)>0$)

0536 • 대표문제 •

방정식 $\log_2(x-1)+\log_4 x=\frac{1}{2}$의 해는?

① $x=2$
② $x=1$ 또는 $x=2$
③ $x=1$
④ $x=-1$ 또는 $x=2$
⑤ $x=-1$

0537 상중하

방정식 $\log_3(x-4)=\log_9(5x+4)$의 근을 α라 할 때, α의 값을 구하시오.

0538 상중하

방정식 $\frac{1}{2}\log_2(x+3)-\log_4(3x+1)^2=-1$을 푸시오.

0539 상중하

방정식 $\log_{x^2+4}(x^2+2x-2)=\log_{4x}(x^2+2x-2)$의 모든 근의 합은?

① 1 ② 2 ③ 3
④ 4 ⑤ 5

유형 13 로그방정식 – 치환

개념 05

$\log_a x\,(a>0, a\neq 1)$ 꼴이 반복되는 경우
(i) $\log_a x=t$로 치환하여 t에 대한 방정식을 푼다.
(ii) (i)에서 구한 해에 t 대신 $\log_a x$를 대입하여 x의 값을 구한다.

0540 • 대표문제 •

방정식 $\log x^2-\log x\cdot\log 2x+\log 4=0$의 모든 근의 곱은?

① 2 ② 4 ③ 10
④ 50 ⑤ 100

0541 상중하

방정식 $\log_2 2x\cdot\log_2\frac{x}{2}=3$의 해는?

① $x=2$ 또는 $x=4$
② $x=\frac{1}{4}$ 또는 $x=8$
③ $x=\frac{1}{4}$ 또는 $x=4$
④ $x=\frac{1}{4}$ 또는 $x=\frac{1}{2}$
⑤ $x=\frac{1}{8}$ 또는 $x=4$

0542 상중하

방정식 $(\log_2 x)^2+\log_2 x^2-8=0$의 모든 근의 곱을 구하시오.

0543 상중하 서술형

방정식 $\log_3 x=2\log_x 3+1$의 두 근을 α, β라 할 때, $\alpha+\frac{1}{\beta}$의 값을 구하시오. (단, $\alpha>\beta$)

0544 상중하
x에 대한 이차방정식 $x^2-x\log a+\log a+3=0$이 중근을 갖도록 하는 모든 양수 a의 값의 곱은?

① 10 ② 10^2 ③ 10^3
④ 10^4 ⑤ 10^5

0545 상중하
방정식 $5^{\log x}\cdot x^{\log 5}-3(5^{\log x}+x^{\log 5})+5=0$의 모든 근의 합은?

① $\frac{11}{10}$ ② $\frac{6}{5}$ ③ 3
④ 6 ⑤ 11

유형 14 로그방정식 - 연립방정식 개념 05

$\log_a x$, $\log_b y\,(a>0, a\neq1, b>0, b\neq1)$에 대한 연립방정식인 경우
⇨ $\log_a x=X$, $\log_b y=Y$로 치환하여 X, Y에 대한 연립방정식을 푼다.

0546 • 대표문제 •
연립방정식 $\begin{cases}\log_3 x+\log_5 y=4\\ \log_5 x\cdot\log_3 y=3\end{cases}$의 해가 $x=\alpha$, $y=\beta$일 때, $\alpha+\beta$의 값은? (단, $\alpha>\beta$)

① 28 ② 29 ③ 30
④ 31 ⑤ 32

0547 상중하
연립방정식 $\begin{cases}\log_x 4-\log_y 2=2\\ \log_x 16+\log_y 8=-1\end{cases}$을 만족시키는 두 실수 x, y에 대하여 xy의 값을 구하시오.

유형 15 양변에 로그를 취하는 방정식 개념 05

지수에 로그가 있거나 밑을 같게 할 수 없을 때에는 양변에 밑이 같은 로그를 취하여 방정식을 푼다.

0548 • 대표문제 •
방정식 $x^{\log x}=10000x^3$의 두 근을 α, β라 할 때, $\log\frac{\beta}{\alpha}$의 값은? (단, $\alpha<\beta$)

① 1 ② 3 ③ 5
④ 7 ⑤ 9

0549 상중하
방정식 $2^{x-1}=3^{x+1}$을 만족시키는 x의 값은?

① $\log_2 3$ ② $\log_3 2$ ③ $\frac{\log 3}{\log 2-1}$
④ $\frac{\log 6}{\log 2-\log 3}$ ⑤ $\frac{\log 6}{\log 3-\log 2}$

0550 상중하
방정식 $5^{2x}=2^{4-2x}$의 근을 α라 할 때, 10^{α}의 값은?

① 1 ② 2 ③ 3
④ 4 ⑤ 5

0551 상중하
방정식 $x^{\log_3 x}=27x^2$의 두 근의 곱은?

① 1 ② 5 ③ 9
④ 10 ⑤ 14

0552 상중하

x에 대한 방정식 $(2x)^{\log_a 2}=(3x)^{\log_a 3}$을 푸시오.

(단, $a>1$, $x>0$)

발전 유형 16 로그방정식의 활용 개념 05

방정식 $(\log_a x)^2+p\log_a x+q=0$($a>0$, $a\neq1$, p, q는 상수)의 근이 α, β일 때

⇨ $\log_a x=t$로 치환하면 이차방정식 $t^2+pt+q=0$의 근은 $\log_a \alpha$, $\log_a \beta$이다.

0553 • 대표문제 •

방정식 $(\log_2 8x)^2-4\log_2 16x=0$의 두 근의 곱은?

① $\frac{1}{8}$ ② $\frac{1}{4}$ ③ 1
④ 4 ⑤ 8

0554 상중하 서술형

방정식 $\log_3 x-3\log_x 3+a=0$의 두 근의 곱이 9일 때, 상수 a의 값을 구하시오. (단, $x>1$)

0555 상중하

방정식 $(\log_3 x)^2+\log_3 x^2-1=0$의 두 근을 α, β라 할 때, $\frac{1}{(\log_3 \alpha)^2}+\frac{1}{(\log_3 \beta)^2}$의 값은?

① 4 ② 5 ③ 6
④ 7 ⑤ 8

0556 상중하

방정식 $(\log_2 x)^3+\log_2 x^3=4(\log_2 x)^2+\log_2 x$의 모든 근의 곱은?

① 1 ② 2 ③ 4
④ 8 ⑤ 16

0557 상중하

x에 대한 방정식 $(\log_3 x)\left(\log_3 \frac{27}{x}\right)=\frac{a}{8}$가 서로 다른 두 양의 근을 가질 때, 실수 a의 값의 범위는?

① $a<18$ ② $a\le18$ ③ $0<a<18$
④ $a>18$ ⑤ $a\ge18$

중요
유형 17 로그부등식 – 밑을 같게 할 수 있는 경우
개념 06

부등식의 각 항의 밑을 같게 한 다음 진수끼리 비교하여 푼다.
이때, 로그의 밑과 진수의 조건 및 부등호의 방향에 주의한다.
⇨ 부등식 $\log_a f(x)>\log_a g(x)\,(a>0, a\neq1)$의 해는
(1) $a>1$일 때, $f(x)>0$, $g(x)>0$, $f(x)>g(x)$의 공통 범위
(2) $0<a<1$일 때, $f(x)>0$, $g(x)>0$, $f(x)<g(x)$의 공통 범위

0558 • 대표문제 •

부등식 $\log_2(x-1)\geq\log_4(5-x^2)$의 해가 $\alpha\leq x<\beta$일 때, $\alpha^2+\beta^2$의 값은?

① 3 ② 5 ③ 7
④ 9 ⑤ 13

0559 상중하

부등식 $\log_{\frac{1}{2}}(2x-1)+1>\log_{\frac{1}{4}}\left(x-\frac{1}{2}\right)$의 해는?

① $x>\frac{1}{2}$ ② $\frac{1}{2}<x<\frac{3}{2}$ ③ $x>\frac{3}{2}$
④ $\frac{3}{2}<x<\frac{5}{2}$ ⑤ $x>\frac{5}{2}$

0560 상중하

부등식 $\log_a(x+3)-\log_a(1-x)-1>0$의 해가 $-\frac{1}{3}<x<1$일 때, 양수 a의 값은? (단, $a\neq1$)

① 2 ② 3 ③ 4
④ 6 ⑤ 8

0561 상중하

연립부등식 $\begin{cases}4^x+2^{x+2}-12\leq0\\2\log_2(x+1)\leq2+\log_2(x+4)\end{cases}$를 푸시오.

0562 상중하

부등식 $\left|\log_{\frac{1}{2}}(x-1)\right|<2$의 해와 부등식 $2x^2+px+q<0$의 해가 서로 같을 때, $q-p$의 값을 구하시오. (단, p, q는 상수)

유형 18 로그부등식 – 진수에 로그를 포함한 경우
개념 06

부등식 $\log_a(\log_b x)>k\,(a>0, a\neq1, b>0, b\neq1, k$는 상수)에서
(1) 진수의 조건 ⇨ $\log_b x>0$
(2) $a>1$일 때 ⇨ $\log_b x>a^k$
$0<a<1$일 때 ⇨ $\log_b x<a^k$

0563 • 대표문제 •

부등식 $\log_2(\log_3 x)<2$를 만족시키는 정수 x의 개수는?

① 27 ② 28 ③ 79
④ 80 ⑤ 81

0564 상중하

두 집합

$A=\{x\,|\,\log_3(\log_2 x)\leq1\}$, $B=\{x\,|\,\log_2(\log_3 x)\leq1\}$

에 대하여 다음 중 $A\cap B$와 같은 것은?

① A ② B ③ $\varnothing$
④ $A-B$ ⑤ $B-A$

STEP 2 유형 마스터

유형 19 로그부등식 - 치환 (중요) 개념 06

$\log_a x(a>0, a\neq1)$ 꼴이 반복되는 경우
(i) $\log_a x=t$로 치환하여 t에 대한 부등식을 푼다.
(ii) (i)에서 구한 해에 t 대신 $\log_a x$를 대입하여 x의 값의 범위를 구한다.

0565 • 대표문제 •
부등식 $(\log_2 x)^2-\log_2 8x^2\leq0$의 해를 $\alpha\leq x\leq\beta$라 할 때, $\alpha\beta$의 값은?

① $\frac{1}{8}$ ② $\frac{1}{4}$ ③ 1
④ 2 ⑤ 4

0566 상중하
부등식 $\log_{\frac{1}{2}}\frac{4}{x}\cdot\log_{\frac{1}{2}}\frac{x}{8}\geq-2$를 만족시키는 정수 x의 개수는?

① 4 ② 8 ③ 12
④ 15 ⑤ 16

0567 상중하
부등식 $(1+\log_3 x)(a-\log_3 x)>0$의 해가 $\frac{1}{3}<x<9$일 때, 상수 a의 값을 구하시오.

유형 19 Plus 가우스 기호를 포함한 로그부등식의 풀이

0568 $[x]$가 x보다 크지 않은 최대의 정수일 때
(i) 주어진 부등식에서 $[\log_a x]$의 값의 범위를 구한다.
(ii) $[\log_a x]$의 값이 정수인 것만을 택한다.
(iii) $[\log_a x]=n$(n은 정수)이면 $n\leq\log_a x<n+1$임을 이용하여 x의 값의 범위를 구한다.

0568 상중하
부등식 $[\log_5 x]^2-[\log_5 x]-2<0$을 푸시오.
(단, $[x]$는 x보다 크지 않은 최대의 정수이다.)

유형 20 양변에 로그를 취하는 부등식 개념 06

지수에 로그가 있거나 밑을 같게 할 수 없을 때에는 양변에 밑이 같은 로그를 취하여 부등식을 푼다.

0569 • 대표문제 •
부등식 $x^{\log_2 x}<8x^2$을 만족시키는 정수 x의 개수는?

① 3 ② 4 ③ 5
④ 6 ⑤ 7

0570 상중하
부등식 $2^{x+1}>3^{x-1}$을 만족시키는 모든 양의 정수 x의 값의 합은? (단, $\log 2=0.3010$, $\log 3=0.4771$로 계산한다.)

① 10 ② 15 ③ 21
④ 25 ⑤ 30

0571 상중하
부등식 $x^{\log_{\frac{1}{2}} x}>4x^3$의 해가 $\alpha<x<\beta$일 때, $\frac{\alpha+\beta}{\alpha\beta}$의 값은?

① 1 ② 2 ③ 4
④ 6 ⑤ 8

유형 21 로그부등식의 활용

개념 06

계수가 실수인 이차방정식 $ax^2+bx+c=0$의 판별식을 D라 하면
(1) 이차방정식이 서로 다른 두 실근을 갖는다. ⇨ $D>0$
(2) 이차방정식이 실근을 갖지 않는다. ⇨ $D<0$
(3) 이차부등식 $ax^2+bx+c>0$이 항상 성립한다. ⇨ $a>0$, $D<0$

0572 • 대표문제 •

x에 대한 이차방정식 $x^2-2(2+\log_2 a)x+1=0$이 실근을 갖도록 하는 정수 a의 최솟값은?

① -3　② -1　③ 1
④ 3　⑤ 5

0573 상중하 서술형

모든 양수 x에 대하여 부등식 $x^{\log x}>(100x)^k$이 항상 성립하도록 하는 실수 k의 값의 범위를 구하시오.

0574 상중하

x에 대한 부등식 $(\log_2 x)^2 \ge \log_2 ax^2$이 모든 양수 x에 대하여 성립할 때, 실수 a의 최댓값은?

① $\frac{1}{4}$　② $\frac{1}{2}$　③ 1
④ 2　⑤ 4

발전유형 22 로그방정식 및 로그부등식의 실생활에의 활용

개념 05, 06

(i) 처음의 양 a에서 매시간마다 k배가 될 때, n시간 후의 양은 ak^n임을 이용하여 주어진 조건에 맞게 방정식 또는 부등식을 세운다.
(ii) 양변에 상용로그를 취하여 그 해를 구한다.

0575 • 대표문제 •

반도체를 생산하는 어느 회사에서 매년 일정한 비율로 생산량을 증가시켜 20년 후에는 금년도의 생산량의 2배가 되도록 하려고 한다. 이 회사에서는 생산량을 매년 몇 %씩 증가시켜야 하는가? (단, $\log 2=0.300$, $\log 1.035=0.015$로 계산한다.)

① 2.9 %　② 3.1 %　③ 3.3 %
④ 3.5 %　⑤ 3.7 %

0576 상중하

매년 골동품의 가격은 전년도의 가격보다 8 % 올라간다고 한다. 이러한 추세로 골동품의 가격이 계속 올라갈 때, 이 골동품의 가격이 금년도의 2배 이상이 되는 것은 최소 몇 년 후부터인가? (단, $\log 2=0.3010$, $\log 3=0.4771$로 계산한다.)

① 8년 후　② 9년 후　③ 10년 후
④ 11년 후　⑤ 12년 후

0577 상중하

어떤 하수 처리장에서는 매시간마다 현재 오염도의 20 %를 줄이는 방법으로 하수를 정화시키고 있다. 현재 오염도가 80인 폐수가 오염도 10 이하의 물로 정화되려면 최소한 몇 시간이 지나야 하는지 구하시오.

(단, $\log 2=0.3010$으로 계산한다.)

• 실제 학교 시험지처럼 풀어 보세요.

0578 | 유형 01 |

함수 $f(x)=\log_2(x+1)$에 대하여 함수 $g(x)$가 $(f\circ g)(x)=2x$를 만족시킬 때, $g(2)$의 값은? [3.8점]

① 12 ② 15 ③ 18
④ 21 ⑤ 24

0579 | 유형 01 |

함수 $f(x)=\log_3(x^3+17)$의 역함수를 $f^{-1}(x)$라 할 때, $(f^{-1}\circ f^{-1}\circ f^{-1})(4)$의 값은? [3.8점]

① 1 ② 2 ③ 3
④ 4 ⑤ 5

0580 | 유형 03 |

오른쪽 그림과 같이 곡선 $y=\log_2 x$ 위에 두 점 A, C가 있고, 곡선 $y=\log_{\sqrt{2}} x$ 위에 두 점 B, D가 있다. $\overline{AB}$, $\overline{CD}$는 y축에 평행하고, $\overline{BC}$는 x축에 평행할 때, $\overline{AB}+\overline{BC}+\overline{CD}$의 값은?
(단, 점선은 y축에 평행하다.) [4점]

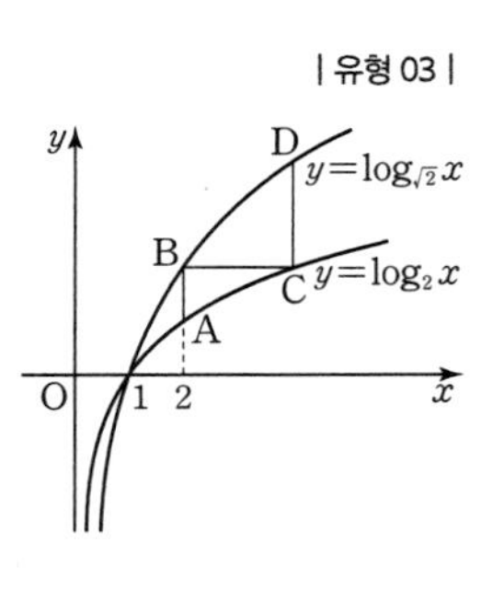

① 4 ② 5 ③ 6
④ 7 ⑤ 8

0581 | 유형 04 |

$0<a<b<1$일 때, 다음 보기 중 옳은 것을 있는 대로 고른 것은? [4.1점]

보기
ㄱ. $\log_a b<1$ ㄴ. $\log_b a>1$
ㄷ. $\log_a b>\log_b a$

① ㄱ ② ㄴ ③ ㄷ
④ ㄱ, ㄴ ⑤ ㄴ, ㄷ

0582 | 유형 05 |

함수 $y=\log_2 4x$의 그래프 위의 두 점 A, B와 함수 $y=\log_2 x$의 그래프 위의 점 C에 대하여 선분 AC가 y축에 평행하고 삼각형 ABC가 정삼각형일 때, 점 B의 좌표는 $(p,\ q)$이다. $p^2\times 2^q$의 값은? [4.3점]

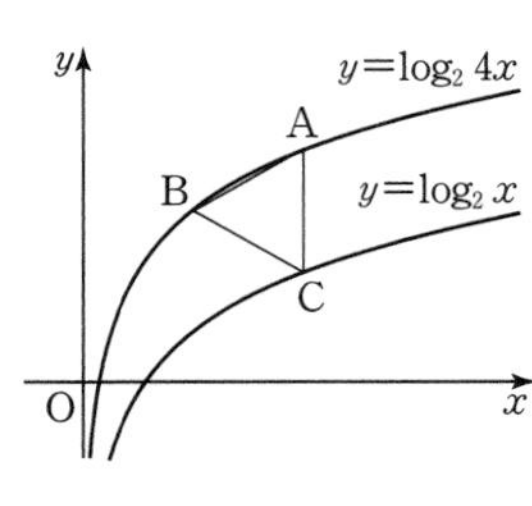

① $6\sqrt{3}$ ② $9\sqrt{3}$ ③ $12\sqrt{3}$
④ $15\sqrt{3}$ ⑤ $18\sqrt{3}$

0583 | 유형 06 |

함수 $y=\log_a x+k$의 그래프와 그 역함수의 그래프가 두 점에서 만나고, 교점의 x좌표가 각각 1, 2일 때, $a+k$의 값은?
(단, $a>1$, k는 상수) [3.9점]

① 1 ② 2 ③ 3
④ 4 ⑤ 5

0584 | 유형 08 |

정의역이 $\{x|a\leq x\leq b\}$인 함수 $y=\log_{\frac{1}{2}}(x+2)$의 최댓값이 2, 최솟값이 -3일 때, $a+b$의 값은? [3.8점]

① $\frac{7}{2}$ ② $\frac{15}{4}$ ③ 4
④ $\frac{17}{4}$ ⑤ $\frac{9}{2}$

0585 | 유형 09 |

두 실수 x, y가 $x\geq10$, $y\geq10$, $xy=10000$을 만족시킬 때,

$f(x, y)=\log x\cdot\log y+\log xy$

의 최댓값과 최솟값의 합은? [4.6점]

① 12 ② 15 ③ 18
④ 21 ⑤ 24

0586 | 유형 15 |

방정식 $x^{\log_2 x}=8x^2$의 두 실근을 α, β라 할 때, $\alpha\beta$의 값은? [4점]

① 1 ② 2 ③ 3
④ 4 ⑤ 5

0587 | 유형 16 |

방정식 $\log_9 x^2-\log_x 27-4=0$의 두 근을 α, β라 할 때, $\alpha\beta$의 값은? [4.3점]

① -81 ② -9 ③ 0
④ 9 ⑤ 81

0588 | 유형 17 |

부등식 $\log_2 x^2-\log_2|x|\leq3$을 만족시키는 정수 x의 개수는? [4.6점]

① 13 ② 14 ③ 15
④ 16 ⑤ 17

0589 | 유형 20 |

부등식 $2^{2x}\geq5^{1-2x}$의 해가 $x\geq\alpha$일 때, 10^{α}의 값은? [3.9점]

① $\sqrt{5}$ ② $\sqrt{10}$ ③ 5
④ 10 ⑤ $5\sqrt{5}$

0590 | 유형 21 |

x에 대한 이차방정식 $(3+\log_2 a)x^2+2(1+\log_2 a)x+1=0$이 서로 다른 두 실근을 가질 때, 다음 중 상수 a의 값이 될 수 없는 것은? [4.8점]

① $\frac{1}{16}$ ② $\frac{1}{7}$ ③ $\frac{1}{5}$
④ $\frac{1}{2}$ ⑤ $\frac{5}{2}$

0591 | 유형 22 |

농도 20 %의 소금물 10 dL가 있다. 여기에 1 dL를 퍼내고 물 1 dL를 넣는다. 이와 같은 조작을 몇 번 시행하면 소금물의 농도가 처음으로 10 % 이하가 되겠는가?

(단, $\log 2=0.3010$, $\log 3=0.4771$로 계산한다.) [5.1점]

① 7번 ② 8번 ③ 9번
④ 10번 ⑤ 11번

서술형 문제

• 풀이 과정에 점수가 부여되니 풀이 과정 및 정답을 상세하게 서술하세요.

단답형

0592 | 유형 11 |

$x>0$, $y>0$이고 $2x+y=20$일 때, $\log 2x+\log y$의 최댓값을 구하시오. [6점]

0593 | 유형 13 |

방정식 $(\log_3 x)^2-6\log_3\sqrt{x}+2=0$의 서로 다른 두 실근을 α, β라 할 때, $\alpha\beta$의 값을 구하시오. [6점]

0594 | 유형 19 |

부등식 $3^{\log x}\cdot x^{\log 3}-2(3^{\log x}+x^{\log 3})+3<0$의 해를 $\alpha<x<\beta$라 할 때, $\alpha+\beta$의 값을 구하시오. [7점]

단계형

0595 | 유형 03 |

오른쪽 그림은 각 변이 x축 또는 y축에 평행한 두 직사각형 ABCD, DEFG를 나타낸 것이다. 두 점 A, G는 곡선 $y=\log_2 x$ 위의 점이고, 두 점 B, C는 x축 위의 점이다. 두 직사각형 ABCD, DEFG가 다음 조건을 만족시킬 때, 물음에 답하시오. [10점]

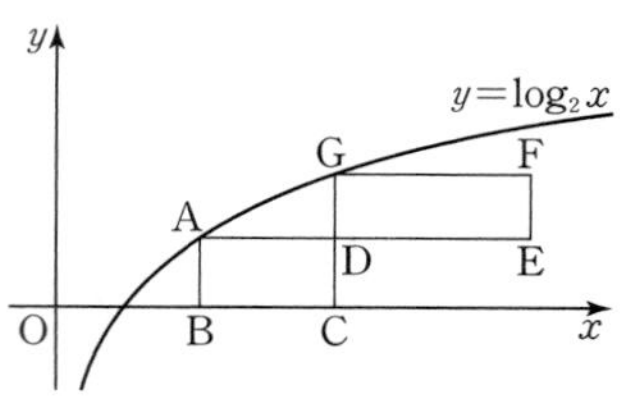

> (가) $\overline{DG}=1$ (나) $\overline{AD}:\overline{DE}=2:3$
> (다) 두 직사각형 ABCD, DEFG의 넓이는 서로 같다.

(1) 점 B의 좌표를 $(a,\ 0)$, 점 C의 좌표를 $(b,\ 0)$이라 할 때, 조건 (가)를 이용하여 a와 b 사이의 관계식을 구하시오. [2점]

(2) 조건 (나)를 이용하여 점 E의 x좌표를 a로 나타내시오. [4점]

(3) 조건 (다)를 이용하여 점 E의 x좌표를 구하시오. [4점]

0596 | 유형 16 |

방정식 $(\log_2 x)\left(\log_2 \frac{16}{x}\right)=\frac{m^2}{16}$이 실근을 가질 때, 다음 물음에 답하시오. (단, m은 실수) [12점]

(1) $\log_2 x=t$로 치환하여 주어진 방정식을 t에 대한 방정식으로 나타내시오. [4점]

(2) 판별식을 이용하여 주어진 방정식이 실근을 갖도록 m에 대한 부등식을 세우시오. [4점]

(3) m의 최댓값을 구하시오. [4점]

성/취/도 Check

점수 / 100점

- 50점 **STEP 1** 개념+기본 문제 학습
- 60점 **STEP 2** 유형 대표 문제 학습
- 70점 **STEP 3**의 틀린 문제에 해당하는 **STEP 2** 유형 학습
- 80점 **STEP 3**의 틀린 문제 복습
- 90점 교과서 속 심화문제 시작

≫ 정답과 해설 69쪽

0597

지수함수 $y=ma^{2x}+n(a>0,\ a\neq1)$의 그래프의 개형이 오른쪽 그림과 같을 때, 로그함수 $y=\log_a(x-n)^{-m}$의 그래프의 개형으로 알맞은 것은?
(단, 직선 $y=2$는 점근선이고, m, n은 상수이다.)

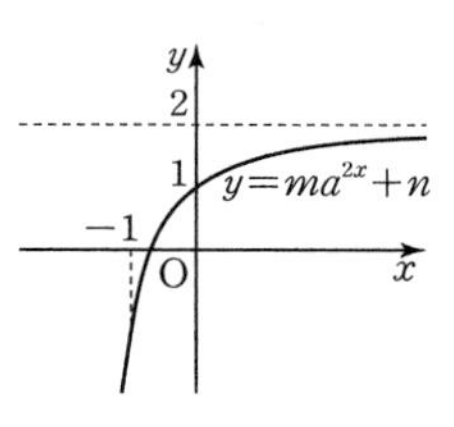

① 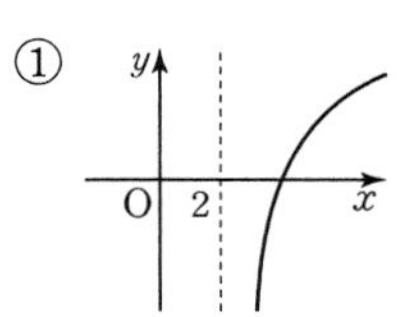

② 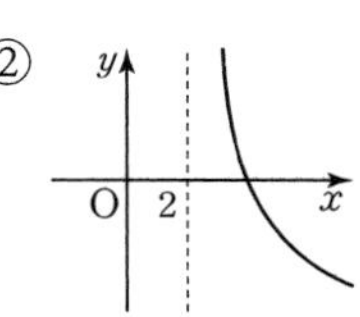

③ 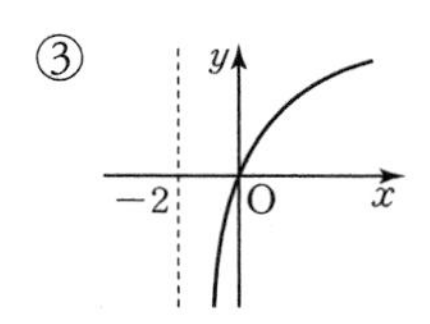

④ 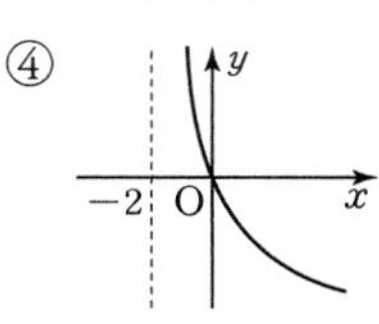

⑤ 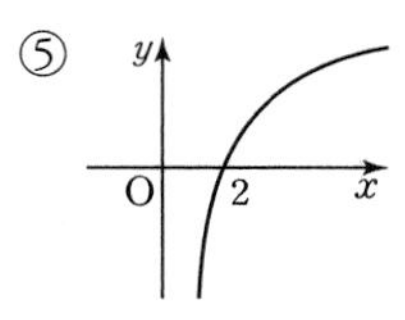

0598 융합형

다음 그림과 같이 두 곡선 $y=|\log_2 x|$와 $y=\left(\frac{1}{2}\right)^x$이 만나는 두 점을 $\mathrm{P}(x_1,\ y_1)$, $\mathrm{Q}(x_2,\ y_2)$ $(x_1<x_2)$라 하고, 두 곡선 $y=|\log_2 x|$와 $y=2^x$이 만나는 점을 $\mathrm{R}(x_3,\ y_3)$이라 할 때, 보기 중 옳은 것을 있는 대로 고른 것은?

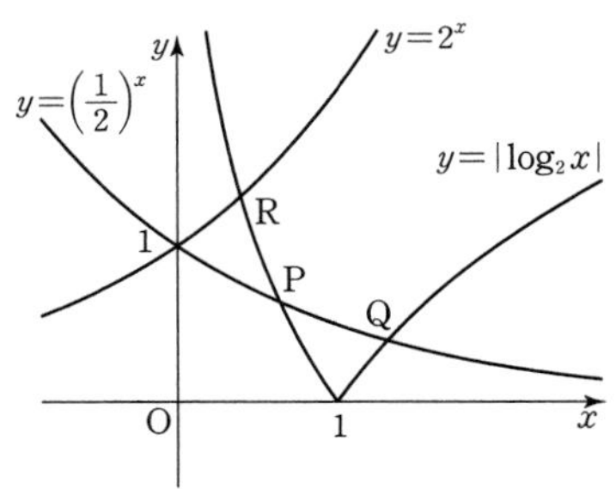

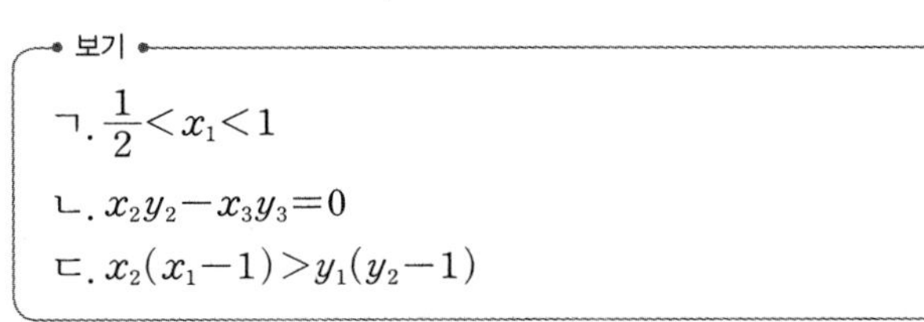

보기

ㄱ. $\frac{1}{2}<x_1<1$

ㄴ. $x_2y_2-x_3y_3=0$

ㄷ. $x_2(x_1-1)>y_1(y_2-1)$

① ㄱ　② ㄷ　③ ㄱ, ㄴ
④ ㄴ, ㄷ　⑤ ㄱ, ㄴ, ㄷ

0599

방정식 $[\log_3 3x]=[\log_3 x^2]$을 만족시키는 x의 값의 범위가 $a\leq x<b$일 때, a^2+b^2의 값을 구하시오.
(단, $[x]$는 x보다 크지 않은 최대의 정수이다.)

0600

x에 대한 이차방정식 $x^2-2x\log_3 a+\log_3 a+2=0$의 두 근이 모두 음수가 되도록 하는 실수 a의 값의 범위를 구하시오.

0601 창의력

어떤 농산물은 유통 과정을 한 번 거칠 때마다 일정한 비율로 가격이 인상된다. 이 농산물의 가격 형성 과정을 조사한 결과 유통 과정을 다섯 번 거친 소비자 가격은 원산지 생산 가격의 2.24배였다. 유통 과정을 한 번만 거친다면 이때의 소비자 가격은 다섯 번 거친 소비자 가격의 약 몇 %인지 소수 첫째 자리에서 반올림하여 구하시오.
(단, $\log 2.24=0.35$, $\log 1.17=0.07$로 계산한다.)

5

삼각함수

목적지까지 얼마나 걸릴까?
내가 개인적으로 사용하는 인공위성 신호 수신기로 알아볼게.
우와, 인공위성 신호 수신기가 있다고?
여러 개의 GPS 위성으로부터 신호를 받아 거리를 측정해 현재 위치의 좌표를 알아내는 방법이야.
삼각함수가 기본적인 원리야.
그런 걸 어떻게 네가 가지고 다녀?
모든 휴대폰에 탑재되어 있다고. ㅋㅋㅋ

기출 문제 분석

빅 데이터

* 전국 300여 개 고등학교 기출 문제를 분석하였습니다.

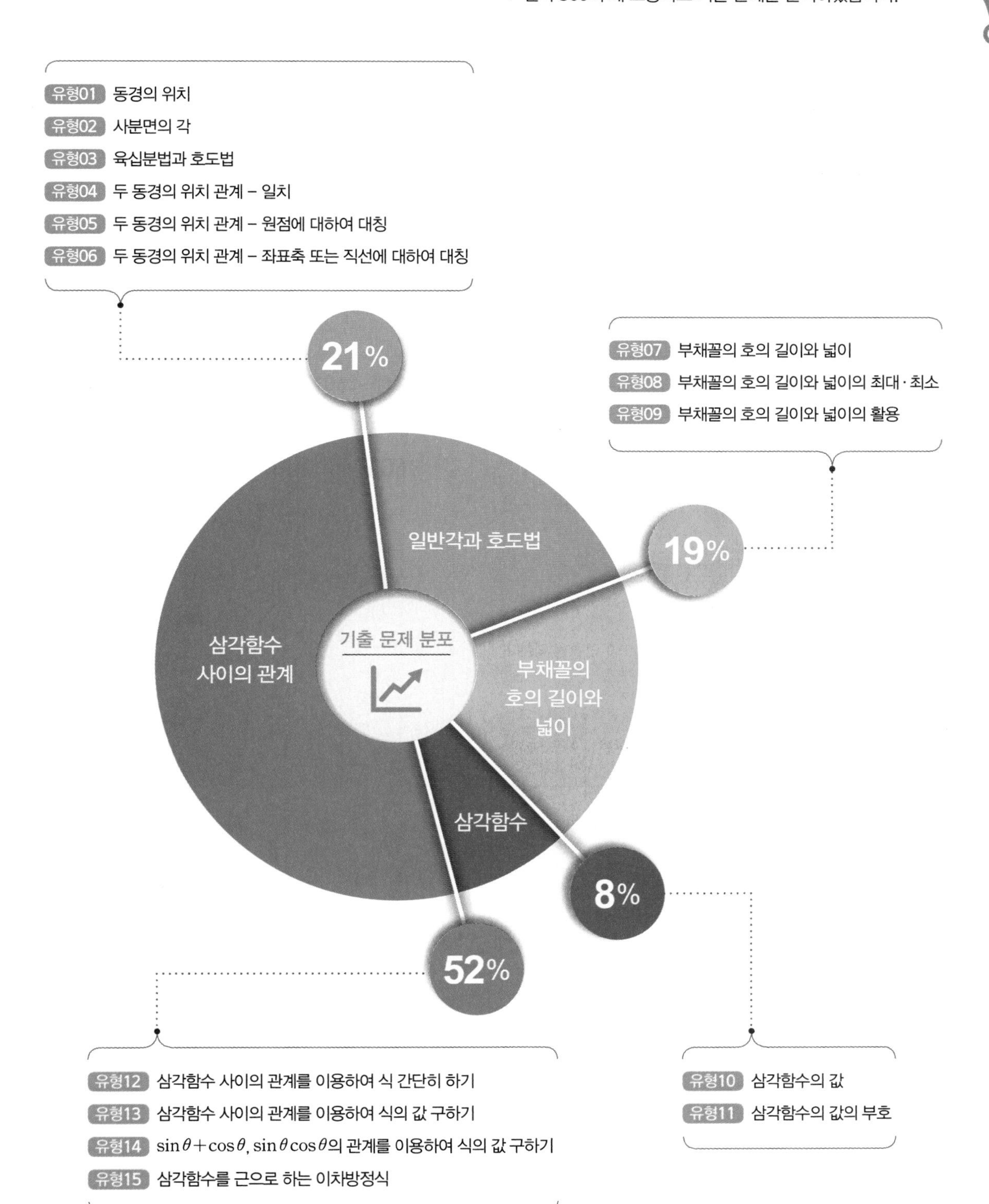

01 일반각

유형 01~06

(1) 시초선과 동경

평면 위의 두 반직선 OX와 OP에 의하여 ∠XOP가 정해질 때, ∠XOP의 크기는 반직선 OP가 고정된 반직선 OX의 위치에서 점 O를 중심으로 반직선 OP의 위치까지 회전한 양이다.

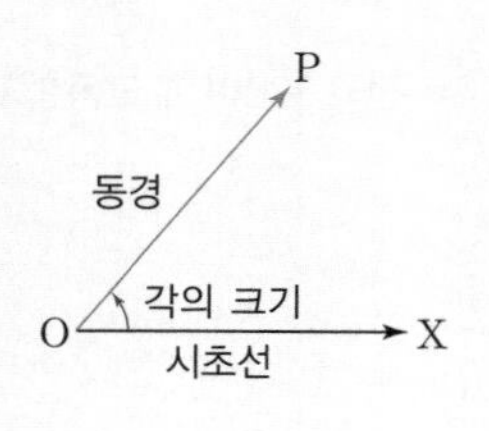

이때, 반직선 OX를 ∠XOP의 **시초선**(출발의 기준이 되는 선), 반직선 OP를 ∠XOP의 **동경**(움직이는 선)이라 한다.

참고 • 동경 OP가 점 O를 중심으로 회전할 때, 시곗바늘이 도는 방향과 반대인 방향을 양의 방향, 시곗바늘이 도는 방향과 같은 방향을 음의 방향이라 한다.
이때, 각의 크기는 회전 방향이 양의 방향이면 +를, 음의 방향이면 −를 붙여서 나타낸다.
• 일반적으로 양의 부호 +는 생략하여 나타낸다.

(2) 일반각

시초선 OX와 동경 OP가 나타내는 한 각의 크기를 α°라 하면

$\angle XOP = 360^\circ \times n + \alpha^\circ$ (n은 정수)

꼴로 나타낼 수 있고 이것을 동경 OP가 나타내는 **일반각**이라 한다.

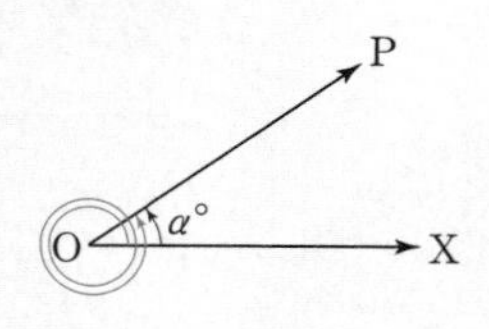

참고 α°는 보통 $0^\circ \le \alpha^\circ < 360^\circ$ 또는 $-180^\circ < \alpha^\circ \le 180^\circ$인 것을 택한다.

(3) 사분면의 각

좌표평면 위의 원점 O에서 x축의 양의 방향을 시초선으로 잡을 때, 제1사분면, 제2사분면, 제3사분면, 제4사분면에 있는 동경 OP가 나타내는 각을 각각 **제1사분면의 각, 제2사분면의 각, 제3사분면의 각, 제4사분면의 각**이라 한다.

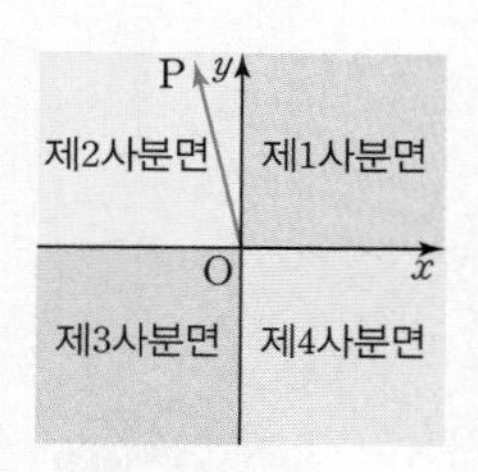

[0602~0603] 시초선이 반직선 OX일 때, 크기가 다음과 같은 각을 나타내는 동경 OP의 위치를 그림으로 나타내시오.

0602 210°

0603 -140°

[0604~0605] 다음 그림에서 시초선이 반직선 OX일 때, 동경 OP가 나타내는 일반각 θ를 구하시오.

0604 **0605**

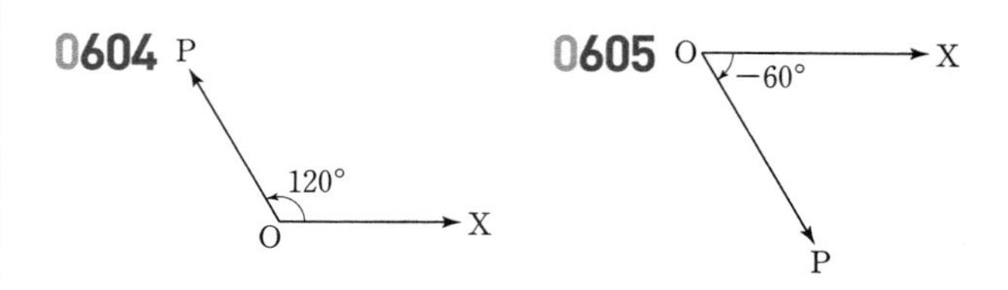

[0606~0609] 크기가 다음과 같은 각의 동경이 나타내는 일반각을 $360^\circ \times n + \alpha^\circ$ 꼴로 나타내시오. (단, n은 정수, $0^\circ \le \alpha^\circ < 360^\circ$)

0606 420°

0607 600°

0608 -930°

0609 -1100°

[0610~0613] 크기가 다음과 같은 각은 제몇 사분면의 각인지 구하시오.

0610 1050°

0611 -600°

0612 3270°

0613 -5140°

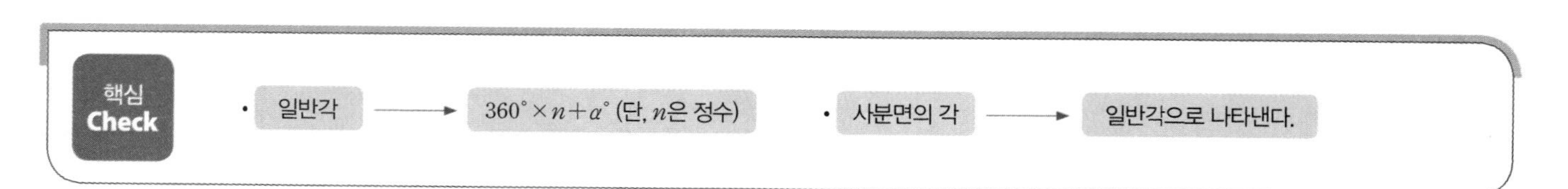

02 호도법 유형 03~06

(1) 육십분법

원의 둘레를 360등분하여 각 호에 대한 중심각의 크기를 1도(°), 1도의 $\frac{1}{60}$을 1분(′), 1분의 $\frac{1}{60}$을 1초(″)로 정의하여 각의 크기를 나타내는 방법을 **육십분법**이라 한다.

(2) 호도법

반지름의 길이가 r인 원에서 길이가 r인 호에 대한 중심각의 크기는 원의 반지름의 길이에 관계없이 $\frac{180^\circ}{\pi}$로 항상 일정하다. 이 일정한 각의 크기를 **1라디안**(radian)이라 하며, 이것을 단위로 각의 크기를 나타내는 방법을 **호도법**이라 한다.

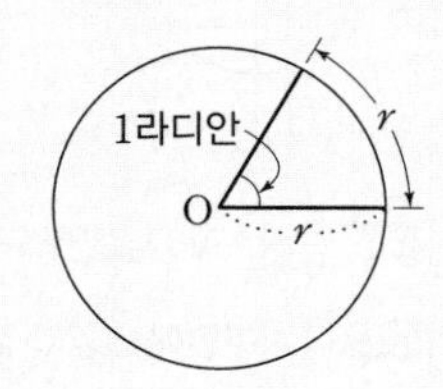

참고 각의 크기를 호도법으로 나타낼 때에는 단위인 라디안은 생략하고, $1, \frac{\pi}{2}, \pi$와 같이 실수처럼 쓴다.

(3) 육십분법과 호도법 사이의 관계

$$1^\circ=\frac{\pi}{180} \text{ 라디안}, \ 1\text{라디안}=\frac{180^\circ}{\pi}$$

예 $90^\circ=90\cdot\frac{\pi}{180}=\frac{\pi}{2}, \ \frac{2}{3}\pi=\frac{2}{3}\pi\cdot\frac{180^\circ}{\pi}=120^\circ$

[0614~0617] 다음 각을 호도법으로 나타내시오.

0614 30°

0615 120°

0616 225°

0617 -90°

[0618~0621] 다음 각을 육십분법으로 나타내시오.

0618 $\frac{\pi}{4}$

0619 $\frac{5}{6}\pi$

0620 $\frac{3}{2}\pi$

0621 $-\frac{\pi}{3}$

[0622~0625] 크기가 다음과 같은 각의 동경이 나타내는 일반각을 $2n\pi+\theta$ 꼴로 나타내시오. (단, n은 정수, $0\le\theta<2\pi$)

0622 $\frac{\pi}{2}$

0623 $\frac{\pi}{6}$

0624 $\frac{14}{3}\pi$

0625 $-\frac{3}{4}\pi$

03 부채꼴의 호의 길이와 넓이 유형 07~09

반지름의 길이가 r, 중심각의 크기가 θ(라디안)인 부채꼴의 호의 길이를 l, 넓이를 S라 하면

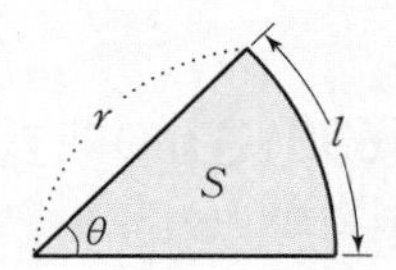

$$l=r\theta, \ S=\frac{1}{2}r^2\theta=\frac{1}{2}rl$$

참고 부채꼴의 중심각의 크기 θ는 호도법으로 나타낸 각임에 유의한다. 중심각의 크기가 육십분법으로 주어지면 호도법으로 고쳐서 계산한다.

[0626~0627] 반지름의 길이와 중심각의 크기가 각각 다음과 같은 부채꼴의 호의 길이 l과 넓이 S를 구하시오.

0626 반지름의 길이 3, 중심각의 크기 $\frac{\pi}{5}$

0627 반지름의 길이 10, 중심각의 크기 120°

0628 반지름의 길이가 10, 호의 길이가 15π인 부채꼴의 중심각의 크기 θ와 넓이 S를 구하시오.

0629 호의 길이가 $\frac{\pi}{2}$, 넓이가 $\frac{3}{4}\pi$인 부채꼴의 반지름의 길이 r와 중심각의 크기 θ를 구하시오.

- (육십분법의 각)$\times\frac{\pi}{180}$=(호도법의 각)
- 반지름의 길이가 r, 중심각의 크기가 θ인 부채꼴 ⟶ (호의 길이)$=r\theta$, (넓이)$=\frac{1}{2}r^2\theta$

04 삼각함수 유형 10

$\overline{\text{OP}}=r$인 점 $\text{P}(x,\ y)$에 대하여 동경 OP가 x축의 양의 방향과 이루는 일반각의 크기를 θ(라디안)라 할 때

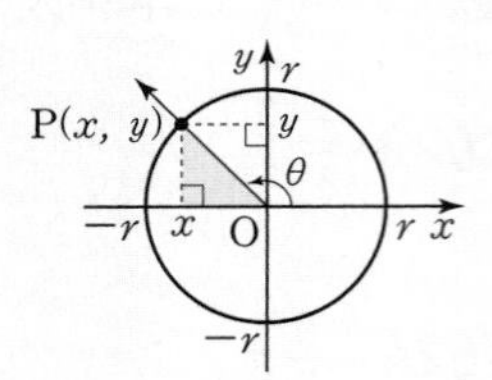

$\sin\theta=\dfrac{y}{r}$, $\cos\theta=\dfrac{x}{r}$,

$\tan\theta=\dfrac{y}{x}$ (단, $x\neq0$)

이 함수들을 차례로 θ에 대한 **사인함수, 코사인함수, 탄젠트함수**라 하고, 이와 같은 함수들을 θ에 대한 **삼각함수**라 한다.

참고 • sin, cos, tan는 각각 sine, cosine, tangent의 약자이다.
• 삼각함수에서 일반각 θ는 보통 호도법으로 나타낸다.

0630 원점 O와 점 $\text{P}(-3,\ 4)$를 지나는 동경 OP가 나타내는 각의 크기를 θ라 할 때, 다음 값을 구하시오.

(1) $\sin\theta$ (2) $\cos\theta$ (3) $\tan\theta$

0631 원점 O와 점 $\text{P}(12,\ -5)$를 지나는 동경 OP가 나타내는 각의 크기를 θ라 할 때, 다음 값을 구하시오.

(1) $\sin\theta$ (2) $\cos\theta$ (3) $\tan\theta$

[0632~0635] 다음 각 θ에 대하여 $\sin\theta$, $\cos\theta$, $\tan\theta$의 값을 각각 구하시오.

0632 $\dfrac{5}{4}\pi$

0633 $-\dfrac{\pi}{3}$

0634 240°

0635 -315°

05 삼각함수의 값의 부호 유형 11

삼각함수의 값의 부호는 각 θ를 나타내는 동경이 위치한 사분면에 따라 다음과 같이 정해진다.

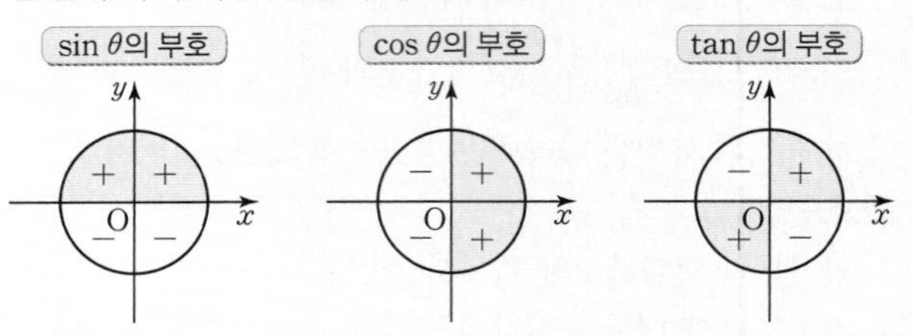

예 $\dfrac{6}{5}\pi$는 제3사분면의 각이므로 $\sin\dfrac{6}{5}\pi<0$, $\cos\dfrac{6}{5}\pi<0$, $\tan\dfrac{6}{5}\pi>0$

참고 각 사분면에서 양의 값을 갖는 삼각함수

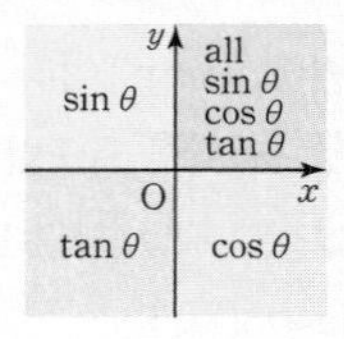

[0636~0639] 다음 각 θ에 대하여 $\sin\theta$, $\cos\theta$, $\tan\theta$의 값의 부호를 각각 말하시오.

0636 $\dfrac{25}{4}\pi$

0637 $-\dfrac{7}{3}\pi$

0638 960°

0639 -560°

[0640~0642] 다음 조건을 만족시키는 θ는 제몇 사분면의 각인지 구하시오.

0640 $\sin\theta>0$, $\cos\theta<0$

0641 $\sin\theta<0$, $\tan\theta>0$

0642 $\cos\theta\tan\theta>0$

각 사분면에서 양의 값을 갖는 삼각함수
(1) 제1사분면 ⇨ All($\sin\theta$, $\cos\theta$, $\tan\theta$)
(2) 제2사분면 ⇨ $\sin\theta$
(3) 제3사분면 ⇨ $\tan\theta$
(4) 제4사분면 ⇨ $\cos\theta$

06 삼각함수 사이의 관계

유형 12~15

(1) $\tan\theta=\frac{\sin\theta}{\cos\theta}$

(2) $\sin^2\theta+\cos^2\theta=1$

참고 각 θ를 나타내는 동경과 원점 O를 중심으로 하는 단위원의 교점을 $\mathrm{P}(x, y)$라 하면

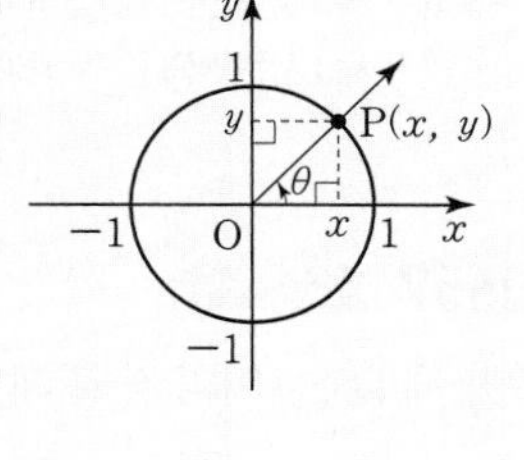

• $\sin\theta=y$, $\cos\theta=x$이고

$\tan\theta=\frac{y}{x}(x\neq0)$이므로

$\tan\theta=\frac{\sin\theta}{\cos\theta}$

• 점 $\mathrm{P}(x, y)$는 단위원 위의 점이므로 $x^2+y^2=1$

$\therefore \sin^2\theta+\cos^2\theta=1$

• $(\sin\theta)^2=\sin^2\theta$, $(\cos\theta)^2=\cos^2\theta$

0643 θ가 제1사분면의 각이고 $\sin\theta=\frac{1}{4}$일 때, $\cos\theta$, $\tan\theta$의 값을 각각 구하시오.

0644 θ가 제3사분면의 각이고 $\cos\theta=-\frac{1}{2}$일 때, $\sin\theta$, $\tan\theta$의 값을 각각 구하시오.

0645 θ가 제2사분면의 각이고 $\sin\theta=\frac{3}{5}$일 때, $\cos\theta$, $\tan\theta$의 값을 각각 구하시오.

0646 $\sin\theta+\cos\theta=\frac{\sqrt{2}}{2}$일 때, $\sin\theta\cos\theta$의 값을 구하시오.

[0647~0648] $\sin\theta+\cos\theta=\frac{1}{3}$일 때, 다음 식의 값을 구하시오.

0647 $\sin\theta\cos\theta$

0648 $\frac{\cos\theta}{\sin\theta}+\frac{\sin\theta}{\cos\theta}$

[0649~0650] $\sin\theta-\cos\theta=\frac{\sqrt{2}}{4}$일 때, 다음 식의 값을 구하시오.

0649 $\sin\theta\cos\theta$

0650 $(\sin\theta+\cos\theta)^2$

[0651~0653] 다음 식을 간단히 하시오.

0651 $(\sin\theta+\cos\theta)^2+(\sin\theta-\cos\theta)^2$

0652 $\frac{\cos\theta}{1+\sin\theta}+\tan\theta$

0653 $(1-\sin^2\theta)(1+\tan^2\theta)$

• $\tan\theta=\frac{\sin\theta}{\cos\theta}$ • $\sin^2\theta+\cos^2\theta=1$

STEP 2 유형 마스터

유형 01 동경의 위치

개념 01

$\theta=360^\circ\times n+\alpha^\circ$ (n은 정수, $0^\circ\le\alpha^\circ<360^\circ$)이면 각 α°를 나타내는 동경과 각 θ를 나타내는 동경이 일치한다.

0654 • 대표문제 •

다음 중 각을 나타내는 동경이 나머지 넷과 다른 하나는?

① 430° ② 790° ③ -290°
④ -110° ⑤ 1150°

0655 상중하

다음 보기의 각을 나타내는 동경 중 120°를 나타내는 동경과 일치하는 것만을 있는 대로 고르시오.

보기

ㄱ. -30° ㄴ. 300° ㄷ. 840°
ㄹ. -240° ㅁ. 150° ㅂ. 600°

0656 상중하

좌표평면에서 x축의 양의 방향을 시초선으로 하고 91°를 나타내는 동경 OP가 원점 O를 중심으로 음의 방향으로 330°만큼 회전한 후, 양의 방향으로 165°만큼 회전하였다. 이때, 동경 OP는 제몇 사분면에 있는지 말하시오.

유형 02 사분면의 각

개념 01

(1) θ가 제1사분면의 각 ⇨ $360^\circ\times n<\theta<360^\circ\times n+90^\circ$
(2) θ가 제2사분면의 각 ⇨ $360^\circ\times n+90^\circ<\theta<360^\circ\times n+180^\circ$
(3) θ가 제3사분면의 각 ⇨ $360^\circ\times n+180^\circ<\theta<360^\circ\times n+270^\circ$
(4) θ가 제4사분면의 각 ⇨ $360^\circ\times n+270^\circ<\theta<360^\circ\times n+360^\circ$

(단, n은 정수)

0657 • 대표문제 •

θ가 제1사분면의 각일 때, $\dfrac{\theta}{2}$를 나타내는 동경이 존재할 수 있는 사분면을 모두 구하시오.

0658 상중하

2θ가 제3사분면의 각일 때, θ는 제몇 사분면의 각인지 말하시오.

0659 상중하 서술형

θ가 제4사분면의 각일 때, $\dfrac{\theta}{3}$를 나타내는 동경이 존재할 수 없는 사분면을 구하시오.

유형 03 육십분법과 호도법

개념 02

(1) 육십분법의 각을 호도법의 각으로 바꿀 때 ⇨ (육십분법의 각) $\times \frac{\pi}{180}$

(2) 호도법의 각을 육십분법의 각으로 바꿀 때 ⇨ (호도법의 각) $\times \frac{180^\circ}{\pi}$

0660 • 대표문제 •

다음 보기 중 옳은 것의 개수는?

보기

ㄱ. $\frac{2}{9}\pi=40^\circ$　ㄴ. $64^\circ=\frac{2}{5}\pi$　ㄷ. $\frac{7}{10}\pi=252^\circ$

ㄹ. $102^\circ=\frac{17}{30}\pi$　ㅁ. $\frac{5}{3}\pi=300^\circ$　ㅂ. $168^\circ=\frac{11}{12}\pi$

① 1　② 2　③ 3　④ 4　⑤ 5

0661 상중하

다음 중 각을 나타내는 동경이 속하는 사분면이 나머지 넷과 다른 하나는?

① -500°　② $\frac{7}{6}\pi$　③ 910°　④ $-\frac{6}{5}\pi$　⑤ $\frac{10}{3}\pi$

0662 상중하

다음 보기 중 옳은 것만을 있는 대로 고른 것은?

보기

ㄱ. $1=\frac{360^\circ}{\pi}$

ㄴ. -184°는 제2사분면의 각이다.

ㄷ. -290°, $\frac{79}{18}\pi$, $\frac{115}{18}\pi$를 나타내는 동경은 모두 일치한다.

① ㄱ　② ㄱ, ㄴ　③ ㄱ, ㄷ　④ ㄴ, ㄷ　⑤ ㄱ, ㄴ, ㄷ

유형 04 두 동경의 위치 관계 - 일치

개념 01, 02

두 각 α, β를 나타내는 동경이 일치한다.

⇨ $\beta-\alpha=2n\pi$ (단, n은 정수)

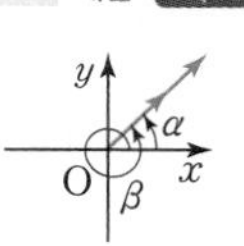

0663 • 대표문제 •

각 θ를 나타내는 동경과 각 7θ를 나타내는 동경이 일치할 때, 각 θ의 값을 모두 구하시오. (단, $0<\theta<\pi$)

0664 상중하

각 8θ를 나타내는 동경과 각 5θ를 나타내는 동경이 일치할 때, $\cos\left(\theta-\frac{\pi}{2}\right)$의 값을 구하시오. $\left(\text{단, } \frac{\pi}{2}<\theta<\pi\right)$

유형 05 두 동경의 위치 관계 - 원점에 대하여 대칭

개념 01, 02

두 각 α, β를 나타내는 동경이 원점에 대하여 대칭이다.

⇨ $\beta-\alpha=(2n+1)\pi$ (단, n은 정수)

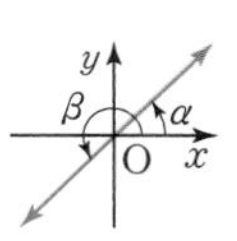

0665 • 대표문제 •

각 θ를 나타내는 동경과 각 5θ를 나타내는 동경이 원점에 대하여 대칭일 때, 각 θ의 값을 구하시오. $\left(\text{단, } 0<\theta<\frac{\pi}{2}\right)$

0666 상중하

각 3θ를 나타내는 동경과 각 $-\theta$를 나타내는 동경이 일직선 위에 있고 방향이 반대일 때, $\tan(\theta-\pi)$의 값을 구하시오.

$\left(\text{단, } \pi<\theta<\frac{3}{2}\pi\right)$

유형 06 두 동경의 위치 관계 – 좌표축 또는 직선에 대하여 대칭

개념 01, 02

두 각 α, β를 나타내는 동경이

(1) x축에 대하여 대칭이다. ⇨ $\alpha+\beta=2n\pi$ (단, n은 정수)

(2) y축에 대하여 대칭이다. ⇨ $\alpha+\beta=(2n+1)\pi$ (단, n은 정수)

(3) 직선 $y=x$에 대하여 대칭이다. ⇨ $\alpha+\beta=2n\pi+\frac{\pi}{2}$ (단, n은 정수)

(1) 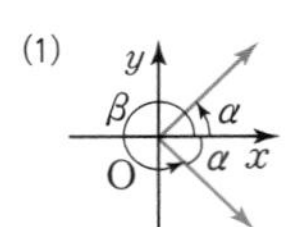

(2) 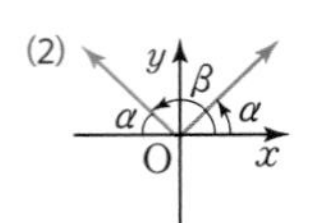

(3) 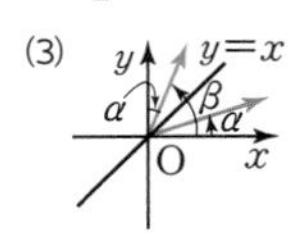

0667 대표문제

각 5θ를 나타내는 동경과 각 2θ를 나타내는 동경이 x축에 대하여 대칭일 때, 각 θ의 개수는? (단, $0<\theta<\pi$)

① 1 ② 2 ③ 3
④ 4 ⑤ 5

0668 상중하

각 α를 나타내는 동경과 각 β를 나타내는 동경이 직선 $y=x$에 대하여 대칭일 때, 다음 중 $\alpha+\beta$의 값이 될 수 있는 것은?

① $\frac{\pi}{3}$ ② $\frac{\pi}{2}$ ③ $\frac{3}{4}\pi$
④ $\frac{3}{2}\pi$ ⑤ 2π

0669 상중하

각 2θ를 나타내는 동경과 각 3θ를 나타내는 동경이 y축에 대하여 대칭일 때, 각 θ의 값은? $\left(단, \frac{\pi}{2}<\theta<\pi\right)$

① $\frac{3}{5}\pi$ ② $\frac{2}{3}\pi$ ③ $\frac{3}{4}\pi$
④ $\frac{4}{5}\pi$ ⑤ $\frac{5}{6}\pi$

유형 07 부채꼴의 호의 길이와 넓이

중요

개념 03

반지름의 길이가 r, 중심각의 크기가 θ(라디안)인 부채꼴에서

(1) (호의 길이)$=r\theta$

(2) (넓이)$=\frac{1}{2}r^2\theta=\frac{1}{2}rl$

0670 대표문제

호의 길이가 π이고, 넓이가 $\frac{5}{2}\pi$인 부채꼴의 반지름의 길이를 a, 중심각의 크기를 $\frac{\pi}{b}$라 할 때, $a+b$의 값은?

① 4 ② 6 ③ 8
④ 10 ⑤ 12

0671 상중하

오른쪽 그림과 같이 반지름의 길이가 2인 원의 중심 O로부터 4만큼 떨어진 점 A에서 이 원에 그은 두 접선의 접점을 각각 B, C라 할 때, 색칠한 부분의 넓이를 구하시오.

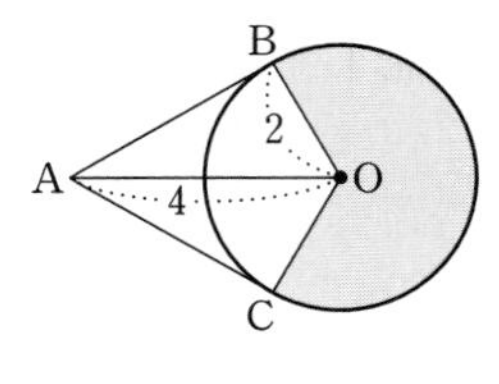

0672 상중하

오른쪽 그림과 같이 반지름의 길이가 1인 원에서 호 PB의 길이가 $\frac{\pi}{3}$일 때, 색칠한 부분의 넓이는?

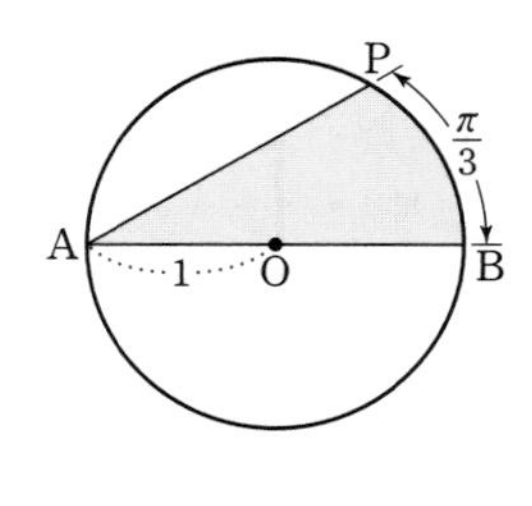

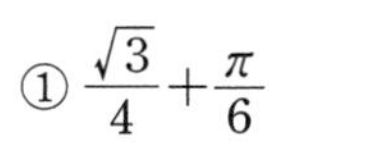
① $\frac{\sqrt{3}}{4}+\frac{\pi}{6}$ ② $\frac{\pi}{3}$
③ $\frac{\sqrt{3}}{4}+\frac{\pi}{3}$ ④ $\frac{\pi}{2}$
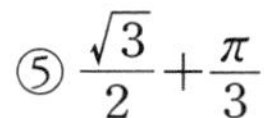
⑤ $\frac{\sqrt{3}}{2}+\frac{\pi}{3}$

유형 08 부채꼴의 호의 길이와 넓이의 최대·최소

개념 03

반지름의 길이가 r, 호의 길이가 l, 넓이가 S인 부채꼴에서 둘레의 길이가 a로 일정한 경우

(1) $a=2r+l$

(2) $S=\frac{1}{2}rl=\frac{1}{2}r(a-2r)$

⇨ 이차함수의 최대·최소를 이용하여 S의 최댓값을 구한다.

0673 • 대표문제 •

둘레의 길이가 32인 부채꼴 중에서 그 넓이가 최대인 것의 반지름의 길이를 구하시오.

0674 상중하 서술형

둘레의 길이가 a인 부채꼴 중에서 그 넓이가 최대인 것의 중심각의 크기를 구하시오.

중요 발전 유형 09 부채꼴의 호의 길이와 넓이의 활용

개념 03

(1) 반지름의 길이가 r, 중심각의 크기가 θ(라디안)인 부채꼴의 호의 길이를 l, 넓이를 S라 하면

⇨ ① $l=r\theta$, $S=\frac{1}{2}r^2\theta=\frac{1}{2}rl$

② (둘레의 길이)$=2r+r\theta$

(2) 원뿔의 전개도에서 부채꼴의 호의 길이와 원의 둘레의 길이가 같다.

0675 • 대표문제 •

오른쪽 그림과 같은 전개도로 만들어지는 밑면인 원의 반지름의 길이가 4이고 모선의 길이가 10인 원뿔의 겉넓이를 구하시오.

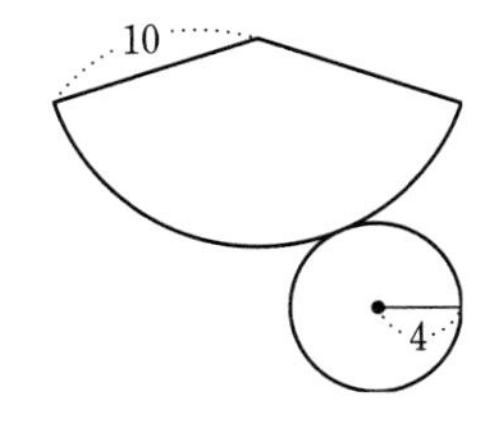

0676 상중하

중심각의 크기가 θ이고 반지름의 길이가 2인 부채꼴 PAB의 점 P가 반지름의 길이가 1인 원 O 위에 있다. 오른쪽 그림과 같이 부채꼴 PAB를 원 O와 접하면서 한 바퀴 굴렸더니 점 P로 되돌아왔다. 이때, θ의 값을 구하시오.

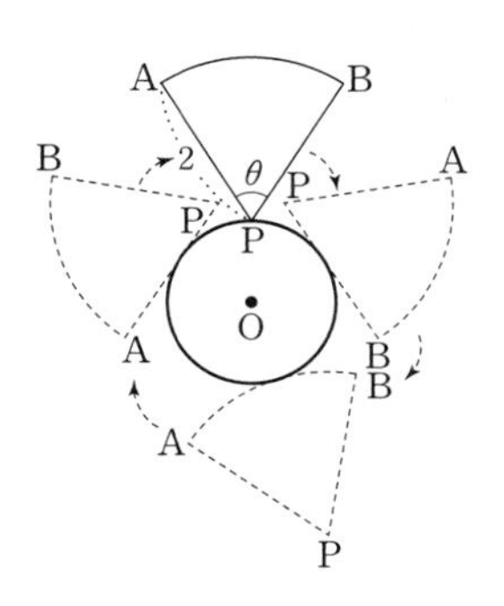

0677 상중하

다음 그림은 승용차의 와이퍼(wiper)가 부채꼴 모양으로 움직이며 유리창을 닦는 모양이다. 와이퍼의 암(arm) OC의 한 쪽 끝 C가 와이퍼의 블레이드(blade) PQ를 3 : 2로 내분하는 점과 연결되어 있다. 선분 OA의 길이는 70이고 와이퍼가 움직이는 각은 $120°$이다. 와이퍼의 블레이드가 닦은 부분의 넓이가 1500π일 때, 와이퍼의 암 OC의 길이를 구하시오.

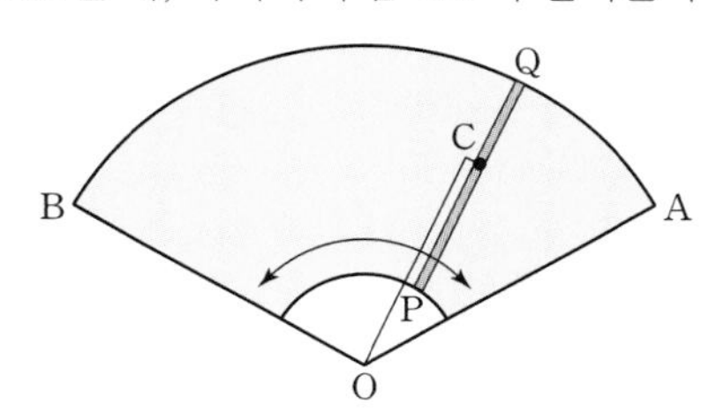

0678 상중하

오른쪽 그림과 같이 반지름의 길이가 6인 원 위를 일정한 속력으로 시계 반대 방향으로 도는 점 P가 원의 둘레를 한 바퀴 도는 데 걸리는 시간은 3π초라고 한다. 점 P가 2초 동안 움직인 자취를 호로 하는 부채꼴의 중심각의 크기 a와 부채꼴의 넓이 b의 곱 ab의 값을 구하시오.

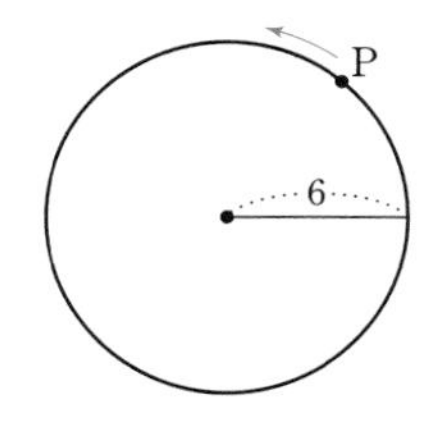

5 삼각함수

유형 10 삼각함수의 값

개념 04

중심이 원점 O이고 반지름의 길이가 r인 원 위의 임의의 점 $P(x, y)$에 대하여 동경 OP가 x축의 양의 방향과 이루는 각의 크기를 θ(라디안)라 하면

(1) $r=\overline{OP}=\sqrt{x^2+y^2}$

(2) $\sin\theta=\frac{y}{r}$, $\cos\theta=\frac{x}{r}$, $\tan\theta=\frac{y}{x}$ (단, $x\neq0$)

0679 • 대표문제 •

원점 O와 점 $P(2, -1)$을 지나는 동경 OP가 나타내는 각의 크기를 θ라 할 때, $\sqrt{5}\sin\theta-\sqrt{5}\cos\theta+4\tan\theta$의 값은?

① -5 ② -3 ③ -1
④ 3 ⑤ 5

0680 상중하

두 직선 $x+y-4=0$, $2x-y-2=0$의 교점 P와 원점 O에 대하여 동경 OP가 나타내는 각의 크기를 θ라 할 때, $\sin\theta\cos\theta-\tan\theta$의 값을 구하시오.

0681 상중하

오른쪽 그림과 같이 동경 OP가 나타내는 각의 크기가 θ이고 두 동경 OP, OQ가 이루는 각의 크기가 $90°$이다. 점 $Q(-4, 3)$일 때, $\sin\theta\tan\theta$의 값을 구하시오.

(단, O는 원점이다.)

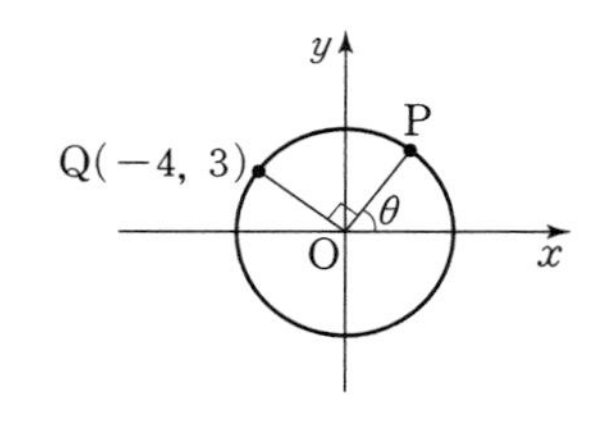

0682 상중하

직선 $5x+12y=0$이 x축의 양의 방향과 이루는 각의 크기를 θ라 할 때, $13\cos\theta-12\tan\theta$의 값은? (단, $0<\theta<\pi$)

① -9 ② -7 ③ -5
④ -3 ⑤ -1

유형 11 삼각함수의 값의 부호 (중요)

개념 05

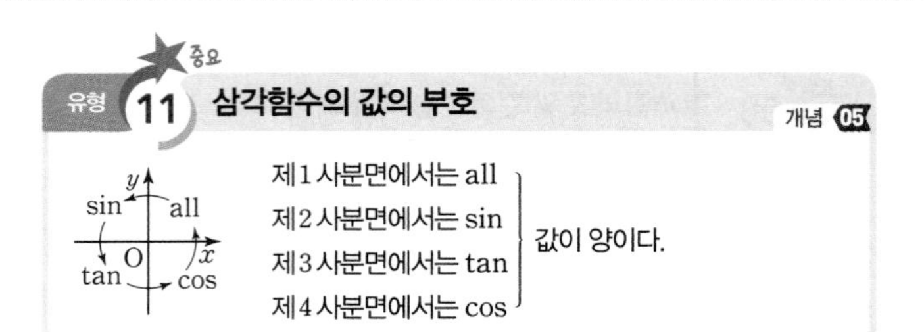

제1사분면에서는 all, 제2사분면에서는 sin, 제3사분면에서는 tan, 제4사분면에서는 cos 값이 양이다.

0683 • 대표문제 •

$\sin\theta\cos\theta<0$, $\cos\theta\tan\theta>0$을 동시에 만족시키는 각 θ가 존재하는 사분면은?

① 제1사분면 ② 제2사분면 ③ 제4사분면
④ 제2, 3사분면 ⑤ 제1, 4사분면

0684 상중하 서술형

$\frac{\pi}{2}<\theta<\pi$에서

$$|\tan\theta|+|\cos\theta|+|\sin\theta|+\tan\theta+\cos\theta+\sin\theta$$

를 간단히 하시오.

0685 상중하

θ가 제2사분면의 각일 때,

$$\sqrt{(\sin\theta-\cos\theta)^2}+\sqrt{(\cos\theta-\sin\theta)^2}$$

을 간단히 하면?

① 0 ② $2\sin\theta$
③ $2\cos\theta$ ④ $2(\sin\theta+\cos\theta)$
⑤ $2(\sin\theta-\cos\theta)$

0686 상중하

$\sqrt{\sin\theta}\sqrt{\cos\theta}=-\sqrt{\sin\theta\cos\theta}$일 때,

$\sqrt{\tan^2\theta}+\sqrt{(1-\sin\theta)^2}-\sqrt{(1+\tan\theta)^2}-|\sin\theta+\cos\theta|$

를 간단히 하시오. (단, $\sin\theta\cos\theta\neq0$)

유형 12 삼각함수 사이의 관계를 이용하여 식 간단히 하기

개념 06

(1) $\tan\theta=\dfrac{\sin\theta}{\cos\theta}$　　(2) $\sin^2\theta+\cos^2\theta=1$

0687 대표문제

$\dfrac{\cos^2\theta-\sin^2\theta}{1+2\sin\theta\cos\theta}+\dfrac{\tan\theta-1}{\tan\theta+1}$을 간단히 하면?

① 0　② 1　③ 2　④ $\cos\theta$　⑤ $\sin\theta$

0688 상중하

다음 식에서 ㄱ, ㄴ의 □ 안에 알맞은 것을 차례대로 나열한 것은?

ㄱ. $\sin^4\theta-\cos^4\theta=1-2\times$□
ㄴ. $\tan^2\theta-\sin^2\theta=\tan^2\theta\times$□

① $\sin^2\theta$, $\sin^2\theta$　② $\sin^2\theta$, $\cos^2\theta$
③ $\cos^2\theta$, $\sin^2\theta$　④ $\cos^2\theta$, $\tan^2\theta$
⑤ $\cos^2\theta$, $\cos^2\theta$

0689 상중하

다음 중 옳지 않은 것은?

① $\dfrac{\cos\theta-1}{\sin\theta}-\dfrac{1}{\tan\theta}=-\dfrac{1}{\sin\theta}$
② $\dfrac{1}{\cos^2\theta}+\dfrac{\tan\theta}{\cos\theta}=\dfrac{1}{1-\sin\theta}$
③ $\dfrac{2}{\cos\theta}-\dfrac{\cos\theta}{1-\sin\theta}=\dfrac{1-\sin\theta}{\cos\theta}$
④ $\dfrac{\cos^2\theta}{1+\sin\theta}+\dfrac{\cos^2\theta}{1-\sin\theta}=0$
⑤ $\cos^4\theta-\sin^4\theta=2\cos^2\theta-1$

유형 13 삼각함수 사이의 관계를 이용하여 식의 값 구하기

개념 06

삼각함수의 값과 $\tan\theta=\dfrac{\sin\theta}{\cos\theta}$, $\sin^2\theta+\cos^2\theta=1$임을 이용하여 주어진 식의 값을 구한다.

0690 대표문제

θ가 제2사분면의 각이고 $\cos\theta=-\dfrac{5}{13}$일 때, $\dfrac{1}{\sin\theta}+\dfrac{1}{\tan\theta}$의 값은?

① $-\dfrac{3}{4}$　② $-\dfrac{2}{3}$　③ $-\dfrac{1}{2}$　④ $\dfrac{1}{2}$　⑤ $\dfrac{2}{3}$

0691 상중하

$\dfrac{3}{2}\pi<\theta<2\pi$이고 $\tan\theta=-\dfrac{4}{3}$일 때, $\dfrac{5\sin\theta+2}{15\cos\theta-6}$의 값을 구하시오.

0692 상중하

$\dfrac{\pi}{2}<\theta<\pi$이고 $\dfrac{1-\tan\theta}{1+\tan\theta}=2+\sqrt{3}$일 때, $\sin^2\theta-\sin\theta$의 값을 구하시오.

0693 상중하

$\tan\theta+\dfrac{1}{\tan\theta}=6$일 때, $\dfrac{1}{\cos^2\theta}+\dfrac{1}{\sin^2\theta}$의 값을 구하시오.

중요

유형 14 $\sin\theta+\cos\theta$, $\sin\theta\cos\theta$의 관계를 이용하여 식의 값 구하기

개념 06

$\sin\theta\pm\cos\theta$의 값 또는 $\sin\theta\cos\theta$의 값이 주어진 경우

⇨ $(\sin\theta\pm\cos\theta)^2=\sin^2\theta\pm2\sin\theta\cos\theta+\cos^2\theta$

$=1\pm2\sin\theta\cos\theta$ (복호동순)

임을 이용한다.

0694 대표문제

$\sin\theta-\cos\theta=\frac{1}{2}$일 때, $\tan\theta+\frac{1}{\tan\theta}$의 값을 구하시오.

0695 상중하

$\sin\theta+\cos\theta=\frac{2}{3}$일 때, $\sin^3\theta+\cos^3\theta$의 값은?

① $\frac{19}{27}$ ② $\frac{20}{27}$ ③ $\frac{7}{9}$

④ $\frac{22}{27}$ ⑤ $\frac{23}{27}$

0696 상중하

$\sin\theta+\cos\theta=\sqrt{2}$일 때, $\frac{\sin^3\theta+\cos^3\theta}{(1-\sin\theta)^2+(1-\cos\theta)^2-3}$의 값을 구하시오.

중요

유형 15 삼각함수를 근으로 하는 이차방정식

개념 06

이차방정식의 두 근이 삼각함수로 주어진 경우

⇨ 이차방정식의 근과 계수의 관계를 이용하여 삼각함수에 대한 식을 세운다.

⇨ x에 대한 이차방정식 $ax^2+bx+c=0$의 두 근이 $\sin\theta$, $\cos\theta$이면

$\sin\theta+\cos\theta=-\frac{b}{a}$, $\sin\theta\cos\theta=\frac{c}{a}$

0697 대표문제

이차방정식 $x^2+kx+k-1=0$의 두 근이 $\sin\theta$, $\cos\theta$일 때, 상수 k의 값을 구하시오.

0698 상중하

이차방정식 $x^2-px+q=0$의 두 근이 $\cos\alpha$, $\cos\beta$이고, 이차방정식 $x^2-rx+s=0$의 두 근이 $\frac{1}{\cos\alpha}$, $\frac{1}{\cos\beta}$일 때, rs를 p, q에 대한 식으로 나타내면?

(단, p, q, r, s는 상수이고 $pq\neq0$)

① pq ② $\frac{1}{pq}$ ③ $\frac{p}{q}$

④ $\frac{q}{p^2}$ ⑤ $\frac{p}{q^2}$

0699 상중하 서술형

이차방정식 $2x^2+\sqrt{2}x+a=0$의 두 근이 $\sin\theta$, $\cos\theta$일 때, 상수 a의 값과 $\sin^3\theta+\cos^3\theta$의 값을 각각 구하시오.

• 실제 학교 시험지처럼 풀어 보세요.

0700 | 유형 02 |

다음 보기 중 θ가 제2사분면의 각일 때, $\frac{\theta}{2}$를 나타내는 동경이 존재할 수 있는 사분면을 있는 대로 고른 것은? [4.3점]

보기
ㄱ. 제1사분면　　ㄴ. 제2사분면
ㄷ. 제3사분면　　ㄹ. 제4사분면

① ㄱ, ㄴ　② ㄱ, ㄷ　③ ㄴ, ㄷ
④ ㄷ, ㄹ　⑤ ㄱ, ㄴ, ㄷ

0701 | 유형 03 |

다음 중 육십분법의 각은 호도법의 각으로, 호도법의 각은 육십분법의 각으로 나타낸 것으로 옳지 않은 것은? [4.2점]

① $60°=\frac{\pi}{3}$　② $120°=\frac{2}{3}\pi$　③ $\frac{\pi}{4}=45°$
④ $\frac{7}{6}\pi=240°$　⑤ $\frac{6}{5}\pi=216°$

0702 | 유형 04 |

각 8θ를 나타내는 동경과 각 3θ를 나타내는 동경이 일치할 때, $\cos\left(\theta-\frac{3}{10}\pi\right)$의 값은? $\left(단, \frac{\pi}{2}<\theta<\pi\right)$ [4.4점]

① $-\frac{\sqrt{3}}{2}$　② $-\frac{1}{2}$　③ 0
④ $\frac{1}{2}$　⑤ $\frac{\sqrt{3}}{2}$

0703 | 유형 08 |

길이가 12인 철사로 넓이가 최대인 부채꼴을 만들려고 한다. 이때, 부채꼴의 넓이의 최댓값은? [4.5점]

① 3　② 6　③ 9
④ 12　⑤ 15

0704 | 유형 09 |

다음 그림과 같이 부채꼴 모양의 종이로 고깔모자를 만들었더니 밑면인 원의 반지름의 길이가 8 cm이고, 모선의 길이가 20 cm인 원뿔 모양이 되었다. 이 종이의 넓이는?
(단, 종이는 겹치지 않도록 한다.) [4.6점]

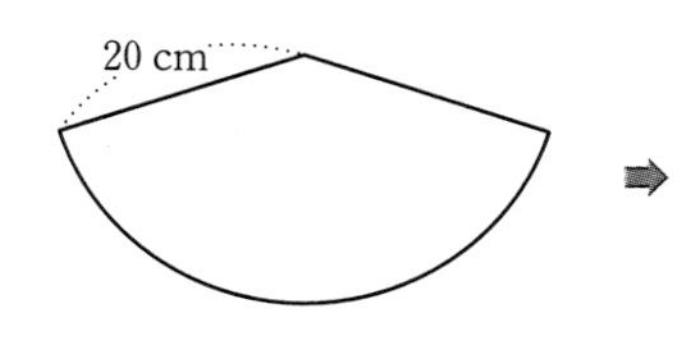

① 160π cm^2　② 170π cm^2　③ 180π cm^2
④ 190π cm^2　⑤ 200π cm^2

0705 | 유형 10 |

점 P$(1,\ -4)$를 직선 $y=x$에 대하여 대칭이동한 점을 P$'$이라 하자. 동경 OP$'$이 나타내는 각의 크기를 θ라 할 때, $\sin^2\theta+\cos^2\theta\tan\theta$의 값은? (단, O는 원점이다.) [4.4점]

① $-\frac{5}{17}$　② $-\frac{3}{17}$　③ $\frac{3}{17}$
④ $\frac{5}{17}$　⑤ $\frac{17}{5}$

0706 | 유형 11 |

$\sin\theta\cos\theta>0$, $\sin\theta\tan\theta<0$일 때,
$\sin\theta+\tan\theta+|\sin\theta|+|\tan\theta|$를 간단히 하면? [4.3점]

① 0　② $-2\sin\theta$　③ $-2\tan\theta$
④ $2\sin\theta$　⑤ $2\tan\theta$

0707 | 유형 12 |

다음 식을 간단히 하면? [4.7점]

$$\left(\frac{1}{\sin\theta}-\sin\theta\right)^2-\left(\frac{1}{\tan\theta}-\tan\theta\right)^2+\left(\frac{1}{\cos\theta}-\cos\theta\right)^2$$

① -3 ② -1 ③ 0
④ 1 ⑤ 3

0708 | 유형 13 |

$\pi<\theta<\frac{3}{2}\pi$이고 $\tan\theta=\frac{5}{12}$일 때, $\frac{\sin\theta}{1-\cos\theta}+\frac{\sin\theta}{1+\cos\theta}$의 값은? [4.7점]

① $-\frac{26}{5}$ ② $-\frac{13}{5}$ ③ $-\frac{1}{5}$
④ $\frac{13}{5}$ ⑤ $\frac{26}{5}$

0709 | 유형 15 |

이차방정식 $2x^2+ax+1=0$의 두 근이 $\sin\theta$, $\cos\theta$일 때, $\frac{1}{\sin\theta}$, $\frac{1}{\cos\theta}$을 두 근으로 하고 x^2의 계수가 1인 이차방정식은 $x^2+bx+c=0$이다. 이때, 상수 a, b, c에 대하여 abc의 값은? (단, $a>0$) [4.9점]

① 4 ② 8 ③ 12
④ 16 ⑤ 20

서술형 문제

• 풀이 과정에 점수가 부여되니 풀이 과정 및 정답을 상세하게 서술하세요.

단답형

0710 | 유형 06 |

각 6θ를 나타내는 동경과 각 4θ를 나타내는 동경이 직선 $y=x$에 대하여 대칭일 때, 모든 θ의 값의 합을 구하시오. $\left(단, \frac{\pi}{2}<\theta<\pi\right)$ [6점]

0711 | 유형 14 |

θ가 제2사분면의 각이고 $\sin\theta+\cos\theta=-\frac{1}{2}$일 때, $\sin^2\theta-\cos^2\theta$의 값을 구하시오. [7점]

단계형

0712 | 유형 12 |

$\frac{x}{\cos\theta}=1+\tan\theta$, $\frac{y}{\cos\theta}=1-\tan\theta$일 때, 점 (x, y)가 그리는 도형의 길이를 구하려고 한다. 다음 물음에 답하시오. [12점]

(1) $\sin\theta$와 $\cos\theta$를 각각 x와 y로 나타내시오. [7점]

(2) 점 (x, y)가 그리는 도형의 길이를 구하시오. [5점]

성/취/도 Check

• 이 단원은 70점 만점입니다.

점수 / 70점

STEP 1 개념+기본 문제 학습

STEP 2 유형 대표 문제 학습

STEP 3의 틀린 문제에 해당하는 STEP 2 유형 학습

STEP 3의 틀린 문제 복습

65점 교과서 속 심화문제 시작

0713

오른쪽 그림과 같이 좌표평면 위에 있는 단위원을 8등분하여 각 점을 차례대로 $P_1, P_2, \cdots, P_8$이라 하자. $P_1(1,\ 0)$, $\angle P_1OP_2=\theta$라 할 때,
$\sin\theta+\sin2\theta+\cdots+\sin7\theta+\sin8\theta$
의 값을 구하시오. (단, O는 원점이다.)

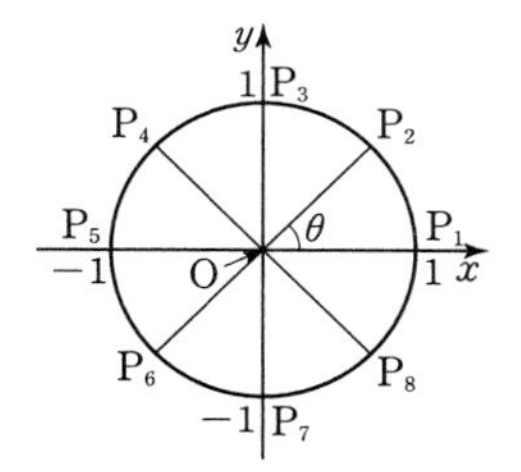

0714

오른쪽 그림과 같이 단위원 위의 점 $P(x,\ y)$에 대하여 동경 OP가 x축의 양의 방향과 이루는 각의 크기가 θ이고 $\dfrac{y}{x}+\dfrac{x}{y}=-\dfrac{5}{2}$일 때, $\sin\theta-\cos\theta$의 값은?

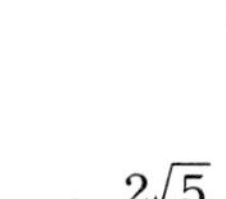

$\left(\text{단, O는 원점, } \dfrac{\pi}{2}<\theta<\pi\right)$

① $\dfrac{1}{5}$　② $\dfrac{\sqrt{5}}{5}$　③ $\dfrac{2\sqrt{5}}{5}$　④ $\dfrac{3\sqrt{5}}{5}$　⑤ $\dfrac{4\sqrt{5}}{5}$

0715 창의·융합

오른쪽 그림과 같이 직각삼각형 ABC의 점 B에서 $\overline{AC}$의 삼등분점 D, E에 이르는 거리가 각각 $\sin x$, $\cos x$일 때, $\overline{AC}$의 길이를 구하시오.

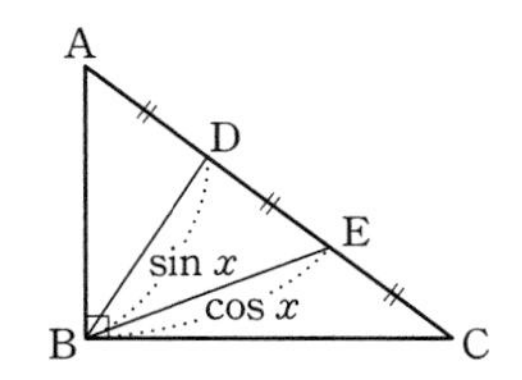

0716 창의력

오른쪽 그림과 같이 반지름의 길이가 2인 원 O에 내접하는 정육각형이 있다. 정육각형의 각 변을 지름으로 하는 원 6개를 그릴 때, 색칠한 부분의 넓이는?

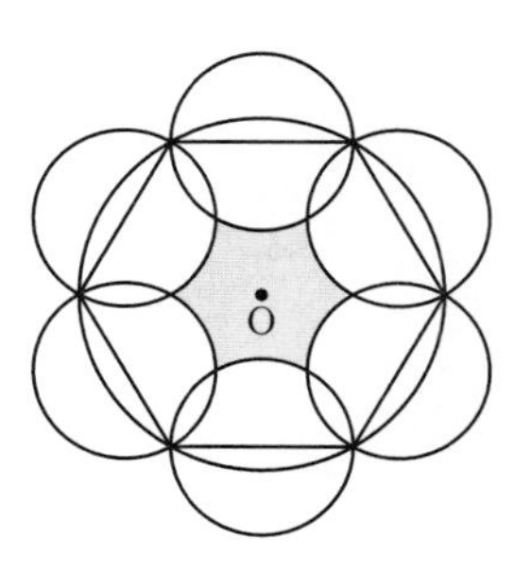

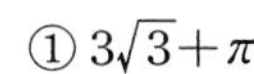

① $3\sqrt{3}+\pi$　② $2\sqrt{3}+\dfrac{\pi}{3}$　③ $2\sqrt{3}-\dfrac{\pi}{3}$　④ $3\sqrt{3}-\pi$　⑤ $\dfrac{\sqrt{3}}{4}+\dfrac{\pi}{3}$

0717

오른쪽 그림과 같이 반지름의 길이가 30인 구 위의 한 점 N에 길이가 5π인 실의 한 끝을 고정한다. 실을 팽팽하게 유지하면서 구의 표면을 따라 시계 방향으로 실의 나머지 한 끝을 한 바퀴 돌렸을 때, 구의 표면에 생기는 실 끝의 자취의 길이를 구하시오.

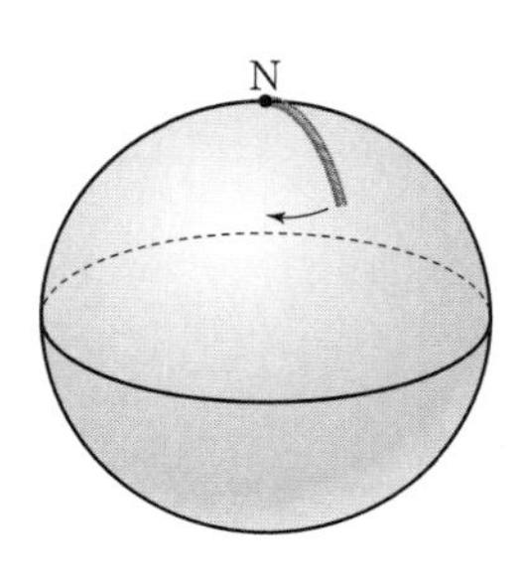

0718

$0<\theta\le\dfrac{\pi}{2}$일 때, 이차방정식 $x^2-\sqrt{3}x+2a=0$의 한 근이 $\sin\theta-i\cos\theta$이다. 이때, 실수 a에 대하여 $a\theta$의 값을 구하시오. (단, $i=\sqrt{-1}$)

6

삼각함수의 그래프

그래프 선수들 등장합니다.
사인함수의 그래프 경기 시작됩니다.
아자~~~
A
B
C
sin
A 선수의 y=sin x 그래프에 맞서 B 선수가 y=2sin x로 대항합니다.
y=sin x
y=2sin x
sin
A 선수의 y=sin x 그래프에 맞서 C 선수는 y=sin 2x로 대항하는군요.
y=sin x
y=sin 2x
tan
A선수 열 받았습니다. 로프를 던져버리는군요. 그런데 그게….
탄젠트함수의 그래프를 만드는군요.

기출 문제 분석

빅 데이터

* 전국 300여 개 고등학교 기출 문제를 분석하였습니다.

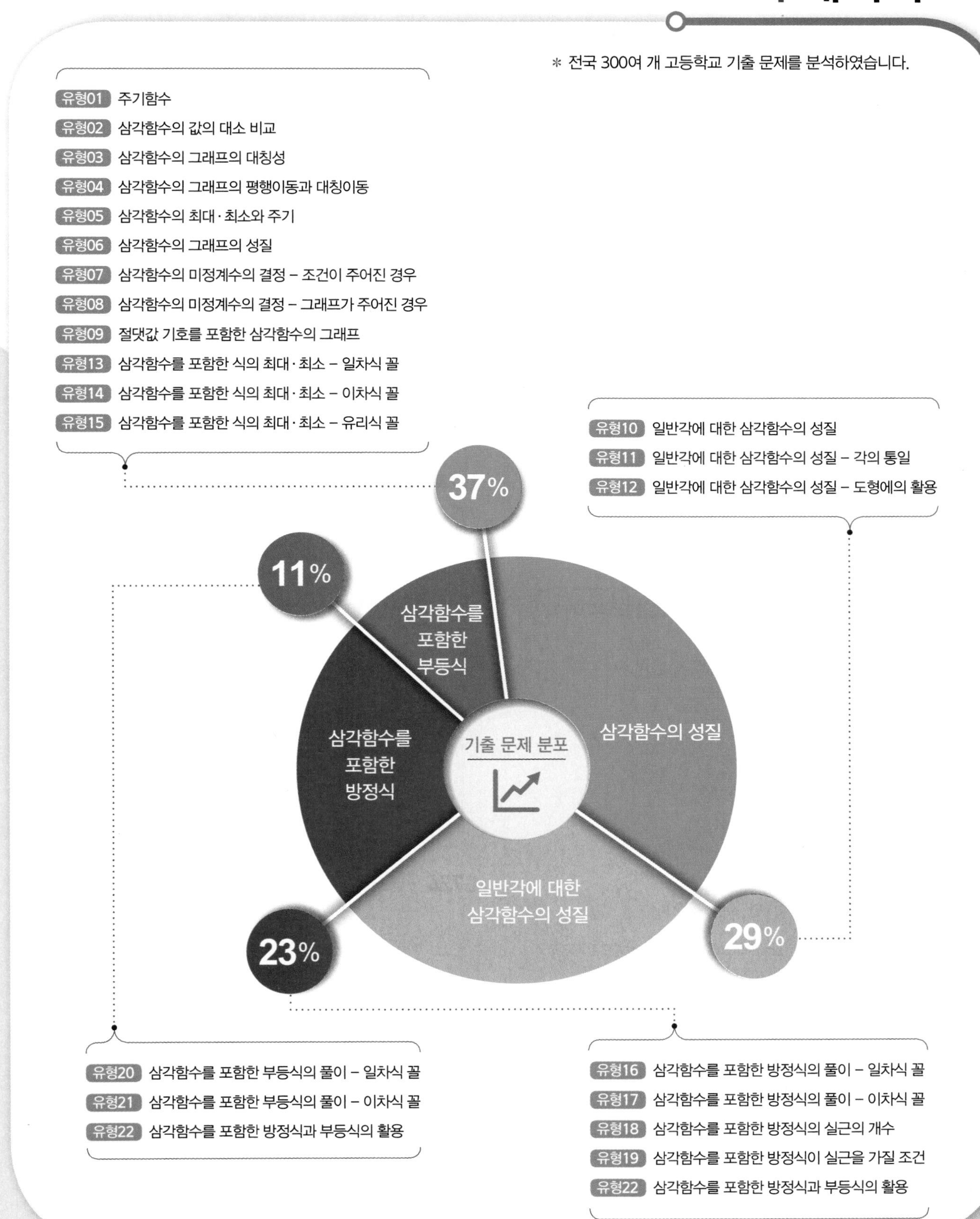

STEP 1 개념 마스터 ❶

01 주기함수 유형 01

함수 $f(x)$에서 정의역에 속하는 모든 실수 x에 대하여

$$f(x+p)=f(x)$$

를 만족시키는 0이 아닌 상수 p가 존재할 때, 함수 $f(x)$를 **주기함수**라 하고, p의 값 중에서 최소인 양수를 함수 f의 **주기**라 한다.

참고 상수 a에 대하여 $f(x-a)=f(x+a) \Longleftrightarrow f(x)=f(x+2a)$

0719 함수 $f(x)$의 주기가 3이고 $f(0)=1$일 때, $f(15)$의 값을 구하시오.

0720 실수 전체의 집합에서 정의된 함수 $f(x)$의 주기가 3이고, $0\le x<3$에서 $f(x)=3-x$일 때, $f(10)$의 값을 구하시오.

02 함수 $y=\sin x$의 성질 유형 02~04, 06, 08

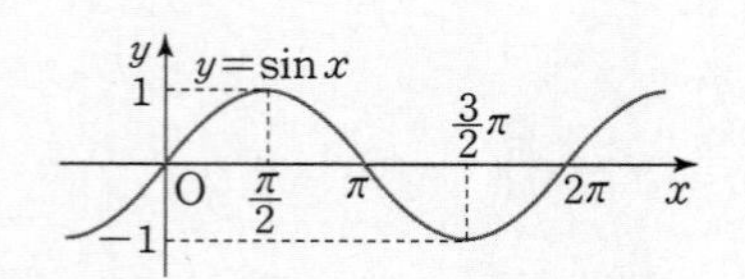

(1) **정의역**: 실수 전체의 집합

(2) **치역**: $\{y\,|\,-1\le y\le 1\}$ ← $-1\le \sin x\le 1$

(3) 그래프는 원점에 대하여 대칭이다.

⇨ $\sin(-x)=-\sin x$

(4) 주기가 2π인 주기함수이다.

⇨ $\sin(x+2n\pi)=\sin x$ (단, n은 정수)

참고 $y=a\sin bx$의 그래프는 $y=\sin x$의 그래프를 x축의 방향으로 $\frac{1}{|b|}$배, y축의 방향으로 $|a|$배 한 것이므로 치역은 $\{y\,|\,-|a|\le y\le |a|\}$, 주기는 $\frac{2\pi}{|b|}$이다.

0721 다음은 함수 $y=\sin 2x$의 치역과 주기를 구하는 과정이다. (가), (나), (다), (라)에 알맞은 것을 써넣으시오.

> (가) $\le \sin 2x\le$ (나) 이므로
> 치역은 $\{y\,|$ (가) $\le y\le$ (나) $\}$이다.
> 또, $\sin 2x=\sin(2x+$ (다) $)=\sin 2(x+$ (라) $)$이므로
> 주기는 (라) 이다.

[0722~0725] 다음 함수의 그래프를 그리고, 치역과 주기를 구하시오.

0722 $y=\sin 3x$

0723 $y=\frac{1}{3}\sin x$

0724 $y=\sin\left(x-\frac{\pi}{2}\right)$

0725 $y=2\sin(2x+\pi)$

핵심 Check

- 주기가 p인 주기함수 $f(x)$ ⟶ $f(x)=f(x+p)=f(x+2p)=\cdots$
- 주기가 $2a$인 주기함수 $f(x)$ ⟶ $f(x)=f(x+2a) \Longleftrightarrow f(x-a)=f(x+a)$

03 함수 $y=\cos x$의 성질

유형 02~04, 06, 08

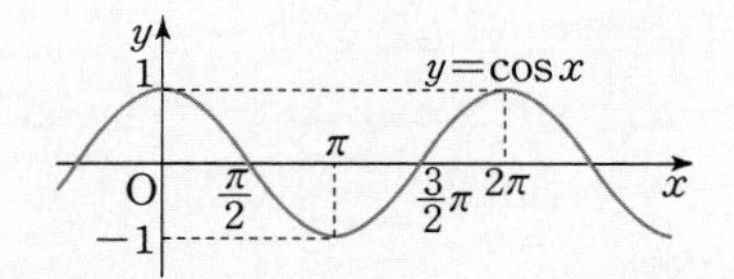

(1) **정의역**: 실수 전체의 집합

(2) **치역**: $\{y \mid -1 \le y \le 1\}$ — $-1 \le \cos x \le 1$

(3) 그래프는 y축에 대하여 대칭이다.

⇨ $\cos(-x)=\cos x$

(4) 주기가 2π인 주기함수이다.

⇨ $\cos(x+2n\pi)=\cos x$ (단, n은 정수)

참고 • $y=a\cos bx$의 그래프는 $y=\cos x$의 그래프를 x축의 방향으로 $\frac{1}{|b|}$배, y축의 방향으로 $|a|$배 한 것이므로 치역은 $\{y \mid -|a| \le y \le |a|\}$, 주기는 $\frac{2\pi}{|b|}$이다.

• 함수 $y=\cos x$의 그래프는 함수 $y=\sin x$의 그래프를 x축의 방향으로 $-\frac{\pi}{2}$만큼 평행이동한 것과 같다. ⇨ $\sin\left(x+\frac{\pi}{2}\right)=\cos x$

0726 다음은 함수 $y=2\cos x$의 치역과 주기를 구하는 과정이다. (가), (나), (다)에 알맞은 것을 써넣으시오.

> (가) $\le 2\cos x \le$ (나) 이므로
> 치역은 $\{y \mid$ (가) $\le y \le$ (나) $\}$이다.
> 또, $2\cos x=2\cos(x+$ (다) $)$이므로 주기는 (다) 이다.

[0727~0730] 다음 함수의 그래프를 그리고, 치역과 주기를 구하시오.

0727 $y=3\cos\frac{x}{2}$

0728 $y=-\cos\left(x-\frac{\pi}{4}\right)$

0729 $y=2\cos x+1$

0730 $y=2\cos\left(\frac{x}{2}+\frac{\pi}{2}\right)$

04 함수 $y=\tan x$의 성질

유형 02~04, 06, 08

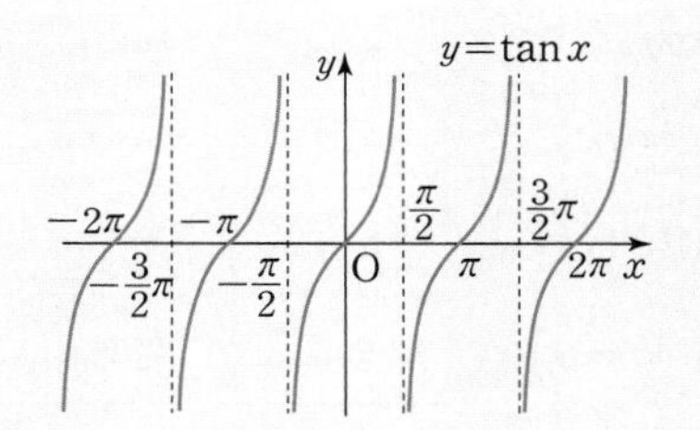

(1) **정의역**: $x \ne n\pi+\frac{\pi}{2}$(n은 정수)인 실수 전체의 집합

(2) **치역**: 실수 전체의 집합

(3) 그래프는 원점에 대하여 대칭이다.

⇨ $\tan(-x)=-\tan x$

(4) 주기가 π인 주기함수이다.

⇨ $\tan(x+n\pi)=\tan x$ (단, n은 정수)

(5) 그래프의 점근선은 직선 $x=n\pi+\frac{\pi}{2}$(n은 정수)이다.

참고 $y=a\tan bx$의 그래프는 $y=\tan x$의 그래프를 x축의 방향으로 $\frac{1}{|b|}$배, y축의 방향으로 $|a|$배 한 것이므로 정의역은 $x \ne \frac{n}{b}\pi+\frac{\pi}{2b}$ (n은 정수)인 실수 전체의 집합, 주기는 $\frac{\pi}{|b|}$이다.

0731 다음은 함수 $y=\tan 2x$의 주기와 점근선의 방정식을 구하는 과정이다. (가), (나), (다)에 알맞은 것을 써넣으시오.

> $\tan 2x=\tan(2x+$ (가) $)=\tan 2(x+$ (나) $)$
> 따라서 주기는 (나) 이고, 점근선의 방정식은
> $x=$ (나) $\times n+$ (다) (n은 정수)이다.

[0732~0734] 다음 함수의 그래프를 그리고, 치역, 주기, 점근선의 방정식을 구하시오.

0732 $y=\tan\frac{x}{2}$

0733 $y=\frac{1}{3}\tan 3x+1$

0734 $y=\tan\left(x-\frac{\pi}{2}\right)+1$

핵심 Check

	정의역	치역	대칭성	주기
$y=\sin x$	실수 전체의 집합	$\{y \mid -1 \le y \le 1\}$	원점에 대하여 대칭	2π
$y=\cos x$	실수 전체의 집합	$\{y \mid -1 \le y \le 1\}$	y축에 대하여 대칭	2π
$y=\tan x$	$n\pi+\frac{\pi}{2}$(n은 정수)를 제외한 실수 전체의 집합	실수 전체의 집합	원점에 대하여 대칭	π

05 삼각함수의 최대·최소와 주기

유형 05~09, 13~15

삼각함수	최댓값	최솟값	주기
$y=a\sin(bx+c)+d$	$\lvert a\rvert+d$	$-\lvert a\rvert+d$	$\dfrac{2\pi}{\lvert b\rvert}$
$y=a\cos(bx+c)+d$	$\lvert a\rvert+d$	$-\lvert a\rvert+d$	$\dfrac{2\pi}{\lvert b\rvert}$
$y=a\tan(bx+c)+d$	없다.	없다.	$\dfrac{\pi}{\lvert b\rvert}$

참고 • $y=a\sin(bx+c)+d$의 치역 ⇨ $\{y\mid-\lvert a\rvert+d\le y\le\lvert a\rvert+d\}$
$y=a\cos(bx+c)+d$의 치역 ⇨ $\{y\mid-\lvert a\rvert+d\le y\le\lvert a\rvert+d\}$
$y=a\tan(bx+c)+d$의 치역 ⇨ 실수 전체의 집합

• $y=a\sin(bx+c)+d=a\sin b\left(x+\frac{c}{b}\right)+d$의 그래프는
$y=a\sin bx$의 그래프를 x축의 방향으로 $-\frac{c}{b}$만큼, y축의 방향으로 d만큼 평행이동한 것이다.

[0735~0737] 다음 함수의 최댓값, 최솟값, 주기를 구하시오.

0735 $y=3\sin\left(2x+\frac{\pi}{4}\right)$

0736 $y=-\cos\left(4x+\frac{\pi}{3}\right)+2$

0737 $y=4\tan(2\pi x-\pi)+1$

[0738~0740] 다음 함수의 주기를 구하시오.

0738 $y=\lvert\sin x\rvert$

0739 $y=\cos\lvert x\rvert$

0740 $y=\lvert\tan x\rvert$

06 일반각에 대한 삼각함수의 성질

유형 10~14

(1) $2n\pi+\theta$의 삼각함수 (단, n은 정수)
$\sin(2n\pi+\theta)=\sin\theta$, $\cos(2n\pi+\theta)=\cos\theta$,
$\tan(2n\pi+\theta)=\tan\theta$

(2) $-\theta$의 삼각함수
$\sin(-\theta)=-\sin\theta$, $\cos(-\theta)=\cos\theta$,
$\tan(-\theta)=-\tan\theta$

(3) $\pi\pm\theta$의 삼각함수
① $\sin(\pi\pm\theta)=\mp\sin\theta$ (복호동순)
② $\cos(\pi\pm\theta)=-\cos\theta$
③ $\tan(\pi\pm\theta)=\pm\tan\theta$ (복호동순)

(4) $\frac{\pi}{2}\pm\theta$의 삼각함수
① $\sin\left(\frac{\pi}{2}\pm\theta\right)=\cos\theta$
② $\cos\left(\frac{\pi}{2}\pm\theta\right)=\mp\sin\theta$ (복호동순)
③ $\tan\left(\frac{\pi}{2}\pm\theta\right)=\mp\frac{1}{\tan\theta}$ (복호동순)

참고 각이 $\frac{n}{2}\pi\pm\theta$ 또는 $90^\circ\times n\pm\theta$ (n은 정수) 꼴인 삼각함수는 다음과 같이 변형한다.
(i) n이 짝수이면 sin ⇨ sin, cos ⇨ cos, tan ⇨ tan로 고친다.
n이 홀수이면 sin ⇨ cos, cos ⇨ sin, tan ⇨ $\frac{1}{\tan}$로 고친다.
(ii) θ를 예각으로 생각하고 $\frac{n}{2}\pi\pm\theta$를 나타내는 동경의 위치를 찾아 부호를 결정한다.

[0741~0744] 다음 삼각함수의 값을 구하시오.

0741 (1) $\sin\frac{17}{4}\pi$ (2) $\cos 750^\circ$

0742 (1) $\cos\frac{5}{3}\pi$ (2) $\tan 315^\circ$

0743 (1) $\sin\frac{7}{6}\pi$ (2) $\tan 240^\circ$

0744 (1) $\cos\left(\frac{\pi}{2}-\frac{\pi}{3}\right)$ (2) $\tan\left(\frac{3}{2}\pi+\frac{\pi}{6}\right)$

핵심 Check
• $y=a\sin(bx+c)+d$ — a: 최댓값·최솟값 결정, b: 주기 결정, c: x축의 방향으로 평행이동 결정, d: y축의 방향으로 평행이동 결정
• 일반각에 대한 삼각함수의 성질 → 삼각함수의 그래프의 주기와 대칭성을 이용

STEP 2 유형 마스터 ❶

유형 01 주기함수 개념 01

(1) 함수 $f(x)$가 주기가 p인 주기함수
⇨ $f(x)=f(x+p)=f(x+2p)=f(x+3p)=\cdots$

(2) 함수 $f(x)$가 주기가 $2a$인 주기함수
⇨ $f(x)=f(x+2a) \Longleftrightarrow f(x-a)=f(x+a)$

0745 • 대표문제 •

함수 $f(x)=\cos x+\sin\frac{x}{2}+\tan\frac{x}{5}$의 주기를 p라 할 때, $f(p)$의 값은?

① 1 ② 2 ③ 3
④ 4 ⑤ 5

0746 상중하

함수 $f(x)$가 다음 조건을 만족시킬 때, $f(15)$의 값을 구하시오.

(가) 모든 실수 x에 대하여 $f(x+4)=f(x)$
(나) $0\le x<4$일 때, $f(x)=\sin\frac{\pi}{2}x$

0747 상중하

함수 $f(x)$가 모든 실수 x에 대하여 $f(x+1)=f(x-1)$을 만족시키고 $f(3)=2$, $f(4)=-3$일 때, $2f(150)-f(181)$의 값은?

① -8 ② -4 ③ -1
④ 4 ⑤ 8

유형 02 삼각함수의 값의 대소 비교 개념 02~04

삼각함수의 그래프를 이용하여 대소를 비교한다.

0748 • 대표문제 •

세 함수 $f(x)=\sin x$, $g(x)=\cos x$, $h(x)=\tan x$에 대하여 다음 중 옳은 것은?

① $f(1)<g(1)<h(1)$ ② $f(1)<h(1)<g(1)$
③ $g(1)<f(1)<h(1)$ ④ $g(1)<h(1)<f(1)$
⑤ $h(1)<f(1)<g(1)$

0749 상중하

다음 중 옳은 것은?

① $\sin 1<\sin\frac{3}{2}<\sin\frac{\pi}{5}$ ② $\sin 1<\sin\frac{\pi}{5}<\sin\frac{3}{2}$
③ $\sin\frac{\pi}{5}<\sin 1<\sin\frac{3}{2}$ ④ $\sin\frac{\pi}{5}<\sin\frac{3}{2}<\sin 1$
⑤ $\sin\frac{3}{2}<\sin 1<\sin\frac{\pi}{5}$

0750 상중하

다음 중 세 수 $A=3\tan\frac{1}{3}$, $B=4\tan\frac{1}{4}$, $C=5\tan\frac{1}{5}$의 대소 관계로 옳은 것은?

① $A<B<C$ ② $A<C<B$ ③ $B<C<A$
④ $C<A<B$ ⑤ $C<B<A$

유형 03 삼각함수의 그래프의 대칭성

개념 02~04

(1) 삼각함수 $f(x)=\sin x\,(0\le x<\pi)$에서
$f(a)=f(b)=k$ (단, $0<k<1$)
⇨ $a+b=\pi$ (단, $a\ne b$)

(2) 삼각함수 $f(x)=\cos x\,(0\le x<2\pi)$에서
$f(a)=f(b)=k$ (단, $-1<k<1$)
⇨ $a+b=2\pi$ (단, $a\ne b$)

0751 • 대표문제 •

오른쪽 그림과 같이 $0\le x\le 3\pi$에서 함수 $y=\sin x$의 그래프가 직선 $y=k\,(0<k<1)$와 만나는 점의 x좌표를 작은 것부터 차례로 a, b, c, d라 할 때, $\dfrac{c+d}{a+b}$의 값을 구하시오.

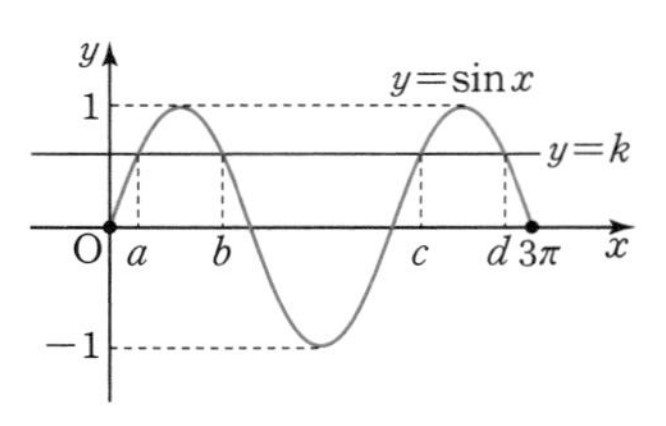

0752 상중하

$0<x<12$에서 함수 $y=\cos\frac{\pi}{2}x$의 그래프가 직선 $y=k\,(-1<k<0)$와 만나는 점의 x좌표를 작은 것부터 차례로 $x_1, x_2, x_3, \cdots, x_n$이라 할 때, $\dfrac{x_1+x_2+x_3+\cdots+x_n}{n}$의 값을 구하시오.

0753 상중하 서술형

오른쪽 그림과 같이 $0\le x<2\pi$에서 두 함수 $y=\sin x$와 $y=\cos x$의 그래프가 직선 $y=k\left(-\frac{\sqrt{2}}{2}<k<0\right)$와 만나는 점의 x좌표를 작은 것부터 차례로 a, b, c, d라 할 때, $\cos(b-a+d-c)$의 값을 구하시오.

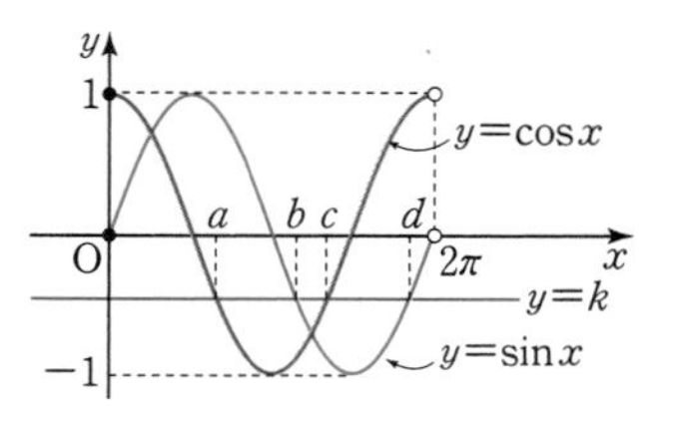

0754 상중하

오른쪽 그림과 같이 함수 $y=\sin 2x\,(0\le x\le\pi)$의 그래프가 직선 $y=\frac{3}{5}$과 두 점 A, B에서 만나고, 직선 $y=-\frac{3}{5}$과 두 점 C, D에서 만난다. 네 점 A, B, C, D의 x좌표를 각각 $\alpha, \beta, \gamma, \delta$라 할 때, $\alpha+2\beta+2\gamma+\delta$의 값은?

(단, $0<\alpha<\beta<\gamma<\delta<\pi$)

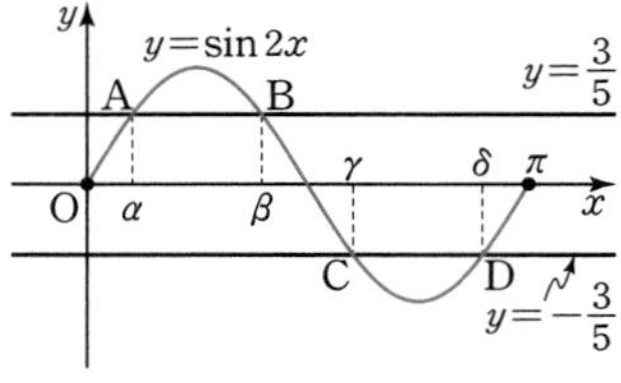

① 2π　② $\frac{5}{2}\pi$　③ 3π
④ $\frac{7}{2}\pi$　⑤ 4π

0755 상중하

오른쪽 그림과 같이 $-\frac{\pi}{2}<x<\frac{3}{2}\pi$에서 함수 $y=\tan x$의 그래프와 두 직선 $y=k$, $y=-k$로 둘러싸인 도형의 넓이가 6π일 때, 상수 k의 값은? (단, $k>0$)

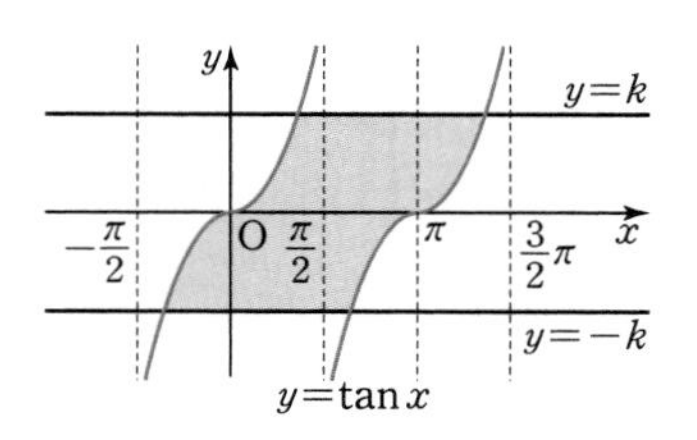

① 1　② 2　③ 3
④ 4　⑤ 5

0756 상중하

오른쪽 그림과 같이 $-3\le x\le 3$에서 함수 $y=2\cos\frac{\pi}{3}x$의 그래프와 직선 $y=-2$로 둘러싸인 도형의 넓이를 구하시오.

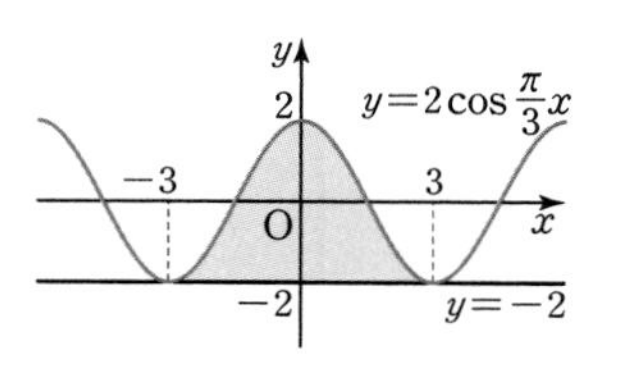

유형 04 삼각함수의 그래프의 평행이동과 대칭이동 개념 02~04

(1) $y=a\sin(bx+c)+d=a\sin b\left(x+\frac{c}{b}\right)+d$의 그래프

⇨ $y=a\sin bx$의 그래프를 x축의 방향으로 $-\frac{c}{b}$만큼, y축의 방향으로 d만큼 평행이동한 것이다.

(2) 방정식 $f(x, y)=0$이 나타내는 도형을

x축에 대하여 대칭이동한 도형의 방정식 ⇨ $f(x, -y)=0$

y축에 대하여 대칭이동한 도형의 방정식 ⇨ $f(-x, y)=0$

0757 대표문제

함수 $y=\sin 2x$의 그래프를 x축의 방향으로 1만큼, y축의 방향으로 a만큼 평행이동하면 함수 $y=\sin(2x-b)+3$의 그래프와 일치한다. 상수 a, b에 대하여 $a+b$의 값은?

① 1 ② 3 ③ 5 ④ 7 ⑤ 9

0758 상중하 서술형

함수 $y=-\cos \pi x+3$의 그래프를 x축에 대하여 대칭이동한 후 y축의 방향으로 -5만큼 평행이동한 그래프의 식은 $y=a\cos \pi x+b$이다. 상수 a, b에 대하여 $a-b$의 값을 구하시오.

0759 상중하

다음 중 함수 $y=\cos 2x$의 그래프를 평행이동 또는 대칭이동하여 일치하는 그래프의 식이 아닌 것은?

① $y=\cos 2x-1$ ② $y=\cos(2x-\pi)+3$ ③ $y=-2\cos 2x+5$ ④ $y=\cos(2x-4\pi)$ ⑤ $y=-\cos(2x+3\pi)+1$

중요 유형 05 삼각함수의 최대·최소와 주기 개념 05

삼각함수	최댓값	최솟값	주기
$y=a\sin(bx+c)+d$	$\|a\|+d$	$-\|a\|+d$	$\frac{2\pi}{\|b\|}$
$y=a\cos(bx+c)+d$	$\|a\|+d$	$-\|a\|+d$	$\frac{2\pi}{\|b\|}$
$y=a\tan(bx+c)+d$	없다.	없다.	$\frac{\pi}{\|b\|}$

0760 대표문제

다음 함수 중 모든 실수 x에 대하여 $f(x+\sqrt{2})=f(x)$를 만족시키는 것은?

① $f(x)=\tan\sqrt{2}\pi x$ ② $f(x)=\cos\frac{\sqrt{2}}{2}\pi x$ ③ $f(x)=\sin\frac{\sqrt{2}}{2}\pi x$ ④ $f(x)=\sin\sqrt{2}\pi x$ ⑤ $f(x)=\cos \pi x$

0761 상중하

함수 $y=-3\cos\left(-2\pi x+\frac{1}{4}\right)+5$의 주기를 p, 최댓값을 M, 최솟값을 m이라 할 때, $p+M+m$의 값을 구하시오.

0762 상중하

다음 중 임의의 실수 x에 대하여

$$f(x+\pi)=f(x),\ -3\le f(x)\le 3,\ f(-x)=f(x)$$

를 만족시키는 함수는?

① $f(x)=3\cos 2x$ ② $f(x)=2\sin 4x$ ③ $f(x)=3\sin 2x$ ④ $f(x)=-3\cos\frac{x}{2}$ ⑤ $f(x)=|3\tan x|$

유형 06 삼각함수의 그래프의 성질 (중요)

개념 02~05

	$y=\sin x$	$y=\cos x$	$y=\tan x$
정의역	실수 전체의 집합	실수 전체의 집합	$x\neq n\pi+\frac{\pi}{2}$ (n은 정수)인 실수 전체의 집합
치역	$\{y\mid -1\leq y\leq 1\}$	$\{y\mid -1\leq y\leq 1\}$	실수 전체의 집합
대칭성	원점에 대하여 대칭	y축에 대하여 대칭	원점에 대하여 대칭
주기	2π	2π	π

0763 •대표문제•

다음 중 함수 $f(x)=2\sin\left(2x+\frac{\pi}{3}\right)+2$에 대한 설명으로 옳지 않은 것은?

① 주기는 π이다.

② 최댓값은 4이고 최솟값은 0이다.

③ 함수 $y=f(x)$의 그래프는 함수 $y=2\sin 2x+2$의 그래프를 x축의 방향으로 $-\frac{\pi}{3}$만큼 평행이동한 것이다.

④ $f\left(\frac{\pi}{3}\right)=2$

⑤ $f\left(-\frac{\pi}{6}\right)=f\left(\frac{5}{6}\pi\right)=2$

0764 상중하

다음 보기 중 함수 $f(x)=2\cos\left(2x-\frac{\pi}{3}\right)-1$에 대한 설명으로 옳은 것을 있는 대로 고르시오.

보기

ㄱ. 임의의 실수 x에 대하여 $f\left(x+\frac{\pi}{3}\right)=f(x)$

ㄴ. $-3\leq f(x)\leq 1$

ㄷ. 함수 $y=f(x)$의 그래프는 직선 $x=\frac{\pi}{6}$에 대하여 대칭이다.

0765 상중하

다음 보기 중 함수 $f(x)=3\tan\left(2x-\frac{\pi}{4}\right)+1$에 대한 설명으로 옳은 것을 있는 대로 고르시오.

보기

ㄱ. 주기가 π인 함수이다.

ㄴ. 그래프의 점근선의 방정식은 $x=\frac{n}{2}\pi+\frac{3}{8}\pi$ (n은 정수)이다.

ㄷ. 함수 $f(x)$의 최댓값은 4이다.

유형 07 삼각함수의 미정계수의 결정 – 조건이 주어진 경우

개념 05

(1) $y=a\sin(bx+c)+d$, $y=a\cos(bx+c)+d$

⇨ a, d: 삼각함수의 최댓값, 최솟값 또는 함숫값을 이용하여 구한다.

b: 삼각함수의 주기를 이용하여 구한다.

c: 함숫값 또는 평행이동을 이용하여 구한다.

(2) $y=a\tan(bx+c)+d$

⇨ a, d: 함숫값을 이용하여 구한다.

b: 삼각함수의 주기 또는 점근선의 방정식을 이용하여 구한다.

c: 함숫값 또는 평행이동을 이용하여 구한다.

0766 •대표문제•

함수 $f(x)=a\cos bx+c$의 주기가 $\frac{2}{3}\pi$이고 최댓값이 3, $f\left(\frac{2}{3}\pi\right)=-1$일 때, abc의 값을 구하시오.

(단, $a<0$, $b>0$, c는 상수)

0767 상중하

함수 $f(x)=a\sin\frac{1}{2}x+b$의 최댓값은 5이고 $f\left(\frac{\pi}{3}\right)=\frac{7}{2}$일 때, $a-b$의 값은? (단, $a>0$, b는 상수)

① 1 ② 3 ③ 5 ④ 7 ⑤ 9

0768 상중하

함수 $f(x)=a\sin\left(\frac{x}{b}-\frac{\pi}{3}\right)-c$의 주기가 4π이고 최댓값이 3, $f\left(\frac{\pi}{3}\right)=0$일 때, $f(x)$의 최솟값을 구하시오.

(단, $a>0$, $b>0$, c는 상수)

0769 상중하 서술형

함수 $f(x)=3\tan(ax+b)-4$의 주기가 2π이고 그래프의 점근선의 방정식이 $x=2n\pi+\frac{\pi}{2}$ (n은 정수)일 때, ab의 값을 구하시오. (단, $a>0$, $0<b<\pi$)

유형 08 삼각함수의 미정계수의 결정 – 그래프가 주어진 경우

개념 02~05

주어진 그래프에서 주기, 최댓값, 최솟값과 그래프가 지나는 점의 좌표를 구한 후 삼각함수의 미정계수를 구한다.

0770 • 대표문제 •

함수 $y=a\cos(bx+c)$의 그래프가 오른쪽 그림과 같을 때, $a-b+c$의 값은?
(단, $a>0$, $b>0$, $-\pi<c<\pi$)

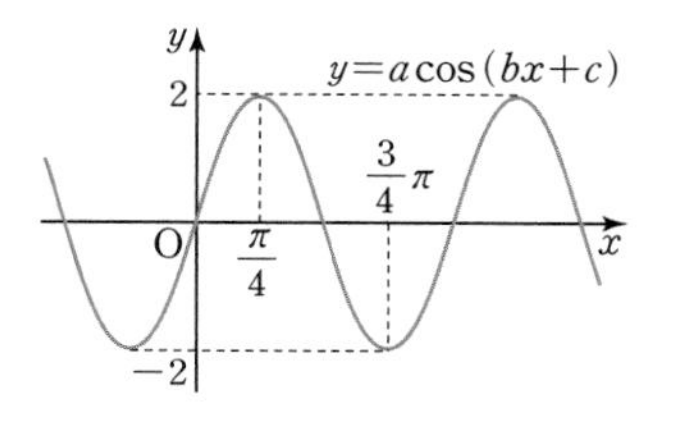

① $-\pi$ ② $-\frac{\pi}{2}$ ③ $\frac{\pi}{2}$
④ π ⑤ $\frac{3}{2}\pi$

0771 상중하

함수 $y=\tan bx$의 그래프가 오른쪽 그림과 같을 때, 양수 b의 값을 구하시오.

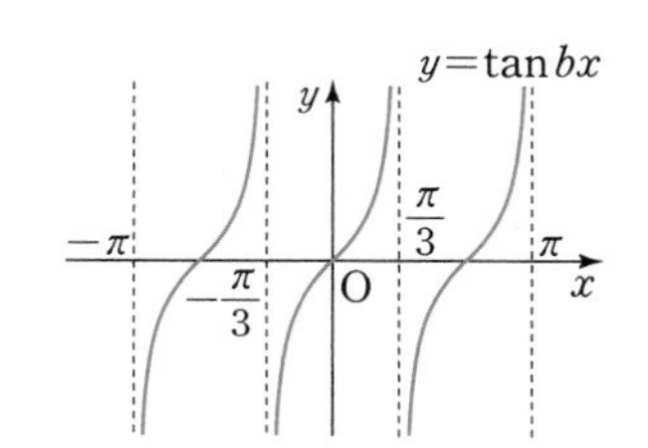

0772 상중하

함수 $y=a\sin(bx+c)+d$의 그래프가 다음 그림과 같을 때, $abcd$의 값을 구하시오.
(단, $a>0$, $b>0$, $0<c<2\pi$, d는 상수)

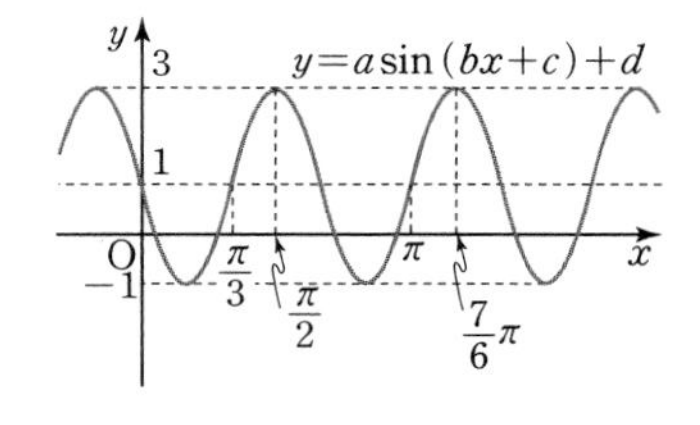

0773 상중하

두 함수 $y=\sin 2x$, $y=a\cos(bx+c)$의 그래프가 다음 그림과 같을 때, abc의 값은? (단, $a>0$, $b>0$, $0<c<\pi$)

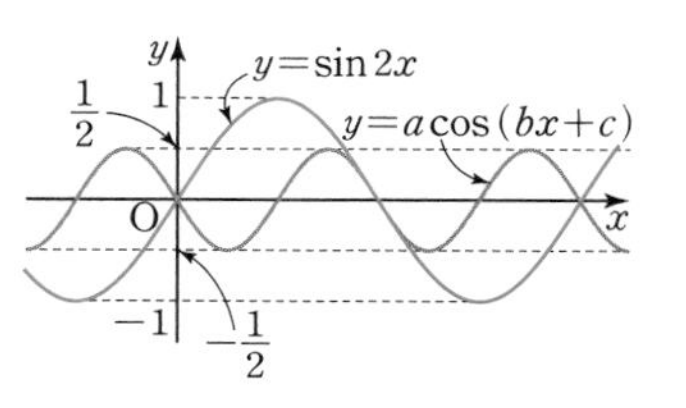

① $\frac{\pi}{2}$ ② π ③ $\frac{3}{2}\pi$
④ 2π ⑤ $\frac{5}{2}\pi$

유형 09 절댓값 기호를 포함한 삼각함수의 그래프

개념 05

(1) $y=f(|x|)$의 그래프
⇨ $y=f(x)$의 그래프에서 $x\geq0$인 부분만 그린 후 $x<0$인 부분은 y축에 대하여 대칭이동한다.
(2) $y=|f(x)|$의 그래프
⇨ $y=f(x)$의 그래프에서 $y\geq0$인 부분은 그대로 두고, $y<0$인 부분은 x축에 대하여 대칭이동한다.

0774 • 대표문제 •

함수 $f(x)=3\left|\cos\left(\frac{x}{2}+\pi\right)\right|+1$의 주기를 a, 최댓값을 b, 최솟값을 c라 할 때, abc의 값을 구하시오.

0775 상중하

함수 $f(x)=a|\sin bx|+c$의 주기가 $\frac{\pi}{3}$이고 최댓값이 5, $f\left(\frac{\pi}{18}\right)=\frac{7}{2}$일 때, $a+b-c$의 값을 구하시오.
(단, $a>0$, $b>0$, c는 상수)

유형 10 일반각에 대한 삼각함수의 성질 (중요)

개념 06

각이 $\frac{n}{2}\pi\pm\theta$ 또는 $90^\circ\times n\pm\theta$($n$은 정수) 꼴인 삼각함수에서

(i) n이 짝수일 때, sin ⇨ sin, cos ⇨ cos, tan ⇨ tan

n이 홀수일 때, sin ⇨ cos, cos ⇨ sin, tan ⇨ $\frac{1}{\tan}$

(ii) θ를 예각으로 생각하여 $\frac{n}{2}\pi\pm\theta$ 또는 $90^\circ\times n\pm\theta$를 나타내는 동경이 존재하는 사분면에서의 원래 삼각함수의 값의 부호를 조사한다.

0776 대표문제

A, B가 다음과 같을 때, $A+B$의 값을 구하시오.

$$A=\sin\left(-\frac{2}{3}\pi\right)\tan\frac{10}{3}\pi+\cos\frac{13}{4}\pi\sin\frac{7}{4}\pi$$
$$B=2\sin 210^\circ+2\tan(-135^\circ)$$

0777 상중하

$\sin\left(\frac{\pi}{2}+\frac{\pi}{6}\right)+\cos\left(\pi-\frac{\pi}{3}\right)+\cos\left(\frac{3}{2}\pi+\frac{\pi}{6}\right)+\tan\left(\pi+\frac{\pi}{3}\right)$의 값을 구하시오.

0778 상중하 서술형

직선 $x-3y+3=0$이 x축의 양의 방향과 이루는 각의 크기를 θ라 할 때, $\cos(\pi+\theta)+\sin\left(\frac{\pi}{2}-\theta\right)+\tan(-\theta)$의 값을 구하시오.

0779 상중하

$\frac{\sin(\pi+\theta)}{\cos^3(\pi+\theta)}-\frac{\cos\left(\frac{\pi}{2}+\theta\right)\{1+\tan^2(\pi-\theta)\}}{\sin\left(\frac{3}{2}\pi-\theta\right)}$의 값은?

① -2　② -1　③ 0　④ 1　⑤ 2

유형 11 일반각에 대한 삼각함수의 성질 – 각의 통일

개념 06

삼각함수를 포함한 식에서 각의 크기가 여러 가지인 경우 각의 크기의 합이 $\frac{\pi}{2}$인 것끼리 짝을 지어 각을 변형한다.

⇨ $A+B=\frac{\pi}{2}$일 때, $B=\frac{\pi}{2}-A$

(1) $\sin^2 A+\sin^2 B=\sin^2 A+\sin^2\left(\frac{\pi}{2}-A\right)=\sin^2 A+\cos^2 A=1$

(2) $\tan A\tan B=\tan A\tan\left(\frac{\pi}{2}-A\right)=\tan A\cdot\frac{1}{\tan A}=1$

0780 대표문제

다음 보기 중 옳은 것을 있는 대로 고른 것은?

보기

ㄱ. $\sin^2 1^\circ+\sin^2 2^\circ+\cdots+\sin^2 89^\circ+\sin^2 90^\circ=45$

ㄴ. $\cos^2 10^\circ+\cos^2 20^\circ+\cdots+\cos^2 70^\circ+\cos^2 80^\circ=4$

ㄷ. $\tan 1^\circ\tan 2^\circ\cdots\tan 88^\circ\tan 89^\circ=1$

① ㄱ　② ㄴ　③ ㄷ　④ ㄱ, ㄴ　⑤ ㄴ, ㄷ

0781 상중하

$\theta=\frac{\pi}{50}$일 때, $\sin^2\theta+\sin^2 2\theta+\sin^2 3\theta+\cdots+\sin^2 24\theta$의 값을 구하시오.

0782 상중하

A와 B가 다음과 같을 때, AB의 값을 구하시오.

$$A=\tan 3^\circ\tan 23^\circ\tan 43^\circ\tan 63^\circ\tan 83^\circ$$
$$B=\tan 7^\circ\tan 27^\circ\tan 47^\circ\tan 67^\circ\tan 87^\circ$$

유형 12 일반각에 대한 삼각함수의 성질 - 도형에의 활용

개념 06

삼각함수 사이의 관계와 삼각함수의 성질을 이용하여 문제를 해결한다.
⇨ 삼각형 ABC가 주어지는 경우 세 내각의 크기의 합은 π이므로
(1) $A+B+C=\pi \Rightarrow B+C=\pi-A$
(2) $A+B=\frac{\pi}{2} \Rightarrow C=\frac{\pi}{2}$

0783 • 대표문제 •

오른쪽 그림과 같이 선분 AB를 지름으로 하는 원 O에서 $\overline{AC}=3$, $\overline{BC}=4$, $\angle CAB=\alpha$, $\angle CBA=\beta$일 때, $\sin(2\alpha+\beta)$의 값을 구하시오.

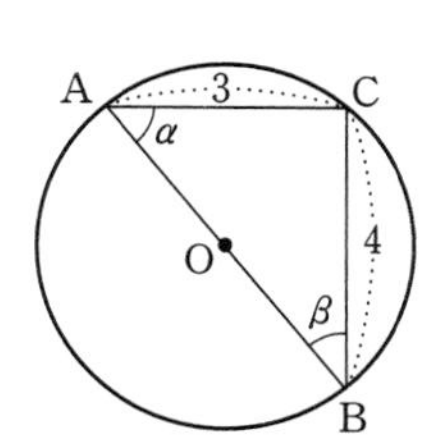

0784 상중하

삼각형 ABC의 세 내각의 크기를 각각 A, B, C라 할 때, 다음 보기 중 옳은 것을 있는 대로 고른 것은?

보기
ㄱ. $\cos\frac{A}{2}=\sin\frac{B+C}{2}$
ㄴ. $\tan(B+C)=-\frac{1}{\tan A}$
ㄷ. $\cos(B+C)>0$이면 삼각형 ABC는 예각삼각형이다.

① ㄱ ② ㄴ ③ ㄱ, ㄷ
④ ㄴ, ㄷ ⑤ ㄱ, ㄴ, ㄷ

0785 상중하

오른쪽 그림과 같이 중심이 원점 O이고 반지름의 길이가 1인 원의 둘레를 10등분한 점을 차례로 P_0, P_1, P_2, $\cdots$, P_9라 하자. $P_0(1, 0)$, $\angle P_0OP_1=\theta$라 할 때, 다음 값을 구하시오.

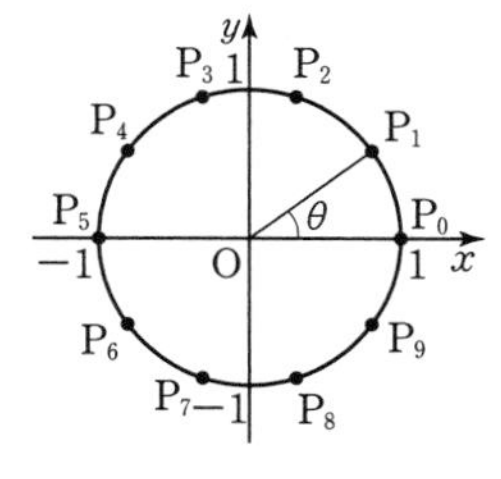

$$\sin 2\theta+\sin 7\theta+\cos\theta+\cos 4\theta$$

유형 13 삼각함수를 포함한 식의 최대·최소 - 일차식 꼴

개념 05, 06

(1) 두 종류 이상의 삼각함수를 포함하고 있는 삼각함수의 최대·최소
⇨ 한 종류의 삼각함수로 통일한다.
(2) 절댓값 기호가 포함된 경우
⇨ $0\le|\sin x|\le 1$, $0\le|\cos x|\le 1$임을 이용한다.

0786 • 대표문제 •

함수 $y=a|\cos 2x-1|+b$의 최댓값이 6, 최솟값이 -2일 때, $a+b$의 값을 구하시오. (단, $a>0$, b는 상수)

0787 상중하

함수 $y=-|\sin x-2|+k$의 최댓값과 최솟값의 합이 6일 때, 상수 k의 값은?

① 1 ② 2 ③ 3
④ 4 ⑤ 5

0788 상중하

함수 $y=\sin\left(x+\frac{\pi}{2}\right)-2\cos x-1$의 최댓값과 최솟값의 합은?

① -5 ② -4 ③ -3
④ -2 ⑤ -1

유형 14 삼각함수를 포함한 식의 최대 · 최소 – 이차식 꼴

중요

개념 05, 06

(i) 주어진 식을 한 종류의 삼각함수의 식으로 정리한다.
(ii) 삼각함수를 t로 치환하고 t의 값의 범위를 구한다.
(iii) 이차함수의 그래프를 이용하여 (ii)의 범위에서 최댓값과 최솟값을 구한다.

0789 대표문제

함수 $y=-4\cos^2 x+4\sin x+3$의 최댓값을 M, 최솟값을 m이라 할 때, $M+m$의 값은?

① 1 ② 2 ③ 3
④ 4 ⑤ 5

0790 상중하

함수 $y=\cos^2 x+4\sin x+k$의 최댓값과 최솟값의 합이 4일 때, 상수 k의 값은?

① 1 ② 2 ③ 3
④ 4 ⑤ 5

0791 상중하

함수 $y=a\cos^2 x+a\sin x+b$의 최댓값이 10, 최솟값이 1일 때, $a+b$의 값을 구하시오. (단, $a>0$, b는 상수)

0792 상중하 서술형

함수 $y=\cos^2\left(\frac{3}{2}\pi-x\right)+2\cos^2 x+2\sin(\pi+x)$의 최댓값을 M, 최솟값을 m이라 할 때, $M+m$의 값을 구하시오.

유형 15 삼각함수를 포함한 식의 최대 · 최소 – 유리식 꼴

개념 05

(i) 주어진 식에 포함된 삼각함수를 t로 치환한다.
(ii) t의 값의 범위를 구한다.
(iii) 유리함수의 그래프를 이용하여 (ii)의 범위에서 최댓값과 최솟값을 구한다.

0793 대표문제

함수 $y=\frac{-\sin x+4}{\sin x+2}$의 최댓값을 M, 최솟값을 m이라 할 때, M^2+m^2의 값은?

① 25 ② 26 ③ 27
④ 28 ⑤ 29

0794 상중하

$\frac{\pi}{3}\le x\le\frac{\pi}{2}$에서 정의된 함수 $y=\frac{-\cos x+a}{\cos x-1}$의 최댓값이 -2일 때, 상수 a의 값을 구하시오. (단, $a>1$)

0795 상중하

$0\le x\le\frac{\pi}{6}$에서 정의된 함수 $y=\frac{2\tan x+1}{\tan x-1}$의 치역을 구하시오.

0796 상중하

함수 $y=\frac{|\sin x|+1}{2|\sin x|+1}$의 치역이 $\{y|\alpha\le y\le\beta\}$일 때, $\beta-\alpha$의 값은?

① 1 ② $\frac{1}{2}$ ③ $\frac{1}{3}$
④ $\frac{1}{4}$ ⑤ $\frac{1}{5}$

07 삼각함수를 포함한 방정식의 풀이 유형 16~19, 22

(i) 주어진 방정식을
$\sin x=k$ (또는 $\cos x=k$ 또는 $\tan x=k$)
꼴로 고친다.

(ii) 함수 $y=\sin x$ (또는 $y=\cos x$ 또는 $y=\tan x$)의 그래프와 직선 $y=k$를 그린다.

(iii) 주어진 범위에서 삼각함수의 그래프와 직선의 교점의 x좌표를 찾아 방정식의 해를 구한다.

참고 • 방정식 $f(x)=g(x)$의 실근은 두 함수 $y=f(x)$와 $y=g(x)$의 그래프의 교점의 x좌표이다.
• 두 종류 이상의 삼각함수를 포함한 경우에는 한 종류의 삼각함수로 변형한 후 푼다.

0797 다음은 $0\le x<2\pi$일 때, 방정식 $\sin x=\frac{\sqrt{2}}{2}$를 푸는 과정이다. (가), (나), (다)에 알맞은 것을 써넣으시오.

주어진 방정식의 해는 $y=\sin x\,(0\le x<2\pi)$의 그래프와 직선 $y=$ (가) 의 교점의 x좌표와 같다.
따라서 구하는 해는 $x=$ (나) 또는 $x=$ (다)

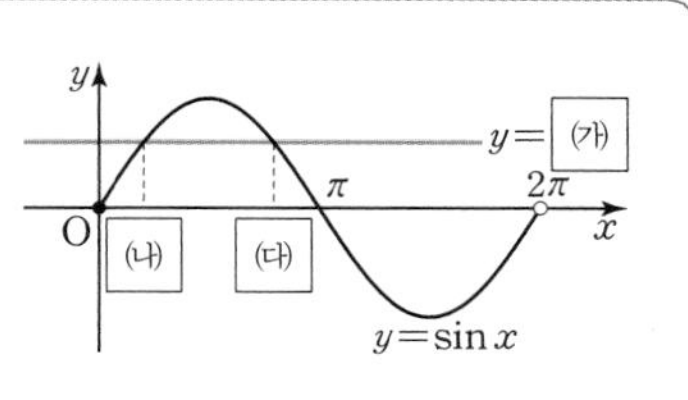

[0798~0800] 다음 방정식을 푸시오. (단, $0\le x<2\pi$)

0798 $2\sin x-1=0$

0799 $\cos x=\frac{\sqrt{2}}{2}$

0800 $\tan x=\sqrt{3}$

[0801~0803] 다음 방정식을 푸시오. (단, $0\le x<2\pi$)

0801 $2\sin 2x=\sqrt{3}$

0802 $\cos\left(x-\frac{\pi}{4}\right)=\frac{\sqrt{2}}{2}$

0803 $\tan\left(x+\frac{\pi}{3}\right)=1$

08 삼각함수를 포함한 부등식의 풀이 유형 20~22

(1) **$\sin x>k$ (또는 $\cos x>k$ 또는 $\tan x>k$) 꼴의 부등식**
$y=\sin x$ (또는 $y=\cos x$ 또는 $y=\tan x$)의 그래프와 직선 $y=k$의 교점의 x좌표를 이용하여 삼각함수의 그래프가 직선보다 위쪽에 있는 부분의 x의 값의 범위를 구한다.

(2) **$\sin x<k$ (또는 $\cos x<k$ 또는 $\tan x<k$) 꼴의 부등식**
$y=\sin x$ (또는 $y=\cos x$ 또는 $y=\tan x$)의 그래프와 직선 $y=k$의 교점의 x좌표를 이용하여 삼각함수의 그래프가 직선보다 아래쪽에 있는 부분의 x의 값의 범위를 구한다.

[0804~0806] 다음 부등식을 푸시오. (단, $0\le x<2\pi$)

0804 $\sin x<\frac{1}{2}$

0805 $2\cos x>\sqrt{2}$

0806 $\tan x-\sqrt{3}\ge 0$

핵심 Check
• 방정식 $\sin x=k$의 해 → $y=\sin x$의 그래프와 직선 $y=k$의 교점의 x좌표
• 삼각함수를 포함한 부등식의 풀이 → 삼각함수의 그래프를 이용

STEP 2 유형 마스터 ❷

중요

유형 16 삼각함수를 포함한 방정식의 풀이 – 일차식 꼴 개념 07

(1) $\sin x=k$ (또는 $\cos x=k$ 또는 $\tan x=k$) 꼴의 방정식
⇨ $y=\sin x$ (또는 $y=\cos x$ 또는 $y=\tan x$)의 그래프와 직선 $y=k$의 교점의 x좌표를 구한다.

(2) $\sin(ax+b)=k$ 꼴의 방정식
⇨ $ax+b=t$로 치환한 후 삼각함수를 포함한 방정식의 풀이 순서대로 푼다. 이때, t의 값의 범위에 주의한다.

0807 • 대표문제 •

$0\le x\le 2\pi$일 때, 방정식 $2\sin\left(\frac{\pi}{3}+x\right)=\sqrt{2}$의 모든 근의 합을 구하시오.

0808 상중하

$0\le x<\frac{\pi}{2}$에서 방정식 $\sqrt{2}\cos 4x=1$의 두 근을 α, β라 할 때, $\sin(\alpha+\beta)$의 값을 구하시오.

0809 상중하

$0\le x\le 2\pi$일 때, 방정식 $\sin x+\cos x=0$을 만족시키는 x의 값은?

① $\frac{3}{4}\pi$ 또는 $\frac{7}{4}\pi$ ② $\frac{\pi}{3}$ 또는 $\frac{2}{3}\pi$ ③ $\frac{\pi}{6}$ 또는 $\frac{5}{6}\pi$ ④ $\frac{\pi}{3}$ 또는 $\frac{4}{3}\pi$ ⑤ $\frac{\pi}{6}$ 또는 $\frac{7}{6}\pi$

0810 상중하

$2\pi\le x<4\pi$일 때, 방정식 $4\sin\left(\frac{1}{2}x+\frac{\pi}{3}\right)=-2\sqrt{3}$의 모든 근의 합은?

① 3π ② $\frac{11}{3}\pi$ ③ 4π ④ $\frac{14}{3}\pi$ ⑤ 5π

0811 상중하

$0\le x<2\pi$일 때, 방정식 $|\cos x|=\frac{\sqrt{3}}{2}$의 모든 근의 합을 구하시오.

0812 상중하

$0\le x<2\pi$일 때, 방정식 $\sin(\pi\cos x)=1$의 두 근의 차를 구하시오.

중요

유형 17 삼각함수를 포함한 방정식의 풀이 – 이차식 꼴 개념 07

$\sin^2 x+\cos^2 x=1$임을 이용하여 한 종류의 삼각함수에 대한 방정식으로 고쳐서 해를 구한다.

0813 • 대표문제 •

$0\le x\le 2\pi$일 때, 방정식 $2\cos^2 x+\sin x-1=0$의 모든 근의 합을 구하시오.

0814 상중하

방정식 $1-2\cos x=\sqrt{4-4\cos x}$의 모든 근의 합을 구하시오. (단, $0\le x<2\pi$)

0815 상중하 서술형

$0 \le x < \pi$에서 방정식 $\cos x = \sin x - 1$의 근이 $x=\alpha$일 때, $\sin\left(\alpha + \frac{\pi}{3}\right)$의 값을 구하시오.

0816 상중하

삼각형 ABC에서 $2\sin^2 A - \sin A\cos A + \cos^2 A = 1$이 성립할 때, $\tan(B+C)$의 값은?

① $-\sqrt{3}$ ② -1 ③ 0
④ 1 ⑤ $\sqrt{3}$

0817 상중하

$0 \le x \le \frac{\pi}{2}$일 때, 방정식 $3\cos^2 x - 1 = \sin x \cos x$를 만족시키는 x의 값은?

① $\frac{\pi}{12}$ ② $\frac{\pi}{6}$ ③ $\frac{\pi}{4}$
④ $\frac{\pi}{3}$ ⑤ $\frac{5}{12}\pi$

발전 유형 18 삼각함수를 포함한 방정식의 실근의 개수

개념 07

방정식 $f(x)=g(x)$의 서로 다른 실근의 개수
⇨ 두 함수 $y=f(x)$와 $y=g(x)$의 그래프의 서로 다른 교점의 개수와 같다.

0818 • 대표문제 •

방정식 $\cos x = \frac{1}{8}x$의 서로 다른 실근의 개수는?

① 3 ② 4 ③ 5
④ 6 ⑤ 7

0819 상중하

방정식 $\sin \pi x = \frac{1}{3}x$의 서로 다른 실근의 개수는?

① 3 ② 4 ③ 5
④ 6 ⑤ 7

0820 상중하

$0 < x < \pi$일 때, 방정식 $\cos 2x = \sin 4x$의 서로 다른 실근의 개수는?

① 1 ② 2 ③ 3
④ 4 ⑤ 5

0821 상중하

$-\pi \le x \le \pi$일 때, 방정식 $2\sin|x| = |x|$의 서로 다른 실근의 개수를 구하시오.

발전 유형 19 삼각함수를 포함한 방정식이 실근을 가질 조건 개념 07

(i) 주어진 방정식을 $f(x)=k$ 꼴로 변형한다.
(ii) 함수 $y=f(x)$의 그래프와 직선 $y=k$가 만나도록 하는 k의 값의 범위를 구한다.

0822 • 대표문제 •

방정식 $\sin^2 x-2\cos x+a+2=0$이 실근을 갖도록 하는 실수 a의 값의 범위는?

① $-5\le a\le -1$ ② $-4\le a\le 0$
③ $-3\le a\le 1$ ④ $-2\le a\le 2$
⑤ $-1\le a\le 3$

0823 상중하

$0\le x<2\pi$일 때, 방정식 $\sin x=-\cos\left(x+\frac{3}{2}\pi\right)+a$가 하나의 실근을 갖도록 하는 모든 실수 a의 값의 곱은?

① -4 ② -2 ③ -1
④ 2 ⑤ 4

0824 상중하

방정식 $\cos^2 x-\sin(x+\pi)-k=0$이 실근을 갖도록 하는 실수 k의 최댓값과 최솟값을 각각 M, m이라 할 때, $M+m$의 값은?

① $\frac{1}{4}$ ② $\frac{1}{2}$ ③ 1
④ 2 ⑤ 4

유형 20 중요 삼각함수를 포함한 부등식의 풀이 – 일차식 꼴 개념 08

(1) $\sin x>k$ (또는 $\cos x>k$ 또는 $\tan x>k$) 꼴의 부등식
⇨ $y=\sin x$ (또는 $y=\cos x$ 또는 $y=\tan x$)의 그래프가 직선 $y=k$보다 위쪽에 있는 부분의 x의 값의 범위를 구한다.
(2) $\sin x<k$ (또는 $\cos x<k$ 또는 $\tan x<k$) 꼴의 부등식
⇨ $y=\sin x$ (또는 $y=\cos x$ 또는 $y=\tan x$)의 그래프가 직선 $y=k$보다 아래쪽에 있는 부분의 x의 값의 범위를 구한다.

0825 • 대표문제 •

$0\le x<2\pi$에서 부등식 $\cos\left(x-\frac{\pi}{6}\right)\le -\frac{1}{2}$의 해가 $a\le x\le b$일 때, $a+b$의 값을 구하시오.

0826 상중하

$-\pi\le x\le \pi$일 때, 다음 중 부등식 $\cos x\ge \sin x$의 해가 아닌 것은?

① $-\pi$ ② $-\frac{3}{4}\pi$ ③ $-\frac{\pi}{2}$
④ $-\frac{\pi}{4}$ ⑤ $\frac{\pi}{4}$

0827 상중하

$0\le x<\pi$일 때, 부등식 $|3\tan x|\le\sqrt{3}$의 해는?

① $0\le x\le \frac{\pi}{3}$
② $\frac{\pi}{3}\le x\le \frac{5}{6}\pi$
③ $\frac{\pi}{6}\le x\le \frac{\pi}{3}$ 또는 $\frac{2}{3}\pi\le x\le \frac{5}{6}\pi$
④ $0\le x\le \frac{\pi}{6}$ 또는 $\frac{5}{6}\pi\le x<\pi$
⑤ $\frac{\pi}{3}\le x\le \frac{2}{3}\pi$ 또는 $\frac{5}{6}\pi\le x<\pi$

유형 21 삼각함수를 포함한 부등식의 풀이 – 이차식 꼴 개념 08

$\sin^2 x+\cos^2 x=1$임을 이용하여 한 종류의 삼각함수에 대한 부등식으로 고친 후 그래프를 이용하여 해를 구한다.

0828 • 대표문제 •

$0\le x\le 2\pi$에서 부등식 $2\sin^2 x\ge 1-\cos x$의 해를 구하시오.

0829 상중하

$-\pi<x<\pi$에서 부등식 $-2\cos^2 x+3\le 3\sin x$의 해가 $a\le x\le b$일 때, $\sin(b-a)$의 값을 구하시오.

0830 상중하 서술형

$0\le x<2\pi$에서 부등식 $2\cos^2\left(x-\frac{\pi}{3}\right)+\sin\left(x-\frac{\pi}{3}\right)-1\ge 0$의 해가 $a\le x\le b$일 때, $\frac{b}{a}$의 값을 구하시오.

0831 상중하

$0\le x\le\pi$에서 부등식 $2\cos^2 x+\sin x+a>0$이 항상 성립하도록 하는 실수 a의 값의 범위를 구하시오.

발전 유형 22 삼각함수를 포함한 방정식과 부등식의 활용 개념 07, 08

a, b, c가 실수이고 $a\ne 0$인 이차방정식 $ax^2+bx+c=0$에서 $D=b^2-4ac$라 하면

(1) $D>0 \Longleftrightarrow$ 서로 다른 두 실근

(2) $D=0 \Longleftrightarrow$ 중근

(3) $D<0 \Longleftrightarrow$ 서로 다른 두 허근

0832 • 대표문제 •

모든 실수 x에 대하여 이차부등식 $x^2-4x+2\sin\theta+3>0$이 항상 성립하도록 하는 θ의 값의 범위를 구하시오.

(단, $0\le\theta<\pi$)

0833 상중하

x에 대한 이차방정식 $x^2+\sqrt{2}x-\cos\theta=0$이 중근을 갖도록 하는 θ의 값이 α, β일 때, $\sin\frac{\alpha+\beta}{3}$의 값을 구하시오.

(단, $0\le\theta\le 2\pi$)

0834 상중하

x에 대한 이차방정식 $x^2+2x\sin\theta+\cos\theta+1=0$이 실근을 갖도록 하는 θ의 값의 범위가 $a\le\theta\le b$일 때, $b-a$의 값을 구하시오. (단, $0<\theta<2\pi$)

0835 상중하

다음 중 x에 대한 이차방정식 $2x^2-\sqrt{2}x\cos 2\theta-1=0$의 두 근 사이에 1이 있도록 하는 θ의 값이 될 수 있는 것은?

$\left(단, -\frac{\pi}{2}\le\theta\le\frac{\pi}{2}\right)$

① $-\frac{\pi}{2}$ ② $-\frac{\pi}{4}$ ③ $\frac{\pi}{10}$

④ $\frac{\pi}{6}$ ⑤ $\frac{\pi}{3}$

• 실제 학교 시험지처럼 풀어 보세요.

0836 | 유형 01 |

함수 f가 $f(x)=\begin{cases}\tan x & (0\le x<1)\\ \tan(2-x) & (1\le x<2)\end{cases}$이고 모든 실수 x에 대하여 $f(x+2)=f(x)$를 만족시킬 때, $f\left(2020-\frac{\pi}{4}\right)+f\left(2022+\frac{\pi}{4}\right)$의 값은? [3.8점]

① -2 ② -1 ③ 0
④ 1 ⑤ 2

0837 | 유형 02 |

다음 보기 중 옳은 것을 있는 대로 고른 것은? [3.7점]

보기
ㄱ. $\sin 2<\sin 3<\sin 4$
ㄴ. $\cos 3<\cos 2<\cos 1$
ㄷ. $\tan 3<\tan 2<\tan 1$

① ㄱ ② ㄴ ③ ㄱ, ㄷ
④ ㄴ, ㄷ ⑤ ㄱ, ㄴ, ㄷ

0838 | 유형 04 |

함수 $y=\tan\frac{\pi}{2}x$의 그래프를 x축의 방향으로 $\frac{1}{2}$만큼 평행이동한 그래프가 점 $\left(\frac{7}{6}, a\right)$를 지날 때, a의 값은? [3.6점]

① $-\sqrt{3}$ ② -1 ③ 0
④ 1 ⑤ $\sqrt{3}$

0839 | 유형 05 |

다음 함수 중 모든 실수 x에 대하여 $f(x+p)=f(x)$를 만족시키는 최소의 양수 p가 π인 것은? [3.5점]

① $f(x)=\sin\pi x$ ② $f(x)=\cos 2x$
③ $f(x)=\sin 4x$ ④ $f(x)=\tan 2x$
⑤ $f(x)=\cos\sqrt{2}\pi x$

0840 | 유형 04 + 유형 08 |

함수 $y=\cos a(x+b)+1$의 그래프가 다음 그림과 같을 때, ab의 값은? (단, $a>0$, $0<b<\pi$) [3.7점]

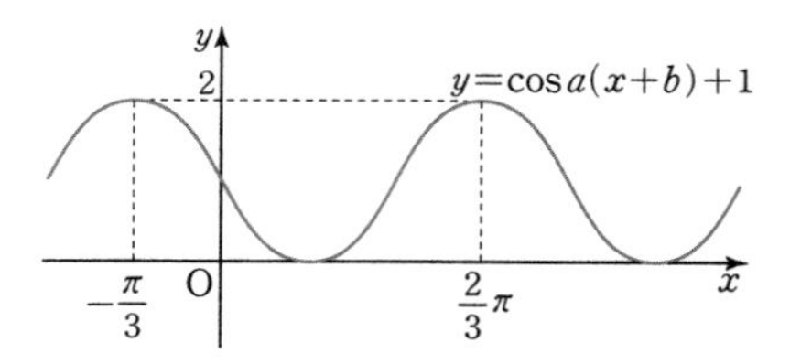

① $\frac{2}{3}\pi$ ② π ③ $\frac{4}{3}\pi$
④ $\frac{5}{3}\pi$ ⑤ 2π

0841 | 유형 06 + 유형 09 |

함수 $y=2\tan|x|$에 대한 설명 중 옳은 것은? [3.9점]

① 정의역은 실수 전체의 집합이다.
② 그래프는 원점에 대하여 대칭이다.
③ 주기가 $\frac{\pi}{2}$인 주기함수이다.
④ 최솟값은 0이다.
⑤ 그래프의 점근선의 방정식은 $x=n\pi+\frac{\pi}{2}$(n은 정수)이다.

0842 | 유형 10 |

다음 삼각함수표를 이용하여
$\sin 260°+\cos 100°+\tan 190°$의 값을 구하면? [3.4점]

θ	$\sin\theta$	$\cos\theta$	$\tan\theta$
10°	0.1736	0.9848	0.1763
20°	0.3420	0.9397	0.3640

① -0.9821 ② -0.9617 ③ 0.6349
④ 0.9617 ⑤ 0.9821

0843 | 유형 11 |

$\theta=\frac{\pi}{20}$일 때,

$$\sin\theta\cos 9\theta+\sin 2\theta\cos 8\theta+\sin 3\theta\cos 7\theta+\cdots+\sin 8\theta\cos 2\theta+\sin 9\theta\cos\theta$$

의 값은? [4점]

① 4　② $\frac{9}{2}$　③ 5　④ $\frac{11}{2}$　⑤ 6

0844 | 유형 13 |

함수 $f(x)=a\sqrt{(\sin x+2)^2}+3$의 최댓값이 9일 때, $f\left(\frac{\pi}{6}\right)$의 값은? (단, $a>0$) [3.8점]

① 2　② 4　③ 6　④ 8　⑤ 10

0845 | 유형 14 |

$0\le x\le\pi$에서 함수 $y=1-2a\cos x-\sin^2 x$의 최솟값이 $-\frac{1}{9}$일 때, $12a$의 값은? (단, $a>0$) [4.3점]

① 2　② 3　③ 4　④ 6　⑤ 11

0846 | 유형 15 |

$0\le x\le\frac{\pi}{4}$에서 함수 $y=\frac{\cos x+\sin x}{3\cos x-\sin x}$의 최댓값을 M, 최솟값을 m이라 할 때, $M+m$의 값은? [4.2점]

① $\frac{1}{3}$　② $\frac{2}{3}$　③ 1　④ $\frac{4}{3}$　⑤ $\frac{5}{3}$

0847 | 유형 17 |

$0<x\le 2\pi$일 때, 방정식 $2\cos^2\left(\frac{3}{2}\pi-x\right)=-\sin(x+\pi)$의 모든 근의 합은? [3.9점]

① 0　② π　③ 2π　④ 3π　⑤ 4π

0848 | 유형 19 |

방정식 $3\sin^2 x+(3a-1)\cos x+a-3=0$이 서로 다른 세 실근을 갖도록 하는 모든 실수 a의 값의 합은?

(단, $0<x\le 2\pi$) [4.4점]

① -1　② 0　③ 1　④ $\frac{3}{2}$　⑤ 2

0849 | 유형 20 |

전체집합 $U=\{x\,|\,0<x<60\}$의 두 부분집합

$A=\left\{x\,\middle|\,\sin\left(\frac{\pi}{2}+\frac{x}{30}\pi\right)<0\right\}$, $B=\left\{x\,\middle|\,\tan\left(\pi-\frac{x}{30}\pi\right)<0\right\}$

에 대하여 집합 $A\cap B$의 원소 중 자연수의 개수는? [4.5점]

① 11　② 12　③ 13　④ 14　⑤ 15

0850 | 유형 21 |

모든 실수 x에 대하여 부등식

$\sin^2 x+(a-3)\cos x+3a-1<0$이 항상 성립하도록 하는 실수 a의 값의 범위는? [4.3점]

① $a\le -1$　② $a<-1$　③ $a>-1$　④ $a\le 1$　⑤ $a<1$

서술형 문제

• 풀이 과정에 점수가 부여되니 풀이 과정 및 정답을 상세하게 서술하세요.

단답형

0851 | 유형 03 + 유형 10 |

오른쪽 그림과 같이 삼각함수

$$f(x)=\sin kx$$

$$\left(0\le x\le \frac{5\pi}{2k}\right)$$

의 그래프와 직선 $y=\frac{3}{4}$이 만나는 점의 x좌표를 작은 것부터 차례로 α, β, γ라 할 때, $f(\alpha+\beta+\gamma)$의 값을 구하시오. (단, k는 양수) [6점]

0852 | 유형 12 |

오른쪽 그림과 같이 원에 내접하는 사각형 ABCD에서 $\angle\mathrm{BAD}=\alpha$, $\angle\mathrm{BCD}=\beta$라 하자. $\cos\alpha=\frac{2\sqrt{5}}{5}$일 때, $\tan\beta$의 값을 구하시오. [6점]

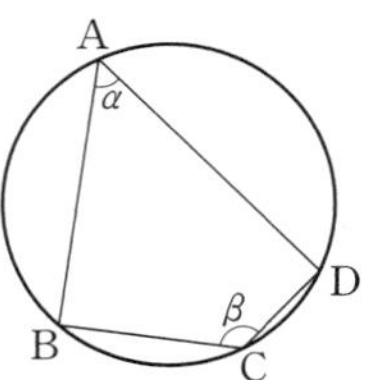

0853 | 유형 22 |

x에 대한 이차함수 $y=x^2+2x\cos\theta+\sin^2\theta+\cos\theta$의 그래프가 x축에 접하도록 하는 θ의 값을 θ_1, $\theta_2\,(\theta_1<\theta_2)$라 할 때, $\theta_2-\theta_1$의 값을 구하시오. (단, $0<\theta<2\pi$) [7점]

단계형

0854 | 유형 07 |

실수 전체에서 정의된 두 함수

$$f(x)=ax+b\,(a>0),\ g(x)=2\sin x$$

에 대하여 합성함수 $(g\circ f)(x)$와 $(f\circ g)(x)$의 최댓값과 최솟값이 각각 같을 때, 다음 물음에 답하시오. (단, b는 상수) [12점]

(1) 함수 $(g\circ f)(x)$의 최댓값과 최솟값을 구하시오. [5점]

(2) 함수 $(f\circ g)(x)$의 최댓값과 최솟값을 구하시오. [5점]

(3) a, b의 값을 구하시오. [2점]

0855 | 유형 16 |

x에 대한 이차함수 $y=x^2-2x\cos\theta-\sin^2\theta$의 그래프의 꼭짓점이 직선 $y=2x$ 위에 있을 때, 다음 물음에 답하시오. (단, $0\le\theta<2\pi$) [10점]

(1) 이차함수 $y=x^2-2x\cos\theta-\sin^2\theta$의 그래프의 꼭짓점의 좌표를 구하시오. [3점]

(2) 조건을 만족시키는 θ의 값을 구하시오. [5점]

(3) 모든 θ의 값의 합을 구하시오. [2점]

성/취/도 Check 점수 / 100점

50점 STEP 1 개념+기본 문제 학습

STEP 2 유형 대표 문제 학습

STEP 3의 틀린 문제에 해당하는 STEP 2 유형 학습

STEP 3의 틀린 문제 복습

교과서 속 심화문제 시작

» 정답과 해설 104쪽

0856

다음 그림과 같이 $y=a\cos bx$의 그래프의 일부분과 x축에 평행한 직선 l이 만나는 점의 x좌표가 1, 5이다. 직선 l, $x=1$, $x=5$와 x축으로 둘러싸인 도형의 넓이가 20일 때, 상수 a, b의 값을 구하시오.

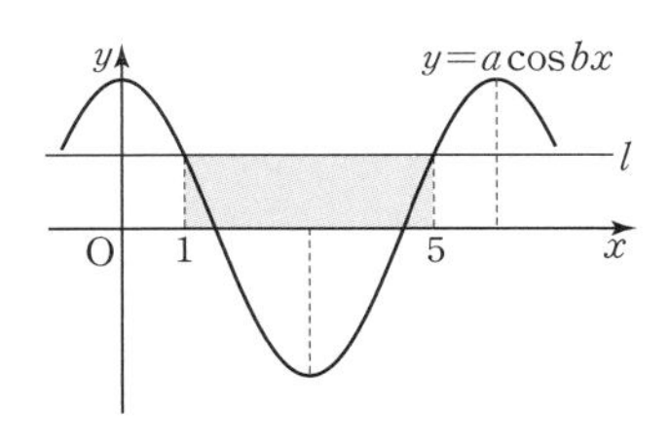

0857 창의·융합

좌표평면에서 원 $x^2+y^2=1$ 위의 두 점 P, Q가 점 A$(1, 0)$에서 동시에 출발하여 시계 바늘이 도는 방향과 반대 방향으로 매초 $\frac{2}{3}\pi$, $\frac{4}{3}\pi$의 속력으로 각각 움직인다. 출발 후 100초가 될 때까지 두 점 P, Q의 y좌표가 같아지는 횟수는?

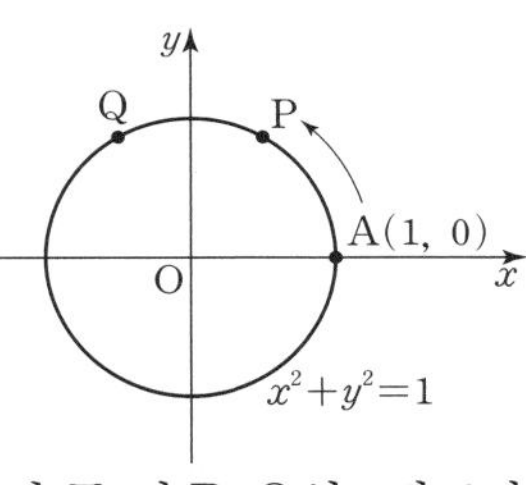

① 132 ② 133 ③ 134
④ 135 ⑤ 136

0858

$0\le x\le\pi$, $0\le y\le\pi$에서
$\sin(\pi\sin x)+\cos(\pi\cos y)=2$일 때,
$\sin(x+y)+\cos(x+y)$의 모든 값의 합을 구하시오.

0859

함수 $y=\dfrac{-\cos x+1}{\sin x+2}$의 최댓값과 최솟값의 합을 구하시오.

0860

함수 $f(x)=[2\sin x]$에 대하여 $0\le x\le\pi$에서 $1\le f(x)\le 2$를 만족시키는 x의 값의 범위를 구하시오.
(단, $[x]$는 x보다 크지 않은 최대의 정수이다.)

0861

x에 대한 이차방정식 $x^2-x+1-4\sin^2\theta=0$이 부호가 서로 다른 두 근을 갖도록 하는 θ의 값의 범위가 $a<\theta<b$ 또는 $c<\theta<d$일 때, $\cos(a+b+c+d)$의 값은? (단, $0<\theta<2\pi$)

① -1 ② $-\frac{\sqrt{2}}{2}$ ③ $\frac{\sqrt{2}}{2}$
④ $\frac{\sqrt{3}}{2}$ ⑤ 1

7

사인법칙과 코사인법칙

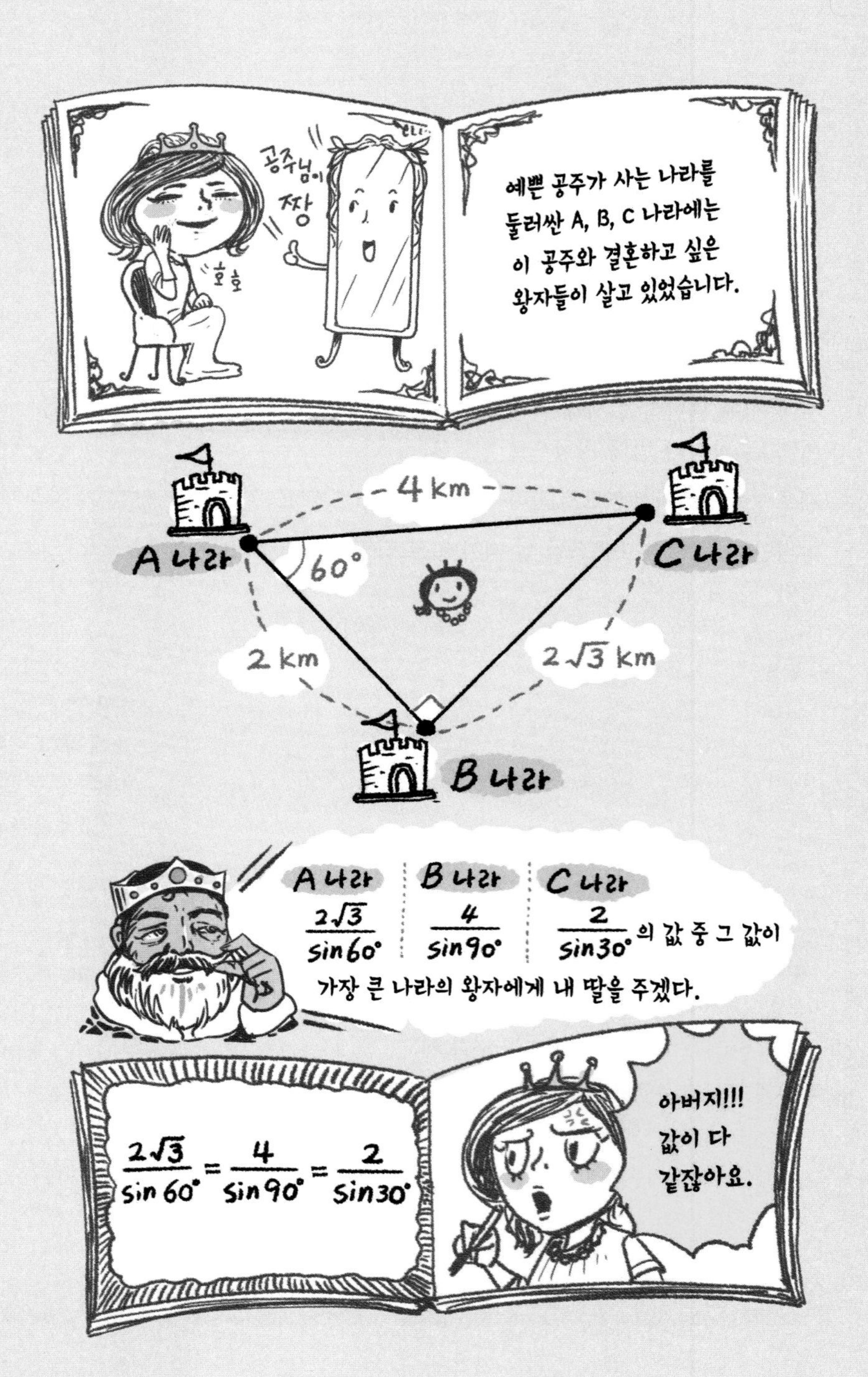

기출 문제 분석

빅 데이터

* 전국 300여 개 고등학교 기출 문제를 분석하였습니다.

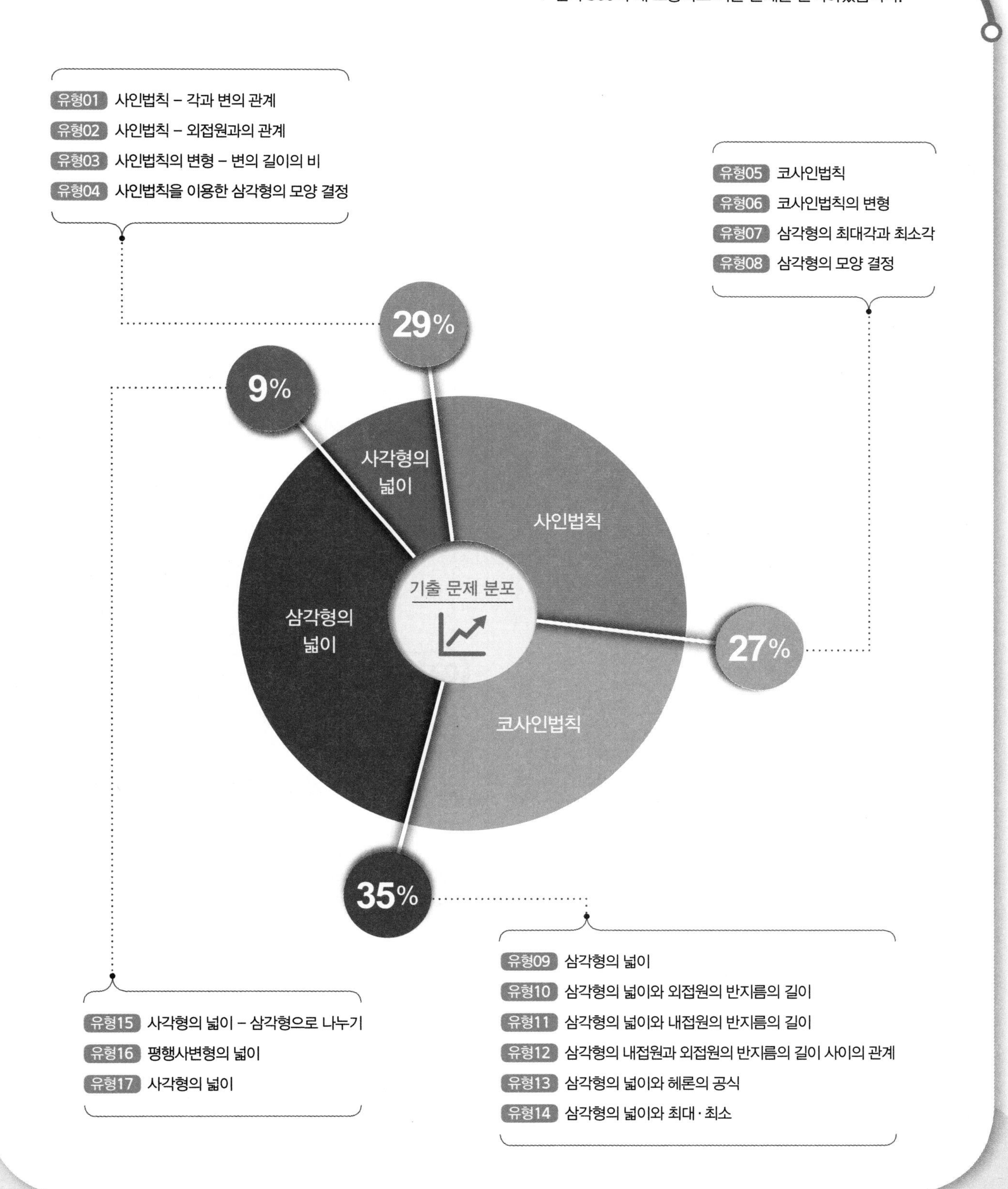

STEP 1 개념 마스터

01 사인법칙

유형 01~04, 08

삼각형 ABC의 외접원의 반지름의 길이를 R라 하면

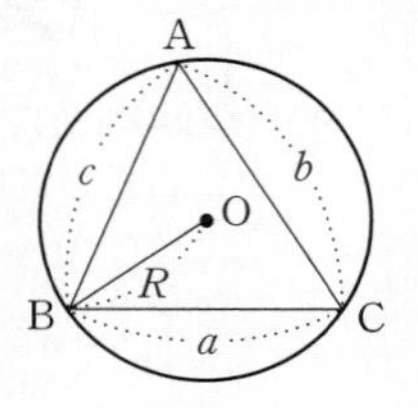

(1) 사인법칙

$$\frac{a}{\sin A}=\frac{b}{\sin B}=\frac{c}{\sin C}=2R$$

(2) 사인법칙의 변형

① $\sin A=\frac{a}{2R}$, $\sin B=\frac{b}{2R}$, $\sin C=\frac{c}{2R}$

② $a=2R\sin A$, $b=2R\sin B$, $c=2R\sin C$

③ $a : b : c=\sin A : \sin B : \sin C$

참고 삼각형의 6요소

삼각형 ABC에서 ∠A, ∠B, ∠C의 크기를 각각 A, B, C로 나타내고, 이들의 대변 BC, CA, AB의 길이를 각각 a, b, c로 나타낸다.

[0862~0864] 삼각형 ABC에 대하여 다음을 구하시오.

0862 $c=8$, $A=60°$, $C=30°$일 때, a의 값

0863 $c=4$, $B=45°$, $C=60°$일 때, b의 값

0864 $b=10$, $A=105°$, $B=45°$일 때, c의 값

[0865~0867] 삼각형 ABC에 대하여 다음을 구하시오.

0865 $a=\sqrt{3}$, $b=2$, $A=60°$일 때, B의 크기

0866 $a=1$, $c=\sqrt{2}$, $C=135°$일 때, A의 크기

0867 $b=3\sqrt{2}$, $c=6$, $B=30°$일 때, C의 크기

[0868~0870] 다음 조건을 만족시키는 삼각형 ABC의 외접원의 반지름의 길이 R의 값을 구하시오.

0868 $a=4\sqrt{3}$, $A=30°$

0869 $c=6\sqrt{2}$, $C=45°$

0870 $b=3$, $A=60°$, $C=75°$

0871 오른쪽 그림과 같이 원에 내접하는 △ABC에서 $\overline{BC}=15$, $B=45°$, $C=75°$일 때, 외접원의 넓이를 구하시오.

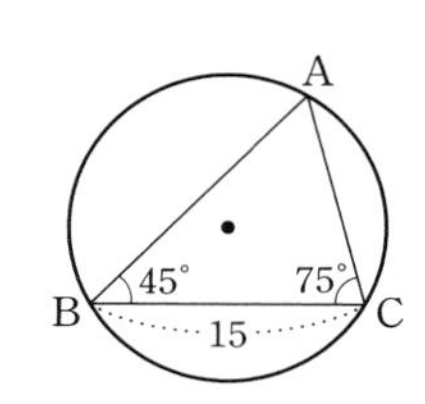

02 코사인법칙

유형 05~08

삼각형 ABC에 대하여

(1) 코사인법칙 – 두 변의 길이와 그 끼인각의 크기를 알 때

$a^2=b^2+c^2-2bc\cos A$

$b^2=c^2+a^2-2ca\cos B$

$c^2=a^2+b^2-2ab\cos C$

(2) 코사인법칙의 변형 – 세 변의 길이를 알 때

$\cos A=\frac{b^2+c^2-a^2}{2bc}$, $\cos B=\frac{c^2+a^2-b^2}{2ca}$

$\cos C=\frac{a^2+b^2-c^2}{2ab}$

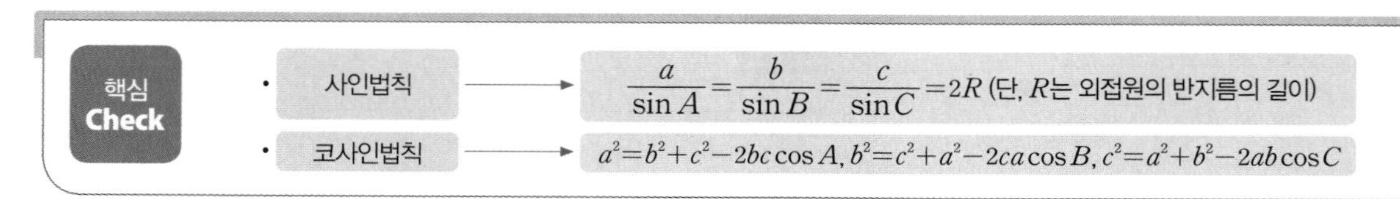
핵심 Check

- 사인법칙 → $\frac{a}{\sin A}=\frac{b}{\sin B}=\frac{c}{\sin C}=2R$ (단, R는 외접원의 반지름의 길이)
- 코사인법칙 → $a^2=b^2+c^2-2bc\cos A$, $b^2=c^2+a^2-2ca\cos B$, $c^2=a^2+b^2-2ab\cos C$

[0872~0874] 삼각형 ABC에 대하여 다음을 구하시오.

0872 $b=2$, $c=\sqrt{3}$, $A=30°$일 때, a의 값

0873 $a=2$, $c=3\sqrt{2}$, $B=45°$일 때, b의 값

0874 $a=5$, $b=4$, $C=60°$일 때, c의 값

[0875~0877] 삼각형 ABC에 대하여 다음을 구하시오.

0875 $a=2\sqrt{2}$, $b=3$, $c=\sqrt{2}$일 때, $\cos A$의 값

0876 $a=4$, $b=\sqrt{21}$, $c=5$일 때, $\cos B$의 값

0877 $a=6$, $b=7$, $c=8$일 때, $\cos C$의 값

[0878~0880] 삼각형 ABC에 대하여 다음을 구하시오.

0878 $a=\sqrt{5}$, $b=3$, $c=\sqrt{2}$일 때, A의 크기

0879 $a=6$, $b=2\sqrt{7}$, $c=4$일 때, B의 크기

0880 $a=7$, $b=8$, $c=13$일 때, C의 크기

03 삼각형의 넓이

유형 09~15

삼각형 ABC의 넓이를 S라 하면

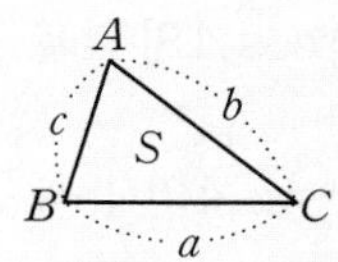

(1) 두 변의 길이와 그 끼인각의 크기가 주어진 경우

$$S=\frac{1}{2}ab\sin C=\frac{1}{2}bc\sin A=\frac{1}{2}ca\sin B$$

(2) 외접원의 반지름의 길이 R가 주어진 경우

$$S=\frac{abc}{4R},\ S=2R^2\sin A\sin B\sin C$$

참고 • 사인법칙에 의하여 $\sin A=\frac{a}{2R}$이므로

$S=\frac{1}{2}bc\sin A=\frac{1}{2}bc\cdot\frac{a}{2R}=\frac{abc}{4R}$

• 사인법칙에 의하여 $b=2R\sin B$, $c=2R\sin C$이므로

$S=\frac{1}{2}bc\sin A=\frac{1}{2}\cdot 2R\sin B\cdot 2R\sin C\cdot\sin A$

$=2R^2\sin A\sin B\sin C$

(3) 내접원의 반지름의 길이 r가 주어진 경우

$$S=\frac{1}{2}r(a+b+c)$$

(4) 세 변의 길이가 주어진 경우 (헤론의 공식)

$$S=\sqrt{s(s-a)(s-b)(s-c)}\ \left(\text{단, } s=\frac{a+b+c}{2}\right)$$

[0881~0883] 다음 조건을 만족시키는 삼각형 ABC의 넓이를 구하시오.

0881 $a=6$, $c=10$, $B=45°$

0882 $b=4$, $c=2\sqrt{2}$, $A=60°$

0883 $a=5$, $b=8$, $C=150°$

0884 삼각형 ABC에서 $a=\sqrt{2}$, $b=4$이고 그 넓이가 $\sqrt{6}$일 때, C의 크기를 구하시오.

삼각형의 넓이

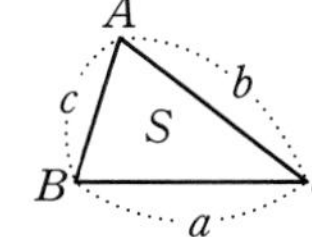

⇨ $S=\frac{1}{2}ab\sin C=\frac{1}{2}bc\sin A=\frac{1}{2}ca\sin B$

0885 삼각형 ABC에 대하여 $a=2\sqrt{6}$, $b=3$, $c=5$일 때, 다음 물음에 답하시오.

(1) $\cos A$의 값을 구하시오.

(2) $\sin A$의 값을 구하시오.

(3) 삼각형 ABC의 넓이를 구하시오.

0886 삼각형 ABC에서 세 변의 길이의 곱이 $32\sqrt{3}$, 외접원의 반지름의 길이가 2일 때, 삼각형 ABC의 넓이를 구하시오.

0887 삼각형 ABC의 세 변의 길이의 합이 10이고, 내접원의 반지름의 길이가 2일 때, 삼각형 ABC의 넓이를 구하시오.

0888 넓이가 5인 삼각형 ABC의 세 변의 길이의 합이 15일 때, 내접원의 반지름의 길이를 구하시오.

0889 다음은 헤론의 공식을 이용하여 세 변의 길이가 7, 8, 9인 삼각형 ABC의 넓이를 구하는 과정이다. (가)~(라)에 알맞은 수를 써넣으시오.

> 헤론의 공식을 적용하면
> $s=\dfrac{7+8+9}{\boxed{(가)}}=\boxed{(나)}$
> 따라서 삼각형 ABC의 넓이는
> $\sqrt{s(s-7)(s-\boxed{(다)})(s-9)}=\boxed{(라)}$

04 사각형의 넓이

유형 15~17

(1) 평행사변형의 넓이

평행사변형 ABCD에서 이웃하는 두 변의 길이가 a, b이고, 그 끼인 각의 크기가 θ일 때, 평행사변형 ABCD의 넓이 S는

$S=ab\sin\theta$

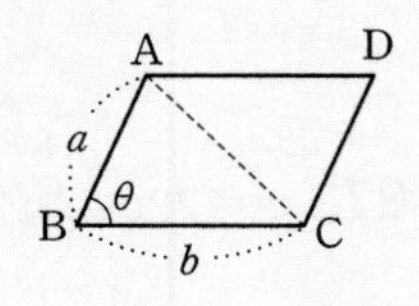

(2) 사각형의 넓이

사각형 ABCD에서 두 대각선의 길이가 p, q이고, 두 대각선이 이루는 각의 크기가 θ일 때, 사각형 ABCD의 넓이 S는

$S=\dfrac{1}{2}pq\sin\theta$

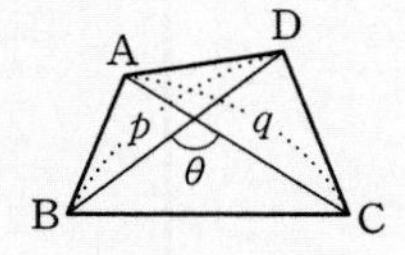

참고 사각형을 두 개의 삼각형으로 나누어 두 삼각형의 넓이의 합으로 사각형의 넓이를 구할 수 있다.

0890 오른쪽 그림과 같은 평행사변형 ABCD의 넓이를 구하시오.

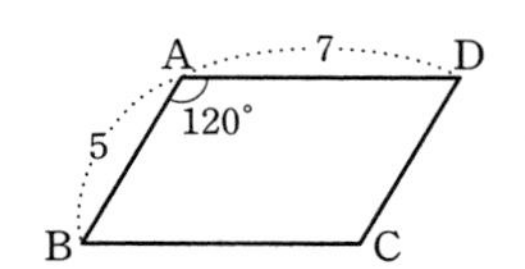

[0891~0892] 다음 조건을 만족시키는 평행사변형 ABCD의 넓이를 구하시오.

0891 $\overline{AB}=6$, $\overline{BC}=9$, $D=60°$

0892 $\overline{AB}=3$, $\overline{AD}=4$, $B=135°$

0893 오른쪽 그림과 같이 $\overline{AC}=8$, $\overline{BD}=5$, 두 대각선이 이루는 각의 크기가 30°인 □ABCD의 넓이를 구하시오.

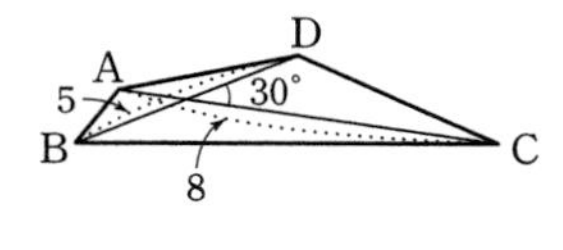

• 평행사변형의 넓이

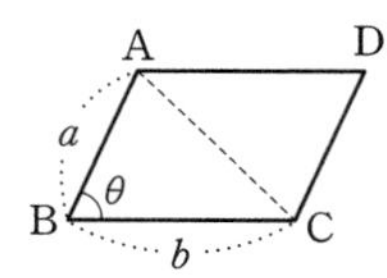

⇨ $S=ab\sin\theta$

• 사각형의 넓이

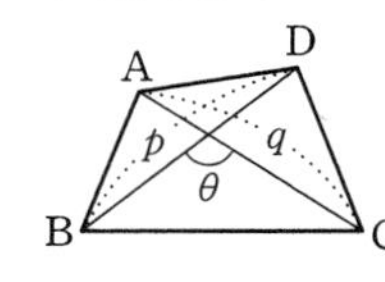

⇨ $S=\dfrac{1}{2}pq\sin\theta$

유형 마스터

유형 01 사인법칙 – 각과 변의 관계 (중요, 개념 01)

$\triangle$ABC에서 $\dfrac{a}{\sin A}=\dfrac{b}{\sin B}=\dfrac{c}{\sin C}$를 이용하는 경우

⇨ (1) 한 변의 길이와 두 각의 크기를 알 때

(2) 두 변의 길이와 그 끼인각이 아닌 한 각의 크기를 알 때

0894 • 대표문제 •

$\triangle$ABC에서 $a=2\sqrt{3}$, $b=2$, $B=30^\circ$일 때, C의 크기를 구하시오. (단, C는 예각이다.)

0895 상중하

오른쪽 그림과 같은 $\triangle$ABC에서 $B=45^\circ$, $\overline{AB}=\sqrt{2}$, $\overline{AC}=\sqrt{5}$일 때, $\sin A$의 값을 구하시오.

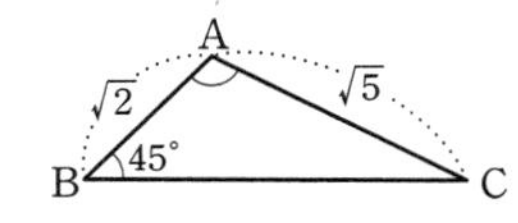

0896 상중하

오른쪽 그림과 같은 $\triangle$ABC에서 $\overline{AC}$의 길이를 구하시오.

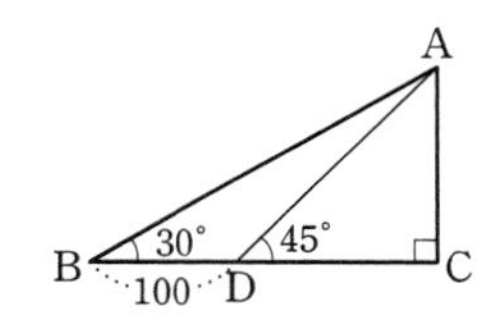

0897 상중하

오른쪽 그림과 같은 $\triangle$ABC에서 $\overline{BD}:\overline{DC}$는?

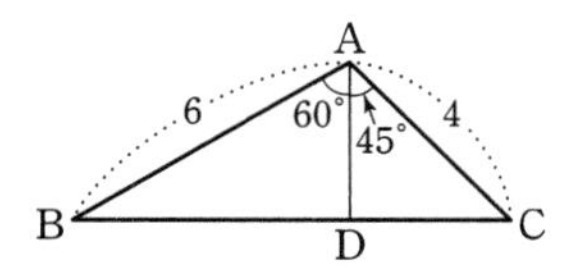

① $3:2$　② $2:1$

③ $3:1$　④ $3\sqrt{2}:2\sqrt{3}$

⑤ $3\sqrt{3}:2\sqrt{2}$

유형 02 사인법칙 – 외접원과의 관계 (중요, 개념 01)

$\triangle$ABC의 외접원의 반지름의 길이를 R라 할 때

⇨ $\dfrac{a}{\sin A}=\dfrac{b}{\sin B}=\dfrac{c}{\sin C}=2R$

⇨ (1) $\sin A=\dfrac{a}{2R}$, $\sin B=\dfrac{b}{2R}$, $\sin C=\dfrac{c}{2R}$

(2) $a=2R\sin A$, $b=2R\sin B$, $c=2R\sin C$

0898 • 대표문제 •

반지름의 길이가 6인 원에 내접하는 $\triangle$ABC의 둘레의 길이가 30일 때, $\sin A+\sin B+\sin C$의 값을 구하시오.

0899 상중하

오른쪽 그림과 같이 원에 내접하는 □ABCD에서 $B=D=90^\circ$, $\overline{AC}=4$이다. $A=\theta$라 할 때, $\overline{BD}$의 길이를 θ에 대한 식으로 나타내면?

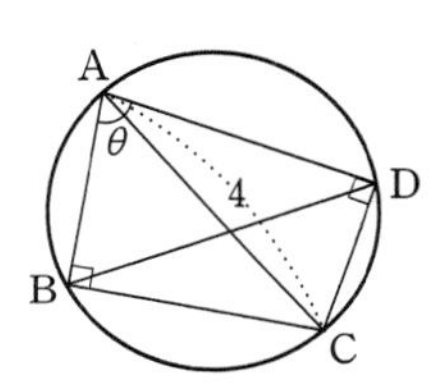

① $2\sin\theta$　② $4\sin\theta$

③ $6\sin\theta$　④ $2\cos\theta$

⑤ $4\cos\theta$

0900 상중하

성원이네 학교는 학생들에게 휴식 공간을 제공하기 위하여 벤치가 있는 원 모양의 연못을 마련하였다. 벤치 1과 벤치 2 사이의 거리는 7 m이고 벤치 1과 벤치 3을 연결한 선분이 벤치 2와 벤치 3을 연결한 선분과 이루는 각의 크기가 150°일 때, 이 연못의 넓이를 구하시오.

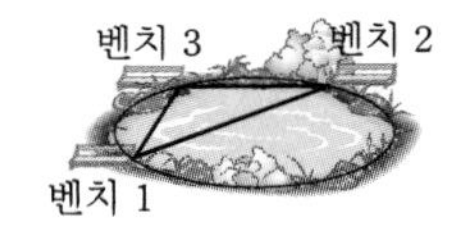

유형 03 사인법칙의 변형 – 변의 길이의 비 (중요) 개념 01

△ABC의 세 변의 길이의 비는 사인법칙을 이용하여 구한다.
⇨ $a:b:c=\sin A:\sin B:\sin C$

0901 대표문제

△ABC에서 $\frac{a+b}{5}=\frac{b+c}{6}=\frac{c+a}{7}$일 때, $\sin A:\sin B:\sin C$는?

① $1:2:3$ ② $2:1:3$ ③ $3:2:4$
④ $4:3:5$ ⑤ $5:6:7$

0902 상중하

△ABC에서 $A:B:C=1:1:4$일 때, $a:b:c$를 구하시오.

0903 상중하

△ABC에서 $a+b-2c=0$, $a-3b+c=0$일 때, $\sin A:\sin B:\sin C$는?

① $3:5:4$ ② $4:3:5$ ③ $5:3:4$
④ $5:7:3$ ⑤ $7:5:3$

0904 상중하 서술형

△ABC에서 $ab:bc:ca=8:9:12$일 때, $\frac{\sin A}{\sin B+\sin C}$의 값을 구하시오.

유형 04 사인법칙을 이용한 삼각형의 모양 결정 개념 01

△ABC의 모양을 결정할 때
(i) $\sin A=\frac{a}{2R}$, $\sin B=\frac{b}{2R}$, $\sin C=\frac{c}{2R}$를 관계식에 대입한다.
(ii) a, b, c에 대한 식을 정리하여 삼각형의 모양을 판별한다.
(단, R는 외접원의 반지름의 길이이다.)

0905 대표문제

△ABC에서 $a\sin A=c\sin C$가 성립할 때, △ABC는 어떤 삼각형인가?

① 정삼각형 ② $a=c$인 이등변삼각형
③ $b=c$인 이등변삼각형 ④ $A=90°$인 직각삼각형
⑤ $C=90°$인 직각삼각형

0906 상중하

△ABC에서 $a\sin^2 A=b\sin^2 B=c\sin^2 C$가 성립할 때, △ABC는 어떤 삼각형인가?

① 정삼각형 ② $a=c$인 이등변삼각형
③ $b=c$인 이등변삼각형 ④ $A=90°$인 직각삼각형
⑤ $C=90°$인 직각삼각형

0907 상중하

△ABC에서 $a\sin A+b\sin B=c\sin C$가 성립할 때, 다음 중 △ABC의 넓이를 나타낸 것으로 옳은 것은?

① $\frac{1}{2}ab$ ② $\frac{\sqrt{2}}{2}bc$ ③ $\sqrt{2}ca$
④ $\sqrt{3}ab$ ⑤ $2bc$

유형 05 코사인법칙

개념 02

△ABC에서 두 변의 길이와 그 끼인각의 크기를 알 때
⇨ 코사인법칙을 이용하여 나머지 한 변의 길이를 구할 수 있다.
⇨ $a^2=b^2+c^2-2bc\cos A$, $b^2=c^2+a^2-2ca\cos B$,
$c^2=a^2+b^2-2ab\cos C$

0908 • 대표문제 •

오른쪽 그림과 같이 원에 내접하는 □ABCD에서 $\overline{AB}:\overline{BC}=1:\sqrt{3}$, $D=30^\circ$이고 $\overline{AC}=\sqrt{14}$일 때, $\overline{AB}$의 길이는?

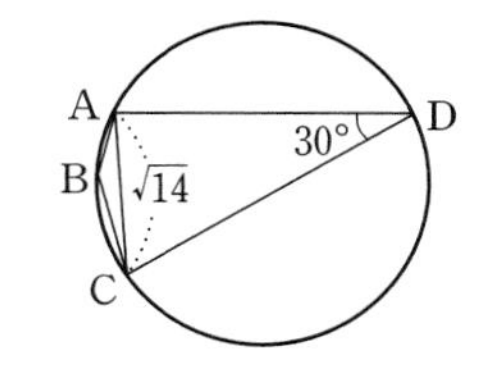

① 1　② $\sqrt{2}$　③ $\sqrt{3}$　④ 2　⑤ $\sqrt{5}$

0909 상중하

오른쪽 그림과 같이 원에 내접하는 □ABCD에서 $\overline{AB}=6$, $\overline{BC}=3$, $\overline{CD}=5$, $\overline{AD}=1$이고 $\angle BAD=\theta$, $\cos\theta=\dfrac{n}{m}$일 때, $m+n$의 값을 구하시오. (단, m, n은 서로소인 자연수이다.)

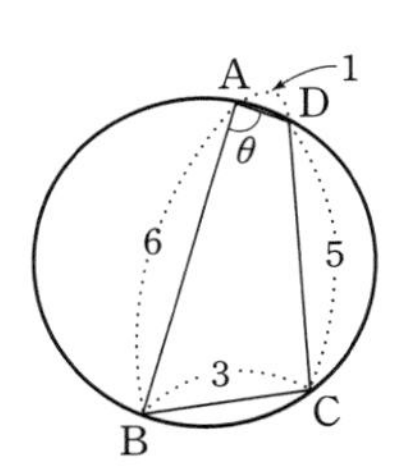

0910 상중하

오른쪽 그림과 같이 중심이 O이고 지름 AB의 길이가 4인 원이 있다. 호 BP의 길이가 2θ일 때, $\overline{AP}$의 길이를 θ에 대한 식으로 나타내면?

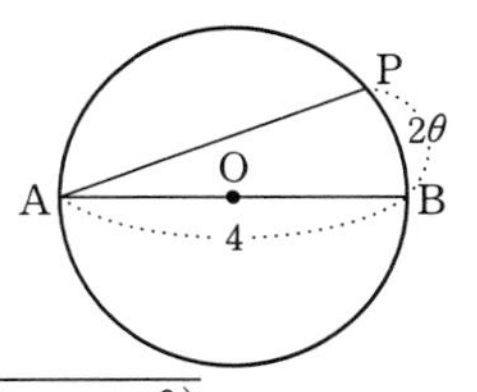

① $2\sqrt{1+\cos\theta}$　② $2\sqrt{2(1-\cos\theta)}$　③ $2\sqrt{2(1+\cos\theta)}$　④ $2\sqrt{2(1-\cos 2\theta)}$　⑤ $2\sqrt{2(1+\cos 2\theta)}$

유형 06 코사인법칙의 변형

개념 02

△ABC에서 세 변의 길이를 알 때
⇨ 코사인법칙의 변형을 이용하여 세 각의 크기를 구할 수 있다.
⇨ $\cos A=\dfrac{b^2+c^2-a^2}{2bc}$, $\cos B=\dfrac{c^2+a^2-b^2}{2ca}$, $\cos C=\dfrac{a^2+b^2-c^2}{2ab}$

0911 • 대표문제 •

오른쪽 그림과 같은 △ABC에서 $\overline{AC}$의 길이는?

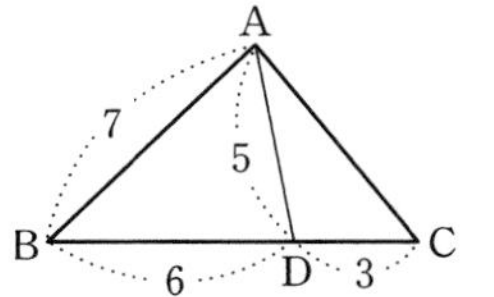

① $3\sqrt{3}$　② $2\sqrt{10}$　③ $3\sqrt{5}$　④ $4\sqrt{3}$　⑤ $5\sqrt{2}$

0912 상중하

△ABC의 세 변의 길이 a, b, c에 대하여 $\dfrac{a+c}{b-c}=\dfrac{b}{a-c}$가 성립할 때, A의 크기는?

① 30°　② 45°　③ 60°　④ 90°　⑤ 120°

0913 상중하

△ABC에서 $\dfrac{\sin A}{2}=\dfrac{\sin B}{3}=\dfrac{\sin C}{4}$일 때, $\sin\dfrac{A+B-C}{2}$의 값을 구하시오.

0914 상중하

오른쪽 그림과 같이 $\overline{AB}=\overline{AC}=6$인 이등변삼각형 ABC에서 변 AB 위에 $\overline{BC}=\overline{CD}=4$인 점 D를 잡을 때, $\sin(\angle ADC)$의 값은?

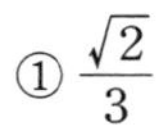

① $\frac{\sqrt{2}}{3}$ ② $\frac{\sqrt{3}}{3}$
③ $\frac{\sqrt{3}}{2}$ ④ $\frac{2\sqrt{2}}{3}$
⑤ $\frac{2\sqrt{3}}{3}$

0915 상중하

오른쪽 그림과 같은 △ABC에서 ∠A의 이등분선이 $\overline{BC}$와 만나는 점을 D라 하자. $\overline{AB}=12$, $\overline{CD}=3$, $\overline{AC}=\overline{BD}$일 때, $\cos B$의 값을 구하시오.

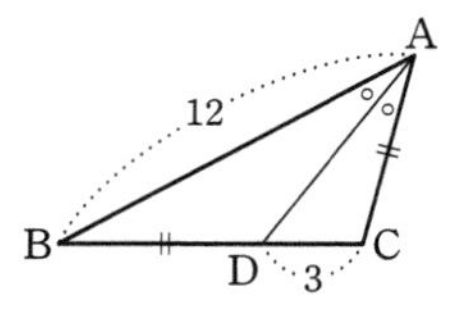

0916 상중하

오른쪽 그림과 같이 길이가 $2\sqrt{3}$인 선분 AB를 지름으로 하는 원 O 위의 한 점을 P라 하자. $\overline{AP}=2\sqrt{2}$이고, $\angle PAB=\theta$일 때, $\cos 2\theta$의 값을 구하시오.

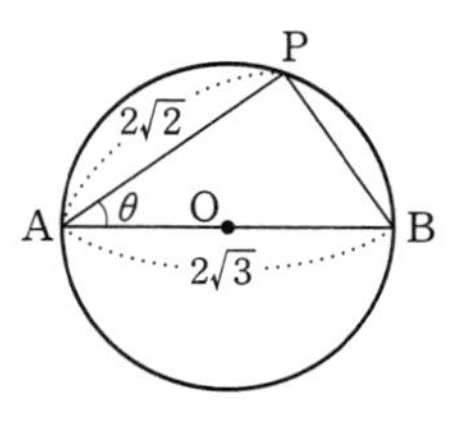

유형 07 삼각형의 최대각과 최소각

개념 02

삼각형의 세 변의 길이를 알 때, 삼각형의 최대각과 최소각의 크기는
⇨ 코사인법칙의 변형을 이용하여 구한다.
⇨ 길이가 가장 긴 변의 대각: 최대각
길이가 가장 짧은 변의 대각: 최소각

0917 • 대표문제 •

세 변의 길이가 3, $3\sqrt{2}$, $\sqrt{45}$인 △ABC의 최대각의 크기를 구하시오.

0918 상중하

△ABC에서 $\frac{\sin A}{3}=\frac{\sin B}{5}=\frac{\sin C}{7}$일 때, △ABC의 최대각의 크기를 구하시오.

0919 상중하

△ABC에서 $\sqrt{3}\sin A=\sqrt{2}\sin B=(3+\sqrt{3})\sin C$가 성립할 때, 최대각의 크기를 구하시오.

0920 상중하

$\overline{AB}=2$, $\overline{BC}=4$, $\overline{CA}=x$인 △ABC에서 C의 크기가 최대일 때, x의 값은?

① $\sqrt{3}$ ② $\sqrt{5}$ ③ $2\sqrt{3}$
④ $2\sqrt{5}$ ⑤ $2\sqrt{7}$

중요

유형 08 삼각형의 모양 결정

개념 01, 02

△ABC의 모양을 결정할 때

(i) (1) 사인에 대한 식: $\sin A=\frac{a}{2R}$, $\sin B=\frac{b}{2R}$, $\sin C=\frac{c}{2R}$임을 이용하여 a, b, c에 대한 식으로 나타낸다.

(단, R는 외접원의 반지름의 길이이다.)

(2) 코사인에 대한 식: 코사인법칙의 변형을 이용하여 a, b, c에 대한 식으로 나타낸다.

(ii) a, b, c에 대한 관계식을 정리하여 삼각형의 모양을 판별한다.

0921 • 대표문제 •

△ABC에서 $\sin A=2\sin B\cos C$가 성립할 때, △ABC는 어떤 삼각형인가?

① $a=b$인 이등변삼각형 ② $b=c$인 이등변삼각형
③ $A=90°$인 직각삼각형 ④ $B=90°$인 직각삼각형
⑤ $C=90°$인 직각삼각형

0922 상중하

△ABC에서 $a\cos B=b\cos A$가 성립할 때, △ABC는 어떤 삼각형인가?

① $a=b$인 이등변삼각형 ② $b=c$인 이등변삼각형
③ $A=90°$인 직각삼각형 ④ $B=90°$인 직각삼각형
⑤ $C=90°$인 직각삼각형

0923 상중하

△ABC에서 $\tan A\sin^2 B=\tan B\sin^2 A$가 성립할 때, △ABC의 모양이 될 수 있는 것을 보기에서 있는 대로 고르시오.

보기
ㄱ. 정삼각형 ㄴ. $B=90°$인 직각삼각형
ㄷ. $C=90°$인 직각삼각형 ㄹ. $a=b$인 이등변삼각형
ㅁ. $b=c$인 이등변삼각형

유형 09 삼각형의 넓이

개념 03

△ABC의 두 변의 길이 a, b와 그 끼인각의 크기 C를 알 때

⇨ $\triangle ABC=\frac{1}{2}ab\sin C$

0924 • 대표문제 •

오른쪽 그림과 같은 △ABC에서 $A=120°$, $\overline{AB}=2$, $\overline{BC}=\sqrt{19}$일 때, △ABC의 넓이는?

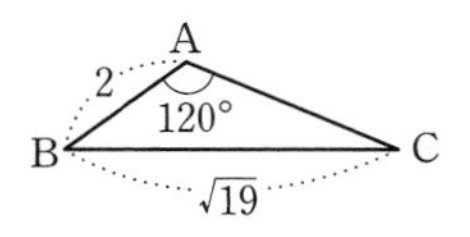

① $\frac{3\sqrt{3}}{2}$ ② $2\sqrt{3}$ ③ 4
④ $3\sqrt{3}$ ⑤ $\frac{7\sqrt{3}}{2}$

0925 상중하

오른쪽 그림과 같이 △ABC의 변 AB의 길이를 10 % 늘리고, 변 AC의 길이를 10 % 줄여서 새로운 △AB′C′을 만들 때, △ABC의 넓이에 대한 △AB′C′의 넓이의 변화로 옳은 것은?

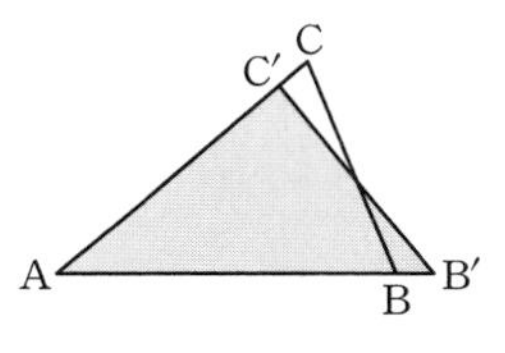

① 1 % 감소한다. ② 1 % 증가한다.
③ 11 % 감소한다. ④ 11 % 증가한다.
⑤ 변화가 없다.

0926 상중하

오른쪽 그림과 같이 반지름의 길이가 20인 원의 둘레 위의 세 점 A, B, C에 대하여 $\overset{\frown}{AB}:\overset{\frown}{BC}:\overset{\frown}{CA}=3:4:5$일 때, △ABC의 넓이를 구하시오.

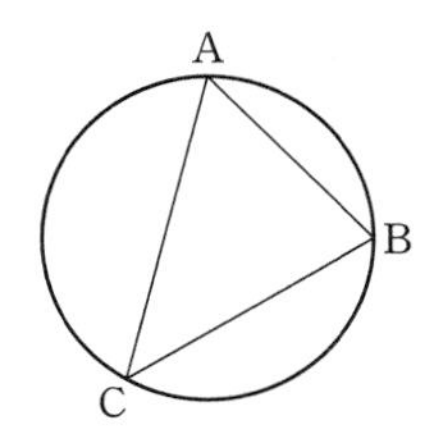

7 사인법칙과 코사인법칙

0927 상중하

오른쪽 그림과 같은 △ABC에서 $\overline{AB}=60$, $\overline{AC}=20$, $A=120°$이고 ∠A의 이등분선이 $\overline{BC}$와 만나는 점을 D라 할 때, $\overline{AD}$의 길이는?

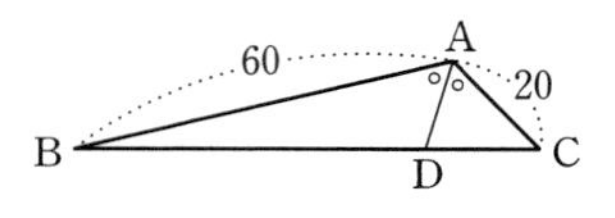

① 14 ② 15 ③ 16
④ 17 ⑤ 18

0928 상중하 서술형

$A=120°$, $a=7$, $b+c=8$인 △ABC의 넓이를 구하시오.

0929 상중하

오른쪽 그림과 같이 △ABC의 세 변 AB, BC, CA를 1 : 2로 내분하는 점을 각각 D, E, F라 할 때, △DEF의 넓이는 △ABC의 넓이의 $\frac{n}{m}$배이다. 이때, $m+n$의 값은? (단, m, n은 서로소인 자연수이다.)

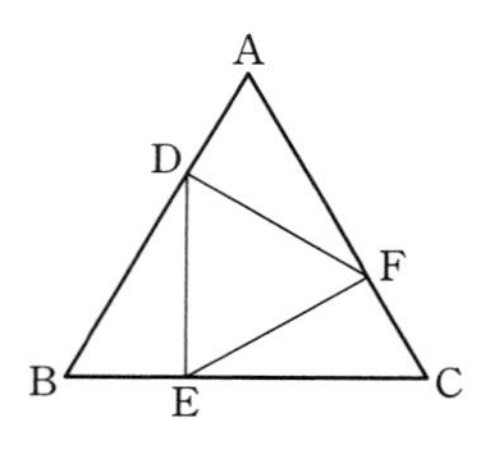

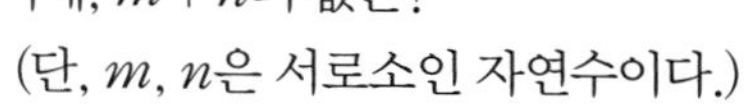

① 3 ② 4 ③ 5
④ 6 ⑤ 7

유형 10 삼각형의 넓이와 외접원의 반지름의 길이 개념 03

△ABC의 넓이를 S라 하면

(1) 세 변의 길이 a, b, c와 외접원의 반지름의 길이 R를 알 때

⇨ $S=\frac{abc}{4R}$

(2) 세 각의 크기 A, B, C와 외접원의 반지름의 길이 R를 알 때

⇨ $S=2R^2\sin A\sin B\sin C$

0930 • 대표문제 •

오른쪽 그림과 같이 반지름의 길이가 6인 원 O에 내접하는 △ABC에서 $\overline{AC}=\overline{BC}$이고 $A=30°$일 때, △ABC의 넓이를 구하시오.

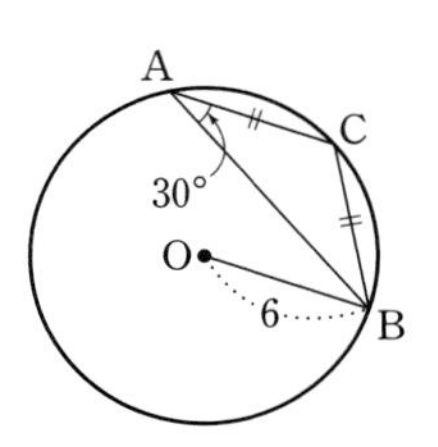

0931 상중하

외접원의 반지름의 길이가 5인 △ABC의 넓이가 6일 때, abc의 값을 구하시오.

유형 11 삼각형의 넓이와 내접원의 반지름의 길이 개념 03

△ABC의 세 변의 길이 a, b, c와 내접원의 반지름의 길이 r를 알 때

⇨ $\triangle ABC=\frac{1}{2}r(a+b+c)$

0932 • 대표문제 •

$A=60°$, $b=5$, $c=8$인 △ABC의 내접원의 반지름의 길이를 구하시오.

0933 상중하

오른쪽 그림과 같이 세 변의 길이가 각각 5, 6, 7인 삼각형 모양의 색종이에서 그 넓이가 최대가 되는 원을 오려내려고 한다. 이때, 원의 반지름의 길이를 구하시오.

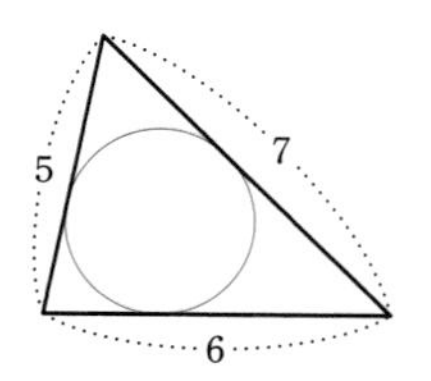

0934 상중하 서술형

$\sin A+\sin B+\sin C=\frac{5}{2}$를 만족시키는 $\triangle$ABC가 반지름의 길이가 8인 원에 내접한다. 이 삼각형에서 내접원의 반지름의 길이가 3일 때, $\triangle$ABC의 넓이를 구하시오.

유형 12 삼각형의 내접원과 외접원의 반지름의 길이 사이의 관계

개념 03

$\triangle$ABC의 외접원의 반지름의 길이를 R, 내접원의 반지름의 길이를 r라 하면

(1) $\triangle ABC=\frac{abc}{4R}=\frac{1}{2}r(a+b+c)$

(2) $\triangle ABC=2R^2\sin A\sin B\sin C=\frac{1}{2}r(a+b+c)$

0935 • 대표문제 •

세 변의 길이가 4, 7, 9인 $\triangle$ABC의 외접원의 반지름의 길이를 R, 내접원의 반지름의 길이를 r라 할 때, Rr의 값을 구하시오.

0936 상중하

반지름의 길이가 R인 원에 내접하는 $\triangle$ABC의 내접원의 반지름의 길이가 r일 때, $\frac{\sin A+\sin B+\sin C}{\sin A\sin B\sin C}=\frac{kR}{r}$이다. 이때, 상수 k의 값은?

① 1 ② 2 ③ 3
④ 4 ⑤ 5

유형 13 삼각형의 넓이와 헤론의 공식

개념 03

$\triangle$ABC의 세 변의 길이 a, b, c를 알 때

⇨ $\triangle ABC=\sqrt{s(s-a)(s-b)(s-c)}$ $\left(\text{단, } s=\frac{a+b+c}{2}\right)$

0937 • 대표문제 •

세 변의 길이의 비가 2 : 3 : 3인 $\triangle$ABC의 넓이가 $18\sqrt{2}$일 때, $\triangle$ABC의 둘레의 길이를 구하시오.

0938 상중하

$(a+b):(b+c):(c+a)=4:5:6$인 $\triangle$ABC의 둘레의 길이가 45일 때, $\triangle$ABC의 넓이를 구하시오.

0939 상중하

오른쪽 그림과 같이 세 변의 길이가 각각 6, 10, 14인 $\triangle$ABC가 원에 내접할 때, 이 원의 지름의 길이를 구하시오.

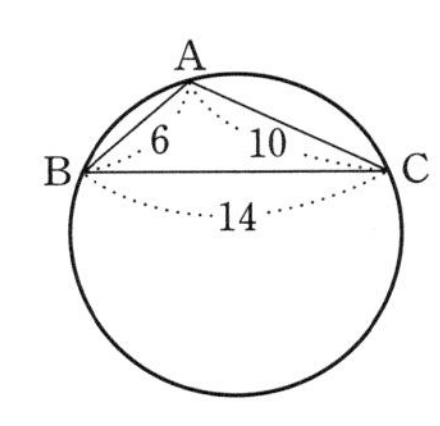

0940 상중하

$a=5$, $b+c=7$인 $\triangle$ABC의 넓이가 6일 때, A의 크기를 구하시오.

발전 유형 14 **삼각형의 넓이와 최대 · 최소** 개념 03

$\triangle ABC=\frac{1}{2}ab\sin C$에서 $ab>0$, $\sin C>0$이므로

(1) $\triangle ABC$가 최대이려면 ab, $\sin C$가 모두 최대이어야 한다.
(2) $\triangle ABC$가 최소이려면 ab, $\sin C$가 모두 최소이어야 한다.

0941 • 대표문제 •

오른쪽 그림과 같이 $\overline{AB}=5$, $\overline{BC}=7$, $\overline{CA}=m$인 $\triangle ABC$에서 넓이를 최대로 하는 m의 값을 구하시오.

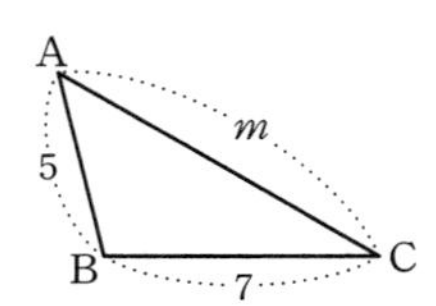

0942 상중하

오른쪽 그림과 같은 $\triangle ABC$에서 $\overline{AB}=p$, $\overline{AC}=q$이다. $p^2+q^2=8$일 때, $\triangle ABC$의 넓이의 최댓값은?

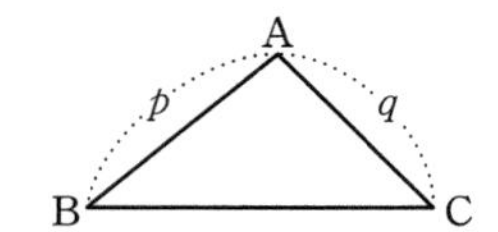

① $\frac{5}{3}$ ② $\frac{9}{5}$
③ 2 ④ 3
⑤ 4

유형 15 **사각형의 넓이 – 삼각형으로 나누기** 개념 03, 04

사각형의 넓이를 구할 때
(i) 사각형을 여러 개의 삼각형으로 나눈다.
(ii) 각각의 삼각형의 넓이를 구하여 더한다.

0943 • 대표문제 •

오른쪽 그림과 같은 $\square ABCD$에서 $\overline{AB}=4$, $\overline{BC}=\sqrt{6}$, $\overline{AD}=2$, $A=60°$, $\angle CBD=45°$일 때, $\square ABCD$의 넓이를 구하시오.

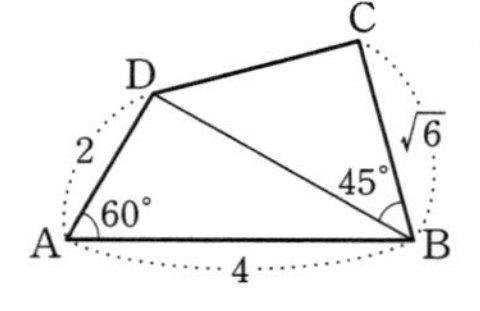

0944 상중하

오른쪽 그림과 같이 $\overline{AB}=\overline{BC}=3$, $\overline{CD}=5$, $\overline{AD}=8$이고 $C=120°$인 $\square ABCD$의 넓이는?

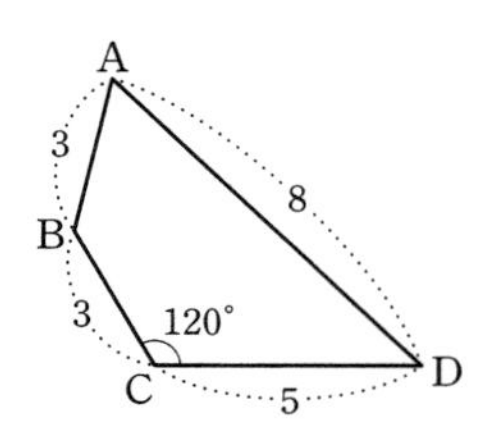

① $9\sqrt{3}$ ② $\frac{19\sqrt{3}}{2}$
③ $\frac{39\sqrt{3}}{4}$ ④ $10\sqrt{3}$
⑤ 19

0945 상중하

오른쪽 그림과 같이 $\overline{BC}=2$, $\overline{CD}=4$, $\overline{AD}=6$이고, $D=60°$인 원에 내접하는 $\square ABCD$의 넓이를 구하시오.

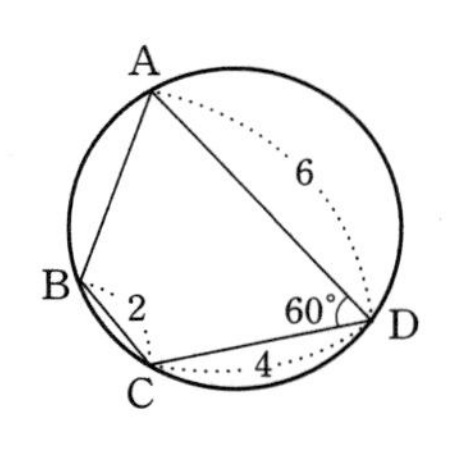

0946 상중하

오른쪽 그림과 같이 반지름의 길이가 6인 원 O에 내접하는 $\square ABCD$가 있다. $\overset{\frown}{AB}:\overset{\frown}{BC}:\overset{\frown}{CD}:\overset{\frown}{DA}=5:1:3:3$일 때, 사각형 ABCD의 넓이는?

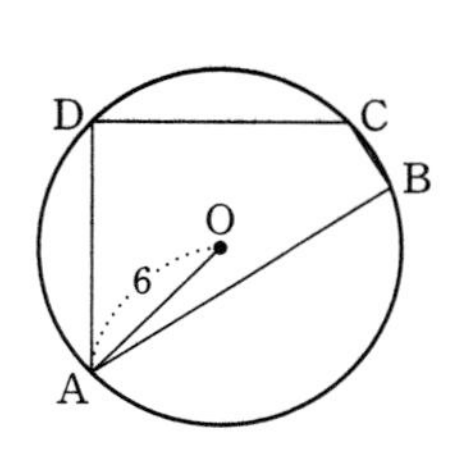

① 50 ② 54
③ 58 ④ 62
⑤ 66

유형 16 평행사변형의 넓이

개념 04

이웃하는 두 변의 길이가 a, b이고, 그 끼인각의 크기가 θ인 평행사변형 ABCD의 넓이는

⇨ $\square\mathrm{ABCD}=ab\sin\theta$

0947 • 대표문제 •

오른쪽 그림과 같은 평행사변형 ABCD에서 $\overline{\mathrm{AB}}=6$, $\overline{\mathrm{BC}}=8$, $C=135^\circ$일 때, 이 평행사변형의 넓이를 구하시오.

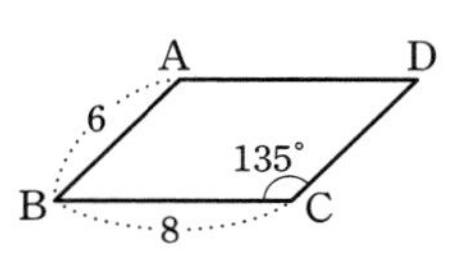

0948 상중하

오른쪽 그림과 같이 $\overline{\mathrm{AB}}=4$, $\overline{\mathrm{BC}}=6$이고 넓이가 $12\sqrt{3}$인 평행사변형 ABCD에서 B의 크기를 구하시오.
(단, B는 예각이다.)

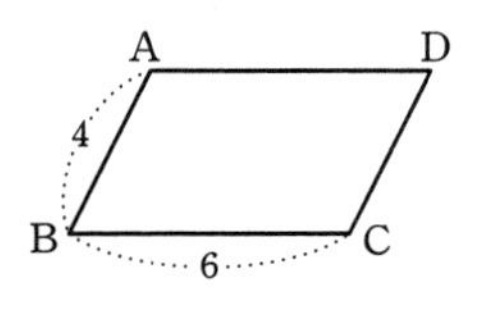

0949 상중하

오른쪽 그림의 평행사변형 ABCD에서 $B=60^\circ$, $\overline{\mathrm{AC}}=3\sqrt{3}$이고 $\overline{\mathrm{AB}}+\overline{\mathrm{BC}}=9$이다. 이때, 평행사변형 ABCD의 넓이는?

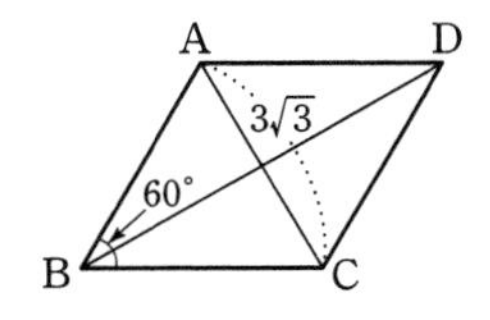

① 7　② $7\sqrt{3}$　③ $9\sqrt{2}$　④ $9\sqrt{3}$　⑤ 18

유형 17 사각형의 넓이

개념 04

두 대각선의 길이가 p, q이고, 두 대각선이 이루는 각의 크기가 θ인 사각형 ABCD의 넓이는

⇨ $\square\mathrm{ABCD}=\frac{1}{2}pq\sin\theta$

0950 • 대표문제 •

오른쪽 그림과 같이 두 대각선이 이루는 각의 크기가 120°이고 넓이가 $2\sqrt{3}$인 $\square\mathrm{ABCD}$에서 $\overline{\mathrm{AC}}=2$일 때, $\overline{\mathrm{BD}}$의 길이를 구하시오.

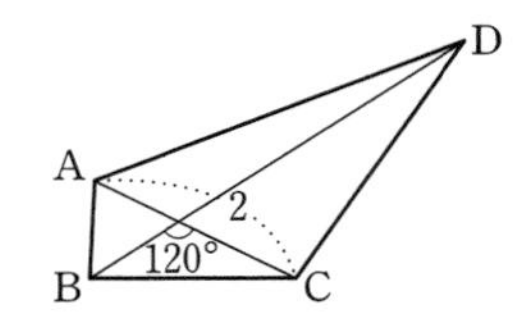

0951 상중하 서술형

두 대각선의 길이가 각각 4, 9이고 두 대각선이 이루는 각의 크기가 θ인 $\square\mathrm{ABCD}$에서 $\cos\theta=\frac{1}{3}$일 때, $\square\mathrm{ABCD}$의 넓이를 구하시오.

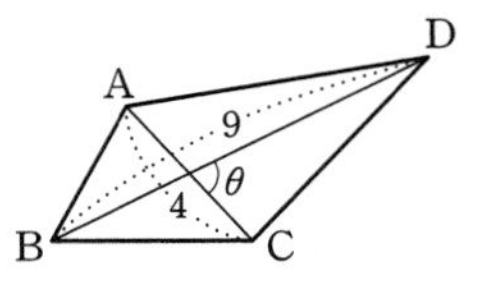

0952 상중하

$\square\mathrm{ABCD}$의 두 대각선의 길이는 각각 p, q이고 두 대각선이 이루는 각의 크기가 60°이다. $p+q=6$일 때, $\square\mathrm{ABCD}$의 넓이의 최댓값을 구하시오.

0953 상중하

오른쪽 그림과 같은 평행사변형 ABCD에서 $\overline{\mathrm{AB}}=2$, $\overline{\mathrm{AD}}=4$, $B=60^\circ$일 때, 두 대각선 AC, BD가 이루는 예각 θ에 대하여 $\sin\theta$의 값을 구하시오.

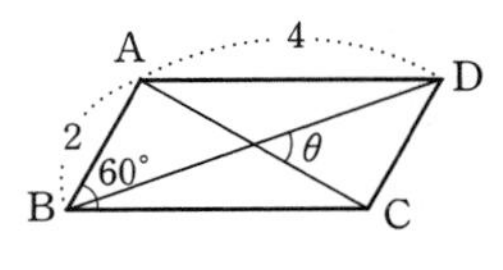

• 실제 학교 시험지처럼 풀어 보세요.

0954 | 유형 01 |

오른쪽 그림과 같은 $\triangle ABC$에서 $\overline{AB}=4$, $B=30^\circ$, $C=45^\circ$일 때, $\overline{BC}$의 길이는? [4.2점]

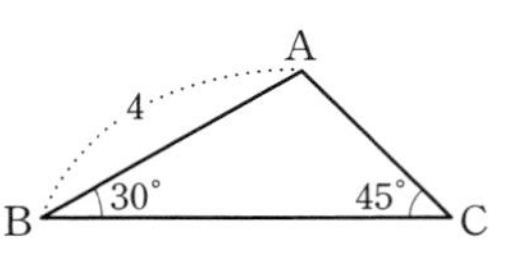

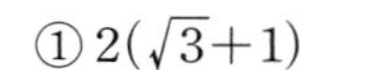
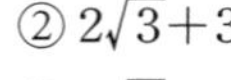

① $2(\sqrt{3}+1)$ ② $2\sqrt{3}+3$ ③ $2(\sqrt{2}+2)$
④ $6\sqrt{2}$ ⑤ $6\sqrt{3}$

0955 | 유형 02 |

오른쪽 그림과 같이 $\overline{AB}=\overline{BC}=6$, $B=90^\circ$인 직각삼각형 ABC가 있다. 변 BC의 중점을 M이라 할 때, $\triangle ACM$의 외접원의 반지름의 길이는? [3.9점]

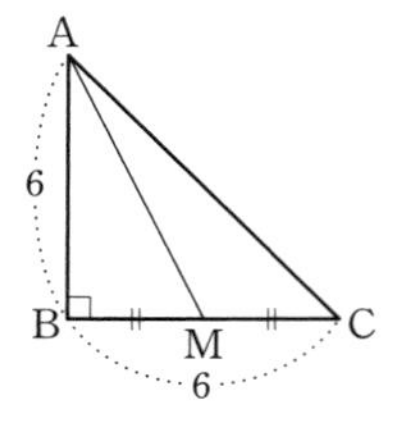

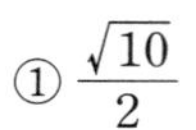

① $\dfrac{\sqrt{10}}{2}$ ② $\sqrt{10}$ ③ $\dfrac{3\sqrt{10}}{2}$ ④ $2\sqrt{10}$ ⑤ $\dfrac{5\sqrt{10}}{2}$

0956 | 유형 02 |

$\triangle ABC$에서 $A : B : C=1 : 2 : 3$이고, $a+b+c=6$일 때, $\triangle ABC$의 외접원의 반지름의 길이는? [4.1점]

① $2-\sqrt{2}$ ② $3-\sqrt{3}$ ③ 2
④ $4-\sqrt{2}$ ⑤ $5-\sqrt{5}$

0957 | 유형 03 |

$\triangle ABC$에서 $(2a-b) : (2b-c) : (2c-a)=9 : 1 : 4$일 때, $\sin A : \sin B : \sin C$는? [3.9점]

① $3 : 6 : 7$ ② $5 : 6 : 8$ ③ $5 : 7 : 3$
④ $6 : 3 : 5$ ⑤ $6 : 4 : 7$

0958 | 유형 01 + 유형 05 |

오른쪽 그림과 같은 $\triangle ABC$에서 $\overline{BC}$ 위의 점 P에 대하여 $\overline{AP}=\overline{BP}$이고, $\angle APC=60^\circ$, $\angle ACP=45^\circ$, $\overline{AC}=\sqrt{3}$일 때, $\overline{AB}$의 길이는? [4.3점]

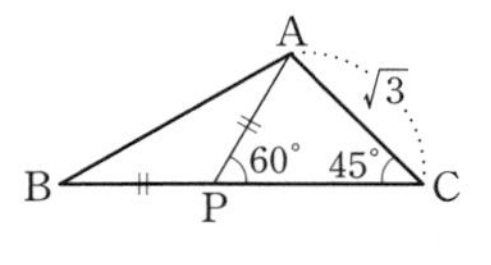

① $\sqrt{6}$ ② $\sqrt{7}$ ③ $2\sqrt{2}$
④ 3 ⑤ $\sqrt{10}$

0959 | 유형 05 + 유형 06 |

오른쪽 그림과 같이 $\overline{AB}=4$, $\overline{BC}=6$, $\overline{CA}=5$인 $\triangle ABC$에서 $\overline{BC}$를 $1 : 2$로 내분하는 점을 D라 할 때, $\overline{AD}$의 길이는? [4.3점]

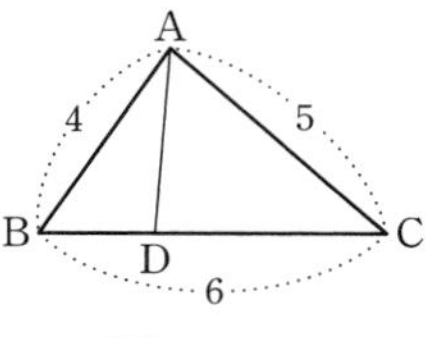

① $\sqrt{10}$ ② $\sqrt{11}$ ③ $2\sqrt{3}$
④ $\sqrt{13}$ ⑤ $\sqrt{14}$

0960 | 유형 07 |

$\triangle ABC$의 세 변의 길이 a, b, c에 대하여

$$\frac{2b-a}{5}=\frac{2c-b}{6}=\frac{2c-a}{7}$$

가 성립할 때, $\triangle ABC$의 최대각의 크기는? [4.1점]

① 45° ② 60° ③ 90°
④ 120° ⑤ 150°

0961
| 유형 08 |

x에 대한 이차방정식

$$(\cos A-\cos B)x^2-2x\sin C+(\cos A+\cos B)=0$$

이 중근을 가질 때, △ABC는 어떤 삼각형인가? [4.5점]

① 정삼각형 ② $a=b$인 이등변삼각형
③ $a=c$인 이등변삼각형 ④ $B=90°$인 직각삼각형
⑤ $C=90°$인 직각삼각형

0962
| 유형 09 |

오른쪽 그림과 같이 중심이 O이고 반지름의 길이가 2인 반원의 호 위에 두 점 A, B를 잡고, ∠AOB$=\theta$라 하면 $\cos\theta=\frac{1}{3}$이다. 이때, △OAB의 넓이는? [3.8점]

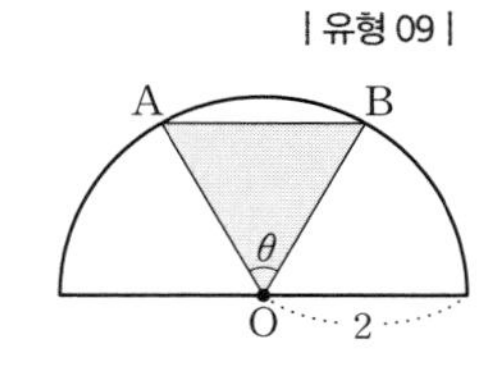

① $\frac{\sqrt{2}}{3}$ ② $\frac{2\sqrt{2}}{3}$ ③ $\sqrt{2}$
④ $\frac{4\sqrt{2}}{3}$ ⑤ $\frac{5\sqrt{2}}{3}$

0963
| 유형 09 |

오른쪽 그림과 같은 △ABC에서 $\overline{AB}=5$, $\overline{BD}=3$, $\overline{CD}=2$, $\overline{AC}=4$일 때, $\frac{\sin\theta_1}{\sin\theta_2}$의 값은? [4.6점]

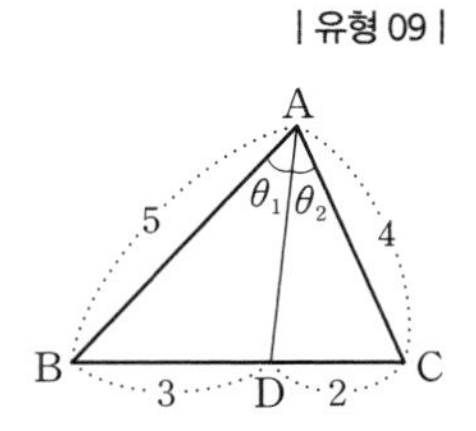

① $\frac{6}{5}$ ② $\frac{5}{4}$
③ $\frac{4}{3}$ ④ $\frac{3}{2}$
⑤ $\frac{5}{3}$

0964
| 유형 11 |

$B=120°$, $a=8$, $b=13$, $c=7$인 △ABC의 내접원의 반지름의 길이는? [3.8점]

① 1 ② $\sqrt{2}$ ③ $\sqrt{3}$
④ 2 ⑤ $\sqrt{5}$

0965
| 유형 13 |

△ABC에서 $\overline{AB}=a-2$, $\overline{BC}=a$, $\overline{CA}=a-1$이고, $\cos A=\frac{1}{5}$일 때, △ABC의 넓이는? [4.2점]

① $3\sqrt{3}$ ② 8 ③ $5\sqrt{5}$
④ $6\sqrt{6}$ ⑤ $7\sqrt{7}$

0966
| 유형 16 |

$\overline{AB}=4$, $\overline{BC}=5$인 평행사변형 ABCD의 넓이가 $10\sqrt{3}$일 때, $\overline{AC}$의 길이는? (단, $0°<B<90°$) [4.3점]

① $2\sqrt{5}$ ② $\sqrt{21}$ ③ $\sqrt{22}$
④ $\sqrt{23}$ ⑤ $2\sqrt{6}$

0967
| 유형 17 |

두 대각선이 이루는 각의 크기가 $120°$이고 넓이가 $9\sqrt{3}$인 등변사다리꼴 ABCD가 있다. 이 등변사다리꼴의 한 대각선의 길이는? [4점]

① 4 ② 5 ③ 6
④ 7 ⑤ 8

서술형 문제

• 풀이 과정에 점수가 부여되니 풀이 과정 및 정답을 상세하게 서술하세요.

단답형

0968

| 유형 01 |

오른쪽 그림과 같이 거리가 25 m인 두 지점 A, B에서 지면에 수직으로 서 있는 나무를 보고 측정한 결과 $\angle PAQ=30°$, $\angle BAQ=75°$, $\angle ABQ=45°$이었다. 이때, 나무의 높이 $\overline{PQ}$를 구하시오. [6점]

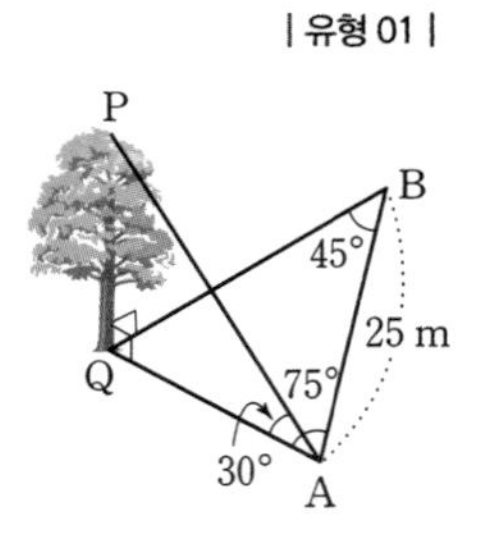

0969

| 유형 06 |

오른쪽 그림과 같이 $\overline{AD}$와 $\overline{BC}$가 평행한 사다리꼴 ABCD에서 $\overline{AB}=8$, $\overline{BC}=9$, $\overline{CD}=6$, $\overline{DA}=3$일 때, $\overline{AC}$의 길이를 구하시오. [7점]

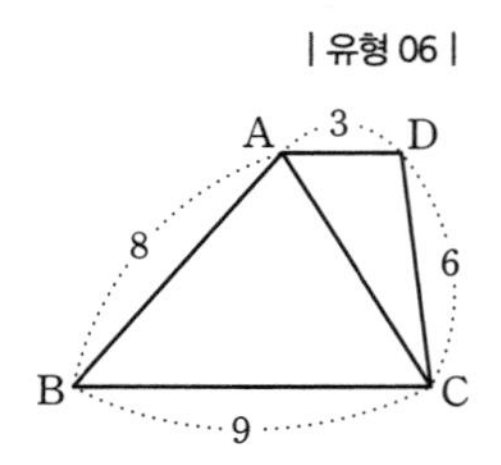

0970

| 유형 15 |

오른쪽 그림과 같이 $\overline{AB}=2$, $\overline{BC}=4$, $\overline{CD}=1$, $B=60°$, $C=75°$인 □ABCD의 넓이를 구하시오. [7점]

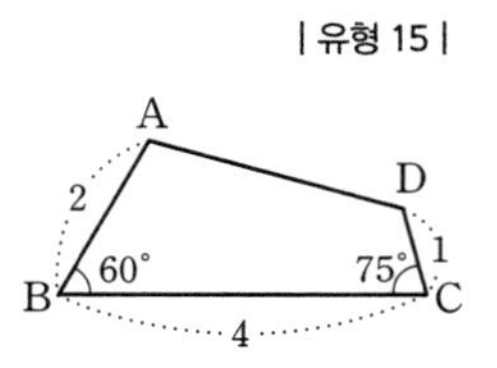

단계형

0971

| 유형 02 + 유형 05 |

오른쪽 그림과 같은 원 모양의 호수의 넓이를 구하기 위하여 벤치가 놓여 있는 호수의 가장자리 세 지점 A, B, C에서 거리와 각을 측정하였더니

$\overline{AB}=10$ m, $\overline{AC}=8$ m,

$\angle BAC=60°$

이었다. 다음 물음에 답하시오. [10점]

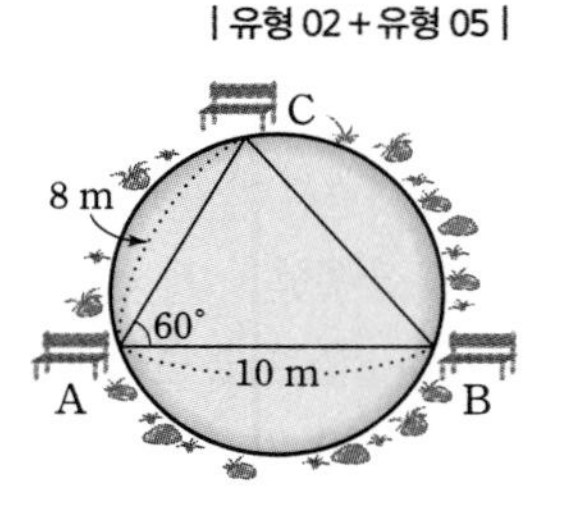

(1) $\overline{BC}$의 길이를 구하시오. [4점]

(2) $\triangle ABC$의 외접원의 반지름의 길이를 구하시오. [4점]

(3) 호수의 넓이를 구하시오. [2점]

0972

| 유형 13 |

세 변의 길이가 각각 4, $x+1$, $5-x$인 $\triangle ABC$가 있다. 다음 물음에 답하시오. [12점]

(1) 삼각형이 결정되기 위한 x의 값의 범위를 구하시오. [4점]

(2) $\triangle ABC$의 넓이를 S라 할 때, S를 x에 대한 식으로 나타내시오. [6점]

(3) S의 최댓값을 구하시오. [2점]

성/취/도 Check

점수 / 100점

STEP 1 개념+기본 문제 학습

STEP 2 유형 대표 문제 학습

STEP 3의 틀린 문제에 해당하는 STEP 2 유형 학습

STEP 3의 틀린 문제 복습

90점 교과서 속 심화문제 시작

0973 창의력

오른쪽 그림과 같은 이등변삼각형 ABC에서 $\overline{AB}=\overline{AC}=6$, $\overline{AD}=2$, $\angle BAC=30^\circ$이다. 점 B를 출발하여 변 AC, AB, AC 위의 점을 차례로 지나 점 D에 이르는 최단 거리는?

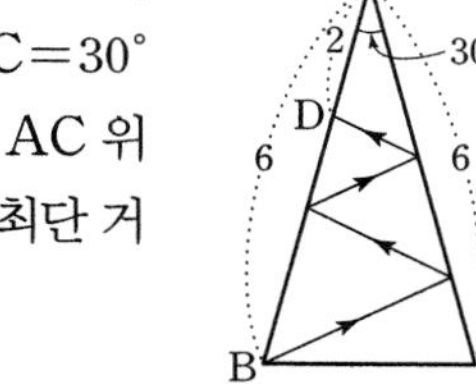

① $2\sqrt{7}$ ② $5\sqrt{2}$
③ $2\sqrt{13}$ ④ 8
⑤ 10

0974

오른쪽 그림과 같이 한 변의 길이가 2이고, $B=120^\circ$인 마름모 ABCD의 내부의 한 점 E에 대하여

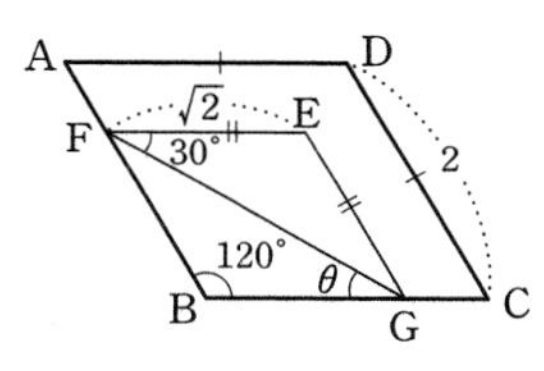

$\overline{EF}=\overline{EG}=\sqrt{2}$, $\angle EFG=30^\circ$

인 이등변삼각형 EFG가 있다. 두 점 F, G가 각각 변 AB, BC 위에 있도록 $\triangle EFG$를 움직일 때, $\angle BGF=\theta$라 하자. 다음 보기 중 옳은 것을 있는 대로 고른 것은? (단, $0^\circ<\theta<60^\circ$)

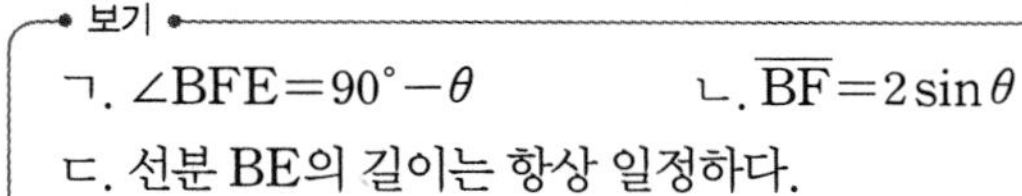
보기

ㄱ. $\angle BFE=90^\circ-\theta$ ㄴ. $\overline{BF}=2\sin\theta$

ㄷ. 선분 BE의 길이는 항상 일정하다.

① ㄱ ② ㄴ ③ ㄱ, ㄷ
④ ㄴ, ㄷ ⑤ ㄱ, ㄴ, ㄷ

0975

오른쪽 그림의 세 사각형 P, Q, R는 한 변의 길이가 각각 $2\sqrt{3}$, 2, $2\sqrt{2}$인 정사각형이다. 세 정사각형에 의해 둘러싸인 삼각형이 그림과 같이 직각삼각형일 때, 색칠한 삼각형의 넓이를 구하시오.

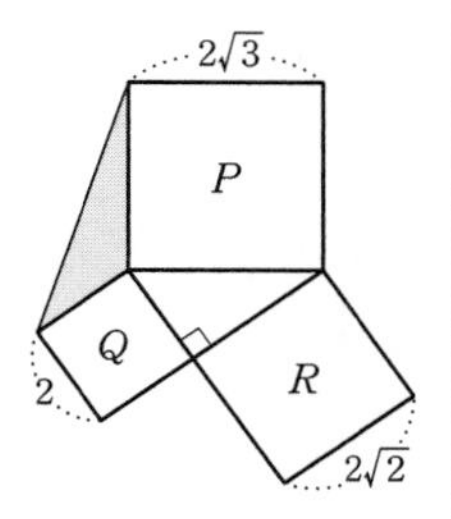

0976

오른쪽 그림과 같이
$\overline{AB}=\overline{AD}=3$, $\overline{BC}=6$이고,
$A=B=90^\circ$인 사다리꼴 ABCD
에서 선분 AD 위의 임의의 점 P에 대하여 $\overline{PB}=b$, $\overline{PC}=c$라 하자. 이때, bc의 최댓값과 최솟값을 구하시오.

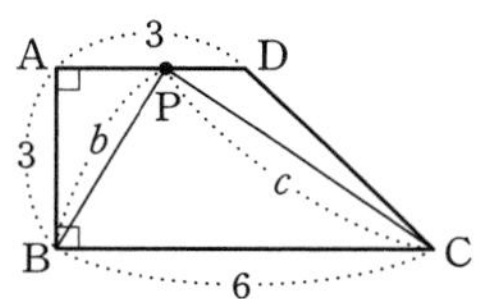

8

등차수열과 등비수열

차례로 늘어놓은 수의 열을 수열이라 하지. 내가 만든 보고 말하기 수열을 한번 보라구.
존 H. 콘웨이
보고 말하기 수열! 이 수열은 상당히 흥미롭군. 소설 개미에 써먹어야겠어.
베르나르 베르베르
보고 말하기 수열 콘웨이
① 1, ② 11, ③ 12, ④ 1121, ⑤ 122111, ⑥ 112213, ⑦ 12221131, ···
이 수열의 9번째 수는 무엇일까요?
① 1
② 1이 하나 11
③ 1이 두 개 12
④ 1이 하나, 2가 하나 1121
⑤ 1이 두 개 2가 하나 1이 하나 122111
⑥ 1이 하나 2가 두 개 1이 세 개 112213
앞의 수를 보고 그대로 말하네.
그렇다면 9번째는 8번째 수열을 보고 그대로 말하면 되네.

기출 문제 분석

빅 데이터

＊ 전국 300여 개 고등학교 기출 문제를 분석하였습니다.

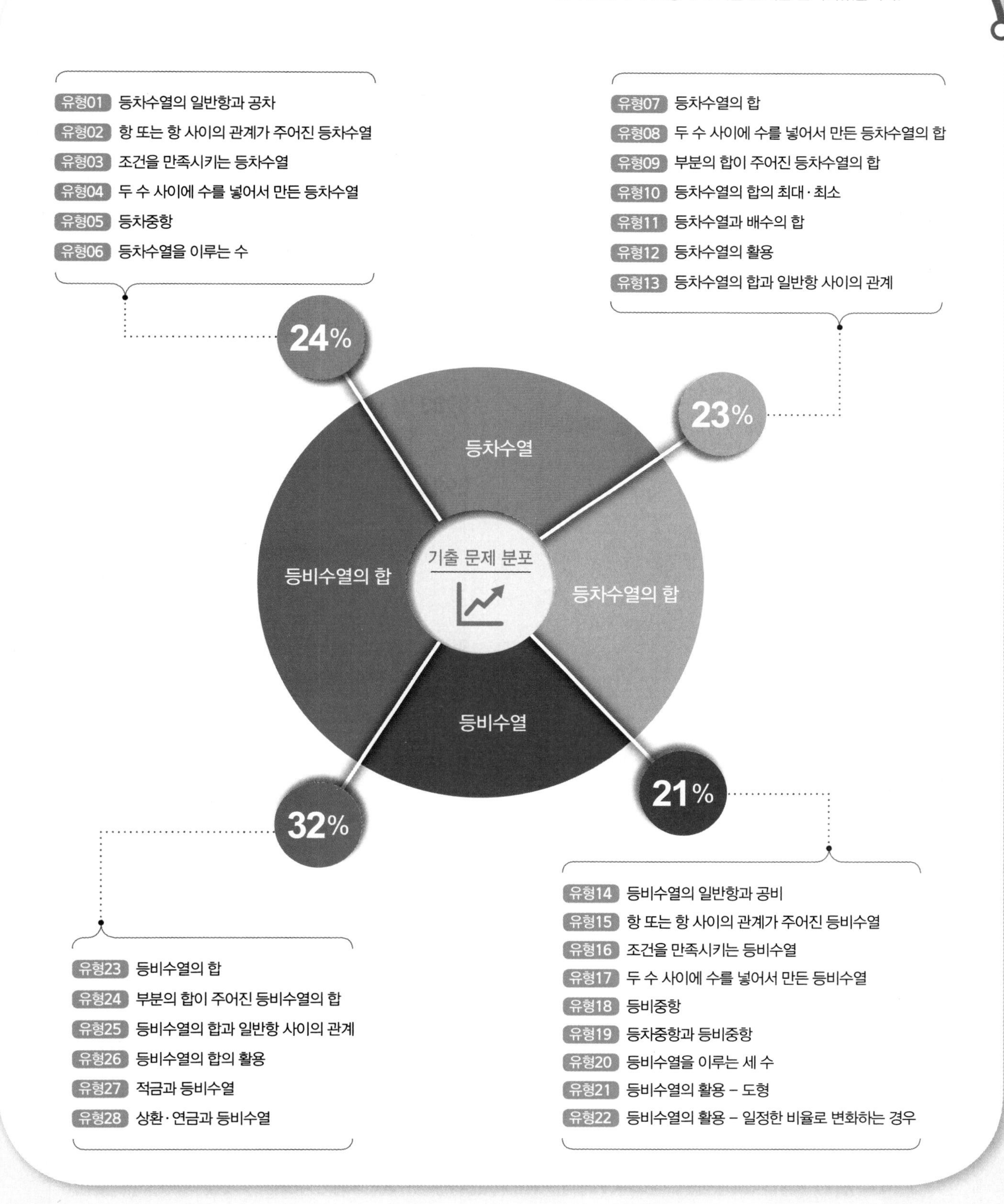

STEP 1 개념 마스터 ❶

01 수열

(1) **수열**: 1, 3, 5, 7, 9, …와 같이 차례대로 나열한 수의 열을 **수열**이라 한다.

참고 일정한 규칙 없이 수를 나열한 것도 수열이지만 여기서는 규칙이 있는 수열만 다룬다.

(2) **항**: 수열을 이루고 있는 각각의 수를 그 수열의 **항**이라 한다. 이때, 각 항을 앞에서부터 차례대로 첫째항, 둘째항, 셋째항, … 또는 제1항, 제2항, 제3항, …이라 한다.

참고 항이 유한개인 수열에서 항의 개수를 항수, 마지막 항을 끝항이라 한다.

(3) **일반항**: 일반적으로 수열을 나타낼 때는 각 항에 번호를 붙여 a_1, a_2, a_3, …과 같이 나타내고 제n항 $\boldsymbol{a_n}$을 수열의 **일반항**이라 한다. 또, 수열을 간단히 나타낼 때 일반항 a_n을 이용하여 $\{\boldsymbol{a_n}\}$과 같이 나타낸다.

참고 수열의 일반항 a_n이 n에 대한 식으로 주어지면 n에 1, 2, 3, …을 차례대로 대입하여 수열 $\{a_n\}$의 각 항을 얻을 수 있다.

[0977~0979] 수열 $\{a_n\}$의 일반항이 다음과 같을 때, 첫째항부터 제5항까지 차례대로 나열하시오.

0977 $a_n=10^n-1$

0978 $a_n=n+2^n$

0979 $a_n=(n+2)(n-1)$

[0980~0982] 다음 수열의 일반항 a_n을 구하시오.

0980 $-1, 1, -1, 1, \cdots$

0981 $1, 4, 9, 16, \cdots$

0982 $\frac{1}{2}, \frac{2}{3}, \frac{3}{4}, \frac{4}{5}, \cdots$

02 등차수열

유형 01~06, 12, 19

(1) **등차수열**: 첫째항부터 차례대로 일정한 수를 더하여 만든 수열을 **등차수열**이라 한다.

(2) **공차**: 등차수열에서 더하는 일정한 수를 **공차**라 한다.

(3) **등차수열의 일반항**: 첫째항이 a, 공차가 d인 등차수열 $\{a_n\}$의 일반항 a_n은

$\boldsymbol{a_n=a+(n-1)d}$ (단, $n=1, 2, 3, \cdots$)

참고 일반적으로 공차가 d인 등차수열 $\{a_n\}$에서 제n항에 d를 더하면 제$(n+1)$항이 되므로 $a_{n+1}=a_n+d$ (단, $n=1, 2, 3, \cdots$)

(4) **등차중항**: 세 수 a, b, c가 이 순서대로 등차수열을 이룰 때, b를 a와 c의 **등차중항**이라 한다. 이때, $\underbrace{b-a=c-b}_{\text{공차}}$이므로

$\boldsymbol{b=\frac{a+c}{2}}$ $\Longleftrightarrow 2b=a+c$

[0983~0984] 다음 수열이 등차수열을 이루도록 □ 안에 알맞은 수를 써넣으시오.

0983 1, 4, □, □, 13, …

0984 20, □, 12, 8, □, …

0985 등차수열 $\{a_n\}$의 일반항이 $a_n=4n+1$일 때, 첫째항과 공차를 구하시오.

[0986~0987] 다음 등차수열의 일반항 a_n을 구하시오.

0986 첫째항이 -3, 공차가 3인 수열

0987 $1, -1, -3, -5, -7, \cdots$

핵심 Check

- 등차수열의 일반항 a_n
  ⇨ $a_n=\underset{\text{첫째항}}{a}+(n-1)\underset{\text{공차}}{d}$ (단, $n=1, 2, 3, \cdots$)
- 세 수 a, b, c가 이 순서대로 등차수열을 이룬다.
  ⇨ $\underset{\text{등차중항}}{b}=\frac{a+c}{2} \Longleftrightarrow 2b=a+c$

[0988~0989] 등차수열 $\{a_n\}$이 다음과 같을 때, a_{10}의 값을 구하시오.

0988 $-1, 2, 5, 8, 11, \cdots$

0989 $2, -2, -6, -10, -14, \cdots$

[0990~0991] 다음 등차수열 $\{a_n\}$의 공차를 구하시오.

0990 $a_1=6, a_8=27$

0991 $a_1=2, a_{10}=-34$

[0992~0993] 다음 세 수가 이 순서대로 등차수열을 이룰 때, x의 값을 구하시오.

0992 $5, x, 17$

0993 $3, x, -7$

03 등차수열의 합

유형 07~12

등차수열의 첫째항부터 제n항까지의 합을 S_n이라 하면

(1) 첫째항이 a, 제n항이 l일 때

⇨ $S_n=\dfrac{n(a+l)}{2}$

(2) 첫째항이 a, 공차가 d일 때

⇨ $S_n=\dfrac{n\{2a+(n-1)d\}}{2}$

0994 첫째항이 2, 끝항이 71이고, 항수가 22인 등차수열의 합을 구하시오.

0995 첫째항이 -10, 공차가 2인 등차수열의 첫째항부터 제10항까지의 합을 구하시오.

[0996~0997] 다음 등차수열의 합을 구하시오.

0996 $2+6+10+\cdots+38$

0997 $16+11+6+\cdots+(-19)$

04 수열의 합과 일반항 사이의 관계

유형 13

수열 $\{a_n\}$의 첫째항부터 제n항까지의 합을 S_n이라 하면

$a_1=S_1, a_n=S_n-S_{n-1}$ (단, $n\ge2$)

예 수열 $\{a_n\}$의 첫째항부터 제n항까지의 합 S_n이 $S_n=n^2+3n$일 때,

$a_1=S_1=1^2+3\cdot1=4$

$a_5=S_5-S_4=(5^2+3\cdot5)-(4^2+3\cdot4)=12$

참고 S_n이 $S_n=An^2+Bn+C$(A, B, C는 상수)의 꼴일 때,

① $C=0$이면 수열 $\{a_n\}$은 첫째항부터 등차수열을 이룬다. 이때 공차는 $2A$이다.

② $C\ne0$이면 수열 $\{a_n\}$은 제2항부터 등차수열을 이룬다.

참고 수열의 합 S_n과 일반항 a_n 사이의 관계는 모든 수열에서 성립한다.

[0998~0999] 수열 $\{a_n\}$의 첫째항부터 제n항까지의 합 S_n이 다음과 같을 때, 일반항 a_n을 구하시오.

0998 $S_n=2n^2+3n$

0999 $S_n=n^2-2n+2$

1000 수열 $\{a_n\}$의 첫째항부터 제n항까지의 합 S_n이 $S_n=n^2+4n$일 때, a_{10}의 값을 구하시오.

- 등차수열의 첫째항부터 제n항까지의 합 S_n

⇨ $S_n=\dfrac{n(a+l)}{2}=\dfrac{n\{2a+(n-1)d\}}{2}$ (a: 첫째항, l: 끝항, d: 공차)

- 합 S_n이 주어진 수열에서의 일반항 a_n

⇨ $a_1=S_1, a_n=S_n-S_{n-1}$ (단, $n\ge2$)

STEP 2 유형 마스터 ❶

유형 01 등차수열의 일반항과 공차
개념 02

(1) 첫째항이 a, 공차가 d인 등차수열의 일반항 a_n은
⇨ $a_n=a+(n-1)d$ (단, $n=1, 2, 3, \cdots$)
(2) 등차수열 $\{a_n\}$의 공차가 d이다.
⇨ $d=a_2-a_1=a_3-a_2=a_4-a_3=\cdots$
(3) 등차수열의 일반항은 $a_n=pn+q$ (p, q는 상수)의 꼴로 n에 대한 일차식이고, 첫째항은 $p+q$, 공차는 p이다.

1001 • 대표문제 •
첫째항이 $\log 2$, 제4항이 $\log 2^7$인 등차수열의 공차는?
① $\log 2$ ② $2\log 2$ ③ $\log 5$
④ 1 ⑤ 2

1002 상중하
등차수열 $\{a_n\}$의 공차가 2일 때, 등차수열 $\{a_{3n+1}\}$의 공차는 x, 등차수열 $\{a_{2n+1}\}$의 공차는 y이다. 이때, $x-y$의 값은?
① -2 ② -1 ③ 0
④ 1 ⑤ 2

1003 상중하
일반항이 $a_n=pn+q$인 수열 $\{a_n\}$에 대하여 다음 중 옳지 않은 것은? (단, p, q는 상수)
① 공차가 p인 등차수열이다.
② 첫째항은 $p+q$이다.
③ $a_1=a_3$이면 $p=0$이다.
④ $p\neq 0$이면 $a_n<a_{n+1}$이다.
⑤ $2a_1-a_2=q$이다.

1004 상중하
등차수열 $\{a_n\}$에 대하여 $a_{100}+a_{99}-a_{98}-a_{97}=8$일 때, $a_{10}-a_7$의 값을 구하시오.

유형 02 항 또는 항 사이의 관계가 주어진 등차수열
중요 · 개념 02

주어진 항 또는 항의 관계를 첫째항 a와 공차 d에 대한 식으로 표현한 후 두 식을 연립하여 푼다.

1005 • 대표문제 •
등차수열 $\{a_n\}$에서 $a_5=4a_3$, $a_2+a_4=4$일 때, a_6의 값은?
① 5 ② 8 ③ 11
④ 13 ⑤ 16

1006 상중하
제3항이 35, 제7항이 71인 등차수열 $\{a_n\}$에서 197은 제몇 항인지 구하시오.

1007 상중하
등차수열 $\{a_n\}$에서 $a_3=11$, $a_6 : a_{10}=5 : 8$일 때, a_{20}의 값은?
① 58 ② 62 ③ 66
④ 70 ⑤ 74

1008 상중하 서술형
등차수열 $\{a_n\}$에서 제5항과 제11항은 절댓값이 같고 부호가 반대이며 제7항은 4이다. 이 수열의 제10항을 구하시오.

유형 03 조건을 만족시키는 등차수열 (중요) 개념 02

첫째항이 a, 공차가 d인 등차수열 $\{a_n\}$에서
(1) 처음으로 양수가 되는 항
⇨ $a+(n-1)d>0$을 만족시키는 자연수 n의 최솟값을 구한다.
(2) 처음으로 음수가 되는 항
⇨ $a+(n-1)d<0$을 만족시키는 자연수 n의 최솟값을 구한다.

1009 대표문제

제6항이 17, 제20항이 -25인 등차수열 $\{a_n\}$에서 처음으로 음수가 되는 항은?

① 제11항 ② 제12항 ③ 제13항
④ 제14항 ⑤ 제15항

1010 상중하

첫째항이 -40, 공차가 3인 등차수열 $\{a_n\}$에서 처음으로 양수가 되는 항은?

① 제11항 ② 제12항 ③ 제13항
④ 제14항 ⑤ 제15항

1011 상중하

등차수열 $\{a_n\}$에 대하여

$$a_1+a_2+a_3=-15,\ a_4+a_5+a_6=48$$

일 때, 이 등차수열에서 처음으로 100보다 커지는 항은 제몇 항인지 구하시오.

1012 상중하

두 집합 A, B를 각각

$$A=\{a_n \mid a_n=2n-1,\ n\text{은 자연수}\},$$
$$B=\{b_n \mid b_n=3n,\ n\text{은 자연수}\}$$

로 정의하자. 집합 $A\cap B$의 원소를 작은 수부터 차례대로 나열한 수열을 $\{c_n\}$이라 할 때, c_n의 값이 처음으로 50보다 커질 때의 n의 값을 구하시오.

유형 04 두 수 사이에 수를 넣어서 만든 등차수열 개념 02

두 수 a, b 사이에 n개의 수를 넣어서 등차수열을 만들면
(1) 항수: $n+2$
(2) 첫째항: a, 끝항: $b=a+(n+1)d$
(3) 공차: $d=\dfrac{b-a}{n+1}$

1013 대표문제

23과 35 사이에 n개의 자연수 $x_1, x_2, \cdots, x_n$을 넣어

$$23,\ x_1,\ x_2,\ \cdots,\ x_n,\ 35$$

가 이 순서대로 등차수열을 이루도록 하였다. 다음 중 이 수열의 공차가 될 수 없는 것은?

① 1 ② 2 ③ 3
④ 4 ⑤ 5

1014 상중하

4와 34 사이에 n개의 수 $x_1, x_2, \cdots, x_n$을 넣어

$$4,\ x_1,\ x_2,\ x_3,\ \cdots,\ x_n,\ 34$$

가 이 순서대로 등차수열을 이루도록 하였다. 이 수열의 공차가 2일 때, n의 값을 구하시오.

1015 상중하

0과 10 사이에 m개의 수를 넣고, 10과 30 사이에 n개의 수를 넣어 등차수열

$$0,\ a_1,\ a_2,\ \cdots,\ a_m,\ 10,\ b_1,\ b_2,\ \cdots,\ b_n,\ 30$$

을 만들었다. 이때, m, n 사이의 관계식은?

① $n=2m-1$ ② $n=2m+1$
③ $n=2m+3$ ④ $n=3m-1$
⑤ $n=3m+1$

중요
유형 05 등차중항

개념 02

세 수 a, b, c가 이 순서대로 등차수열을 이룬다.
⇨ $2b=a+c \Longleftrightarrow b=\frac{a+c}{2}$

1016 • 대표문제 •

세 수 $x-1$, x^2+1, $3x+1$이 이 순서대로 등차수열을 이룰 때, x의 값은?

① -2 ② -1 ③ 0
④ 1 ⑤ 2

1017 상중하

다항식 $f(x)=x^2+ax+b$를 $x+1$, $x-1$, $x-2$로 나누었을 때의 나머지가 이 순서대로 등차수열을 이루고, $f(x)$는 $x+2$로 나누어떨어진다. 이때, $a+b$의 값은? (단, a, b는 상수)

① 1 ② 3 ③ 5
④ 7 ⑤ 9

1018 상중하 서술형

이차방정식 $x^2-8x-4=0$의 두 근을 α, β라 할 때, m은 α, β의 등차중항이고, n은 $\frac{1}{\alpha}$, $\frac{1}{\beta}$의 등차중항이다. 이때, mn의 값을 구하시오.

1019 상중하

서로 다른 세 정수 a, b, c에 대하여 a, b, c와 c^2, a^2, b^2이 각각 이 순서대로 등차수열을 이룰 때, $a+b+c$의 값을 구하시오.
(단, $0<a<10$)

중요
유형 06 등차수열을 이루는 수

개념 02

등차수열을 이루는
세 수는 ⇨ $a-d, a, a+d$
네 수는 ⇨ $a-3d, a-d, a+d, a+3d$
다섯 수는 ⇨ $a-2d, a-d, a, a+d, a+2d$
로 놓고 식을 세운다.

1020 • 대표문제 •

삼차방정식 $x^3-3x^2+px+q=0$의 세 실근이 등차수열을 이룰 때, 상수 p, q의 합 $p+q$의 값을 구하시오.

1021 상중하

등차수열을 이루는 서로 다른 네 수의 합은 16이고, 가운데 두 수의 곱은 가장 작은 수와 가장 큰 수의 곱보다 8이 크다고 한다. 이때, 네 수의 곱을 구하시오.

1022 상중하

등차수열을 이루는 세 수의 합이 15이고, 제곱의 합이 83일 때, 세 수의 곱을 구하시오.

1023 상중하

빵 120개를 5명의 학생에게 나누어 주었다. 각 학생이 받은 빵의 개수는 등차수열을 이루고, 가장 적게 받은 학생과 그 다음으로 적게 받은 사람의 빵의 개수의 합은 나머지 세 학생이 받은 빵의 개수의 합의 $\frac{1}{7}$이라 한다. 이때, 가장 많이 받은 학생의 빵의 개수는?

① 41 ② 44 ③ 46
④ 48 ⑤ 49

중요

유형 07 등차수열의 합

개념 03

첫째항이 a, 제n항이 l, 공차가 d인 등차수열의 첫째항부터 제n항까지의 합을 S_n이라 할 때

(1) 첫째항과 제n항이 주어지면 ⇨ $S_n=\dfrac{n(a+l)}{2}$

(2) 첫째항과 공차가 주어지면 ⇨ $S_n=\dfrac{n\{2a+(n-1)d\}}{2}$

1024 • 대표문제 •

등차수열 $\{a_n\}$에서 $a_3=11$, $a_7=35$일 때, 첫째항부터 제10항까지의 합은?

① 100 ② 150 ③ 200
④ 260 ⑤ 520

1025 상중하

첫째항이 3, 공차가 4인 등차수열 $\{a_n\}$의 첫째항부터 제n항까지의 합이 210일 때, n의 값은?

① 8 ② 9 ③ 10
④ 11 ⑤ 12

1026 상중하 서술형

첫째항이 100, 제k항이 0이고, 첫째항부터 제k항까지의 합이 1050인 등차수열 $\{a_n\}$에서 공차를 구하시오.

1027 상중하

등차수열 $\{a_n\}$에서 $a_4+a_{10}=42$, $a_6+a_{14}=60$이고, $a_1+a_2+\cdots+a_n=165$일 때, n의 값을 구하시오.

1028 상중하

등차수열 $\{a_n\}$에 대하여 $a_1=31$, $a_{10}=4$일 때, $|a_1|+|a_2|+|a_3|+\cdots+|a_{15}|$의 값은?

① 190 ② 194 ③ 198
④ 202 ⑤ 206

유형 07 Plus 두 등차수열의 합

1029~1030 각각 첫째항이 a, a', 제n항이 l, l', 공차가 d, d'인 두 등차수열 $\{a_n\}$, $\{b_n\}$의 첫째항부터 제n항까지의 합을 S_n, T_n이라 할 때

⇨ 수열 $\{a_n+b_n\}$은 공차가 $d+d'$인 등차수열이다.

⇨ $S_n+T_n=\dfrac{n\{(a+a')+(l+l')\}}{2}$

$=\dfrac{n\{2(a+a')+(n-1)(d+d')\}}{2}$

1029 상중하

두 등차수열 $\{a_n\}$, $\{b_n\}$의 첫째항부터 제n항까지의 합을 각각 S_n, T_n이라 할 때, $a_1+b_1=3$, $S_{100}+T_{100}=550$이다. 이때, $a_{100}+b_{100}$의 값은?

① 8 ② 9 ③ 10
④ 11 ⑤ 12

1030 상중하

두 등차수열 $\{a_n\}$, $\{b_n\}$의 첫째항의 합이 12이고 공차의 합이 5일 때, $(a_1+a_2+\cdots+a_{30})+(b_1+b_2+\cdots+b_{30})$의 값을 구하시오.

유형 08 두 수 사이에 수를 넣어서 만든 등차수열의 합
개념 03

두 수 a, b 사이에 n개의 수를 넣어서 만든 등차수열의 합을 S라 하면
⇨ S는 첫째항이 a, 끝항이 b, 항수가 $n+2$인 등차수열의 합이다.
⇨ $S=\dfrac{(n+2)(a+b)}{2}$

1031 • 대표문제 •

1과 39 사이에 n개의 수 a_1, a_2, a_3, $\cdots$, a_n을 넣어 등차수열 1, a_1, a_2, a_3, $\cdots$, a_n, 39를 만들었다. 이 수열의 모든 항의 합이 400일 때, n의 값과 공차 d를 구하시오.

1032 상중하

52와 8 사이에 10개의 수 a_1, a_2, a_3, $\cdots$, a_{10}을 넣어서 등차수열 52, a_1, a_2, a_3, $\cdots$, a_{10}, 8을 만들 때, $a_1+a_2+a_3+\cdots+a_{10}$의 값은?

① 180 ② 200 ③ 300
④ 420 ⑤ 560

1033 상중하

수열 24, a_1, a_2, a_3, $\cdots$, a_n, -44가 등차수열을 이루고 $a_1+a_2+a_3+\cdots+a_n=-120$일 때, n의 값은?

① 10 ② 11 ③ 12
④ 13 ⑤ 14

유형 09 부분의 합이 주어진 등차수열의 합
개념 03

첫째항이 a, 공차가 d인 등차수열 $\{a_n\}$의 첫째항부터 제n항까지의 합을 S_n이라 하면
$S_n=\dfrac{n\{2a+(n-1)d\}}{2}$, $S_{2n}=\dfrac{2n\{2a+(2n-1)d\}}{2}$
⇨ 두 식을 연립하여 a, d의 값을 구한다.

1034 • 대표문제 •

등차수열 $\{a_n\}$의 첫째항부터 제n항까지의 합을 S_n이라 할 때, $S_{10}=10$, $S_{20}=40$이다. 이때, S_{30}의 값은?

① 50 ② 60 ③ 70
④ 80 ⑤ 90

1035 상중하

등차수열 $\{a_n\}$의 첫째항부터 제5항까지의 합이 50, 제6항부터 제10항까지의 합이 125일 때, 제11항부터 제15항까지의 합은?

① 160 ② 170 ③ 180
④ 190 ⑤ 200

1036 상중하 서술형

등차수열 $\{a_n\}$의 첫째항부터 제n항까지의 합을 S_n이라 할 때, $S_{10}=120$, $S_{20}=440$이다. 이때, $a_{11}+a_{12}+\cdots+a_{30}$의 값을 구하시오.

유형 10 등차수열의 합의 최대·최소

개념 03

등차수열 $\{a_n\}$에서 첫째항부터 제n항까지의 합을 S_n이라 할 때

(1) (첫째항)>0, (공차)<0일 때, 제$(n+1)$항에서 처음으로 음수가 나온다면

⇨ $a_1+a_2+a_3+\cdots+a_n+a_{n+1}+a_{n+2}+\cdots$

(양수: a_1 ~ a_n, S_n이 최대 / 음수: a_{n+1}부터)

(2) (첫째항)<0, (공차)>0일 때, 제$(n+1)$항에서 처음으로 양수가 나온다면

⇨ $a_1+a_2+a_3+\cdots+a_n+a_{n+1}+a_{n+2}+\cdots$

(음수: a_1 ~ a_n, S_n이 최소 / 양수: a_{n+1}부터)

1037 • 대표문제 •

제7항이 4, 제10항이 -5인 등차수열 $\{a_n\}$에서 첫째항부터 제n항까지의 합을 S_n이라 할 때, S_n의 최댓값을 구하시오.

1038 상중하

첫째항이 30, 공차가 -4인 등차수열 $\{a_n\}$에서 첫째항부터 제n항까지의 합을 S_n이라 할 때, S_n이 최대가 되는 n의 값은?

① 7　② 8　③ 9　④ 10　⑤ 11

1039 상중하

첫째항이 10인 등차수열 $\{a_n\}$의 첫째항부터 제n항까지의 합을 S_n이라 할 때, $S_4=S_7$이다. 이때, S_n의 최댓값은?

① 10　② 15　③ 20　④ 25　⑤ 30

1040 상중하

첫째항이 17, 공차가 정수인 등차수열 $\{a_n\}$에서 $a_1+a_2+a_3+\cdots+a_n=S_n$일 때, $S_1, S_2, S_3, \cdots$ 중에서 최대인 것이 S_9라 한다. 이때, S_9의 값을 구하시오. (단, $a_n\neq0$)

유형 11 등차수열과 배수의 합

개념 03

(1) 자연수 d의 양의 배수를 작은 것부터 차례대로 나열하면

⇨ $d, 2d, 3d, \cdots$

⇨ 첫째항과 공차가 d인 등차수열

(2) 자연수 d로 나누었을 때의 나머지가 $a(0\leq a<d)$인 자연수를 작은 것부터 차례대로 나열하면

⇨ $a, a+d, a+2d, \cdots$

⇨ 첫째항이 a, 공차가 d인 등차수열

1041 • 대표문제 •

1부터 100까지의 자연수 중에서 7로 나누었을 때의 나머지가 2인 수들의 합을 구하시오.

1042 상중하

100 이상 300 이하의 자연수 중에서 4의 배수의 총합은?

① 9800　② 10000　③ 10200　④ 20000　⑤ 20400

1043 상중하

100부터 200까지의 자연수 중에서 3 또는 4로 나누어떨어지는 수의 총합은?

① 7350　② 7450　③ 7550　④ 7650　⑤ 7750

발전 유형 12 등차수열의 활용
개념 02, 03

(1) 등차수열
⇨ 공차와 일반항을 구하거나 등차중항을 이용한다.
(2) 등차수열의 합
⇨ 차가 일정한 수들은 차례대로 등차수열을 이루므로 주어진 조건을 식으로 표현하고 등차수열의 합의 공식을 이용한다.

1044 • 대표문제 •
어떤 n각형의 내각의 크기는 공차가 $10°$인 등차수열을 이룬다고 한다. 최대각의 크기가 $170°$일 때, n의 값을 구하시오.

1045 상중하
오른쪽 그림과 같이 직선 $x=1, x=2, \cdots, x=10$과 두 곡선 $y=x^2+10$, $y=x^2-4x+10$과의 교점을 이은 10개의 선분의 길이의 합은?

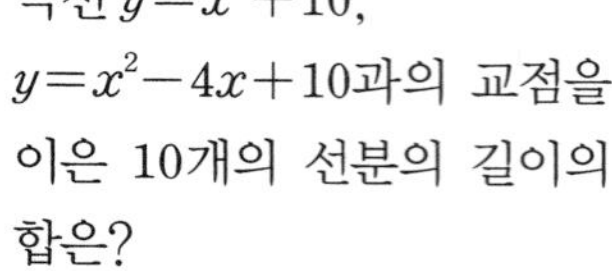

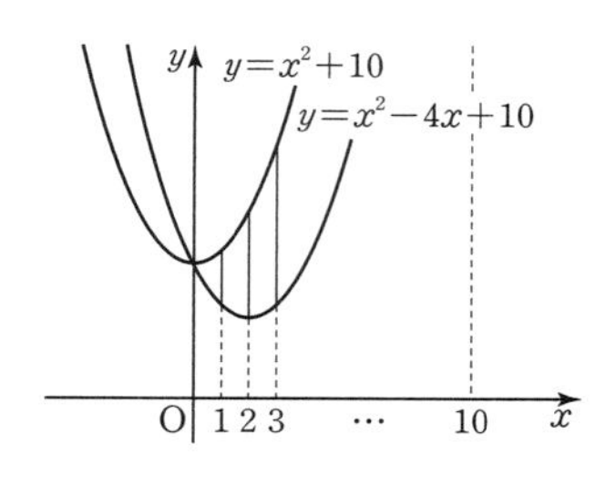

① 210 ② 220 ③ 230 ④ 240 ⑤ 250

1046 상중하
오른쪽 그림과 같이 좌표축 위의 다섯 개의 점 A, B, C, D, E에 대하여 $\overline{AB}\perp\overline{BC}$, $\overline{BC}\perp\overline{CD}$, $\overline{CD}\perp\overline{DE}$가 성립한다. 세 선분 OA, OC, EA의 길이가 이 순서대로 등차수열을 이룰 때, 직선 AB의 기울기를 구하시오.
(단, O는 원점이고 $\overline{OA}<\overline{OB}$)

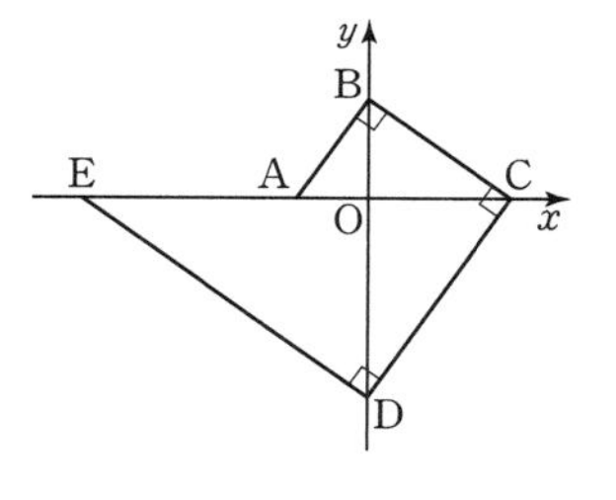

유형 13 등차수열의 합과 일반항 사이의 관계
중요
개념 04

수열 $\{a_n\}$의 첫째항부터 제n항까지의 합 S_n이 주어진 경우
(i) $n=1$일 때, $a_1=S_1$
(ii) $n\geq2$일 때, $a_n=S_n-S_{n-1}$
을 이용하여 일반항 a_n을 구한다.

1047 • 대표문제 •
수열 $\{a_n\}$의 첫째항부터 제n항까지의 합 S_n이 $S_n=-2n^2+3n$일 때, a_1+a_{10}의 값은?

① -35 ② -34 ③ -33 ④ -32 ⑤ -31

1048 상중하
두 수열 $\{a_n\}$, $\{b_n\}$의 첫째항부터 제n항까지의 합이 각각 n^2+n, $2n^2-kn$이고 두 수열의 제5항이 서로 같을 때, 상수 k의 값을 구하시오.

1049 상중하
첫째항부터 제n항까지의 합 S_n이 $S_n=n^2+3n$인 수열 $\{a_n\}$에서 $a_2+a_4+a_6+\cdots+a_{2n}=336$을 만족시키는 n의 값은?

① 11 ② 12 ③ 13 ④ 14 ⑤ 15

1050 상중하
첫째항부터 제n항까지의 합 S_n이 $S_n=-2n^2+11n-7$인 수열 $\{a_n\}$에 대하여 다음 보기 중 옳은 것을 있는 대로 고른 것은?

보기
ㄱ. $a_1=2$
ㄴ. 수열 $\{a_n\}$은 첫째항부터 등차수열이다.
ㄷ. 수열 $\{a_n\}$은 첫째항부터 제2항까지의 합이 최대이다.

① ㄱ ② ㄴ ③ ㄷ ④ ㄱ, ㄴ ⑤ ㄴ, ㄷ

개념 마스터 ❷

05 등비수열 유형 14~22

(1) **등비수열**: 첫째항부터 차례대로 일정한 수를 곱하여 만든 수열을 **등비수열**이라 한다.

(2) **공비**: 등비수열에서 곱하는 일정한 수를 **공비**라 한다.

(3) **등비수열의 일반항**: 첫째항이 a, 공비가 $r(r\neq0)$인 등비수열 $\{a_n\}$의 일반항 a_n은

$a_n=ar^{n-1}$ (단, $n=1, 2, 3, \cdots$)

참고 일반적으로 공비가 $r(r\neq0)$인 등비수열 $\{a_n\}$에서 제n항에 r를 곱하면 제$(n+1)$항이 되므로 $a_{n+1}=ra_n$ (단, $n=1, 2, 3, \cdots$)

(4) **등비중항** : 0이 아닌 세 수 a, b, c가 이 순서대로 등비수열을 이룰 때, b를 a와 c의 **등비중항**이라 한다. 이때, $\frac{b}{a}=\frac{c}{b}$이므로 $b^2=ac$가 성립한다.

[1051~1052] 다음 수열이 등비수열을 이루도록 □ 안에 알맞은 수를 써넣으시오.

1051 $2, 4, \square, \square, 32, \cdots$

1052 $2, \square, 2, -2, \square, \cdots$

[1053~1054] 다음 등비수열의 일반항 a_n을 구하시오.

1053 첫째항이 -1, 공비가 4인 수열

1054 $1, -\frac{1}{2}, \frac{1}{4}, -\frac{1}{8}, \frac{1}{16}, \cdots$

[1055~1056] 등비수열 $\{a_n\}$이 다음과 같을 때, a_8의 값을 구하시오.

1055 $64, -32, 16, -8, 4, \cdots$

1056 $\sqrt{2}, 2, 2\sqrt{2}, 4, 4\sqrt{2}, \cdots$

[1057~1058] 다음 등비수열 $\{a_n\}$의 공비를 구하시오. (단, 공비는 실수이다.)

1057 $a_1=625, a_4=5$

1058 $a_1=-\frac{1}{2}, a_5=-128$

[1059~1060] 다음 세 수가 이 순서대로 등비수열을 이룰 때, x의 값을 구하시오.

1059 $3, x, 75$

1060 $1, x, \frac{1}{9}$

06 등비수열의 합 유형 23~28

첫째항이 a, 공비가 $r(r\neq0)$인 등비수열의 첫째항부터 제n항까지의 합을 S_n이라 하면

(1) $r\neq1$일 때 ⇨ $S_n=\frac{a(1-r^n)}{1-r}=\frac{a(r^n-1)}{r-1}$

(2) $r=1$일 때 ⇨ $S_n=na$

참고 원금 a원을 연이율 r로 n년 동안 예금했을 때, 원리합계 S_n은 (원리합계: 원금과 이자를 더한 금액)

① 단리법: $S_n=a(1+nr)$ (원)

② 복리법: $S_n=a(1+r)^n$ (원)

1061 첫째항이 2, 공비가 3이고, 항수가 5인 등비수열의 합을 구하시오.

[1062~1063] 다음 등비수열의 합을 구하시오.

1062 $1-\frac{1}{3}+\frac{1}{9}-\frac{1}{27}+\cdots+\left(-\frac{1}{3}\right)^9$

1063 $0.2+0.02+0.002+\cdots+0.00000002$

- 등비수열의 일반항 a_n
  ⇨ $a_n=ar^{n-1}$ (단, $n=1, 2, 3, \cdots$) (a: 첫째항, r: 공비 (단, $r\neq0$))
- 세 수 a, b, c가 이 순서대로 등비수열을 이룬다.
  ⇨ $b^2=ac$ (단, $a\neq0, b\neq0, c\neq0$) (b: 등비중항)
- 등비수열의 첫째항부터 제n항까지의 합 S_n
  ⇨ (1) $r\neq1$일 때, $S_n=\frac{a(1-r^n)}{1-r}=\frac{a(r^n-1)}{r-1}$
  (2) $r=1$일 때, $S_n=na$

8 등차수열과 등비수열

STEP 2 유형 마스터 ❷

유형 14 등비수열의 일반항과 공비

개념 05

(1) 첫째항이 a, 공비가 r인 등비수열의 일반항 a_n은
⇨ $a_n=ar^{n-1}$ (단, $n=1, 2, 3, \cdots$)

(2) 등비수열 $\{a_n\}$의 공비가 r이다.
⇨ $r=\frac{a_2}{a_1}=\frac{a_3}{a_2}=\frac{a_4}{a_3}=\cdots$

1064 • 대표문제 •

제n항이 $a_n=3\times\frac{1}{2^{2n-1}}$인 등비수열 $\{a_n\}$에서 첫째항과 공비를 차례대로 나열한 것은?

① $\frac{2}{3}, \frac{1}{4}$　② $\frac{3}{2}, \frac{1}{4}$　③ $\frac{3}{2}, \frac{1}{2}$
④ $3, 2$　⑤ $3, 4$

1065 상중하

등비수열 $8, 4\sqrt{2}, 4, \cdots$에서 제9항이 $\sin\theta$와 같을 때, θ의 값을 구하시오. (단, $0^\circ<\theta\leq 90^\circ$)

유형 15 항 또는 항 사이의 관계가 주어진 등비수열

중요

개념 05

(1) 주어진 항 또는 항의 관계를 이용하여 첫째항 a와 공비 r를 구한 후 일반항을 구한다.

(2) ① $a_n=ar^{n-1}$, $a_m=ar^{m-1}$에서 $\frac{a_n}{a_m}=r^{n-m}$
② $a_n+a_{n+2}+a_{n+4}=a_n(1+r^2+r^4)$
등을 이용하여 식을 간단하게 변형한다.

1066 • 대표문제 •

등비수열 $\{a_n\}$에 대하여 $a_3+a_4=24$, $a_3 : a_4=2 : 1$일 때, $\frac{1}{128}$은 제몇 항인가?

① 제11항　② 제12항　③ 제13항
④ 제14항　⑤ 제15항

1067 상중하

공비가 양수이고 제5항이 24, 제7항이 96인 등비수열 $\{a_n\}$에 대하여 a_{10}의 값은?

① 192　② 288　③ 384
④ 576　⑤ 768

1068 상중하

첫째항과 공비가 모두 양수인 등비수열 $\{a_n\}$에 대하여

$a_1^2+a_2^2=10$, $a_3^2+a_4^2=160$

일 때, $\frac{a_5^2}{a_2}$의 값을 구하시오.

1069 상중하 서술형

공비가 실수인 등비수열 $\{a_n\}$에 대하여

$a_1+a_2+a_3=3$, $a_4+a_5+a_6=12$

일 때, $\frac{a_4+a_6}{a_1+a_3}$의 값을 구하시오.

1070 상중하

공비가 0이 아닌 등비수열 $\{a_n\}$이 $\frac{a_2}{a_1}+\frac{a_4}{a_2}+\frac{a_6}{a_3}=0$을 만족시킬 때, $\frac{a_{20}}{a_{10}}+\frac{a_{40}}{a_{20}}+\frac{a_{60}}{a_{30}}$의 값은?

① -2　② -1　③ 0
④ 1　⑤ 2

유형 16 조건을 만족시키는 등비수열 개념 05

첫째항이 a, 공비가 r인 등비수열 $\{a_n\}$에서 처음으로 k보다 커지는 항은
⇨ $ar^{n-1}>k$를 만족시키는 자연수 n의 최솟값을 구한다.

1071 • 대표문제 •

각 항이 실수이고, 제2항이 9, 제5항이 243인 등비수열 $\{a_n\}$에 대하여 처음으로 3000보다 커지는 항은?

① 제6항 ② 제7항 ③ 제8항
④ 제9항 ⑤ 제10항

1072 상중하

등비수열 $\{a_n\}$에 대하여 $a_2+a_4=10$, $a_3+a_5=20$일 때, 처음으로 1000보다 커지는 항은?

① 제10항 ② 제11항 ③ 제12항
④ 제13항 ⑤ 제14항

1073 상중하

첫째항이 1, 공비가 $\frac{1}{2}$인 등비수열 $\{a_n\}$에서 a_n과 a_{n+1}의 차가 $\frac{1}{500}$보다 작아지는 자연수 n의 최솟값은?

① 8 ② 9 ③ 10
④ 11 ⑤ 12

유형 17 두 수 사이에 수를 넣어서 만든 등비수열 개념 05

두 수 a, b 사이에 n개의 수를 넣어서 등비수열을 만들면
(1) 항수: $n+2$
(2) 첫째항: a, 끝항: $b=ar^{n+1}$

1074 • 대표문제 •

두 수 3과 30 사이에 10개의 수 $a_1, a_2, a_3, \cdots, a_{10}$을 넣어

$3, a_1, a_2, a_3, \cdots, a_{10}, 30$

이 이 순서대로 등비수열을 이루도록 할 때, a_1a_{10}의 값은?

① 10 ② 30 ③ 50
④ 70 ⑤ 90

1075 상중하

등비수열 $36, x_1, x_2, x_3, \cdots, x_n, \frac{4}{729}$의 공비가 $\frac{1}{3}$일 때, n의 값은?

① 6 ② 7 ③ 8
④ 9 ⑤ 10

1076 상중하

두 수 12와 972 사이에 서로 다른 세 양수 a, b, c를 넣어

$12, a, b, c, 972$

가 이 순서대로 등비수열을 이루도록 할 때, $c-a$의 값을 구하시오.

1077 상중하

두 수 8과 128 사이에 n개의 수 $a_1, a_2, a_3, \cdots, a_n$을 넣어

$8, a_1, a_2, a_3, \cdots, a_n, 128$

이 이 순서대로 등비수열을 이루도록 할 때, a_1의 최댓값을 구하시오. (단, 공비는 자연수이다.)

유형 18 등비중항 (중요)

개념 05

0이 아닌 세 수 a, b, c가 이 순서대로 등비수열을 이룬다.
⇨ $b^2=ac$

1078 대표문제

세 양수 x, $x+6$, $9x$가 이 순서대로 등비수열을 이룰 때, x의 값은?

① 1 ② 2 ③ 3
④ 4 ⑤ 5

1079 상중하

세 수 $\cos\theta$, $2\sin\theta$, $\frac{1}{\cos\theta}$이 이 순서대로 등비수열을 이룰 때, θ의 값은? (단, $0°<\theta<90°$)

① 15° ② 30° ③ 45°
④ 60° ⑤ 75°

1080 상중하 서술형

x에 대한 이차방정식 $x^2-kx+125=0$의 두 근 α, β에 대하여 α, $\beta-\alpha$, β가 이 순서대로 등비수열을 이룰 때, 양수 k의 값을 구하시오.

1081 상중하

다항식 $f(x)=x^2+2x+a$를 $x+1$, $x-1$, $x-2$로 나누었을 때의 나머지가 이 순서대로 등비수열을 이룰 때, $f(x)$를 $x+2$로 나누었을 때의 나머지는? (단, a는 상수)

① 16 ② 17 ③ 18
④ 19 ⑤ 20

유형 19 등차중항과 등비중항 (중요)

개념 02, 05

0이 아닌 세 수 a, b, c가 이 순서대로
(1) 등차수열을 이룬다. ⇨ $2b=a+c$
(2) 등비수열을 이룬다. ⇨ $b^2=ac$

1082 대표문제

세 수 8, a, b가 이 순서대로 등차수열을 이루고, 세 수 a, b, 36이 이 순서대로 등비수열을 이룰 때, 두 양수 a, b의 합 $a+b$의 값을 구하시오.

1083 상중하

세 수 a, b, 4가 이 순서대로 등비수열을 이루고, 세 수 24, a, b가 이 순서대로 등차수열을 이룰 때, 자연수 a, b의 값으로 알맞은 것은?

① $a=8$, $b=16$ ② $a=16$, $b=8$
③ $a=24$, $b=10$ ④ $a=18$, $b=12$
⑤ $a=12$, $b=18$

1084 상중하

세 수 a, x, b는 이 순서대로 등차수열을 이루고, a, y, b는 이 순서대로 등비수열을 이루며, $\frac{1}{a}$, $\frac{1}{z}$, $\frac{1}{b}$은 이 순서대로 등차수열을 이룬다고 한다. 이때, y^2-xz의 값을 구하시오.

유형 20 등비수열을 이루는 세 수

개념 05

등비수열을 이루는 세 수를 a, ar, ar^2으로 놓고 식을 세운다.

1085 • 대표문제 •

등비수열을 이루는 세 실수의 합이 26이고 곱이 216일 때, 세 실수 중 가장 큰 수를 구하시오.

1086 상중하

곡선 $y=-x^3+6x^2+24x$와 직선 $y=k$가 서로 다른 세 점에서 만나고 교점의 x좌표가 차례대로 등비수열을 이룰 때, 실수 k의 값을 구하시오.

중요 발전 유형 21 등비수열의 활용 – 도형

개념 05

도형의 길이, 넓이, 부피 등이 일정한 비율로 변할 때
⇨ 처음 몇 개의 항을 나열하여 규칙성을 파악하고 등비수열의 성질을 이용한다.

1087 • 대표문제 •

오른쪽 그림과 같이 $\overline{AB}=2$, $\overline{BC}=4$이고, $\angle B=90°$인 직각삼각형 ABC에 내접하는 정사각형의 한 변의 길이를 차례대로 a_1, a_2, a_3, $\cdots$이라 할 때, a_7의 값을 구하시오.

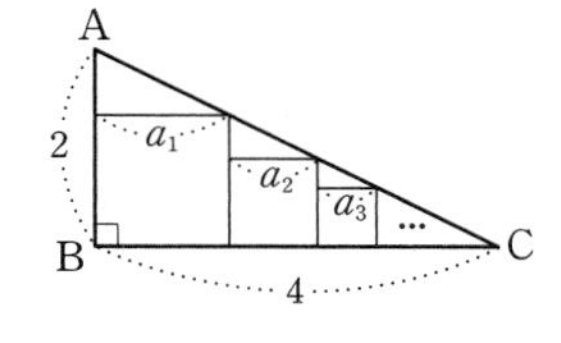

1088 상중하

오른쪽 그림과 같이 넓이가 8인 정사각형 모양의 종이에서 각 변의 중점을 이어 정사각형을 그리는 시행을 계속할 때, n번째 그린 정사각형을 T_n이라 하자. T_n의 한 변의 길이가 $2\cdot a^{n-1}$일 때, 실수 a의 값을 구하시오.

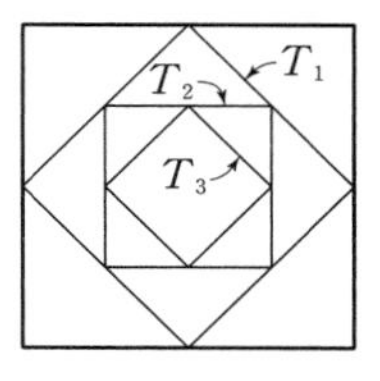

1089 상중하

다음 그림과 같이 가로, 세로의 두 대각선의 길이가 각각 2, 1인 마름모 모양의 사각형을 A_1, 사각형 A_1의 각 변의 중점을 이어서 만든 사각형을 A_2, 사각형 A_2의 각 변의 중점을 이어서 만든 사각형을 A_3이라 하자. 이와 같은 과정을 반복하여 사각형 A_1, A_2, A_3, $\cdots$, A_n, $\cdots$을 만들 때, 사각형 A_n의 넓이가 처음으로 $\frac{1}{100}$보다 작아지는 n의 값을 구하시오.

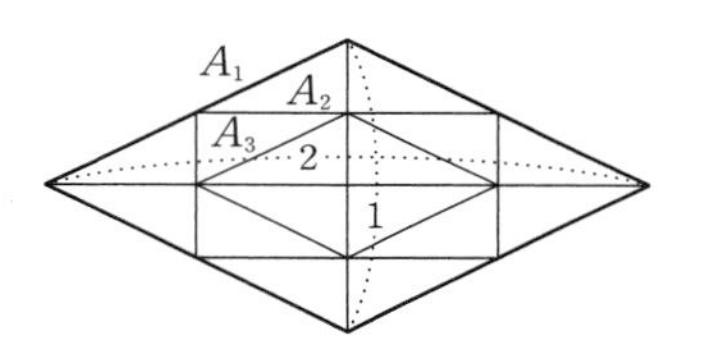

1090 상중하

한 변의 길이가 1인 정삼각형 모양의 종이가 있다. 오른쪽 그림과 같이 1회의 시행에서 각 변의 중점을 이어서 만든 정삼각형에 색칠을 한다. 2회 시행에서는 1회 시행 후 남은 3개의 작은 정삼각형에서 같은 방법으로 만든 정삼각형에 색칠을 한다. 이와 같은 시행을 계속하여 11회 시행에서 색칠하게 되는 정삼각형의 넓이가 $\frac{\sqrt{3}}{16}\cdot\left(\frac{3}{4}\right)^n$일 때, n의 값을 구하시오.

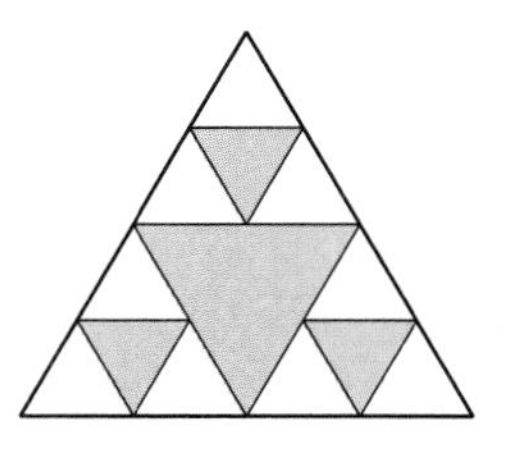

8 등차수열과 등비수열

유형 22 등비수열의 활용 – 일정한 비율로 변화하는 경우 개념 05

일정한 비율 r로 증가(또는 감소)하면 $a, ar, ar^2, ar^3, \cdots$

일정한 비율 p %로 증가하면 $a, a\left(1+\frac{p}{100}\right), a\left(1+\frac{p}{100}\right)^2, \cdots$

일정한 비율 p %로 감소하면 $a, a\left(1-\frac{p}{100}\right), a\left(1-\frac{p}{100}\right)^2, \cdots$

1091 • 대표문제 •

한 번 충전할 때마다 성능이 직전에 충전할 때보다 1 %씩 감소하는 충전지가 있다. 공장에서 출하 시 20시간을 사용할 수 있는 이 충전지를 100번 충전한 후 사용 가능한 시간은?

(단, $0.99^{100}=0.36$으로 계산한다.)

① 7시간 5분　② 7시간 12분　③ 7시간 15분　④ 7시간 24분　⑤ 7시간 30분

1092 상중하

개체의 수가 매일 일정한 비율로 증가하는 어떤 미생물을 관찰한 결과 20일간의 증가율이 44 %였다면 10일간의 증가율은 몇 %인가?

① 15 %　② 20 %　③ 23 %　④ 27 %　⑤ 34 %

1093 상중하

물에 섞여 있는 유해 세포 A를 제거하기 위하여 물을 여과 장치에 통과시킨다. 물을 여과 장치에 통과시키면 유해 세포 A는 매회 통과할 때마다 일정한 비율로 감소하여 10회 통과했을 때에 16만 개였던 것이 20회 통과했을 때는 1만 개가 될 것으로 예상하였다. 여과 장치를 15회 통과했을 때의 유해 세포 A의 양은 얼마가 될 것으로 예상할 수 있는지 구하시오.

중요 유형 23 등비수열의 합 개념 06

첫째항이 a, 공비가 r인 등비수열의 첫째항부터 제n항까지의 합을 S_n이라 하면

(1) $r\neq1$일 때 ⇨ $S_n=\frac{a(r^n-1)}{r-1}=\frac{a(1-r^n)}{1-r}$

(2) $r=1$일 때 ⇨ $S_n=na$

1094 • 대표문제 •

공비가 음수인 등비수열 $\{a_n\}$에서 제4항이 24이고, 제8항이 384일 때, 이 등비수열의 첫째항부터 제8항까지의 합을 구하시오.

1095 상중하

다음 등비수열의 합

$$1+(1+x)+(1+x)^2+(1+x)^3+\cdots+(1+x)^{n-1}$$

을 구하면? (단, $x\neq0$)

① $\frac{(1+x)^{n-1}-1}{1+x}$　② $\frac{(1+x)^n-1}{1+x}$　③ $\frac{(1+x)^{n-1}-1}{x}$　④ $\frac{(1+x)^n-1}{x}$　⑤ $\frac{(1+x)^{n+1}-1}{x}$

1096 상중하

공비가 4이고 첫째항부터 제5항까지의 합이 1023인 등비수열의 첫째항은?

① 1　② 2　③ 3　④ 4　⑤ 5

1097 상중하

첫째항이 1, 공비가 3인 등비수열 $\{a_n\}$이 있다. 수열 a_1+a_2, a_2+a_3, a_3+a_4, $\cdots$의 첫째항부터 제11항까지의 합은?

① $2(3^9-1)$ ② $2(3^{10}-1)$ ③ $2(3^{11}-1)$
④ $3(3^{10}-1)$ ⑤ $3(3^{11}-1)$

1098 상중하

첫째항이 1, 공차가 2인 등차수열 $\{a_n\}$에 대하여 수열 $\{b_n\}$은 $b_n=3^{a_n}$일 때,

$$b_1+b_2+b_3+\cdots+b_{10}=\frac{3^p-3}{8}$$

을 만족시키는 실수 p의 값을 구하시오.

1099 상중하

수열 $2+\frac{1}{2}$, $4+\frac{1}{4}$, $6+\frac{1}{8}$, $8+\frac{1}{16}$, $10+\frac{1}{32}$, $\cdots$의 첫째항부터 제10항까지의 합은?

① $111-\frac{1}{2^{11}}$ ② $111-\frac{1}{2^{10}}$ ③ $111-\frac{1}{2^9}$
④ $110-\frac{1}{2^{11}}$ ⑤ $110-\frac{1}{2^{10}}$

1100 상중하

수열 9, 99, 999, 9999, $\cdots$의 첫째항부터 제10항까지의 합은?

① $\frac{100}{9}(10^9-1)$ ② $\frac{100}{3}(10^9-4)$
③ $\frac{10}{9}(10^{10}-1)$ ④ $\frac{10}{3}(10^{10}-4)$
⑤ $\frac{10}{9}(10^{10}-11)$

중요

유형 24 부분의 합이 주어진 등비수열의 합

개념 06

$S_n=\frac{a(r^n-1)}{r-1}$에서 $S_{2n}=\frac{a(r^{2n}-1)}{r-1}=\frac{a(r^n-1)(r^n+1)}{r-1}$

⇨ $S_{2n}\div S_n=r^n+1$ (단, $r\neq1$)

1101 • 대표문제 •

등비수열 $\{a_n\}$에서 첫째항부터 제5항까지의 합이 10이고, 첫째항부터 제10항까지의 합은 30이다. 이때, 이 수열의 첫째항부터 제15항까지의 합을 구하시오.

1102 상중하 서술형

공비가 양수인 등비수열 $\{a_n\}$에 대하여 첫째항부터 제4항까지의 합이 45이고, 첫째항부터 제8항까지의 합은 765이다. 이때, a_3의 값을 구하시오.

1103 상중하

공비가 양수인 등비수열 $\{a_n\}$에서

$$a_1+a_2+\cdots+a_6=26,\ a_7+a_8+\cdots+a_{12}=702$$

일 때, 공비를 구하시오.

1104 상중하

공비가 양수인 등비수열 $\{a_n\}$에서

$$a_1+a_2+a_3+\cdots+a_n=20,$$
$$a_{2n+1}+a_{2n+2}+a_{2n+3}+\cdots+a_{3n}=180$$

일 때, $a_{n+1}+a_{n+2}+a_{n+3}+\cdots+a_{2n}$의 값은?

① 60 ② 70 ③ 80
④ 90 ⑤ 100

유형 25 등비수열의 합과 일반항 사이의 관계

개념 06

수열 $\{a_n\}$의 첫째항부터 제n항까지의 합 S_n이 주어진 경우
(i) $n=1$일 때, $a_1=S_1$
(ii) $n\geq 2$일 때, $a_n=S_n-S_{n-1}$
을 이용하여 일반항 a_n을 구한다.

1105 • 대표문제 •

첫째항부터 제n항까지의 합 S_n이 $S_n=2^n-1$인 수열 $\{a_n\}$에 대하여 $\frac{a_{10}}{a_2}$의 값은?

① 2^6 ② 2^7 ③ 2^8
④ 2^9 ⑤ 2^{10}

1106 상중하

수열 $\{a_n\}$의 첫째항부터 제n항까지의 합 S_n이 $S_n=3^n-1$일 때, 다음 보기 중 옳은 것을 있는 대로 고른 것은?

보기
ㄱ. $a_n=2\cdot 3^{n-1}$
ㄴ. $a_1+a_3+a_5+a_7=\frac{1}{4}(3^8-1)$
ㄷ. 수열 $\{a_{2n}\}$의 공비는 3이다.

① ㄱ ② ㄴ ③ ㄷ
④ ㄱ, ㄴ ⑤ ㄴ, ㄷ

1107 상중하

수열 $\{a_n\}$의 첫째항부터 제n항까지의 합을 S_n이라 하면 $\log_2 S_n=n+1$이다. 이때, $a_1+a_5+a_{10}$의 값은?

① $1+2^4+2^9$ ② $2+2^4+2^9$ ③ $2+2^5+2^{10}$
④ $4+2^5+2^{10}$ ⑤ $4+2^6+2^{11}$

1108 상중하 서술형

수열 $\{a_n\}$의 첫째항부터 제n항까지의 합 S_n이 $S_n=3\cdot 2^{n+1}+k$일 때, 수열 $\{a_n\}$이 첫째항부터 등비수열을 이루도록 하는 상수 k의 값을 구하시오.

발전 유형 26 등비수열의 합의 활용

개념 06

처음의 양을 a, 매시간(또는 매년) 일정한 비율 r로 증가(또는 감소)할 때, n시간(또는 n년) 동안의 합은

⇨ $a+ar+ar^2+\cdots+ar^{n-1}=\frac{a(1-r^n)}{1-r}$

1109 • 대표문제 •

길이가 다른 파이프를 여러 개 묶은 악기를 통틀어 팬파이프라 한다. 지수는 파이프의 길이가 일정하게 감소하는 팬파이프를 만들려고 한다. 팬파이프의 첫 번째 파이프부터 8번째 파이프까지의 길이의 합은 3 m, 9번째 파이프부터 16번째 파이프까지의 길이의 합은 $\frac{3}{2}$ m이다. 지수가 24개의 파이프로 이루어진 팬파이프를 만들 때, 파이프의 총 길이를 구하시오.

1110 상중하

어느 연구소의 보고서에 따르면 앞으로 LPG 경차 사용이 늘어나 자동차 휘발유 소비량이 감소할 것이라고 한다. 올해 A 지역의 연간 자동차 휘발유 소비량은 768톤이고, 매년 이 지역의 연간 자동차 휘발유 소비량은 전년도에 비하여 일정한 비율로 감소하여 4년 후에는 48톤이 된다고 한다. 그 이후에도 이와 같은 비율로 계속 감소한다고 할 때, A지역에서 올해부터 8년 동안 사용되는 자동차 휘발유 소비량의 총합을 구하시오.

1111 상중하

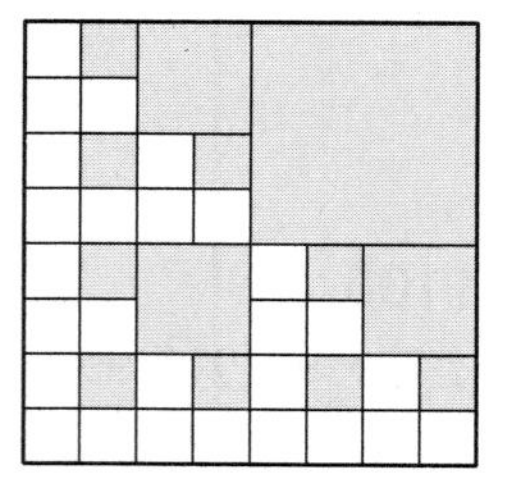

한 변의 길이가 4인 정사각형을 사등분한 후 한 조각을 버리고, 나머지 세 개의 정사각형을 다시 사등분한 후 각각 한 조각씩을 버린다. 이와 같은 과정을 10회 시행하였을 때, 버린 조각의 넓이의 합은?

① $4\cdot\left\{1-\left(\frac{1}{4}\right)^{10}\right\}$ ② $4\cdot\left\{1-\left(\frac{3}{4}\right)^{10}\right\}$
③ $16\cdot\left\{1-\left(\frac{1}{4}\right)^{10}\right\}$ ④ $16\cdot\left\{1-\left(\frac{3}{4}\right)^{10}\right\}$
⑤ $32\cdot\left\{1-\left(\frac{3}{4}\right)^{10}\right\}$

발전 유형 27 적금과 등비수열

개념 06

(1) 연이율 r의 복리로 매년 초에 a원씩 n년간 적립할 때, n년 말의 원리합계 S_n은

⇨ $S_n=a(1+r)^n+a(1+r)^{n-1}+\cdots+a(1+r)$

$=\dfrac{a(1+r)\{(1+r)^n-1\}}{r}$(원)

(2) 연이율 r의 복리로 매년 말에 a원씩 n년간 적립할 때, n년 말의 원리합계 S_n은

⇨ $S_n=a(1+r)^{n-1}+a(1+r)^{n-2}+\cdots+a$

$=\dfrac{a\{(1+r)^n-1\}}{r}$(원)

1112 • 대표문제 •

매년 초에 일정한 금액을 적립하여 12년 후의 원리합계가 100만 원이 되도록 하려고 한다. 이때, 연이율 6 %의 복리로 적립한다면 매년 초에 얼마씩 적립해야 하는가?

(단, $1.06^{12}=2.01$로 계산하고, 백 원 미만은 버린다.)

① 55000원 ② 55500원 ③ 56000원
④ 56500원 ⑤ 57000원

1113 상중하

은정이는 초등학교 1학년 초부터 연이율 5 %의 복리로 매년 10만 원씩 적립하였다. 고등학교 3학년 연말에 은정이가 찾을 돈은 얼마인지 구하시오. (단, $1.05^{12}=1.8$로 계산한다.)

1114 상중하

정부가 통일 이후 필요한 통일비용을 마련하기 위해 예산의 일부를 2011년부터 매년 1월 1일에 적립한다고 하자. 적립할 금액은 경제성장률을 감안하여 매년 전년도보다 6 %씩 증액한다. 2011년 1월 1일부터 10조 원을 적립하기 시작했다면 2020년 12월 31일까지 적립되는 금액의 원리합계는 몇 조 원인가?

(단, $1.06^{10}=1.8$, 연이율 6 %, 1년마다의 복리로 계산한다.)

① 160조 원 ② 162조 원 ③ 180조 원
④ 198조 원 ⑤ 220조 원

발전 유형 28 상환·연금과 등비수열

개념 06

(1) a원을 n년에 걸쳐 상환할 때

⇨ (a원의 n년 후의 원리합계)

=(n년 동안 상환한 금액의 원리합계)

(2) a원씩 n년 동안 받는 연금을 일시불로 받을 때

⇨ (a원씩 n년 동안 적립한 금액의 원리합계)

=(일시불로 받은 금액의 n년 후의 원리합계)

1115 • 대표문제 •

이달 초 180만 원짜리 물건을 구입하는데 80만 원은 구입할 때 현금으로 지불하고 나머지 금액은 다음 달 초부터 매달 일정한 금액을 10회로 나누어 갚으려고 한다. 매달 갚아야 할 금액을 구하시오.

(단, $1.02^{10}=1.2$, 월이율 2 %, 1개월마다의 복리로 계산한다.)

1116 상중하

올해부터 매년 말에 800만 원씩 10년간 받는 연금이 있다. 이 연금을 올해 초에 한꺼번에 받는다면 얼마를 받게 되는가?

(단, $1.05^{10}=1.6$, 연이율 5 %, 1년마다의 복리로 계산한다.)

① 6000만 원 ② 6200만 원 ③ 6400만 원
④ 6600만 원 ⑤ 6800만 원

1117 상중하

자영업을 하는 어떤 사람이 올해 초 은행에서 3000만 원을 연이율 6 %로 대출받았다. 올해 말부터 12년 동안 매년 말에 일정한 금액을 지불하여 빌린 돈을 모두 갚으려고 하면 한 번에 얼마씩 갚으면 되는지 구하시오.

(단, $1.06^{12}=2$, 1년마다의 복리로 계산한다.)

• 실제 학교 시험지처럼 풀어 보세요.

1118 | 유형 02 |

등차수열 $\{a_n\}$에서 $a_3=11$, $a_{10}=32$일 때, 1211은 제몇 항인가? [3.8점]

① 제401항 ② 제402항 ③ 제403항
④ 제404항 ⑤ 제405항

1119 | 유형 03 |

등차수열 $\{a_n\}$에서 $a_7=24$, $a_5 : a_{15}=3:8$일 때, 이 등차수열에서 처음으로 100보다 크게 되는 항은? [4점]

① 제31항 ② 제32항 ③ 제33항
④ 제34항 ⑤ 제35항

1120 | 유형 04 |

두 수열

$2, a_1, a_2, a_3, \cdots, a_{100}, 305$
$3, b_1, b_2, b_3, \cdots, b_{50}, 309$

가 각각 등차수열을 이룰 때 $\dfrac{b_2-b_1}{a_{100}-a_{99}}$의 값은? [4.1점]

① 1 ② 2 ③ 3
④ 4 ⑤ 5

1121 | 유형 05 |

다음 그림과 같이 수직선 위에 네 점 $\mathrm{A}(a)$, $\mathrm{B}(b)$, $\mathrm{C}(c)$, $\mathrm{D}(d)$가 있다. a, b, d와 b, c, d가 각각 이 순서대로 등차수열을 이룰 때, 다음 중 점 $\mathrm{D}(d)$에 대한 설명으로 옳은 것은? [4.2점]

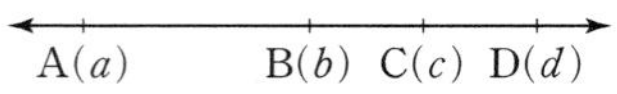

$\mathrm{A}(a)$ $\mathrm{B}(b)$ $\mathrm{C}(c)$ $\mathrm{D}(d)$

① 점 $\mathrm{D}(d)$는 $\overline{\mathrm{AC}}$를 $4:1$로 외분한다.
② 점 $\mathrm{D}(d)$는 $\overline{\mathrm{AC}}$를 $3:1$로 외분한다.
③ 점 $\mathrm{D}(d)$는 $\overline{\mathrm{AC}}$를 $2:1$로 외분한다.
④ 점 $\mathrm{D}(d)$는 $\overline{\mathrm{AB}}$를 $1:2$로 외분한다.
⑤ 점 $\mathrm{D}(d)$는 $\overline{\mathrm{AB}}$를 $1:3$으로 외분한다.

1122 | 유형 06 |

다음 조건을 모두 만족시키는 직각삼각형의 넓이는? [4.3점]

(가) 직각삼각형의 세 변의 길이는 등차수열을 이룬다.
(나) 직각삼각형의 빗변의 길이는 25이다.

① 130 ② 140 ③ 150
④ 160 ⑤ 170

1123 | 유형 07 |

세 등차수열 $\{a_n\}$, $\{b_n\}$, $\{c_n\}$에 대하여
$a_1+b_1+c_1=24$, $a_{100}+b_{100}+c_{100}=26$일 때,

$$(a_1+a_2+\cdots+a_{100})+(b_1+b_2+\cdots+b_{100})+(c_1+c_2+\cdots+c_{100})$$

의 값은? [4.4점]

① 49^2 ② 49×50 ③ 50^2
④ 50×51 ⑤ 51^2

1124 | 유형 11 |

4로 나누었을 때의 나머지는 1이고, 5로 나누었을 때의 나머지는 4인 자연수를 작은 것부터 차례대로 $a_1, a_2, \cdots, a_n, \cdots$이라 하자. 이때, $a_1+a_2+\cdots+a_{10}$의 값은? [4.2점]

① 990 ② 1000 ③ 1010
④ 1050 ⑤ 1100

1125
| 유형 13 |

제7항이 28인 수열 $\{a_n\}$의 첫째항부터 제n항까지의 합 S_n이 $S_n=an^2+2n-5$일 때, 상수 a의 값은? [3.9점]

① 1　② 2　③ 3
④ 4　⑤ 5

1126
| 유형 14 |

첫째항이 $a\,(a\neq0)$이고 공비가 2인 등비수열 $\{a_n\}$에 대하여 $\dfrac{a_{11}+a_{13}+a_{15}+a_{17}+a_{19}}{a_1+a_3+a_5+a_7+a_9}$의 값은? [4점]

① 2^9　② 2^{10}　③ 2^{11}
④ 3×2^9　⑤ 3×2^{10}

1127
| 유형 16 |

공비가 실수인 등비수열 $\{a_n\}$에서 $a_5=\dfrac{3}{16}$, $a_8=\dfrac{3}{128}$일 때, 처음으로 $\dfrac{1}{1000}$보다 작아지는 항은? [4점]

① 제11항　② 제12항　③ 제13항
④ 제14항　⑤ 제15항

1128
| 유형 18 |

네 실수 3, x, 48, y가 이 순서대로 등비수열을 이룰 때, 양의 실수 y의 값은? [3.9점]

① 96　② 144　③ 156
④ 192　⑤ 292

1129
| 유형 21 |

다음 그림과 같이 한 변의 길이가 3인 정사각형 모양의 종이가 있다. 각 변의 삼등분점을 연결하여 만든 가운데 정사각형을 오려내고, 또 다시 남아 있는 8개의 정사각형에서도 각 정사각형의 삼등분점을 연결하여 가운데 정사각형을 오려낸다. 이와 같은 방법을 10회 반복한 후 남아 있는 종이의 넓이는? [4.5점]

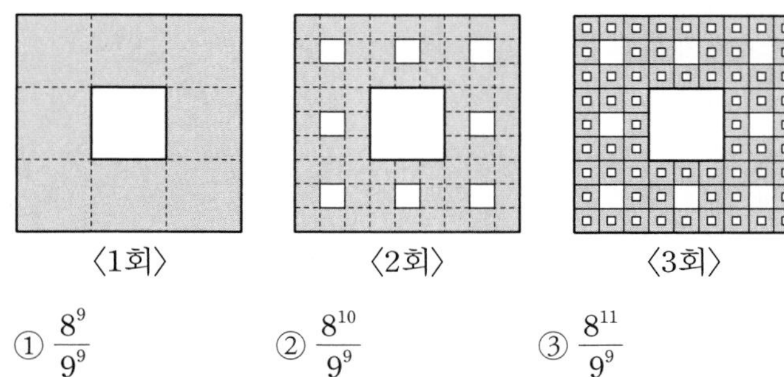

① $\dfrac{8^9}{9^9}$　② $\dfrac{8^{10}}{9^9}$　③ $\dfrac{8^{11}}{9^9}$
④ $\dfrac{9^9}{8^9}$　⑤ $\dfrac{9^{10}}{8^9}$

1130
| 유형 24 |

공비가 1이 아닌 등비수열 $\{a_n\}$에서 첫째항부터 제n항까지의 합을 S_n이라 할 때, $S_{10}=3S_5$가 성립한다고 한다. 이때, $S_{20}=kS_5$를 만족시키는 상수 k의 값은? [4.1점]

① 9　② 12　③ 15
④ 18　⑤ 21

1131
| 유형 28 |

2021년부터 매년 초에 900만 원씩 20년간 받는 연금이 있다. 이 연금을 2021년 초에 한꺼번에 받는다면 얼마를 받게 되는가? (단, $1.06^{19}=3.0$, $1.06^{20}=3.2$, $1.06^{21}=3.4$, 연이율 6 %, 1년마다의 복리로 계산한다.) [4.6점]

① 1억 1천만 원　② 1억 2천만 원　③ 1억 3천만 원
④ 1억 4천만 원　⑤ 1억 5천만 원

서술형 문제

• 풀이 과정에 점수가 부여되니 풀이 과정 및 정답을 상세하게 서술하세요.

단답형

1132 | 유형 10 |

첫째항이 2011, 공차 d가 정수인 등차수열 $\{a_n\}$에서 첫째항부터 제n항까지의 합을 S_n이라 하자. $S_{402} \cdot S_{404} < 0$일 때, S_n이 최대가 되는 n의 값을 구하시오. [7점]

1133 | 유형 19 |

서로 다른 세 수 4, a, b가 이 순서대로 등차수열을 이루고, 세 수 a, b, 4가 이 순서대로 등비수열을 이룰 때, ab의 값을 구하시오. [6점]

1134 | 유형 23 |

다항식 $1+x+x^2+x^3+ \cdots +x^{2046}$을 $2x-1$로 나눈 나머지를 구하시오. [7점]

단계형

1135 | 유형 09 |

등차수열 $a_1, a_2, a_3, \cdots, a_{47}$에서 홀수 번째 항들의 합은 1272이다. 이 수열의 첫째항부터 제47항까지의 합을 구하려고 한다. 다음 물음에 답하시오. [10점]

(1) 주어진 등차수열의 첫째항을 a, 공차를 d라 할 때, 홀수 번째 항들의 합이 1272임을 이용하여 a, d 사이의 관계식을 구하시오. [4점]

(2) (1)의 결과를 이용하여 주어진 수열의 첫째항부터 제47항까지의 합을 구하시오. [6점]

1136 | 유형 24 |

첫째항이 2, 공비가 3인 등비수열의 제m항부터 제n항까지의 합이 720일 때, 다음 물음에 답하시오. (단, $m<n$) [12점]

(1) 첫째항부터 제n항까지의 합을 S_n이라 할 때, 제m항부터 제n항까지의 합이 720임을 이용하여 m, n 사이의 관계식을 구하시오. [5점]

(2) m의 값을 구하시오. [5점]

(3) n의 값을 구하시오. [2점]

성/취/도 Check

점수 / 100점

50점 STEP 1 개념+기본 문제 학습

60점 STEP 2 유형 대표 문제 학습

70점 STEP 3의 틀린 문제에 해당하는 STEP 2 유형 학습

80점 STEP 3의 틀린 문제 복습

90점 교과서 속 심화문제 시작

1137

오른쪽 그림과 같이 반지름의 길이가 15인 원을 5개의 부채꼴로 나누었더니 부채꼴의 넓이가 작은 것부터 차례대로 등차수열을 이루었다. 가장 큰 부채꼴의 넓이가 가장 작은 부채꼴의 넓이의 2배일 때, 가장 큰 부채꼴의 넓이는 $k\pi$이다. 이때, k의 값을 구하시오.

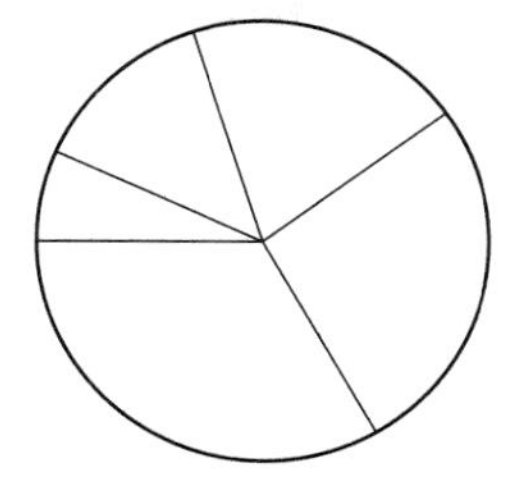

1138

$a_1>0$인 등차수열 $\{a_n\}$의 첫째항부터 제n항까지의 합이 S_n일 때, $S_{20}=S_{40}$이다. 다음 보기 중 옳은 것을 있는 대로 고른 것은?

보기

ㄱ. $a_{21}+a_{22}+a_{23}+\cdots+a_{40}=0$

ㄴ. $|a_{25}|=|a_{36}|$

ㄷ. $n=31$일 때, S_n은 최댓값을 갖는다.

① ㄱ ② ㄱ, ㄴ ③ ㄱ, ㄷ
④ ㄴ, ㄷ ⑤ ㄱ, ㄴ, ㄷ

1139

첫째항이 50, 공차가 정수인 등차수열 $\{a_n\}$에 대하여 수열 $\{T_n\}$을

$$T_n=|a_1+a_2+a_3+\cdots+a_n|$$

이라 하자. 수열 $\{T_n\}$이 다음 조건을 만족시킨다.

(가) $T_{16}<T_{17}$ (나) $T_{17}>T_{18}$

$T_n>T_{n+1}$을 만족시키는 n의 최댓값을 구하시오.

1140

오른쪽 그림은 세 함수 $y=2^x$, $y=\log_{\frac{1}{2}}x$, $y=x$의 그래프와 $a<0<b<c<d$인 네 실수 a, b, c, d의 관계를 나타낸 것이다. 세 수 b, $2c$, $5d$가 이 순서대로 등비수열을 이룰 때, a의 값은? (단, 점선은 모두 좌표축에 평행하다.)

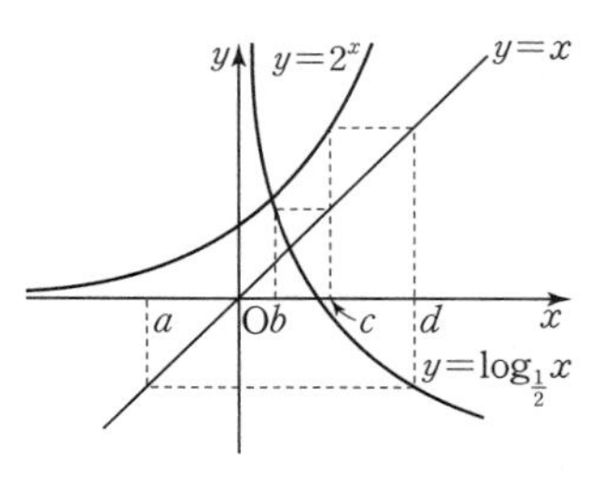

① $-\frac{\sqrt{6}}{2}$ ② $-\frac{\sqrt{5}}{2}$ ③ -1
④ $-\frac{\sqrt{3}}{2}$ ⑤ $-\frac{\sqrt{2}}{2}$

1141 창의·융합

다음 그림과 같이 두 직선 l_1, l_2에 동시에 접하면서 서로 외접하는 5개의 원이 있다. 가장 큰 원의 반지름의 길이가 18, 가장 작은 원의 반지름의 길이가 8일 때, 한가운데 있는 원의 반지름의 길이를 구하시오.

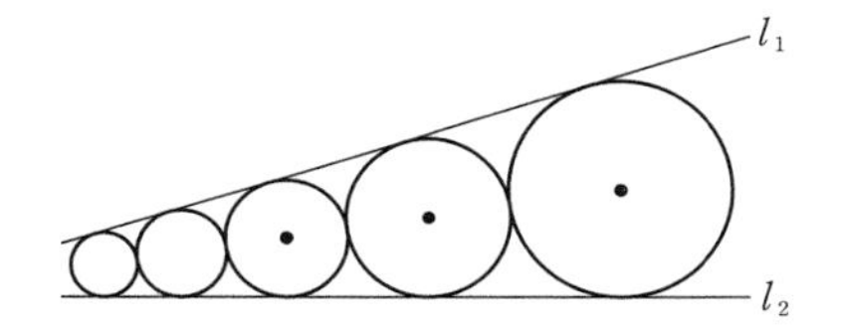

1142

$a=2^{100}$, $b=3^{100}$일 때, 다음 중 ab의 양의 약수의 총합을 a, b로 나타낸 것은?

① $\frac{1}{2}(2a-1)(3b-1)$ ② $\frac{1}{2}(2a+1)(3b+1)$
③ $\frac{1}{2}(2a-1)(3b+1)$ ④ $(2a-1)(3b-1)$
⑤ $(2a-1)(3b+1)$

9

수열의 합

한 변의 길이가 20인 정사각형을 합동인 4개의 도형으로 나눠야한다.
너무 쉽잖아!
규칙이 있지. 자연수의 거듭제곱의 합을 이용해야 해.
자연수의 거듭제곱의 합 이라고? 이런 거?
$1^2+2^2+3^2+4^2+\cdots$
$1^3+2^3+3^3+4^3+\cdots$
그럼 $1^3+2^3+3^3+4^3$ 으로 해보면….
$1^3+2^3+3^3+4^3$
$=1^2\times1+2^2\times2+3^2\times3+4^2\times4$
이 한 개
이 두 개
이 세 개
이 네 개
전체 넓이는 20^2
$1^3+2^3+3^3+4^3=\frac{20^2}{4}=\left\{\frac{4\times(4+1)}{2}\right\}^2$
결국 $n=4$일 때
$\sum_{k=1}^{n}k^3=1^3+2^3+3^3+\cdots+n^3=\left\{\frac{n(n+1)}{2}\right\}^2$
이 성립함을 알 수 있어.

기출 문제 분석

빅 데이터

* 전국 300여 개 고등학교 기출 문제를 분석하였습니다.

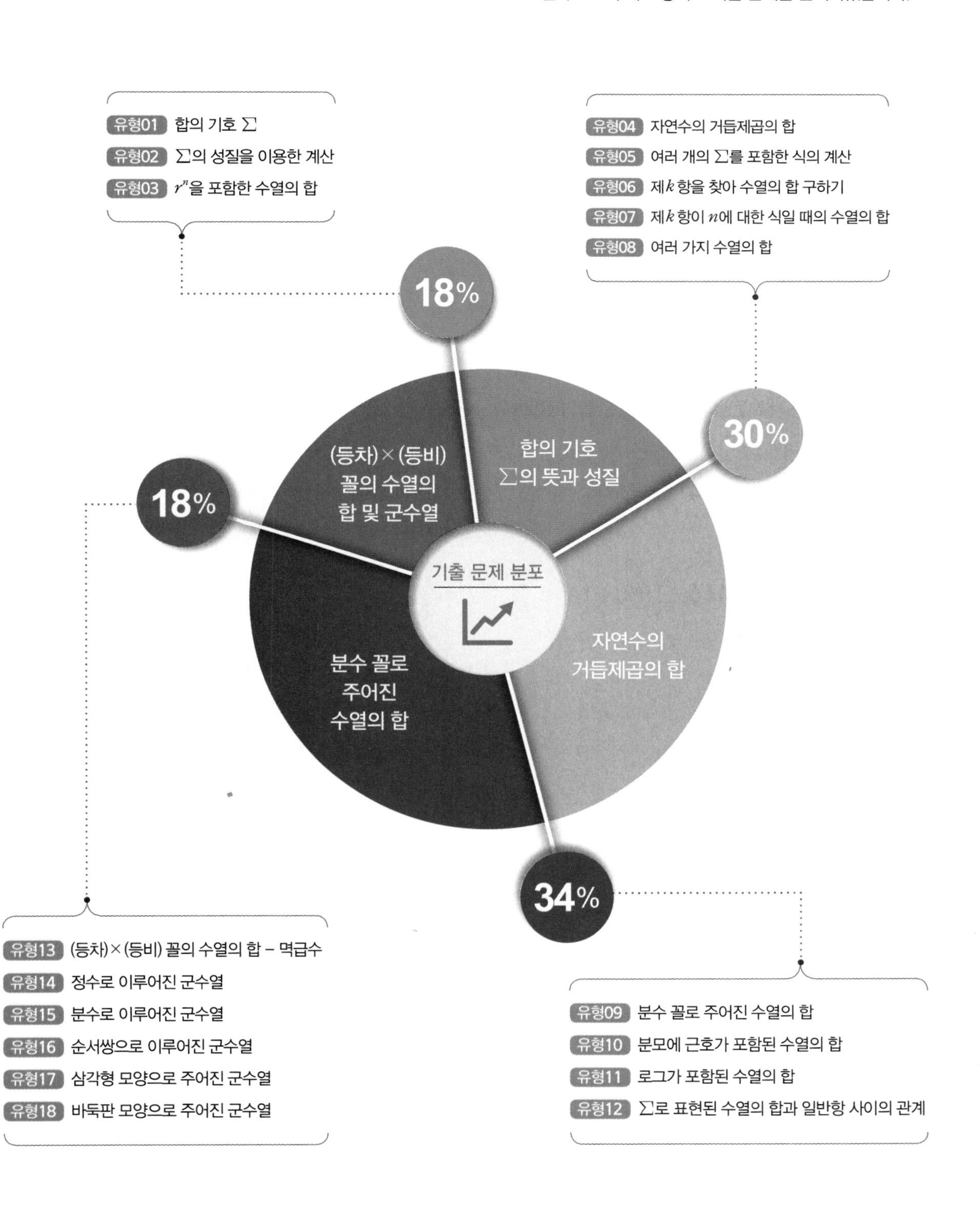

STEP 1 개념 마스터

01 합의 기호 $\sum$ 　유형 01

수열 $\{a_n\}$의 첫째항부터 제n항까지의 합

$a_1+a_2+a_3+\cdots+a_n$

을 합의 기호 $\sum$를 사용하여 $\sum_{k=1}^{n} a_k$로 나타낸다.

$$a_1+a_2+a_3+\cdots+a_n=\sum_{k=1}^{n} a_k$$

(제n항까지 / 일반항 / 첫째항부터)

예 $1+2+3+\cdots+n=\sum_{k=1}^{n} k$

참고 $\sum_{k=m}^{n} a_k=a_m+a_{m+1}+\cdots+a_n=\sum_{k=1}^{n} a_k-\sum_{k=1}^{m-1} a_k$ (단, $2\le m\le n$)
　└ 수열 $\{a_n\}$의 제m항부터 제n항까지의 합

참고 $\sum_{k=1}^{n} a_k$는 k 대신 다른 문자를 사용하여 $\sum_{i=1}^{n} a_i$, $\sum_{j=1}^{n} a_j$, $\sum_{m=1}^{n} a_m$ 등과 같이 나타내기도 한다.

[1143~1146] 다음을 합의 기호 $\sum$를 사용하지 않은 합의 꼴로 나타내시오.

1143 $\sum_{k=1}^{5} 3k$

1144 $\sum_{n=1}^{8} 2^n$

1145 $\sum_{i=1}^{n} (5i-2)$

1146 $\sum_{j=1}^{n} j(2j+1)$

[1147~1148] 다음 수열의 합을 기호 $\sum$를 사용하여 나타내시오.

1147 $1+4+9+16+\cdots+n^2$

1148 $1+\frac{1}{2}+\frac{1}{3}+\cdots+\frac{1}{n}$

[1149~1151] 다음 수열의 합을 기호 $\sum$를 사용하여 나타내시오.

1149 $2+4+6+\cdots+20$

1150 $1+4+7+\cdots+100$

1151 $3+9+27+\cdots+729$

02 $\sum$의 성질 　유형 02~03, 08

(1) $\sum_{k=1}^{n} (a_k+b_k)=\sum_{k=1}^{n} a_k+\sum_{k=1}^{n} b_k$

(2) $\sum_{k=1}^{n} (a_k-b_k)=\sum_{k=1}^{n} a_k-\sum_{k=1}^{n} b_k$

(3) $\sum_{k=1}^{n} ca_k=c\sum_{k=1}^{n} a_k$ (단, c는 상수)

(4) $\sum_{k=1}^{n} c=cn$ (단, c는 상수)

참고 $\sum_{k=1}^{n} (pa_k+qb_k+r)=p\sum_{k=1}^{n} a_k+q\sum_{k=1}^{n} b_k+rn$ (단, p, q, r는 상수)

참고 틀리기 쉬운 $\sum$의 성질

(1) $\sum_{k=1}^{n} a_kb_k\ne\sum_{k=1}^{n} a_k\sum_{k=1}^{n} b_k$

(2) $\sum_{k=1}^{n} \frac{a_k}{b_k}\ne\frac{\sum_{k=1}^{n} a_k}{\sum_{k=1}^{n} b_k}$

(3) $\sum_{k=1}^{n} a_k^2\ne\left(\sum_{k=1}^{n} a_k\right)^2$

[1152~1155] $\sum_{k=1}^{10} a_k=3$, $\sum_{k=1}^{10} b_k=2$일 때, 다음 식의 값을 구하시오.

1152 $\sum_{k=1}^{10} (5a_k+2)$

1153 $\sum_{k=1}^{10} (2a_k+b_k)$

1154 $\sum_{k=1}^{10} (a_k-b_k+1)$

1155 $\sum_{k=1}^{10} (3a_k+2b_k-2)$

핵심 Check

- $a_m+a_{m+1}+a_{m+2}+\cdots+a_n=\sum_{k=m}^{n} a_k$ (└ 일반항)
- $\sum_{k=1}^{n} (pa_k+qb_k+r)=p\sum_{k=1}^{n} a_k+q\sum_{k=1}^{n} b_k+rn$ (단, p, q, r는 상수)

[1156~1157] $\sum_{k=1}^{10} a_k=10$, $\sum_{k=1}^{10} a_k^2=20$일 때, 다음 식의 값을 구하시오.

1156 $\sum_{k=1}^{10}(a_k+1)(a_k-1)$

1157 $\sum_{k=1}^{10}(2a_k-1)^2$

[1158~1159] 다음 식의 값을 구하시오.

1158 $\sum_{k=1}^{10}(k^2+1)-\sum_{k=1}^{10}(k^2-3)$

1159 $\sum_{k=1}^{20}(k-1)^2-\sum_{k=1}^{20}(k^2-2k)$

03 자연수의 거듭제곱의 합

유형 04~08, 12

(1) $\sum_{k=1}^{n} k=1+2+3+\cdots+n=\frac{n(n+1)}{2}$

(2) $\sum_{k=1}^{n} k^2=1^2+2^2+3^2+\cdots+n^2=\frac{n(n+1)(2n+1)}{6}$

(3) $\sum_{k=1}^{n} k^3=1^3+2^3+3^3+\cdots+n^3=\left\{\frac{n(n+1)}{2}\right\}^2=\left(\sum_{k=1}^{n} k\right)^2$

예 (1) $\sum_{k=1}^{5} k=\frac{5(5+1)}{2}=15$

(2) $\sum_{k=1}^{5} k^2=\frac{5(5+1)(2\cdot5+1)}{6}=55$

(3) $\sum_{k=1}^{5} k^3=\left\{\frac{5(5+1)}{2}\right\}^2=225$

[1160~1162] 다음을 계산하시오.

1160 $\sum_{k=1}^{10}(2k-1)$

1161 $\sum_{k=1}^{10}(k^3+k^2-4)$

1162 $\sum_{k=1}^{10}(2k+3)^2$

1163 수열 $1\cdot2, 2\cdot3, 3\cdot4, \cdots$에 대하여 다음 물음에 답하시오.

(1) 일반항 a_n을 구하시오.

(2) $a_k=110$을 만족시키는 자연수 k의 값을 구하시오.

(3) $1\cdot2+2\cdot3+3\cdot4+\cdots+10\cdot11$의 값을 구하시오.

[1164~1165] 다음 수열의 합을 구하시오.

1164 $2+4+6+\cdots+30$

1165 $4^2+5^2+6^2+\cdots+15^2$

04 분수 꼴로 주어진 수열의 합

유형 09~12

(1) 분수 꼴로 주어진 수열의 합: 부분분수로 변형하여 구한다.

① $\sum_{k=1}^{n}\frac{1}{k(k+1)}=\sum_{k=1}^{n}\left(\frac{1}{k}-\frac{1}{k+1}\right)$

② $\sum_{k=1}^{n}\frac{1}{(k+a)(k+b)}=\frac{1}{b-a}\sum_{k=1}^{n}\left(\frac{1}{k+a}-\frac{1}{k+b}\right)$ (단, $a\neq b$)

③ $\sum_{k=1}^{n}\frac{1}{k(k+1)(k+2)}$
$=\frac{1}{2}\sum_{k=1}^{n}\left\{\frac{1}{k(k+1)}-\frac{1}{(k+1)(k+2)}\right\}$

참고 부분분수로의 변형

(1) $\frac{1}{AB}=\frac{1}{B-A}\left(\frac{1}{A}-\frac{1}{B}\right)$ (단, $A\neq B$)

(2) $\frac{1}{ABC}=\frac{1}{C-A}\left(\frac{1}{AB}-\frac{1}{BC}\right)$ (단, $A\neq C$)

예 $\sum_{k=1}^{10}\frac{1}{k(k+1)}=\sum_{k=1}^{10}\left(\frac{1}{k}-\frac{1}{k+1}\right)$
$=\left(1-\frac{1}{2}\right)+\left(\frac{1}{2}-\frac{1}{3}\right)+\cdots+\left(\frac{1}{10}-\frac{1}{11}\right)$
$=1-\frac{1}{11}=\frac{10}{11}$

(2) 분모에 근호가 포함된 수열의 합: 분모를 유리화하여 구한다.

$\sum_{k=1}^{n}\frac{1}{\sqrt{k}+\sqrt{k+1}}=\sum_{k=1}^{n}(\sqrt{k+1}-\sqrt{k})$

예 $\sum_{k=1}^{10}\frac{1}{\sqrt{k}+\sqrt{k+1}}=\sum_{k=1}^{10}(\sqrt{k+1}-\sqrt{k})$
$=(\sqrt{2}-\sqrt{1})+(\sqrt{3}-\sqrt{2})+\cdots+(\sqrt{11}-\sqrt{10})$
$=\sqrt{11}-1$

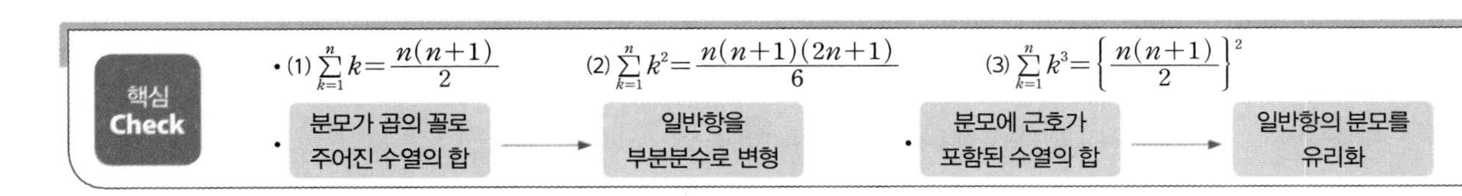

[1166~1168] 다음 수열의 합을 구하시오.

1166 $\frac{1}{1\cdot2}+\frac{1}{2\cdot3}+\frac{1}{3\cdot4}+\cdots+\frac{1}{n(n+1)}$

1167 $\frac{1}{1\cdot3}+\frac{1}{3\cdot5}+\frac{1}{5\cdot7}+\cdots+\frac{1}{(2n-1)(2n+1)}$

1168 $\frac{1}{2\cdot4}+\frac{1}{3\cdot5}+\frac{1}{4\cdot6}+\cdots+\frac{1}{(n+1)(n+3)}$

[1169~1170] 다음 수열의 합을 구하시오.

1169 $\frac{2}{1+\sqrt{2}}+\frac{2}{\sqrt{2}+\sqrt{3}}+\frac{2}{\sqrt{3}+\sqrt{4}}+\cdots+\frac{2}{\sqrt{n}+\sqrt{n+1}}$

1170 $\frac{1}{1+\sqrt{3}}+\frac{1}{\sqrt{3}+\sqrt{5}}+\frac{1}{\sqrt{5}+\sqrt{7}}+\cdots+\frac{1}{\sqrt{2n-1}+\sqrt{2n+1}}$

[1171~1174] 다음을 계산하시오.

1171 $\sum_{k=1}^{10}\frac{2}{(2k+1)(2k+3)}$

1172 $\sum_{k=1}^{20}\frac{1}{k(k+2)}$

1173 $\sum_{k=1}^{15}\frac{1}{\sqrt{k}+\sqrt{k+1}}$

1174 $\sum_{k=1}^{7}\frac{2}{\sqrt{k}+\sqrt{k+2}}$

05 (등차)×(등비) 꼴의 수열의 합 및 군수열 유형 13~18

(1) 등차수열과 등비수열의 각 항의 곱으로 이루어진 수열의 합을 구할 때는 (멱급수)
 (i) 주어진 수열의 합 S에 등비수열의 공비 r를 곱한다.
 (ii) $S-rS$를 구하고, 이 식으로부터 S의 값을 구한다.

(2) **군수열**: 수열의 항을 몇 개씩 묶어서 규칙성을 가진 군으로 나눈 수열
 (i) 수열의 각 항이 갖는 규칙을 파악하여 규칙성을 갖는 군으로 나눈다.
 (ii) 각 군의 항수를 파악한다.
 (iii) 각 군의 첫째항 또는 끝항이 갖는 규칙성을 조사한다.

참고 각 항이 분수인 군수열은 분모 또는 분자가 같은 것끼리 묶거나 분모와 분자의 합이 같은 것끼리 묶으면 규칙을 찾기 쉽다.

1175 다음은 수열의 합 $1\cdot2+2\cdot2^2+3\cdot2^3+\cdots+n\cdot2^n$을 구하는 과정이다. (가), (나), (다)에 알맞은 수 또는 식을 써넣으시오.

> 주어진 식을 S로 놓으면
> $S=1\cdot2+2\cdot2^2+3\cdot2^3+\cdots+n\cdot2^n$ …… ㉠
> ㉠의 양변에 (가) 를 곱하면
> (가) $S=1\cdot2^2+2\cdot2^3+\cdots+(n-1)\cdot2^n+n\cdot2^{n+1}$ … ㉡
> ㉠－㉡을 하면
> $-S=2+2^2+2^3+\cdots+$ (나) $-n\cdot2^{n+1}$
> $=\frac{2(2^n-1)}{2-1}-n\cdot2^{n+1}=(1-n)\cdot2^{n+1}-2$
> $\therefore S=$ (다)

1176 군수열 $(1), (2, 1), (3, 2, 1), (4, 3, 2, 1), \cdots$에 대하여 다음 물음에 답하시오.

(1) 제 10 군의 첫째항을 구하시오.
(2) 제 10 군의 합을 구하시오.
(3) 수열 $1, 2, 1, 3, 2, 1, 4, 3, 2, 1, \cdots$에서 8이 처음으로 나타나는 것은 제몇 항인지 구하시오.

핵심 Check
- (등차)×(등비) 꼴의 수열의 합 S → 등비수열의 공비 r에 대하여 $S-rS$를 계산하여 구한다.
- 군수열 → 각 군의 규칙과 첫째항, 항수를 파악한다.

STEP 2 유형 마스터

유형 01 합의 기호 $\sum$

개념 01

(1) $\sum_{k=1}^{n} a_k = a_1 + a_2 + a_3 + \cdots + a_n$

(2) $\sum_{k=1}^{n} a_{2k} = a_2 + a_4 + a_6 + \cdots + a_{2n}$

(3) $\sum_{k=1}^{n} ka_k = a_1 + 2a_2 + 3a_3 + \cdots + na_n$

(4) $\sum_{k=1}^{n} (a_{2k-1} + a_{2k}) = a_1 + a_2 + a_3 + a_4 + \cdots + a_{2n-1} + a_{2n} = \sum_{k=1}^{2n} a_k$

1177 대표문제

$\sum_{k=1}^{n} (a_{2k-1} + a_{2k}) = 3n^2$일 때, $\sum_{k=1}^{10} a_k$의 값은?

① 75 ② 100 ③ 125
④ 150 ⑤ 300

1178 상중하

수열 $\{a_n\}$에 대하여 $a_1 = 5$, $a_{200} = 55$일 때,
$\sum_{k=1}^{199} a_{k+1} - \sum_{k=2}^{200} a_{k-1}$의 값을 구하시오.

1179 상중하

다음 보기 중 옳은 것의 개수를 구하시오.

보기

ㄱ. $\sum_{k=1}^{n} k^2 = \sum_{k=0}^{n} k^2$ ㄴ. $\sum_{k=1}^{n} 2^k = \sum_{k=0}^{n} 2^k$

ㄷ. $\sum_{i=1}^{m} a_i + \sum_{j=m+1}^{n} a_j = \sum_{k=1}^{n} a_k$ (단, $m+1 \le n$)

1180 상중하

다음 중 $\sum_{k=1}^{10} (2k)^2 + \sum_{k=1}^{10} (2k-1)^2$과 그 값이 같은 것은?

① $2\sum_{k=1}^{10} k^2$ ② $\sum_{k=0}^{19} (k+1)^2$ ③ $\sum_{k=1}^{19} k^2$
④ $\sum_{k=0}^{20} (k-1)^2$ ⑤ $\left(\sum_{k=1}^{20} k\right)^2$

유형 02 $\sum$의 성질을 이용한 계산 (중요)

개념 02

(1) $\sum_{k=1}^{n} (pa_k + qb_k) = p\sum_{k=1}^{n} a_k + q\sum_{k=1}^{n} b_k$ (단, p, q는 상수)

(2) $\sum_{k=1}^{n} (a_k + c)^2 = \sum_{k=1}^{n} a_k^2 + 2c\sum_{k=1}^{n} a_k + c^2 n$ (단, c는 상수)

1181 대표문제

수열 $\{a_n\}$에 대하여

$$\sum_{k=1}^{10} (2a_k + 1) = 30,\ \sum_{k=1}^{10} (a_k + 1)(a_k - 1) = 50$$

일 때, $\sum_{k=1}^{10} (2a_k + 1)^2$의 값을 구하시오.

1182 상중하 서술형

$\sum_{k=1}^{n} (a_k + b_k)^2 = 50$, $\sum_{k=1}^{n} (a_k^2 + b_k^2) = 30$일 때, $\sum_{k=1}^{n} a_k b_k$의 값을 구하시오.

1183 상중하

$\sum_{k=1}^{n} a_k = n^2$, $\sum_{k=1}^{n} b_k = 2n$일 때, $\sum_{k=1}^{20} (a_k - 6b_k + 2)$의 값을 구하시오.

1184 상중하

$\sum_{k=1}^{10} a_k = 25$, $\sum_{k=1}^{20} a_k = 45$, $\sum_{k=1}^{10} b_k = 15$, $\sum_{k=1}^{20} b_k = 30$일 때,
$\sum_{k=11}^{20} (2a_k + b_k)$의 값은?

① 35 ② 40 ③ 45
④ 50 ⑤ 55

유형 03 r^n을 포함한 수열의 합 (중요) 개념 02

일반항에 r^n을 포함한 수열의 합을 구하는 경우에는 $\sum$의 성질과 등비수열의 합의 공식을 이용하여 수열의 합을 구한다.

⇨ $\sum_{k=1}^{n} ar^{k-1}=\frac{a(r^n-1)}{r-1}=\frac{a(1-r^n)}{1-r}$ (단, $r\neq1$)

1185 • 대표문제 •

등식 $\sum_{k=1}^{2010}\frac{2^k+(-1)^k}{3^k}=\frac{a}{4}-b\left(\frac{2}{3}\right)^{2010}+\frac{c}{4}\left(-\frac{1}{3}\right)^{2010}$을 만족시키는 자연수 a, b, c에 대하여 $a+b+c$의 값을 구하시오.

1186 상중하

수열

$1,\ 1+3,\ 1+3+3^2,\ \cdots,\ 1+3+3^2+\ \cdots\ +3^9+3^{10}$

의 합은?

① $\frac{3^{11}}{4}-3$ ② $\frac{3^{12}-25}{4}$ ③ $\frac{4\cdot3^{11}-11}{3}$
④ $\frac{3^{13}-14}{4}$ ⑤ $\frac{3^{13}-15}{2}$

1187 상중하

$4+44+444+\ \cdots\ +\underbrace{444\cdots4}_{20개}=\frac{a\cdot10^{20}-b}{81}$일 때, $a+b$의 값은? (단, a, b는 세 자리 이하의 자연수)

① 720 ② 760 ③ 800
④ 840 ⑤ 880

유형 04 자연수의 거듭제곱의 합 (중요) 개념 03

(1) $\sum_{k=1}^{n}k=\frac{n(n+1)}{2}$

(2) $\sum_{k=1}^{n}k^2=\frac{n(n+1)(2n+1)}{6}$

(3) $\sum_{k=1}^{n}k^3=\left\{\frac{n(n+1)}{2}\right\}^2$

1188 • 대표문제 •

$\log_4 2+\log_4 2^2+\log_4 2^3+\ \cdots\ +\log_4 2^{20}$의 값을 구하시오.

1189 상중하

$\sum_{k=1}^{n-1}(2k+3)=96$일 때, 자연수 n의 값은?

① 8 ② 9 ③ 10
④ 11 ⑤ 12

1190 상중하

x에 대한 이차방정식 $x^2-(n+1)x-(n+2)=0$의 두 근을 α_n, β_n이라 할 때, $\sum_{n=1}^{10}(\alpha_n{}^2+\beta_n{}^2)$의 값을 구하시오.

1191 상중하

이차함수 $f(x)=\sum_{k=1}^{11}(x-k)^2$에서 $f(x)$가 최소가 되도록 하는 x의 값은?

① 2 ② 4 ③ 6
④ 8 ⑤ 10

유형 05 여러 개의 ∑를 포함한 식의 계산 개념 03

여러 개의 ∑를 포함한 식의 계산에서는 안쪽에 있는 ∑부터 차례로 풀어 가는데 문자에 주의하여 상수인 것과 상수가 아닌 것을 구별한다.

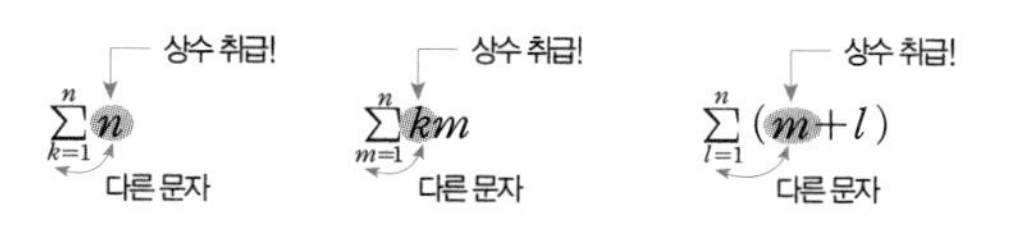

1192 • 대표문제 •

$\sum_{n=1}^{5}\left(\sum_{m=1}^{n}mn\right)$의 값은?

① 120 ② 125 ③ 130
④ 135 ⑤ 140

1193 상중하

$\sum_{m=1}^{n}\left(\sum_{k=1}^{m}k\right)=120$일 때, 자연수 n의 값은?

① 6 ② 7 ③ 8
④ 9 ⑤ 10

1194 상중하

$\sum_{m=1}^{n}\left\{\sum_{l=1}^{m}\left(\sum_{k=1}^{l}12\right)\right\}$를 간단히 하면?

① $2n(n+1)(n+2)$ ② $2n(n+1)(n+3)$
③ $2n(n+1)(2n+1)$ ④ $2n(n+2)(2n+1)$
⑤ $3n(n+1)(2n+1)$

1195 상중하 서술형

m, n이 이차방정식 $x^2-8x+12=0$의 두 근일 때, $\sum_{k=1}^{m}\left\{\sum_{l=1}^{n}(k+l)\right\}$의 값을 구하시오.

유형 06 제k항을 찾아 수열의 합 구하기 개념 03

(i) 주어진 수열의 제k항 a_k를 k에 대한 식으로 나타낸다.
(ii) ∑의 성질과 자연수의 거듭제곱의 합을 이용하여 수열의 합을 구한다.

1196 • 대표문제 •

수열의 합

$$1\cdot2+2\cdot3+3\cdot4+\cdots+20\cdot21$$

의 값을 구하시오.

1197 상중하

수열의 합

$$1\cdot3^2+3\cdot6^2+5\cdot9^2+7\cdot12^2+9\cdot15^2$$

의 값은?

① 3555 ② 3560 ③ 3565
④ 3570 ⑤ 3575

유형 07 제k항이 n에 대한 식일 때의 수열의 합 개념 03

(i) 주어진 수열의 제k항 a_k를 k와 n에 대한 식으로 나타낸다.
(ii) $\sum_{k=1}^{n}a_k$에서 n은 상수임에 유의하여 수열의 합을 구한다.

1198 • 대표문제 •

다음 수열의 합을 간단히 하시오.

$$1\cdot n+2\cdot(n-1)+3\cdot(n-2)+\cdots+n\cdot1$$

1199 상중하

다음 수열의 합을 간단히 하시오.

$$\left(\frac{1+n}{n}\right)^2+\left(\frac{2+n}{n}\right)^2+\left(\frac{3+n}{n}\right)^2+\cdots+\left(\frac{2n}{n}\right)^2$$

유형 08 여러 가지 수열의 합

개념 02, 03

(1) 특정한 값이 반복되는 수열의 합

수열 $\{a_n\}$의 각 항이 특정한 값이 반복되어 나타날 때, $\sum_{k=1}^{n} a_k$는 같은 값을 갖는 항수를 이용하여 구한다.

(2) 가우스 기호가 포함된 수열의 합

$[x]=n$(n은 정수)이면 $n \le x < n+1$임을 이용하여 x의 값의 범위를 나눈다. (단, $[x]$는 x보다 크지 않은 최대의 정수이다.)

1200 대표문제

수열 $\{x_i\}$는 0, 1, 2 중 하나의 값을 갖는다.

$\sum_{i=1}^{100} x_i=95$, $\sum_{i=1}^{100} x_i^2=145$일 때, $\sum_{i=1}^{100} x_i^3$의 값은?

① 210 ② 245 ③ 280 ④ 315 ⑤ 350

1201 상중하

3^n을 5로 나누었을 때의 나머지를 a_n이라 할 때, $\sum_{k=1}^{100} a_k$의 값은?

① 220 ② 230 ③ 240 ④ 250 ⑤ 260

1202 상중하 서술형

$\sum_{k=1}^{99}\left[\frac{k}{3}\right]$의 값을 구하시오.

(단, $[x]$는 x보다 크지 않은 최대의 정수이다.)

유형 09 분수 꼴로 주어진 수열의 합 (중요)

개념 04

(i) 수열 $\{a_n\}$의 제k항 a_k를 부분분수로 변형한다.

$\Rightarrow a_k=\frac{1}{(k+a)(k+b)}=\frac{1}{b-a}\left(\frac{1}{k+a}-\frac{1}{k+b}\right)$ (단, $a \ne b$)

(ii) $k=1, 2, 3, \cdots, n$을 차례로 대입하여 주어진 식을 간단히 한다.

1203 대표문제

수열 $\frac{1}{3^2-1}, \frac{1}{5^2-1}, \frac{1}{7^2-1}, \cdots$의 첫째항부터 제20항까지의 합을 구하시오.

1204 상중하

$a_n=1^2+2^2+3^2+\cdots+n^2$인 수열 $\{a_n\}$에 대하여

$\frac{3}{a_1}+\frac{5}{a_2}+\frac{7}{a_3}+\cdots+\frac{21}{a_{10}}$의 값은?

① $\frac{11}{5}$ ② $\frac{31}{5}$ ③ $\frac{15}{7}$ ④ $\frac{25}{7}$ ⑤ $\frac{60}{11}$

1205 상중하

x에 대한 이차방정식 $x^2+4x-(4n^2-1)=0$의 두 근을 α_n, β_n이라 할 때, $\sum_{n=1}^{10}\left(\frac{1}{\alpha_n}+\frac{1}{\beta_n}\right)$의 값을 구하시오.

1206 상중하

자연수 전체의 집합을 정의역으로 하는 두 함수

$$f(n)=(n+3)(n-1),\ g(n)=2n+1$$

에 대하여 $\sum_{n=1}^{10}\frac{8}{(f\circ g)(n)}$의 값을 구하시오.

유형 10 분모에 근호가 포함된 수열의 합 개념 04

(i) 수열 $\{a_n\}$의 제k항 a_k의 분모를 유리화한다.

$\Rightarrow a_k=\dfrac{1}{\sqrt{k}+\sqrt{k+c}}=\dfrac{\sqrt{k}-\sqrt{k+c}}{(\sqrt{k}+\sqrt{k+c})(\sqrt{k}-\sqrt{k+c})}$

$=\dfrac{1}{c}(\sqrt{k+c}-\sqrt{k})$ (단, $c\neq0$)

(ii) $k=1, 2, 3, \cdots, n$을 차례로 대입하여 주어진 식을 간단히 한다.

1207 • 대표문제 •

$\dfrac{1}{\sqrt{3}+\sqrt{4}}+\dfrac{1}{\sqrt{4}+\sqrt{5}}+\dfrac{1}{\sqrt{5}+\sqrt{6}}+\cdots+\dfrac{1}{\sqrt{50}+\sqrt{51}}$의 값을 구하시오.

1208 상중하

$f(n)=\sqrt{n+1}+\sqrt{n+2}$일 때, $\displaystyle\sum_{k=1}^{n}\frac{1}{f(k)}=2\sqrt{2}$를 만족시키는 자연수 n의 값은?

① 12　② 13　③ 14　④ 15　⑤ 16

1209 상중하

오른쪽 그림과 같이 좌표평면 위의 두 직선 $x=k$, $x=k+1$과 x축 및 곡선 $y=\sqrt{x}$가 만나서 생기는 네 점을 꼭짓점으로 하는 사각형의 넓이를 S_k라 할 때, $\displaystyle\sum_{k=1}^{99}\frac{1}{S_k}$의 값을 구하시오.

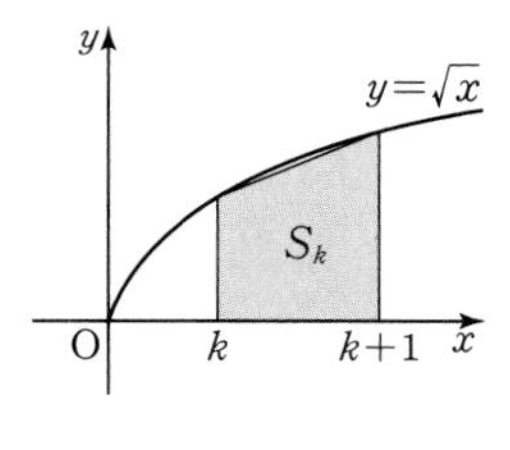

유형 11 로그가 포함된 수열의 합 개념 04

(i) 수열 $\{a_n\}$의 제k항 a_k를 로그의 성질을 이용하여 변형한다.

$\Rightarrow a>0, a\neq1, x>0, y>0$일 때

(1) $\log_a xy=\log_a x+\log_a y$

(2) $\log_a \dfrac{x}{y}=\log_a x-\log_a y$

(3) $\log_a x^k=k\log_a x$ (단, k는 실수)

(ii) $k=1, 2, 3, \cdots, n$을 차례로 대입하여 주어진 식을 간단히 한다.

1210 • 대표문제 •

$\displaystyle\sum_{k=1}^{99}\log\left(1+\frac{1}{k}\right)$의 값은?

① -2　② $-\log 99$　③ -1　④ $\log 99$　⑤ 2

1211 상중하

$\displaystyle\sum_{k=1}^{n}\log_2\frac{\sqrt{k+1}}{\sqrt{k}}=3$일 때, 자연수 n의 값은?

① 61　② 62　③ 63　④ 64　⑤ 65

1212 상중하

$\displaystyle\sum_{k=2}^{50}\log\left(1-\frac{1}{k^2}\right)$의 값은?

① $\log 51-3$　② $\log 51-2$　③ $\log 51-1$　④ $\log 49-\dfrac{1}{2}$　⑤ $\log 48-\dfrac{1}{3}$

1213 상중하

수열 $\{a_n\}$에서 $a_{2n-1}=2^n$이고, $a_{2n}=5^n$일 때, $\displaystyle\sum_{k=1}^{10}\log a_k$의 값을 구하시오.

유형 12 ∑로 표현된 수열의 합과 일반항 사이의 관계 (중요)

개념 03, 04

$S_n=\sum_{k=1}^{n} a_k$가 주어진 경우

(i) $S_1=\sum_{k=1}^{1} a_k=a_1$

(ii) $S_n-S_{n-1}=\sum_{k=1}^{n} a_k-\sum_{k=1}^{n-1} a_k=a_n(n\ge 2)$

임을 이용하여 a_n을 구한다.

1214 • 대표문제 •

수열 $\{a_n\}$에서 $\sum_{k=1}^{n} a_k=n^2+2n$일 때, $\sum_{k=1}^{10} ka_{3k}$의 값은?

① 1500 ② 2015 ③ 2300
④ 2365 ⑤ 2560

1215 상중하

수열 $\{a_n\}$에서 $\sum_{k=1}^{n} a_k=\frac{n}{n+1}$일 때, $\sum_{k=1}^{6} \frac{1}{a_k}$의 값은?

① $\frac{6}{7}$ ② $\frac{5}{6}$ ③ 112
④ 114 ⑤ 116

1216 상중하 서술형

수열 $\{a_n\}$에서 $\sum_{k=1}^{n} a_k=n^2+3n$일 때, $\sum_{k=1}^{8} \frac{1}{a_k a_{k+1}}$의 값을 구하시오.

1217 상중하

수열 $\{a_n\}$이

$$a_1+2a_2+3a_3+\cdots+na_n=n(n+1)(n+2)$$

를 만족시킬 때, $\sum_{k=1}^{10} a_k$의 값을 구하시오.

유형 13 (등차)×(등비) 꼴의 수열의 합 – 멱급수

개념 05

(i) 주어진 수열의 합 S에 등비수열의 공비 r를 곱한다.

(ii) $S-rS$를 계산하여 S의 값을 구한다. (단, $r\neq 1$)

1218 • 대표문제 •

$S=\sum_{k=1}^{10} \frac{k}{2^{k-1}}=a-3\left(\frac{1}{2}\right)^b$일 때, 자연수 a, b에 대하여 $|a-b|$의 값을 구하시오.

1219 상중하

$S=1+2\cdot 2+3\cdot 2^2+4\cdot 2^3+\cdots+10\cdot 2^9$일 때, $S=a+b\cdot 2^c$을 만족시키는 10 이하의 자연수 a, b, c에 대하여 $a+b+c$의 값을 구하시오.

유형 14 정수로 이루어진 군수열

개념 05

(i) 주어진 수열을 규칙성을 갖는 군으로 나눈다.

(ii) 각 군의 항수를 파악한다.

(iii) 각 군의 첫째항 또는 끝항이 갖는 규칙성을 조사한다.

1220 • 대표문제 •

수열 $\{a_n\}$이

$$1, 1, 2, 1, 1, 2, 3, 2, 1, 1, 2, 3, 4, 3, 2, 1, \cdots$$

일 때, a_{90}의 값을 구하시오.

1221 상중하

수열 1, 3, 3, 5, 5, 5, 7, 7, 7, 7, ⋯에서 19가 제a항부터 제b항까지 계속해서 나타날 때, $a+b$의 값을 구하시오.

1222 상중하

수열 $1, 1, 2, 1, 1, 2, 2^2, 2, 1, 1, 2, 2^2, 2^3, 2^2, 2, 1, \cdots$에서 2^{10}이 다섯 번째로 나타나는 항은 제몇 항인지 구하시오.

1223 상중하

수열 $a, b, a^2, ab, b^2, a^3, a^2b, ab^2, b^3, \cdots$에서 제60항은? (단, $ab \neq 0$)

① a^8b ② a^5b^4 ③ a^9b
④ a^7b^3 ⑤ a^5b^5

유형 15 분수로 이루어진 군수열 (중요) 개념 05

(1) 분모 또는 분자가 같은 것끼리 군으로 묶는다.

예 $\left(\frac{1}{1}\right), \left(\frac{1}{2}, \frac{2}{2}\right), \left(\frac{1}{3}, \frac{2}{3}, \frac{3}{3}\right), \cdots$

⇨ 분모가 같은 것끼리 묶는다.

(2) (분모)+(분자)의 값이 같은 것끼리 군으로 묶는다.

예 $\left(\frac{1}{1}\right), \left(\frac{1}{2}, \frac{2}{1}\right), \left(\frac{1}{3}, \frac{2}{2}, \frac{3}{1}\right), \cdots$

⇨ (분모)+(분자)의 값이 같은 것끼리 묶는다.

1224 대표문제

수열 $\frac{1}{2}, \frac{1}{3}, \frac{2}{3}, \frac{1}{4}, \frac{2}{4}, \frac{3}{4}, \frac{1}{5}, \frac{2}{5}, \frac{3}{5}, \frac{4}{5}, \cdots$에서 제125항을 구하시오.

1225 상중하

수열 $\frac{1}{2}, \frac{3}{4}, \frac{1}{4}, \frac{7}{8}, \frac{5}{8}, \frac{3}{8}, \frac{1}{8}, \cdots$에서 제100항은?

① $\frac{55}{128}$ ② $\frac{57}{128}$ ③ $\frac{59}{128}$
④ $\frac{61}{128}$ ⑤ $\frac{63}{128}$

1226 상중하 서술형

다음 수열에서 $\frac{4}{18}$는 제몇 항인지 구하시오.

$$\frac{1}{1}, \frac{2}{1}, \frac{1}{2}, \frac{3}{1}, \frac{2}{2}, \frac{1}{3}, \frac{4}{1}, \frac{3}{2}, \frac{2}{3}, \frac{1}{4}, \cdots$$

1227 상중하

다음 수열의 첫째항부터 제55항까지의 합을 구하시오.

$$\frac{1}{2}, \frac{2}{3}, \frac{1}{3}, \frac{3}{4}, \frac{2}{4}, \frac{1}{4}, \frac{4}{5}, \frac{3}{5}, \frac{2}{5}, \frac{1}{5}, \cdots$$

유형 16 순서쌍으로 이루어진 군수열 개념 05

두 수의 합 또는 곱이 같은 것끼리 군으로 묶는다.

예 (1) $\{(1, 1)\}, \{(2, 1), (1, 2)\}, \{(3, 1), (2, 2), (1, 3)\}, \cdots$

⇨ 두 수의 합이 같은 것끼리 묶는다.

(2) $\{(1, 1)\}, \{(1, 2), (2, 1)\}, \{(1, 4), (2, 2), (4, 1)\}, \cdots$

⇨ 두 수의 곱이 같은 것끼리 묶는다.

1228 대표문제

다음과 같이 순서쌍으로 이루어진 수열에서 $(14, 17)$은 제몇 항인지 구하시오.

$$(1, 1), (2, 1), (1, 2), (3, 1), (2, 2), (1, 3), (4, 1), (3, 2), (2, 3), (1, 4), \cdots$$

1229 상중하

순서쌍으로 이루어진 수열

$(1, 3), (3, 1), (1, 9), (3, 3), (9, 1), (1, 27), (3, 9), (9, 3), (27, 1), \cdots$

에서 제50항을 구하시오.

발전 유형 17 삼각형 모양으로 주어진 군수열

개념 05

(i) 각 줄을 하나의 군으로 묶는다.
(ii) 첫 번째 줄에서 n번째 줄까지의 항수를 파악한다.
(iii) 각 줄에서 k번째의 수를 구한다.

1230 • 대표문제 •

자연수를 다음과 같이 나열할 때, 111은 위에서 p번째 줄의 왼쪽에서 q번째에 있다. 이때, $p+q$의 값을 구하시오.

1
2 3 4
9 8 7 6 5
10 11 12 13 14 15 16
25 24 23 22 21 20 19 18 17
⋮

1231 상중하

오른쪽 그림과 같이 자연수를 삼각형 모양에 배열할 때, 위에서부터 10번째 줄의 왼쪽에서 7번째에 있는 수를 구하시오.

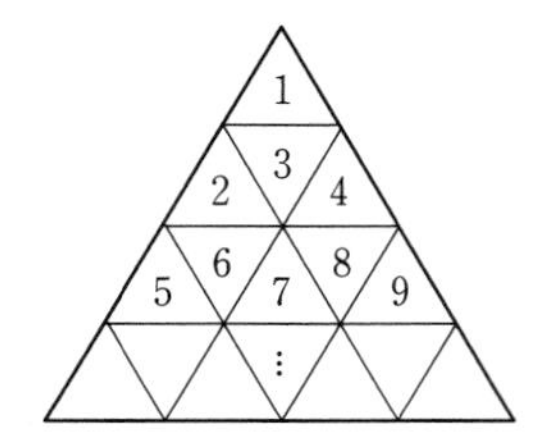

1232 상중하

다음과 같이 수를 나열할 때, 첫 번째 줄부터 10번째 줄까지 나열된 수의 합을 구하시오.

1
2 4
3 6 9
4 8 12 16
5 10 15 20 25
6 12 18 24 30 36
⋮

발전 유형 18 바둑판 모양으로 주어진 군수열

개념 05

(1) 수가 나열되는 방향에 따른 규칙을 찾는다.
(2) 놓인 위치에 따른 규칙을 찾는다.
⇨ 첫 번째 줄의 수, 각 줄의 첫 번째의 수, 대각선 위의 수 등

1233 • 대표문제 •

오른쪽과 같은 규칙으로 자연수를 나열할 때, 위에서 9번째 줄의 왼쪽에서 15번째에 있는 수는?

1	4	9	16	⋯
2	3	8	15	
5	6	7	14	
10	11	12	13	
17	18			
⋮				

① 215 ② 216
③ 217 ④ 218
⑤ 219

1234 상중하

오른쪽과 같이 자연수를 어떤 일정한 규칙에 따라 한없이 나열할 때, 위에서 10번째 줄의 왼쪽에서 8번째에 있는 수는?

1	1	1	1	1	⋯
1	2	3	4	5	
1	3	5	7	9	
1	4	7	10	13	
1	5	9	13	17	
⋮					

① 61 ② 62
③ 63 ④ 64
⑤ 65

1235 상중하

가로줄의 개수와 세로줄의 개수가 같은 정사각형 모양의 표에 오른쪽과 같이 자연수를 배열하였다. 자연수 a, b, c, d에 대하여 $a+b+c+d=361$일 때, 네 수 a, b, c, d 중 가장 작은 수와 가장 큰 수의 차를 구하시오.

1	2	3	4	5	⋯		
2	4	6	8	10			
3	6	9	12	15			
4	8	12	16	20			
5	10	15	20	25			
⋮					⋱		
						a	b
						c	d

• 실제 학교 시험지처럼 풀어 보세요.

1236 | 유형 01 |

수열 $\{a_n\}$이 $\sum_{k=1}^{100} ka_k=200$, $\sum_{k=1}^{99} ka_{k+1}=100$을 만족시킬 때, $\sum_{k=1}^{100} a_k$의 값은? [3.8점]

① 99 ② 100 ③ 199
④ 200 ⑤ 300

1237 | 유형 03 |

다항식 $f(x)=x^{n-1}(x-3)$을 $x-5$로 나누었을 때의 나머지를 a_n이라 할 때, $\sum_{k=1}^{n} a_k$를 n에 대한 식으로 나타내면? [4점]

① $\frac{5^n-1}{2}$ ② $\frac{5^n-1}{4}$ ③ $\frac{5^n-1}{8}$
④ $\frac{5^n+1}{2}$ ⑤ $\frac{5^n+1}{4}$

1238 | 유형 04 |

수열 $\{a_n\}$에 대하여 $a_n=\begin{cases} 2n & (n\text{이 홀수}) \\ -n & (n\text{이 짝수}) \end{cases}$로 정의할 때, $\sum_{k=1}^{20} a_k$의 값은? [4점]

① 45 ② 50 ③ 90
④ 100 ⑤ 200

1239 | 유형 05 |

$\sum_{n=1}^{20}\left\{\sum_{k=1}^{n}(-1)^{n-1}\cdot(2k-1)\right\}$의 값은? [4.3점]

① -260 ② -240 ③ -210
④ 210 ⑤ 240

1240 | 유형 07 |

자연수 n에 대하여

$$1\cdot(2n-1)+2\cdot(2n-3)+3\cdot(2n-5)+\cdots+n\cdot1$$
$$=\frac{n(n+a)(bn+c)}{6}$$

일 때, $a+b+c$의 값은? (단, a, b, c는 상수) [4.3점]

① 2 ② 4 ③ 6
④ 8 ⑤ 10

1241 | 유형 08 |

$\sum_{k=1}^{50}[\sqrt{k}]$의 값은?

(단, $[x]$는 x보다 크지 않은 최대의 정수이다.) [4.5점]

① 211 ② 213 ③ 215
④ 217 ⑤ 219

1242 | 유형 10 |

수열 $\{a_n\}$은 첫째항이 9, 공차가 3인 등차수열이다. S_n을 다음과 같이 정의할 때, S_9의 값은? [4.6점]

$$S_n=\frac{1}{\sqrt{a_1}+\sqrt{a_2}}+\frac{1}{\sqrt{a_2}+\sqrt{a_3}}+\cdots+\frac{1}{\sqrt{a_n}+\sqrt{a_{n+1}}}$$

① $\sqrt{3}-1$ ② 1 ③ $\sqrt{3}+1$
④ $2\sqrt{3}$ ⑤ $2\sqrt{3}+1$

1243 | 유형 11 |

수열 $\{a_n\}$의 일반항이 $a_n=\log_2\left(1+\frac{1}{n}\right)$일 때, $\sum_{k=1}^{n} a_k=5$를 만족시키는 n의 값은? [4.2점]

① 15 ② 16 ③ 31
④ 32 ⑤ 63

1244 | 유형 12 |

수열 $\{a_n\}$의 첫째항부터 제n항까지의 합 S_n이

$S_n=\frac{1}{3}n(n+1)(n+2)$일 때, $\sum_{k=1}^{n}\frac{1}{a_k}$은? [4.2점]

① $\frac{n}{n+2}$　② $\frac{n+1}{n+2}$　③ $\frac{1}{n+2}$
④ $\frac{n-1}{n+1}$　⑤ $\frac{n}{n+1}$

1245 | 유형 14 |

두 수 0, 1로 이루어진 수열

1, 10, 11, 100, 101, 110, 111, ⋯

에서 제65항은? [4.3점]

① 111110　② 111111　③ 1000000
④ 1000001　⑤ 1000010

1246 | 유형 18 |

오른쪽 그림과 같이 중앙의 1에서부터 시작하여 시계 반대 방향으로 자연수를 차례로 써 나갈 때, 121 바로 위에 오는 수는? [4.8점]

	17	16	15	14	13	
	18	5	4	3	12	
	19	6	①	2	11	
	20	7	8	9	10	
	21	22	⋯			

① 76　② 82
③ 94　④ 108
⑤ 132

서술형 문제

• 풀이 과정에 점수가 부여되니 풀이 과정 및 정답을 상세하게 서술하세요.

단답형

1247 | 유형 06 |

수열 $\{a_n\}$이

1, 2+4, 3+6+9, 4+8+12+16, ⋯

일 때, $\sum_{k=1}^{9}a_k$의 값을 구하시오. [6점]

1248 | 유형 16 |

x좌표와 y좌표가 자연수로 이루어진 좌표평면 위의 점

$A_1(1, 1)$, $A_2(1, 2)$, $A_3(2, 1)$, $A_4(1, 3)$, $A_5(2, 2)$, $A_6(3, 1)$, $A_7(1, 4)$, $A_8(2, 3)$, $A_9(3, 2)$, $A_{10}(4, 1)$, ⋯

에 대하여 두 점 A_{50}과 A_{200} 사이의 거리를 구하시오. [7점]

단계형

1249 | 유형 15 |

수열 $1, \frac{1}{3}, 1, \frac{1}{3}, \frac{1}{9}, 1, \frac{1}{3}, \frac{1}{9}, \frac{1}{27}, \cdots$의 첫째항부터 제65항까지의 곱이 $\left(\frac{1}{3}\right)^a$일 때, 다음 물음에 답하시오. (단, a는 상수) [10점]

(1) 제65항이 제몇 군의 몇 번째 항인지 구하시오. [4점]

(2) a의 값을 구하시오. [6점]

성/취/도 Check

• 이 단원은 70점 만점입니다.

점수　　/ 70점

30점 STEP 1 개념+기본 문제 학습

40점 STEP 2 유형 대표 문제 학습

50점 STEP 3의 틀린 문제에 해당하는 STEP 2 유형 학습

60점 STEP 3의 틀린 문제 복습

65점 교과서 속 심화문제 시작

기출 문제 분석

빅 데이터

* 전국 300여 개 고등학교 기출 문제를 분석하였습니다.

유형01 등차수열의 귀납적 정의
유형02 등비수열의 귀납적 정의

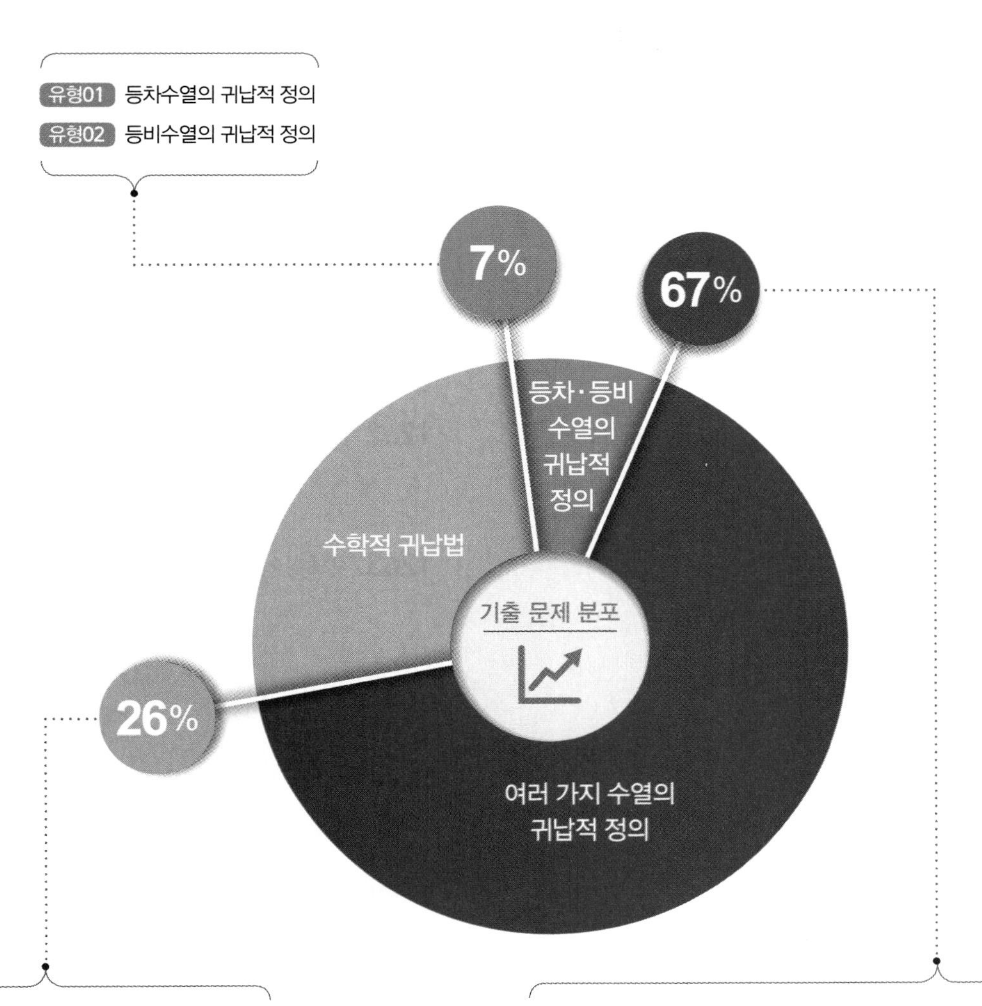

유형12 수학적 귀납법
유형13 수학적 귀납법을 이용한 등식의 증명
유형14 수학적 귀납법을 이용한 배수의 증명
유형15 수학적 귀납법을 이용한 부등식의 증명

유형03 $a_{n+1}=a_n+f(n)$ 꼴로 정의된 수열
유형04 $a_{n+1}=a_nf(n)$ 꼴로 정의된 수열
유형05 $a_{n+1}=pa_n+q(p\neq1, pq\neq0)$ 꼴로 정의된 수열
유형06 $pa_{n+2}+qa_{n+1}+ra_n=0(p+q+r=0, pqr\neq0)$ 꼴로 정의된 수열
유형07 $a_{n+1}=\frac{ra_n}{pa_n+q}$ $(pqr\neq0)$ 꼴로 정의된 수열
유형08 특수한 꼴 – 항이 반복되는 경우
유형09 특수한 꼴 – 식을 변형하는 경우
유형10 수열의 합 S_n이 포함된 귀납적 정의
유형11 수열의 귀납적 정의의 활용

STEP 1 개념 마스터

01 수열의 귀납적 정의

수열을 처음 몇 개의 항의 값과 이웃하는 여러 항 사이의 관계식으로 정의하는 것을 수열의 **귀납적 정의**라 한다.
일반적으로 수열 $\{a_n\}$을 다음과 같이 귀납적으로 정의할 수 있다.

① 첫째항 a_1의 값

② 두 항 a_n, a_{n+1} ($n=1, 2, 3, \cdots$) 사이의 관계식

참고 ②의 관계식에 $n=1, 2, 3, \cdots$을 대입하면 수열 $\{a_n\}$의 모든 항을 구할 수 있다.

예 수열 $\{a_n\}$에서 $a_1=5$, $a_{n+1}=a_n+n+1$일 때,
$a_2=a_1+(1+1)=5+2=7$, $a_3=a_2+(2+1)=7+3=10$,
$a_4=a_3+(3+1)=10+4=14$, $\cdots$

[1256~1261] 다음과 같이 귀납적으로 정의된 수열 $\{a_n\}$의 제5항을 구하시오. (단, $n=1, 2, 3, \cdots$)

1256 $a_1=-1$, $a_{n+1}=2a_n+n$

1257 $a_1=1$, $a_{n+1}=\frac{1}{a_n}+1$

1258 $a_1=2$, $a_{n+1}=na_n$

1259 $a_1=2$, $a_2=5$, $a_{n+2}=a_{n+1}+a_n$

1260 $a_1=-2$, $a_2=2$, $a_{n+2}=a_{n+1}a_n$

1261 $a_1=1$, $a_2=3$, $a_{n+2}=\frac{3a_{n+1}}{a_n}$

02 등차수열의 귀납적 정의

유형 01, 11

수열 $\{a_n\}$에서 $n=1, 2, 3, \cdots$일 때

(1) 첫째항이 a, 공차가 d인 등차수열

⇨ $a_1=a$, $a_{n+1}=a_n+d$

예 수열 2, 4, 6, 8, …은 첫째항이 2, 공차가 2인 등차수열이므로 귀납적으로 정의하면
$a_1=2$, $a_{n+1}=a_n+2$ (단, $n=1, 2, 3, \cdots$)

(2) 공차가 d인 등차수열

⇨ $a_{n+1}-a_n=d$ 또는 $a_{n+1}=a_n+d$

(3) 등차수열

⇨ $a_{n+2}-a_{n+1}=a_{n+1}-a_n$

⇨ $2a_{n+1}=a_n+a_{n+2}$ — a_{n+1}은 a_n과 a_{n+2}의 등차중항
⟺ 수열 $\{a_n\}$은 등차수열

[1262~1263] 다음 수열을 $\{a_n\}$이라 할 때, 수열 $\{a_n\}$을 귀납적으로 정의하시오.

1262 첫째항이 -2, 공차가 5인 등차수열

1263 첫째항이 4, 공차가 $-\frac{1}{4}$인 등차수열

[1264~1267] 다음 수열을 $\{a_n\}$이라 할 때, 수열 $\{a_n\}$을 귀납적으로 정의하시오.

1264 1, 3, 5, 7, 9, …

1265 3, 10, 17, 24, 31, …

1266 8, 5, 2, -1, -4, …

1267 26, 21, 16, 11, 6, …

핵심 Check

- 수열의 귀납적 정의 → 처음 몇 개의 항 + 이웃하는 여러 항 사이의 관계식
- 공차가 d인 등차수열 → $a_{n+1}=a_n+d$

[1268~1271] 다음과 같이 귀납적으로 정의된 수열 $\{a_n\}$의 일반항 a_n을 구하시오. (단, $n=1,\ 2,\ 3,\ \cdots$)

1268 $a_1=3,\ a_{n+1}-a_n=-3$

1269 $a_1=4,\ a_{n+1}=a_n+4$

1270 $a_1=2,\ a_2=5,\ 2a_{n+1}=a_n+a_{n+2}$

1271 $a_1=3,\ a_2=-1,\ a_{n+2}-a_{n+1}=a_{n+1}-a_n$

03 등비수열의 귀납적 정의

유형 02, 11

수열 $\{a_n\}$에서 $n=1, 2, 3, \cdots$일 때

(1) 첫째항이 a, 공비가 r인 등비수열

⇨ $a_1=a,\ a_{n+1}=ra_n$

예 수열 1, 2, 4, 8, …은 첫째항이 1, 공비가 2인 등비수열이므로 귀납적으로 정의하면
$a_1=1,\ a_{n+1}=2a_n$ (단, $n=1,\ 2,\ 3,\ \cdots$)

(2) 공비가 r인 등비수열

⇨ $a_{n+1}\div a_n=r$ 또는 $a_{n+1}=ra_n$

(3) 등비수열

⇨ $a_{n+2}\div a_{n+1}=a_{n+1}\div a_n$

⇨ $a_{n+1}^2=a_na_{n+2}$ — a_{n+1}은 a_n과 a_{n+2}의 등비중항 ⟺ 수열 $\{a_n\}$은 등비수열

[1272~1273] 다음 수열을 $\{a_n\}$이라 할 때, 수열 $\{a_n\}$을 귀납적으로 정의하시오.

1272 첫째항이 1, 공비가 4인 등비수열

1273 첫째항이 9, 공비가 $\frac{1}{3}$인 등비수열

[1274~1277] 다음 수열을 $\{a_n\}$이라 할 때, 수열 $\{a_n\}$을 귀납적으로 정의하시오.

1274 $2,\ 6,\ 18,\ 54,\ 162,\ \cdots$

1275 $81,\ 27,\ 9,\ 3,\ 1,\ \cdots$

1276 $3,\ -6,\ 12,\ -24,\ 48,\ \cdots$

1277 $4,\ -2,\ 1,\ -\frac{1}{2},\ \frac{1}{4},\ \cdots$

[1278~1282] 다음과 같이 귀납적으로 정의된 수열 $\{a_n\}$의 일반항 a_n을 구하시오. (단, $n=1,\ 2,\ 3,\ \cdots$)

1278 $a_1=-3,\ a_{n+1}\div a_n=2$

1279 $a_1=4,\ a_{n+1}=\frac{1}{4}a_n$

1280 $a_1=3,\ a_{n+1}=-5a_n$

1281 $a_1=-48,\ a_2=16,\ \frac{a_{n+1}}{a_n}=\frac{a_{n+2}}{a_{n+1}}$

1282 $a_1=1,\ a_2=5,\ a_{n+1}^2=a_na_{n+2}$

핵심 Check

공비가 r인 등비수열 ⟶ $a_{n+1}=ra_n$

04 여러 가지 수열의 귀납적 정의 (1) 유형 03~04, 08~11

(1) $a_{n+1}=a_n+f(n)$ 꼴로 정의된 수열

n에 1, 2, 3, ⋯, $n-1$을 차례로 대입하여 변끼리 더한다.

⇨ $a_n=a_1+f(1)+f(2)+\cdots+f(n-1)$

$=a_1+\sum_{k=1}^{n-1}f(k)$

(2) $a_{n+1}=a_nf(n)$ 꼴로 정의된 수열

n에 1, 2, 3, ⋯, $n-1$을 차례로 대입하여 변끼리 곱한다.

⇨ $a_n=a_1f(1)f(2)\cdots f(n-1)$

참고 (1)

$$\begin{array}{rl} & a_2=a_1+f(1) \\ & a_3=a_2+f(2) \\ & a_4=a_3+f(3) \\ & \vdots \\ +) & a_n=a_{n-1}+f(n-1) \\ \hline & a_n=a_1+f(1)+f(2)+\cdots+f(n-1) \end{array}$$

(2)

$$\begin{array}{rl} & a_2=a_1f(1) \\ & a_3=a_2f(2) \\ & a_4=a_3f(3) \\ & \vdots \\ \times) & a_n=a_{n-1}f(n-1) \\ \hline & a_n=a_1f(1)f(2)f(3)\cdots f(n-1) \end{array}$$

[1283~1285] 다음과 같이 귀납적으로 정의된 수열 $\{a_n\}$의 일반항 a_n을 구하시오. (단, $n=1, 2, 3, \cdots$)

1283 $a_1=1,\ a_{n+1}=a_n+n$

1284 $a_1=1,\ a_{n+1}=a_n+2n+1$

1285 $a_1=2,\ a_{n+1}-a_n=2^n$

[1286~1287] 다음과 같이 귀납적으로 정의된 수열 $\{a_n\}$의 일반항 a_n을 구하시오. (단, $n=1, 2, 3, \cdots$)

1286 $a_1=3,\ a_{n+1}=\frac{n}{n+1}a_n$

1287 $a_1=1,\ a_{n+1}=3^na_n$

05 여러 가지 수열의 귀납적 정의 (2) 유형 05~11

(1) $a_{n+1}=pa_n+q\ (p\neq1,\ pq\neq0)$ 꼴로 정의된 수열 ($\alpha=\frac{q}{1-p}$)

$a_{n+1}-\alpha=p(a_n-\alpha)$ 꼴로 변형하여 수열 $\{a_n-\alpha\}$는 첫째항이 $a_1-\alpha$, 공비가 p인 등비수열임을 이용한다.

참고 $a_{n+1}=pa_n+q$의 n에 $n+1$을 대입하면 $a_{n+2}=pa_{n+1}+q$
두 식을 변끼리 빼면 $a_{n+2}-a_{n+1}=p(a_{n+1}-a_n)$
따라서 수열 $\{a_{n+1}-a_n\}$이 첫째항이 a_2-a_1, 공비가 p인 등비수열임을 이용할 수도 있다.

(2) $pa_{n+2}+qa_{n+1}+ra_n=0\ (p+q+r=0,\ pqr\neq0)$ 꼴로 정의된 수열

$a_{n+2}-a_{n+1}=\frac{r}{p}(a_{n+1}-a_n)$ 꼴로 변형하여 수열 $\{a_{n+1}-a_n\}$은 첫째항이 a_2-a_1, 공비가 $\frac{r}{p}$인 등비수열임을 이용한다.

(3) $a_{n+1}=\frac{ra_n}{pa_n+q}\ (pqr\neq0)$ 꼴로 정의된 수열

양변에 역수를 취하여 $\frac{1}{a_{n+1}}=\frac{q}{r}\cdot\frac{1}{a_n}+\frac{p}{r}$에서 ($b_{n+1}=\frac{q}{r}b_n+\frac{p}{r}$ ⇨ (1) 형태)

$\frac{1}{a_n}=b_n$으로 놓고 b_n을 이용하여 a_n을 구한다.

1288 수열 $\{a_n\}$이

$a_1=2,\ a_{n+1}=3a_n+2\ (n=1, 2, 3, \cdots)$

로 정의될 때, 다음 물음에 답하시오.

(1) $a_{n+1}-\alpha=3(a_n-\alpha)$를 만족시키는 상수 α의 값을 구하시오.

(2) 일반항 a_n을 구하시오.

[1289~1290] 다음과 같이 귀납적으로 정의된 수열 $\{a_n\}$의 일반항 a_n을 구하시오. (단, $n=1, 2, 3, \cdots$)

1289 $a_1=2,\ a_{n+1}=2a_n+1$

1290 $a_1=4,\ a_{n+1}=\frac{1}{3}a_n+2$

핵심 Check

- $a_{n+1}=a_n+f(n)$ → (n에 1, 2, 3, ⋯, $n-1$ 대입) → 변끼리 더한다.
- $a_{n+1}=a_nf(n)$ → (n에 1, 2, 3, ⋯, $n-1$ 대입) → 변끼리 곱한다.
- $a_{n+1}=pa_n+q$ (단, $p\neq1,\ pq\neq0$) → $a_{n+1}-\alpha=p(a_n-\alpha)$로 변형
- $pa_{n+2}+qa_{n+1}+ra_n=0$ (단, $p+q+r=0,\ pqr\neq0$) → $a_{n+2}-a_{n+1}=\frac{r}{p}(a_{n+1}-a_n)$으로 변형

[1291~1292] 다음과 같이 귀납적으로 정의된 수열 $\{a_n\}$의 일반항 a_n을 구하시오. (단, $n=1, 2, 3, \cdots$)

1291 $a_1=1$, $a_2=2$, $a_{n+2}-4a_{n+1}+3a_n=0$

1292 $a_1=1$, $a_2=2$, $2a_{n+2}-3a_{n+1}+a_n=0$

[1293~1294] 다음과 같이 귀납적으로 정의된 수열 $\{a_n\}$의 일반항 a_n을 구하시오. (단, $n=1, 2, 3, \cdots$)

1293 $a_1=1$, $a_{n+1}=\dfrac{a_n}{1+3a_n}$

1294 $a_1=\dfrac{1}{2}$, $a_{n+1}=\dfrac{a_n}{a_n+2}$

06 수학적 귀납법

유형 12~15

자연수 n에 대한 명제 $p(n)$이 모든 자연수 n에 대하여 성립함을 증명하려면 다음 두 가지를 보이면 된다.

(i) $n=1$일 때, 명제 $p(n)$이 성립한다.

(ii) $n=k$일 때, 명제 $p(n)$이 성립한다고 가정하면 $n=k+1$일 때도 명제 $p(n)$이 성립한다.

이와 같이 자연수에 대한 어떤 명제가 참임을 증명하는 방법을 **수학적 귀납법**이라 한다.

참고 (i)에 의하여 $p(1)$이 참이다.
⇨ (ii)에 의하여 $p(1+1)$, 즉 $p(2)$가 참이다.
⇨ (ii)에 의하여 $p(2+1)$, 즉 $p(3)$이 참이다.
⇨ ⋯
따라서 (i), (ii)가 성립하면 모든 자연수 n에 대하여 명제 $p(n)$이 참임을 알 수 있다.

참고 $n \geq a$(a는 자연수)인 모든 자연수 n에 대하여 명제 $p(n)$이 성립함을 증명하려면 다음 두 가지를 증명하면 된다.
(i) $n=a$일 때, 명제 $p(n)$이 성립한다.
(ii) $n=k(k \geq a)$일 때, 명제 $p(n)$이 성립한다고 가정하면 $n=k+1$일 때도 명제 $p(n)$이 성립한다.

1295 다음은 모든 자연수 n에 대하여 등식

$$1+3+5+\cdots+(2n-1)=n^2 \quad \cdots\cdots ㉠$$

이 성립함을 수학적 귀납법으로 증명한 것이다.

증명

(i) $n=1$일 때,
(좌변)$=1$, (우변)$=1^2=1$
따라서 $n=1$일 때 ㉠이 성립한다.

(ii) $n=k$일 때, ㉠이 성립한다고 가정하면

$$1+3+5+\cdots+(2k-1)=k^2 \quad \cdots\cdots ㉡$$

이므로 ㉡의 양변에 (가)을(를) 더하면

$1+3+5+\cdots+(2k-1)+($(가)$)$
$=k^2+$(가)$=$(나)

따라서 $n=k+1$일 때도 ㉠이 성립한다.

(i), (ii)에 의하여 ㉠은 모든 자연수 n에 대하여 성립한다.

위의 증명 과정에서 (가), (나)에 알맞은 것을 써넣으시오.

1296 다음은 모든 자연수 n에 대하여 등식

$$1+2+3+\cdots+n=\frac{n(n+1)}{2} \quad \cdots\cdots ㉠$$

이 성립함을 수학적 귀납법으로 증명한 것이다.

증명

(i) $n=1$일 때,
(좌변)$=1$, (우변)$=\dfrac{1\cdot2}{2}=1$
따라서 $n=1$일 때 ㉠이 성립한다.

(ii) $n=k$일 때, ㉠이 성립한다고 가정하면

$$1+2+3+\cdots+k=\frac{k(k+1)}{2} \quad \cdots\cdots ㉡$$

이므로 ㉡의 양변에 (가)을(를) 더하면

$1+2+3+\cdots+k+$(가)
$=\dfrac{k(k+1)}{2}+$(가)$=($(가)$)($(나)$+1)=$(다)

따라서 $n=k+1$일 때도 ㉠이 성립한다.

(i), (ii)에 의하여 ㉠은 모든 자연수 n에 대하여 성립한다.

위의 증명 과정에서 (가), (나), (다)에 알맞은 것을 써넣으시오.

핵심 Check

모든 자연수에 대하여 명제가 참임을 증명 → 수학적 귀납법 이용

STEP 2 유형 마스터 ❶

유형 01 등차수열의 귀납적 정의 (중요) 개념 02

수열 $\{a_n\}$에서

(1) $a_{n+1}-a_n=d$ 또는 $a_{n+1}=a_n+d$

⇨ 공차가 d인 등차수열

(2) $a_{n+2}-a_{n+1}=a_{n+1}-a_n$ 또는 $2a_{n+1}=a_n+a_{n+2}$

⇨ 등차수열

1297 • 대표문제 •

수열 $\{a_n\}$이

$$a_1=300,\ a_{n+1}+4=a_n\ (n=1,\ 2,\ 3,\ \cdots)$$

으로 정의될 때, $a_k=88$을 만족시키는 자연수 k의 값은?

① 51 ② 52 ③ 53 ④ 54 ⑤ 55

1298 상중하

수열 $\{a_n\}$이

$$a_1=2,\ a_2=4,$$
$$a_{n+2}-2a_{n+1}+a_n=0\ (n=1,\ 2,\ 3,\ \cdots)$$

으로 정의될 때, $\sum_{k=1}^{20}\frac{1}{a_ka_{k+1}}$의 값은?

① $\frac{1}{21}$ ② $\frac{1}{7}$ ③ $\frac{5}{21}$ ④ $\frac{1}{3}$ ⑤ $\frac{3}{7}$

1299 상중하

수열 $\{a_n\}$이

$$a_{n+2}-a_{n+1}=a_{n+1}-a_n\ (n=1,\ 2,\ 3,\ \cdots)$$

으로 정의되고 $a_2=-16$, $a_5=-7$이다. 첫째항부터 제 n항까지의 합을 S_n이라 할 때, S_n의 값이 최소가 되도록 하는 n의 값은?

① 5 ② 6 ③ 7 ④ 8 ⑤ 9

유형 02 등비수열의 귀납적 정의 (중요) 개념 03

수열 $\{a_n\}$에서

(1) $a_{n+1}\div a_n=r$ 또는 $a^{n+1}=ra_n$

⇨ 공비가 r인 등비수열

(2) $a_{n+2}\div a_{n+1}=a_{n+1}\div a_n$ 또는 $a_{n+1}{}^2=a_na_{n+2}$

⇨ 등비수열

1300 • 대표문제 •

수열 $\{a_n\}$이

$$a_1=4,\ a_{n+1}=2a_n\ (n=1,\ 2,\ 3,\ \cdots)$$

으로 정의될 때, 처음으로 1000 이상이 되는 항은 제몇 항인가?

① 제8항 ② 제9항 ③ 제10항 ④ 제11항 ⑤ 제12항

1301 상중하 서술형

수열 $\{a_n\}$이

$$a_1=1,\ a_{n+1}{}^2=a_na_{n+2}\ (n=1,\ 2,\ 3,\ \cdots)$$

로 정의되고 $\frac{a_{11}}{a_1}+\frac{a_{13}}{a_3}+\frac{a_{15}}{a_5}=9$일 때, $\frac{a_{30}}{a_{10}}$의 값을 구하시오.

1302 상중하

수열 $\{a_n\}$이

$$a_1=1,\ a_2=3,$$
$$2\log a_{n+1}=\log a_n+\log a_{n+2}\ (n=1,\ 2,\ 3,\ \cdots)$$

로 정의될 때, $\sum_{k=1}^{10}a_{2k-1}$의 값을 구하시오.

1303 상중하

$a_1=2$, $a_2=1$인 수열 $\{a_n\}$에 대하여 이차방정식

$$a_nx^2-2a_{n+1}x+a_{n+2}=0\ (n=1,\ 2,\ 3,\ \cdots)$$

이 중근 b_n을 가질 때, $\sum_{k=1}^{100}b_k$의 값을 구하시오.

중요

유형 03 $a_{n+1}=a_n+f(n)$ 꼴로 정의된 수열

개념 04

$a_{n+1}=a_n+f(n)$의 n에 1, 2, 3, ⋯, $n-1$을 차례로 대입하여 변끼리 더한다.

⇨ $a_n=a_1+f(1)+f(2)+\cdots+f(n-1)=a_1+\sum_{k=1}^{n-1}f(k)$

1304 • 대표문제 •

수열 $\{a_n\}$이

$$a_{n+1}=a_n+2n-1\,(n=1,\ 2,\ 3,\ \cdots)$$

로 정의되고 $a_8=50$일 때, a_4의 값은?

① 8 ② 9 ③ 10
④ 11 ⑤ 12

1305 상중하

수열 $\{a_n\}$이

$$a_1=-1,\ a_{n+1}=a_n-f(n)\,(n=1,\ 2,\ 3,\ \cdots)$$

으로 정의되고 $\sum_{k=1}^{n}f(k)=n^2-1$일 때, a_{20}의 값을 구하시오.

1306 상중하

수열 $\{a_n\}$이

$$a_1=1,\ a_{n+1}=a_n+2^n\,(n=1,\ 2,\ 3,\ \cdots)$$

으로 정의될 때, $a_k=1023$을 만족시키는 자연수 k의 값을 구하시오.

1307 상중하

수열 $\{a_n\}$이

$$a_1=1,\ a_{n+1}=a_n+\frac{1}{\sqrt{n+1}+\sqrt{n}}\,(n=1,\ 2,\ 3,\ \cdots)$$

로 정의될 때, a_{100}의 값은?

① 6 ② 7 ③ 8
④ 9 ⑤ 10

유형 04 $a_{n+1}=a_nf(n)$ 꼴로 정의된 수열

개념 04

$a_{n+1}=a_nf(n)$의 n에 1, 2, 3, ⋯, $n-1$을 차례로 대입하여 변끼리 곱한다.

⇨ $a_n=a_1f(1)f(2)\cdots f(n-1)$

1308 • 대표문제 •

수열 $\{a_n\}$이

$$a_1=2,\ a_{n+1}=\frac{n+2}{n+1}a_n\,(n=1,\ 2,\ 3,\ \cdots)$$

으로 정의될 때, a_{99}의 값은?

① 98 ② 99 ③ 100
④ 101 ⑤ 102

1309 상중하

수열 $\{a_n\}$이

$$a_1=1,\ \sqrt{n+1}\,a_{n+1}=\sqrt{n}\,a_n\,(n=1,\ 2,\ 3,\ \cdots)$$

으로 정의될 때, $\sum_{k=1}^{10}(a_ka_{k+1})^2$의 값을 구하시오.

1310 상중하

수열 $\{a_n\}$이

$$a_1=1,\ \frac{a_{n+1}}{a_n}=2^n\,(n=1,\ 2,\ 3,\ \cdots)$$

으로 정의될 때, $a_k=2^{55}$을 만족시키는 자연수 k의 값을 구하시오.

1311 상중하

수열 $\{a_n\}$이

$$a_1=2,\ a_{n+1}=\frac{n^2+2n}{(n+1)^2}a_n\,(n=1,\ 2,\ 3,\ \cdots)$$

으로 정의될 때, a_{10}의 값을 구하시오.

유형 05 $a_{n+1}=pa_n+q\,(p\neq1,\ pq\neq0)$ 꼴로 정의된 수열

중요

개념 05

$a_{n+1}-\alpha=p(a_n-\alpha)$ 꼴로 변형한다.
⇨ 수열 $\{a_n-\alpha\}$는 첫째항이 $a_1-\alpha$, 공비가 p인 등비수열
⇨ $a_n-\alpha=(a_1-\alpha)p^{n-1}$

1312 • 대표문제 •

수열 $\{a_n\}$이

$a_1=1,\ a_{n+1}=3a_n+2\ (n=1,\ 2,\ 3,\ \cdots)$

로 정의될 때, a_{10}의 값은?

① 2^9　② 3^9　③ $2\cdot3^9-1$
④ $3^{11}-8$　⑤ 4^9-1

1313 상중하

$a_1=3,\ a_{n+1}=\frac{1}{2}a_n+1\ (n=1, 2, 3, \cdots)$로 정의된 수열 $\{a_n\}$의 일반항이 $a_n=p+q^{n-1}$일 때, $p+q$의 값을 구하시오.
(단, p, q는 상수)

1314 상중하

수열 $\{a_n\}$이

$a_1=3,\ a_{n+1}-2a_n=-1\ (n=1,\ 2,\ 3,\ \cdots)$

로 정의될 때, 첫째항부터 제n항까지의 합 S_n을 구하시오.

1315 상중하

수열 $\{a_n\}$이

$a_1=4,\ a_{n+1}-3a_n+4=0\ (n=1,\ 2,\ 3,\ \cdots)$

으로 정의될 때, $a_{n+1}-a_n\geq100$을 만족시키는 자연수 n의 최솟값은?

① 1　② 2　③ 3
④ 4　⑤ 5

유형 06 $pa_{n+2}+qa_{n+1}+ra_n=0$ $(p+q+r=0,\ pqr\neq0)$ 꼴로 정의된 수열

개념 05

(i) $a_{n+2}-a_{n+1}=\frac{r}{p}(a_{n+1}-a_n)$ 꼴로 변형한다.
⇨ 수열 $\{a_{n+1}-a_n\}$은 첫째항이 a_2-a_1, 공비가 $\frac{r}{p}$인 등비수열
⇨ $a_{n+1}-a_n=(a_2-a_1)\left(\frac{r}{p}\right)^{n-1}$

(ii) $a_{n+1}-a_n=(a_2-a_1)\left(\frac{r}{p}\right)^{n-1}$의 n에 $1, 2, 3, \cdots, n-1$을 차례로 대입하여 변끼리 더한다.

1316 • 대표문제 •

수열 $\{a_n\}$이

$a_1=1,\ a_2=2,\ 3a_{n+2}=5a_{n+1}-2a_n\ (n=1,\ 2,\ 3,\ \cdots)$

으로 정의될 때, 일반항 a_n을 구하시오.

1317 상중하

수열 $\{a_n\}$이

$a_1=1,\ a_2=4,\ a_{n+2}=5a_{n+1}-4a_n\ (n=1,\ 2,\ 3,\ \cdots)$

으로 정의될 때, $a_k=256$을 만족시키는 자연수 k의 값은?

① 5　② 6　③ 7
④ 8　⑤ 9

1318 상중하

수열 $\{a_n\}$이

$a_2=3a_1,\ a_{n+2}-3a_{n+1}+2a_n=0\ (n=1,\ 2,\ 3,\ \cdots)$

으로 정의되고 $a_6=21$일 때, a_4의 값은?

① 3　② 4　③ 5
④ 6　⑤ 7

유형 07 $a_{n+1}=\frac{ra_n}{pa_n+q}(pqr\neq0)$ 꼴로 정의된 수열

개념 05

양변에 역수를 취하여 $\frac{1}{a_{n+1}}=\frac{q}{r}\cdot\frac{1}{a_n}+\frac{p}{r}$ 꼴로 변형한 후 $\frac{1}{a_n}=b_n$으로 놓고 b_n을 이용하여 a_n을 구한다.

1319 • 대표문제 •

수열 $\{a_n\}$이

$$a_1=\frac{1}{3},\ a_{n+1}=\frac{a_n}{1+2a_n}\ (n=1,\ 2,\ 3,\ \cdots)$$

으로 정의될 때, a_{10}의 값은?

① $\frac{1}{18}$　② $\frac{1}{19}$　③ $\frac{1}{20}$

④ $\frac{1}{21}$　⑤ $\frac{1}{22}$

1320 상중하 서술형

수열 $\{a_n\}$이

$$a_1=\frac{1}{2},\ a_{n+1}=\frac{a_n}{3-2a_n}\ (n=1,\ 2,\ 3,\ \cdots)$$

으로 정의될 때, 일반항 a_n을 구하시오.

1321 상중하

수열 $\{a_n\}$이

$$a_1=1,\ a_{n+1}=\frac{a_n}{1+na_n}\ (n=1,\ 2,\ 3,\ \cdots)$$

으로 정의될 때, a_{200}의 값은?

① $\frac{1}{100\cdot199}$　② $\frac{1}{198\cdot199}$

③ $\frac{1}{1+100\cdot199}$　④ $\frac{1}{1+198\cdot199}$

⑤ $\frac{1}{199\cdot200}$

유형 08 특수한 꼴 – 항이 반복되는 경우

개념 04, 05

주어진 식의 n에 $1, 2, 3, \cdots, n-1$을 차례로 대입하여 규칙을 찾는다.

1322 • 대표문제 •

수열 $\{a_n\}$이

$$a_1=1,\ a_n+a_{n+1}=(-1)^n\ (n=1,\ 2,\ 3,\ \cdots)$$

으로 정의될 때, a_{10}의 값을 구하시오.

1323 상중하

수열 $\{a_n\}$이

$$a_1=1,\ a_2=2,\ a_{n+2}=a_{n+1}-a_n\ (n=1,\ 2,\ 3,\ \cdots)$$

으로 정의될 때, $\sum_{k=1}^{2018}a_k$의 값을 구하시오.

1324 상중하

수열 $\{a_n\}$이

$$a_1=3,\ a_2=2,\ a_{n+2}=\frac{a_{n+1}+1}{a_n}\ (n=1,\ 2,\ 3,\ \cdots)$$

로 정의될 때, a_{111}의 값을 구하시오.

1325 상중하

수열 $\{a_n\}$이

$$a_na_{n+1}a_{n+2}=1\ (n=1,\ 2,\ 3,\ \cdots)$$

로 정의되고 $a_{10}=1$, $a_{17}=4$일 때, $a_{200}a_{201}$의 값은?

① $\frac{1}{16}$　② $\frac{1}{4}$　③ 1

④ 4　⑤ 16

유형 09 특수한 꼴 – 식을 변형하는 경우

개념 04, 05

(1) 양변을 같은 식으로 나누거나 로그를 취하여 익숙한 형태로 변형한다.
① $a_{n+1}=pa_n+qr^n$ 꼴 ⇨ 양변을 p^{n+1} 또는 r^{n+1}으로 나눈다.
② $pa_na_{n+1}=qa_n+ra_{n+1}$ 꼴 ⇨ 양변을 qa_na_{n+1}로 나눈다.
(단, $pqr\neq0$)
③ $a_{n+1}=pa_n^{\,q}$ 꼴 ⇨ 양변에 p를 밑으로 하는 로그를 취한다.
(2) n에 $n-1$을 대입하여 변끼리 뺀다.

1326 • 대표문제 •

수열 $\{a_n\}$이

$$a_1=4,\ a_{n+1}=2a_n+2^{n+1}\ (n=1,\ 2,\ 3,\ \cdots)$$

으로 정의될 때, a_{50}의 값을 구하시오.

1327 상중하

수열 $\{a_n\}$이

$$a_1=1,\ 9a_na_{n+1}=a_n-2a_{n+1}\ (n=1,\ 2,\ 3,\ \cdots)$$

로 정의될 때, 일반항 a_n은?

① $a_n=\dfrac{1}{2^{n+1}-10}$　② $a_n=\dfrac{1}{5\cdot2^n-9}$
③ $a_n=\dfrac{1}{9-2^{n+2}}$　④ $a_n=\dfrac{1}{9\cdot2^n-10}$
⑤ $a_n=\dfrac{1}{11\cdot2^n-9}$

1328 상중하 서술형

수열 $\{a_n\}$이

$$a_1=4,\ a_{n+1}=4a_n^{\,3}\ (n=1,\ 2,\ 3,\ \cdots)$$

으로 정의될 때, $\log_3(1+2\log_4 a_{10})$의 값을 구하시오.

1329 상중하

수열 $\{a_n\}$이

$$a_1=1,\ a_{n+1}=a_1+2a_2+\cdots+na_n\ (n=1,\ 2,\ 3,\ \cdots)$$

으로 정의될 때, $\dfrac{a_{50}}{a_{49}}$의 값을 구하시오.

유형 10 수열의 합 S_n이 포함된 귀납적 정의 (중요)

개념 04, 05

$a_1=S_1,\ a_n=S_n-S_{n-1}\ (n\geq2)$임을 이용하여 주어진 등식을 a_n 또는 S_n에 대한 식으로 변형한다.

1330 • 대표문제 •

수열 $\{a_n\}$의 첫째항부터 제n항까지의 합을 S_n이라 하면

$$a_1=-2,\ S_n=2a_n+2n\ (n=1,\ 2,\ 3,\ \cdots)$$

이 성립할 때, a_{20}의 값을 구하시오.

1331 상중하

수열 $\{a_n\}$의 첫째항부터 제n항까지의 합을 S_n이라 하면

$$S_1=2,\ S_{n+1}=3S_n+2\ (n=1,\ 2,\ 3,\ \cdots)$$

가 성립할 때, a_{49}의 값을 구하시오.

1332 상중하

수열 $\{a_n\}$이

$$a_1=3,\ a_{n+1}=a_1+a_2+a_3+\cdots+a_n\ (n=1,\ 2,\ 3,\ \cdots)$$

으로 정의될 때, a_9+a_{10}의 값은?

① 288　② 576　③ 1152
④ 2304　⑤ 4608

1333 상중하 서술형

수열 $\{a_n\}$의 첫째항부터 제n항까지의 합을 S_n이라 하면

$$a_1=1,\ 2S_n=na_{n+1}\ (n=1,\ 2,\ 3,\ \cdots)$$

이 성립한다. 이때, $a_k=100$을 만족시키는 자연수 k의 값을 구하시오.

발전 유형 11 수열의 귀납적 정의의 활용

개념 02, 03, 04, 05

(1) 첫째항, 둘째항, 셋째항을 구해 규칙을 파악한다.
(2) 제n항을 a_n으로 놓고 이웃하는 두 항 a_n, a_{n+1} 또는 이웃하는 세 항 a_n, a_{n+1}, a_{n+2} 사이의 관계식을 구한다.

1334 • 대표문제 •

1000 L들이 물탱크에 물을 채우려고 한다. 첫날은 10 L를 채우고, 다음 날부터는 하루에 한 번씩 물탱크에 들어 있는 물에서 3 L를 빼고 남아 있는 양과 같은 양의 물을 더 채우기로 할 때, 며칠째가 되어야 이 물탱크를 가득 채울 수 있는지 구하시오.

1335 상중하

수열 $\{a_n\}$의 제n항과 제$(n+1)$항이 오른쪽 그림과 같은 관계를 만족시킬 때, 이 수열의 첫째항부터 제10항까지의 합 S_{10}의 값은? (단, $a_1=2$)

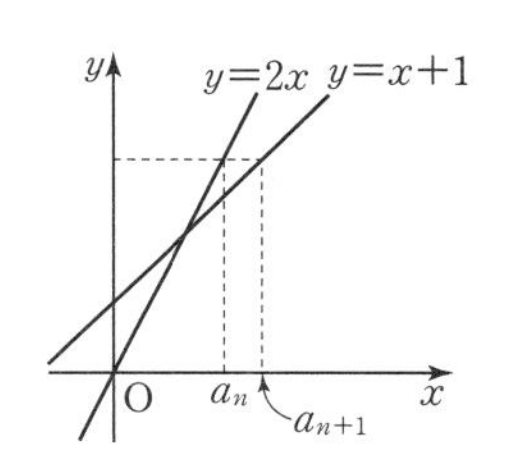

① 1033 ② 2055 ③ 3080 ④ 4104 ⑤ 5128

1336 상중하

어느 생명과학 연구소에서 새로 발견한 세포 T는 한 시간마다 2개가 죽고, 나머지는 각각 2개로 분열한다고 한다. 처음에 세포 T가 5개 있었고 한 시간마다 세포의 수를 측정한다고 할 때, 측정한 세포의 수가 2052개가 되는 것은 몇 시간 후인지 구하시오.

1337 상중하

수직선 위의 두 점 P_n, P_{n+1}에 대하여 선분 $\mathrm{P}_n\mathrm{P}_{n+1}$을 3 : 2로 외분하는 점을 P_{n+2}라 하자. 두 점 P_1, P_2의 좌표가 각각 1, 5일 때, 좌표가 처음으로 100보다 큰 값이 되는 점은? (단, $n=1, 2, 3, \cdots$)

① P_5 ② P_6 ③ P_7 ④ P_8 ⑤ P_9

1338 상중하

평면 위에 어느 두 직선도 평행하지 않고 어느 세 직선도 한 점에서 만나지 않도록 n개의 직선을 그을 때, 이 직선들에 의해 분할된 평면의 개수를 a_n이라 하자. 이때, a_{15}의 값은?

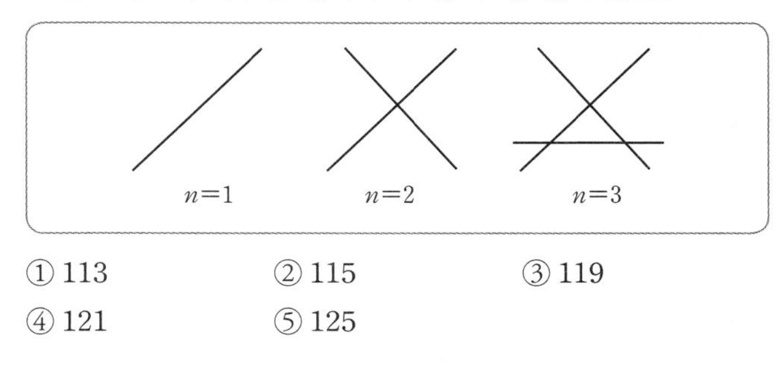

① 113 ② 115 ③ 119 ④ 121 ⑤ 125

1339 상중하

50 %의 소금물 100 g과 30 %의 소금물 100 g을 섞은 소금물의 농도를 a_1 %, a_1 %의 소금물 100 g과 30 %의 소금물 100 g을 섞은 소금물의 농도를 a_2 %, a_2 %의 소금물 100 g과 30 %의 소금물 100 g을 섞은 소금물의 농도를 a_3 %라 하자. 이와 같이 a_n %의 소금물 100 g과 30 %의 소금물 100 g을 섞은 소금물의 농도를 a_{n+1} %라 할 때, $a_{10}=p\left(6+\frac{1}{2^q}\right)$이다. 이때, 자연수 p, q에 대하여 $p+q$의 값을 구하시오.

10 수학적 귀납법

유형 12 수학적 귀납법

개념 06

모든 자연수 n에 대하여 명제 $p(n)$이
(i) $p(1)$이 참이다.
(ii) $p(k)$가 참이면 $p(k+1)$이 참이다.
를 모두 만족시키면
⇨ $p(1), p(1+n), p(1+2n), \cdots$이 모두 참이다.

1340 • 대표문제 •

모든 자연수 n에 대하여 명제 $p(n)$이 아래 조건을 모두 만족시킬 때, 다음 중 반드시 참인 명제는?

(가) $p(1)$이 참이다.
(나) $p(n)$이 참이면 $p(3n)$도 참이다.
(다) $p(n)$이 참이면 $p(5n)$도 참이다.

① $p(30)$ ② $p(60)$ ③ $p(75)$
④ $p(90)$ ⑤ $p(105)$

1341 상중하

모든 자연수 n에 대하여 명제 $p(n)$, $p(n+1)$ 중 어느 하나가 참이면 명제 $p(n+2)$가 참이다. 다음 보기 중 옳은 것을 있는 대로 고르시오.

보기
ㄱ. $p(1)$이 참이면 모든 2의 양의 배수 k에 대하여 $p(k)$가 참이다.
ㄴ. $p(2)$가 참이면 모든 2의 양의 배수 k에 대하여 $p(k)$가 참이다.
ㄷ. $p(1)$과 $p(2)$가 참이면 모든 자연수 k에 대하여 $p(k)$가 참이다.

1342 상중하

$3, 5, 7, 9, \cdots$인 자연수 n에 대하여 명제 $p(n)$이 성립함을 수학적 귀납법을 이용하여 증명하려면 다음 두 가지를 보이면 된다.

(i) $n=$ (가) 일 때, $p(n)$이 참이다.
(ii) $n=k(k\geq$ (가) $)$일 때 $p(n)$이 참이라 가정하면 $n=$ (나) 일 때도 $p(n)$이 참임을 보인다.

위의 증명 과정에서 (가), (나)에 알맞은 것을 각각 a, $f(k)$라 할 때, $f(a)$의 값을 구하시오.

유형 13 수학적 귀납법을 이용한 등식의 증명 (중요)

개념 06

모든 자연수 n에 대하여 등식 $f(n)=g(n)$이 성립함을 증명하려면
(i) $f(1)=g(1)$임을 보인다.
(ii) $f(k)=g(k)$가 성립한다고 가정한 후 좌변이 $f(k+1)$이 되도록 양변에 같은 식을 더하거나 곱하여 우변이 $g(k+1)$이 됨을 보인다.

1343 • 대표문제 •

다음은 모든 자연수 n에 대하여 등식

$$1\cdot2+2\cdot3+3\cdot4+\cdots+n(n+1)=\frac{1}{3}n(n+1)(n+2) \quad \cdots\cdots ㉠$$

가 성립함을 수학적 귀납법으로 증명한 것이다.

증명
(i) $n=1$일 때,
(좌변)$=1\cdot2=2$, (우변)$=\frac{1}{3}\cdot1\cdot2\cdot3=2$
따라서 $n=1$일 때 ㉠이 성립한다.
(ii) $n=k$일 때, ㉠이 성립한다고 가정하면
$$1\cdot2+2\cdot3+3\cdot4+\cdots+k(k+1)=\frac{1}{3}k(k+1)(k+2) \quad \cdots\cdots ㉡$$
㉡의 양변에 (가) 을(를) 더하면
$1\cdot2+2\cdot3+3\cdot4+\cdots+k(k+1)+$ (가)
$=\frac{1}{3}k(k+1)(k+2)+$ (가)
$=$ (나)
따라서 $n=k+1$일 때도 ㉠이 성립한다.
(i), (ii)에 의하여 ㉠은 모든 자연수 n에 대하여 성립한다.

위의 증명 과정에서 (가), (나)에 알맞은 것은?

	(가)	(나)
①	$k(k+1)$	$\frac{1}{6}k(k+1)(k+2)$
②	$k(k+1)$	$\frac{1}{3}(k+1)(k+2)(k+3)$
③	$(k+1)(k+2)$	$\frac{1}{3}k(k+1)(k+2)$
④	$(k+1)(k+2)$	$\frac{1}{3}(k+1)(k+2)(k+3)$
⑤	$(k+2)(k+3)$	$\frac{1}{6}(k+1)(k+2)(k+3)$

1344 상중하

모든 자연수 n에 대하여 등식

$$\left(1+\frac{1}{1}\right)\left(1+\frac{1}{2}\right)\left(1+\frac{1}{3}\right)\cdots\left(1+\frac{1}{n}\right)=n+1$$

이 성립함을 수학적 귀납법으로 증명하시오.

1345 상중하

다음은 모든 자연수 n에 대하여

$$a_1=\frac{1}{2},\ a_{n+1}=\frac{1}{2-a_n}$$

인 수열 $\{a_n\}$의 일반항이 $a_n=\dfrac{n}{n+1}$임을 수학적 귀납법으로 증명한 것이다.

증명

(i) $n=1$일 때,

$(\text{좌변})=a_1=\frac{1}{2}$, $(\text{우변})=\frac{1}{1+1}=\frac{1}{2}$

따라서 $n=1$일 때 $a_n=\frac{n}{n+1}$이 성립한다.

(ii) $n=k$일 때, $a_k=$ (가) (이)라 가정하면

$$a_{k+1}=\frac{1}{2-a_k}=\frac{1}{2-\boxed{(가)}}$$
$$=\frac{k+1}{\boxed{(나)}}$$

따라서 $n=k+1$일 때도 $a_n=\frac{n}{n+1}$이 성립한다.

(i), (ii)에 의하여 수열 $\{a_n\}$의 일반항은 $a_n=\frac{n}{n+1}$이다.

위의 증명 과정에서 (가), (나)에 알맞은 것을 각각 $f(k)$, $g(k)$라 할 때, $f(3)g(6)$의 값은?

① 6 ② 7 ③ 8
④ 9 ⑤ 10

유형 14 수학적 귀납법을 이용한 배수의 증명 (개념 06)

모든 자연수 n에 대하여 a_n이 l의 배수임을 증명하려면

(i) a_1이 l의 배수임을 보인다.

(ii) a_k가 l의 배수라고 가정한 후 $a_{k+1}=l(\square+\triangle)$ 꼴로 정리하여 a_{k+1}도 l의 배수임을 보인다.

1346 대표문제

다음은 모든 자연수 n에 대하여 $4^{2n+1}+3^{n+2}$이 13의 배수임을 수학적 귀납법으로 증명한 것이다.

증명

(i) $n=1$일 때,

$4^{2\cdot1+1}+3^{1+2}=64+27=91=13\cdot7$

이므로 13의 배수이다.

(ii) $n=k$일 때, $4^{2n+1}+3^{n+2}$이 13의 배수라 가정하면

$4^{2k+1}+3^{k+2}=13N$ (N은 자연수)

으로 놓을 수 있다.

이때, $n=k+1$이면

$$4^{2k+3}+3^{k+3}=4^2\cdot4^{2k+1}+3\cdot\boxed{(가)}$$
$$=16\cdot\boxed{(나)}-13\cdot\boxed{(가)}$$
$$=13(\boxed{(다)})$$

따라서 $n=k+1$일 때도 $4^{2n+1}+3^{n+2}$이 13의 배수이다.

(i), (ii)에 의하여 모든 자연수 n에 대하여 $4^{2n+1}+3^{n+2}$은 13의 배수이다.

위의 증명 과정에서 (가), (나), (다)에 알맞은 것은?

	(가)	(나)	(다)
①	3^{k+1}	$13N$	$16N-3^{k+1}$
②	3^{k+1}	$16N$	$13N-3^{k+1}$
③	3^{k+1}	$13N$	$16N-3^{k+2}$
④	3^{k+2}	$13N$	$16N-3^{k+2}$
⑤	3^{k+2}	$16N$	$13N-3^{k+2}$

10 수학적 귀납법

1347 상중하

다음은 $n\ge2$인 모든 자연수 n에 대하여 4^n-3n-1이 9의 배수임을 수학적 귀납법으로 증명한 것이다.

증명

(i) $n=2$일 때,

$4^2-3\cdot2-1=9$

이므로 9의 배수이다.

(ii) $n=k(k\ge2)$일 때, 4^n-3n-1이 9의 배수라 가정하면

$4^k-3k-1=9N$ (N은 자연수)

으로 놓을 수 있다.

이때, $n=k+1$이면

$$\begin{aligned}4^{k+1}-3(k+1)-1&=\boxed{(가)}-3k-4\\&=4(4^k-3k-1)+\boxed{(나)}\\&=4\cdot9N+\boxed{(나)}\\&=9(\boxed{(다)})\end{aligned}$$

따라서 $n=k+1$일 때도 4^n-3n-1이 9의 배수이다.

(i), (ii)에 의하여 모든 자연수 n에 대하여 4^n-3n-1은 9의 배수이다.

위의 증명 과정에서 (가), (나), (다)에 알맞은 것은?

	(가)	(나)	(다)
①	4^k	$3k$	$4N$
②	4^k	$9k$	$4N+k$
③	$4\cdot4^k$	$3k$	$4N+k$
④	$4\cdot4^k$	$9k$	$4N$
⑤	$4\cdot4^k$	$9k$	$4N+k$

1348 상중하

모든 자연수 n에 대하여 $7n+5^{n-1}$이 2의 배수임을 수학적 귀납법으로 증명하시오.

중요

유형 15 수학적 귀납법을 이용한 부등식의 증명

개념 06

$n\ge a$(a는 자연수)인 모든 자연수 n에 대하여 부등식 $f(n)>g(n)$이 성립함을 증명하려면

(i) $f(a)>g(a)$임을 보인다.

(ii) $f(k)>g(k)\,(k\ge a)$가 성립한다고 가정한 후 좌변이 $f(k+1)$이 되도록 양변에 같은 식을 더하거나 곱하고, 이때의 우변이 $g(k+1)$보다 크거나 같음을 보인다.

1349 대표문제

다음은 $h>0$일 때, $n\ge2$인 모든 자연수 n에 대하여 부등식

$(1+h)^n>1+nh$ ...... ㉠

가 성립함을 수학적 귀납법으로 증명한 것이다.

증명

(i) $n=\boxed{(가)}$일 때,

(좌변)$=(1+h)^2=1+2h+h^2>1+2h=$(우변)

따라서 $n=\boxed{(가)}$일 때 ㉠이 성립한다.

(ii) $n=k(k\ge2)$일 때, ㉠이 성립한다고 가정하면

$(1+h)^k>1+kh$ ...... ㉡

㉡의 양변에 $\boxed{(나)}$을(를) 곱하면

$(1+h)^{k+1}>(1+kh)(\boxed{(나)})=1+(k+1)h+kh^2$

그런데 $kh^2>0$이므로

$(1+h)^{k+1}>\boxed{(다)}$

따라서 $n=k+1$일 때도 ㉠이 성립한다.

(i), (ii)에 의하여 ㉠은 $n\ge2$인 모든 자연수 n에 대하여 성립한다.

위의 증명 과정에서 (가), (나), (다)에 알맞은 것은?

	(가)	(나)	(다)
①	1	h	$1+(k+1)h$
②	1	$1+h$	$1+kh$
③	2	h	$1+(k+1)h$
④	2	$1+h$	$1+kh$
⑤	2	$1+h$	$1+(k+1)h$

1350 상중하

다음은 $n\geq 2$인 모든 자연수 n에 대하여 부등식

$$1+\frac{1}{2}+\frac{1}{3}+\cdots+\frac{1}{n}>\frac{2n}{n+1} \qquad \cdots\cdots ㉠$$

이 성립함을 수학적 귀납법으로 증명한 것이다.

증명

(i) $n=2$일 때,

(좌변)$=1+\frac{1}{2}=\frac{3}{2}>\frac{2\cdot 2}{2+1}=\frac{4}{3}=$(우변)

따라서 $n=2$일 때 ㉠이 성립한다.

(ii) $n=k\,(k\geq 2)$일 때, ㉠이 성립한다고 가정하면

$$1+\frac{1}{2}+\frac{1}{3}+\cdots+\frac{1}{k}>\frac{2k}{k+1} \qquad \cdots\cdots ㉡$$

㉡의 양변에 (가) 을(를) 더하면

$1+\frac{1}{2}+\frac{1}{3}+\cdots+\frac{1}{k}+$ (가)

$>\frac{2k}{k+1}+$ (가) $=\frac{2k+1}{k+1}$

그런데 $\frac{2k+1}{k+1}-$ (나) >0이므로

$\frac{2k+1}{k+1}>$ (나)

$\therefore 1+\frac{1}{2}+\frac{1}{3}+\cdots+\frac{1}{k}+$ (가) $>$ (나)

따라서 $n=k+1$일 때도 ㉠이 성립한다.

(i), (ii)에 의하여 ㉠은 $n\geq 2$인 모든 자연수 n에 대하여 성립한다.

위의 증명 과정에서 (가), (나)에 알맞은 것은?

	(가)	(나)
①	$\frac{1}{k+1}$	$\frac{2k+1}{(k+1)+1}$
②	$\frac{1}{k+1}$	$\frac{2(k+1)}{(k+1)+1}$
③	$\frac{1}{k+1}$	$\frac{2(k+2)}{(k+2)+1}$
④	$\frac{1}{k+2}$	$\frac{2(k+1)}{(k+1)+1}$
⑤	$\frac{1}{k+2}$	$\frac{2(k+2)}{(k+2)+1}$

1351 상중하

다음은 모든 자연수 n에 대하여 부등식

$$\frac{1}{2}\cdot\frac{3}{4}\cdot\frac{5}{6}\cdot\cdots\cdot\frac{2n-1}{2n}<\sqrt{\frac{1}{2n+1}} \qquad \cdots\cdots ㉠$$

이 성립함을 수학적 귀납법으로 증명한 것이다.

증명

(i) $n=1$일 때,

(좌변)$=\frac{1}{2}<\frac{1}{\sqrt{3}}=$(우변)

따라서 $n=1$일 때 ㉠이 성립한다.

(ii) $n=k$일 때, ㉠이 성립한다고 가정하면

$$\frac{1}{2}\cdot\frac{3}{4}\cdot\frac{5}{6}\cdot\cdots\cdot\frac{2k-1}{2k}<\sqrt{\frac{1}{2k+1}} \qquad \cdots\cdots ㉡$$

㉡의 양변에 (가) 을(를) 곱하면

$\frac{1}{2}\cdot\frac{3}{4}\cdot\frac{5}{6}\cdot\cdots\cdot\frac{2k-1}{2k}\cdot$ (가)

$<\sqrt{\frac{1}{2k+1}}\cdot$ (가) $=\sqrt{\frac{2k+1}{4(k+1)^2}}$

그런데 $\frac{2k+1}{4(k+1)^2}-$ (나) <0이므로

$\frac{2k+1}{4(k+1)^2}<$ (나)

$\therefore \frac{1}{2}\cdot\frac{3}{4}\cdot\frac{5}{6}\cdot\cdots\cdot\frac{2k-1}{2k}\cdot$ (가) $<\sqrt{\text{(나)}}$

따라서 $n=k+1$일 때도 ㉠이 성립한다.

(i), (ii)에 의하여 ㉠은 모든 자연수 n에 대하여 성립한다.

위의 증명 과정에서 (가), (나)에 알맞은 것은?

	(가)	(나)
①	$\frac{2k}{2k+1}$	$\frac{1}{2k+1}$
②	$\frac{2k}{2k+1}$	$\frac{1}{2k+2}$
③	$\frac{2k+1}{2k+2}$	$\frac{1}{2k+1}$
④	$\frac{2k+1}{2k+2}$	$\frac{1}{2k+2}$
⑤	$\frac{2k+1}{2k+2}$	$\frac{1}{2k+3}$

• 실제 학교 시험지처럼 풀어 보세요.

1352 | 유형 01 |

수열 $\{a_n\}$이

$$2a_{n+1}=a_n+a_{n+2}\,(n=1,\ 2,\ 3,\ \cdots)$$

로 정의되고 $a_5=11$, $a_9=19$일 때, a_{20}의 값은? [3.4점]

① 41 ② 42 ③ 43 ④ 44 ⑤ 45

1353 | 유형 02 |

수열 $\{a_n\}$이

$$a_1=3,\ a_2=6,\ \frac{a_{n+1}}{a_n}=\frac{a_{n+2}}{a_{n+1}}\,(n=1,\ 2,\ 3,\ \cdots)$$

로 정의될 때, $a_k=768$을 만족시키는 자연수 k의 값은? [3.5점]

① 6 ② 7 ③ 8 ④ 9 ⑤ 10

1354 | 유형 03 |

수열 $\{a_n\}$이

$$a_1=-2,\ a_{n+1}=a_n+\frac{1}{n(n+1)}\,(n=1,\ 2,\ 3,\ \cdots)$$

로 정의될 때, $a_{20}-a_{10}$의 값은? [3.6점]

① $\frac{1}{20}$ ② $\frac{1}{10}$ ③ $\frac{3}{20}$ ④ $\frac{1}{5}$ ⑤ $\frac{1}{4}$

1355 | 유형 04 |

수열 $\{a_n\}$이

$$a_1=1,\ a_{n+1}=(n+1)a_n\,(n=1,\ 2,\ 3,\ \cdots)$$

으로 정의될 때, $a_3+a_4+a_5+\cdots+a_{2018}$을 10으로 나누었을 때의 나머지는? [4.3점]

① 0 ② 2 ③ 4 ④ 6 ⑤ 8

1356 | 유형 06 |

수열 $\{a_n\}$이

$$a_1=1,\ a_2=2,$$
$$3a_{n+2}-4a_{n+1}+a_n=0\,(n=1,\ 2,\ 3,\ \cdots)$$

으로 정의될 때, $\sum_{k=1}^{10}\log_3(5-2a_k)$의 값은? [4점]

① -40 ② -35 ③ -30 ④ -25 ⑤ -20

1357 | 유형 07 |

수열 $\{a_n\}$이

$$a_1=\frac{1}{15},\ a_{n+1}=\frac{a_n}{3a_n+4}\,(n=1,\ 2,\ 3,\ \cdots)$$

으로 정의될 때, $a_k<\frac{1}{1000}$을 만족시키는 자연수 k의 최솟값은? [3.9점]

① 1 ② 2 ③ 3 ④ 4 ⑤ 5

1358

| 유형 08 |

수열 $\{a_n\}$이

$$a_{n+1}=\begin{cases} \frac{1}{2}a_n & (a_n\text{이 짝수}) \\ a_n+3 & (a_n\text{이 홀수}) \end{cases}$$

으로 정의되고 $a_5=5$일 때, $a_{101}+a_{102}+a_{103}+\cdots+a_{120}$의 값은? (단, $n=1, 2, 3, \cdots$) [4점]

① 41 ② 42 ③ 43
④ 44 ⑤ 45

1359

| 유형 09 |

수열 $\{a_n\}$이

$$a_1=1,\ (n+1)a_n=na_{n+1}-1\,(n=1, 2, 3, \cdots)$$

로 정의될 때, $\sum_{k=1}^{10}a_k$의 값은? [4.2점]

① 92 ② 94 ③ 96
④ 98 ⑤ 100

1360

| 유형 10 |

수열 $\{a_n\}$의 첫째항부터 제n항까지의 합을 S_n이라 하면

$$a_1=1,\ a_2=4,$$
$$(S_{n+2}-S_n)^2=4a_{n+1}a_{n+2}+9\,(n=1, 2, 3, \cdots)$$

가 성립한다. 이때, a_{10}의 값은? (단, $a_1<a_2<a_3<\cdots<a_n$) [4.1점]

① 25 ② 26 ③ 27
④ 28 ⑤ 29

1361

| 유형 12 |

모든 자연수 n에 대하여 명제 $p(n)$이 아래 조건을 모두 만족시킬 때, 다음 중 반드시 참인 명제는? [3.8점]

> (가) $p(1)$이 참이다.
> (나) $p(n)$이 참이면 $p(3n)$과 $p(4n)$도 참이다.

① $p(120)$ ② $p(130)$ ③ $p(144)$
④ $p(216)$ ⑤ $p(288)$

1362

| 유형 14 |

다음은 모든 자연수 n에 대하여 $n(n^2+5)$가 6의 배수임을 수학적 귀납법으로 증명한 것이다.

증명

(i) $n=1$일 때,

$1\cdot(1^2+5)=6$

이므로 6의 배수이다.

(ii) $n=k$일 때, $n(n^2+5)$가 6의 배수라 가정하면

$k(k^2+5)=6N$(N은 자연수)

으로 놓을 수 있다.

이때, $n=k+1$이면

$(k+1)\{(k+1)^2+5\}=k^3+3k^2+\boxed{(가)}$

$=\boxed{(나)}+6+3k(k+1)$

$=\boxed{(다)}(N+1)+3k(k+1)$

이고, $3k(k+1)$이 $\boxed{(다)}$의 배수이므로 $n=k+1$일 때도 $n(n^2+5)$가 6의 배수이다.

(i), (ii)에 의하여 모든 자연수 n에 대하여 $n(n^2+5)$는 6의 배수이다.

위의 증명 과정에서 (가), (나), (다)에 알맞은 것은? [4점]

	(가)	(나)	(다)
①	$8k+2$	k^3+5k	2
②	$8k+2$	k^3+6k	6
③	$8k+6$	k^3+5k	2
④	$8k+6$	k^3+5k	6
⑤	$8k+6$	k^3+6k	2

1363 | 유형 15 |

다음은 $n\geq4$인 모든 자연수 n에 대하여 부등식

$2^n\geq n^2$ ...... ㉠

이 성립함을 수학적 귀납법으로 증명한 것이다.

증명

(i) $n=4$일 때,

(좌변)$=2^4=16\geq4^2=16=$(우변)

따라서 $n=4$일 때 ㉠이 성립한다.

(ii) $n=k(k\geq4)$일 때, ㉠이 성립한다고 가정하면

$2^k\geq k^2$ ...... ㉡

㉡의 양변에 2를 곱하면

$2^{k+1}\geq2k^2$

그런데 $k\geq4$이면

$k^2-2k-1=$ (가) $-2>0$

이므로

$k^2>2k+1$

$\therefore 2^{k+1}\geq2k^2=k^2+k^2>$ (나)

따라서 $n=k+1$일 때도 ㉠이 성립한다.

(i), (ii)에 의하여 ㉠은 $n\geq4$인 모든 자연수 n에 대하여 성립한다.

위의 증명 과정에서 (가), (나)에 알맞은 것은? [4.2점]

	(가)	(나)
①	$(k+1)^2$	k^2+2k
②	$(k+1)^2$	$(k+1)^2$
③	$(k-1)^2$	k^2+2k
④	$(k-1)^2$	$(k+1)^2$
⑤	$(2k+1)^2$	k^2+2k

서술형 문제

• 풀이 과정에 점수가 부여되니 풀이 과정 및 정답을 상세하게 서술하세요.

단답형

1364 | 유형 05 |

수열 $\{a_n\}$이

$a_1=3,\ a_{n+1}=2a_n+2\ (n=1,\ 2,\ 3,\ \cdots)$

로 정의될 때, $a_{k+1}-a_k=160$을 만족시키는 자연수 k의 값을 구하시오. [6점]

1365 | 유형 11 |

평면 위에 n개의 원을 그릴 때, 임의의 두 원은 항상 두 점에서 만나고, 세 개 이상의 원이 동시에 지나는 점은 없도록 하려고 한다. n개의 원의 교점의 개수를 a_n이라 할 때, a_{10}의 값을 구하시오. [7점]

단계형

1366 | 유형 13 |

모든 자연수 n에 대하여 등식

$$\frac{1}{1\cdot2}+\frac{1}{2\cdot3}+\frac{1}{3\cdot4}+\cdots+\frac{1}{n(n+1)}=\frac{n}{n+1}$$

이 성립함을 수학적 귀납법으로 증명하려고 한다. 다음 물음에 답하시오. [10점]

(1) $n=1$일 때, 주어진 등식이 성립함을 보이시오. [3점]

(2) $n=k$일 때 주어진 등식이 성립한다고 가정하고, $n=k+1$일 때도 등식이 성립함을 보이시오. [7점]

성/취/도 Check

• 이 단원은 70점 만점입니다.

점수 / 70점

30점 STEP 1 개념+기본 문제 학습

40점 STEP 2 유형 대표 문제 학습

50점 STEP 3의 틀린 문제에 해당하는 STEP 2 유형 학습

60점 STEP 3의 틀린 문제 복습

65점 교과서 속 심화문제 시작

» 정답과 해설 174쪽

1367

두 수열 $\{a_n\}$, $\{b_n\}$이

$a_1=3$, $b_1=2$,

$a_{n+1}=3a_n+2b_n$, $b_{n+1}=2a_n+3b_n$ $(n=1,\ 2,\ 3,\ \cdots)$

으로 정의될 때, $a_{10}+b_{11}$의 값을 구하시오.

1368 창의력

수직선 위에 점 P_n $(n=1,\ 2,\ 3,\ \cdots)$을 다음 규칙에 따라 정한다.

> (가) 점 P_1의 좌표는 $\mathrm{P}_1(0)$이다.
> (나) $\overline{\mathrm{P}_1\mathrm{P}_2}=1$
> (다) $\overline{\mathrm{P}_{n+1}\mathrm{P}_{n+2}}=\dfrac{n}{n+2}\overline{\mathrm{P}_n\mathrm{P}_{n+1}}$

선분 $\mathrm{P}_n\mathrm{P}_{n+1}$을 밑변으로 하고 높이가 1인 직각삼각형의 넓이를 S_n이라 하자.

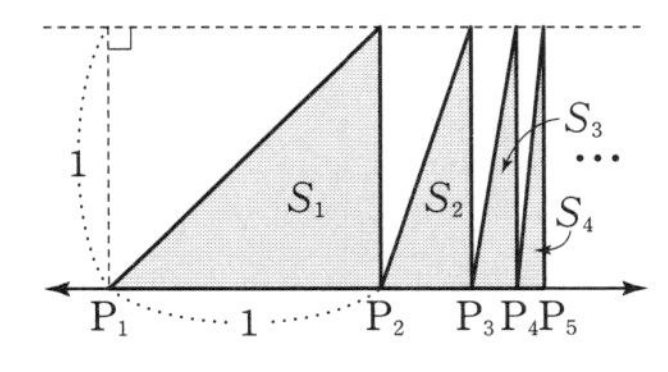

$\sum_{n=1}^{50} S_n=\dfrac{q}{p}$일 때, $p+q$의 값을 구하시오. (단, p, q는 서로소인 자연수이다.)

1369

다음은 제품 P_n을 만드는 방법과 비용에 대한 설명이다. 이때, 제품 P_{10}을 한 개 만드는 데 필요한 비용을 구하시오.

(단, $n=1,\ 2,\ 3,\ \cdots$)

> (가) 제품 P_1을 한 개 만드는 데 필요한 비용은 1이다.
> (나) 제품 P_n을 차례로 세 개 만든 다음에 이를 연결하면 제품 P_{n+1}이 한 개 만들어진다. 이때, 제품 P_n을 세 개 연결하는 데 필요한 비용은 2^n이다.

1370

모든 항이 양수인 수열 $\{a_n\}$에 대하여 $a_1=a_2=1$이고

$$S_n=\sum_{k=1}^{n} a_k,\ a_{n+1}=\frac{S_n^{\ 2}}{S_{n-1}}+(2n-1)S_n\ (n\ge 2)$$

을 만족시킨다. 다음은 일반항 a_n을 구하는 과정이다.

> $a_{n+1}=S_{n+1}-S_n$이므로 주어진 식으로부터
> $S_{n+1}=\dfrac{S_n^{\ 2}}{S_{n-1}}+2nS_n\ (n\ge 2)$ …… ㉠
> ㉠의 양변을 S_n으로 나누면
> $\dfrac{S_{n+1}}{S_n}=\dfrac{S_n}{S_{n-1}}+2n$
> $b_n=\dfrac{S_{n+1}}{S_n}$로 놓으면
> $b_1=2$, $b_n=b_{n-1}+2n\ (n\ge 2)$
> 수열 $\{b_n\}$의 일반항을 구하면
> $b_n=$ (가) $\cdot(n+1)\ (n\ge 1)$
> 이므로
> $S_n=$ (가) $\cdot\{(n-1)!\}^2\ (n\ge 1)$
> 따라서 $a_1=1$이고, $n\ge 2$일 때
> $a_n=S_n-S_{n-1}$
> $\quad=$ (나) $\cdot\{(n-2)!\}^2$

위의 증명 과정에서 (가), (나)에 알맞은 식을 각각 $f(n)$, $g(n)$이라 할 때, $f(10)+g(6)$의 값은?

(단, $n!=n(n-1)(n-2)\cdots 3\cdot 2\cdot 1$, $0!=1$)

① 110 ② 125 ③ 140
④ 155 ⑤ 170

상용로그표 ❶

수	0	1	2	3	4	5	6	7	8	9
1.0	.0000	.0043	.0086	.0128	.0170	.0212	.0253	.0294	.0334	.0374
1.1	.0414	.0453	.0492	.0531	.0569	.0607	.0645	.0682	.0719	.0755
1.2	.0792	.0828	.0864	.0899	.0934	.0969	.1004	.1038	.1072	.1106
1.3	.1139	.1173	.1206	.1239	.1271	.1303	.1335	.1367	.1399	.1430
1.4	.1461	.1492	.1523	.1553	.1584	.1614	.1644	.1673	.1703	.1732
1.5	.1761	.1790	.1818	.1847	.1875	.1903	.1931	.1959	.1987	.2014
1.6	.2041	.2068	.2095	.2122	.2148	.2175	.2201	.2227	.2253	.2279
1.7	.2304	.2330	.2355	.2380	.2405	.2430	.2455	.2480	.2504	.2529
1.8	.2553	.2577	.2601	.2625	.2648	.2672	.2695	.2718	.2742	.2765
1.9	.2788	.2810	.2833	.2856	.2878	.2900	.2923	.2945	.2967	.2989
2.0	.3010	.3032	.3054	.3075	.3096	.3118	.3139	.3160	.3181	.3201
2.1	.3222	.3243	.3263	.3284	.3304	.3324	.3345	.3365	.3385	.3404
2.2	.3424	.3444	.3464	.3483	.3502	.3522	.3541	.3560	.3579	.3598
2.3	.3617	.3636	.3655	.3674	.3692	.3711	.3729	.3747	.3766	.3784
2.4	.3802	.3820	.3838	.3856	.3874	.3892	.3909	.3927	.3945	.3962
2.5	.3979	.3997	.4014	.4031	.4048	.4065	.4082	.4099	.4116	.4133
2.6	.4150	.4166	.4183	.4200	.4216	.4232	.4249	.4265	.4281	.4298
2.7	.4314	.4330	.4346	.4362	.4378	.4393	.4409	.4425	.4440	.4456
2.8	.4472	.4487	.4502	.4518	.4533	.4548	.4564	.4579	.4594	.4609
2.9	.4624	.4639	.4654	.4669	.4683	.4698	.4713	.4728	.4742	.4757
3.0	.4771	.4786	.4800	.4814	.4829	.4843	.4857	.4871	.4886	.4900
3.1	.4914	.4928	.4942	.4955	.4969	.4983	.4997	.5011	.5024	.5038
3.2	.5051	.5065	.5079	.5092	.5105	.5119	.5132	.5145	.5159	.5172
3.3	.5185	.5198	.5211	.5224	.5237	.5250	.5263	.5276	.5289	.5302
3.4	.5315	.5328	.5340	.5353	.5366	.5378	.5391	.5403	.5416	.5428
3.5	.5441	.5453	.5465	.5478	.5490	.5502	.5514	.5527	.5539	.5551
3.6	.5563	.5575	.5587	.5599	.5611	.5623	.5635	.5647	.5658	.5670
3.7	.5682	.5694	.5705	.5717	.5729	.5740	.5752	.5763	.5775	.5786
3.8	.5798	.5809	.5821	.5832	.5843	.5855	.5866	.5877	.5888	.5899
3.9	.5911	.5922	.5933	.5944	.5955	.5966	.5977	.5988	.5999	.6010
4.0	.6021	.6031	.6042	.6053	.6064	.6075	.6085	.6096	.6107	.6117
4.1	.6128	.6138	.6149	.6160	.6170	.6180	.6191	.6201	.6212	.6222
4.2	.6232	.6243	.6253	.6263	.6274	.6284	.6294	.6304	.6314	.6325
4.3	.6335	.6345	.6355	.6365	.6375	.6385	.6395	.6405	.6415	.6425
4.4	.6435	.6444	.6454	.6464	.6474	.6484	.6493	.6503	.6513	.6522
4.5	.6532	.6542	.6551	.6561	.6571	.6580	.6590	.6599	.6609	.6618
4.6	.6628	.6637	.6646	.6656	.6665	.6675	.6684	.6693	.6702	.6712
4.7	.6721	.6730	.6739	.6749	.6758	.6767	.6776	.6785	.6794	.6803
4.8	.6812	.6821	.6830	.6839	.6848	.6857	.6866	.6875	.6884	.6893
4.9	.6902	.6911	.6920	.6928	.6937	.6946	.6955	.6964	.6972	.6981
5.0	.6990	.6998	.7007	.7016	.7024	.7033	.7042	.7050	.7059	.7067
5.1	.7076	.7084	.7093	.7101	.7110	.7118	.7126	.7135	.7143	.7152
5.2	.7160	.7168	.7177	.7185	.7193	.7202	.7210	.7218	.7226	.7235
5.3	.7243	.7251	.7259	.7267	.7275	.7284	.7292	.7300	.7308	.7316
5.4	.7324	.7332	.7340	.7348	.7356	.7364	.7372	.7380	.7388	.7396

상용로그표 ❷

수	0	1	2	3	4	5	6	7	8	9
5.5	.7404	.7412	.7419	.7427	.7435	.7443	.7451	.7459	.7466	.7474
5.6	.7482	.7490	.7497	.7505	.7513	.7520	.7528	.7536	.7543	.7551
5.7	.7559	.7566	.7574	.7582	.7589	.7597	.7604	.7612	.7619	.7627
5.8	.7634	.7642	.7649	.7657	.7664	.7672	.7679	.7686	.7694	.7701
5.9	.7709	.7716	.7723	.7731	.7738	.7745	.7752	.7760	.7767	.7774
6.0	.7782	.7789	.7796	.7803	.7810	.7818	.7825	.7832	.7839	.7846
6.1	.7853	.7860	.7868	.7875	.7882	.7889	.7896	.7903	.7910	.7917
6.2	.7924	.7931	.7938	.7945	.7952	.7959	.7966	.7973	.7980	.7987
6.3	.7993	.8000	.8007	.8014	.8021	.8028	.8035	.8041	.8048	.8055
6.4	.8062	.8069	.8075	.8082	.8089	.8096	.8102	.8109	.8116	.8122
6.5	.8129	.8136	.8142	.8149	.8156	.8162	.8169	.8176	.8182	.8189
6.6	.8195	.8202	.8209	.8215	.8222	.8228	.8235	.8241	.8248	.8254
6.7	.8261	.8267	.8274	.8280	.8287	.8293	.8299	.8306	.8312	.8319
6.8	.8325	.8331	.8338	.8344	.8351	.8357	.8363	.8370	.8376	.8382
6.9	.8388	.8395	.8401	.8407	.8414	.8420	.8426	.8432	.8439	.8445
7.0	.8451	.8457	.8463	.8470	.8476	.8482	.8488	.8494	.8500	.8506
7.1	.8513	.8519	.8525	.8531	.8537	.8543	.8549	.8555	.8561	.8567
7.2	.8573	.8579	.8585	.8591	.8597	.8603	.8609	.8615	.8621	.8627
7.3	.8633	.8639	.8645	.8651	.8657	.8663	.8669	.8675	.8681	.8686
7.4	.8692	.8698	.8704	.8710	.8716	.8722	.8727	.8733	.8739	.8745
7.5	.8751	.8756	.8762	.8768	.8774	.8779	.8785	.8791	.8797	.8802
7.6	.8808	.8814	.8820	.8825	.8831	.8837	.8842	.8848	.8854	.8859
7.7	.8865	.8871	.8876	.8882	.8887	.8893	.8899	.8904	.8910	.8915
7.8	.8921	.8927	.8932	.8938	.8943	.8949	.8954	.8960	.8965	.8971
7.9	.8976	.8982	.8987	.8993	.8998	.9004	.9009	.9015	.9020	.9025
8.0	.9031	.9036	.9042	.9047	.9053	.9058	.9063	.9069	.9074	.9079
8.1	.9085	.9090	.9096	.9101	.9106	.9112	.9117	.9122	.9128	.9133
8.2	.9138	.9143	.9149	.9154	.9159	.9165	.9170	.9175	.9180	.9186
8.3	.9191	.9196	.9201	.9206	.9212	.9217	.9222	.9227	.9232	.9238
8.4	.9243	.9248	.9253	.9258	.9263	.9269	.9274	.9279	.9284	.9289
8.5	.9294	.9299	.9304	.9309	.9315	.9320	.9325	.9330	.9335	.9340
8.6	.9345	.9350	.9355	.9360	.9365	.9370	.9375	.9380	.9385	.9390
8.7	.9395	.9400	.9405	.9410	.9415	.9420	.9425	.9430	.9435	.9440
8.8	.9445	.9450	.9455	.9460	.9465	.9469	.9474	.9479	.9484	.9489
8.9	.9494	.9499	.9504	.9509	.9513	.9518	.9523	.9528	.9533	.9538
9.0	.9542	.9547	.9552	.9557	.9562	.9566	.9571	.9576	.9581	.9586
9.1	.9590	.9595	.9600	.9605	.9609	.9614	.9619	.9624	.9628	.9633
9.2	.9638	.9643	.9647	.9652	.9657	.9661	.9666	.9671	.9675	.9680
9.3	.9685	.9689	.9694	.9699	.9703	.9708	.9713	.9717	.9722	.9727
9.4	.9731	.9736	.9741	.9745	.9750	.9754	.9759	.9763	.9768	.9773
9.5	.9777	.9782	.9786	.9791	.9795	.9800	.9805	.9809	.9814	.9818
9.6	.9823	.9827	.9832	.9836	.9841	.9845	.9850	.9854	.9859	.9863
9.7	.9868	.9872	.9877	.9881	.9886	.9890	.9894	.9899	.9903	.9908
9.8	.9912	.9917	.9921	.9926	.9930	.9934	.9939	.9943	.9948	.9952
9.9	.9956	.9961	.9965	.9969	.9974	.9978	.9983	.9987	.9991	.9996

삼각함수표

각	라디안	sin	cos	tan
0°	0.0000	0.0000	1.0000	0.0000
1°	0.0175	0.0175	0.9998	0.0175
2°	0.0349	0.0349	0.9994	0.0349
3°	0.0524	0.0523	0.9986	0.0524
4°	0.0698	0.0698	0.9976	0.0699
5°	0.0873	0.0872	0.9962	0.0875
6°	0.1047	0.1045	0.9945	0.1051
7°	0.1222	0.1219	0.9925	0.1228
8°	0.1396	0.1392	0.9903	0.1405
9°	0.1571	0.1564	0.9877	0.1584
10°	0.1745	0.1736	0.9848	0.1763
11°	0.1920	0.1908	0.9816	0.1944
12°	0.2094	0.2079	0.9781	0.2126
13°	0.2269	0.2250	0.9744	0.2309
14°	0.2443	0.2419	0.9703	0.2493
15°	0.2618	0.2588	0.9659	0.2679
16°	0.2793	0.2756	0.9613	0.2867
17°	0.2967	0.2924	0.9563	0.3057
18°	0.3142	0.3090	0.9511	0.3249
19°	0.3316	0.3256	0.9455	0.3443
20°	0.3491	0.3420	0.9397	0.3640
21°	0.3665	0.3584	0.9336	0.3839
22°	0.3840	0.3746	0.9272	0.4040
23°	0.4014	0.3907	0.9205	0.4245
24°	0.4189	0.4067	0.9135	0.4452
25°	0.4363	0.4226	0.9063	0.4663
26°	0.4538	0.4384	0.8988	0.4877
27°	0.4712	0.4540	0.8910	0.5095
28°	0.4887	0.4695	0.8829	0.5317
29°	0.5061	0.4848	0.8746	0.5543
30°	0.5236	0.5000	0.8660	0.5774
31°	0.5411	0.5150	0.8572	0.6009
32°	0.5585	0.5299	0.8480	0.6249
33°	0.5760	0.5446	0.8387	0.6494
34°	0.5934	0.5592	0.8290	0.6745
35°	0.6109	0.5736	0.8192	0.7002
36°	0.6283	0.5878	0.8090	0.7265
37°	0.6458	0.6018	0.7986	0.7536
38°	0.6632	0.6157	0.7880	0.7813
39°	0.6807	0.6293	0.7771	0.8098
40°	0.6981	0.6428	0.7660	0.8391
41°	0.7156	0.6561	0.7547	0.8693
42°	0.7330	0.6691	0.7431	0.9004
43°	0.7505	0.6820	0.7314	0.9325
44°	0.7679	0.6947	0.7193	0.9657
45°	0.7854	0.7071	0.7071	1.0000

각	라디안	sin	cos	tan
45°	0.7854	0.7071	0.7071	1.0000
46°	0.8029	0.7193	0.6947	1.0355
47°	0.8203	0.7314	0.6820	1.0724
48°	0.8378	0.7431	0.6691	1.1106
49°	0.8552	0.7547	0.6561	1.1504
50°	0.8727	0.7660	0.6428	1.1918
51°	0.8901	0.7771	0.6293	1.2349
52°	0.9076	0.7880	0.6157	1.2799
53°	0.9250	0.7986	0.6018	1.3270
54°	0.9425	0.8090	0.5878	1.3764
55°	0.9599	0.8192	0.5736	1.4281
56°	0.9774	0.8290	0.5592	1.4826
57°	0.9948	0.8387	0.5446	1.5399
58°	1.0123	0.8480	0.5299	1.6003
59°	1.0297	0.8572	0.5150	1.6643
60°	1.0472	0.8660	0.5000	1.7321
61°	1.0647	0.8746	0.4848	1.8040
62°	1.0821	0.8829	0.4695	1.8807
63°	1.0996	0.8910	0.4540	1.9626
64°	1.1170	0.8988	0.4384	2.0503
65°	1.1345	0.9063	0.4226	2.1445
66°	1.1519	0.9135	0.4067	2.2460
67°	1.1694	0.9205	0.3907	2.3559
68°	1.1868	0.9272	0.3746	2.4751
69°	1.2043	0.9336	0.3584	2.6051
70°	1.2217	0.9397	0.3420	2.7475
71°	1.2392	0.9455	0.3256	2.9042
72°	1.2566	0.9511	0.3090	3.0777
73°	1.2741	0.9563	0.2924	3.2709
74°	1.2915	0.9613	0.2756	3.4874
75°	1.3090	0.9659	0.2588	3.7321
76°	1.3265	0.9703	0.2419	4.0108
77°	1.3439	0.9744	0.2250	4.3315
78°	1.3614	0.9781	0.2079	4.7046
79°	1.3788	0.9816	0.1908	5.1446
80°	1.3963	0.9848	0.1736	5.6713
81°	1.4137	0.9877	0.1564	6.3138
82°	1.4312	0.9903	0.1392	7.1154
83°	1.4486	0.9925	0.1219	8.1443
84°	1.4661	0.9945	0.1045	9.5144
85°	1.4835	0.9962	0.0872	11.4301
86°	1.5010	0.9976	0.0698	14.3007
87°	1.5184	0.9986	0.0523	19.0811
88°	1.5359	0.9994	0.0349	28.6363
89°	1.5533	0.9998	0.0175	57.2900
90°	1.5708	1.0000	0.0000	

Memo

Memo

유형

해결의 법칙

고등 수학 I

정답과 해설

고등

수학 I

천재교육

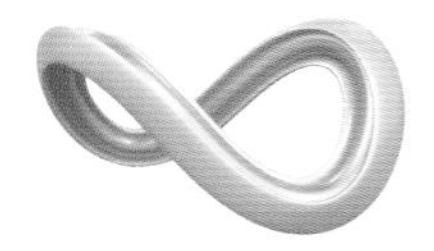

자세하고 친절한 해설

전 략

문제를 접근할 수 있는 실마리를 제공

다른 풀이

다른 여러 가지 풀이 방법으로
수학적 사고력을 강화

Lecture

문제 풀이에 대한 보충 설명, 문제 해결의
노하우 소개

서술형 답안

서술형 문제의 모범 답안과 단계별 채점
비율 제시

이책의

정답과 해설

I 지수함수와 로그함수

II 삼각함수

III 수열

본책 8~21쪽

1 | 지수

STEP 1 개념 마스터

0001

$a^2b^5\times a^3b^2\times ab^4=a^{2+3+1}b^{5+2+4}$
$=a^6b^{11}$

답 a^6b^{11}

0002

$(a^2b^3)^3=a^{2\times3}b^{3\times3}=a^6b^9$

답 a^6b^9

0003

$(a^2b)^5\times\left(\frac{a}{b}\right)^3=a^{2\times5}b^5\times\frac{a^3}{b^3}$
$=a^{10+3}b^{5-3}=a^{13}b^2$

답 $a^{13}b^2$

0004

$6a^7b^3\div(a^2b)^2=6a^7b^3\div a^{2\times2}b^2$
$=6a^{7-4}b^{3-2}=6a^3b$

답 $6a^3b$

0005

$2a^4b^3\div a^5b^9\div\left(\frac{2b}{a^2}\right)^2=2a^4b^3\div a^5b^9\div\frac{4b^2}{a^{2\times2}}$
$=2a^4b^3\times\frac{1}{a^5b^9}\times\frac{a^4}{4b^2}$
$=\frac{2}{a^{5-4}b^{9-3}}\times\frac{a^4}{4b^2}$
$=\frac{a^{4-1}}{2b^{6+2}}=\frac{a^3}{2b^8}$

답 $\frac{a^3}{2b^8}$

0006

$4a^9b\div\left(\frac{2a}{b^2}\right)^3\times3ab^3=4a^9b\div\frac{8a^3}{b^{2\times3}}\times3ab^3$
$=4a^9b\times\frac{b^6}{8a^3}\times3ab^3$
$=\frac{3}{2}a^{9-3+1}b^{1+6+3}$
$=\frac{3}{2}a^7b^{10}$

답 $\frac{3}{2}a^7b^{10}$

0007

-27의 세제곱근을 x라 하면 $x^3=-27$이므로
$x^3+27=0$, $(x+3)(x^2-3x+9)=0$
$\therefore x=-3$ 또는 $x=\frac{3\pm3\sqrt{3}i}{2}$

답 -3, $\frac{3\pm3\sqrt{3}i}{2}$

0008

16의 네제곱근을 x라 하면 $x^4=16$이므로
$x^4-16=0$, $(x^2-4)(x^2+4)=0$
$(x-2)(x+2)(x^2+4)=0$
$\therefore x=\pm2$ 또는 $x=\pm2i$

답 ±2, $\pm2i$

0009

-1의 세제곱근을 x라 하면 $x^3=-1$이므로
$x^3+1=0$, $(x+1)(x^2-x+1)=0$
$\therefore x=-1$ 또는 $x=\frac{1\pm\sqrt{3}i}{2}$

답 -1, $\frac{1\pm\sqrt{3}i}{2}$

0010

256의 네제곱근을 x라 하면 $x^4=256$이므로
$x^4-256=0$, $(x^2-16)(x^2+16)=0$
$(x-4)(x+4)(x^2+16)=0$
$\therefore x=\pm4$ 또는 $x=\pm4i$

답 ±4, $\pm4i$

0011

$\sqrt[3]{125}=\sqrt[3]{5^3}=5$

답 5

0012

$\sqrt[4]{0.0016}=\sqrt[4]{0.2^4}=0.2$

답 0.2

0013

$\sqrt[3]{-\frac{27}{64}}=\sqrt[3]{\left(-\frac{3}{4}\right)^3}=-\frac{3}{4}$

답 $-\frac{3}{4}$

0014

$\sqrt[5]{-3^5}=\sqrt[5]{(-3)^5}=-3$

답 -3

0015

64의 세제곱근 중 실수인 것은
$\sqrt[3]{64}=\sqrt[3]{4^3}=4$

답 4

0016

$\frac{1}{16}$의 네제곱근 중 실수인 것은
$\sqrt[4]{\frac{1}{16}}=\sqrt[4]{\left(\frac{1}{2}\right)^4}=\frac{1}{2}$, $-\sqrt[4]{\frac{1}{16}}=-\sqrt[4]{\left(\frac{1}{2}\right)^4}=-\frac{1}{2}$

답 $\frac{1}{2}$, $-\frac{1}{2}$

0017

-125의 세제곱근 중 실수인 것은
$\sqrt[3]{-125}=\sqrt[3]{(-5)^3}=-5$

답 -5

0018

-81의 네제곱근 중 실수인 것은 없다. 답 없다.

0019

$\{\sqrt[3]{(-3)^2}\}^3=(-3)^2=9$ 답 9

0020

$\sqrt[4]{3}\times\sqrt[4]{27}=\sqrt[4]{3\times27}=\sqrt[4]{81}=\sqrt[4]{3^4}=3$ 답 3

0021

$\dfrac{\sqrt[3]{2}}{\sqrt[3]{16}}=\sqrt[3]{\dfrac{2}{16}}=\sqrt[3]{\dfrac{1}{8}}=\sqrt[3]{\left(\dfrac{1}{2}\right)^3}=\dfrac{1}{2}$ 답 $\dfrac{1}{2}$

0022

$(\sqrt[4]{16})^2=\sqrt[4]{16^2}=\sqrt[4]{(4^2)^2}=\sqrt[4]{4^4}=4$ 답 4

0023

$\sqrt[3]{\sqrt{27}}=\sqrt{\sqrt[3]{27}}=\sqrt{\sqrt[3]{3^3}}=\sqrt{3}$ 답 $\sqrt{3}$

0024

$\sqrt[12]{4^4}\times\sqrt[6]{2^2}=\sqrt[3\times4]{4^{1\times4}}\times\sqrt[3\times2]{2^{1\times2}}=\sqrt[3]{4}\times\sqrt[3]{2}$

$=\sqrt[3]{8}=\sqrt[3]{2^3}=2$ 답 2

0025

$6^0=1$ 답 1

0026

$\left(-\dfrac{1}{5}\right)^0=1$ 답 1

0027

$(-4)^{-3}=\dfrac{1}{(-4)^3}=-\dfrac{1}{64}$ 답 $-\dfrac{1}{64}$

0028

$\left(-\dfrac{2}{3}\right)^{-2}=\dfrac{1}{\left(-\dfrac{2}{3}\right)^2}=\dfrac{1}{\dfrac{4}{9}}=\dfrac{9}{4}$ 답 $\dfrac{9}{4}$

0029

$\sqrt[5]{a}=a^{\frac{1}{5}}$ 답 $a^{\frac{1}{5}}$

0030

$\sqrt[4]{a^3}=a^{\frac{3}{4}}$ 답 $a^{\frac{3}{4}}$

0031

$\dfrac{1}{\sqrt[5]{a^4}}=\dfrac{1}{a^{\frac{4}{5}}}=a^{-\frac{4}{5}}$ 답 $a^{-\frac{4}{5}}$

0032

$\dfrac{1}{\sqrt[6]{a^{-5}}}=\dfrac{1}{a^{-\frac{5}{6}}}=a^{\frac{5}{6}}$ 답 $a^{\frac{5}{6}}$

0033

$10^{0.5}=10^{\frac{1}{2}}=\sqrt{10}$ 답 $\sqrt{10}$

0034

$81^{\frac{1}{3}}=(3^4)^{\frac{1}{3}}=3^{\frac{4}{3}}=3\cdot3^{\frac{1}{3}}=3\sqrt[3]{3}$ 답 $3\sqrt[3]{3}$

0035

$32^{-\frac{1}{10}}=(2^5)^{-\frac{1}{10}}=2^{-\frac{1}{2}}=\dfrac{1}{2^{\frac{1}{2}}}=\dfrac{1}{\sqrt{2}}=\dfrac{\sqrt{2}}{2}$ 답 $\dfrac{\sqrt{2}}{2}$

0036

$\left(\dfrac{1}{8}\right)^{-\frac{1}{4}}=(2^{-3})^{-\frac{1}{4}}=2^{\frac{3}{4}}=\sqrt[4]{2^3}=\sqrt[4]{8}$ 답 $\sqrt[4]{8}$

0037

$8^{-\frac{1}{2}}\times2^{\frac{3}{2}}=2^{-\frac{3}{2}}\times2^{\frac{3}{2}}=2^{-\frac{3}{2}+\frac{3}{2}}=2^0=1$ 답 1

0038

$2^{\frac{3}{2}}\times(\sqrt{2})^2\div(2^{\frac{1}{6}})^3=2^{\frac{3}{2}}\times2\div2^{\frac{1}{2}}$

$=2^{\frac{3}{2}+1-\frac{1}{2}}=2^2=4$ 답 4

0039

$(\sqrt[4]{a^3}\times\sqrt[3]{a^2})^{12}=(a^{\frac{3}{4}}\times a^{\frac{2}{3}})^{12}=a^9\times a^8=a^{9+8}=a^{17}$ 답 a^{17}

0040

$(a^3b^2)^{\frac{1}{6}}\div(a^{\frac{1}{4}}b^{-\frac{1}{3}})^2=a^{\frac{1}{2}}b^{\frac{1}{3}}\div a^{\frac{1}{2}}b^{-\frac{2}{3}}$

$=a^{\frac{1}{2}-\frac{1}{2}}b^{\frac{1}{3}+\frac{2}{3}}=b$ 답 b

0041

$2^{\sqrt{8}}\times2^{\sqrt{2}}=2^{2\sqrt{2}+\sqrt{2}}=2^{3\sqrt{2}}$ 답 $2^{3\sqrt{2}}$

0042

$5^{\sqrt{2}}\times5^{\sqrt{18}}\div5^{\sqrt{8}}=5^{\sqrt{2}+3\sqrt{2}-2\sqrt{2}}=5^{2\sqrt{2}}$ 답 $5^{2\sqrt{2}}$

0043

$(a^{\sqrt{2}})^{\sqrt{2}}=a^{\sqrt{4}}=a^2$ 답 a^2

0044

$(a^{\sqrt{\frac{2}{3}}}\times b^{\sqrt{\frac{3}{2}}})^{\sqrt{6}}=(a^{\frac{\sqrt{2}}{\sqrt{3}}}\times b^{\frac{\sqrt{3}}{\sqrt{2}}})^{\sqrt{6}}=a^{\frac{\sqrt{2}}{\sqrt{3}}\times\sqrt{6}}\times b^{\frac{\sqrt{3}}{\sqrt{2}}\times\sqrt{6}}=a^2b^3$ 답 a^2b^3

STEP 2 유형 마스터

0045

| 전략 | n이 홀수일 때 양수 a의 n제곱근 중 실수인 것은 $\sqrt[n]{a}$, n이 짝수일 때 양수 a의 n제곱근 중 실수인 것은 $\pm\sqrt[n]{a}$이다.

① $\sqrt{(-2)^2}=\sqrt{2^2}=2$이므로 2의 제곱근은 $\pm\sqrt{2}$이다. (거짓)

② 5의 세제곱근은 방정식 $x^3=5$의 근이므로 3개이다. (거짓)

③ -16의 네제곱근 중 실수인 것은 없다. (거짓)

④ n이 짝수일 때, -8의 n제곱근 중에서 실수인 것은 없다. (거짓)

⑤ n이 홀수일 때, 3의 n제곱근 중에서 실수인 것은 $\sqrt[n]{3}$으로 1개뿐이다. (참)

따라서 옳은 것은 ⑤이다. 답 ⑤

0046

ㄱ. $4^3=64$이므로 4는 64의 세제곱근 중 하나이다. (참)

ㄴ. -36의 네제곱근 중 실수인 것은 없다. (거짓)

ㄷ. 27의 세제곱근 중 실수인 것은 $\sqrt[3]{27}=\sqrt[3]{3^3}=3$뿐이다. (참)

ㄹ. $\sqrt[3]{-27}=\sqrt[3]{(-3)^3}=-3$이므로 $\sqrt[3]{-27}$의 네제곱근 중 실수인 것은 없다. (참)

따라서 옳은 것의 개수는 ㄱ, ㄷ, ㄹ의 3이다. 답 ④

0047

$\sqrt[3]{-512}=\sqrt[3]{(-8)^3}=-8$ ··· ❶

-8의 세제곱근 중 실수인 것은 $\sqrt[3]{-8}=\sqrt[3]{(-2)^3}=-2$이므로

$a=-2$ ··· ❷

$-a=2$의 네제곱근 중 양의 실수인 것은 $\sqrt[4]{2}$이므로

$b=\sqrt[4]{2}$ ··· ❸

$\therefore \left(\frac{a}{b}\right)^4=\frac{a^4}{b^4}=\frac{(-2)^4}{(\sqrt[4]{2})^4}=\frac{16}{2}=8$ ··· ❹

답 8

채점 기준	비율
❶ $\sqrt[3]{-512}$를 간단히 할 수 있다.	20 %
❷ a의 값을 구할 수 있다.	30 %
❸ b의 값을 구할 수 있다.	30 %
❹ $\left(\frac{a}{b}\right)^4$의 값을 구할 수 있다.	20 %

0048

9는 홀수이므로 10의 9제곱근 중 실수인 것은 1개이다.

$\therefore f(10, 9)=1$

10은 짝수이고 9는 양수이므로 9의 10제곱근 중 실수인 것은 2개이다.

$\therefore f(9, 10)=2$

9는 홀수이므로 -10의 9제곱근 중 실수인 것은 1개이다.

$\therefore f(-10, 9)=1$

10은 짝수이고 -9는 음수이므로 -9의 10제곱근 중 실수인 것은 없다.

$\therefore f(-9, 10)=0$

$\therefore f(10, 9)+f(9, 10)-f(-10, 9)+f(-9, 10)$

$=1+2-1+0=2$ 답 2

0049

$B=\{4, 9\}$이므로

(i) $y=4$일 때

$\sqrt[4]{-3}$, $\sqrt[4]{-2}$는 실수가 아니고, $\sqrt[4]{2}$, $\sqrt[4]{3}$은 실수이다.

(ii) $y=9$일 때

$\sqrt[9]{-3}$, $\sqrt[9]{-2}$, $\sqrt[9]{2}$, $\sqrt[9]{3}$은 모두 실수이다.

(i), (ii)에서 조건을 만족시키는 순서쌍 (x, y)의 개수는

$(2, 4)$, $(3, 4)$, $(-3, 9)$, $(-2, 9)$, $(2, 9)$, $(3, 9)$의 6이다. 답 6

0050

| 전략 | 거듭제곱근의 성질을 이용한다.

ㄱ. $(\sqrt[4]{2})^4=2$, $(\sqrt[3]{-2})^3=-2$이므로 $(\sqrt[4]{2})^4\neq(\sqrt[3]{-2})^3$ (거짓)

ㄴ. $\sqrt[3]{\sqrt{3}}=\sqrt[3\times2]{3}=\sqrt[6]{3}$ (참)

ㄷ. $\sqrt[12]{4^3}=\sqrt[12]{2^6}=\sqrt[2\times6]{2^{1\times6}}=\sqrt{2}\neq\sqrt[4]{2}$ (거짓)

ㄹ. $\sqrt[3]{5}\,\sqrt[3]{2}=\sqrt[3]{5\times2}=\sqrt[3]{10}$ (참)

따라서 옳은 것은 ㄴ, ㄹ이다. 답 ㄴ, ㄹ

0051

① $\sqrt[3]{27}=\sqrt[3]{3^3}=3$

② $\sqrt{\sqrt{81}}=\sqrt[4]{3^4}=3$

③ $(\sqrt[4]{9})^2=\sqrt[4]{9^2}=\sqrt[4]{3^4}=3$

④ $\frac{\sqrt[4]{243}}{\sqrt{3}}=\frac{\sqrt[4]{3^5}}{\sqrt[4]{3^2}}=\sqrt[4]{3^3}$

⑤ $\sqrt[6]{3}\times\sqrt[6]{243}=\sqrt[6]{3}\times\sqrt[6]{3^5}=\sqrt[6]{3\times3^5}=\sqrt[6]{3^6}=3$

따라서 그 값이 나머지 넷과 다른 하나는 ④이다. 답 ④

0052

$(\sqrt[5]{32})^2\div\sqrt[3]{2^6}\times\sqrt{\sqrt[3]{64}}=\sqrt[5]{32^2}\div\sqrt[3]{(2^2)^3}\times\sqrt[6]{64}$

$=\sqrt[5]{(2^2)^5}\div\sqrt[3]{(2^2)^3}\times\sqrt[6]{2^6}$

$=4\div4\times2=2$ 답 2

0053

$\sqrt[4]{\frac{\sqrt[3]{16}}{16}}+\sqrt{\frac{\sqrt{16}}{\sqrt[3]{16}}}=\frac{\sqrt[12]{2^4}}{\sqrt[4]{2^4}}+\frac{\sqrt[4]{2^4}}{\sqrt[6]{2^4}}=\frac{\sqrt[3]{2}}{2}+\frac{2}{\sqrt[3]{2^2}}$

$=\frac{\sqrt[3]{2^3}+4}{2\sqrt[3]{2^2}}=\frac{6}{2\sqrt[3]{2^2}}=\frac{3}{\sqrt[3]{2^2}}=\frac{3\sqrt[3]{2}}{2}$ 답 $\frac{3\sqrt[3]{2}}{2}$

0054

| 전략 | $a>0$이고 $m, n(n\geq2)$이 정수일 때, $\sqrt[np]{a^{mp}}=\sqrt[n]{a^m}$ (p는 양의 정수)임을 이용한다.

$$\sqrt{a^4b}\times\sqrt[6]{a^4b}\div\sqrt[3]{a^5b^2}=\frac{\sqrt[6]{a^{12}b^3}\times\sqrt[6]{a^4b}}{\sqrt[6]{a^{10}b^4}}=\sqrt[6]{\frac{a^{16}b^4}{a^{10}b^4}}$$
$$=\sqrt[6]{a^6}=a$$

답 ④

0055

$$\sqrt{\frac{\sqrt[6]{a}}{\sqrt[4]{a}}}\times\sqrt[4]{\frac{\sqrt[3]{a^4}}{\sqrt{a}}}=\frac{\sqrt[12]{a}}{\sqrt[8]{a}}\times\frac{\sqrt[12]{a^4}}{\sqrt[8]{a}}=\frac{\sqrt[12]{a^5}}{\sqrt[8]{a^2}}$$
$$=\frac{\sqrt[12]{a^5}}{\sqrt[4]{a}}=\frac{\sqrt[12]{a^5}}{\sqrt[12]{a^3}}=\sqrt[12]{a^2}=\sqrt[6]{a}$$

따라서 $m=6$, $n=1$이므로 $m+n=7$

답 7

0056

$$\sqrt[3]{\frac{\sqrt[5]{x}}{\sqrt{x}}}\times\sqrt{\frac{\sqrt[3]{x}}{\sqrt[10]{x}}}\div\sqrt[5]{\frac{\sqrt[3]{x}}{\sqrt[4]{x}}}=\frac{\sqrt[15]{x}}{\sqrt[6]{x}}\times\frac{\sqrt[6]{x}}{\sqrt[20]{x}}\times\frac{\sqrt[20]{x}}{\sqrt[15]{x}}=1$$

답 ②

0057

$$\sqrt{a\sqrt[3]{a^2\sqrt[4]{a}}}=\sqrt{a}\times\sqrt[6]{a^2}\times\sqrt[24]{a}=\sqrt[24]{a^{12}}\times\sqrt[24]{a^8}\times\sqrt[24]{a}$$
$$=\sqrt[24]{a^{12}\times a^8\times a}=\sqrt[24]{a^{21}}=\sqrt[8]{a^7}$$

따라서 $m=8$, $n=7$이므로 $m+n=15$

답 ②

0058

ㄱ. $R(2, 4)=\sqrt[2]{4}=\sqrt[4]{16}=R(4, 16)$ (참)

ㄴ. $R(5, a)\cdot R(5, b)=\sqrt[5]{a}\sqrt[5]{b}=\sqrt[5]{ab}=R(5, ab)$ (참)

ㄷ. $R(a, a)=R(3a, 27)$에서 $\sqrt[a]{a}=\sqrt[3a]{27}=\sqrt[a]{3}$

$\therefore a=3$ (참)

따라서 옳은 것은 ㄱ, ㄴ, ㄷ이다.

답 ⑤

0059

| 전략 | $a\neq0$이고 n이 양의 정수일 때, $a^{-n}=\frac{1}{a^n}$임을 이용한다.

$$\frac{3^{-5}+27^{-2}}{4}\times\frac{5}{4^3+16^2}=\frac{3^{-5}+(3^3)^{-2}}{4}\times\frac{5}{(2^2)^3+(2^4)^2}$$
$$=\frac{3^{-6}(3+1)}{4}\times\frac{5}{2^6(1+2^2)}$$
$$=3^{-6}\times2^{-6}=6^{-6}$$

$\therefore k=-6$

답 ①

0060

$$f(x)=\frac{1+x+x^2+\cdots+x^{10}}{x^{-2}+x^{-3}+x^{-4}+\cdots+x^{-12}}$$
$$=\frac{x^{12}(1+x+x^2+\cdots+x^{10})}{x^{12}(x^{-2}+x^{-3}+x^{-4}+\cdots+x^{-12})}$$
$$=\frac{x^{12}(1+x+x^2+\cdots+x^{10})}{x^{10}+x^9+x^8+\cdots+1}=x^{12}$$

$$\therefore f(\sqrt[6]{3})=(\sqrt[6]{3})^{12}=(3^{\frac{1}{6}})^{12}=3^2=9$$

답 ④

0061

자연수 n에 대하여 $\frac{1}{2^{-n}+1}=\frac{2^n}{1+2^n}$이므로

$$\frac{1}{2^{-n}+1}+\frac{1}{2^n+1}=\frac{2^n}{1+2^n}+\frac{1}{1+2^n}=1$$

$$\therefore \frac{1}{2^{-5}+1}+\frac{1}{2^{-4}+1}+\frac{1}{2^{-3}+1}+\cdots+\frac{1}{2^0+1}+\frac{1}{2+1}+\cdots+\frac{1}{2^5+1}$$
$$=\frac{1}{2^{-5}+1}+\frac{1}{2^5+1}+\frac{1}{2^{-4}+1}+\frac{1}{2^4+1}+\cdots+\frac{1}{2^0+1}$$
$$=1+1+1+1+1+\frac{1}{2}$$
$$=\frac{11}{2}$$

답 ④

0062

| 전략 | 지수가 실수일 때, 지수법칙이 성립함을 이용한다.

$$\left\{\left(\frac{27}{125}\right)^{-\frac{1}{3}}\right\}^{\frac{3}{2}}\times\left(\frac{27}{5}\right)^{\frac{1}{2}}=\left(\frac{3}{5}\right)^{3\times\left(-\frac{1}{3}\right)\times\frac{3}{2}}\times\left(\frac{3^3}{5}\right)^{\frac{1}{2}}$$
$$=\left(\frac{3}{5}\right)^{-\frac{3}{2}}\times\left(\frac{3^3}{5}\right)^{\frac{1}{2}}$$
$$=\frac{3^{-\frac{3}{2}}\times3^{\frac{3}{2}}}{5^{-\frac{3}{2}}\times5^{\frac{1}{2}}}=\frac{1}{5^{-1}}=5$$

답 5

0063

$$(a^{\sqrt{2}})^{2\sqrt{3}}\div a^{3\sqrt{6}}\times(\sqrt[3]{a})^{6\sqrt{6}}=a^{2\sqrt{6}}\div a^{3\sqrt{6}}\times(a^{\frac{1}{3}})^{6\sqrt{6}}$$
$$=a^{2\sqrt{6}}\div a^{3\sqrt{6}}\times a^{2\sqrt{6}}$$
$$=a^{2\sqrt{6}-3\sqrt{6}+2\sqrt{6}}=a^{\sqrt{6}}$$

따라서 $k=\sqrt{6}$이므로 $k^2=6$

답 6

0064

$$\left(\frac{a-b}{a+b}\right)^{\frac{a+3b}{a-b}}\times\left(\frac{a+b}{a-b}\right)^{\frac{2a}{a-b}}\times\left(\frac{a+b}{a-b}\right)^{\frac{2b}{a-b}}$$
$$=\left(\frac{a+b}{a-b}\right)^{\frac{-a-3b}{a-b}}\times\left(\frac{a+b}{a-b}\right)^{\frac{2a}{a-b}}\times\left(\frac{a+b}{a-b}\right)^{\frac{2b}{a-b}}$$
$$=\left(\frac{a+b}{a-b}\right)^{\frac{-a-3b}{a-b}+\frac{2a}{a-b}+\frac{2b}{a-b}}$$
$$=\left(\frac{a+b}{a-b}\right)^{\frac{a-b}{a-b}}=\frac{a+b}{a-b}$$

답 ②

0065

$\left(\frac{1}{64}\right)^{\frac{1}{k}}=(2^{-6})^{\frac{1}{k}}=2^{-\frac{6}{k}}$이 자연수가 되도록 하는 정수 k의 값은 $-1, -2, -3, -6$이다. ··· ❶

따라서 집합 A의 원소 중 자연수인 x의 값은 2^6, 2^3, 2^2, 2^1이므로 그 합은

$64+8+4+2=78$ ··· ❷

답 78

채점 기준	비율
❶ k의 값을 구할 수 있다.	60 %
❷ 조건을 만족시키는 모든 x의 값의 합을 구할 수 있다.	40 %

0066

| 전략 | $a>0$이고 m, n이 2 이상의 정수일 때, $\sqrt[n]{a}=a^{\frac{1}{n}}$, $\sqrt[m]{\sqrt[n]{a}}=a^{\frac{1}{mn}}$임을 이용한다.

$\sqrt{\sqrt[4]{3}}=\sqrt[8]{3}=3^{\frac{1}{8}}$

$3\sqrt{3\sqrt{3\sqrt{3}}}=3\times\sqrt{3}\times\sqrt[4]{3}\times\sqrt[8]{3}=3\times3^{\frac{1}{2}}\times3^{\frac{1}{4}}\times3^{\frac{1}{8}}$

$=3^{1+\frac{1}{2}+\frac{1}{4}+\frac{1}{8}}=3^{\frac{15}{8}}$

이므로 (좌변)$=3^{\frac{1}{8}}\times3^{\frac{15}{8}}=3^{\frac{1}{8}+\frac{15}{8}}=3^2$

$\therefore k=2$

답 2

0067

$\sqrt[3]{a\sqrt[5]{a^k}}=\sqrt[3]{a\times a^{\frac{k}{5}}}=(a^{1+\frac{k}{5}})^{\frac{1}{3}}=a^{\frac{1}{3}+\frac{k}{15}}$

$a^{\frac{1}{3}+\frac{k}{15}}=a^{\frac{3}{2}}$에서 $\frac{1}{3}+\frac{k}{15}=\frac{3}{2}$

$\frac{k}{15}=\frac{7}{6}$ $\quad\therefore k=\frac{35}{2}$

답 ⑤

0068

$\sqrt[4]{a\sqrt[6]{a\sqrt[3]{a^2}}}=\sqrt[4]{a}\times\sqrt[24]{a}\times\sqrt[12]{a^2}=a^{\frac{1}{4}}\times a^{\frac{1}{24}}\times a^{\frac{2}{12}}$

$=a^{\frac{1}{4}+\frac{1}{24}+\frac{2}{12}}=a^{\frac{11}{24}}$

$\sqrt[3]{a\sqrt[8]{a^k}}=\sqrt[3]{a}\times\sqrt[24]{a^k}=a^{\frac{1}{3}}\times a^{\frac{k}{24}}$

$=a^{\frac{1}{3}+\frac{k}{24}}=a^{\frac{k+8}{24}}$

따라서 $\frac{11}{24}=\frac{k+8}{24}$이므로 $k+8=11$ $\quad\therefore k=3$

답 3

0069

$\sqrt[3]{4\sqrt{4}\times\frac{4}{\sqrt[4]{4}}}=\sqrt[3]{4^{1+\frac{1}{2}}\times4^{1-\frac{1}{4}}}=\sqrt[3]{4^{\frac{3}{2}+\frac{3}{4}}}$

$=(4^{\frac{9}{4}})^{\frac{1}{3}}=(2^2)^{\frac{3}{4}}=2^{\frac{3}{2}}$

따라서 $m=2$, $n=3$이므로 $mn=6$

답 ④

0070

| 전략 | $a>0$, $k>0$이고 $x\neq0$인 정수일 때, $a^x=k$이면 $a=k^{\frac{1}{x}}$임을 이용한다.

$a=9^4$에서 $a=(3^2)^4$, $a=3^8$ $\quad\therefore 3=a^{\frac{1}{8}}$

$b=8^3$에서 $b=(2^3)^3$, $b=2^9$ $\quad\therefore 2=b^{\frac{1}{9}}$

$\therefore 12^{12}=(2^2\times3)^{12}=2^{24}\times3^{12}=(b^{\frac{1}{9}})^{24}\times(a^{\frac{1}{8}})^{12}=a^{\frac{3}{2}}b^{\frac{8}{3}}$

따라서 $m=\frac{3}{2}$, $n=\frac{8}{3}$이므로 $m+n=\frac{25}{6}$

답 ④

0071

$a=2^{3x+1}$에서 $a=2\cdot2^{3x}$, $2^{3x}=\frac{a}{2}$ $\quad\therefore 2^x=\left(\frac{a}{2}\right)^{\frac{1}{3}}$

$\therefore 64^x=(2^6)^x=(2^x)^6=\left\{\left(\frac{a}{2}\right)^{\frac{1}{3}}\right\}^6=\left(\frac{a}{2}\right)^2=\frac{a^2}{4}$

답 $\frac{a^2}{4}$

0072

$a=\sqrt[3]{32}=2^{\frac{5}{3}}$에서 $2=a^{\frac{3}{5}}$

$b=\sqrt[4]{27}=3^{\frac{3}{4}}$에서 $3=b^{\frac{4}{3}}$

$\therefore 144=2^4\times3^2=(a^{\frac{3}{5}})^4\times(b^{\frac{4}{3}})^2=a^{\frac{12}{5}}b^{\frac{8}{3}}$

답 ③

0073

$a^6=3$, $b^5=7$, $c^2=11$에서

$a=3^{\frac{1}{6}}$, $b=7^{\frac{1}{5}}$, $c=11^{\frac{1}{2}}$

이므로 $(abc)^n=(3^{\frac{1}{6}}\times7^{\frac{1}{5}}\times11^{\frac{1}{2}})^n$이 자연수가 되도록 하는 자연수 n의 값은 2, 5, 6의 공배수이다.

따라서 자연수 n의 최솟값은 2, 5, 6의 최소공배수인 30이다.

답 ②

0074

| 전략 | $(a+b)(a-b)=a^2-b^2$, $(a+b)^2=a^2+2ab+b^2$임을 이용한다.

$(a^{\frac{1}{2}}+a^{-\frac{1}{2}}+1)(a^{\frac{1}{2}}+a^{-\frac{1}{2}}-1)=(a^{\frac{1}{2}}+a^{-\frac{1}{2}})^2-1^2$

$=a+2+a^{-1}-1$

$=a+a^{-1}+1$

답 ③

0075

$2^{\frac{1}{3}}=A$, $2^{-\frac{2}{3}}=B$로 놓으면

$(2^{\frac{1}{3}}+2^{-\frac{2}{3}})^3+(2^{\frac{1}{3}}-2^{-\frac{2}{3}})^3$

$=(A+B)^3+(A-B)^3$

$=A^3+3A^2B+3AB^2+B^3+A^3-3A^2B+3AB^2-B^3$

$=2(A^3+3AB^2)=2\{(2^{\frac{1}{3}})^3+3\cdot2^{\frac{1}{3}}\cdot(2^{-\frac{2}{3}})^2\}$

$=2(2+3\cdot2^{\frac{1}{3}}\cdot2^{-\frac{4}{3}})=2(2+3\cdot2^{-1})$

$=2\left(2+\frac{3}{2}\right)=7$

답 7

0076

$(a^{\frac{1}{8}}-b^{\frac{1}{2}})(a^{\frac{1}{8}}+b^{\frac{1}{2}})(a^{\frac{1}{4}}+b)(a^{\frac{1}{2}}+b^2)$

$=(a^{\frac{1}{4}}-b)(a^{\frac{1}{4}}+b)(a^{\frac{1}{2}}+b^2)$

$=(a^{\frac{1}{2}}-b^2)(a^{\frac{1}{2}}+b^2)$

$=a-b^4$

$=\sqrt[3]{8}-(\sqrt[4]{2})^4=2-2=0$

답 ③

0077

$$\frac{1}{1-x^{\frac{1}{8}}}+\frac{1}{1+x^{\frac{1}{8}}}=\frac{1+x^{\frac{1}{8}}+1-x^{\frac{1}{8}}}{(1-x^{\frac{1}{8}})(1+x^{\frac{1}{8}})}=\frac{2}{1-x^{\frac{1}{4}}}$$

$$\frac{2}{1-x^{\frac{1}{4}}}+\frac{2}{1+x^{\frac{1}{4}}}=\frac{2(1+x^{\frac{1}{4}}+1-x^{\frac{1}{4}})}{(1-x^{\frac{1}{4}})(1+x^{\frac{1}{4}})}=\frac{4}{1-x^{\frac{1}{2}}}$$

$$\frac{4}{1-x^{\frac{1}{2}}}+\frac{4}{1+x^{\frac{1}{2}}}=\frac{4(1+x^{\frac{1}{2}}+1-x^{\frac{1}{2}})}{(1-x^{\frac{1}{2}})(1+x^{\frac{1}{2}})}=\frac{8}{1-x}$$

$\therefore$ (주어진 식)$=\frac{8}{1-x}+\frac{8}{1+x}=\frac{8(1+x+1-x)}{(1-x)(1+x)}$

$=\frac{16}{1-x^2}=\frac{16}{1-5}=-4$

답 -4

0078

|전략| 먼저 주어진 등식의 양변을 제곱한다.

$a^{\frac{1}{2}}-a^{-\frac{1}{2}}=2$의 양변을 제곱하면

$a-2+a^{-1}=4 \qquad \therefore a+a^{-1}=6$

$a+a^{-1}=6$의 양변을 제곱하면

$a^2+2+a^{-2}=36 \qquad \therefore a^2+a^{-2}=34$

$\therefore \frac{a^2+a^{-2}-7}{a+a^{-1}-3}=\frac{34-7}{6-3}=\frac{27}{3}=9$

답 ①

0079

$(a^{\frac{1}{2}}-a^{-\frac{1}{2}})^2=a-2+a^{-1}=11-2=9$

$\therefore a^{\frac{1}{2}}-a^{-\frac{1}{2}}=3$ ($\because a>1$)

$=\frac{a-1}{a^{\frac{1}{2}}}>0$ ($\because a>1$)

$a^{\frac{1}{2}}-a^{-\frac{1}{2}}=3$의 양변을 세제곱하면

$a^{\frac{3}{2}}-3(a^{\frac{1}{2}}-a^{-\frac{1}{2}})-a^{-\frac{3}{2}}=27$

$\therefore a^{\frac{3}{2}}-a^{-\frac{3}{2}}=27+3\cdot3=36$

$\therefore \frac{a^{\frac{3}{2}}-a^{-\frac{3}{2}}+14}{a^{\frac{1}{2}}-a^{-\frac{1}{2}}+2}=\frac{36+14}{3+2}=\frac{50}{5}=10$

답 10

0080

$x^3=(3^{\frac{1}{3}}-3^{-\frac{1}{3}})^3$

$=3-3(3^{\frac{1}{3}}-3^{-\frac{1}{3}})-3^{-1}$

$=3-3x-\frac{1}{3}=\frac{8}{3}-3x$

$\therefore x^3+3x=\frac{8}{3}$

답 ③

0081

$\frac{a^3+a^2}{a+1}-\frac{a^{-3}+a^{-2}}{a^{-1}+1}=\frac{a^2(a+1)}{a+1}-\frac{a^{-2}(a^{-1}+1)}{a^{-1}+1}$

$=a^2-a^{-2}$

$=(a+a^{-1})(a-a^{-1})$

$\sqrt{a}-\frac{1}{\sqrt{a}}=\sqrt{2}$의 양변을 제곱하면

$a-2+\frac{1}{a}=2 \qquad \therefore a+a^{-1}=4$

한편, $(a-a^{-1})^2=(a+a^{-1})^2-4=4^2-4=12$

그런데 $\sqrt{a}-\frac{1}{\sqrt{a}}>0$, 즉 $\frac{a-1}{\sqrt{a}}>0$에서 $a>1$이므로

$a-a^{-1}>0$

$=\frac{a^2-1}{a}>0$ ($\because a>1$)

$\therefore a-a^{-1}=\sqrt{12}=2\sqrt{3}$

$\therefore$ (주어진 식)$=(a+a^{-1})(a-a^{-1})=4\cdot2\sqrt{3}=8\sqrt{3}$

답 $8\sqrt{3}$

0082

|전략| 주어진 식의 분모, 분자에 a^x을 곱한다.

주어진 식의 분모, 분자에 a^x을 곱하면

$\frac{a^{3x}-a^{-x}}{a^x+a^{-x}}=\frac{a^x(a^{3x}-a^{-x})}{a^x(a^x+a^{-x})}=\frac{a^{4x}-1}{a^{2x}+1}=\frac{(a^{2x})^2-1}{a^{2x}+1}$

$=\frac{25-1}{5+1}=\frac{24}{6}=4$

답 ④

0083

$2^{\frac{1}{x}}=9$에서 $9^x=2 \qquad \therefore 3^{2x}=2$

주어진 식의 분모, 분자에 3^x을 곱하면

$\frac{3^{3x}-3^{-3x}}{3^x+3^{-x}}=\frac{3^x(3^{3x}-3^{-3x})}{3^x(3^x+3^{-x})}=\frac{3^{4x}-3^{-2x}}{3^{2x}+1}$

$=\frac{(3^{2x})^2-(3^{2x})^{-1}}{3^{2x}+1}=\frac{4-\frac{1}{2}}{2+1}=\frac{7}{6}$

답 $\frac{7}{6}$

0084

주어진 식의 분모, 분자에 2^x을 곱하면

$\frac{2^{5x}+2^{-3x}}{2^x+2^{-x}}=\frac{2^x(2^{5x}+2^{-3x})}{2^x(2^x+2^{-x})}=\frac{2^{6x}+2^{-2x}}{2^{2x}+1}=\frac{(2^{2x})^3+(2^{2x})^{-1}}{2^{2x}+1}$

$=\frac{(\sqrt{2}+1)^3+\frac{1}{\sqrt{2}+1}}{(\sqrt{2}+1)+1}$

$=\frac{(2\sqrt{2}+6+3\sqrt{2}+1)+(\sqrt{2}-1)}{2+\sqrt{2}}$

$=\frac{6+6\sqrt{2}}{2+\sqrt{2}}=\frac{6(1+\sqrt{2})(2-\sqrt{2})}{(2+\sqrt{2})(2-\sqrt{2})}$

$=3(2-\sqrt{2}+2\sqrt{2}-2)=3\sqrt{2}$

답 ①

0085

$\frac{a^x-a^{-x}}{a^x+a^{-x}}=\frac{a^x(a^x-a^{-x})}{a^x(a^x+a^{-x})}=\frac{a^{2x}-1}{a^{2x}+1}=\frac{1}{3}$ ... ❶

$3a^{2x}-3=a^{2x}+1$, $2a^{2x}=4$

$a^{2x}=2 \qquad \therefore a^x=\sqrt{2}$ ($\because a>0$) ... ❷

$\frac{a^{\frac{3}{2}x}-a^{-\frac{1}{2}x}}{a^{\frac{1}{2}x}+a^{-\frac{3}{2}x}}$의 분모, 분자에 $a^{\frac{1}{2}x}$을 곱하면

$$\frac{a^{\frac{3}{2}x}-a^{-\frac{1}{2}x}}{a^{\frac{1}{2}x}+a^{-\frac{3}{2}x}}=\frac{a^{\frac{1}{2}x}(a^{\frac{3}{2}x}-a^{-\frac{1}{2}x})}{a^{\frac{1}{2}x}(a^{\frac{1}{2}x}+a^{-\frac{3}{2}x})}=\frac{a^{2x}-1}{a^x+a^{-x}}=\frac{(\sqrt{2})^2-1}{\sqrt{2}+\frac{1}{\sqrt{2}}}$$

$$=\frac{1}{\frac{3}{\sqrt{2}}}=\frac{\sqrt{2}}{3}$$ … ❸

답 $\frac{\sqrt{2}}{3}$

채점 기준	비율
❶ $\frac{a^x-a^{-x}}{a^x+a^{-x}}$의 분모, 분자에 a^x을 곱하여 정리할 수 있다.	20 %
❷ a^x의 값을 구할 수 있다.	30 %
❸ $\frac{a^{\frac{3}{2}x}-a^{-\frac{1}{2}x}}{a^{\frac{1}{2}x}+a^{-\frac{3}{2}x}}$의 값을 구할 수 있다.	50 %

0086

| 전략 | 밑을 통일한 후 지수법칙을 이용한다.

$67^x=27$에서 $67=27^{\frac{1}{x}}=(3^3)^{\frac{1}{x}}=3^{\frac{3}{x}}$ …… ㉠

$603^y=81$에서 $603=81^{\frac{1}{y}}=(3^4)^{\frac{1}{y}}=3^{\frac{4}{y}}$ …… ㉡

㉠÷㉡을 하면 $\frac{67}{603}=3^{\frac{3}{x}}\div 3^{\frac{4}{y}}$

$\frac{1}{9}=3^{\frac{3}{x}-\frac{4}{y}}$, $3^{-2}=3^{\frac{3}{x}-\frac{4}{y}}$ $\therefore \frac{3}{x}-\frac{4}{y}=-2$ 답 ①

0087

$2^x=36$에서 $2=36^{\frac{1}{x}}=(6^2)^{\frac{1}{x}}=6^{\frac{2}{x}}$ …… ㉠

$3^y=36$에서 $3=36^{\frac{1}{y}}=(6^2)^{\frac{1}{y}}=6^{\frac{2}{y}}$ …… ㉡

㉠×㉡을 하면 $6=6^{\frac{2}{x}}\times 6^{\frac{2}{y}}=6^{2\left(\frac{1}{x}+\frac{1}{y}\right)}$

$1=2\left(\frac{1}{x}+\frac{1}{y}\right)$ $\therefore \frac{1}{x}+\frac{1}{y}=\frac{1}{2}$ 답 ②

0088

$a^x=243$에서 $a=243^{\frac{1}{x}}=(3^5)^{\frac{1}{x}}=3^{\frac{5}{x}}$ …… ㉠

$b^y=243$에서 $b=243^{\frac{1}{y}}=(3^5)^{\frac{1}{y}}=3^{\frac{5}{y}}$ …… ㉡

$c^z=243$에서 $c=243^{\frac{1}{z}}=(3^5)^{\frac{1}{z}}=3^{\frac{5}{z}}$ …… ㉢

㉠×㉡×㉢을 하면 $abc=3^{\frac{5}{x}}\times 3^{\frac{5}{y}}\times 3^{\frac{5}{z}}=3^{5\left(\frac{1}{x}+\frac{1}{y}+\frac{1}{z}\right)}$

$abc=27$이므로 $3^3=3^{5\left(\frac{1}{x}+\frac{1}{y}+\frac{1}{z}\right)}$

$3=5\left(\frac{1}{x}+\frac{1}{y}+\frac{1}{z}\right)$, $\frac{1}{x}+\frac{1}{y}+\frac{1}{z}=\frac{3}{5}$

$\therefore \frac{xy+yz+zx}{xyz}=\frac{3}{5}$ 답 ②

0089

$20^b=2$에서 $20^{-b}=\frac{1}{2}$

이 식의 양변에 20을 곱하면

$20^{1-b}=10$ $\therefore 10^{\frac{1}{1-b}}=20$

$\therefore 10^{\frac{2a}{1-b}}=(10^{\frac{1}{1-b}})^{2a}=20^{2a}=(20^a)^2=3^2=9$ 답 ⑤

0090

| 전략 | $3^x=5^y=15^z=k(k>0)$로 놓고 문자 사이의 관계식을 구한다.

$3^x=5^y=15^z=k(k>0)$로 놓으면 $xyz\neq0$에서 $k\neq1$

$3^x=k$에서 $3=k^{\frac{1}{x}}$ …… ㉠

$5^y=k$에서 $5=k^{\frac{1}{y}}$ …… ㉡

$15^z=k$에서 $15=k^{\frac{1}{z}}$ …… ㉢

㉠×㉡÷㉢을 하면

$3\times5\div15=k^{\frac{1}{x}}\times k^{\frac{1}{y}}\div k^{\frac{1}{z}}=k^{\frac{1}{x}+\frac{1}{y}-\frac{1}{z}}$

$\therefore k^{\frac{1}{x}+\frac{1}{y}-\frac{1}{z}}=1$

그런데 $k\neq1$이므로 $\frac{1}{x}+\frac{1}{y}-\frac{1}{z}=0$ 답 ③

0091

$a^x=b^y=3^z=k(k>0)$로 놓으면 $a\neq1$, $b\neq1$, $xyz\neq0$에서 $k\neq1$

$a^x=k$에서 $a=k^{\frac{1}{x}}$

$b^y=k$에서 $b=k^{\frac{1}{y}}$

$3^z=k$에서 $3=k^{\frac{1}{z}}$ … ❶

이때, $\frac{1}{x}+\frac{1}{y}=\frac{2}{z}$이므로

$k^{\frac{1}{x}+\frac{1}{y}}=k^{\frac{2}{z}}$, $k^{\frac{1}{x}}\times k^{\frac{1}{y}}=(k^{\frac{1}{z}})^2$ … ❷

$\therefore ab=3^2=9$ … ❸

답 9

채점 기준	비율
❶ a, b, 3을 k^r 꼴로 나타낼 수 있다.	40 %
❷ 주어진 등식을 k에 대한 식으로 변형할 수 있다.	40 %
❸ ab의 값을 구할 수 있다.	20 %

0092

| 전략 | $a<b$이면 $\sqrt[n]{a}<\sqrt[n]{b}$임을 이용한다. (단, $a>0$, $b>0$, n은 2 이상의 정수)

$A=\sqrt[3]{\sqrt{10}}=\sqrt[6]{10}$, $B=\sqrt{3}$, $C=\sqrt{\sqrt[3]{16}}=\sqrt[6]{16}$

6, 2, 6의 최소공배수가 6이므로

$A=\sqrt[6]{10}$, $B=\sqrt[6]{3^3}=\sqrt[6]{27}$, $C=\sqrt[6]{16}$

$10<16<27$이므로 $\sqrt[6]{10}<\sqrt[6]{16}<\sqrt[6]{27}$

$\therefore A<C<B$ 답 ②

다른 풀이 $A=\sqrt[3]{\sqrt{10}}=10^{\frac{1}{6}}$, $B=\sqrt{3}=3^{\frac{1}{2}}$, $C=\sqrt{\sqrt[3]{16}}=16^{\frac{1}{6}}$

세 수의 지수 $\frac{1}{6}$, $\frac{1}{2}$, $\frac{1}{6}$에서 분모의 최소공배수 6으로 통분하여 지수를 같게 하면

$A=10^{\frac{1}{6}}$, $B=(3^3)^{\frac{1}{6}}=27^{\frac{1}{6}}$, $C=16^{\frac{1}{6}}$

$10<16<27$이므로 $10^{\frac{1}{6}}<16^{\frac{1}{6}}<27^{\frac{1}{6}}$

$\therefore A<C<B$

0093

세 수의 지수인 30, 40, 50의 최대공약수는 10이므로 지수를 10으로 같게 하면

$5^{30}=(5^3)^{10}=125^{10}$, $4^{40}=(4^4)^{10}=256^{10}$, $3^{50}=(3^5)^{10}=243^{10}$

$125<243<256$이므로 $125^{10}<243^{10}<256^{10}$

$\therefore 5^{30}<3^{50}<4^{40}$ 답 ④

0094

$A-B=(2\sqrt{2}+\sqrt[3]{3})-(\sqrt{2}+2\sqrt[3]{3})$

$=\sqrt{2}-\sqrt[3]{3}=\sqrt[6]{2^3}-\sqrt[6]{3^2}$

$=\sqrt[6]{8}-\sqrt[6]{9}<0$

$\therefore A<B$ ······ ㉠

$B-C=(\sqrt{2}+2\sqrt[3]{3})-(2\sqrt[4]{5}+\sqrt{2})$

$=2(\sqrt[3]{3}-\sqrt[4]{5})=2(\sqrt[12]{3^4}-\sqrt[12]{5^3})$

$=2(\sqrt[12]{81}-\sqrt[12]{125})<0$

$\therefore B<C$ ······ ㉡

㉠, ㉡에서 $A<B<C$ 답 ①

Lecture

두 수 또는 두 식의 대소 관계를 판정할 때는 다음을 이용한다.

(1) $a-b>0 \Longleftrightarrow a>b$

(2) $a^2-b^2>0 \Longleftrightarrow a^2>b^2 \Longleftrightarrow a>b$ (단, $a>0, b>0$)

(3) $\frac{a}{b}>1 \Longleftrightarrow a>b$ (단, $a>0, b>0$)

0095

n이 양의 정수이므로 $n<\sqrt[4]{2018}<n+1$에서

$\sqrt[4]{n^4}<\sqrt[4]{2018}<\sqrt[4]{(n+1)^4}$, 즉 $n^4<2018<(n+1)^4$

이때, n은 정수이고, $6^4=1296$, $7^4=2401$이므로

$n=6$ 답 6

0096

| 전략 | 2일 후의 A 성분의 양과 8일 후의 A 성분의 양을 m_0에 대한 식으로 나타낸다.

2일 후 A 성분의 양이 $\frac{1}{2}m_0$이므로

$\frac{1}{2}m_0=m_0\cdot r^{-2}$ $\quad\therefore r^{-2}=\frac{1}{2}$

따라서 8일 후 A 성분의 양은

$m_8=m_0\cdot r^{-8}=m_0\cdot(r^{-2})^4=m_0\cdot\left(\frac{1}{2}\right)^4=\frac{1}{16}m_0$

$\therefore k=\frac{1}{16}$ 답 ②

0097

pH=6.3인 용액 1 L 속에 들어 있는 수소이온의 g이온수는 $10^{-6.3}$

pH=7.7인 용액 1 L 속에 들어 있는 수소이온의 g이온수는 $10^{-7.7}$

$\therefore \frac{10^{-6.3}}{10^{-7.7}}=10^{-6.3+7.7}=10^{1.4}=10^{2-0.6}$

$=10^2\times\frac{1}{10^{0.6}}=100\times\frac{1}{4}=25$

따라서 pH=6.3인 용액 1 L 속에 들어 있는 수소이온의 g이온수는 pH=7.7인 용액 1 L 속에 들어 있는 수소이온의 g이온수의 25배이다. 답 ①

0098

100 V의 전압으로 송전할 때의 손실 전력 P_1'은

$P_1'=\left(\frac{P}{100}\right)^2R=\frac{P^2R}{10000}$

1000 V의 전압으로 송전할 때의 손실 전력 P_2'은

$P_2'=\left(\frac{P}{1000}\right)^2R=\frac{P^2R}{1000000}$

$\therefore \frac{P_1'}{P_2'}=\frac{\frac{P^2R}{10000}}{\frac{P^2R}{1000000}}=100$

따라서 100 V의 전압으로 송전할 때의 손실 전력은 1000 V의 전압으로 송전할 때의 손실 전력의 100배이다. 답 ⑤

0099

A 지역에서는

$H_1=12$ (m), $H_2=36$ (m), $V_1=2$ (m/s), $V_2=8$ (m/s)이므로

$8=2\times\left(\frac{36}{12}\right)^{\frac{2}{2-k}}$ $\quad\therefore 4=3^{\frac{2}{2-k}}$ ······ ㉠

B 지역에서는

$H_1=10$ (m), $H_2=90$ (m), $V_1=a$ (m/s), $V_2=b$ (m/s)이므로

$b=a\times\left(\frac{90}{10}\right)^{\frac{2}{2-k}}$ $\quad\therefore \frac{b}{a}=9^{\frac{2}{2-k}}$

이때, A 지역과 B 지역의 대기 안정도 계수 k가 서로 같으므로

$\frac{b}{a}=9^{\frac{2}{2-k}}=(3^2)^{\frac{2}{2-k}}=(3^{\frac{2}{2-k}})^2=4^2=16$ ($\because$ ㉠) 답 ③

STEP 3 내신 마스터

0100

유형 01 거듭제곱근의 뜻

| 전략 | 실수 a와 2 이상의 정수 n에 대하여 a의 n제곱근 중 실수인 것은 n이 홀수일 때와 짝수일 때로 나누어 생각한다.

ㄱ. 0은 방정식 $x^n=0$의 근이므로 0의 n제곱근은 존재한다. (거짓)

ㄴ. n이 홀수일 때, $-a$의 n제곱근 중 실수인 것은 $\sqrt[n]{-a}$이고 이것은 $-\sqrt[n]{a}$와 같다. (참)

ㄷ. n이 짝수일 때, a의 n제곱근 중 실수인 것은 $\pm\sqrt[n]{a}$이다. (참)

따라서 옳은 것은 ㄴ, ㄷ이다. 답 ⑤

0101

유형 02 거듭제곱근의 계산

| 전략 | $(a+b)(a^2-ab+b^2)=a^3+b^3$임을 이용한다.

$(\sqrt[3]{9}+\sqrt[3]{4})(\sqrt[3]{81}-\sqrt[3]{36}+\sqrt[3]{16})$

$=(\sqrt[3]{9}+\sqrt[3]{4})(\sqrt[3]{9^2}-\sqrt[3]{9}\cdot\sqrt[3]{4}+\sqrt[3]{4^2})$

$=(\sqrt[3]{9})^3+(\sqrt[3]{4})^3$

$=9+4=13$

답 ④

0102

유형 03 문자를 포함한 거듭제곱근의 계산

| 전략 | 먼저 주어진 등식의 좌변을 거듭제곱근의 성질을 이용하여 간단히 한다.

$\sqrt[3]{\frac{\sqrt[4]{a}}{\sqrt[5]{a}}}\times\sqrt[5]{\frac{\sqrt[3]{a}}{\sqrt[4]{a}}}=\frac{\sqrt[12]{a}}{\sqrt[15]{a}}\times\frac{\sqrt[15]{a}}{\sqrt[20]{a}}=\frac{\sqrt[12]{a}}{\sqrt[20]{a}}$

$=\frac{\sqrt[60]{a^5}}{\sqrt[60]{a^3}}=\sqrt[60]{\frac{a^5}{a^3}}$

$=\sqrt[60]{a^2}=\sqrt[30]{a}$

이때, $\sqrt[m]{\sqrt[n]{a}}=\sqrt[mn]{a}$이므로 $\sqrt[30]{a}=\sqrt[mn]{a}$

$\therefore mn=30$

그런데 m, n은 2보다 큰 정수이므로

$\begin{cases}m=3\\n=10\end{cases}$ 또는 $\begin{cases}m=5\\n=6\end{cases}$ 또는 $\begin{cases}m=6\\n=5\end{cases}$ 또는 $\begin{cases}m=10\\n=3\end{cases}$

따라서 $m+n$의 최댓값은 13이다.

답 ②

0103

유형 06 거듭제곱근을 유리수인 지수로 나타내기

| 전략 | $a>0$이고 $n(n\geq 2)$이 정수일 때, $\sqrt[n]{a}=a^{\frac{1}{n}}$임을 이용한다.

$\sqrt{\sqrt{\sqrt{\sqrt{a}}}}=\sqrt[16]{a}=a^{\frac{1}{16}}$

$\sqrt[4]{a\sqrt[4]{a\sqrt[4]{a}}}=\sqrt[4]{a}\times\sqrt[16]{a}\times\sqrt[64]{a}$

$=a^{\frac{1}{4}}\times a^{\frac{1}{16}}\times a^{\frac{1}{64}}$

$=a^{\frac{1}{4}+\frac{1}{16}+\frac{1}{64}}=a^{\frac{21}{64}}$

이므로

(좌변)$=a^{\frac{1}{16}}\times a^{\frac{21}{64}}=a^{\frac{1}{16}+\frac{21}{64}}=a^{\frac{25}{64}}$

$\therefore k=\frac{25}{64}$

답 ③

0104

유형 07 유리수인 지수로 나타내기

| 전략 | $a=k^{\frac{1}{x}}$이면 $a^x=k$임을 이용한다.

$a=\sqrt[3]{2}=2^{\frac{1}{3}}$에서 $a^3=2$

$b=\sqrt{3}=3^{\frac{1}{2}}$에서 $b^2=3$

$\therefore \sqrt[6]{12}=12^{\frac{1}{6}}=(2^2\times 3)^{\frac{1}{6}}$

$=\{(a^3)^2\times b^2\}^{\frac{1}{6}}$

$=ab^{\frac{1}{3}}$

답 ⑤

0105

유형 08 곱셈 공식을 이용한 식의 전개

| 전략 | 먼저 이차방정식의 근과 계수의 관계를 이용한다.

이차방정식 $x^2+2kx+6=0$의 두 근이 α, β이므로 근과 계수의 관계에 의하여

$\alpha+\beta=-2k$, $\alpha\beta=6$

$\therefore \frac{\alpha^{-1}-\beta^{-1}}{\alpha^{-2}-\beta^{-2}}=\frac{\alpha^{-1}-\beta^{-1}}{(\alpha^{-1}+\beta^{-1})(\alpha^{-1}-\beta^{-1})}$

$=\frac{1}{\alpha^{-1}+\beta^{-1}}=\frac{1}{\frac{1}{\alpha}+\frac{1}{\beta}}$

$=\frac{\alpha\beta}{\alpha+\beta}=-\frac{3}{k}$

따라서 $-\frac{3}{k}=\frac{4}{25}$이므로 $k=-\frac{75}{4}$

답 ①

0106

유형 09 $a^x+a^{-x}=k$(k는 상수) 꼴의 조건이 주어진 경우 식의 값 구하기

| 전략 | 주어진 등식의 양변을 세제곱한다.

$x^{\frac{1}{3}}+x^{-\frac{1}{3}}=1+\sqrt{2}$의 양변을 세제곱하면

$x+x^{-1}+3(x^{\frac{1}{3}}+x^{-\frac{1}{3}})=1+2\sqrt{2}+3\cdot\sqrt{2}(1+\sqrt{2})$

$=7+5\sqrt{2}$

$\therefore x+x^{-1}=7+5\sqrt{2}-3(1+\sqrt{2})$

$=4+2\sqrt{2}$

따라서 $a=4$, $b=2$이므로 $a+b=6$

답 ③

0107

유형 10 $\frac{a^x-a^{-x}}{a^x+a^{-x}}$ 꼴의 식의 값 구하기

| 전략 | 주어진 등식의 분모, 분자에 a^x을 곱한다.

$\frac{a^x+a^{-x}}{a^x-a^{-x}}=\frac{a^x(a^x+a^{-x})}{a^x(a^x-a^{-x})}=\frac{a^{2x}+1}{a^{2x}-1}=3$

$a^{2x}+1=3a^{2x}-3$, $2a^{2x}=4$, $a^{2x}=2$ $\quad\therefore a^x=\sqrt{2}$ ($\because a>0$)

$\therefore \frac{a^{2x}-a^{-x}}{a^x+a^{-2x}}=\frac{2-\frac{1}{\sqrt{2}}}{\sqrt{2}+\frac{1}{2}}=\frac{4-\sqrt{2}}{2\sqrt{2}+1}$

$=\frac{(4-\sqrt{2})(2\sqrt{2}-1)}{(2\sqrt{2}+1)(2\sqrt{2}-1)}=\frac{-8+9\sqrt{2}}{7}$

답 ②

0108

유형 11 $a^x=k$(k는 상수)의 조건이 주어진 경우 식의 값 구하기

| 전략 | 밑을 통일한 후 지수법칙을 이용한다.

$a^x=5$에서 $a=5^{\frac{1}{x}}$ ······ ㉠

$(ab)^y=5^2$에서 $ab=5^{\frac{2}{y}}$ ······ ㉡

$(abc)^z=5^3$에서 $abc=5^{\frac{3}{z}}$ ······ ㉢

㉠×㉡÷㉢을 하면

$a\times ab\div abc=5^{\frac{1}{x}+\frac{2}{y}-\frac{3}{z}}$

$\therefore 5^{\frac{1}{x}+\frac{2}{y}-\frac{3}{z}}=\frac{a\times ab}{abc}=\frac{a}{c}$

답 ④

0109

유형 13 거듭제곱근과 지수로 표현된 수의 대소 관계

| 전략 | $a<b$이면 $\sqrt[n]{a}<\sqrt[n]{b}$임을 이용한다. (단, $a>0$, $b>0$, n은 2 이상의 정수)

$\sqrt[3]{\sqrt{7}}=\sqrt[6]{7}$이고, 3, 4, 6의 최소공배수는 12이므로

$\sqrt[3]{3}=\sqrt[12]{3^4}=\sqrt[12]{81}$, $\sqrt[4]{5}=\sqrt[12]{5^3}=\sqrt[12]{125}$, $\sqrt[6]{7}=\sqrt[12]{7^2}=\sqrt[12]{49}$

$49<81<125$이므로 $\sqrt[3]{\sqrt{7}}<\sqrt[3]{3}<\sqrt[4]{5}$

따라서 $a=\sqrt[4]{5}$, $b=\sqrt[3]{\sqrt{7}}$이므로

$$a^{12}-b^{12}=(\sqrt[4]{5})^{12}-(\sqrt[3]{\sqrt{7}})^{12}=(\sqrt[12]{125})^{12}-(\sqrt[12]{49})^{12}$$
$$=125-49=76$$

답 ⑤

0110

유형 14 지수법칙의 실생활에의 활용

| 전략 | 원본의 글자 크기를 a, 확대 배율을 $r(r>1)$로 놓고 주어진 조건을 만족시키는 식을 세운다.

원본의 글자 크기를 a, 확대 배율을 $r(r>1)$라 하면 5회째 복사본의 글자 크기가 원본의 2배이므로

$ar^5=2a \qquad \therefore r^5=2$

7회째 복사본의 글자 크기는 ar^7이므로

$ar^7\div ar^5=r^2=(r^5)^{\frac{2}{5}}=2^{\frac{2}{5}}$

따라서 $p=5$, $q=2$이므로 $p+q=7$

답 ②

0111

유형 06 거듭제곱근을 유리수인 지수로 나타내기

| 전략 | $m=1, 2, 3$일 때, $\sqrt[3]{n^m}=n^{\frac{m}{3}}$이 자연수가 되도록 하는 n의 값을 구한다.

(i) $m=1$일 때, $\sqrt[3]{n^m}=n^{\frac{m}{3}}=n^{\frac{1}{3}}$에서 n은 어떤 자연수의 세제곱이어야 하므로

$n=1$ 또는 $n=2^3=8$ … ❶

(ii) $m=2$일 때, $\sqrt[3]{n^m}=n^{\frac{m}{3}}=n^{\frac{2}{3}}$에서 n은 어떤 자연수의 세제곱이어야 하므로

$n=1$ 또는 $n=2^3=8$ … ❷

(iii) $m=3$일 때, $\sqrt[3]{n^m}=n^{\frac{m}{3}}=n^{\frac{3}{3}}=n$이므로

$n=1, 2, 3, \cdots, 8$ … ❸

(i), (ii), (iii)에서 순서쌍 (m, n)의 개수는

$2+2+8=12$ … ❹

답 12

채점 기준	배점
❶ $m=1$일 때, n의 값을 구할 수 있다.	2점
❷ $m=2$일 때, n의 값을 구할 수 있다.	2점
❸ $m=3$일 때, n의 값을 구할 수 있다.	2점
❹ 순서쌍 (m, n)의 개수를 구할 수 있다.	1점

0112

유형 12 $a^x=b^y$의 조건이 주어진 경우 식의 값 구하기

| 전략 | $243^a=64^b=x^c=k(k>0)$로 놓고, k와 243, 64, x 사이의 관계식을 구한다.

조건 (나)에서 $243^a=64^b=x^c=k(k>0)$로 놓으면

$abc\neq 0$에서 $x\neq 1$, $k\neq 1$

$243^a=k$에서 $3^{5a}=k \qquad \therefore 3^5=k^{\frac{1}{a}}$

$64^b=k$에서 $2^{6b}=k \qquad \therefore 2^6=k^{\frac{1}{b}}$

$x^c=k$에서 $x=k^{\frac{1}{c}}$ … ❶

이때, 조건 (가)에서 $\dfrac{6}{a}+\dfrac{5}{b}=\dfrac{10}{c}$이므로

$k^{\frac{6}{a}+\frac{5}{b}}=k^{\frac{10}{c}}$, $k^{\frac{6}{a}}\times k^{\frac{5}{b}}=k^{\frac{10}{c}}$ … ❷

$(k^{\frac{1}{a}})^6\times(k^{\frac{1}{b}})^5=(k^{\frac{1}{c}})^{10}$, $(3^5)^6\times(2^6)^5=x^{10}$

$6^{30}=x^{10} \qquad \therefore x=6^3=216$ … ❸

답 216

채점 기준	배점
❶ 조건 (나)에서 243, 64, x를 k^r 꼴로 나타낼 수 있다.	3점
❷ 조건 (가)에서 주어진 식을 k에 대한 식으로 변형할 수 있다.	2점
❸ x의 값을 구할 수 있다.	2점

0113

유형 02 거듭제곱근의 계산

| 전략 | 거듭제곱근의 성질을 이용한다.

(1) 직육면체의 부피는

$$\sqrt{8}\times\sqrt[3]{64}\times\sqrt{\sqrt[3]{128}}=\sqrt{2^3}\times\sqrt[3]{2^6}\times\sqrt[6]{2^7}=\sqrt[6]{2^9}\times\sqrt[6]{2^{12}}\times\sqrt[6]{2^7}$$
$$=\sqrt[6]{2^{9+12+7}}=\sqrt[6]{2^{28}}=\sqrt[3]{2^{14}}$$

(2) 정육면체의 한 모서리의 길이를 x라 하면

$x^3=\sqrt[3]{2^{14}} \qquad \therefore x=\sqrt[3]{\sqrt[3]{2^{14}}}=\sqrt[9]{2^{14}}$

(3) $\sqrt[9]{2^{14}}$에서 $m=9$, $n=14$이므로

$m+n=23$

답 (1) $\sqrt[3]{2^{14}}$ (2) $\sqrt[9]{2^{14}}$ (3) 23

채점 기준	배점
(1) 직육면체의 부피를 구할 수 있다.	4점
(2) 정육면체의 한 모서리의 길이를 구할 수 있다.	6점
(3) $m+n$의 값을 구할 수 있다.	2점

창의·융합 교과서 속 심화문제

0114

| 전략 | 먼저 $x=\frac{1}{2}(3^{\frac{1}{4}}-3^{-\frac{1}{4}})$의 양변을 제곱한다.

$x=\dfrac{1}{2}(3^{\frac{1}{4}}-3^{-\frac{1}{4}})$의 양변을 제곱하면

$x^2=\dfrac{1}{4}(3^{\frac{1}{2}}+3^{-\frac{1}{2}}-2)$

$\therefore x^2+1=\dfrac{1}{4}(3^{\frac{1}{2}}+3^{-\frac{1}{2}}+2)=\dfrac{1}{4}(3^{\frac{1}{4}}+3^{-\frac{1}{4}})^2$

$\therefore (x+\sqrt{x^2+1})^4=\left\{\frac{1}{2}(3^{\frac{1}{4}}-3^{-\frac{1}{4}})+\sqrt{\frac{1}{4}(3^{\frac{1}{4}}+3^{-\frac{1}{4}})^2}\right\}^4$

$=\left\{\frac{1}{2}(3^{\frac{1}{4}}-3^{-\frac{1}{4}})+\frac{1}{2}(3^{\frac{1}{4}}+3^{-\frac{1}{4}})\right\}^4$

$=(3^{\frac{1}{4}})^4=3$ 답 ③

0115

| 전략 | $(a, b)\in S$이면 $3^a=5^b$임을 이용한다.

$(a, b)\in S$이면 $3^a=5^b$

ㄱ. $(3^a)^2=(5^b)^2$이므로 $3^{2a}=5^{2b}$

$\therefore (2a,\ 2b)\in S$ (참)

ㄴ. $a\neq0$, $b\neq0$에서 $(3^a)^{\frac{1}{ab}}=(5^b)^{\frac{1}{ab}}$이므로 $3^{\frac{1}{b}}=5^{\frac{1}{a}}$

$\therefore \left(\frac{1}{b},\ \frac{1}{a}\right)\in S$ (참)

ㄷ. $a\neq0$, $b\neq0$이면 $3^a=5^b$에서 $a\neq b$ …… ㉠

$3^a=5^b=k(k\neq1)$로 놓으면 $3^{a^2}=k^a$, $5^{b^2}=k^b$

$3^{a^2}=5^{b^2}$이 성립한다고 가정하면 $k^a=k^b$

$k\neq1$이므로 $a=b$

이것은 ㉠에 모순이므로 $3^{a^2}\neq5^{b^2}$

즉, $a\neq0$, $b\neq0$이면 $3^{a^2}\neq5^{b^2}$이므로 $(a^2,\ b^2)\notin S$ (거짓)

따라서 옳은 것은 ㄱ, ㄴ이다. 답 ③

0116

| 전략 | 먼저 세 수를 $2^p3^q5^r$ 꼴로 나타낸다.

$n=2^a3^b5^c$에서

(i) $\sqrt[3]{\frac{n}{3}}$이 자연수가 되려면

$\sqrt[3]{\frac{n}{3}}=\sqrt[3]{\frac{2^a3^b5^c}{3}}=\sqrt[3]{2^a3^{b-1}5^c}=2^{\frac{a}{3}}3^{\frac{b-1}{3}}5^{\frac{c}{3}}$이므로

$b=3m_1+1$, a와 c는 3의 배수 (단, $m_1\geq0$인 정수)

(ii) $\sqrt[4]{\frac{n}{4}}$이 자연수가 되려면

$\sqrt[4]{\frac{n}{4}}=\sqrt[4]{\frac{2^a3^b5^c}{4}}=\sqrt[4]{2^{a-2}3^b5^c}=2^{\frac{a-2}{4}}3^{\frac{b}{4}}5^{\frac{c}{4}}$이므로

$a=4m_2+2$, b와 c는 4의 배수 (단, $m_2\geq0$인 정수)

(iii) $\sqrt[5]{\frac{n}{5}}$이 자연수가 되려면

$\sqrt[5]{\frac{n}{5}}=\sqrt[5]{\frac{2^a3^b5^c}{5}}=\sqrt[5]{2^a3^b5^{c-1}}=2^{\frac{a}{5}}3^{\frac{b}{5}}5^{\frac{c-1}{5}}$이므로

$c=5m_3+1$, a와 b는 5의 배수 (단, $m_3\geq0$인 정수)

(i), (ii), (iii)에서

a는 3의 배수이고 5의 배수이면서 4로 나눈 나머지가 2인 최소의 자연수이므로 $a=30$

또, b는 4의 배수이고 5의 배수이면서 3으로 나눈 나머지가 1인 최소의 자연수이므로 $b=40$

또, c는 3의 배수이고 4의 배수이면서 5로 나눈 나머지가 1인 최소의 자연수이므로 $c=36$

$\therefore a+b+c=30+40+36=106$ 답 106

0117

| 전략 | $R(2,\ m)$이 0, 1, 2, 3인 경우로 나누어 생각한다.

$R(2,\ m)+R(3,\ n)=3$에서

(i) $R(2,\ m)=0$, $R(3,\ n)=3$인 경우

$R(2,\ m)=[\sqrt{m}]=0$에서

$0\leq\sqrt{m}<1$ $\therefore 0\leq m<1$

이때, 조건에서 m은 2 이상의 자연수이므로 모순이다.

(ii) $R(2,\ m)=1$, $R(3,\ n)=2$인 경우

$R(2,\ m)=[\sqrt{m}]=1$에서

$1\leq\sqrt{m}<2$ $\therefore 2\leq m<4$ ($\because m$은 2 이상의 자연수)

$R(3,\ n)=[\sqrt[3]{n}]=2$에서

$2\leq\sqrt[3]{n}<3$ $\therefore 8\leq n<27$

즉, $m+n$의 최댓값은 $m=3$, $n=26$일 때, $3+26=29$이다.

(iii) $R(2,\ m)=2$, $R(3,\ n)=1$인 경우

$R(2,\ m)=[\sqrt{m}]=2$에서

$2\leq\sqrt{m}<3$ $\therefore 4\leq m<9$

$R(3,\ n)=[\sqrt[3]{n}]=1$에서

$1\leq\sqrt[3]{n}<2$ $\therefore 2\leq n<8$ ($\because n$은 2 이상의 자연수)

즉, $m+n$의 최댓값은 $m=8$, $n=7$일 때, $8+7=15$이다.

(iv) $R(2,\ m)=3$, $R(3,\ n)=0$인 경우

$R(2,\ m)=[\sqrt{m}]=3$에서

$3\leq\sqrt{m}<4$ $\therefore 9\leq m<16$

$R(3,\ n)=[\sqrt[3]{n}]=0$에서

$0\leq\sqrt[3]{n}<1$ $\therefore 0\leq n<1$

이때, 조건에서 n은 2 이상의 자연수이므로 모순이다.

(i)~(iv)에서 $m+n$의 최댓값은 29이다. 답 ④

0118

| 전략 | 주어진 식에 $t=5$일 때와 $t=7$일 때의 값을 각각 대입한다.

$t=5$일 때의 개체수가 최대개체량의 $\frac{1}{2}$이므로

$N(5)=\frac{K}{1+c\cdot a^{-5b}}=\frac{1}{2}K$에서

$2=1+c\cdot a^{-5b}$, $c\cdot a^{-5b}=1$ $\therefore c=a^{5b}$

즉, $N(t)=\frac{K}{1+a^{5b}\cdot a^{-bt}}=\frac{K}{1+a^{b(5-t)}}$

$t=7$일 때의 개체수가 최대개체량의 $\frac{3}{4}$이므로

$N(7)=\frac{K}{1+a^{-2b}}=\frac{3}{4}K$에서

$\frac{1}{1+a^{-2b}}=\frac{3}{4}$, $4=3+3a^{-2b}$, $3a^{-2b}=1$ $\therefore a^{-2b}=\frac{1}{3}$

따라서 $t=9$일 때의 개체수는

$N(9)=\frac{K}{1+a^{-4b}}=\frac{K}{1+(a^{-2b})^2}=\frac{K}{1+\left(\frac{1}{3}\right)^2}$

$=\frac{K}{\frac{10}{9}}=\frac{9}{10}K$ 답 ④

2 | 로그

본책 24~45쪽

STEP 1 개념 마스터 ❶

0119 답 $5=\log_2 32$

0120 답 $-2=\log_3 \frac{1}{9}$

0121 답 $\frac{1}{2}=\log_{36} 6$

0122 답 $0=\log_5 1$

0123 답 $4^3=64$

0124 답 $\left(\frac{1}{3}\right)^{-2}=9$

0125 답 $(\sqrt{3})^4=9$

0126 답 $2^{-3}=\frac{1}{8}$

0127

$\log_3 27=x$로 놓으면 로그의 정의에 의하여

$3^x=27,\ 3^x=3^3 \quad \therefore x=3 \quad \therefore \log_3 27=3$ 답 3

0128

$\log_5 \frac{1}{25}=x$로 놓으면 로그의 정의에 의하여

$5^x=\frac{1}{25},\ 5^x=5^{-2} \quad \therefore x=-2 \quad \therefore \log_5 \frac{1}{25}=-2$ 답 -2

0129

$\log_{\frac{1}{10}} 100=x$로 놓으면 로그의 정의에 의하여

$\left(\frac{1}{10}\right)^x=100,\ 10^{-x}=10^2 \quad \therefore x=-2$

$\therefore \log_{\frac{1}{10}} 100=-2$ 답 -2

0130

$\log_{\frac{1}{3}} \frac{1}{81}=x$로 놓으면 로그의 정의에 의하여

$\left(\frac{1}{3}\right)^x=\frac{1}{81},\ 3^{-x}=3^{-4} \quad \therefore x=4 \quad \therefore \log_{\frac{1}{3}} \frac{1}{81}=4$ 답 4

0131

$\log_2 x=3$에서 $2^3=x \quad \therefore x=8$ 답 8

0132

$\log_{\sqrt{2}} x=4$에서 $(\sqrt{2})^4=x \quad \therefore x=4$ 답 4

0133

$\log_x 3=\frac{1}{2}$에서 $x^{\frac{1}{2}}=3 \quad \therefore x=3^2=9$ 답 9

0134

$\log_x \frac{1}{16}=2$에서 $x^2=\frac{1}{16} \quad \therefore x=\left(\frac{1}{16}\right)^{\frac{1}{2}}=\frac{1}{4}$ 답 $\frac{1}{4}$

0135

진수의 조건에서 $x-2>0 \quad \therefore x>2$ 답 $x>2$

0136

진수의 조건에서 $-x^2+3x>0,\ x(x-3)<0$

$\therefore 0<x<3$ 답 $0<x<3$

0137

밑의 조건에서 $x-5>0,\ x-5\neq 1$

$x>5,\ x\neq 6 \quad \therefore 5<x<6$ 또는 $x>6$ 답 $5<x<6$ 또는 $x>6$

0138

밑의 조건에서 $x-1>0,\ x-1\neq 1$

$x>1,\ x\neq 2 \quad \therefore 1<x<2$ 또는 $x>2$ …… ㉠

진수의 조건에서 $5-x>0 \quad \therefore x<5$ …… ㉡

㉠, ㉡의 공통 범위를 구하면

$1<x<2$ 또는 $2<x<5$ 답 $1<x<2$ 또는 $2<x<5$

0139

$\log_3 1+\log_{\sqrt{3}} \sqrt{3}=0+1=1$ 답 1

0140

$\log_3 2+\log_3 \frac{9}{2}=\log_3 2+(\log_3 9-\log_3 2)$

$=\log_3 2+\log_3 3^2-\log_3 2$

$=2\log_3 3=2$ 답 2

0141

$\log_{10}\sqrt{10}+\log_{10}\sqrt{5}+\frac{1}{2}\log_{10}\frac{1}{5}$

$=\log_{10} 10^{\frac{1}{2}}+\log_{10} 5^{\frac{1}{2}}+\frac{1}{2}\log_{10} 5^{-1}$

$=\frac{1}{2}\log_{10} 10+\frac{1}{2}\log_{10} 5-\frac{1}{2}\log_{10} 5=\frac{1}{2}$ 답 $\frac{1}{2}$

0142

$\log_{10} 72=\log_{10}(2^3\cdot 3^2)=3\log_{10} 2+2\log_{10} 3$

$=3a+2b$ 답 $3a+2b$

0143

$\log_{10} 600=\log_{10}(2\cdot 3\cdot 10^2)=\log_{10} 2+\log_{10} 3+2\log_{10} 10$

$=a+b+2$ 답 $a+b+2$

0144

$\log_{10}\frac{16}{27}=\log_{10}\frac{2^4}{3^3}=4\log_{10} 2-3\log_{10} 3$

$=4a-3b$ 답 $4a-3b$

0145

$\log_{10}\frac{5}{54}=\log_{10}\frac{10}{108}=\log_{10}\frac{10}{2^2\cdot 3^3}$
$=\log_{10}10-(2\log_{10}2+3\log_{10}3)$
$=1-2a-3b$ 　답 $1-2a-3b$

0146

$\log_2 3=\frac{\log_5 3}{\log_5 2}=\frac{b}{a}$ 　답 $\frac{b}{a}$

0147

$\log_{12}24=\frac{\log_5 24}{\log_5 12}=\frac{\log_5(2^3\cdot 3)}{\log_5(2^2\cdot 3)}$
$=\frac{3\log_5 2+\log_5 3}{2\log_5 2+\log_5 3}=\frac{3a+b}{2a+b}$ 　답 $\frac{3a+b}{2a+b}$

0148

$\log_2 9\cdot\log_3 8=\log_2 3^2\cdot\log_3 2^3=2\log_2 3\cdot 3\log_3 2$
$=6\cdot\log_2 3\cdot\frac{1}{\log_2 3}=6$ 　답 6

0149

$\log_2 5\cdot\log_5 7\cdot\log_7 16=\frac{\log_{10}5}{\log_{10}2}\cdot\frac{\log_{10}7}{\log_{10}5}\cdot\frac{\log_{10}16}{\log_{10}7}$
$=\frac{\log_{10}16}{\log_{10}2}=\frac{4\log_{10}2}{\log_{10}2}=4$ 　답 4

0150

$\log_{81}9=\log_{3^4}3^2=\frac{2}{4}\log_3 3=\frac{1}{2}$ 　답 $\frac{1}{2}$

0151

$\log_{\frac{1}{10}}\sqrt[4]{1000}=\log_{10^{-1}}10^{\frac{3}{4}}=-\frac{3}{4}\log_{10}10=-\frac{3}{4}$ 　답 $-\frac{3}{4}$

0152

$4^{\log_2 3}=3^{\log_2 4}=3^{\log_2 2^2}=3^{2\log_2 2}=3^2=9$ 　답 9

0153

$3^{\log_3 2+\log_3 5}=3^{\log_3(2\cdot 5)}=3^{\log_3 10}=10^{\log_3 3}=10$ 　답 10

STEP 2 유형 마스터 ❶

0154

|전략| $\log_a N=x$이면 $a^x=N$임을 이용한다.

$\log_a 5=3$에서 $a^3=5$ 　$\therefore a=\sqrt[3]{5}$
$\log_b 7=3$에서 $b^3=7$ 　$\therefore b=\sqrt[3]{7}$
$\therefore ab=\sqrt[3]{5}\cdot\sqrt[3]{7}=\sqrt[3]{35}$ 　답 $\sqrt[3]{35}$

0155

⑤ $5^{\frac{1}{2}}=\sqrt{5}\Longleftrightarrow\log_5\sqrt{5}=\frac{1}{2}$ 　답 ⑤

0156

$x=\log_3(2+\sqrt{3})$에서 $3^x=2+\sqrt{3}$이므로 　… ❶
$3^{-x}=\frac{1}{2+\sqrt{3}}=\frac{2-\sqrt{3}}{(2+\sqrt{3})(2-\sqrt{3})}=2-\sqrt{3}$ 　… ❷
$\therefore \frac{3^x-3^{-x}}{3^x+3^{-x}}=\frac{2+\sqrt{3}-(2-\sqrt{3})}{2+\sqrt{3}+2-\sqrt{3}}=\frac{2\sqrt{3}}{4}=\frac{\sqrt{3}}{2}$ 　… ❸

답 $\frac{\sqrt{3}}{2}$

채점 기준	비율
❶ $x=\log_3(2+\sqrt{3})$을 $3^x=2+\sqrt{3}$ 꼴로 나타낼 수 있다.	30 %
❷ 3^{-x}의 값을 구할 수 있다.	30 %
❸ $\frac{3^x-3^{-x}}{3^x+3^{-x}}$의 값을 구할 수 있다.	40 %

0157

$\log_2\{\log_4(\log_3 x)\}=0$에서 $\log_4(\log_3 x)=2^0=1$
$\log_3 x=4^1=4$ 　$\therefore x=3^4=81$
$\log_4\{\log_3(\log_2 y)\}=0$에서 $\log_3(\log_2 y)=4^0=1$
$\log_2 y=3^1=3$ 　$\therefore y=2^3=8$
$\therefore x-y=81-8=73$ 　답 73

0158

|전략| (밑)>0, (밑)$\neq 1$, (진수)>0임을 이용한다.

밑의 조건에서 $x-2>0$, $x-2\neq 1$
$x>2$, $x\neq 3$ 　$\therefore 2<x<3$ 또는 $x>3$ 　…… ㉠
진수의 조건에서 $-x^2+5x+14>0$
$x^2-5x-14<0$, $(x+2)(x-7)<0$
$\therefore -2<x<7$ 　…… ㉡
㉠, ㉡의 공통 범위를 구하면 $2<x<3$ 또는 $3<x<7$
따라서 정수 x는 4, 5, 6의 3개이다. 　답 ③

0159

밑의 조건에서 $|x+1|>0$, $|x+1|\neq 1$
$\therefore x\neq -1$, $x\neq 0$, $x\neq -2$ 　…… ㉠
진수의 조건에서 $-x^2+x+2>0$
$x^2-x-2<0$, $(x+1)(x-2)<0$
$\therefore -1<x<2$ 　…… ㉡
㉠, ㉡의 공통 범위를 구하면 $-1<x<0$ 또는 $0<x<2$

답 $-1<x<0$ 또는 $0<x<2$

0160

밑의 조건에서 $a>0$, $a\neq 1$
$\therefore 0<a<1$ 또는 $a>1$ 　…… ㉠
진수의 조건에서 모든 실수 x에 대하여 $x^2-ax+a+3>0$이어야 하므로 이차방정식 $x^2-ax+a+3=0$의 판별식을 D라 하면

$D=a^2-4(a+3)<0$, $a^2-4a-12<0$

$(a+2)(a-6)<0 \qquad \therefore -2<a<6$ ······ ㉡

㉠, ㉡의 공통 범위를 구하면 $0<a<1$ 또는 $1<a<6$

따라서 정수 a는 2, 3, 4, 5이므로 구하는 합은

$2+3+4+5=14$

답 ④

0161

|전략| 로그의 기본 성질을 이용하여 간단히 한다.

$4\log_2\sqrt{2}+\frac{1}{2}\log_2 3-\log_2\sqrt{6}$

$=\log_2(\sqrt{2})^4+\log_2 3^{\frac{1}{2}}-\log_2\sqrt{6}=\log_2\frac{4\cdot\sqrt{3}}{\sqrt{6}}$

$=\log_2 2\sqrt{2}=\log_2 2^{\frac{3}{2}}=\frac{3}{2}$

답 ⑤

0162

$\frac{1}{2}\log_2 18+\frac{1}{3}\log_2 3-\frac{2}{3}\log_2 9$

$=\frac{1}{2}\log_2(2\cdot3^2)+\frac{1}{3}\log_2 3-\frac{2}{3}\log_2 3^2$

$=\frac{1}{2}(\log_2 2+2\log_2 3)+\frac{1}{3}\log_2 3-\frac{4}{3}\log_2 3$

$=\frac{1}{2}+\log_2 3-\log_2 3=\frac{1}{2}$

답 ①

0163

$\log_6 a+\log_6 2b+\log_6 3c=2$에서

$\log_6(a\cdot2b\cdot3c)=2$, $\log_6 6abc=2$

$6abc=6^2 \qquad \therefore abc=6$

답 ④

0164

$f(1)+f(2)+f(3)+\cdots+f(93)$

$=\log_a\left(1+\frac{1}{3}\right)+\log_a\left(1+\frac{1}{4}\right)+\log_a\left(1+\frac{1}{5}\right)$

$+\cdots+\log_a\left(1+\frac{1}{95}\right)$

$=\log_a\frac{4}{3}+\log_a\frac{5}{4}+\log_a\frac{6}{5}+\cdots+\log_a\frac{96}{95}$

$=\log_a\left(\frac{4}{3}\cdot\frac{5}{4}\cdot\frac{6}{5}\cdot\cdots\cdot\frac{96}{95}\right)=\log_a 32$

즉, $\log_a 32=5$이므로 $a^5=32=2^5$

$\therefore a=2$

답 2

0165

$1000=10^3=2^3\cdot5^3$이므로 1000의 양의 약수의 개수는

$(3+1)(3+1)=16 \qquad \therefore n=16$

이때, $a_1a_{16}=a_2a_{15}=\cdots=a_8a_9=10^3$이므로

$\log_{10}a_1+\log_{10}a_2+\log_{10}a_3+\cdots+\log_{10}a_{16}$

$=\log_{10}(a_1a_2a_3\cdots a_{16})=\log_{10}\{(a_1a_{16})(a_2a_{15})\cdots(a_8a_9)\}$

$=\log_{10}(10^3)^8=\log_{10}10^{24}=24$

답 24

0166

|전략| 주어진 식의 밑을 통일한 후 로그의 성질을 이용한다.

$\frac{1}{\log_3 x}+\frac{1}{\log_4 x}+\frac{1}{\log_5 x}=\log_x 3+\log_x 4+\log_x 5$

$=\log_x(3\cdot4\cdot5)$

$=\log_x 60=\frac{1}{\log_{60}x}$

즉, $\frac{1}{\log_{60}x}=\frac{1}{\log_a x}$이므로 $a=60$

답 60

0167

$\log_a x=3$, $\log_b x=4$에서 $\log_x a=\frac{1}{3}$, $\log_x b=\frac{1}{4}$

$\therefore \log_{ab}x=\frac{1}{\log_x ab}=\frac{1}{\log_x a+\log_x b}$

$=\frac{1}{\frac{1}{3}+\frac{1}{4}}=\frac{1}{\frac{7}{12}}=\frac{12}{7}$

답 ⑤

0168

$\frac{\log_5 4}{a}=\log_5 6$에서 $a=\frac{\log_5 4}{\log_5 6}=\log_6 4$

$\frac{\log_5 9}{b}=\log_5 6$에서 $b=\frac{\log_5 9}{\log_5 6}=\log_6 9$

$\frac{\log_5 36}{c}=\log_5 6$에서 $c=\frac{\log_5 36}{\log_5 6}=\log_6 36$

$\therefore a+b+c=\log_6 4+\log_6 9+\log_6 36$

$=\log_6(4\cdot9\cdot36)$

$=\log_6 6^4=4$

답 4

0169

$\log_6(\log_2 125)+\log_6(\log_5 49)+\log_6(\log_7 64)$

$=\log_6(\log_2 125\cdot\log_5 49\cdot\log_7 64)$

$=\log_6\left(\frac{\log_6 5^3}{\log_6 2}\cdot\frac{\log_6 7^2}{\log_6 5}\cdot\frac{\log_6 2^6}{\log_6 7}\right)$

$=\log_6 6^2=2$

답 ②

0170

$\log_a b=\log_b a$에서 $\log_a b=\frac{1}{\log_a b}$

$(\log_a b)^2=1$, $\log_a b=\pm1$

이때, $a\neq b$에서 $\log_a b\neq1$이므로 $b=\frac{1}{a}$

$a>0$, $\frac{1}{a}>0$이므로 산술평균과 기하평균의 관계에 의하여

$a+b=a+\frac{1}{a}\geq2\sqrt{a\cdot\frac{1}{a}}$

$=2$ (단, 등호는 $a=1$일 때 성립)

따라서 $a+b$의 값이 될 수 없는 것은 ①이다.

답 ①

Lecture

산술평균과 기하평균의 관계

$a>0$, $b>0$일 때

$\frac{a+b}{2}\geq\sqrt{ab}$ (단, 등호는 $a=b$일 때 성립)

0171

|전략| $\log_{a^m} b^n=\frac{n}{m}\log_a b$임을 이용한다.

$\frac{1}{3}\log_2 36+\log_4 \sqrt[3]{3^4}+\log_{\frac{1}{8}} 81$

$=\frac{1}{3}\log_2 (2^2\cdot 3^2)+\log_{2^2} 3^{\frac{4}{3}}+\log_{2^{-3}} 3^4$

$=\frac{2}{3}\log_2 2+\frac{2}{3}\log_2 3+\frac{2}{3}\log_2 3-\frac{4}{3}\log_2 3=\frac{2}{3}$ 답 $\frac{2}{3}$

0172

$(\log_2 3+\log_4 9)(\log_3 4-\log_9 8)$

$=(\log_2 3+\log_{2^2} 3^2)(\log_3 2^2-\log_{3^2} 2^3)$

$=(\log_2 3+\log_2 3)\left(2\log_3 2-\frac{3}{2}\log_3 2\right)$

$=2\log_2 3\cdot\frac{1}{2}\log_3 2=1$ 답 ③

0173

$\log_3 5-2\log_{\frac{1}{3}} 4-\log_3 10=\log_3 5-\log_{3^{-1}} 4^2-\log_3 10$

$=\log_3 5+\log_3 4^2-\log_3 10$

$=\log_3 \frac{5\cdot 4^2}{10}=\log_3 8$

∴ (주어진 식)$=9^{\log_3 8}=8^{\log_3 9}=8^{2\log_3 3}=8^2=64$ 답 ⑤

0174

$5^{a+b}=8$에서 $\log_5 8=a+b$, $2^{a-b}=3$에서 $\log_2 3=a-b$

∴ $a^2-b^2=(a+b)(a-b)$

$=\log_5 8\cdot\log_2 3=\frac{\log_2 2^3}{\log_2 5}\cdot\log_2 3$

$=3\cdot\frac{\log_2 3}{\log_2 5}=3\log_5 3$

∴ $5^{a^2-b^2}=5^{3\log_5 3}=3^{3\log_5 5}=3^3=27$ 답 27

0175

|전략| 로그의 정의와 성질을 이용한다.

$\log_a b=x$라 하면 [(가) $a^x=b$]

위의 식의 양변에 c를 밑으로 하는 로그를 취하면

$\log_c a^x=$ [(나) $\log_c b$], 즉 $x\log_c a=$ [(나) $\log_c b$], $x=$ [(다) $\frac{\log_c b}{\log_c a}$]

∴ $\log_a b=\frac{\log_c b}{\log_c a}$ 답 ②

0176

$\log_2 3$이 유리수라고 가정하면 서로소인 두 자연수 m, $n(m<n)$에 대하여 $\log_2 3=\frac{n}{m}$으로 나타낼 수 있다.

로그의 정의에 의하여 $2^{\frac{n}{m}}=3$ ∴ $2^n=3^m$

이때, 2^n은 [(가) 짝수]이고, 3^m은 [(나) 홀수]이므로 2^n과 3^m은 항상 같지 않다.

따라서 $\log_2 3$은 무리수이다. 답 (가) 짝수 (나) 홀수

Lecture

어떤 명제가 참임을 증명할 때, 명제를 부정하거나 명제의 결론을 부정하여 가정한 사실 또는 이미 알려진 사실에 모순이 생김을 보여도 된다. 이와 같이 증명하는 방법을 귀류법이라 한다.

0177

|전략| 밑을 3으로 통일한 후 42, 56을 소인수분해한다.

$\log_2 3=a$에서 $\log_3 2=\frac{1}{a}$

∴ $\log_{42} 56=\frac{\log_3 56}{\log_3 42}=\frac{\log_3 (2^3\cdot 7)}{\log_3 (2\cdot 3\cdot 7)}$

$=\frac{3\log_3 2+\log_3 7}{\log_3 2+\log_3 3+\log_3 7}$

$=\frac{\frac{3}{a}+b}{\frac{1}{a}+1+b}=\frac{3+ab}{1+a+ab}$ 답 ③

0178

$\log_{12}\sqrt{18}=\frac{\log_7\sqrt{18}}{\log_7 12}=\frac{\log_7 (2\cdot 3^2)^{\frac{1}{2}}}{\log_7 (2^2\cdot 3)}$

$=\frac{\frac{1}{2}\log_7 2+\log_7 3}{2\log_7 2+\log_7 3}$

$=\frac{\frac{1}{2}a+b}{2a+b}=\frac{a+2b}{4a+2b}$ 답 ④

0179

$\log_3 10=a$에서 $\log_3 2+\log_3 5=a$ …… ㉠

$\log_3 \frac{4}{5}=b$에서 $2\log_3 2-\log_3 5=b$ …… ㉡

㉠+㉡을 하면 $3\log_3 2=a+b$

∴ $\log_3 2=\frac{a+b}{3}$ … ❶

∴ $\log_3 20=\log_3 (2\cdot 10)=\log_3 2+\log_3 10$

$=\frac{a+b}{3}+a=\frac{4a+b}{3}$ … ❷

답 $\frac{4a+b}{3}$

채점 기준	비율
❶ $\log_3 2$를 a, b로 나타낼 수 있다.	50 %
❷ $\log_3 20$을 a, b로 나타낼 수 있다.	50 %

0180

$\log_2 5=a$에서 $\log_5 2=\frac{1}{a}$

$\log_3 7=\frac{\log_5 7}{\log_5 3}$에서 $\log_5 7=\log_5 3\cdot\log_3 7=bc$

∴ $\log_{21} 70=\frac{\log_5 70}{\log_5 21}=\frac{\log_5 (2\cdot 5\cdot 7)}{\log_5 (3\cdot 7)}$

$=\frac{\log_5 2+\log_5 5+\log_5 7}{\log_5 3+\log_5 7}$

$=\frac{\frac{1}{a}+1+bc}{b+bc}=\frac{1+a+abc}{ab+abc}$ 답 $\frac{1+a+abc}{ab+abc}$

0181

|전략| $5^m=k$이면 $\log_5 k=m$임을 이용한다.

$5^x=a,\ 5^y=b,\ 5^z=c$에서

$\log_5 a=x,\ \log_5 b=y,\ \log_5 c=z$

$\therefore \log_{ab} bc=\frac{\log_5 bc}{\log_5 ab}=\frac{\log_5 b+\log_5 c}{\log_5 a+\log_5 b}$

$=\frac{y+z}{x+y}$ 답 $\frac{y+z}{x+y}$

다른 풀이 $ab=5^x\cdot 5^y=5^{x+y},\ bc=5^y\cdot 5^z=5^{y+z}$이므로

$\log_{ab} bc=\log_{5^{x+y}} 5^{y+z}=\frac{y+z}{x+y}$

0182

$10^a=2,\ 10^b=3$에서 $\log_{10} 2=a,\ \log_{10} 3=b$

$\therefore \log_{25} 12=\frac{\log_{10} 12}{\log_{10} 25}=\frac{\log_{10}(2^2\cdot 3)}{\log_{10}\left(\frac{10}{2}\right)^2}$

$=\frac{2\log_{10} 2+\log_{10} 3}{2\log_{10} 10-2\log_{10} 2}=\frac{2a+b}{2-2a}$ 답 ①

0183

$a^m=b^n=3$에서 $\log_a 3=m,\ \log_b 3=n$

$\therefore \log_3 a=\frac{1}{m},\ \log_3 b=\frac{1}{n}$

$\therefore \log_{ab} a^2=\frac{\log_3 a^2}{\log_3 ab}=\frac{2\log_3 a}{\log_3 a+\log_3 b}$

$=\frac{\frac{2}{m}}{\frac{1}{m}+\frac{1}{n}}=\frac{\frac{2}{m}}{\frac{m+n}{mn}}=\frac{2n}{m+n}$ 답 ②

0184

$49^a=x,\ 49^b=y,\ 49^c=z$에서

$\log_{49} x=a,\ \log_{49} y=b,\ \log_{49} z=c$

$\log_{7^2} x=a,\ \log_{7^2} y=b,\ \log_{7^2} z=c$

$\frac{1}{2}\log_7 x=a,\ \frac{1}{2}\log_7 y=b,\ \frac{1}{2}\log_7 z=c$

$\therefore \log_7 x=2a,\ \log_7 y=2b,\ \log_7 z=2c$

$\therefore \log_{\sqrt{xy}}\frac{y^2}{z^3}=\frac{\log_7\frac{y^2}{z^3}}{\log_7\sqrt{xy}}=\frac{2\log_7 y-3\log_7 z}{\frac{1}{2}(\log_7 x+\log_7 y)}$

$=\frac{4b-6c}{\frac{1}{2}(2a+2b)}=\frac{4b-6c}{a+b}$ 답 $\frac{4b-6c}{a+b}$

0185

|전략| $a^k=m$이면 $\log_a m=k$이므로 $\log_m a=\frac{1}{k}$임을 이용한다.

$16^x=81^y=216$에서 $x=\log_{16} 216,\ y=\log_{81} 216$

$\therefore \frac{1}{x}+\frac{1}{y}=\frac{1}{\log_{16} 216}+\frac{1}{\log_{81} 216}=\log_{216} 16+\log_{216} 81$

$=\log_{6^3}(2^4\cdot 3^4)=\log_{6^3} 6^4=\frac{4}{3}$ 답 ④

다른 풀이 $16^x=216$에서 $16=216^{\frac{1}{x}},\ 2^4=6^{\frac{3}{x}}$ $\quad\therefore 2=6^{\frac{3}{4x}}$ …… ㉠

$81^y=216$에서 $81=216^{\frac{1}{y}},\ 3^4=6^{\frac{3}{y}}$ $\quad\therefore 3=6^{\frac{3}{4y}}$ …… ㉡

㉠×㉡을 하면 $6=6^{\frac{3}{4x}}\times 6^{\frac{3}{4y}}=6^{\frac{3}{4x}+\frac{3}{4y}}$

$1=\frac{3}{4x}+\frac{3}{4y}$ $\quad\therefore \frac{1}{x}+\frac{1}{y}=\frac{4}{3}$

0186

$12^x=16$에서 $x=\log_{12} 16=\log_{12} 2^4=4\log_{12} 2$

$\therefore \frac{4}{x}=\frac{4}{4\log_{12} 2}=\log_2 12$

$24^y=32$에서 $y=\log_{24} 32=\log_{24} 2^5=5\log_{24} 2$

$\therefore \frac{5}{y}=\frac{5}{5\log_{24} 2}=\log_2 24$

$\therefore \frac{4}{x}-\frac{5}{y}=\log_2 12-\log_2 24=\log_2\frac{1}{2}=-1$ 답 ②

0187

$a^p=b^q=c^r=231^s$에 2를 밑으로 하는 로그를 취하면

$p\log_2 a=s\log_2 231$에서 $\frac{1}{p}=\frac{\log_2 a}{s\log_2 231}$

$q\log_2 b=s\log_2 231$에서 $\frac{1}{q}=\frac{\log_2 b}{s\log_2 231}$

$r\log_2 c=s\log_2 231$에서 $\frac{1}{r}=\frac{\log_2 c}{s\log_2 231}$

$\therefore \frac{1}{p}+\frac{1}{q}+\frac{1}{r}=\frac{\log_2 a+\log_2 b+\log_2 c}{s\log_2 231}$

$=\frac{\log_2 abc}{s\log_2 231}=\frac{1}{s}$

이때, $\frac{\log_2 abc}{\log_2 231}=1$이므로 $abc=231$

그런데 $abc=231=11\cdot 7\cdot 3$이고 $a>b>c$이므로

$a=11,\ b=7,\ c=3$

$\therefore a-b-c=1$ 답 ②

0188

|전략| 먼저 로그의 성질을 이용하여 ab의 값을 구한다.

$\log_2 a+\log_4 b^2=\log_2 a+\log_{2^2} b^2=\log_2 a+\log_2 b$

$=\log_2 ab=2$

$\therefore ab=2^2=4$

$\therefore 4^{\log_2 a}\cdot 2^{\log_{\sqrt{2}} b}=a^{\log_2 4}\cdot b^{\log_{\sqrt{2}} 2}$

$=a^{2\log_2 2}\cdot b^{2\log_2 2}$ ← $\sqrt{2}=2^{\frac{1}{2}}$이므로 $\log_{\sqrt{2}} 2=2\log_2 2$

$=a^2b^2=(ab)^2$

$=4^2=16$ 답 ③

0189

$\log_a c : \log_b c=2:1$에서

$\log_a c=2\log_b c,\ \log_a c=\log_{b^{\frac{1}{2}}} c$

$a=b^{\frac{1}{2}}$ $\quad\therefore b=a^2$

$\therefore \log_a b+\log_b a=\log_a a^2+\log_{a^2} a=2+\frac{1}{2}=\frac{5}{2}$ 답 ③

0190

$a^2b^3=1$의 양변에 a를 밑으로 하는 로그를 취하면

$\log_a a^2b^3=\log_a 1,\ 2+3\log_a b=0 \qquad \therefore \log_a b=-\frac{2}{3}$

$\therefore \log_a a^3b^2=3+2\log_a b=3+2\cdot\left(-\frac{2}{3}\right)=\frac{5}{3}$ 답 $\frac{5}{3}$

다른 풀이 $a^2b^3=1$에서 $b^3=a^{-2} \qquad \therefore b=a^{-\frac{2}{3}}$

$\therefore \log_a a^3b^2=\log_a \{a^3\cdot(a^{-\frac{2}{3}})^2\}=\log_a (a^3\cdot a^{-\frac{4}{3}})=\log_a a^{\frac{5}{3}}=\frac{5}{3}$

0191

$$\log_{abc} x=\frac{1}{\log_x abc}=\frac{1}{\log_x a+\log_x b+\log_x c}$$
$$=\frac{1}{\frac{1}{\log_a x}+\frac{1}{\log_b x}+\frac{1}{\log_c x}}$$
$$=\frac{1}{\frac{1}{3}+\frac{1}{8}+\frac{1}{24}}=\frac{1}{\frac{12}{24}}=2$$

답 2

0192

|전략| 이차방정식의 근과 계수의 관계를 이용한다.

이차방정식의 근과 계수의 관계에 의하여

$\log_{10} a+\log_{10} b=4,\ \log_{10} a\cdot\log_{10} b=2$

$$\therefore \log_a b+\log_b a=\frac{\log_{10} b}{\log_{10} a}+\frac{\log_{10} a}{\log_{10} b}=\frac{(\log_{10} a)^2+(\log_{10} b)^2}{\log_{10} a\cdot\log_{10} b}$$
$$=\frac{(\log_{10} a+\log_{10} b)^2-2\log_{10} a\cdot\log_{10} b}{\log_{10} a\cdot\log_{10} b}$$
$$=\frac{4^2-2\cdot2}{2}=6$$

답 6

0193

이차방정식의 근과 계수의 관계에 의하여

$\alpha+\beta=6,\ \alpha\beta=2$

$$\therefore \log_{\alpha\beta}\left(\alpha+\frac{1}{\beta}\right)+\log_{\alpha\beta}\left(\beta+\frac{1}{\alpha}\right)=\log_{\alpha\beta}\left\{\left(\alpha+\frac{1}{\beta}\right)\left(\beta+\frac{1}{\alpha}\right)\right\}$$
$$=\log_{\alpha\beta}\left(\alpha\beta+2+\frac{1}{\alpha\beta}\right)$$
$$=\log_2\left(2+2+\frac{1}{2}\right)$$
$$=\log_2\frac{9}{2}$$

답 ②

0194

이차방정식의 근과 계수의 관계에 의하여

$2+\log_2 3=-a,\ 2\log_2 3=b$

$\therefore a=-(2+\log_2 3)=-(\log_2 4+\log_2 3)=-\log_2 12$

$b=2\log_2 3=\log_2 3^2=\log_2 9$

$\therefore \frac{b}{a}=\frac{\log_2 9}{-\log_2 12}=-\log_{12} 9=-2\log_{12} 3$ 답 ①

0195

이차방정식의 근과 계수의 관계에 의하여

$\alpha+\beta=5,\ \alpha\beta=5$ ··· ❶

또, $(\alpha-\beta)^2=(\alpha+\beta)^2-4\alpha\beta=5^2-4\cdot5=5$에서

$a=\alpha-\beta=\sqrt{5}\ (\because \alpha>\beta)$ ··· ❷

$\therefore \log_a \alpha+\log_a \beta=\log_a \alpha\beta=\log_{\sqrt{5}} 5$

$=\log_{5^{\frac{1}{2}}} 5=2\log_5 5=2$ ··· ❸

답 2

채점 기준	비율
❶ $\alpha+\beta$, $\alpha\beta$의 값을 구할 수 있다.	30 %
❷ a의 값을 구할 수 있다.	30 %
❸ $\log_a \alpha+\log_a \beta$의 값을 구할 수 있다.	40 %

0196

|전략| 로그의 성질을 이용하여 주어진 세 수의 값을 구하고 대소를 비교한다.

$A=\log_{\frac{1}{2}}\frac{1}{8}=\log_{2^{-1}} 2^{-3}=3$

$B=\log_4 32=\log_{2^2} 2^5=\frac{5}{2}$

$C=9^{\log_3\sqrt{2}}=3^{2\log_3\sqrt{2}}=3^{\log_3 2}=2^{\log_3 3}=2$

$\therefore C<B<A$ 답 ⑤

0197

$A=3^{\log_9 4}=3^{\log_{3^2} 2^2}=3^{\log_3 2}=2^{\log_3 3}=2$

$B=3^{\log_3 8-2}=3^{\log_3 8}\div3^2=8^{\log_3 3}\div9=\frac{8}{9}$

$C=\log_9 27+\log_{\frac{1}{9}} 3=\log_{3^2} 3^3+\log_{3^{-2}} 3$

$=\frac{3}{2}-\frac{1}{2}=1$

$\therefore B<C<A$ 답 ④

0198

$a^3=b^4$에서 $b=a^{\frac{3}{4}}$

$\therefore A=\log_a b=\log_a a^{\frac{3}{4}}=\frac{3}{4}$

$b^4=c^5$에서 $c=b^{\frac{4}{5}}$

$\therefore B=\log_b c=\log_b b^{\frac{4}{5}}=\frac{4}{5}$

$a^3=c^5$에서 $a=c^{\frac{5}{3}}$

$\therefore C=\log_c a=\log_c c^{\frac{5}{3}}=\frac{5}{3}$

따라서 $\frac{3}{4}<\frac{4}{5}<\frac{5}{3}$이므로 $A<B<C$ 답 ①

0199

|전략| 정수 m에 대하여 $m\le\log_a b<m+1$이면 $\log_a b$의 정수 부분은 m임을 이용한다.

$\log_3 9<\log_3 25<\log_3 27$에서 $2<\log_3 25<3$이므로

$a=2,\ b=\log_3 25-2=\log_3 25-\log_3 9=\log_3\frac{25}{9}$

$\therefore 3^a+3^b=3^2+3^{\log_3\frac{25}{9}}=9+\left(\frac{25}{9}\right)^{\log_3 3}=9+\frac{25}{9}=\frac{106}{9}$

따라서 $m=9,\ n=106$이므로 $m+n=115$ 답 115

0200

$\log_2 4 < \log_2 7 < \log_2 8$에서 $2 < \log_2 7 < 3$이므로

$x=2,\ y=\log_2 7-2=\log_2 7-\log_2 4=\log_2 \frac{7}{4}$

$$\therefore\ \frac{2^{-x}+2^{-y}}{2^x+2^y}=\frac{2^{-2}+2^{-\log_2 \frac{7}{4}}}{2^2+2^{\log_2 \frac{7}{4}}}=\frac{\frac{1}{4}+\left(\frac{7}{4}\right)^{-\log_2 2}}{4+\left(\frac{7}{4}\right)^{\log_2 2}}$$

$$=\frac{\frac{1}{4}+\frac{4}{7}}{4+\frac{7}{4}}=\frac{7+16}{112+49}=\frac{1}{7}$$

답 ②

0201

$x=\log_4 28=\log_{2^2}(2^2\cdot 7)=\log_{2^2}2^2+\log_{2^2}7=1+\frac{1}{2}\log_2 7$

$\log_2 4<\log_2 7<\log_2 8$에서 $2<\log_2 7<3$

$1<\frac{1}{2}\log_2 7<1.5 \qquad \therefore\ 2<1+\frac{1}{2}\log_2 7<2.5$ ··· ❶

따라서 x에 가장 가까운 정수 y는 2이다. ··· ❷

$\therefore\ 2^x+2^y=2^{\log_4 28}+2^2=28^{\log_{2^2}2}+4=28^{\frac{1}{2}\log_2 2}+4$

$=\sqrt{28}+4=2\sqrt{7}+4$ ··· ❸

답 $4+2\sqrt{7}$

채점 기준	비율
❶ x의 값의 범위를 구할 수 있다.	40 %
❷ y의 값을 구할 수 있다.	20 %
❸ 2^x+2^y의 값을 구할 수 있다.	40 %

STEP 1 개념 마스터 ❷

0202

$\log 1000=\log 10^3=3$ 답 3

0203

$\log 10\sqrt{10}=\log(10\cdot 10^{\frac{1}{2}})=\log 10^{\frac{3}{2}}=\frac{3}{2}$ 답 $\frac{3}{2}$

0204

$\log \frac{1}{100}=\log \frac{1}{10^2}=\log 10^{-2}=-2$ 답 -2

0205

$\log \frac{1}{\sqrt[3]{100}}=\log \frac{1}{\sqrt[3]{10^2}}=\log 10^{-\frac{2}{3}}=-\frac{2}{3}$ 답 $-\frac{2}{3}$

0206 답 0.4914 **0207** 답 0.5276

0208

$\log 26.4=\log(2.64\times 10)=\log 2.64+\log 10$

$=0.4216+1=1.4216$ 답 1.4216

0209

$\log 26400=\log(2.64\times 10^4)=\log 2.64+\log 10^4$

$=0.4216+4=4.4216$ 답 4.4216

0210

$\log 0.264=\log(2.64\times 10^{-1})=\log 2.64+\log 10^{-1}$

$=0.4216-1=-0.5784$ 답 -0.5784

0211

$\log 0.00264=\log(2.64\times 10^{-3})=\log 2.64+\log 10^{-3}$

$=0.4216-3=-2.5784$ 답 -2.5784

0212 답 정수 부분: 0, 소수 부분: 0.0755

0213 답 정수 부분: 3, 소수 부분: 0.2455

0214

$\log N=-2.3288=-3+0.6712$이므로

정수 부분: -3, 소수 부분: 0.6712

답 정수 부분: -3, 소수 부분: 0.6712

0215

6.52의 정수 부분은 한 자리이므로 $\log 6.52$의 정수 부분은 0이다.

답 0

0216

652000은 여섯 자리의 정수이므로 $\log 652000$의 정수 부분은 5이다. 답 5

0217

0.501은 소수점 아래 첫째 자리에서 처음으로 0이 아닌 숫자가 나타나므로 $\log 0.501$의 정수 부분은 -1이다. 답 -1

0218

0.00501은 소수점 아래 셋째 자리에서 처음으로 0이 아닌 숫자가 나타나므로 $\log 0.00501$의 정수 부분은 -3이다. 답 -3

0219

$\log A$의 정수 부분이 2이므로 A는 정수 부분이 3자리인 수이다.

답 3자리

0220

$\log A$의 정수 부분이 23이므로 A는 정수 부분이 24자리인 수이다.

답 24자리

0221
$\log A=-1.3716=-2+0.6284$이므로 정수 부분이 -2이다.
따라서 A는 소수점 아래 2째 자리에서 처음으로 0이 아닌 숫자가 나타난다.
답 2째 자리

0222
$\log A=-4.2464=-5+0.7536$이므로 정수 부분이 -5이다.
따라서 A는 소수점 아래 5째 자리에서 처음으로 0이 아닌 숫자가 나타난다.
답 5째 자리

0223
$\log 464000=\log(4.64\times10^5)=\log 4.64+\log 10^5$
$=5+0.6665$
이므로
정수 부분: 5, 소수 부분: 0.6665
답 정수 부분: 5, 소수 부분: 0.6665

0224
$\log 0.0464=\log(4.64\times10^{-2})=\log 4.64+\log 10^{-2}$
$=-2+0.6665$
이므로
정수 부분: -2, 소수 부분: 0.6665
답 정수 부분: -2, 소수 부분: 0.6665

0225
$\log x$는 $\log 1.59$와 소수 부분이 같으므로 x는 1.59와 숫자의 배열이 같다.
또, $\log x$의 정수 부분이 2이므로 x는 정수 부분이 세 자리인 수이다.
$\therefore x=159$
답 159

0226
$\log x$는 $\log 1.59$와 소수 부분이 같으므로 x는 1.59와 숫자의 배열이 같다.
또, $\log x$의 정수 부분이 4이므로 x는 정수 부분이 5자리인 수이다.
$\therefore x=15900$
답 15900

0227
$\log x=-0.7986=-1+0.2014$
$\log x$는 $\log 1.59$와 소수 부분이 같으므로 x는 1.59와 숫자의 배열이 같다.
또, $\log x$의 정수 부분이 -1이므로 x는 소수점 아래 첫째 자리에서 처음으로 0이 아닌 숫자가 나타난다.
$\therefore x=0.159$
답 0.159

0228
$\log x=-2.7986=-3+0.2014$
$\log x$는 $\log 1.59$와 소수 부분이 같으므로 x는 1.59와 숫자의 배열이 같다.
또, $\log x$의 정수 부분이 -3이므로 x는 소수점 아래 셋째 자리에서 처음으로 0이 아닌 숫자가 나타난다.
$\therefore x=0.00159$
답 0.00159

0229
ㄴ. $8\log 2=\log 2^8=\log 256$
ㄷ. $\frac{1}{2}\log 20=\log\sqrt{20}=\log 2\sqrt{5}$
ㄹ. $-\log 2.56=\log(2.56)^{-1}=\log\frac{1}{2.56}=\log 0.390625$
따라서 $\log 25600$과 소수 부분이 같은 것은 ㄱ, ㄴ이다.
답 ㄱ, ㄴ

STEP 2 유형 마스터 ❷

0230
|전략| $\log 24$, $\log 50$을 $\log 2$, $\log 3$으로 나타낸 후 $\log 2=0.3010$, $\log 3=0.4771$임을 이용한다.
$\log 24+\log 50=\log(2^3\cdot3)+\log\frac{100}{2}$
$=3\log 2+\log 3+2\log 10-\log 2$
$=2\log 2+\log 3+2$
$=2\times0.3010+0.4771+2$
$=3.0791$
답 3.0791

0231
$\log 2.51=0.3997$이므로
$\log 25.1^4=4\log 25.1=4\log(2.51\times10)=4(\log 2.51+\log 10)$
$=4(0.3997+1)=5.5988=5+0.5988$
이때, $\log 3.97=0.5988$이므로
$\log 25.1^4=5+\log 3.97=\log 10^5+\log 3.97$
$=\log(10^5\times3.97)$
$\therefore 25.1^4=3.97\times10^5$
답 ⑤

0232
상용로그표에서 $\log 6.35=0.8028$이므로
$\log\sqrt{0.0635}=\frac{1}{2}\log 0.0635=\frac{1}{2}\log(6.35\times10^{-2})$
$=\frac{1}{2}(\log 6.35+\log 10^{-2})=\frac{1}{2}(0.8028-2)$
$=-1+0.4014$ … ❶
이때, $\log 2.52=0.4014$이므로
$\log\sqrt{0.0635}=-1+\log 2.52=\log 10^{-1}+\log 2.52$
$=\log(10^{-1}\times2.52)=\log 0.252$ … ❷
$\therefore \sqrt{0.0635}=0.252$ … ❸
답 0.252

채점 기준	비율
❶ $\log\sqrt{0.0635}=n+\alpha$ (n은 정수, $0\le\alpha<1$) 꼴로 나타낼 수 있다.	40 %
❷ 상용로그의 값이 α인 수를 찾아 $n+\alpha$를 로그로 나타낼 수 있다.	40 %
❸ $\sqrt{0.0635}$의 값을 구할 수 있다.	20 %

0233

|전략| $\log x^2+\log\sqrt{x}$를 간단히 한 후 소수 부분이 1 미만의 음이 아닌 실수가 되도록 변형하여 정수 부분과 소수 부분을 결정한다.

$$\log x^2+\log\sqrt{x}=2\log x+\frac{1}{2}\log x=\frac{5}{2}\log x$$
$$=\frac{5}{2}\times(-3.3978)=-8.4945=-9+0.5055$$

따라서 정수 부분은 -9, 소수 부분은 0.5055이다. 답 ④

0234

$\log 10<\log 20<\log 100$에서 $1<\log 20<2$이므로

$n=1$, $\alpha=\log 20-1=\log\frac{20}{10}=\log 2$

$$\therefore \frac{10^n+10^\alpha}{10^n-10^\alpha}=\frac{10+10^{\log 2}}{10-10^{\log 2}}=\frac{10+2^{\log 10}}{10-2^{\log 10}}=\frac{10+2}{10-2}=\frac{3}{2}$$ 답 $\frac{3}{2}$

0235

$\log 10<\log 30<\log 100$에서 $1<\log 30<2$이므로 $\log 30$의 정수 부분은 1, 소수 부분은 $\log 30-1=\log\frac{30}{10}=\log 3$이다.

또, $\log\frac{100}{3}=2-\log 3=1+(1-\log 3)$이고 $0<1-\log 3<1$이므로 $\log\frac{100}{3}$의 정수 부분은 1, 소수 부분은 $1-\log 3$이다.

따라서 $a=1+1=2$, $b=\log 3+(1-\log 3)=1$이므로

$a-b=2-1=1$ 답 1

0236

$\log N=4+\alpha(0<\alpha<1)$이므로

$$\log\frac{1}{\sqrt[3]{N}}=\log N^{-\frac{1}{3}}=-\frac{1}{3}\log N$$
$$=-\frac{1}{3}(4+\alpha)=-\frac{4}{3}-\frac{\alpha}{3}=-2+\frac{2-\alpha}{3}$$

이때, $\frac{1}{3}<\frac{2-\alpha}{3}<\frac{2}{3}$이므로 $\log\frac{1}{\sqrt[3]{N}}$의 소수 부분은 $\frac{2-\alpha}{3}$이다.

└ $0<\alpha<1$에서 $-\frac{1}{3}<-\frac{\alpha}{3}<0$ $\therefore \frac{1}{3}<\frac{2-\alpha}{3}<\frac{2}{3}$

답 ④

0237

|전략| $\log A=n+\alpha$ (n은 정수, $0\le\alpha<1$)로 놓고 이차방정식의 근과 계수의 관계를 이용한다.

$\log A=n+\alpha$ (n은 정수, $0\le\alpha<1$)라 하면 이차방정식 $3x^2+10x+k=0$의 두 근이 n, α이므로 근과 계수의 관계에 의하여

$n+\alpha=-\frac{10}{3}$, $n\alpha=\frac{k}{3}$

그런데 n은 정수, $0\le\alpha<1$이고 $-\frac{10}{3}=-4+\frac{2}{3}$이므로

$n=-4$, $\alpha=\frac{2}{3}$

$\therefore k=3n\alpha=3\cdot(-4)\cdot\frac{2}{3}=-8$ 답 ②

0238

$\log 200=\log(2\cdot 10^2)=2+\log 2$이므로 $\log 200$의 정수 부분은 2, 소수 부분은 $\log 2$이다. (└ $0<\log 2<1$)

따라서 이차방정식 $x^2+ax+b=0$의 두 근이 2, $\log 2$이므로 근과 계수의 관계에 의하여

$2+\log 2=-a$, $2\log 2=b$

$\therefore a+b=(-2-\log 2)+2\log 2=-2+\log 2$

$=\log(2\cdot 10^{-2})=\log 0.02$ 답 ①

0239

$\log 30=\log(10\cdot 3)=1+\log 3$이므로 $n=1$, $\alpha=\log 3$

이때, $\frac{1}{\alpha}=\frac{1}{\log 3}=\log_3 10$이므로 $3^{\frac{1}{\alpha}}=3^{\log_3 10}=10^{\log_3 3}=10$

따라서 x^2의 계수가 1이고 3^n과 $3^{\frac{1}{\alpha}}$, 즉 3과 10을 두 근으로 하는 이차방정식은

$x^2-(3+10)x+3\cdot 10=0$ $\therefore x^2-13x+30=0$ 답 ⑤

0240

$2x^3+5x^2+px-q=0$의 한 근이 -1이므로 오른쪽 조립제법에 의하여

$$\begin{array}{r|rrrr} -1 & 2 & 5 & p & -q \\ & & -2 & -3 & -p+3 \\ \hline & 2 & 3 & p-3 & -p-q+3=0 \end{array}$$

$(x+1)(2x^2+3x+p-3)=0$

$\log A=n+\alpha$ (n은 정수, $0\le\alpha<1$)라 하면 이차방정식 $2x^2+3x+p-3=0$의 두 근이 n, α이므로 근과 계수의 관계에 의하여

$n+\alpha=-\frac{3}{2}$, $n\alpha=\frac{p-3}{2}$

그런데 n은 정수, $0\le\alpha<1$이고 $-\frac{3}{2}=-2+\frac{1}{2}$이므로

$n=-2$, $\alpha=\frac{1}{2}$

따라서 $n\alpha=\frac{p-3}{2}$에서 $-1=\frac{p-3}{2}$ $\therefore p=1$

$-p-q+3=0$에서 $q=2$

$\therefore p-q=1-2=-1$ 답 -1

다른 풀이 $\log A=n+\alpha$ (n은 정수, $0\le\alpha<1$)라 하자.

삼차방정식 $2x^3+5x^2+px-q=0$의 근이 -1, n, α이므로 삼차방정식의 근과 계수의 관계에 의하여

$-1+n+\alpha=-\frac{5}{2}$ ······ ㉠

$-n+n\alpha-\alpha=\frac{p}{2}$ ······ ㉡

$-n\alpha=\frac{q}{2}$ ······ ㉢

㉠에서 $n+\alpha=-\frac{3}{2}=-2+\frac{1}{2}$ $\therefore n=-2$, $\alpha=\frac{1}{2}$

㉡에서 $2-1-\frac{1}{2}=\frac{1}{2}=\frac{p}{2}$ $\therefore p=1$

ⓒ에서 $-(-2)\cdot\frac{1}{2}=1=\frac{q}{2}$ $\therefore q=2$

$\therefore p-q=-1$

Lecture

삼차방정식의 근과 계수의 관계

삼차방정식 $ax^3+bx^2+cx+d=0$의 세 근을 α, β, γ라 하면

$\alpha+\beta+\gamma=-\frac{b}{a}, \alpha\beta+\beta\gamma+\gamma\alpha=\frac{c}{a}, \alpha\beta\gamma=-\frac{d}{a}$

0241

|전략| $\log A$의 정수 부분이 n이면 A는 $(n+1)$자리의 정수임을 이용한다.

$\log 12^{10}=10\log(2^2\cdot 3)=10(2\log 2+\log 3)$

$=10(2\times 0.3010+0.4771)=10.791$

따라서 $\log 12^{10}$의 정수 부분이 10이므로 12^{10}은 11자리의 정수이다.

답 ④

0242

2^n이 22자리의 정수이므로 $\log 2^n$의 정수 부분은 21이다.

즉, $21\le\log 2^n<22$에서 $21\le n\log 2<22$

$21\le 0.3n<22$ $\therefore 70\le n<73.3\times\times\times$

이 부등식을 만족시키는 자연수 n의 값은 70, 71, 72, 73이므로 구하는 합은 $70+71+72+73=286$

답 ⑤

0243

53^{100}이 173자리의 정수이므로 $\log 53^{100}$의 정수 부분은 172이다.

즉, $172\le\log 53^{100}<173$에서 $172\le 100\log 53<173$

$\therefore 1.72\le\log 53<1.73$ ...... ㉠

$\log 53^{20}=20\log 53$이므로 ㉠의 각 변에 20을 곱하면

$34.4\le 20\log 53<34.6$

따라서 $\log 53^{20}$의 정수 부분이 34이므로 53^{20}은 35자리의 정수이다.

답 ④

0244

7^{100}이 85자리의 정수이므로 $\log 7^{100}$의 정수 부분은 84이다.

즉, $84\le\log 7^{100}<85$에서 $84\le 100\log 7<85$

$\therefore 0.84\le\log 7<0.85$ ...... ㉠

또, 11^{100}은 105자리의 정수이므로 $\log 11^{100}$의 정수 부분은 104이다.

즉, $104\le\log 11^{100}<105$에서 $104\le 100\log 11<105$

$\therefore 1.04\le\log 11<1.05$ ...... ㉡

이때, $\log 77^{10}=10\log 77=10(\log 7+\log 11)$이므로

$10\times$(㉠+㉡)을 하면 $18.8\le 10(\log 7+\log 11)<19$

$\therefore 18.8\le\log 77^{10}<19$

따라서 $\log 77^{10}$의 정수 부분이 18이므로 77^{10}은 19자리의 정수이다.

답 19자리

0245

|전략| $3^{10}, \left(\frac{3}{4}\right)^{30}$에 상용로그를 취한 다음 정수 부분을 찾는다.

$\log 3^{10}=10\log 3=10\times 0.4771=4.771$에서 $\log 3^{10}$의 정수 부분이 4이므로 3^{10}은 5자리의 정수이다.

$\therefore m=5$

$\log\left(\frac{3}{4}\right)^{30}=30\log\frac{3}{4}=30(\log 3-2\log 2)$

$=30(0.4771-2\times 0.3010)=-3.747=-4+0.253$

에서 $\log\left(\frac{3}{4}\right)^{30}$의 정수 부분이 -4이므로 $\left(\frac{3}{4}\right)^{30}$은 소수점 아래 4째 자리에서 처음으로 0이 아닌 숫자가 나타난다.

$\therefore n=4$

$\therefore m+n=5+4=9$

답 ⑤

0246

$\log x=\log 2^{30}=30\log 2=30\times 0.3010=9.030$

$\log\sqrt{x}=\frac{1}{2}\log x=\frac{1}{2}\times 9.030=4.515$

에서 $\log\sqrt{x}$의 정수 부분이 4이므로 $\sqrt{x}$는 5자리의 정수이다.

$\therefore m=5$

$\log\frac{1}{x}=-\log x=-9.030=-10+0.970$

에서 $\log\frac{1}{x}$의 정수 부분이 -10이므로 $\frac{1}{x}$은 소수점 아래 10째 자리에서 처음으로 0이 아닌 숫자가 나타난다.

$\therefore n=10$

$\therefore m+n=5+10=15$

답 15

0247

A^{20}이 41자리의 정수이므로 $\log A^{20}$의 정수 부분은 40이다.

즉, $40\le\log A^{20}<41$에서 $40\le 20\log A<41$

$\therefore 2\le\log A<2.05$

그런데 A는 10의 배수가 아니므로

$2<\log A<2.05$ ...... ㉠ ··· ❶

$\log\frac{1}{A^6}=-6\log A$이므로 ㉠의 각 변에 -6을 곱하면

$-12.3<-6\log A<-12$ ··· ❷

따라서 $\log\frac{1}{A^6}$의 정수 부분이 -13이므로 $\frac{1}{A^6}$은 소수점 아래 13째 자리에서 처음으로 0이 아닌 숫자가 나타난다. ··· ❸

답 13째 자리

채점 기준	비율
❶ $\log A$의 값의 범위를 구할 수 있다.	40 %
❷ $\log\frac{1}{A^6}$의 값의 범위를 구할 수 있다.	40 %
❸ $\frac{1}{A^6}$이 소수점 아래 몇째 자리에서 처음으로 0이 아닌 숫자가 나타나는지 구할 수 있다.	20 %

0248

$\frac{A^3}{B^2}$은 6자리의 정수이므로 $\log\frac{A^3}{B^2}$의 정수 부분은 5이고, $\frac{B^2}{A}$은 소수점 아래 셋째 자리에서 처음으로 0이 아닌 숫자가 나타나므로

$\log \frac{B^2}{A}$의 정수 부분은 -3이다.

즉, $\log \frac{A^3}{B^2}=5+\alpha$, $\log \frac{B^2}{A}=-3+\beta$ $(0\le\alpha<1,\ 0\le\beta<1)$로 놓으면

$3\log A-2\log B=5+\alpha$ …… ㉠

$2\log B-\log A=-3+\beta$ …… ㉡

㉠+㉡을 하면 $2\log A=2+\alpha+\beta$ $\quad\therefore \log A=1+\frac{\alpha+\beta}{2}$

이때, $0\le\frac{\alpha+\beta}{2}<1$이므로 $\log A$의 정수 부분은 1이다.

따라서 A는 2자리의 자연수이다. 답 2자리

0249

전략 상용로그의 소수 부분이 같으면 진수의 숫자의 배열이 같음을 이용한다.

$a=\log 543=\log(5.43\times10^2)=2+0.7348=2.7348$

$\log b=-1.2652=-2+0.7348=-2+\log 5.43$

$\quad=\log 10^{-2}+\log 5.43=\log(10^{-2}\times5.43)=\log 0.0543$

$\therefore b=0.0543$

$\therefore a+b=2.7348+0.0543=2.7891$ 답 2.7891

0250

log 1.25와 소수 부분이 같으려면 진수의 숫자의 배열이 1.25와 같아야 한다.

$\log\frac{1}{8}=\log 0.125$, $\log\frac{1}{25}=\log 0.04$, $\log\frac{1}{20}=\log 0.05$,

$\log(5^3\times10^5)=\log(125\times10^5)$

따라서 보기 중 log 1.25와 소수 부분이 같은 것은 ㄱ, ㄷ, ㅁ, ㅂ의 4개이다. 답 ④

0251

$\log x^3=3\log x=-1.1937$에서

$\log x=\frac{1}{3}\times(-1.1937)=-0.3979=-1+0.6021$

따라서 $\log x$와 $\log 4$의 소수 부분이 같으므로 x는 4와 숫자의 배열이 같고, $\log x$의 정수 부분이 -1이므로 x는 소수점 아래 첫째 자리에서 처음으로 0이 아닌 숫자가 나타난다.

$\therefore x=0.4$ 답 0.4

다른 풀이 $\log x=-1+0.6021=\log 10^{-1}+\log 4=\log\frac{4}{10}=\log 0.4$

$\therefore x=0.4$

0252

전략 $\log a^k$의 소수 부분을 α라 할 때, $\log N<\alpha<\log(N+1)$을 만족시키는 한 자리의 자연수 N을 찾는다.

$\log 4^{10}=\log 2^{20}=20\log 2=20\times0.3010=6.020$

즉, $\log 4^{10}$의 정수 부분이 6이므로 4^{10}은 7자리의 정수이다.

$\therefore a=7$

한편, $\log 2=0.3010$이므로 $0<0.02<\log 2$, $6<6.02<6+\log 2$

$\log 10^6<\log 4^{10}<\log(2\cdot10^6)$ $\quad\therefore 10^6<4^{10}<2\cdot10^6$

즉, 4^{10}의 최고 자리의 숫자는 1이다.

$\therefore b=1$

$\therefore a+b=7+1=8$ 답 ③

0253

$\log A=\log\left(\frac{1}{50}\right)^5=5\log\frac{2}{100}=5(\log 2-2)$

$\quad=5(0.3010-2)=-8.495=-9+0.505$

즉, $\log A$의 정수 부분이 -9이므로 A는 소수점 아래 9째 자리에서 처음으로 0이 아닌 숫자가 나타난다. $\quad\therefore n=9$

한편, $\log 3=0.4771$, $\log 4=2\log 2=0.602$이므로

$\log 3<0.505<\log 4$, $-9+\log 3<-9+0.505<-9+\log 4$

$\log(3\cdot10^{-9})<\log A<\log(4\cdot10^{-9})$

$\therefore 3\cdot10^{-9}<A<4\cdot10^{-9}$

즉, A의 소수점 아래 9째 자리의 숫자는 3이다.

$\therefore m=3$

$\therefore mn=3\cdot9=27$ 답 ④

0254

$\log x=-\frac{4}{5}$이므로

$\log x^2=2\log x=2\cdot\left(-\frac{4}{5}\right)=-\frac{8}{5}=-1.6=-2+0.4$

즉, $\log x^2$의 정수 부분이 -2이므로 x^2은 소수점 아래 둘째 자리에서 처음으로 0이 아닌 숫자가 나타난다. $\quad\therefore a=2$

한편, $\log 2=0.30$, $\log 3=0.48$이므로

$\log 2<0.4<\log 3$, $-2+\log 2<-2+0.4<-2+\log 3$

$\log(2\cdot10^{-2})<\log x^2<\log(3\cdot10^{-2})$

$\therefore 2\cdot10^{-2}<x^2<3\cdot10^{-2}$

따라서 x^2의 소수점 아래 둘째 자리의 숫자는 2이므로 $b=2$

$\therefore a+b=2+2=4$ 답 4

0255

$\log 3^{24}=24\log 3=24\times0.4771=11.4504$

이때, $\log 2=0.3010$, $\log 3=0.4771$이므로

$\log 2<0.4504<\log 3$, $11+\log 2<11.4504<11+\log 3$

$\log(2\cdot10^{11})<\log 3^{24}<\log(3\cdot10^{11})$

$\therefore 2\cdot10^{11}<3^{24}<3\cdot10^{11}$

따라서 3^{24}의 최고 자리의 숫자는 2이므로 $a=2$

한편, $3^1=3$, $3^2=9$, $3^3=27$, $3^4=81$, $3^5=243$, $3^6=729$, …이므로 3의 거듭제곱에서 일의 자리의 숫자는 3, 9, 7, 1이 이 순서대로 반복된다.

이때, $24=4\cdot6$이므로 3^{24}의 일의 자리의 숫자는 3^4의 일의 자리의 숫자와 같은 1이다. $\quad\therefore b=1$

$\therefore a+b=2+1=3$ 답 3

0256

전략 $\log A$와 $\log B$의 소수 부분이 같으면 $\log A-\log B=$(정수)임을 이용한다.

2 로그

$\log x^2$의 소수 부분과 $\log x^5$의 소수 부분이 같으므로
$\log x^5 - \log x^2 = 5\log x - 2\log x = 3\log x$
에서 $3\log x$가 정수이다.
$\log x$의 정수 부분이 5이므로 $5 \le \log x < 6$
$\therefore 15 \le 3\log x < 18$
이때, $3\log x$가 정수이므로
$3\log x = 15$ 또는 $3\log x = 16$ 또는 $3\log x = 17$
$\log x = 5$ 또는 $\log x = \frac{16}{3}$ 또는 $\log x = \frac{17}{3}$
$\therefore x = 10^5$ 또는 $x = 10^{\frac{16}{3}}$ 또는 $x = 10^{\frac{17}{3}}$
따라서 모든 실수 x의 값의 곱은
$10^5 \cdot 10^{\frac{16}{3}} \cdot 10^{\frac{17}{3}} = 10^{5+\frac{16}{3}+\frac{17}{3}} = 10^{16}$ 답 ②

0257

$\log x$의 소수 부분과 $\log \frac{1}{x}$의 소수 부분이 같으므로
$\log x - \log \frac{1}{x} = \log x + \log x = 2\log x$
에서 $2\log x$가 정수이다.
$10 < x < 100$에서 $1 < \log x < 2$
$\therefore 2 < 2\log x < 4$
이때, $2\log x$가 정수이므로 $2\log x = 3$
$\log x = \frac{3}{2}$ $\quad \therefore x = 10^{\frac{3}{2}}$
$\therefore x^2 = 10^3 = 1000$ 답 1000

0258

조건 (나)에서 $\log x^2$의 소수 부분과 $\log \sqrt{x}$의 소수 부분이 같으므로
$\log x^2 - \log \sqrt{x} = 2\log x - \frac{1}{2}\log x = \frac{3}{2}\log x$
에서 $\frac{3}{2}\log x$가 정수이다.
조건 (가)에서 $\log x$의 정수 부분이 2이므로
$2 \le \log x < 3$ $\quad \therefore 3 \le \frac{3}{2}\log x < \frac{9}{2}$
이때, $\frac{3}{2}\log x$가 정수이므로
$\frac{3}{2}\log x = 3$ 또는 $\frac{3}{2}\log x = 4$
$\log x = 2$ 또는 $\log x = \frac{8}{3}$
$\therefore x = 10^2$ 또는 $x = 10^{\frac{8}{3}}$
따라서 모든 양수 x의 값의 곱 k는
$k = 10^2 \cdot 10^{\frac{8}{3}} = 10^{2+\frac{8}{3}} = 10^{\frac{14}{3}}$
$\therefore \log k^3 = 3\log k = 3\log 10^{\frac{14}{3}} = 3 \cdot \frac{14}{3} = 14$ 답 ④

0259

|전략| $\log A$와 $\log B$의 소수 부분의 합이 1이면 $\log A + \log B = $(정수)임을 이용한다.

$\log x$의 소수 부분과 $\log \sqrt{x}$의 소수 부분의 합이 1이므로
$\log x + \log \sqrt{x} = \log x + \frac{1}{2}\log x = \frac{3}{2}\log x$
에서 $\frac{3}{2}\log x$가 정수이다.
$10 < x < 1000$에서 $1 < \log x < 3$
$\therefore \frac{3}{2} < \frac{3}{2}\log x < \frac{9}{2}$
이때, $\frac{3}{2}\log x$가 정수이므로
$\frac{3}{2}\log x = 2$ 또는 $\frac{3}{2}\log x = 3$ 또는 $\frac{3}{2}\log x = 4$
$\log x = \frac{4}{3}$ 또는 $\log x = 2$ 또는 $\log x = \frac{8}{3}$
$\therefore x = 10^{\frac{4}{3}}$ 또는 $x = 10^2$ 또는 $x = 10^{\frac{8}{3}}$
그런데 $x = 10^2$이면 $\log x = 2$, $\log \sqrt{x} = 1$이 되어 $\log x$의 소수 부분과 $\log \sqrt{x}$의 소수 부분의 합이 0이 된다.
$\therefore x = 10^{\frac{4}{3}}$ 또는 $x = 10^{\frac{8}{3}}$
따라서 모든 양수 x의 값의 곱은
$10^{\frac{4}{3}} \cdot 10^{\frac{8}{3}} = 10^{\frac{4}{3}+\frac{8}{3}} = 10^4$ 답 ③

0260

$\log x$의 소수 부분과 $\log x^2$의 소수 부분의 합이 1이므로
$\log x + \log x^2 = \log x + 2\log x = 3\log x$
에서 $3\log x$가 정수이다. ··· ❶
$\log x$의 정수 부분이 2이므로 $2 \le \log x < 3$
$\therefore 6 \le 3\log x < 9$
이때, $3\log x$가 정수이므로
$3\log x = 6$ 또는 $3\log x = 7$ 또는 $3\log x = 8$
$\log x = 2$ 또는 $\log x = \frac{7}{3}$ 또는 $\log x = \frac{8}{3}$
$\therefore x = 10^2$ 또는 $x = 10^{\frac{7}{3}}$ 또는 $x = 10^{\frac{8}{3}}$
그런데 $x = 10^2$이면 $\log x = 2$, $\log x^2 = 4$가 되어 $\log x$의 소수 부분과 $\log x^2$의 소수 부분의 합이 0이 된다.
$\therefore x = 10^{\frac{7}{3}}$ 또는 $x = 10^{\frac{8}{3}}$ ··· ❷
따라서 모든 실수 x의 값의 곱 k는
$k = 10^{\frac{7}{3}} \cdot 10^{\frac{8}{3}} = 10^{\frac{7}{3}+\frac{8}{3}} = 10^5$
$\therefore \log k = \log 10^5 = 5$ ··· ❸
답 5

채점 기준	비율
❶ $3\log x$가 정수임을 알 수 있다.	30 %
❷ x의 값을 구할 수 있다.	50 %
❸ $\log k$의 값을 구할 수 있다.	20 %

다른 풀이 $\log x$의 소수 부분을 α라 하면 $\log x = 2 + \alpha$ $(0 < \alpha < 1)$
$\therefore \log x^2 = 2\log x = 2(2+\alpha)$
$= 4 + 2\alpha$ $(0 < 2\alpha < 2)$
(i) $0 < 2\alpha < 1$일 때, $\log x^2$의 소수 부분은 2α이므로
$\alpha + 2\alpha = 1$, $3\alpha = 1$ $\quad \therefore \alpha = \frac{1}{3}$

따라서 $\log x=2+\frac{1}{3}=\frac{7}{3}$이므로 $x=10^{\frac{7}{3}}$

(ii) $1\le 2\alpha<2$일 때, $\log x^2$의 소수 부분은 $2\alpha-1$이므로 ($0\le 2\alpha-1<1$)

$\alpha+2\alpha-1=1$, $3\alpha=2$　　$\therefore \alpha=\frac{2}{3}$

따라서 $\log x=2+\frac{2}{3}=\frac{8}{3}$이므로 $x=10^{\frac{8}{3}}$

(i), (ii)에서 $k=10^{\frac{7}{3}}\cdot 10^{\frac{8}{3}}=10^5$

$\therefore \log k=5$

0261

조건 (가), (나)에 의하여 $\log x$의 소수 부분을 $\alpha(0<\alpha<1)$, $\log y$의 정수 부분을 n(n은 정수)이라 하면

$\log x=1+\alpha$, $\log y=n+(1-\alpha)$

조건 (다)에서 $\log xy^2=4.5$이므로

$\log x+2\log y=4.5$, $1+\alpha+2(n+1-\alpha)=4.5$

$\therefore 2n+2+1-\alpha=4.5$

이때, $0<1-\alpha<1$이므로

$2n+2=4$, $1-\alpha=0.5$　　$\therefore n=1$, $\alpha=0.5$

따라서 $\log y$의 정수 부분은 1이다.　　답 1

0262

| 전략 | $\log A$의 정수 부분이 n이면 $10^n\le A<10^{n+1}$임을 이용한다.

$\log\frac{1}{n}$의 정수 부분이 -2이므로

$10^{-2}\le\frac{1}{n}<10^{-1}$, $\frac{1}{100}\le\frac{1}{n}<\frac{1}{10}$　　$\therefore 10<n\le 100$

따라서 자연수 n은 11, 12, ⋯, 100의 90개이다. ($100-10=90$)　　답 ①

0263

| 전략 | $1\le n\le 100$일 때, $f(n)$이 가질 수 있는 값에 따라 n의 값의 범위를 나누어 생각한다.

$1\le n\le 100$이므로 $0\le f(n)\le 2$

$\therefore f(n)=0$ 또는 $f(n)=1$ 또는 $f(n)=2$

(i) $f(n)=0$일 때, $1\le n<10$

이때, $11\le n+10<20$이므로 $f(n+10)=1$

$\therefore f(n+10)=f(n)+1$

(ii) $f(n)=1$일 때, $10\le n<100$

이때, $10\le n<90$일 때 $20\le n+10<100$이고, $90\le n<100$일 때 $100\le n+10<110$으로 $n+10$의 자릿수가 달라지기 때문에 $10\le n<90$, $90\le n<100$으로 나누어 생각한다.

$10\le n<90$일 때 $20\le n+10<100$에서 $f(n+10)=1$

$\therefore f(n+10)\ne f(n)+1$

$90\le n<100$일 때, $100\le n+10<110$에서 $f(n+10)=2$

$\therefore f(n+10)=f(n)+1$

(iii) $f(n)=2$일 때, $n=100$

$f(n+10)=f(110)=2$　　$\therefore f(n+10)\ne f(n)+1$

(i)~(iii)에서 주어진 식을 만족시키는 n의 값의 범위는 $1\le n<10$, $90\le n<100$이므로 자연수 n의 개수는

$(10-1)+(100-90)=19$　　답 ⑤

0264

| 전략 | $\log n=f(n)+g(n)$임을 이용한다.

$\log n=f(n)+g(n)$ (단, $f(n)$은 정수, $0\le g(n)<1$)

ㄱ. $f(n)=g(n)\Longleftrightarrow f(n)=g(n)=0$ ($\because f(n)$은 정수)

$\Longleftrightarrow \log n=0$

$\Longleftrightarrow n=1$ (참)

ㄴ. $\log 50=f(50)+g(50)$이므로

$10^{f(50)}\cdot 10^{g(50)}=10^{f(50)+g(50)}=10^{\log 50}=50^{\log 10}=50$ (참)

ㄷ. $\log 10n=f(10n)+g(10n)$에서

$\log 10n=1+\log n=1+f(n)+g(n)$이고

$1+f(n)$은 정수, $0\le g(n)<1$이므로

$\log 10n$의 정수 부분은 $f(10n)=1+f(n)$

소수 부분은 $g(10n)=g(n)$

$\therefore f(10n)g(10n)=\{1+f(n)\}g(n)$

$=f(n)g(n)+g(n)$ (참)

따라서 옳은 것은 ㄱ, ㄴ, ㄷ이다.　　답 ㄱ, ㄴ, ㄷ

0265

| 전략 | n의 값의 범위를 나누어 각 범위에 해당하는 $[\log n]$의 값을 구한다.

(i) $1\le n<10$일 때, $0\le\log n<1$이므로 $[\log n]=0$

(ii) $10\le n<100$일 때, $1\le\log n<2$이므로 $[\log n]=1$

(iii) $n=100$일 때, $\log n=2$이므로 $[\log n]=2$

$\therefore [\log 1]+[\log 2]+[\log 3]+\cdots+[\log 100]$

$=0\cdot 9+1\cdot 90+2\cdot 1=92$　　답 ②

0266

$[\log x]$는 $\log x$의 정수 부분이므로 $\log x-[\log x]$는 $\log x$의 소수 부분이다.

이때, 주어진 등식에서 $\log x$와 $\log 72$의 소수 부분이 같으므로 x는 72와 숫자의 배열이 같다.

또, $\log x$의 정수 부분이 -3이므로 x는 소수점 아래 셋째 자리에서 처음으로 0이 아닌 숫자가 나타난다.

$\therefore x=0.0072$　　답 0.0072

다른 풀이 $\log x$의 정수 부분이 -3이므로 $[\log x]=-3$

한편, $1<\log 72<2$이므로 $[\log 72]=1$

따라서 $\log x-[\log x]=\log 72-[\log 72]$에서

$\log x=\log 72-[\log 72]+[\log x]$

$=\log 72-1-3$

$=\log 72-4=\log 72+\log 10^{-4}$

$=\log(72\cdot 10^{-4})=\log 0.0072$

$\therefore x=0.0072$

0267

$x>10$, $y>10$이므로 $\log x>1$, $\log y>1$

즉, $[\log x]$, $[\log y]$는 1 이상의 정수이므로

$2[\log x]+3[\log y]=7$에서

$[\log x]=2$, $[\log y]=1$

따라서 $\log x=2+\alpha\ (0\le\alpha<1)$, $\log y=1+\beta\ (0<\beta<1)$로 놓으면

$\log xy=\log x+\log y=2+\alpha+1+\beta$

$=3+\alpha+\beta$

이때, $0<\alpha+\beta<2$이므로

(i) $0<\alpha+\beta<1$일 때, $[\log xy]=3$

(ii) $1\le\alpha+\beta<2$일 때, $[\log xy]=4$

(i), (ii)에서 $\log xy$의 정수 부분은 3 또는 4이므로

$a+b=3+4=7$

답 ③

0268

|전략| 크기가 130 dB인 소리의 세기를 I_1, 크기가 20 dB인 소리의 세기를 I_2로 놓고, 주어진 관계식에 대입한다.

크기가 130 dB인 소리의 세기를 I_1, 크기가 20 dB인 소리의 세기를 I_2라 하면

$130=120+10\log I_1$, $\log I_1=1$　　$\therefore I_1=10$

$20=120+10\log I_2$, $\log I_2=-10$　　$\therefore I_2=10^{-10}$

$\therefore \dfrac{I_1}{I_2}=\dfrac{10}{10^{-10}}=10^{11}$

따라서 크기가 130 dB인 소리의 세기는 크기가 20 dB인 소리의 세기의 10^{11}배이다.

답 ③

0269

2등급인 별의 밝기를 I, 3등급인 별의 밝기를 I'이라 하면

$2=-\dfrac{5}{2}\log I+C$　…… ㉠

$3=-\dfrac{5}{2}\log I'+C$　…… ㉡

㉠－㉡을 하면 $-1=-\dfrac{5}{2}\log\dfrac{I}{I'}$

$\log\dfrac{I}{I'}=\dfrac{2}{5}$, $\dfrac{I}{I'}=10^{\frac{2}{5}}$

$\therefore I=\sqrt[5]{100}I'=2.5I'$

따라서 2등급인 별의 밝기는 3등급인 별의 밝기의 2.5배이다.

답 2.5배

0270

물 1 mL당 초기 박테리아의 수가 8×10^5이고 약품을 투여한 지 3시간이 지나는 순간 1 mL당 박테리아의 수는 2×10^5이므로

$\log\dfrac{2\times10^5}{8\times10^5}=-3k$에서 $3k=-\log\dfrac{1}{4}=2\log 2=0.6$

$\therefore k=0.2$

약품을 투여한 지 a시간 후에 처음으로 1 mL당 박테리아의 수가 8×10^3 이하가 되므로 $\log\dfrac{8\times10^3}{8\times10^5}=-0.2a$에서

$0.2a=-\log\dfrac{1}{100}=2$

$\therefore a=10$

답 10

0271

|전략| 조건을 만족시키도록 식을 세운 후 양변에 상용로그를 취한다.

자동차의 가격이 2000만 원이고, 매년 10 %씩 가격이 하락하므로 이 자동차의 10년 후의 중고 가격을 A만 원이라 하면

$A=2000\cdot\left(1-\dfrac{10}{100}\right)^{10}$　　$\therefore A=2000\cdot\left(\dfrac{9}{10}\right)^{10}$

양변에 상용로그를 취하면

$\log A=\log\left\{2000\cdot\left(\dfrac{9}{10}\right)^{10}\right\}$

$=\log 2000+10\log\dfrac{9}{10}$

$=\log 2+3+10(\log 9-1)$

$=\log 2+3+10(2\log 3-1)$

$=0.3010+3+10(2\times0.4771-1)=2.843$

이때, $\log 6.97=0.8430$이므로 $\log 697=2.8430$

$\therefore A=697$

따라서 이 자동차의 10년 후의 중고 가격은 697만 원이다.

답 697만 원

0272

수면 위의 빛의 밝기를 a라 하면 물이 n m 깊어짐에 따라 수면 아래의 빛의 밝기는 $a(1-0.1)^n$

이때, 수면 위의 빛의 밝기의 $\dfrac{1}{2}$이 되는 순간은

$a(1-0.1)^n=\dfrac{1}{2}a$, $\left(\dfrac{9}{10}\right)^n=\dfrac{1}{2}$

양변에 상용로그를 취하면 $n\log\dfrac{9}{10}=\log\dfrac{1}{2}$

$n(\log 9-\log 10)=-\log 2$, $n(2\log 3-1)=-\log 2$

$n(2\times0.48-1)=-0.30$, $0.04n=0.30$

$\therefore n=7.5$

따라서 물의 깊이는 7.5 m이다.

답 ④

0273

n년 후에 한 도시의 인구가 다른 도시의 인구의 3배가 된다고 하면

$3\times10^5\times1.02^n=10^5\times1.04^n$, $3\times1.02^n=1.04^n$

양변에 상용로그를 취하면

$\log 3+n\log 1.02=n\log 1.04$

$n(\log 1.04-\log 1.02)=\log 3$

$n(0.02-0.01)=0.48$

$\therefore n=48$

따라서 48년 후에 한 도시의 인구가 다른 도시의 인구의 3배가 된다.

답 ④

0274

|전략| 먼저 8시간 후 바이러스에 감염된 컴퓨터의 수를 구한 후 상용로그를 취한다.

8시간 후 바이러스에 감염된 컴퓨터의 수는 100×4^8, 즉 100×2^{16}대이므로 $100\times2^{16}=k\cdot10^4$

100×2^{16}에 상용로그를 취하면

$\log(100\times2^{16})=\log(10^2\times2^{16})=2+16\log 2$

$=2+16\times0.3=6.8=6+0.8=6+\log 6.31$

$=\log(10^6\times6.31)$

$=\log(631\times10^4)$

즉, $100\times2^{16}=631\times10^4$에서 $k=631$ 답 631

0275

출고된 신차의 가격을 A라 하면 신차를 구입한 후 7년이 지났을 때의 중고차의 가격은 $A\times0.8^7$이다.

0.8^7에 상용로그를 취하면

$\log 0.8^7=7\log 0.8=7\log(8\times10^{-1})=7(\log 8-1)$

$=7(3\log 2-1)=7(3\times0.3-1)$

$=-0.7=-1+0.3=-1+\log 2$

$=\log(10^{-1}\times2)=\log 0.2$

즉, $0.8^7=0.2$에서 신차를 구입한 후 7년이 지났을 때의 중고차의 가격은 $0.2A$이므로 신차의 가격의 20 %이다. 답 20 %

0276

작년 매출을 A라 하면 올해의 매출은 $0.5A$이고, 올해 예상 매출을 기준으로 매년 15 %씩 매출을 증가시킬 때 10년 후의 예상 매출은 작년 매출의 k배가 된다고 하면

$0.5A\left(1+\frac{15}{100}\right)^{10}=A\times k$, $0.5(1.15)^{10}=k$

양변에 상용로그를 취하면 $\log 0.5(1.15)^{10}=\log k$

$\log 0.5(1.15)^{10}=\log 0.5+10\log 1.15$

$=-\log 2+10\log 1.15$

$=-0.30+10\times0.06$

$=0.30=\log 2$

$\therefore k=2$ 답 2

STEP 3 내신 마스터

0277

유형 01 로그의 정의

|전략| $\log_a N=k$이면 $a^k=N$임을 이용한다.

$\log_x\sqrt{2}=\frac{1}{4}$에서 $x^{\frac{1}{4}}=\sqrt{2}$ $\therefore x=4$ $\therefore A=\{4\}$

$\log_{\frac{1}{3}}x^2=2$에서 $x^2=\left(\frac{1}{3}\right)^2$, $x=\pm\frac{1}{3}$ $\therefore B=\left\{-\frac{1}{3}, \frac{1}{3}\right\}$

따라서 $A\cup B=\left\{-\frac{1}{3}, \frac{1}{3}, 4\right\}$이므로 모든 원소의 합은 4이다.

답 ④

0278

유형 03 로그의 기본 성질

|전략| 로그의 정의와 기본 성질을 이용하여 a, b, c 사이의 관계식을 구한다.

$\log_a\sqrt{b+c}=1-\log_a\sqrt{b-c}$에서 $\log_a\sqrt{b+c}+\log_a\sqrt{b-c}=1$

$\log_a(\sqrt{b+c}\sqrt{b-c})=1$, $\log_a\sqrt{b^2-c^2}=1$

로그의 정의에 의하여

$\sqrt{b^2-c^2}=a$, $b^2-c^2=a^2$

$\therefore b^2=a^2+c^2$

따라서 △ABC는 빗변의 길이가 b인 직각삼각형이다. 답 ④

0279

유형 04 로그의 밑의 변환

|전략| 주어진 식의 밑을 통일한 후 로그의 기본 성질을 이용한다.

$\frac{1}{\log_2 5!}+\frac{1}{\log_3 5!}+\frac{1}{\log_4 5!}+\frac{1}{\log_5 5!}$

$=\log_{5!}2+\log_{5!}3+\log_{5!}4+\log_{5!}5$

$=\log_{5!}(2\times3\times4\times5)=\log_{5!}5!$

$=1$ 답 ①

0280

유형 03 로그의 기본 성질 + 04 로그의 밑의 변환 + 05 로그의 여러 가지 성질

|전략| $a^{\log_b c}=c^{\log_b a}$임을 이용한다.

$\log_3 4+\log_3 2=\log_3(4\cdot2)=\log_3 2^3=3\log_3 2$

$\therefore (3^{\log_3 4+\log_3 2})^2+(2^{\log_3 4+\log_3 2})^{\log_2 3}=(3^{3\log_3 2})^2+(2^{3\log_3 2})^{\log_2 3}$

$=(2^{3\log_3 3})^2+2^{3\log_3 2\cdot\log_2 3}$

$=(2^3)^2+2^3=64+8=72$ 답 ③

0281

유형 07 $\log_a b=c$가 주어진 경우 로그의 값을 문자로 나타내기

|전략| $f(x)=\frac{x+1}{2x-1}$의 x 대신 $\log_3 6$을 대입하여 정리한 후 밑을 5로 통일하고 진수를 소인수분해한다.

$f(\log_3 6)=\frac{\log_3 6+1}{2\log_3 6-1}=\frac{\log_3 6+\log_3 3}{\log_3 6^2-\log_3 3}$

$=\frac{\log_3(6\cdot3)}{\log_3\frac{36}{3}}=\frac{\log_3 18}{\log_3 12}$

$=\frac{\log_5 18}{\log_5 12}=\frac{\log_5(2\cdot3^2)}{\log_5(2^2\cdot3)}$

$=\frac{\log_5 2+2\log_5 3}{2\log_5 2+\log_5 3}=\frac{a+2b}{2a+b}$ 답 ⑤

다른 풀이 $\log_3 6=\frac{\log_5 6}{\log_5 3}=\frac{\log_5 2+\log_5 3}{\log_5 3}=\frac{a+b}{b}$이므로

$f(\log_3 6)=f\left(\frac{a+b}{b}\right)=\frac{\frac{a+b}{b}+1}{2\cdot\frac{a+b}{b}-1}=\frac{a+2b}{2a+b}$

0282

유형 10 로그의 성질을 이용하여 식의 값 구하기

|전략| $\log_2\frac{y^3z}{x^2}$를 $\log_2 xy$, $\log_2 yz$, $\log_2 zx$로 나타낸다.

$\log_2\frac{y^3z}{x^2}=\log_2\left(yz\cdot\frac{y^2}{x^2}\right)=\log_2\left\{yz\cdot\frac{(yz)^2}{(xz)^2}\right\}$

$=\log_2\frac{(yz)^3}{(xz)^2}=3\log_2 yz-2\log_2 xz$

$=3\cdot2-2\cdot3=0$ 답 ③

다른 풀이 $\log_2 xy=1$, $\log_2 yz=2$, $\log_2 zx=3$에서

$\log_2 x+\log_2 y=1$ …… ㉠

$\log_2 y+\log_2 z=2$ …… ㉡

$\log_2 z+\log_2 x=3$ …… ㉢

$(㉠+㉡+㉢)\times\frac{1}{2}$을 하면

$\log_2 x+\log_2 y+\log_2 z=3$ …… ㉣

㉣－㉠을 하면 $\log_2 z=2$

㉣－㉡을 하면 $\log_2 x=1$

㉣－㉢을 하면 $\log_2 y=0$

$\therefore \log_2 \frac{y^3z}{x^2}=\log_2 y^3+\log_2 z-\log_2 x^2$

$=3\log_2 y+\log_2 z-2\log_2 x$

$=3\cdot0+2-2\cdot1=0$

0283

유형 11 로그와 이차방정식

|전략| 이차방정식의 근과 계수의 관계를 이용한다.

이차방정식 $3x^2-6x-1=0$의 두 근이 α, β이므로

$3\alpha^2-6\alpha-1=0$, $3\beta^2-6\beta-1=0$에서

$3\alpha^2-3\alpha+2=3\alpha+3$, $3\beta^2-3\beta+2=3\beta+3$

또, 이차방정식의 근과 계수의 관계에 의하여

$\alpha+\beta=2$, $\alpha\beta=-\frac{1}{3}$

$\therefore \log_7\{(3\alpha^2-3\alpha+2)(3\beta^2-3\beta+2)\}$

$=\log_7\{(3\alpha+3)(3\beta+3)\}$

$=\log_7\{9(\alpha+1)(\beta+1)\}$

$=\log_7 9(\alpha\beta+\alpha+\beta+1)$

$=\log_7 9\left(-\frac{1}{3}+2+1\right)$

$=\log_7 24$ 답 ⑤

0284

유형 12 로그의 대소 관계

|전략| 먼저 주어진 수를 로그의 성질을 이용하여 간단히 한다.

(i) $\log_9 3+\log_{25} 5=\frac{1}{2}\log_3 3+\frac{1}{2}\log_5 5=\frac{1}{2}+\frac{1}{2}=1$

(ii) $2^{\log_{\sqrt{3}}\sqrt{3}}=2^{\log_3 3}=3^{\log_2 2}=3$

(iii) $\log_3 5>0$, $\log_5 3>0$이므로 산술평균과 기하평균의 관계에 의하여

$\log_3 5+\log_5 3=\log_3 5+\frac{1}{\log_3 5}$

$\geq 2\sqrt{\log_3 5\cdot\frac{1}{\log_3 5}}=2$

그런데 $\log_3 5\neq\log_5 3$이므로 $\log_3 5+\log_5 3>2$

(i), (ii), (iii)에서 가장 작은 수는 $\log_9 3+\log_{25} 5$이므로 구하는 값은 1이다. 답 ①

0285

유형 18 소수점 아래 n째 자리에서 처음으로 0이 아닌 숫자가 나타나는 자리 구하기

|전략| P^{10}을 먼저 구하고, 상용로그를 취하여 $\log P^{10}$의 정수 부분을 찾는다.

$P=\left(1-\frac{1}{2}\right)\left(1-\frac{1}{3}\right)\left(1-\frac{1}{4}\right)\cdots\left(1-\frac{1}{64}\right)$

$=\frac{1}{2}\times\frac{2}{3}\times\frac{3}{4}\times\cdots\times\frac{63}{64}=\frac{1}{64}=\frac{1}{2^6}$

이므로 $P^{10}=\left(\frac{1}{2^6}\right)^{10}=\frac{1}{2^{60}}$

$\therefore \log P^{10}=\log\frac{1}{2^{60}}=-60\log 2$

$=-60\times0.301=-18.06=-19+0.94$

따라서 $\log P^{10}$의 정수 부분이 -19이므로 P^{10}은 소수점 아래 19째 자리에서 처음으로 0이 아닌 숫자가 나타난다. 답 ②

0286

유형 22 소수 부분의 합이 1인 상용로그

|전략| 로그의 기본 성질과 $\log A$와 $\log B$의 소수 부분의 합이 1임을 이용한다.

$\log x$의 소수 부분을 α라 하면 조건 (가), (다)에서

$\log x=2+\alpha$ $(0<\alpha<1)$

$\log y$의 소수 부분을 β라 하면 조건 (나), (다)에서

$\log y=3+\beta$ $(0<\beta<1)$

이때, 조건 (다)에서 $\alpha+\beta=1$이므로

$\log xy=\log x+\log y=2+\alpha+3+\beta=6$ 답 ②

참고 $\log x=2+\alpha$에서 $\alpha=0$이면 $\alpha+\beta=1$에서 $\beta=1$이므로 β는 $\log y$의 소수 부분이 될 수 없다. $\therefore \alpha\neq0$

같은 이유로 $\beta\neq0$이다.

0287

유형 23 상용로그의 정수 부분과 소수 부분이 조건으로 주어진 경우

|전략| x의 값의 범위를 나누어 각 범위에 해당하는 $N(x)$의 값을 구한다.

(i) $1\leq x<10$일 때, $0\leq\log x<1$이므로 $N(x)=0$

$\therefore N(1)+N(2)+N(3)+\cdots+N(9)=0\cdot9=0$

(ii) $10\leq x<100$일 때, $1\leq\log x<2$이므로 $N(x)=1$

$\therefore N(10)+N(11)+N(12)+\cdots+N(99)=1\cdot90=90$

(iii) $100\leq x\leq k(100\leq k<1000)$일 때,

$2\leq\log x<3$이므로 $N(x)=2$

$\therefore N(100)+N(101)+N(102)+\cdots+N(k)=2(\underbrace{k-99}_{k-100+1})$

이때, $N(1)+N(2)+N(3)+\cdots+N(k)=500$이므로

$0+90+2(k-99)=500$, $k-99=205$

$\therefore k=304$ 답 ⑤

0288

유형 23 상용로그의 정수 부분과 소수 부분이 조건으로 주어진 경우

|전략| $10^n=2^n\cdot5^n$임을 이용하여 정수 부분과 소수 부분의 관계식을 구한다.

ㄱ. 2019는 네 자리의 정수이므로 $\log 2019$의 정수 부분은 3이다.

$\therefore f(2019)=3$ (거짓)

ㄴ. 자연수 n에 대하여 $f(x)=n$이면

$n\leq\log x<n+1$ $\therefore 10^n\leq x<10^{n+1}$

즉, 양의 정수 x의 개수는

$10^{n+1}-10^n=10^n(10-1)=9\cdot10^n$ (참)

ㄷ. $f(10^n)=n$

2^n, 5^n은 10의 배수가 될 수 없으므로

$\log 2^n=l+\alpha$ (l은 정수, $0<\alpha<1$)

$\log 5^n=m+\beta$ (m은 정수, $0<\beta<1$)

라 하면 $f(2^n)=l$, $f(5^n)=m$

이때, $\log 2^n+\log 5^n=\log 10^n=n$이므로

$(l+\alpha)+(m+\beta)=n$

여기서 l, m, n은 모두 정수이므로 $\alpha+\beta$도 정수이고

$0<\alpha+\beta<2$이므로 $\alpha+\beta=1$ $\quad\therefore n=l+m+1$

$\therefore f(10^n)=f(2^n)+f(5^n)+1$ (참)

따라서 옳은 것은 ㄴ, ㄷ이다. 답 ④

0289

유형 21 소수 부분이 같은 상용로그 + **24** 가우스 기호와 상용로그

|전략| $\log N-[\log N]$은 $\log N$의 소수 부분임을 이용한다.

조건 (나)에서 $\log x^2-[\log x^2]$은 $\log x^2$의 소수 부분이고

$\log\frac{1}{x}-\left[\log\frac{1}{x}\right]$은 $\log\frac{1}{x}$의 소수 부분이므로 $\log x^2$의 소수 부분과 $\log\frac{1}{x}$의 소수 부분이 같다.

즉, $\log x^2-\log\frac{1}{x}=2\log x+\log x=3\log x$에서 $3\log x$가 정수이다.

조건 (가)에서 $3\le\log x<4$이므로 $9\le 3\log x<12$

이때, $3\log x$가 정수이므로

$3\log x=9$ 또는 $3\log x=10$ 또는 $3\log x=11$

$\log x=3$ 또는 $\log x=\frac{10}{3}$ 또는 $\log x=\frac{11}{3}$

$\therefore x=10^3$ 또는 $x=10^{\frac{10}{3}}$ 또는 $x=10^{\frac{11}{3}}$

따라서 조건을 모두 만족시키는 x의 값은 10^3, $10^{\frac{10}{3}}$, $10^{\frac{11}{3}}$의 3개이다.

답 ③

0290

유형 25 상용로그의 실생활에의 활용 - 관계식이 주어진 경우

|전략| 주어진 관계식에 알맞은 문자를 대입한 후 로그의 성질을 이용한다.

두 원본 사진 A, B를 압축했을 때 최대 신호 대 잡음비는 각각 P_A, P_B이고 평균제곱오차는 각각 $E_A(E_A>0)$, $E_B(E_B>0)$이므로

$P_A=20\log 255-10\log E_A$ ⋯⋯ ㉠

$P_B=20\log 255-10\log E_B$ ⋯⋯ ㉡

㉠－㉡을 하면

$P_A-P_B=(20\log 255-10\log E_A)-(20\log 255-10\log E_B)$

$=10\log E_B-10\log E_A=10\log\frac{E_B}{E_A}$

이때, $E_B=100E_A$이므로

$P_A-P_B=10\log\frac{100E_A}{E_A}=10\log 100=20$ 답 ③

0291

유형 08 $a^x=b$가 주어진 경우 로그의 값을 문자로 나타내기

|전략| $a^x=k$이면 $\log_a k=x$임을 이용한다.

$4^x=a$, $4^y=b$, $4^z=c$에서 $x=\log_4 a$, $y=\log_4 b$, $z=\log_4 c$ ⋯ ❶

$\therefore \log_{abc}\sqrt{c}=\frac{1}{2}\log_{abc}c=\frac{1}{2}\cdot\frac{\log_4 c}{\log_4 abc}$

$=\frac{1}{2}\cdot\frac{\log_4 c}{\log_4 a+\log_4 b+\log_4 c}$

$=\frac{z}{2(x+y+z)}$ ⋯ ❷

답 $\frac{z}{2(x+y+z)}$

채점 기준	배점
❶ 지수를 로그로 나타낼 수 있다.	3점
❷ $\log_{abc}\sqrt{c}$를 x, y, z로 나타낼 수 있다.	3점

0292

유형 02 로그의 밑과 진수의 조건 + **13** 로그의 정수 부분과 소수 부분

|전략| 로그의 밑과 진수 조건을 생각한다.

밑의 조건에서 $x-1>0$, $x-1\ne 1$

$\therefore 1<x<2$ 또는 $x>2$ ⋯⋯ ㉠

진수 조건에서 $-x^2+2x+8>0$

$x^2-2x-8<0$, $(x+2)(x-4)<0$

$\therefore -2<x<4$ ⋯⋯ ㉡

㉠, ㉡의 공통 범위를 구하면 $1<x<2$ 또는 $2<x<4$이므로 자연수 x의 값은 3이다. ⋯ ❶

$\log_2 2<\log_2 3<\log_2 4$, 즉 $1<\log_2 3<2$이므로

$a=1$, $b=\log_2 3-1$ ⋯ ❷

$\therefore 2^{2a-b}=2^{2\times1-(\log_2 3-1)}=2^{3-\log_2 3}=2^{\log_2\frac{8}{3}}=\frac{8}{3}$ ⋯ ❸

답 $\frac{8}{3}$

채점 기준	배점
❶ 밑의 조건과 진수의 조건을 만족시키는 자연수 x의 값을 구할 수 있다.	3점
❷ a, b의 값을 구할 수 있다.	2점
❸ 2^{2a-b}의 값을 구할 수 있다.	2점

0293

유형 17 몇 자리의 정수인지 구하기

|전략| A가 n자리의 정수이면 $\log A$의 정수 부분이 $n-1$이므로 $n-1\le\log A<n$임을 이용한다.

a^{100}이 95자리의 수이면 $\log a^{100}$의 정수 부분은 94이므로

$94\le\log a^{100}<95$, $94\le 100\log a<95$

$\therefore 0.94\le\log a<0.95$ ⋯⋯ ㉠

b^{100}이 135자리의 수이면 $\log b^{100}$의 정수 부분은 134이므로

$134\le\log b^{100}<135$, $134\le 100\log b<135$

$\therefore 1.34\le\log b<1.35$ ⋯⋯ ㉡ ⋯ ❶

$\log(ab)^{20}=20\log ab=20(\log a+\log b)$이고, ㉠, ㉡에서

$0.94+1.34\le\log a+\log b<0.95+1.35$

$2.28\le\log ab<2.3$, $20\times2.28\le 20\log ab<20\times2.3$

$45.6\le\log(ab)^{20}<46$ ⋯ ❷

따라서 $\log(ab)^{20}$의 정수 부분이 45이므로 $(ab)^{20}$은 46자리의 정수

이다. ⋯ ❸

답 46자리

채점 기준	배점
❶ $\log a$, $\log b$의 값의 범위를 구할 수 있다.	4점
❷ $\log(ab)^{20}$의 값의 범위를 구할 수 있다.	2점
❸ $(ab)^{20}$이 몇 자리의 정수인지 구할 수 있다.	1점

0294

유형 **17** 몇 자리의 정수인지 구하기 + **20** 최고 자리의 숫자 구하기

|전략| 18^{20}에 상용로그를 취하여 정수 부분과 소수 부분을 구한다.

(1) $\log 18^{20}=20\log(2\cdot 3^2)=20(\log 2+2\log 3)$

$=20(0.3010+2\times 0.4771)=25.104$

(2) $\log 18^{20}$의 정수 부분이 25이므로 18^{20}은 26자리의 정수이다.

$\therefore a=26$

(3) $\log 2=0.3010$이므로

$0<0.104<\log 2$, $25<25.104<25+\log 2$

$\log 10^{25}<\log 18^{20}<\log(2\cdot 10^{25})$

$\therefore 10^{25}<18^{20}<2\cdot 10^{25}$

즉, 18^{20}의 최고 자리의 숫자는 1이다.

$\therefore b=1$

(4) $a+b=26+1=27$

답 (1) 25.104 (2) 26 (3) 1 (4) 27

채점 기준	배점
(1) $\log 18^{20}$의 값을 구할 수 있다.	3점
(2) a의 값을 구할 수 있다.	3점
(3) b의 값을 구할 수 있다.	5점
(4) $a+b$의 값을 구할 수 있다.	1점

0295

유형 **16** 상용로그의 정수 부분과 소수 부분을 근으로 갖는 이차방정식 + **24** 가우스 기호와 상용로그

|전략| $n=[\log A]$, $\alpha=\log A-[\log A]$이면 n, α는 각각 $\log A$의 정수 부분과 소수 부분임을 알고 이차방정식의 근과 계수의 관계를 이용한다.

$n=[\log A]$, $\alpha=\log A-[\log A]$이므로 n은 $\log A$의 정수 부분, α는 $\log A$의 소수 부분이다.

이차방정식 $5x^2-12x+k=0$의 두 근이 n, α이므로 이차방정식의 근과 계수의 관계에 의하여

$n+\alpha=\frac{12}{5}$, $n\alpha=\frac{k}{5}$

(1) n은 정수, $0\le\alpha<1$이므로

$n+\alpha=\frac{12}{5}=2+\frac{2}{5}$에서 $n=2$, $\alpha=\frac{2}{5}$

(2) $n\alpha=\frac{k}{5}$에서 $2\cdot\frac{2}{5}=\frac{k}{5}$ $\therefore k=4$

답 (1) $n=2$, $\alpha=\frac{2}{5}$ (2) 4

채점 기준	배점
(1) 이차방정식 $5x^2-12x+k=0$의 두 근 n, α의 값을 구할 수 있다.	8점
(2) k의 값을 구할 수 있다.	2점

창의·융합 교과서 속 심화문제

0296

|전략| 주어진 식의 양변에 2를 반복하여 곱한다.

$\log_5 2=\frac{a_1}{2}+\frac{a_2}{2^2}+\frac{a_3}{2^3}+\frac{a_4}{2^4}+\cdots$ ⋯⋯ ㉠

㉠의 양변에 2를 곱하면

$2\log_5 2=a_1+\frac{a_2}{2}+\frac{a_3}{2^2}+\frac{a_4}{2^3}+\cdots$

$\therefore \log_5 4=a_1+\frac{a_2}{2}+\frac{a_3}{2^2}+\frac{a_4}{2^3}+\cdots$ ⋯⋯ ㉡

이때, $0<\log_5 4<1$이므로 $a_1=0$

㉡의 양변에 2를 곱하면

$2\log_5 4=a_2+\frac{a_3}{2}+\frac{a_4}{2^2}+\cdots$

$\therefore \log_5 16=a_2+\frac{a_3}{2}+\frac{a_4}{2^2}+\cdots$

이때, $1<\log_5 16<2$이므로 $a_2=1$

즉, $\log_5 16=1+\frac{a_3}{2}+\frac{a_4}{2^2}+\cdots$이므로

$\log_5 16-1=\frac{a_3}{2}+\frac{a_4}{2^2}+\cdots$

$\therefore \log_5\frac{16}{5}=\frac{a_3}{2}+\frac{a_4}{2^2}+\cdots$ ⋯⋯ ㉢

㉢의 양변에 2를 곱하면

$2\log_5\frac{16}{5}=a_3+\frac{a_4}{2}+\cdots$

$\therefore \log_5\frac{256}{25}=a_3+\frac{a_4}{2}+\cdots$

이때, $1<\log_5\frac{256}{25}<2$이므로 $a_3=1$

$\therefore a_1+a_2+a_3=0+1+1=2$

답 2

0297

|전략| 연산 $*$의 정의를 이용하여 좌변과 우변을 비교한다.

ㄱ. $a*a=\log_3(\log_a a)=\log_3 1=0$ (참)

ㄴ. $b*a=\log_3(\log_b a)=\log_3\left(\frac{1}{\log_a b}\right)$

$=\log_3(\log_a b)^{-1}=-\log_3(\log_a b)$

$=-a*b$ (거짓)

ㄷ. $a*b^3-a^3*b=\log_3(\log_a b^3)-\log_3(\log_{a^3} b)$

$=\log_3(3\log_a b)-\log_3\left(\frac{1}{3}\log_a b\right)$

$=\log_3\left(\frac{3\log_a b}{\frac{1}{3}\log_a b}\right)=\log_3 9=2$ (참)

따라서 옳은 것은 ㄱ, ㄷ이다.

답 ③

0298

|전략| 두 점 $P(m,n)$, $Q(\alpha,\beta)$가 각각 곡선과 직선 위에 있음을 이용하여 관계식을 구한다.

점 $P(m,n)$이 곡선 $y=\frac{12}{x}$ 위에 있으므로

$n=\frac{12}{m}$ $\therefore mn=12$

이때, m, n은 음이 아닌 정수이고,
$12=1\times12=2\times6=3\times4$이므로 순서쌍 (m, n)은
$(1, 12)$, $(2, 6)$, $(3, 4)$, $(4, 3)$, $(6, 2)$, $(12, 1)$
또, 점 $Q(\alpha, \beta)$가 직선 $y=-x+1$ 위에 있으므로
$\beta=-\alpha+1$ $\quad\therefore \alpha+\beta=1$
$\therefore \log AB=\log A+\log B=(m+\alpha)+(n+\beta)=m+n+1$
즉, $AB=10^{m+n+1}$이므로 AB는 $m+n$의 값이 최대일 때 최댓값을 갖는다.
이때, $m+n$의 최댓값은 $1+12=13$이므로 AB의 최댓값은
$10^{13+1}=10^{14}$ $\quad\therefore k=14$ 답 14

0299

|전략| $f(y)$, $f(z)$를 각각 $f(x)$에 대한 식으로 나타낸 후 x와 y, x와 z 사이의 관계식을 구한다.

조건 (가)에서 $f(y)=f(x)+1$, $f(z)=f(x)+2$이고
조건 (나)에서 $g(x)=g(y)=g(z)$이므로

$$\begin{aligned}\log y-\log x&=\{f(y)+g(y)\}-\{f(x)+g(x)\}\\&=\{f(x)+1+g(x)\}-\{f(x)+g(x)\}\\&=1\end{aligned}$$

$\log\frac{y}{x}=1$ $\quad\therefore y=10x$ …… ㉠

또,

$$\begin{aligned}\log z-\log x&=\{f(z)+g(z)\}-\{f(x)+g(x)\}\\&=\{f(x)+2+g(x)\}-\{f(x)+g(x)\}\\&=2\end{aligned}$$

$\log\frac{z}{x}=2$ $\quad\therefore z=100x$ …… ㉡

조건 (다)와 ㉠, ㉡에서
$x+y+z=x+10x+100x=111x=15873$
$\therefore x=143$
따라서 $f(x)=f(143)=2$이므로

$$\begin{aligned}x+f(y)+f(z)&=x+(f(x)+1)+(f(x)+2)\\&=143+(2+1)+(2+2)=150\end{aligned}$$

답 150

0300

|전략| 먼저 직선 l_n의 x절편과 y절편을 구하여 직선 l_n과 x축 및 y축으로 둘러싸인 부분의 넓이를 구한 후 상용로그를 취한다.

직선 l_n의 방정식은 $\frac{x}{3}+\frac{y}{4}=\left(\frac{3}{4}\right)^n$ …… ㉠
직선 l_n의 x절편은 ㉠에 $y=0$을 대입할 때의 x의 값이므로
$\frac{x}{3}=\left(\frac{3}{4}\right)^n$에서 $x=3\cdot\left(\frac{3}{4}\right)^n>0$
직선 l_n의 y절편은 ㉠에 $x=0$을 대입할 때의 y의 값이므로
$\frac{y}{4}=\left(\frac{3}{4}\right)^n$에서 $y=4\cdot\left(\frac{3}{4}\right)^n>0$
따라서 직선 l_n과 x축 및 y축으로 둘러싸인 부분은 직각삼각형이므로 그 넓이는
$\frac{1}{2}\cdot\left\{3\cdot\left(\frac{3}{4}\right)^n\right\}\cdot\left\{4\cdot\left(\frac{3}{4}\right)^n\right\}=6\cdot\left(\frac{3}{4}\right)^{2n}$

이 넓이가 $\frac{1}{10}$ 이하가 되어야 하므로 $6\cdot\left(\frac{3}{4}\right)^{2n}\le\frac{1}{10}$
양변에 상용로그를 취하면 $\log\left\{6\cdot\left(\frac{3}{4}\right)^{2n}\right\}\le\log\frac{1}{10}$
$\log 6+2n\log\frac{3}{4}\le\log\frac{1}{10}$
$\log(2\cdot3)+2n(\log3-\log4)\le\log10^{-1}$
$\log2+\log3+2n(\log3-\log4)\le-1$
$2n(\log3-2\log2)\le-\log2-\log3-1$
$2n(2\log2-\log3)\ge\log2+\log3+1$
이때, $2(2\log2-\log3)>0$이므로

$$\begin{aligned}n&\ge\frac{\log2+\log3+1}{2(2\log2-\log3)}=\frac{0.30+0.48+1}{2(2\times0.30-0.48)}\\&=\frac{1.78}{0.24}=7.4\times\times\times\end{aligned}$$

따라서 자연수 n의 최솟값은 8이다. 답 8

Lecture

직선과 x축 및 y축으로 둘러싸인 부분의 넓이
직선 l의 x절편을 a, y절편을 b라 하면 다음 그림에서 직선 l과 x축 및 y축으로 둘러싸인 부분의 넓이는 $\frac{1}{2}\cdot|a|\cdot|b|$

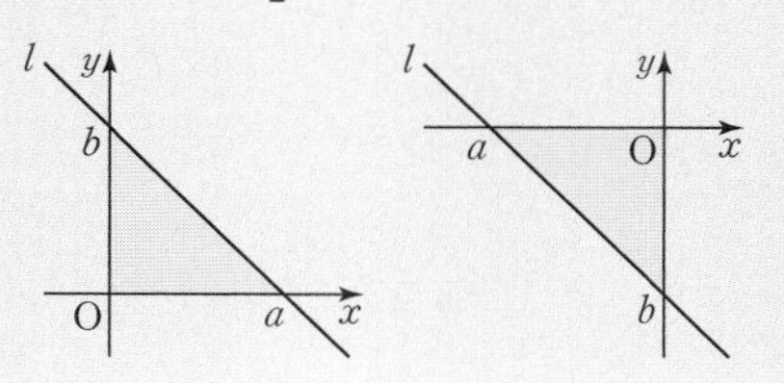

0301

|전략| 올해 신생아의 수 A가 매년 r %씩 증가하면 n년 후 신생아의 수는 $A\left(1+\frac{r}{100}\right)^n$임을 이용한다.

올해 신생아의 수를 a명이라 하면 매년 2 %씩 증가하므로 10년 후 신생아의 수는 $a\left(1+\frac{2}{100}\right)^{10}=1.02^{10}\times a$
올해 신생아의 남녀 성비가 1 : 1이므로 올해 신생아 중 남자 아기의 수는 $\frac{1}{2}a$이다. 남자 아기의 수는 매년 5 %씩 증가하므로 10년 후 남자 아기의 수는 $\frac{1}{2}a\left(1+\frac{5}{100}\right)^{10}=1.05^{10}\times\frac{1}{2}a$
10년 후에 전체 신생아의 수에 대한 남자 아기의 수의 비율은
$\frac{1.05^{10}\times\frac{1}{2}a}{1.02^{10}\times a}=\frac{1}{2}\times\frac{1.05^{10}}{1.02^{10}}$
$\frac{1.05^{10}}{1.02^{10}}=k$로 놓고 양변에 상용로그를 취하면

$$\begin{aligned}\log k&=10\log1.05-10\log1.02\\&=10\times0.021-10\times0.009\\&=0.12\end{aligned}$$

이때, $\log1.32=0.120$이므로 $k=1.32$
$\therefore \frac{1}{2}\times\frac{1.05^{10}}{1.02^{10}}=\frac{1}{2}\times1.32=0.66$
따라서 10년 후에 신생아 100명 중 남자 아기는 66명이다. 답 66명

본책 48~65쪽

3 | 지수함수

STEP 1 개념 마스터 ❶

0302

지수함수는 (밑)>0, (밑)$\neq 1$이어야 하므로 보기 중 지수함수인 것은 ㄱ, ㄹ, ㅁ이다.

답 ㄱ, ㄹ, ㅁ

0303

$f(0)=2^0=1$

답 1

0304

$f(-1)=2^{-1}=\frac{1}{2}$

답 $\frac{1}{2}$

0305

$f\left(\frac{1}{2}\right)=2^{\frac{1}{2}}=\sqrt{2}$

답 $\sqrt{2}$

0306

$f(2)+f(-2)=2^2+2^{-2}=4+\frac{1}{4}=\frac{17}{4}$

답 $\frac{17}{4}$

0307

$f(0)=\left(\frac{1}{3}\right)^0=1$

답 1

0308

$f(4)=\left(\frac{1}{3}\right)^4=\frac{1}{81}$

답 $\frac{1}{81}$

0309

$f(-2)=\left(\frac{1}{3}\right)^{-2}=3^2=9$

답 9

0310

$f(2)+f(-1)=\left(\frac{1}{3}\right)^2+\left(\frac{1}{3}\right)^{-1}=\frac{1}{9}+3=\frac{28}{9}$

답 $\frac{28}{9}$

0311

ㄱ. a의 값에 관계없이 그래프는 항상 점 $(0, 1)$을 지난다. (참)

ㄴ. 그래프의 점근선의 방정식은 $y=0$(x축)이다. (참)

ㄷ. $a>1$일 때, x의 값이 증가하면 a^x의 값도 증가한다.
즉, $x_1<x_2$이면 $f(x_1)<f(x_2)$이다. (거짓)

ㄹ. 정의역은 실수 전체의 집합이고, 치역은 양의 실수 전체의 집합이다. (참)

따라서 옳은 것은 ㄱ, ㄴ, ㄹ이다.

답 ㄱ, ㄴ, ㄹ

0312

$3>1$이므로 함수 $y=3^x$은 x의 값이 증가하면 y의 값도 증가하는 증가함수이다.

이때, $\pi<3.5$이므로 $3^\pi<3^{3.5}$

답 $3^\pi<3^{3.5}$

0313

$0<\frac{1}{2}<1$이므로 함수 $y=\left(\frac{1}{2}\right)^x$은 x의 값이 증가하면 y의 값은 감소하는 감소함수이다.

이때, $0.5<\frac{4}{7}$이므로 $\left(\frac{1}{2}\right)^{0.5}>\left(\frac{1}{2}\right)^{\frac{4}{7}}$

답 $\left(\frac{1}{2}\right)^{0.5}>\left(\frac{1}{2}\right)^{\frac{4}{7}}$

0314

$\sqrt{5}=5^{\frac{1}{2}}$, $\sqrt[3]{5^2}=5^{\frac{2}{3}}$, $\sqrt[4]{5^3}=5^{\frac{3}{4}}$이고, $\frac{1}{2}<\frac{2}{3}<\frac{3}{4}$이다.

이때, 함수 $y=5^x$은 x의 값이 증가하면 y의 값도 증가하므로

$5^{\frac{1}{2}}<5^{\frac{2}{3}}<5^{\frac{3}{4}}$

$\therefore \sqrt{5}<\sqrt[3]{5^2}<\sqrt[4]{5^3}$

답 $\sqrt{5}<\sqrt[3]{5^2}<\sqrt[4]{5^3}$

0315

$\left(\sqrt{\frac{1}{3}}\right)^3=\left(\frac{1}{3}\right)^{\frac{3}{2}}$이고, $-0.5<0.5<\frac{3}{2}$이다.

이때, 함수 $y=\left(\frac{1}{3}\right)^x$은 x의 값이 증가하면 y의 값은 감소하므로

$\left(\frac{1}{3}\right)^{\frac{3}{2}}<\left(\frac{1}{3}\right)^{0.5}<\left(\frac{1}{3}\right)^{-0.5}$

$\therefore \left(\sqrt{\frac{1}{3}}\right)^3<\left(\frac{1}{3}\right)^{0.5}<\left(\frac{1}{3}\right)^{-0.5}$

답 $\left(\sqrt{\frac{1}{3}}\right)^3<\left(\frac{1}{3}\right)^{0.5}<\left(\frac{1}{3}\right)^{-0.5}$

0316

$y-2=3^{-(x-1)}$에서 $y=3^{-x+1}+2$

답 $y=3^{-x+1}+2$

0317

$-y=3^{-x}$에서 $y=-3^{-x}$

답 $y=-3^{-x}$

0318

$y=3^{-(-x)}$에서 $y=3^x$

답 $y=3^x$

0319

$-y=3^{-(-x)}$에서 $y=-3^x$

답 $y=-3^x$

0320

$y=-a^x$의 그래프는 $y=a^x$의 그래프를 x축에 대하여 대칭이동한 것이므로 오른쪽 그림과 같다.

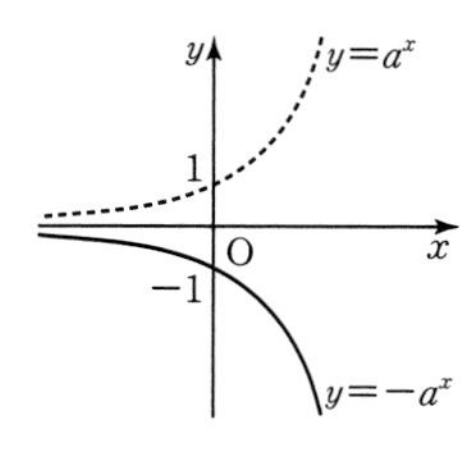

답 풀이 참조

0321

$y=\left(\frac{1}{a}\right)^x=a^{-x}$의 그래프는 $y=a^x$의 그래프를 y축에 대하여 대칭이동한 것이므로 오른쪽 그림과 같다.

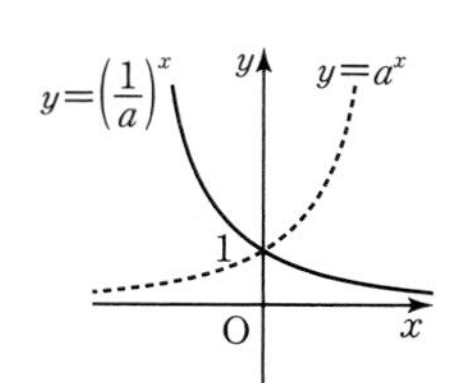

답 풀이 참조

0322

$y=-\left(\frac{1}{a}\right)^x=-a^{-x}$의 그래프는 $y=a^x$의 그래프를 원점에 대하여 대칭이동한 것이므로 오른쪽 그림과 같다.

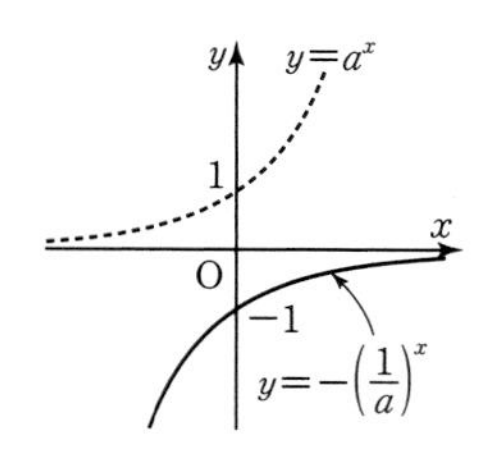

답 풀이 참조

0323

$y=2^{x+1}$의 그래프는 $y=2^x$의 그래프를 x축의 방향으로 -1만큼 평행이동한 것이므로 오른쪽 그림과 같다.
따라서 치역은 $\{y|y>0\}$, 점근선의 방정식은 $y=0$(x축)이다.

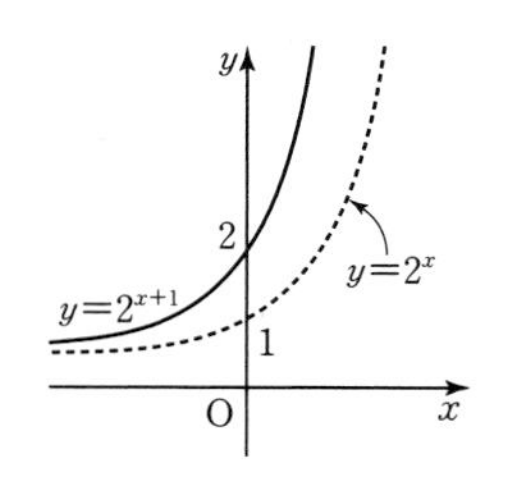

답 풀이 참조

0324

$y=2^x-1$의 그래프는 $y=2^x$의 그래프를 y축의 방향으로 -1만큼 평행이동한 것이므로 오른쪽 그림과 같다.
따라서 치역은 $\{y|y>-1\}$, 점근선의 방정식은 $y=-1$이다.

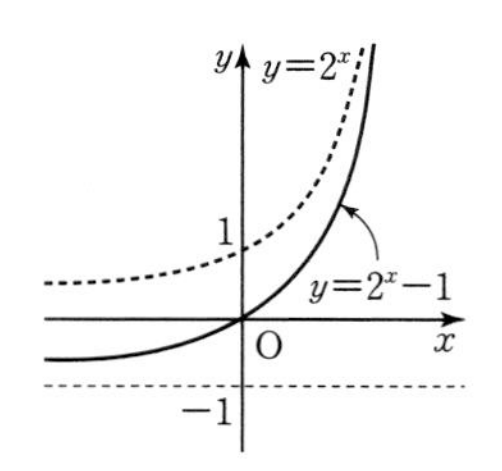

답 풀이 참조

0325

$y=-2^x+1$의 그래프는 $y=2^x$의 그래프를 x축에 대하여 대칭이동한 후 y축의 방향으로 1만큼 평행이동한 것이므로 오른쪽 그림과 같다.
따라서 치역은 $\{y|y<1\}$, 점근선의 방정식은 $y=1$이다.

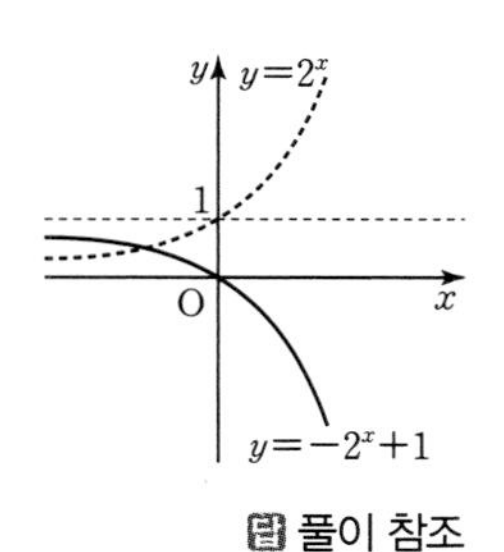

답 풀이 참조

0326

$y=-2^{x-1}+1$의 그래프는 $y=2^x$의 그래프를 x축에 대하여 대칭이동한 후 x축의 방향으로 1만큼, y축의 방향으로 1만큼 평행이동한 것이므로 오른쪽 그림과 같다.
따라서 치역은 $\{y|y<1\}$, 점근선의 방정식은 $y=1$이다.

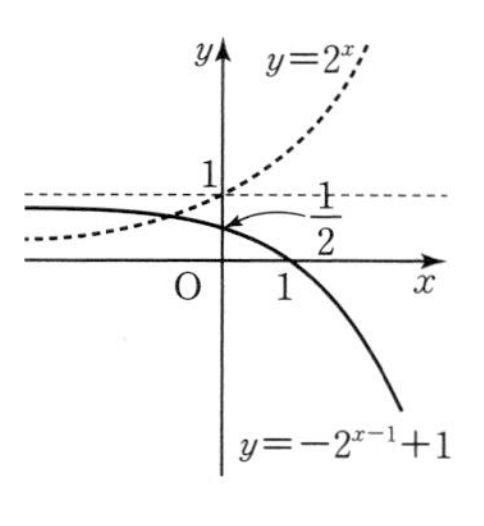

답 풀이 참조

0327

$5>1$이므로 $y=5^x$은 증가함수이다.
즉, $x=-1$일 때 $y=5^{-1}=\frac{1}{5}$이 최소,
$x=2$일 때 $y=5^2=25$가 최대이다.
따라서 최댓값은 25, 최솟값은 $\frac{1}{5}$이다.

답 최댓값: 25, 최솟값: $\frac{1}{5}$

0328

$0<\frac{1}{3}<1$이므로 $y=\left(\frac{1}{3}\right)^x$은 감소함수이다.
즉, $x=-2$일 때 $y=\left(\frac{1}{3}\right)^{-2}=9$가 최대,
$x=0$일 때 $y=\left(\frac{1}{3}\right)^0=1$이 최소이다.
따라서 최댓값은 9, 최솟값은 1이다.

답 최댓값: 9, 최솟값: 1

0329

$4>1$이므로 $y=4^{x+1}-1$은 증가함수이다.
즉, $x=-1$일 때 $y=4^{-1+1}-1=0$이 최소,
$x=0$일 때 $y=4^{0+1}-1=3$이 최대이다.
따라서 최댓값은 3, 최솟값은 0이다.

답 최댓값: 3, 최솟값: 0

0330

$y=2^{1-x}+1=\left(\frac{1}{2}\right)^{x-1}+1$이고
$0<\frac{1}{2}<1$이므로 $y=\left(\frac{1}{2}\right)^{x-1}+1$은 감소함수이다.
즉, $x=-1$일 때 $y=\left(\frac{1}{2}\right)^{-1-1}+1=5$가 최대,
$x=2$일 때 $y=\left(\frac{1}{2}\right)^{2-1}+1=\frac{3}{2}$이 최소이다.
따라서 최댓값은 5, 최솟값은 $\frac{3}{2}$이다.

답 최댓값: 5, 최솟값: $\frac{3}{2}$

STEP 2 유형 마스터 ❶

0331

|전략| $f(x)$에 $x=1$, $x=2$를 각각 대입한 후 연립하여 식을 변형한다.

$f(x)=a^{bx+c}$에서

$f(1)=a^{b+c}=2$ …… ㉠

$f(2)=a^{2b+c}=4$ …… ㉡

㉡÷㉠을 하면 $a^b=2$

㉠에서 $a^{b+c}=a^b\cdot a^c=2\cdot a^c=2$ $\therefore a^c=1$

$\therefore f(3)=a^{3b+c}=(a^b)^3\cdot a^c=2^3\cdot 1=8$

답 ②

Lecture

지수법칙

a, b가 실수이고 m, n이 양의 정수일 때

① $a^m\times a^n=a^{m+n}$ ② $(a^m)^n=a^{mn}$

③ $(ab)^n=a^nb^n$ ④ $\left(\frac{a}{b}\right)^n=\frac{a^n}{b^n}$ (단, $b\neq 0$)

⑤ $a^m\div a^n=\frac{a^m}{a^n}=\begin{cases} a^{m-n} & (m>n) \\ 1 & (m=n) \\ \frac{1}{a^{n-m}} & (m<n)\end{cases}$ (단, $a\neq 0$)

0332

$f(2a)f(b)=4$에서

$2^{-2a}\cdot 2^{-b}=4$, $2^{-2a-b}=2^2$ $\therefore 2a+b=-2$ …… ㉠

또, $f(a-b)=2$에서

$2^{-(a-b)}=2$, $2^{-a+b}=2^1$ $\therefore -a+b=1$ …… ㉡

㉠, ㉡을 연립하여 풀면 $a=-1$, $b=0$

$\therefore a+b=-1$

답 -1

다른 풀이 $f(2a)f(b)=4$에서 $2^{-2a}\cdot 2^{-b}=4$ …… ㉢

$f(a-b)=2$에서 $2^{-(a-b)}=2^{-a}\cdot 2^b=2$ …… ㉣

㉢×㉣을 하면 $2^{-3a}=8$, $2^{3a}=\frac{1}{8}=\left(\frac{1}{2}\right)^3$ $\therefore 2^a=\frac{1}{2}$ $\therefore a=-1$

$2^a=\frac{1}{2}$을 ㉣에 대입하면 $2\cdot 2^b=2$ $\therefore 2^b=1$ $\therefore b=0$

$\therefore a+b=-1$

0333

$f(p)=2$에서 $\frac{1}{2}(a^p-a^{-p})=2$, $a^p-a^{-p}=4$이므로

$(a^p+a^{-p})^2=(a^p-a^{-p})^2+4=4^2+4=20$

$\therefore a^p+a^{-p}=2\sqrt{5}$ ($\because a^p+a^{-p}>0$)

$\therefore f(2p)=\frac{1}{2}(a^{2p}-a^{-2p})=\frac{1}{2}(a^p+a^{-p})(a^p-a^{-p})$

$=\frac{1}{2}\cdot 2\sqrt{5}\cdot 4=4\sqrt{5}$

답 ⑤

0334

함수 $f(x)$와 $g(x)$가 서로 역함수 관계이므로

$g(a)=2$에서 $f(2)=a$ $\therefore a=\left(\frac{1}{3}\right)^{2-2}+3=1+3=4$

또, $g(6)=b$에서 $f(b)=6$

$\left(\frac{1}{3}\right)^{b-2}+3=6$, $\left(\frac{1}{3}\right)^{b-2}=3$, $3^{-b+2}=3$

$-b+2=1$ $\therefore b=1$

$\therefore a+b=4+1=5$

답 5

0335

|전략| $f(x)=a^x$에 $x=2$, $y=9$를 대입하여 a의 값을 먼저 구한다.

$f(2)=9$, 즉 $a^2=9$에서 $a=3$ ($\because a>0$) $\therefore f(x)=3^x$

① $f(x)=3^x$에서 $f(0)=1$이므로 y축과의 교점의 좌표는 $(0, 1)$이다. (참)

② $y=3^x$의 그래프의 점근선의 방정식은 $y=0$(x축)이므로 x축과 만나지 않는다. (거짓)

③ $x_1<x_2$일 때, $f(x_1)<f(x_2)$이면 $f(x)$가 증가함수임을 의미한다.
$f(x)=3^x$에서 $3>1$이므로 $y=3^x$은 증가함수이다. (참)

④ $f(x)=3^x$의 그래프는 제 1, 2 사분면을 지난다. (참)

⑤ 치역은 양의 실수 전체의 집합이다. (참)

따라서 옳지 않은 것은 ②이다.

답 ②

0336

임의의 두 실수 a, b에 대하여 $a<b$일 때, $f(a)<f(b)$를 만족시키는 함수는 증가함수이다.

지수함수 $y=a^x(a>0, a\neq 1)$에서 $a>1$이면 증가함수이다.

ㄱ. $\frac{3}{2}>1$이므로 $f(x)=\left(\frac{3}{2}\right)^x$은 증가함수이다.

ㄴ. $0<\frac{1}{\pi}<1$이므로 $f(x)=\left(\frac{1}{\pi}\right)^{x-1}$은 감소함수이다.

ㄷ. $p^2-2p+3=(p-1)^2+2>1$이므로 $f(x)=(p^2-2p+3)^x$은 증가함수이다.

따라서 주어진 조건을 만족시키는 함수는 ㄱ, ㄷ이다.

답 ④

0337

$y=(a^2-a+1)^x$에서 x의 값이 증가할 때 y의 값은 감소하려면

$0<a^2-a+1<1$이어야 한다. … ❶

(i) $0<a^2-a+1$에서

$a^2-a+1=\left(a-\frac{1}{2}\right)^2+\frac{3}{4}>0$

이므로 항상 성립한다.

(ii) $a^2-a+1<1$에서 $a^2-a<0$

$a(a-1)<0$ $\therefore 0<a<1$

(i), (ii)에서 조건을 만족시키는 a의 값의 범위는

$0<a<1$ … ❷

답 $0<a<1$

채점 기준	비율
❶ 주어진 함수에서 x의 값이 증가할 때 y의 값은 감소하도록 하는 조건을 알 수 있다.	30 %
❷ 조건을 만족시키는 a의 값의 범위를 구할 수 있다.	70 %

0338

|전략| 주어진 세 점의 좌표를 함수의 식에 대입하여 a, b, c 사이의 관계식을 찾는다.

세 점 $(-p,\ a)$, $(q,\ b)$, $(p+q,\ c)$가 함수 $y=2^x$의 그래프 위에 있으므로

$2^{-p}=a$, $2^q=b$, $2^{p+q}=c$

이때, $2^{p+q}=2^p\cdot 2^q=\frac{1}{a}\cdot b=c$이므로 $b=ac$ 답 ①

0339

오른쪽 그림과 같이 $y=2^x$의 그래프는 점 $(0, 1)$을 지나므로

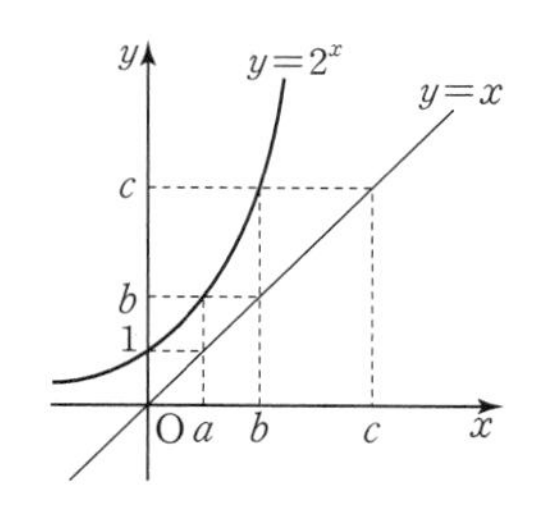

$a=1$

이때, $2^a=2^1=b$이므로

$b=2$

또, $2^b=2^2=c$이므로

$c=4$

$\therefore a+b+c=7$ 답 7

0340

$f(x)=a^x$에 대하여

$f(b)=3$에서 $a^b=3$

$f(c)=6$에서 $a^c=6$

$\therefore f\left(\frac{b+c}{2}\right)=a^{\frac{b+c}{2}}=(a^{b+c})^{\frac{1}{2}}=(a^b\cdot a^c)^{\frac{1}{2}}$

$=(3\cdot 6)^{\frac{1}{2}}=18^{\frac{1}{2}}=3\sqrt{2}$ 답 ③

0341

오른쪽 그림과 같이 함수 $y=a^x$의 그래프와 직선 $y=x$가 점선과 만나는 점을 각각 A, B, C라 하자.

함수 $y=a^x$에서 $x=-1$일 때,

$y=a^{-1}=\frac{1}{a}$이므로 $\mathrm{A}\left(-1,\ \frac{1}{a}\right)$

또, 점 A와 점 B는 y좌표가 같고,

점 B는 직선 $y=x$ 위에 있으므로 $\mathrm{B}\left(\frac{1}{a},\ \frac{1}{a}\right)$

점 B와 점 C는 x좌표가 같으므로 $\mathrm{C}\left(\frac{1}{a},\ k\right)$

이때, 점 C는 함수 $y=a^x$의 그래프 위에 있으므로

$k=a^{\frac{1}{a}}$ 답 ④

0342

점 A의 좌표를 $(a,\ 3^{-a})$이라 하면 점 A와 점 B는 y좌표가 같으므로 점 B의 y좌표는 3^{-a}이다.

점 B는 함수 $y=9^x$의 그래프 위의 점이므로

$9^x=3^{-a}$에서 $3^{2x}=3^{-a}$, $2x=-a$ $\quad\therefore x=-\frac{a}{2}$

$\therefore \mathrm{B}\left(-\frac{a}{2},\ 3^{-a}\right)$

또, 점 B와 점 C는 x좌표가 같으므로 점 C의 x좌표는 $-\frac{a}{2}$이고, 점 C는 함수 $y=3^{-x}$의 그래프 위의 점이므로 $y=3^{\frac{a}{2}}$이다.

$\therefore \mathrm{C}\left(-\frac{a}{2},\ 3^{\frac{a}{2}}\right)$

이때, $\overline{\mathrm{AB}}=3$이므로

$-\frac{a}{2}-a=3$ $\quad\therefore a=-2$

$\therefore \overline{\mathrm{BC}}=3^{-a}-3^{\frac{a}{2}}=3^2-3^{-1}=\frac{26}{3}$ 답 $\frac{26}{3}$

0343

점 A의 좌표를 $(a,\ 2^a)$이라 하면 점 B와 점 A의 y좌표가 같으므로 점 B의 y좌표는 2^a이다.

점 B는 함수 $y=4^x$의 그래프 위의 점이므로

$4^x=2^a$에서 $2^{2x}=2^a$, $2x=a$ $\quad\therefore x=\frac{a}{2}$

$\therefore \mathrm{B}\left(\frac{a}{2},\ 2^a\right)$

또, 점 C와 점 A의 y좌표가 같으므로 점 C의 y좌표는 2^a이고, 점 C는 함수 $y=8^x$의 그래프 위의 점이므로

$8^x=2^a$에서 $2^{3x}=2^a$, $3x=a$ $\quad\therefore x=\frac{a}{3}$

$\therefore \mathrm{C}\left(\frac{a}{3},\ 2^a\right)$

$$\therefore \frac{\overline{\mathrm{BC}}}{\overline{\mathrm{AC}}}=\frac{\frac{a}{2}-\frac{a}{3}}{a-\frac{a}{3}}=\frac{\frac{a}{6}}{\frac{2a}{3}}=\frac{1}{4}$$ 답 ②

0344

|전략| 주어진 수의 밑을 2로 같게 한 후 지수함수의 성질을 이용한다.

$(\sqrt{2})^3=(2^{\frac{1}{2}})^3=2^{\frac{3}{2}}$

$0.5^{\frac{1}{3}}=\left(\frac{1}{2}\right)^{\frac{1}{3}}=(2^{-1})^{\frac{1}{3}}=2^{-\frac{1}{3}}$

$\sqrt[3]{4}=\sqrt[3]{2^2}=2^{\frac{2}{3}}$

이때, $2>1$이고 $-\frac{1}{3}<\frac{2}{3}<\frac{3}{2}$이므로

$2^{-\frac{1}{3}}<2^{\frac{2}{3}}<2^{\frac{3}{2}}$

$\therefore 0.5^{\frac{1}{3}}<\sqrt[3]{4}<(\sqrt{2})^3$

따라서 가장 큰 수는 $(\sqrt{2})^3$이고 가장 작은 수는 $0.5^{\frac{1}{3}}$이다. 답 ①

0345

$0<a<1$일 때, $y=a^x$은 x의 값이 증가하면 y의 값은 감소하는 감소함수이므로 $0<a<1$에서 밑이 a인 지수함수의 꼴로 만들면

$a^0>a^a>a^1$

$\therefore 1>a^a>a$

또, $1>a^a>a$에서 밑이 a인 지수함수의 꼴로 다시 만들면

$a^1<a^{a^a}<a^a$

$\therefore a<a^{a^a}<a^a$ 답 ②

3 지수함수

0346

$A=\sqrt[n+1]{a^n}=a^{\frac{n}{n+1}}$, $B=\sqrt[n+2]{a^{n+1}}=a^{\frac{n+1}{n+2}}$,

$C=\sqrt[n+3]{a^{n+2}}=a^{\frac{n+2}{n+3}}$이고

$$\frac{n}{n+1}-\frac{n+1}{n+2}=\frac{n(n+2)-(n+1)^2}{(n+1)(n+2)}=\frac{-1}{(n+1)(n+2)}<0$$

$\therefore \frac{n}{n+1}<\frac{n+1}{n+2}$ …… ㉠

$$\frac{n+1}{n+2}-\frac{n+2}{n+3}=\frac{(n+1)(n+3)-(n+2)^2}{(n+2)(n+3)}=\frac{-1}{(n+2)(n+3)}<0$$

$\therefore \frac{n+1}{n+2}<\frac{n+2}{n+3}$ …… ㉡

㉠, ㉡에서 $\frac{n}{n+1}<\frac{n+1}{n+2}<\frac{n+2}{n+3}$ …… ㉢

ㄱ. $a=1$이면 $A=B=C=1$ (참)

ㄴ. $0<a<1$이면 ㉢에서 $a^{\frac{n}{n+1}}>a^{\frac{n+1}{n+2}}>a^{\frac{n+2}{n+3}}$

$\therefore A>B>C$ (참)

ㄷ. $a>1$이면 ㉢에서 $a^{\frac{n}{n+1}}<a^{\frac{n+1}{n+2}}<a^{\frac{n+2}{n+3}}$

$\therefore A<B<C$ (참)

따라서 옳은 것은 ㄱ, ㄴ, ㄷ이다. 답 ⑤

0347

|전략| 점 $P(x, y)$를 x축의 방향으로 m만큼, y축의 방향으로 n만큼 평행이동한 점 P'은 $P'(x+m, y+n)$임을 이용한다.

$f:(x, y) \longrightarrow (x+m, y-n)$은 x축의 방향으로 m만큼, y축의 방향으로 $-n$만큼 평행이동한 것을 의미한다.

$y=3^{2x}$의 그래프를 x축의 방향으로 m만큼, y축의 방향으로 $-n$만큼 평행이동한 그래프의 식은

$y+n=3^{2(x-m)}$, $y=3^{2x-2m}-n$

$\therefore y=3^{-2m}\cdot 3^{2x}-n$

이 식이 $y=81\cdot 3^{2x}-4$와 일치하므로

$3^{-2m}=81=3^4$, $n=4$

$\therefore m=-2, n=4$

$\therefore m+n=(-2)+4=2$ 답 ③

0348

ㄱ. $y=-4^x-1$의 그래프는 $y=4^x$의 그래프를 x축에 대하여 대칭이동한 후 y축의 방향으로 -1만큼 평행이동한 것이다.

ㄴ. $y=4^{2-x}=4^{-(x-2)}$이므로 $y=4^{2-x}$의 그래프는 $y=4^x$의 그래프를 y축에 대하여 대칭이동한 후 x축의 방향으로 2만큼 평행이동한 것이다.

ㄷ. $y=2^{2x-1}=2^{2\left(x-\frac{1}{2}\right)}=4^{x-\frac{1}{2}}$이므로 $y=2^{2x-1}$의 그래프는 $y=4^x$의 그래프를 x축의 방향으로 $\frac{1}{2}$만큼 평행이동한 것이다.

따라서 $y=4^x$의 그래프를 평행이동 또는 대칭이동하여 겹쳐질 수 있는 것은 ㄱ, ㄴ, ㄷ이다. 답 ⑤

0349

$y=2^x$의 그래프를 y축에 대하여 대칭이동하면 $y=2^{-x}$이고, 다시 x축의 방향으로 a만큼, y축의 방향으로 b만큼 평행이동하면

$y=2^{-(x-a)}+b$이다.

이때, $y=2^{-(x-a)}+b$의 그래프의 점근선의 방정식은 $y=b$이므로

$b=-2$

또, 그래프가 원점을 지나므로

$0=2^a-2$, $2^a=2$ $\therefore a=1$

$\therefore a-b=1-(-2)=3$ 답 3

0350

$y=\left(\frac{1}{2}\right)^{x-1}+k$의 그래프는 $y=\left(\frac{1}{2}\right)^x$의 그래프를 x축의 방향으로 1만큼, y축의 방향으로 k만큼 평행이동한 것이다.

이 그래프가 제1사분면을 지나지 않으려면 오른쪽 그림과 같이 y절편이 0보다 작거나 같아야 하므로

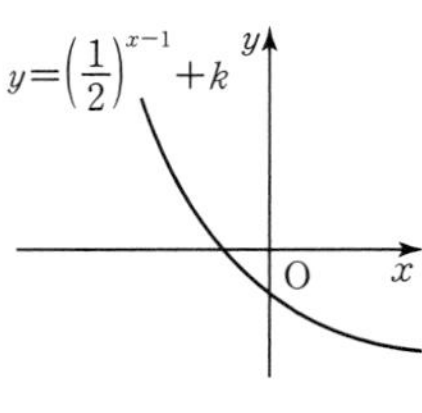

$\left(\frac{1}{2}\right)^{-1}+k\le 0$

$\therefore k\le -2$

따라서 정수 k의 최댓값은 -2이다. 답 -2

0351

오른쪽 그림에서 두 함수 $y=3^x$, $y=3^x+2$의 그래프와 두 직선 $x=0$, $x=1$로 둘러싸인 도형의 넓이는 $A+B$이다.

그런데 $y=3^x+2$의 그래프는 $y=3^x$의 그래프를 y축의 방향으로 2만큼 평행이동한 것이므로 $B=C$ └두 그래프의 모양이 같다.

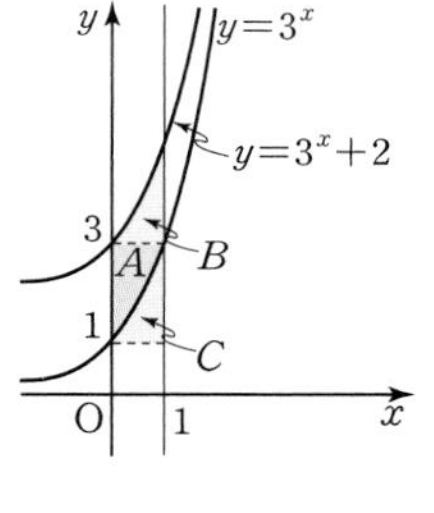

즉, $A+B=A+C$

따라서 구하는 넓이는 $1\cdot 2=2$ 답 2

0352

|전략| 문자가 나타내는 것이 무엇인지 파악하고 문제의 조건을 주어진 관계식에 대입하여 식을 세운다.

처음 물의 온도가 T_0 ℃일 때, x분 후 물의 온도는 $\frac{1}{16}T_0$ ℃이므로

$y=T_0\cdot 4^{-x}$에서

$\frac{1}{16}T_0=T_0\cdot 4^{-x}$, $\frac{1}{16}=4^{-2}=4^{-x}$

$-2=-x$ $\therefore x=2$

따라서 구하는 시간은 2분 후이다. 답 ②

0353

$T=\frac{4}{3}\cdot S^a$에서 $S=2$일 때 $T=2$이므로

$2=\frac{4}{3}\cdot 2^a$ $\therefore 2^a=\frac{3}{2}$

$S=8$일 때

$T=\frac{4}{3}\cdot 8^a=\frac{4}{3}\cdot(2^a)^3=\frac{4}{3}\cdot\left(\frac{3}{2}\right)^3=4.5$

따라서 구하는 시간은 4분 30초이다. 답 ②

0354

$P=k\cdot 2^{\frac{t-2011}{18}}$에서 $t=2020$일 때 $P=4$이므로

$4=k\cdot 2^{\frac{9}{18}}$, $2^2=k\cdot 2^{\frac{1}{2}}$

$\therefore k=2^2\div 2^{\frac{1}{2}}=2^{2-\frac{1}{2}}=2^{\frac{3}{2}}$

$t=2035$일 때 $P=2^{\frac{3}{2}}\cdot 2^{\frac{24}{18}}=2^{\frac{3}{2}}\cdot 2^{\frac{4}{3}}=2^{\frac{3}{2}+\frac{4}{3}}=2^{\frac{17}{6}}$

따라서 $2^{\frac{17}{6}}=4a$이므로 $a=2^{\frac{17}{6}}\div 2^2=2^{\frac{17}{6}-2}=2^{\frac{5}{6}}$ 답 ⑤

0355

$y=p\cdot 5^{kx}$에서 $x=0$일 때 $y=10000=10^4$이므로

$10^4=p\cdot 5^0$ $\quad\therefore p=10^4$

$x=9$일 때 $y=160000=16\cdot 10^4$이므로

$16\cdot 10^4=10^4\cdot 5^{9k}$ $\quad\therefore 5^{9k}=16$

따라서 18시간 후의 박테리아의 수는

$y=10^4\cdot 5^{18k}=10^4\cdot(5^{9k})^2=10^4\cdot 16^2=256\cdot 10^4$

그러므로 구하는 박테리아의 수는 256만이다. 답 ⑤

0356

|전략| 주어진 함수의 식을 정리하여 지수함수의 밑이 1보다 큰지 작은지를 먼저 알아본다.

$y=3^x\cdot 2^{2-x}=4\cdot\left(\frac{3}{2}\right)^x$에서 $\frac{3}{2}>1$이므로 $y=4\cdot\left(\frac{3}{2}\right)^x$은 증가함수이다.

따라서 $x=0$일 때 최솟값 $m=4\cdot\left(\frac{3}{2}\right)^0=4$,

$x=2$일 때 최댓값 $M=4\cdot\left(\frac{3}{2}\right)^2=9$를 갖는다.

$\therefore Mm=9\cdot 4=36$ 답 ④

0357

$0<\frac{1}{2}<1$이므로 $y=\left(\frac{1}{2}\right)^{x-1}+b$는 감소함수이다. ··· ❶

따라서 $x=-2$일 때 최댓값 20을 가지므로

$\left(\frac{1}{2}\right)^{-3}+b=20$, $8+b=20$ $\quad\therefore b=12$

또, $x=a$일 때 최솟값 14를 가지므로

$\left(\frac{1}{2}\right)^{a-1}+12=14$, $\left(\frac{1}{2}\right)^{a-1}=2$, $2^{-a+1}=2$

$-a+1=1$ $\quad\therefore a=0$ ··· ❷

$\therefore a+b=0+12=12$ ··· ❸

답 12

채점 기준	비율
❶ 주어진 함수가 감소함수임을 알 수 있다.	20 %
❷ a, b의 값을 구할 수 있다.	60 %
❸ $a+b$의 값을 구할 수 있다.	20 %

0358

(i) $a>1$일 때

최댓값이 $\alpha=f(4)$, 최솟값이 $\beta=f(0)$이므로 $\alpha=16\beta$에서

$f(4)=16f(0)$, 즉 $a^5=16a$

$a^4=16=2^4$ $\quad\therefore a=2$

(ii) $0<a<1$일 때

최댓값이 $\alpha=f(0)$, 최솟값이 $\beta=f(4)$이므로 $\alpha=16\beta$에서

$f(0)=16f(4)$, 즉 $a=16a^5$

$a^4=\frac{1}{16}=\left(\frac{1}{2}\right)^4$ $\quad\therefore a=\frac{1}{2}$

(i), (ii)에서 모든 실수 a의 값의 합은

$2+\frac{1}{2}=\frac{5}{2}$ 답 ⑤

0359

|전략| 먼저 $f(x)=-x^2+4x-5$로 놓고 이 함수를 완전제곱꼴로 나타낸다.

$y=\left(\frac{1}{2}\right)^{-x^2+4x-5}$에서 $f(x)=-x^2+4x-5$로 놓으면

$f(x)=-(x-2)^2-1$

$1\le x\le 4$에서 $f(1)=-2$, $f(2)=-1$, $f(4)=-5$이므로

$-5\le f(x)\le -1$

이때, $0<\frac{1}{2}<1$이므로 $f(x)$의 값이 최대일 때 y의 값은 최소이고,

$f(x)$의 값이 최소일 때 y의 값은 최대이다.

즉, $f(x)=-1$일 때 최솟값 $y=\left(\frac{1}{2}\right)^{-1}=2$,

$f(x)=-5$일 때 최댓값 $y=\left(\frac{1}{2}\right)^{-5}=32$를 갖는다.

따라서 최댓값과 최솟값의 차는 $32-2=30$ 답 ②

0360

$y=a^{-x^2+2x+1}$에서 $f(x)=-x^2+2x+1$로 놓으면

$f(x)=-(x-1)^2+2$ ··· ❶

이때, $a>1$이므로 $y=a^{f(x)}$은 증가함수이다.

따라서 $f(x)$의 값이 최대일 때 $y=a^{f(x)}$의 값은 최대이다. ··· ❷

$f(x)$의 최댓값은 2이므로 $a^2=9$

$\therefore a=3$ ($\because a>1$) ··· ❸

답 3

채점 기준	비율
❶ 지수의 이차식을 완전제곱꼴로 나타낼 수 있다.	30 %
❷ 주어진 함수가 증가함수임을 알고, $y=a^{f(x)}$의 값이 최대이기 위한 $f(x)$의 값의 조건을 알 수 있다.	40 %
❸ a의 값을 구할 수 있다.	30 %

0361

$y=3^{-x^2+2x+k}$에서 $f(x)=-x^2+2x+k$로 놓으면

$f(x)=-(x-1)^2+k+1$

$\frac{1}{2}\le x\le 3$에서 $f\left(\frac{1}{2}\right)=k+\frac{3}{4}$, $f(1)=k+1$, $f(3)=k-3$이므로

$k-3\le f(x)\le k+1$

이때, $3>1$이므로 $f(x)$의 값이 최대일 때 y의 값은 최대이고, $f(x)$의 값이 최소일 때 y의 값은 최소이다.
즉, $f(x)=k-3$일 때 최솟값 $y=3^{k-3}=1$,
$f(x)=k+1$일 때 최댓값 $y=3^{k+1}=m$을 갖는다.
$\therefore k=3,\ m=3^{3+1}=81$
$\therefore k+m=3+81=84$ 답 84

0362

$y=2^{-|x-1|+1}$에서 $f(x)=-|x-1|+1$로 놓으면 그 그래프는 $y=-|x|$의 그래프를 x축의 방향으로 1만큼, y축의 방향으로 1만큼 평행이동한 것이다.

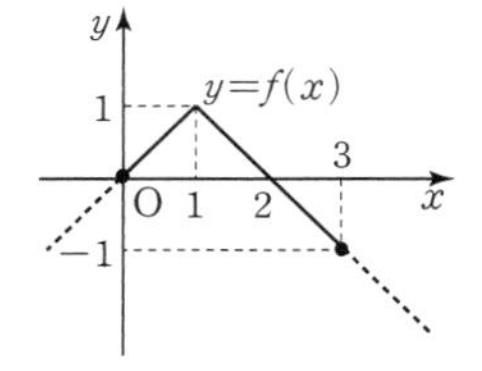

따라서 오른쪽 그림에서 $f(x)$는 $x=1$일 때 최댓값 1을 갖고, $x=3$일 때 최솟값 -1을 갖는다.
이때, $2>1$이므로 $f(x)=1$일 때 최댓값 $y=2$,
$f(x)=-1$일 때 최솟값 $y=\frac{1}{2}$을 갖는다.
따라서 주어진 함수의 치역은 $\left\{y \middle| \frac{1}{2}\le y\le 2\right\}$ 답 ②

0363

|전략| $2^x=t(t>0)$로 치환하여 생각한다.
$y=2^{x+1}-4^x+3=2\cdot2^x-(2^x)^2+3$에서 $2^x=t(t>0)$로 놓으면
$y=-t^2+2t+3=-(t-1)^2+4$
이때, $2>1$이므로 $-1\le x\le 2$에서 $2^{-1}\le 2^x\le 2^2$ $\therefore \frac{1}{2}\le t\le 4$
따라서 y는 $t=1$일 때 최댓값 $M=4$를 갖고,
$t=4$일 때 최솟값 $m=-5$를 갖는다.
$\therefore M-m=4-(-5)=9$ 답 ⑤

0364

$y=4^x-2^{x+a}+b=(2^x)^2-2^a\cdot2^x+b$에서 $2^x=t(t>0)$로 놓으면
$y=t^2-2^a\cdot t+b$ ······ ㉠
y는 $x=1$, 즉 $t=2^1=2$일 때 최솟값 3을 가지므로
$y=(t-2)^2+3=t^2-4t+7$ (단, $t>0$) ······ ㉡
이때, ㉠=㉡이므로 $y=t^2-2^a\cdot t+b=t^2-4t+7$
$2^a=4,\ b=7$ $\therefore a=2,\ b=7$ $\therefore a+b=9$ 답 ⑤

0365

$y=2^{x+2}-2^{2x+1}=4\cdot2^x-2\cdot(2^x)^2$에서 $2^x=t(t>0)$로 놓으면
$y=4t-2t^2=-2(t-1)^2+2$
이때, $x\le a$에서 $0<2^x\le 2^a$ $\therefore 0<t\le 2^a$
이때, $a>1$이므로 $2^a>2$
따라서 y는 $t=1$일 때 최댓값 2를 가지므로 $b=2$
y는 $t=2^a$일 때 최솟값 -16을 가지므로
$-2(2^a-1)^2+2=-16$에서 $(2^a-1)^2=9,\ 2^a-1=3$ ($\because a>1$)
$2^a=4=2^2$ $\therefore a=2$
$\therefore a^2+b^2=2^2+2^2=8$ 답 ①

0366

|전략| 모든 실수 x에 대하여 $3^x>0,\ 3^{-x+4}>0$이므로 산술평균과 기하평균의 관계를 이용한다.
$3^x>0,\ 3^{-x+4}>0$이므로 산술평균과 기하평균의 관계에 의하여
$f(x)=3^x+3^{-x+4}\ge 2\sqrt{3^x\cdot3^{-x+4}}=2\sqrt{3^4}=2\cdot3^2=18$
(단, 등호는 $x=2$일 때 성립)
따라서 함수 $f(x)$는 $x=2$일 때 최솟값 18을 가지므로
$3^x=3^{-x+4}$에서 $x=-x+4,\ 2x=4$ $\therefore x=2$
$a=2,\ b=18$
$\therefore a+b=20$ 답 20

0367

$y=2^{x+a}+\left(\frac{1}{2}\right)^{x-a}=2^{x+a}+2^{-x+a}$
$2^{x+a}>0,\ 2^{-x+a}>0$이므로 산술평균과 기하평균의 관계에 의하여
$y=2^{x+a}+2^{-x+a}\ge 2\sqrt{2^{x+a}\cdot2^{-x+a}}=2\sqrt{2^{2a}}=2\cdot2^a=2^{a+1}$
(단, 등호는 $x=0$일 때 성립)
따라서 주어진 함수는 $x=0$일 때 최솟값 2^{a+1}을 가지므로
$2^{x+a}=2^{-x+a}$에서 $x+a=-x+a,\ 2x=0$ $\therefore x=0$
$2^{a+1}=128=2^7,\ a+1=7$
$\therefore a=6$ 답 ②

0368

주어진 직선의 x절편과 y절편은 각각 3, 2이므로 직선의 방정식은
$\frac{x}{3}+\frac{y}{2}=1$, 즉 $2x+3y=6$
x절편이 a, y절편이 b이면 직선의 방정식은 $\frac{x}{a}+\frac{y}{b}=1$이다. (단, $a\ne0,\ b\ne0$)
점 $\mathrm{P}(a,\ b)$는 직선 위의 점이므로 $2a+3b=6$
이때, $9^a>0,\ 27^b>0$이므로 산술평균과 기하평균의 관계에 의하여
$9^a+27^b=3^{2a}+3^{3b}\ge 2\sqrt{3^{2a}\cdot3^{3b}}=2\sqrt{3^{2a+3b}}=2\sqrt{3^6}=2\cdot3^3=54$
(단, 등호는 $3^{2a}=3^{3b}$일 때 성립)
따라서 9^a+27^b의 최솟값은 54이다. 답 54

참고 $2a+3b=6$에서 $3b=6-2a$
등호는 $3^{2a}=3^{3b}$, 즉 $3^{2a}=3^{6-2a}$일 때 성립하므로
$2a=6-2a,\ 4a=6$ $\therefore a=\frac{3}{2}$
$a=\frac{3}{2}$을 $3b=6-2a$에 대입하면
$3b=6-2\cdot\frac{3}{2}=3$ $\therefore b=1$
따라서 9^a+27^b은 $a=\frac{3}{2},\ b=1$일 때 최솟값 54를 갖는다.

0369

$2^x+2^{-x}=t$로 놓으면 $2^x>0,\ 2^{-x}>0$이므로 산술평균과 기하평균의 관계에 의하여
$t=2^x+2^{-x}\ge 2\sqrt{2^x\cdot2^{-x}}=2$ (단, 등호는 $x=0$일 때 성립)
이때, $4^x+4^{-x}=(2^x+2^{-x})^2-2=t^2-2$이므로
$y=2(4^x+4^{-x})-4(2^x+2^{-x})$
$=2(t^2-2)-4t=2t^2-4t-4$
$=2(t-1)^2-6$
따라서 $t\ge2$이므로 y는 $t=2$일 때 최솟값 -4를 갖는다. 답 ②

STEP 1 개념 마스터 ❷

0370

$2^{2x-5}=128$에서 $2^{2x-5}=2^7$이므로

$2x-5=7,\ 2x=12\qquad \therefore x=6$

답 $x=6$

0371

$\left(\frac{1}{9}\right)^x=3\sqrt{3}$에서 $(3^{-2})^x=3\cdot 3^{\frac{1}{2}},\ 3^{-2x}=3^{\frac{3}{2}}$이므로

$-2x=\frac{3}{2}\qquad \therefore x=-\frac{3}{4}$

답 $x=-\frac{3}{4}$

0372

$5^{2x}=125^x$에서 $5^{2x}=(5^3)^x,\ 5^{2x}=5^{3x}$이므로

$2x=3x\qquad \therefore x=0$

답 $x=0$

0373

$\left(\frac{2}{3}\right)^{2(x-2)}=\left(\frac{3}{2}\right)^{x+1}$에서 $\left(\frac{2}{3}\right)^{2(x-2)}=\left(\frac{2}{3}\right)^{-x-1}$이므로

$2(x-2)=-x-1,\ 3x=3\qquad \therefore x=1$

답 $x=1$

0374

$9^x-3^x-6=0$에서 $3^{2x}-3^x-6=0,\ (3^x)^2-3^x-6=0$

$3^x=t(t>0)$로 놓으면

t^2-t- (가) 6 $=0,\ (t-3)(t+2)=0$

$\therefore t=$ (나) 3 $(\because t>0)$

즉, $3^x=$ (나) 3 이므로 $x=$ (다) 1

답 (가) 6 (나) 3 (다) 1

0375

$4^x-3\cdot 2^x+2=0$에서 $2^{2x}-3\cdot 2^x+2=0,\ (2^x)^2-3\cdot 2^x+2=0$

$2^x=t(t>0)$로 놓으면 $t^2-3t+2=0,\ (t-1)(t-2)=0$

$\therefore t=1$ 또는 $t=2$

즉, $2^x=1$ 또는 $2^x=2$이므로

$x=0$ 또는 $x=1$

답 $x=0$ 또는 $x=1$

0376

$9^x-3^{x+1}=54$에서 $3^{2x}-3\cdot 3^x-54=0,\ (3^x)^2-3\cdot 3^x-54=0$

$3^x=t(t>0)$로 놓으면 $t^2-3t-54=0,\ (t+6)(t-9)=0$

$\therefore t=9\ (\because t>0)$

즉, $3^x=9$이므로 $x=2$

답 $x=2$

0377

$2^{2x+1}+3\cdot 2^x-2=0$에서 $2\cdot 2^{2x}+3\cdot 2^x-2=0$

$2\cdot(2^x)^2+3\cdot 2^x-2=0$

$2^x=t(t>0)$로 놓으면 $2t^2+3t-2=0,\ (t+2)(2t-1)=0$

$\therefore t=\frac{1}{2}\ (\because t>0)$

즉, $2^x=\frac{1}{2}$이므로 $2^x=2^{-1}\qquad \therefore x=-1$

답 $x=-1$

0378

$3^x-18\cdot 3^{-x}=7$에서 $3^x-\frac{18}{3^x}=7$

양변에 3^x을 곱하면 $3^{2x}-18=7\cdot 3^x$

$3^{2x}-7\cdot 3^x-18=0,\ (3^x)^2-7\cdot 3^x-18=0$

$3^x=t(t>0)$로 놓으면

$t^2-7t-18=0,\ (t+2)(t-9)=0$

$\therefore t=9\ (\because t>0)$

즉, $3^x=9$이므로 $x=2$

답 $x=2$

0379

$2^{2x-3}=3^{2x-3}$에서

$2x-3=0\qquad \therefore x=\frac{3}{2}$

답 $x=\frac{3}{2}$

0380

$(x+2)^{2x-4}=3^{2x-4}$에서

(i) $2x-4\neq 0$일 때, $x+2=3$이므로 $x=1$

(ii) $2x-4=0$, 즉 $x=2$일 때

주어진 방정식은 $4^0=3^0=1$이므로 성립한다.

(i), (ii)에서 $x=1$ 또는 $x=2$

답 $x=1$ 또는 $x=2$

0381

$2^{x-1}<32$에서 $2^{x-1}<2^5$

$2>1$이므로 $x-1<5$

$\therefore x<6$

답 $x<6$

0382

$4^{2x+1}\le 2\sqrt{2}$에서 $(2^2)^{2x+1}\le 2\cdot 2^{\frac{1}{2}}$

$2^{4x+2}\le 2^{\frac{3}{2}}$

$2>1$이므로 $4x+2\le\frac{3}{2}$

$4x\le -\frac{1}{2}\qquad \therefore x\le -\frac{1}{8}$

답 $x\le -\frac{1}{8}$

0383

$5^{2x-1}>\left(\frac{1}{5}\right)^{x-2}$에서 $5^{2x-1}>(5^{-1})^{x-2}$

$5^{2x-1}>5^{-x+2}$

$5>1$이므로 $2x-1>-x+2$

$3x>3\qquad \therefore x>1$

답 $x>1$

0384

$\left(\frac{4}{5}\right)^{x-3}<\left(\frac{5}{4}\right)^{2x+1}$에서 $\left(\frac{4}{5}\right)^{x-3}<\left(\frac{4}{5}\right)^{-2x-1}$

$0<\frac{4}{5}<1$이므로 $x-3>-2x-1$

$3x>2\qquad \therefore x>\frac{2}{3}$

답 $x>\frac{2}{3}$

0385

$9^x-4\cdot 3^{x+1}+27<0$에서 $3^{2x}-12\cdot 3^x+27<0$

$(3^x)^2-12\cdot 3^x+27<0$

$3^x=t(t>0)$로 놓으면

t^2- (가) 12 $t+27<0$, $(t-3)(t-9)<0$

$\therefore$ (나) 3 $<t<$ (다) 9

즉, (나) 3 $<3^x<$ (다) 9 이므로 $3^1<3^x<3^2$

$\therefore$ (라) 1 $<x<$ (마) 2 　　답 (가) 12 (나) 3 (다) 9 (라) 1 (마) 2

0386

$3^{2x}-2\cdot 3^x-3>0$에서 $(3^x)^2-2\cdot 3^x-3>0$

$3^x=t(t>0)$로 놓으면

$t^2-2t-3>0$, $(t+1)(t-3)>0$

그런데 $t+1>0$이므로 $t>3$

따라서 $3^x>3$이고 $3>1$이므로 $x>1$ 　　답 $x>1$

0387

$4^x-3\cdot 2^{x+1}+8\le 0$에서 $2^{2x}-6\cdot 2^x+8\le 0$

$(2^x)^2-6\cdot 2^x+8\le 0$

$2^x=t(t>0)$로 놓으면

$t^2-6t+8\le 0$, $(t-2)(t-4)\le 0$ 　　$\therefore 2\le t\le 4$

따라서 $2^1\le 2^x\le 2^2$이고 $2>1$이므로

$1\le x\le 2$ 　　답 $1\le x\le 2$

0388

$\left(\frac{1}{4}\right)^x-2\cdot\left(\frac{1}{2}\right)^x>8$에서 $\left(\frac{1}{2}\right)^{2x}-2\cdot\left(\frac{1}{2}\right)^x-8>0$

$\left\{\left(\frac{1}{2}\right)^x\right\}^2-2\cdot\left(\frac{1}{2}\right)^x-8>0$

$\left(\frac{1}{2}\right)^x=t(t>0)$로 놓으면

$t^2-2t-8>0$, $(t+2)(t-4)>0$

그런데 $t+2>0$이므로 $t>4$

따라서 $\left(\frac{1}{2}\right)^x>2^2$, 즉 $\left(\frac{1}{2}\right)^x>\left(\frac{1}{2}\right)^{-2}$이고 $0<\frac{1}{2}<1$이므로

$x<-2$ 　　답 $x<-2$

0389

$\frac{1}{9}<3^{2x-1}<27\sqrt{3}$에서 $3^{-2}<3^{2x-1}<3^3\cdot 3^{\frac{1}{2}}$

$3^{-2}<3^{2x-1}<3^{\frac{7}{2}}$

$3>1$이므로 $-2<2x-1<\frac{7}{2}$

(i) $-2<2x-1$에서 $2x>-1$ 　　$\therefore x>-\frac{1}{2}$

(ii) $2x-1<\frac{7}{2}$에서 $2x<\frac{9}{2}$ 　　$\therefore x<\frac{9}{4}$

(i), (ii)에서 $-\frac{1}{2}<x<\frac{9}{4}$ 　　답 $-\frac{1}{2}<x<\frac{9}{4}$

0390

$\left(\frac{1}{2}\right)^{2x-1}<\frac{\sqrt{2}}{8}<2^{2-x}$에서 $(2^{-1})^{2x-1}<2^{\frac{1}{2}}\cdot 2^{-3}<2^{2-x}$

$2^{-2x+1}<2^{-\frac{5}{2}}<2^{2-x}$

$2>1$이므로

$-2x+1<-\frac{5}{2}<2-x$

(i) $-2x+1<-\frac{5}{2}$에서 $-2x<-\frac{7}{2}$ 　　$\therefore x>\frac{7}{4}$

(ii) $-\frac{5}{2}<2-x$에서 $x<\frac{9}{2}$

(i), (ii)에서 $\frac{7}{4}<x<\frac{9}{2}$ 　　답 $\frac{7}{4}<x<\frac{9}{2}$

0391

$\left(\frac{1}{5}\right)^{3x-1}<125<\left(\frac{1}{25}\right)^{2x-1}$에서 $(5^{-1})^{3x-1}<5^3<(5^{-2})^{2x-1}$

$5^{-3x+1}<5^3<5^{-4x+2}$

$5>1$이므로

$-3x+1<3<-4x+2$

(i) $-3x+1<3$에서 $-3x<2$ 　　$\therefore x>-\frac{2}{3}$

(ii) $3<-4x+2$에서 $4x<-1$ 　　$\therefore x<-\frac{1}{4}$

(i), (ii)에서 $-\frac{2}{3}<x<-\frac{1}{4}$ 　　답 $-\frac{2}{3}<x<-\frac{1}{4}$

STEP 2 유형 마스터 ❷

0392

|전략| 주어진 방정식의 밑을 2로 같게 한 후 지수를 비교한다.

$(\sqrt{2})^x=32\cdot 2^{-2x}$에서 $(2^{\frac{1}{2}})^x=2^5\cdot 2^{-2x}$, $2^{\frac{1}{2}x}=2^{5-2x}$이므로

$\frac{1}{2}x=5-2x$, $\frac{5}{2}x=5$ 　　$\therefore x=2$ 　　답 2

0393

$8^x=\left(\frac{1}{2}\right)^{x^2-4}$에서 $(2^3)^x=(2^{-1})^{x^2-4}$, $2^{3x}=2^{-x^2+4}$이므로

$3x=-x^2+4$, $x^2+3x-4=0$

$(x+4)(x-1)=0$

$\therefore x=-4$ 또는 $x=1$

따라서 $\alpha=1$, $\beta=-4(\alpha>\beta)$이므로

$\alpha-\beta=5$ 　　답 ⑤

0394

$(2^x-8)(3^{2x}-9)=0$에서

$2^x=8$ 또는 $3^{2x}=9$

$2^x=8=2^3$에서 $x=3$

$3^{2x}=9=3^2$에서 $2x=2$ 　　$\therefore x=1$

따라서 주어진 방정식의 두 근 α, β는 3, 1이므로

$\alpha^2+\beta^2=3^2+1^2=10$ 　　답 10

0395

$\frac{9^{x^2+1}}{3^{x-1}}=\frac{(3^2)^{x^2+1}}{3^{x-1}}=\frac{3^{2x^2+2}}{3^{x-1}}=3^{2x^2+2-(x-1)}=3^{2x^2-x+3}$이므로

$3^{2x^2-x+3}=81=3^4$

즉, $2x^2-x+3=4$이므로

$2x^2-x-1=0$, $(x-1)(2x+1)=0$

$\therefore x=1$ 또는 $x=-\frac{1}{2}$

따라서 주어진 방정식의 두 근 α, β는 1, $-\frac{1}{2}$이므로

$\alpha+\beta=1+\left(-\frac{1}{2}\right)=\frac{1}{2}$ 답 ④

0396

전략| $2^x=t(t>0)$로 치환하여 t에 대한 이차방정식을 푼다.

$2^x+2^{5-x}=33$의 양변에 2^x을 곱하면

$(2^x)^2+2^5=33\cdot2^x$

$(2^x)^2-33\cdot2^x+32=0$

$2^x=t(t>0)$로 놓으면

$t^2-33t+32=0$, $(t-1)(t-32)=0$

$\therefore t=1$ 또는 $t=32$

즉, $2^x=1=2^0$ 또는 $2^x=32=2^5$이므로

$x=0$ 또는 $x=5$

따라서 주어진 방정식의 모든 근의 합은 $0+5=5$ 답 ②

0397

두 함수 $f(x)=4^x$, $g(x)=9\cdot2^{x-1}-2$의 그래프의 교점의 x좌표는 방정식 $4^x=9\cdot2^{x-1}-2$의 실근과 같다.

$4^x-9\cdot2^{x-1}+2=0$에서 $(2^x)^2-\frac{9}{2}\cdot2^x+2=0$

$2^x=t(t>0)$로 놓으면

$t^2-\frac{9}{2}t+2=0$, $2t^2-9t+4=0$

$(2t-1)(t-4)=0$ $\therefore t=\frac{1}{2}$ 또는 $t=4$

즉, $2^x=\frac{1}{2}=2^{-1}$ 또는 $2^x=4=2^2$이므로

$x=-1$ 또는 $x=2$

따라서 두 그래프의 교점의 x좌표는 -1, 2이다. 답 -1, 2

Lecture

함수의 그래프와 방정식의 실근

두 함수 $y=f(x)$, $y=g(x)$의 그래프의 교점의 x좌표는 방정식 $f(x)=g(x)$의 실근과 같다.

0398

$f(x)=2^x$, $g(x)=2x+3$에서

$(f\circ g)(x)=f(g(x))=f(2x+3)=2^{2x+3}$

$(g\circ f)(x)=g(f(x))=g(2^x)=2\cdot2^x+3$

이때, $(f\circ g)(x)=(g\circ f)(x)$이므로 $2^{2x+3}=2\cdot2^x+3$

즉, $2^3\cdot(2^x)^2-2\cdot2^x-3=0$에서 $2^x=t(t>0)$로 놓으면

$8t^2-2t-3=0$, $(2t+1)(4t-3)=0$

$\therefore t=\frac{3}{4}$ ($\because t>0$)

즉, $2^x=\frac{3}{4}$에서 $x=\alpha$이므로 $2^\alpha=\frac{3}{4}$ 답 $\frac{3}{4}$

0399

$5^x+5^{-x}=t$로 놓으면 $5^x>0$, $5^{-x}>0$이므로 산술평균과 기하평균의 관계에 의하여

$t=5^x+5^{-x}\geq2\sqrt{5^x\cdot5^{-x}}=2$ (단, 등호는 $x=0$일 때 성립)

이때, $25^x+25^{-x}=(5^x+5^{-x})^2-2=t^2-2$이므로

$(t^2-2)+t-4=0$, $t^2+t-6=0$

$(t-2)(t+3)=0$ $\therefore t=2$ ($\because t\geq2$)

따라서 $5^x+5^{-x}=2$이므로 $(5^x)^2-2\cdot5^x+1=0$

$(5^x-1)^2=0$, 즉 $5^x=1$이므로 $x=0$ 답 $x=0$

0400

전략| 치환을 이용하여 연립방정식을 푼다.

$\begin{cases}2^x+2^y=10\\2^{x+y-3}=2\end{cases}$에서 $\begin{cases}2^x+2^y=10\\\frac{1}{8}\cdot2^x\cdot2^y=2\end{cases}$

$2^x=X$, $2^y=Y(X>0, Y>0)$로 놓으면

$\begin{cases}X+Y=10\\\frac{1}{8}XY=2\end{cases}$, 즉 $\begin{cases}X+Y=10 & \cdots\cdots ㉠\\XY=16 & \cdots\cdots ㉡\end{cases}$

㉠에서 $Y=10-X$이므로 이것을 ㉡에 대입하면

$X(10-X)=16$, $X^2-10X+16=0$

$(X-2)(X-8)=0$

$\therefore X=2, Y=8$ 또는 $X=8, Y=2$

즉, $2^x=2$, $2^y=8$ 또는 $2^x=8$, $2^y=2$이므로

$x=1, y=3$ 또는 $x=3, y=1$

$\therefore \alpha^2+\beta^2=1^2+3^2=10$ 답 10

0401

$\begin{cases}3\cdot2^x-2\cdot3^y=6\\2^{x-2}-3^{y-1}=-1\end{cases}$에서 $\begin{cases}3\cdot2^x-2\cdot3^y=6\\\frac{1}{4}\cdot2^x-\frac{1}{3}\cdot3^y=-1\end{cases}$

$2^x=X$, $3^y=Y(X>0, Y>0)$로 놓으면

$\begin{cases}3X-2Y=6 & \cdots\cdots ㉠\\\frac{1}{4}X-\frac{1}{3}Y=-1 & \cdots\cdots ㉡\end{cases}$ ··· ❶

$12\times$㉡을 하면 $3X-4Y=-12$ ······ ㉢

㉠−㉢을 하면 $2Y=18$ $\therefore Y=9$

$Y=9$를 ㉠에 대입하면 $3X-18=6$ $\therefore X=8$ ··· ❷

즉, $2^x=8$, $3^y=9$이므로 $x=3$, $y=2$

따라서 $\alpha=3$, $\beta=2$이므로

$\alpha^2+\beta^2=3^2+2^2=13$ ··· ❸

답 13

채점 기준	비율
❶ $2^x=X$, $3^y=Y$로 놓고 주어진 방정식을 X, Y에 대한 연립방정식으로 정리할 수 있다.	40 %
❷ X, Y의 값을 구할 수 있다.	30 %
❸ $\alpha^2+\beta^2$의 값을 구할 수 있다.	30 %

0402

|전략| 주어진 방정식의 밑이 같으므로 밑이 1이거나 지수가 서로 같은 경우로 나누어 생각한다.

방정식 $(x-1)^{2x+3}=(x-1)^{x^2}$이 성립하려면 밑이 1이거나 지수가 같아야 한다.

(i) $x-1=1$, 즉 $x=2$일 때
　주어진 방정식은 $1^7=1^4=1$이므로 성립한다.

(ii) $2x+3=x^2$일 때
　$x^2-2x-3=0$, $(x+1)(x-3)=0$
　$\therefore x=3$ ($\because x>1$)

(i), (ii)에서 $x=2$ 또는 $x=3$

따라서 주어진 방정식의 모든 근의 합은 $2+3=5$ 답 5

0403

집합 A의 $(x-1)^{2x}=(x-1)^{x+3}$에서

(i) $x-1=1$, 즉 $x=2$일 때
　주어진 방정식은 $1^4=1^5=1$이므로 성립한다.

(ii) $2x=x+3$일 때, $x=3$

(i), (ii)에서 $x=2$ 또는 $x=3$이므로

$A=\{2,\ 3\}$ …… ㉠

집합 B의 $(x+1)^{2x-1}=3^{2x-1}$에서

(i) $2x-1\neq0$일 때, $x+1=3$이므로 $x=2$

(ii) $2x-1=0$, 즉 $x=\frac{1}{2}$일 때
　주어진 방정식은 $\left(\frac{3}{2}\right)^0=3^0=1$이므로 성립한다.

(i), (ii)에서 $x=2$ 또는 $x=\frac{1}{2}$이므로

$B=\left\{\frac{1}{2},\ 2\right\}$ …… ㉡

㉠, ㉡에서 $A-B=\{3\}$ 답 ②

0404

|전략| $3^x=t\,(t>0)$로 놓고 t에 대한 이차방정식의 두 근은 3^α, 3^β임을 이용한다.

$3^{2x}-4\cdot3^x+1=0$에서 $(3^x)^2-4\cdot3^x+1=0$

$3^x=t\,(t>0)$로 놓으면 $t^2-4t+1=0$

이 방정식의 두 근은 3^α, 3^β이므로 근과 계수의 관계에 의하여

$3^\alpha+3^\beta=4$, $3^\alpha\cdot3^\beta=1$

$\therefore 9^\alpha+9^\beta=(3^\alpha)^2+(3^\beta)^2=(3^\alpha+3^\beta)^2-2\cdot3^\alpha\cdot3^\beta$
$=4^2-2\cdot1=14$ 답 ②

0405

$2^{2x}-2^{x+1}+k=0$에서 $(2^x)^2-2\cdot2^x+k=0$ …… ㉠

$2^x=t\,(t>0)$로 놓으면 $t^2-2t+k=0$ …… ㉡

방정식 ㉠의 두 근을 α, β라 하면 방정식 ㉡의 두 근은 2^α, 2^β이므로 근과 계수의 관계에 의하여

$2^\alpha\cdot2^\beta=k$

이때, 주어진 조건에 의하여 $\alpha+\beta=-1$이므로

$k=2^\alpha\cdot2^\beta=2^{\alpha+\beta}=2^{-1}=\frac{1}{2}$ 답 ②

0406

$9^x-3^{x+1}-k=0$에서 $(3^x)^2-3\cdot3^x-k=0$

$3^x=t\,(t>0)$로 놓으면 $t^2-3t-k=0$ …… ㉠

주어진 방정식이 서로 다른 두 실근을 가지려면 이차방정식 ㉠이 서로 다른 두 양의 근을 가져야 한다.

(i) 이차방정식 ㉠의 판별식을 D라 하면
　$D=(-3)^2-4\cdot1\cdot(-k)>0$
　$9+4k>0$　　$\therefore k>-\frac{9}{4}$

(ii) (두 근의 합)$=3>0$

(iii) (두 근의 곱)$=-k>0$　　$\therefore k<0$

(i), (ii), (iii)에서 실수 k의 값의 범위는

$-\frac{9}{4}<k<0$ 답 ③

Lecture

이차방정식의 실근의 부호

이차방정식 $ax^2+bx+c=0$의 판별식을 D라 하면

① 두 근이 모두 양수일 조건은
　$D\geq0$, (두 근의 합)$=-\frac{b}{a}>0$, (두 근의 곱)$=\frac{c}{a}>0$

② 두 근이 모두 음수일 조건은
　$D\geq0$, (두 근의 합)$=-\frac{b}{a}<0$, (두 근의 곱)$=\frac{c}{a}>0$

③ 두 근이 서로 다른 부호일 조건은
　(두 근의 곱)$=\frac{c}{a}<0$

0407

$4^x+4^{-x}+a(2^x-2^{-x})+7=0$에서 $2^x-2^{-x}=t$로 놓으면

$4^x+4^{-x}=(2^x-2^{-x})^2+2=t^2+2$이므로

$(t^2+2)+at+7=0$

$\therefore t^2+at+9=0$ …… ㉠

이때, $t=2^x-2^{-x}$이 모든 실수의 값을 가질 수 있으므로 주어진 방정식이 실근을 갖기 위해서는 이차방정식 ㉠이 실근을 가져야 한다.

이차방정식 ㉠의 판별식을 D라 하면

$D=a^2-36\geq0$, $(a+6)(a-6)\geq0$

$\therefore a\leq-6$ 또는 $a\geq6$

따라서 양수 a의 최솟값은 6이다. 답 6

Lecture

실수 t에 대하여 $2^x-2^{-x}=t$라 하자.
양변에 2^x을 곱하여 식을 정리하면 $2^{2x}-t\cdot 2^x-1=0$
이때, 2^x에 대한 이차방정식의 두 근의 곱이 -1로 음수이므로 이차방정식은 부호가 다른 두 실근을 갖는다.
즉, 양수인 근이 있으므로 실수 t의 값에 관계없이 이 방정식을 만족시키는 실근은 항상 존재한다.
따라서 $2^x-2^{-x}=t$에 어떤 실수 t를 대입해도 이 식을 만족시키는 실수 x의 값은 존재하므로 t에 대한 이차방정식 $t^2+at+9=0$이 실근을 가질 조건만 따져 주면 된다.

0408

|전략| 부등식의 각 항의 밑을 같게 한 후 지수를 비교한다.

$3^{x^2-2x}\ge\left(\frac{1}{3}\right)^x$에서 $3^{x^2-2x}\ge 3^{-x}$

$3>1$이므로 $x^2-2x\ge -x$, $x^2-x\ge 0$, $x(x-1)\ge 0$

$\therefore x\le 0$ 또는 $x\ge 1$

따라서 양수 x의 최솟값은 1이다. 답 ①

0409

$a^{2x+1}>\sqrt[3]{a}\cdot a^{3x}$에서 $a^{2x+1}>a^{\frac{1}{3}}\cdot a^{3x}$, $a^{2x+1}>a^{3x+\frac{1}{3}}$

$0<a<1$이므로 $2x+1<3x+\frac{1}{3}$

$\therefore x>\frac{2}{3}$ 답 ⑤

0410

$\left(\frac{1}{5}\right)^{x+2}<\left(\frac{1}{5}\right)^{x^2}<5^{2-3x}$에서 $\left(\frac{1}{5}\right)^{x+2}<\left(\frac{1}{5}\right)^{x^2}<\left(\frac{1}{5}\right)^{3x-2}$

$0<\frac{1}{5}<1$이므로

$x+2>x^2>3x-2$

(i) $x+2>x^2$에서 $x^2-x-2<0$
　$(x+1)(x-2)<0$　　$\therefore -1<x<2$

(ii) $x^2>3x-2$에서 $x^2-3x+2>0$
　$(x-1)(x-2)>0$　　$\therefore x<1$ 또는 $x>2$

(i), (ii)에서 $-1<x<1$ 답 ①

0411

$\left(\frac{1}{16}\right)^{x^2}>2^{ax}$에서 $2^{-4x^2}>2^{ax}$

$2>1$이므로 $-4x^2>ax$, $4x^2+ax<0$, $x(4x+a)<0$

$\therefore -\frac{a}{4}<x<0$ ($\because a$는 자연수)

주어진 부등식을 만족시키는 정수 x의 개수가 2이므로

$-3\le -\frac{a}{4}<-2$　　$\therefore 8<a\le 12$

따라서 자연수 a는 9, 10, 11, 12이므로 구하는 합은

$9+10+11+12=42$ 답 ④

0412

|전략| 3^x이 반복되므로 $3^x=t\,(t>0)$로 치환하여 t에 대한 부등식을 푼 후 x의 값의 범위를 구한다.

$3^{2x+1}-28\cdot 3^x+9<0$에서 $3\cdot(3^x)^2-28\cdot 3^x+9<0$

$3^x=t\,(t>0)$로 놓으면 $3t^2-28t+9<0$

$(3t-1)(t-9)<0$

$\therefore \frac{1}{3}<t<9$

즉, $3^{-1}<3^x<3^2$이고 $3>1$이므로

$-1<x<2$

따라서 정수 x는 0, 1이므로 구하는 합은

$0+1=1$ 답 1

0413

$\left(\frac{1}{4}\right)^x-9\cdot\left(\frac{1}{2}\right)^{x+1}+2\le 0$에서 $\left(\frac{1}{2}\right)^{2x}-\frac{9}{2}\cdot\left(\frac{1}{2}\right)^x+2\le 0$

$\left\{\left(\frac{1}{2}\right)^x\right\}^2-\frac{9}{2}\cdot\left(\frac{1}{2}\right)^x+2\le 0$ … ❶

$\left(\frac{1}{2}\right)^x=t\,(t>0)$로 놓으면 $t^2-\frac{9}{2}t+2\le 0$

$2t^2-9t+4\le 0$, $(2t-1)(t-4)\le 0$

$\therefore \frac{1}{2}\le t\le 4$ … ❷

즉, $\left(\frac{1}{2}\right)^1\le\left(\frac{1}{2}\right)^x\le\left(\frac{1}{2}\right)^{-2}$이고 $0<\frac{1}{2}<1$이므로

$-2\le x\le 1$ … ❸

따라서 $M=1$, $m=-2$이므로 $M+m=-1$ … ❹

답 -1

채점 기준	비율
❶ 부등식의 각 항의 밑을 같게 할 수 있다.	20 %
❷ $\left(\frac{1}{2}\right)^x=t$로 치환한 후 t의 값의 범위를 구할 수 있다.	30 %
❸ x의 값의 범위를 구할 수 있다.	30 %
❹ $M+m$의 값을 구할 수 있다.	20 %

0414

|전략| 밑의 범위를 $0<x<1$, $x=1$, $x>1$일 때로 나누어 생각한다.

$x^{x^2}>x^{2x+3}$에서

(i) $0<x<1$일 때, $x^2<2x+3$에서 $x^2-2x-3<0$
　$(x+1)(x-3)<0$　　$\therefore -1<x<3$
　그런데 $0<x<1$이므로 $0<x<1$

(ii) $x=1$일 때, $1>1$이므로 부등식이 성립하지 않는다.

(iii) $x>1$일 때, $x^2>2x+3$에서 $x^2-2x-3>0$
　$(x+1)(x-3)>0$　　$\therefore x<-1$ 또는 $x>3$
　그런데 $x>1$이므로 $x>3$

(i), (ii), (iii)에서 주어진 부등식의 해는

$0<x<1$ 또는 $x>3$

따라서 $\alpha=1$, $\beta=3$이므로 $\alpha+\beta=4$ 답 ②

0415

$x^{2x}<x^{x+2}$에서

(i) $0<x<1$일 때, $2x>x+2$에서 $x>2$

그런데 $0<x<1$이므로 해가 없다.

(ii) $x=1$일 때, $1<1$이므로 부등식이 성립하지 않는다.

(iii) $x>1$일 때, $2x<x+2$에서 $x<2$

그런데 $x>1$이므로 $1<x<2$

(i), (ii), (iii)에서 주어진 부등식의 해는 $1<x<2$ 　답 $1<x<2$

0416

|전략| $2^x=t(t>0)$로 치환하여 t에 대한 이차부등식으로 나타내고 $t>0$인 범위에서 부등식이 항상 성립함을 이용한다.

$4^x-k\cdot 2^{x+1}+9\geq 0$에서 $(2^x)^2-2k\cdot 2^x+9\geq 0$

$2^x=t(t>0)$로 놓으면 $t^2-2kt+9\geq 0$

$\therefore (t-k)^2+9-k^2\geq 0$ 　…… ㉠

주어진 부등식이 모든 실수 x에 대하여 성립하려면 부등식 ㉠이 $t>0$인 모든 실수 t에 대하여 성립해야 한다.

$f(t)=(t-k)^2+9-k^2(t>0)$으로 놓으면

(i) $k>0$일 때

$f(t)$는 $t=k$에서 최솟값 $9-k^2$을 가지므로

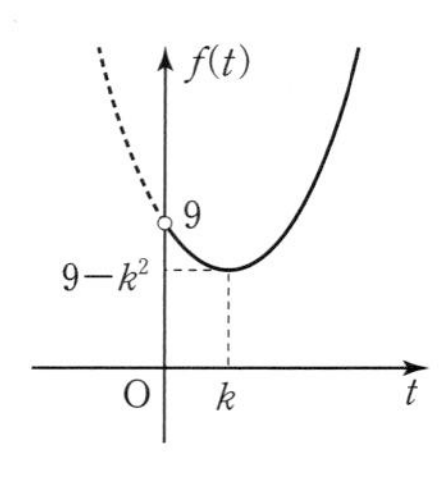

$9-k^2\geq 0$, $k^2-9\leq 0$

$(k+3)(k-3)\leq 0$

$\therefore -3\leq k\leq 3$

그런데 $k>0$이므로 $0<k\leq 3$

(ii) $k\leq 0$일 때

$t=0$이면 $f(0)=9\geq 0$이므로 $t>0$인 모든 실수 t에 대하여 부등식 ㉠이 성립한다.

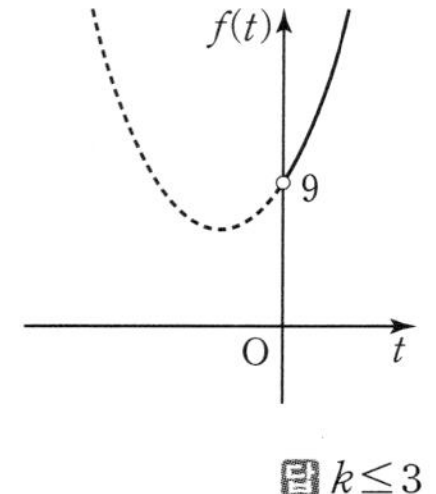

(i), (ii)에서 $k\leq 3$

답 $k\leq 3$

0417

$2^{x+1}-2^{\frac{x+4}{2}}+a\geq 0$에서 $2\cdot 2^x-2^2\cdot 2^{\frac{x}{2}}+a\geq 0$

$2^{\frac{x}{2}}=t(t>0)$로 놓으면 $2t^2-4t+a\geq 0$

$\therefore 2(t-1)^2+a-2\geq 0$ 　…… ㉠

주어진 부등식이 모든 실수 x에 대하여 성립하려면 부등식 ㉠이 $t>0$인 모든 실수 t에 대하여 성립해야 한다.

$f(t)=2(t-1)^2+a-2(t>0)$로 놓으면 오른쪽 그림과 같이 $f(t)$는 $t=1$에서 최솟값 $a-2$를 가지므로

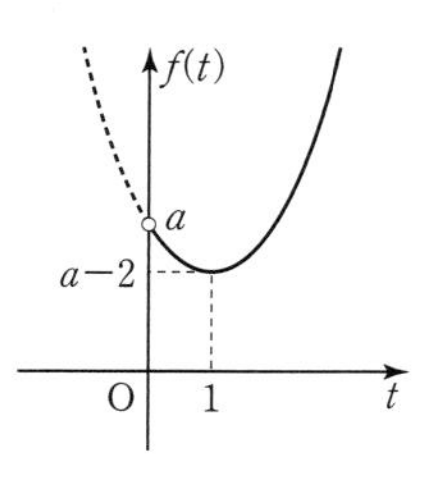

$a-2\geq 0$

$\therefore a\geq 2$

따라서 실수 a의 최솟값은 2이다.

답 ④

0418

$4x^2-2(3^t-4)x+(3^t-4)>-\frac{5}{4}$에서

$4x^2-2(3^t-4)x+3^t-\frac{11}{4}>0$

$3^t=a(a>0)$로 놓으면 $4x^2-2(a-4)x+a-\frac{11}{4}>0$

이때, 모든 실수 x에 대하여 이 부등식이 성립해야 하므로 이차방정식 $4x^2-2(a-4)x+a-\frac{11}{4}=0$의 판별식을 D라 하면

$\frac{D}{4}=(a-4)^2-4\left(a-\frac{11}{4}\right)<0$

$a^2-12a+27<0$, $(a-3)(a-9)<0$ 　$\therefore 3<a<9$

즉, $3^1<3^t<3^2$이므로 $1<t<2$ 　답 ⑤

0419

|전략| 먼저 x분 후의 A와 B의 개수를 식으로 나타낸다.

x분 후에 A와 B의 개수가 같아진다고 하면 x분 후에 A의 개수는 8^x, B의 개수는 $4^{10}\cdot 2^x$이므로

$8^x=4^{10}\cdot 2^x$, $2^{3x}=2^{20+x}$, $3x=20+x$ 　$\therefore x=10$

따라서 구하는 시간은 10분 후이다. 　답 10분 후

0420

x시간이 경과한 후 세균 A의 수는 $2\cdot 2^x$, 세균 B의 수는 $4\cdot 4^x$이므로

$2\cdot 2^x+4\cdot 4^x=72$, $2\cdot 2^x+4\cdot (2^x)^2-72=0$

$2^x=t\ (t>0)$로 놓으면 $2t+4t^2-72=0$, $2t^2+t-36=0$

$(t-4)(2t+9)=0$ 　$\therefore t=4\ (\because t>0)$

즉, $2^x=4$에서 $x=2$

따라서 2시간이 경과한 후이다. 　답 ①

0421

50년 후의 방사능이 초기 방사능의 $\frac{1}{2}$이 되므로

$\frac{1}{2}y_0=y_0a^{-50}$ 　$\therefore a^{-50}=\frac{1}{2}$

한편, 이 물질의 방사능이 초기 방사능의 1 %가 되는 것은 α년 후이므로 $\frac{1}{100}y_0=y_0a^{-\alpha}$ 　$\therefore a^{-\alpha}=\frac{1}{100}$

그런데 $\left(\frac{1}{2}\right)^7<\frac{1}{100}<\left(\frac{1}{2}\right)^6$이므로

$(a^{-50})^7<a^{-\alpha}<(a^{-50})^6$, $a^{-350}<a^{-\alpha}<a^{-300}$

$a>1$이므로 $-350<-\alpha<-300$ 　$\therefore 300<\alpha<350$ 　답 ⑤

STEP 3 내신 마스터

0422

유형 01 지수함수의 함숫값

|전략| $f(x)$에 $x=2$, $x=6$을 각각 대입한 후 연립하여 식을 변형한다.

$f(x)=a^x$에서

$f(2)=a^2=m$ 　……㉠, 　$f(6)=a^6=n$ 　……㉡

㉡÷㉠을 하면 $a^4=\frac{n}{m}$ 　$\therefore f(4)=a^4=\frac{n}{m}$ 　답 ⑤

0423

유형 02 지수함수의 그래프의 성질

|전략| 좌표평면 위의 두 점 (x_1, y_1), (x_2, y_2) 사이의 거리는 $\sqrt{(x_2-x_1)^2+(y_2-y_1)^2}$이다.

$y=a^x$에서 $x=0$이면 a의 값과 관계없이 항상 $y=1$이므로
$y=2a^{-x+4}-5$에서 $x=4$이면 항상 $y=-3$이다.
즉, $y=2a^{-x+4}-5$의 그래프는 항상 점 $(4,\ -3)$을 지난다.
따라서 원점 O에서 점 $A(4,\ -3)$까지의 거리는
$\overline{OA}=\sqrt{4^2+(-3)^2}=\sqrt{25}=5$

답 ④

0424

유형 03 지수함수의 그래프에서의 함숫값

|전략| 그래프를 보고 2^a, 2^b, 2^c의 값을 먼저 구한다.

오른쪽 그림에서 $2^a=b$, $2^b=c$, $2^c=d$
이므로

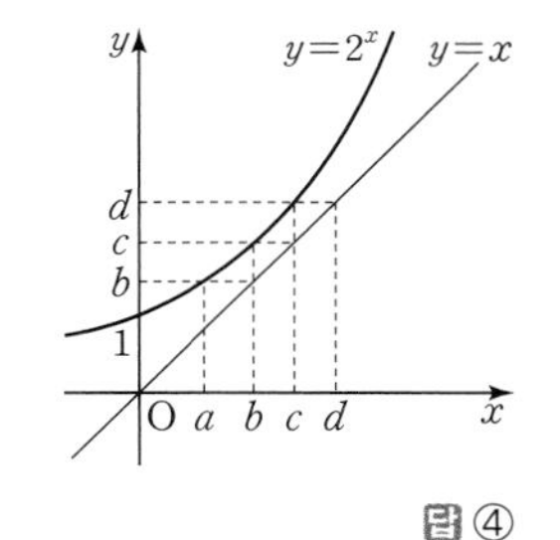

$$2^{2a+b-c}=2^{2a}\cdot 2^b\cdot 2^{-c}$$
$$=b^2\cdot c\cdot\frac{1}{d}$$
$$=\frac{b^2c}{d}$$

답 ④

0425

유형 03 지수함수의 그래프에서의 함숫값+04 지수함수를 이용한 수의 대소 비교

|전략| 그래프에 a_2, a_3, a_4의 값을 각각 나타낸 후 대소를 비교한다.

지수함수 $f(x)=3^{-x}$에 대하여 $a_1=f(2)$, $a_{n+1}=f(a_n)\ (n=1, 2, 3)$
이므로

(i) 점 $(0,\ a_1)$을 직선 $y=x$에 대하여 대칭이동하면 점 $(a_1,\ 0)$이고, $a_2=f(a_1)$

(ii) 점 $(0,\ a_2)$를 직선 $y=x$에 대하여 대칭이동하면 점 $(a_2,\ 0)$이고, $a_3=f(a_2)$

(iii) 점 $(0,\ a_3)$을 직선 $y=x$에 대하여 대칭이동하면 점 $(a_3,\ 0)$이고, $a_4=f(a_3)$

(i), (ii), (iii)을 이용하여 a_2, a_3, a_4를 y축에 나타내면 오른쪽 그림과 같다.

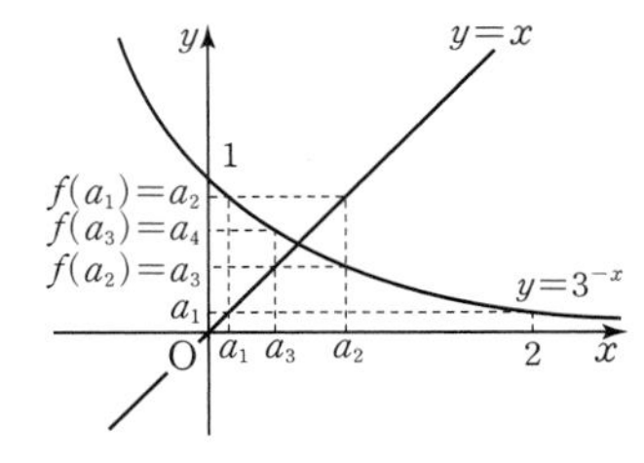

$\therefore a_3<a_4<a_2$

답 ⑤

0426

유형 03 지수함수의 그래프에서의 함숫값+05 지수함수의 그래프의 평행이동과 대칭이동

|전략| 점 A의 좌표를 이용하여 점 B, C, D의 좌표를 k로 나타낸다.

점 $A(k,\ 0)$에 대하여 두 점 A, D의 x좌표가 같으므로 점 D의 x좌표는 k이고, 점 D는 함수 $y=3^x$의 그래프 위의 점이므로
$D(k,\ 3^k)$
또, 함수 $y=3^{x-k}$의 그래프는 $y=3^x$의 그래프를 x축의 방향으로 k만큼 평행이동한 것이므로 두 점 B, C의 x좌표가 $2k$로 같고, 점 C는 함수 $y=3^{x-k}$의 그래프 위의 점이므로
$B(2k,\ 0)$, $C(2k,\ 3^k)$
오른쪽 그림에서 직사각형 ABCD의 넓이가 18이므로

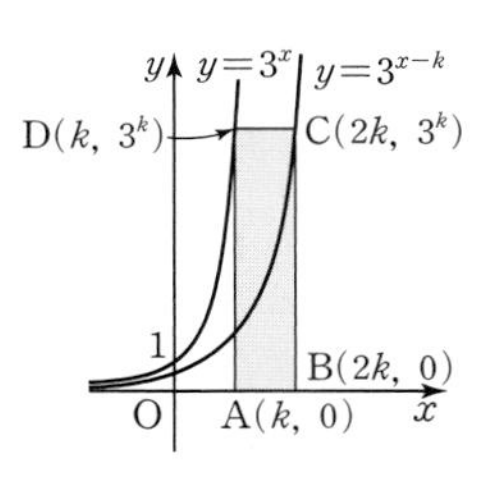

$\overline{AB}\cdot\overline{AD}=18$
$(2k-k)\cdot 3^k=18$
$k\cdot 3^k=2\cdot 3^2$
$\therefore k=2$

답 ②

0427

유형 06 지수함수의 실생활에의 활용

|전략| 문자가 나타내는 것이 무엇인지 파악하고 문제의 조건을 주어진 관계식에 대입하여 식을 세운다.

$P=k\cdot a^x$에서 $x=0$일 때 $P=1000$이므로 $1000=k\cdot a^0$
$\therefore k=1000$
$x=3000$일 때 $P=700$이므로 $700=1000\cdot a^{3000}$
$\therefore a^{3000}=\frac{7}{10}$
$x=6000$일 때
$P=1000\cdot a^{6000}=1000\cdot(a^{3000})^2=1000\cdot\left(\frac{7}{10}\right)^2=490$
따라서 구하는 기압은 490 hPa이다.

답 ⑤

0428

유형 09 함수의 최대·최소 - 치환

|전략| $3^x=t\,(t>0)$로 치환하여 생각한다.

$y=-9^x+2\cdot 3^x+2=-(3^x)^2+2\cdot 3^x+2$에서 $3^x=t\,(t>0)$로 놓으면
$y=-t^2+2t+2=-(t-1)^2+3$
이때, $-1\le x\le 1$에서 $3^{-1}\le 3^x\le 3^1$ $\quad\therefore \frac{1}{3}\le t\le 3$
따라서 y는 $t=1$, 즉 $x=0$일 때 최댓값 3을 갖고, $t=3$, 즉 $x=1$일 때 최솟값 -1을 가지므로 $a=0$, $b=3$, $c=1$, $d=-1$
$\therefore a+b+c+d=3$

답 ⑤

0429

유형 11 지수방정식 - 밑을 같게 할 수 있는 경우

|전략| 주어진 방정식의 밑을 3으로 같게 한 후 지수를 비교한다.

$(3^{x-5}\cdot 9^{x+4})^x=27^{x+5}$에서
$(3^{x-5}\cdot 3^{2x+8})^x=3^{3x+15}$, $(3^{3x+3})^x=3^{3x+15}$, $3^{3x^2+3x}=3^{3x+15}$이므로
$3x^2+3x=3x+15$, $x^2=5$
$\therefore x=\sqrt{5}$ 또는 $x=-\sqrt{5}$
따라서 주어진 방정식을 만족시키는 모든 실수 x의 값의 합은
$\sqrt{5}+(-\sqrt{5})=0$

답 ①

0430

유형 12 지수방정식 - 치환

|전략| $a^x=t(t>0)$로 치환하여 t에 대한 이차방정식을 푼다.

$a^x=t(t>0)$로 놓으면 $t^2-t=2$

$t^2-t-2=0$, $(t+1)(t-2)=0$

$\therefore t=2$ ($\because t>0$)

즉, $a^x=2$

이때, $a^x=2$의 해가 $x=\frac{1}{7}$이므로 $a^{\frac{1}{7}}=2$

$\therefore a=2^7=128$ 답 ③

0431

유형 13 지수방정식 - 연립방정식

|전략| 치환을 이용하여 연립방정식을 푼다.

$\begin{cases} 2^{x-1}+3^{y+1}=11 \\ 2^{x+2}-3^{y-1}=15 \end{cases}$에서 $\begin{cases} \frac{1}{2}\cdot 2^x+3\cdot 3^y=11 \\ 4\cdot 2^x-\frac{1}{3}\cdot 3^y=15 \end{cases}$

$2^x=X$, $3^y=Y(X>0, Y>0)$로 놓으면

$\begin{cases} \frac{1}{2}X+3Y=11 & \cdots\cdots ㉠ \\ 4X-\frac{1}{3}Y=15 & \cdots\cdots ㉡ \end{cases}$

$2\times$㉠을 하면 $X+6Y=22$ ······ ㉢

$3\times$㉡을 하면 $12X-Y=45$ ······ ㉣

㉢$+6\times$㉣을 하면 $73X=292$ $\therefore X=4$

$X=4$를 ㉢에 대입하면 $4+6Y=22$ $\therefore Y=3$

즉, $2^x=4$, $3^y=3$이므로 $x=2$, $y=1$

따라서 $\alpha=2$, $\beta=1$이므로

$\alpha+\beta=3$ 답 ①

0432

유형 14 지수방정식 - 밑에 미지수가 있는 경우

|전략| a, b가 정수일 때, $a^b=1$은

(i) $a=1$ (ii) $a=-1$, b는 짝수 (iii) $a\neq 0$, $b=0$

인 경우로 나누어 생각한다.

$(x^2-x-1)^{x+2}=1$에서 $a=x^2-x-1$, $b=x+2$라 하면

(i) $a=1$인 경우

$x^2-x-1=1$에서 $x^2-x-2=0$, $(x+1)(x-2)=0$

$\therefore x=-1$ 또는 $x=2$

(ii) $a=-1$, b는 짝수인 경우

$x^2-x-1=-1$에서 $x^2-x=0$, $x(x-1)=0$

$\therefore x=0$ 또는 $x=1$

그런데 $x=1$이면 $x+2$는 짝수가 아니므로 $x=0$

(iii) $a\neq 0$, $b=0$인 경우

$x^2-x-1\neq 0$, $x+2=0$에서 $x=-2$

(i), (ii), (iii)에서 조건을 만족시키는 정수 x는 -2, -1, 0, 2이므로 그 합은 -1이다. 답 ②

0433

유형 16 지수부등식 - 밑을 같게 할 수 있는 경우

|전략| 지수부등식에서 밑이 1보다 큰 경우 부등호의 방향은 변하지 않음을 이용한다.

$2^{x^2}>2^{2ax-25}$에서 $2>1$이므로 $x^2>2ax-25$

즉, $x^2-2ax+25>0$

이때, 모든 실수 x에 대하여 이 부등식이 성립해야 하므로 이차방정식 $x^2-2ax+25=0$의 판별식을 D라 하면

$\frac{D}{4}=a^2-25<0$, $(a+5)(a-5)<0$

$\therefore -5<a<5$

따라서 정수 a는 -4, -3, $\cdots$, 4의 9개이다. 답 ⑤

0434

유형 18 지수부등식 - 밑에 미지수가 있는 경우

|전략| 밑의 범위를 $0<x<1$, $x=1$, $x>1$일 때로 나누어 생각한다.

집합 A의 $x^{2x-1}<x^{x+3}$에서

(i) $0<x<1$일 때, $2x-1>x+3$에서 $x>4$

그런데 $0<x<1$이므로 해는 없다.

(ii) $x=1$일 때, $1<1$이므로 부등식이 성립하지 않는다.

(iii) $x>1$일 때, $2x-1<x+3$에서 $x<4$

그런데 $x>1$이므로 $1<x<4$

(i), (ii), (iii)에서 $A=\{x|1<x<4\}$

집합 B의 $x^{x-1}\geq x^{-x+5}$에서

(i) $0<x<1$일 때, $x-1\leq -x+5$에서 $x\leq 3$

그런데 $0<x<1$이므로 $0<x<1$

(ii) $x=1$일 때, $1\geq 1$이므로 부등식이 성립한다. $\therefore x=1$

(iii) $x>1$일 때, $x-1\geq -x+5$에서 $x\geq 3$

그런데 $x>1$이므로 $x\geq 3$

(i), (ii), (iii)에서 $B=\{x|0<x\leq 1$ 또는 $x\geq 3\}$

따라서 $A\cap B^C=A-B=\{x|1<x<3\}$이므로 $\alpha=1$, $\beta=3$

$\therefore \beta-\alpha=3-1=2$ 답 ②

0435

유형 05 지수함수의 그래프의 평행이동과 대칭이동

|전략| 함수 $y=a^x(a>0, a\neq 1)$에서 $x=0$이면 a의 값과 관계없이 항상 $y=1$임을 이용한다.

$y=2^x$의 그래프를 x축의 방향으로 a만큼, y축의 방향으로 3만큼 평행이동한 그래프의 식은

$y-3=2^{x-a}$, $y=2^{x-a}+3$ ······ ㉠

㉠의 그래프를 y축에 대하여 대칭이동한 그래프의 식은

$y=2^{-x-a}+3$ ··· ❶

이때, $y=2^{-x-a}+3$에서 $x=-a$이면 항상 $y=4$이다.

즉, $y=2^{-x-a}+3$의 그래프는 항상 점 $(-a, 4)$를 지나므로

점 $(-a, 4)$가 점 $(1, k)$와 일치한다.

$\therefore a=-1$, $k=4$ ··· ❷

$\therefore a+k=3$ ··· ❸

답 3

채점 기준	배점
❶ 함수 $y=2^x$의 그래프를 주어진 조건에 따라 평행이동과 대칭이동을 한 그래프의 식을 구할 수 있다.	3점
❷ a, k의 값을 구할 수 있다.	2점
❸ $a+k$의 값을 구할 수 있다.	1점

0436

유형 10 지수함수의 최대·최소 – 산술평균과 기하평균의 관계 이용

전략 모든 실수 x에 대하여 $3^x>0$, $3^{-x}>0$이므로 산술평균과 기하평균의 관계를 이용한다.

$3^x+3^{-x}=t$로 놓으면 $3^x>0$, $3^{-x}>0$이므로 산술평균과 기하평균의 관계에 의하여

$t=3^x+3^{-x}\ge 2\sqrt{3^x\cdot 3^{-x}}=2$ (단, 등호는 $x=0$일 때 성립) ··· ❶

이때, $9^x+9^{-x}=(3^x+3^{-x})^2-2=t^2-2$이므로

$y=9^x+9^{-x}-4(3^x+3^{-x})+5$

$=(t^2-2)-4t+5$

$=t^2-4t+3$

$=(t-2)^2-1$ ··· ❷

즉, $t\ge 2$이므로 y는 $t=2$일 때 최솟값 $\beta=-1$을 갖는다.

한편, $t=3^x+3^{-x}=2$에서 $(3^x)^2-2\cdot 3^x+1=0$

$(3^x-1)^2=0$, 즉 $3^x=1$이므로 $x=\alpha=0$

$\therefore\ \alpha^2+\beta^2=0^2+(-1)^2=1$ ··· ❸

답 1

채점 기준	배점
❶ $3^x+3^{-x}=t$로 치환한 후 t의 값의 범위를 구할 수 있다.	3점
❷ 주어진 함수를 t에 대한 식으로 나타낼 수 있다.	2점
❸ $\alpha^2+\beta^2$의 값을 구할 수 있다.	2점

0437

유형 16 지수부등식 – 밑을 같게 할 수 있는 경우

전략 부등식의 각 항의 밑을 같게 한 다음 지수를 비교하여 각각의 부등식을 푼 후 공통 범위를 구한다.

$\left(\frac{1}{3}\right)^{2x}\ge\frac{1}{81}$에서 $\left(\frac{1}{3}\right)^{2x}\ge\left(\frac{1}{3}\right)^4$

$0<\frac{1}{3}<1$이므로

$2x\le 4\qquad \therefore\ x\le 2$ ······ ㉠ ··· ❶

$8^{x^2+2x-4}\le 4^{x^2+x}$에서 $2^{3x^2+6x-12}\le 2^{2x^2+2x}$

$2>1$이므로 $3x^2+6x-12\le 2x^2+2x$

$x^2+4x-12\le 0$, $(x-2)(x+6)\le 0$

$\therefore\ -6\le x\le 2$ ······ ㉡ ··· ❷

따라서 구하는 해는 ㉠, ㉡에서 $-6\le x\le 2$ ··· ❸

답 $-6\le x\le 2$

채점 기준	배점
❶ 부등식 $\left(\frac{1}{3}\right)^{2x}\ge\frac{1}{81}$의 해를 구할 수 있다.	3점
❷ 부등식 $8^{x^2+2x-4}\le 4^{x^2+x}$의 해를 구할 수 있다.	3점
❸ 주어진 연립부등식의 해를 구할 수 있다.	1점

0438

유형 08 함수의 최대·최소 – $y=a^{f(x)}$ 꼴

전략 먼저 이차함수 $f(x)=x^2-6x+3$을 완전제곱꼴로 나타낸다.

(1) $f(x)=x^2-6x+3=(x-3)^2-6$이므로 $1\le x\le 4$에서

$f(1)=-2$, $f(3)=-6$, $f(4)=-5$

$\therefore\ -6\le f(x)\le -2$

$\therefore\ \{y\mid -6\le y\le -2\}$

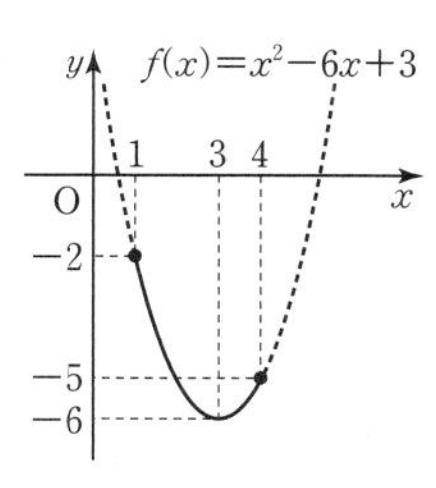

(2) 함수 $(g\circ f)(x)$에서

$f(x)=t\ (-6\le t\le -2)$로 놓으면

$(g\circ f)(x)=g(f(x))=g(t)=a^t$

(i) $0<a<1$일 때

t의 값이 최소일 때 $g(t)$의 값은 최대이고, t의 값이 최대일 때 $g(t)$의 값은 최소이다.

즉, $t=-6$일 때 함수 $g(t)$가 최댓값 27을 가지므로

$a^{-6}=27=3^3\qquad \therefore\ a=(3^3)^{-\frac{1}{6}}=3^{-\frac{1}{2}}$

$t=-2$일 때 함수 $g(t)$가 최솟값 m을 가지므로

$m=a^{-2}=(3^{-\frac{1}{2}})^{-2}=3$

(ii) $a>1$일 때

t의 값이 최소일 때 $g(t)$의 값은 최소이고, t의 값이 최대일 때 $g(t)$의 값은 최대이다.

즉, $t=-2$일 때 함수 $g(t)$가 최댓값 27을 가지므로

$a^{-2}=27=3^3$

$\therefore\ a=(3^3)^{-\frac{1}{2}}=3^{-\frac{3}{2}}$

그런데 $3^{-\frac{3}{2}}<3^0=1$이므로 $a>1$을 만족시키지 않는다.

(i), (ii)에서 구하는 m의 값은 3이다.

답 (1) $\{y\mid -6\le y\le -2\}$ (2) 3

채점 기준	배점
(1) 함수 $f(x)$의 치역을 구할 수 있다.	3점
(2) m의 값을 구할 수 있다.	7점

Lecture

제한된 범위에서 이차함수의 최대·최소

x의 값의 범위가 $\alpha\le x\le\beta$인 이차함수 $f(x)=a(x-m)^2+n$의 최대·최소

① $\alpha\le m\le\beta$일 때 – 그래프의 꼭짓점의 x좌표 m이 x의 값의 범위에 속하는 경우

⇨ $f(m)$, $f(\alpha)$, $f(\beta)$ 중 가장 큰 값이 최댓값, 가장 작은 값이 최솟값

② $m<\alpha$ 또는 $m>\beta$일 때 – 그래프의 꼭짓점의 x좌표 m이 x의 값의 범위에 속하지 않는 경우

⇨ $f(\alpha)$, $f(\beta)$ 중 큰 값이 최댓값, 작은 값이 최솟값

0439

유형 15 지수방정식의 활용

전략 $4^x=t\ (t>0)$로 놓고 t에 대한 이차방정식의 두 근을 4^m, 4^{2m}임을 이용한다.

(1) $4^{2x}+a\cdot 4^{x+1}+44-4a=0$에서

$(4^x)^2+4a\cdot 4^x+44-4a=0$

$4^x=t\,(t>0)$로 놓으면

$t^2+4at+44-4a=0$

이 방정식의 두 근은 4^m, 4^{2m}이므로 이차방정식의 근과 계수의 관계에 의하여

$4^m+4^{2m}=-4a$, $4^m\cdot 4^{2m}=44-4a$

$4^m=p$로 놓으면

$p+p^2=-4a$, $p^3=44-4a$

두 식을 연립하면

$p^3=44+p+p^2$, $p^3-p^2-p-44=0$

조립제법을 이용하여 인수분해하면

4	1	−1	−1	−44
		4	12	44
	1	3	11	0

$(p-4)(p^2+3p+11)=0$

$\therefore p=4$

$\left(\because p^2+3p+11=\left(p+\frac{3}{2}\right)^2+\frac{35}{4}>0\right)$

(2) $p+p^2=-4a$에서 $-4a=4+4^2=20$

$\therefore a=-5$

답 (1) 4 (2) −5

채점 기준	배점
(1) 이차방정식의 근과 계수의 관계를 이용하여 p의 값을 구할 수 있다.	8점
(2) a의 값을 구할 수 있다.	4점

창의·융합 교과서 속 심화문제

0440

|전략| 두 함수 $y=f(x)$, $y=g(x)$의 그래프가 직선 $x=2$에 대하여 대칭임을 이용하여 k의 값을 먼저 구한다.

$y=a^x$의 그래프와 $y=\left(\frac{1}{a}\right)^x$의 그래프는 직선 $x=0$에 대하여 대칭이므로 두 그래프를 x축의 방향으로 k만큼 평행이동한 $y=a^{x-k}$의 그래프와 $y=\left(\frac{1}{a}\right)^{x-k}$의 그래프는 직선 $x=k$에 대하여 대칭이다.

$\therefore k=2$

따라서 $f(x)=a^{x-2}$, $g(x)=\left(\frac{1}{a}\right)^{x-2}$이므로

$f(1)=a^{1-2}=\frac{1}{a}$, $g(1)=\left(\frac{1}{a}\right)^{1-2}=a$

즉, $\mathrm{P}\left(1,\ \frac{1}{a}\right)$, $\mathrm{Q}(1,\ a)$이고 $\overline{\mathrm{PQ}}=\frac{8}{3}$이므로

$a-\frac{1}{a}=\frac{8}{3}$, $3a^2-8a-3=0$

$(a-3)(3a+1)=0$ $\quad\therefore a=3\ (\because a>1)$

$\therefore a-k=3-2=1$

답 1

0441

|전략| 함수 $y=f(x)$의 그래프를 그리고, 주어진 조건을 만족시키는 n의 값의 범위를 구한다.

$f(x)=\left|x-\frac{1}{2}\right|+1\left(-\frac{1}{2}\le x<\frac{3}{2}\right)$

$=\begin{cases}-x+\frac{3}{2} & \left(-\frac{1}{2}\le x<\frac{1}{2}\right)\\ x+\frac{1}{2} & \left(\frac{1}{2}\le x<\frac{3}{2}\right)\end{cases}$

이고, $f(x+2)=f(x)$이므로

$f(x)=\begin{cases}-x+\frac{3}{2} & \left(-\frac{1}{2}+2n\le x<\frac{1}{2}+2n\right)\\ x+\frac{1}{2} & \left(\frac{1}{2}+2n\le x<\frac{3}{2}+2n\right)\end{cases}$ (단, n은 정수)

이때, 함수 $y=2^{\frac{x}{n}}$의 그래프와 함수 $y=f(x)$의 그래프의 교점의 개수가 5가 되려면 다음 그림과 같아야 한다.

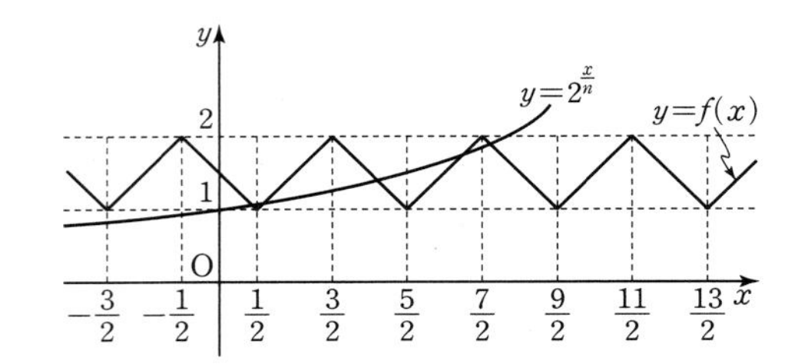

(i) $x=\frac{7}{2}$일 때, 함수 $y=f(x)$의 그래프가 함수 $y=2^{\frac{x}{n}}$의 그래프보다 위쪽에 있어야 하므로

$2^{\frac{7}{2n}}<f\left(\frac{7}{2}\right)=f\left(-\frac{1}{2}\right)=2$

$\therefore \frac{7}{2n}<1 \qquad \therefore n>\frac{7}{2}$

(ii) $x=\frac{11}{2}$일 때, 함수 $y=f(x)$의 그래프가 함수 $y=2^{\frac{x}{n}}$의 그래프보다 아래쪽에 있어야 하므로

$2^{\frac{11}{2n}}>f\left(\frac{11}{2}\right)=f\left(-\frac{1}{2}\right)=2$

$\therefore \frac{11}{2n}>1 \qquad \therefore n<\frac{11}{2}$

(i), (ii)에서 $\frac{7}{2}<n<\frac{11}{2}$

따라서 자연수 n은 4, 5이므로 구하는 합은

$4+5=9$

답 ②

0442

|전략| 먼저 함수 $y=\left(\frac{1}{2}\right)^{x-5}-64$의 그래프를 그린다.

함수 $y=\left(\frac{1}{2}\right)^{x-5}-64$의 그래프는 $y=\left(\frac{1}{2}\right)^x$의 그래프를 x축의 방향으로 5만큼, y축의 방향으로 −64만큼 평행이동한 것이다.

따라서 함수 $y=|f(x)|$의 그래프는 오른쪽 그림과 같고, 이 그래프와 직선 $y=k$가 제1사분면에서 만나려면

$32<k<64$이어야 한다.

따라서 구하는 자연수 k의 개수는

$64-32-1=31$

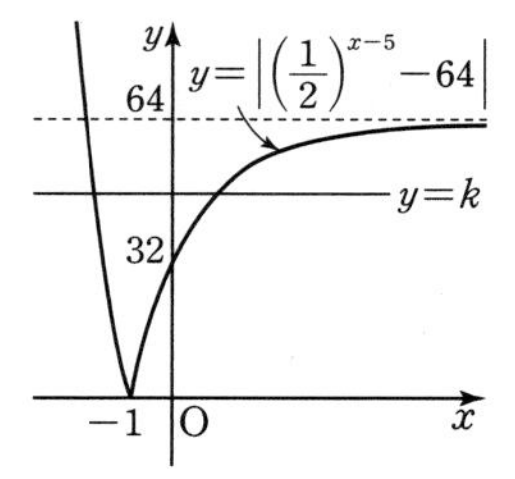

답 31

0443

|전략| 부등식 $9^x+p\cdot 3^x+q<0$과 그 해 $-1<x<0$을 $3^x=t(t>0)$로 치환하여 나타내어 본다.

$9^x+p\cdot 3^x+q<0$에서 $3^x=t(t>0)$로 놓으면

$t^2+pt+q<0$ ······ ㉠

$-1<x<0$에서 $3^{-1}<3^x<3^0$, 즉 $\frac{1}{3}<t<1$이므로

$\left(t-\frac{1}{3}\right)(t-1)<0$

$\therefore t^2-\frac{4}{3}t+\frac{1}{3}<0$ ······ ㉡

㉠, ㉡에서 $p=-\frac{4}{3}$, $q=\frac{1}{3}$

따라서 $\left(\frac{1}{9}\right)^x-2p\left(\frac{1}{3}\right)^x-3q<0$에서

$\left(\frac{1}{3}\right)^{2x}+\frac{8}{3}\cdot\left(\frac{1}{3}\right)^x-1<0$

이므로 $\left(\frac{1}{3}\right)^x=s(s>0)$로 놓으면

$s^2+\frac{8}{3}s-1<0$, $3s^2+8s-3<0$

$(s+3)(3s-1)<0$

$\therefore 0<s<\frac{1}{3}$ ($\because s>0$)

즉, $\left(\frac{1}{3}\right)^x<\frac{1}{3}$에서 $x>1$ 답 $x>1$

0444

|전략| 함수 $y=f(x)$의 그래프 위의 점 (m, n)이 주어지면 $f(m)=n$임을 이용한다.

$f(x)=a^{bx}+k(0<a<1, b>0)$의 그래프가 원점을 지나므로

$f(0)=a^0+k=0$

$\therefore k=-1$

즉, $f(x)=a^{bx}-1$이므로 $\triangle$ABO와 $\triangle$CDO의 넓이를 각각 구하면

$\triangle\text{ABO}=\frac{1}{2}(a^{-b}-1)$

$\triangle\text{CDO}=\frac{1}{2}(1-a^b)$

주어진 조건에서 $\triangle\text{ABO}>3\triangle\text{CDO}$이므로

$\frac{1}{2}(a^{-b}-1)>\frac{3}{2}(1-a^b)$

$a^{-b}-1>3-3a^b$

양변에 a^b을 곱하면

$1-a^b>3a^b-3a^{2b}$, $3a^{2b}-4a^b+1>0$

$a^b=t(0<t<1)$로 놓으면

$3t^2-4t+1>0$, $(3t-1)(t-1)>0$

$\therefore t<\frac{1}{3}$ 또는 $t>1$

이때, $0<t<1$이므로 $0<t<\frac{1}{3}$

$\therefore 0<a^b<\frac{1}{3}$ 답 $0<a^b<\frac{1}{3}$

본책 68~87쪽

4 | 로그함수

STEP 1 개념 마스터 ❶

0445

함수 $y=3^x$의 정의역은 실수 전체의 집합이고, 치역은 $\{y|y>0\}$이다.

양변에 밑이 3인 로그를 취하면

$x=\log_3 y$

x와 y를 서로 바꾸면 구하는 역함수는

$y=\log_3 x$ $(x>0)$ 답 $y=\log_3 x$ $(x>0)$

0446

함수 $y=2^{x-1}$의 정의역은 실수 전체의 집합이고, 치역은 $\{y|y>0\}$이다.

양변에 밑이 2인 로그를 취하면

$x-1=\log_2 y$ $\therefore x=\log_2 y+1$

x와 y를 서로 바꾸면 구하는 역함수는

$y=\log_2 x+1$ $(x>0)$ 답 $y=\log_2 x+1$ $(x>0)$

0447

함수 $y=(\sqrt{3})^x+1$의 정의역은 실수 전체의 집합이고, 치역은 $\{y|y>1\}$이다.

$y=(\sqrt{3})^x+1$에서 $y-1=3^{\frac{x}{2}}$

양변에 밑이 3인 로그를 취하면

$\frac{x}{2}=\log_3(y-1)$ $\therefore x=2\log_3(y-1)$

x와 y를 서로 바꾸면 구하는 역함수는

$y=2\log_3(x-1)$ $(x>1)$ 답 $y=2\log_3(x-1)$ $(x>1)$

0448

$f\left(\frac{1}{8}\right)=\log_2\frac{1}{8}=\log_2 2^{-3}=-3$ 답 -3

0449

$f(1)=\log_2 1=0$ 답 0

0450

$f(\sqrt{2})=\log_2\sqrt{2}=\log_2 2^{\frac{1}{2}}=\frac{1}{2}$ 답 $\frac{1}{2}$

0451

$f(4)-f(2)=\log_2 4-\log_2 2=\log_2 2^2-\log_2 2$

$=2-1=1$ 답 1

0452

$f(1)=\log_{\frac{1}{3}} 1=0$ 답 0

0453

$f\left(\frac{1}{3}\right)=\log_{\frac{1}{3}}\frac{1}{3}=1$ 답 1

0454

$f(3)=\log_{\frac{1}{3}}3=\log_{3^{-1}}3=-\log_3 3=-1$ 답 -1

0455

$f(9)-f\left(\frac{1}{9}\right)=\log_{\frac{1}{3}}9-\log_{\frac{1}{3}}\frac{1}{9}=\log_{3^{-1}}3^2-\log_{\frac{1}{3}}\left(\frac{1}{3}\right)^2$

$=-2-2=-4$ 답 -4

0456

ㄱ. a의 값에 관계없이 그래프는 항상 점 $(1,\ 0)$을 지난다. (참)

ㄴ. 그래프의 점근선의 방정식은 $x=0$(y축)이다. (참)

ㄷ. $0<a<1$일 때, x의 값이 증가하면 y의 값은 감소한다. (거짓)

ㄹ. 정의역은 양의 실수 전체의 집합이다. (참)

ㅁ. $y=a^x$과 $y=\log_a x$는 서로 역함수 관계이므로 두 그래프는 직선 $y=x$에 대하여 대칭이다. (거짓)

따라서 옳은 것은 ㄱ, ㄴ, ㄹ이다. 답 ㄱ, ㄴ, ㄹ

0457

$3\log_5 3=\log_5 3^3=\log_5 27$

함수 $y=\log_5 x$는 x의 값이 증가하면 y의 값도 증가하므로

$\log_5 20<\log_5 27$ $\therefore \log_5 20<3\log_5 3$

답 $\log_5 20<3\log_5 3$

0458

$\frac{1}{3}\log_{\frac{1}{2}}27=\frac{1}{3}\log_{\frac{1}{2}}3^3=\log_{\frac{1}{2}}(3^3)^{\frac{1}{3}}=\log_{\frac{1}{2}}3$

$\frac{1}{2}\log_{\frac{1}{2}}5=\log_{\frac{1}{2}}5^{\frac{1}{2}}=\log_{\frac{1}{2}}\sqrt{5}$

함수 $y=\log_{\frac{1}{2}}x$는 x의 값이 증가하면 y의 값은 감소하므로

$\log_{\frac{1}{2}}3<\log_{\frac{1}{2}}\sqrt{5}$ $\therefore \frac{1}{3}\log_{\frac{1}{2}}27<\frac{1}{2}\log_{\frac{1}{2}}5$

답 $\frac{1}{3}\log_{\frac{1}{2}}27<\frac{1}{2}\log_{\frac{1}{2}}5$

0459

$\log_9 25=\log_{3^2}5^2=\log_3 5$

함수 $y=\log_3 x$는 x의 값이 증가하면 y의 값도 증가하므로

$\log_3 10>\log_3 5$ $\therefore \log_3 10>\log_9 25$ 답 $\log_3 10>\log_9 25$

0460

$y-2=\log_{\frac{1}{3}}(x+1)$에서 $y=\log_{\frac{1}{3}}(x+1)+2$

답 $y=\log_{\frac{1}{3}}(x+1)+2$

0461

$x=\log_{\frac{1}{3}}y$에서 $y=\left(\frac{1}{3}\right)^x$ 답 $y=\left(\frac{1}{3}\right)^x$

0462

$-y=\log_{\frac{1}{3}}(-x)$에서 $y=-\log_{\frac{1}{3}}(-x)$ 답 $y=-\log_{\frac{1}{3}}(-x)$

0463

$y=\log_a ax=\log_a a+\log_a x$

$=1+\log_a x$

따라서 $y=\log_a ax$의 그래프는 $y=\log_a x$의 그래프를 y축의 방향으로 1만큼 평행이동한 것이므로 오른쪽 그림과 같다.

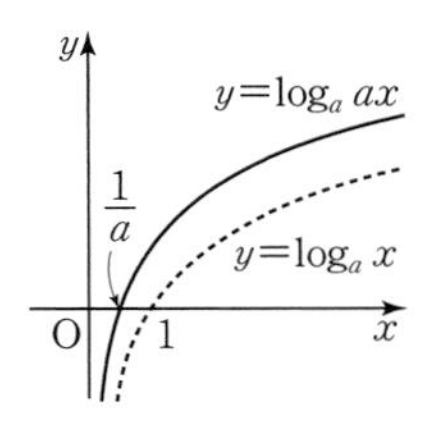

답 풀이 참조

0464

$y=\log_a(-x)$의 그래프는 $y=\log_a x$의 그래프를 y축에 대하여 대칭이동한 것이므로 오른쪽 그림과 같다.

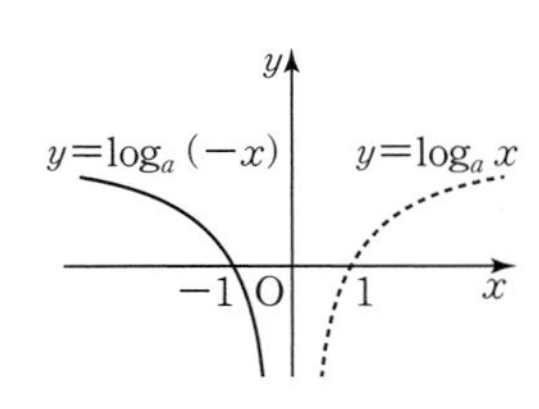

답 풀이 참조

0465

$y=\log_a\frac{1}{x}=\log_a x^{-1}=-\log_a x$

따라서 $y=\log_a\frac{1}{x}$의 그래프는 $y=\log_a x$의 그래프를 x축에 대하여 대칭이동한 것이므로 오른쪽 그림과 같다.

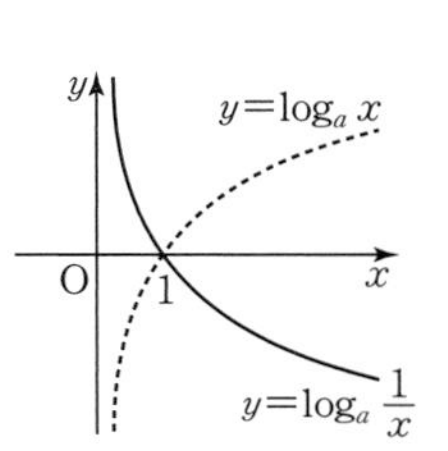

답 풀이 참조

0466

$y=\log_3(x-2)$의 그래프는 $y=\log_3 x$의 그래프를 x축의 방향으로 2만큼 평행이동한 것이므로 오른쪽 그림과 같다.

따라서 정의역은 $\{x|x>2\}$, 점근선의 방정식은 $x=2$이다.

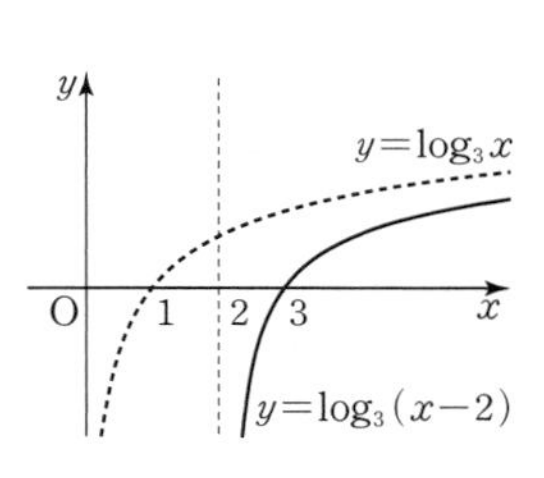

답 풀이 참조

0467

$y=\log_3 x-2$의 그래프는 $y=\log_3 x$의 그래프를 y축의 방향으로 -2만큼 평행이동한 것이므로 오른쪽 그림과 같다.

따라서 정의역은 $\{x|x>0\}$, 점근선의 방정식은 $x=0$이다.

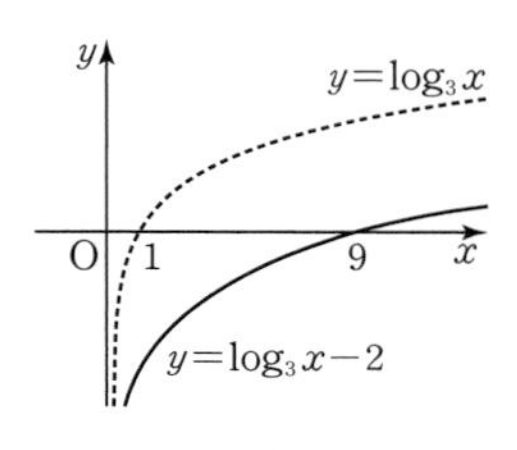

답 풀이 참조

0468

$y=\log_{\frac{1}{2}}(x+1)-1$의 그래프는 $y=\log_{\frac{1}{2}}x$의 그래프를 x축의 방향으로 -1만큼, y축의 방향으로 -1만큼 평행이동한 것이므로 오른쪽 그림과 같다.

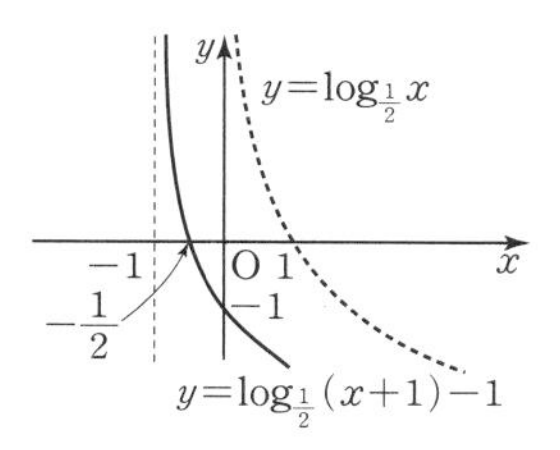

따라서 정의역은 $\{x|x>-1\}$, 점근선의 방정식은 $x=-1$이다.

답 풀이 참조

0469

$y=-\log_2 x+1$의 그래프는 $y=\log_2 x$의 그래프를 x축에 대하여 대칭이동한 후 y축의 방향으로 1만큼 평행이동한 것이므로 오른쪽 그림과 같다.

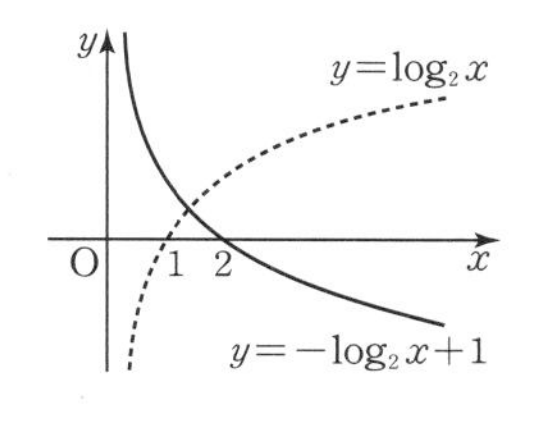

따라서 정의역은 $\{x|x>0\}$, 점근선의 방정식은 $x=0$이다.

답 풀이 참조

0470

$2>1$이므로 $y=\log_2 x$는 증가함수이다.
즉, $x=2$일 때 $y=\log_2 2=1$이 최소,
$x=32$일 때 $y=\log_2 32=\log_2 2^5=5$가 최대이다.
따라서 최댓값은 5, 최솟값은 1이다.

답 최댓값: 5, 최솟값: 1

0471

$0<\frac{1}{2}<1$이므로 $y=\log_{\frac{1}{2}}x$는 감소함수이다.

즉, $x=\frac{1}{2}$일 때 $y=\log_{\frac{1}{2}}\frac{1}{2}=1$이 최대,

$x=8$일 때 $y=\log_{\frac{1}{2}}8=\log_{2^{-1}}2^3=-3$이 최소이다.
따라서 최댓값은 1, 최솟값은 -3이다.

답 최댓값: 1, 최솟값: -3

0472

$2>1$이므로 $y=\log_2(x+3)$은 증가함수이다.
즉, $x=1$일 때 $y=\log_2 4=\log_2 2^2=2$가 최소,
$x=5$일 때 $y=\log_2 8=\log_2 2^3=3$이 최대이다.
따라서 최댓값은 3, 최솟값은 2이다.

답 최댓값: 3, 최솟값: 2

0473

$0<\frac{1}{3}<1$이므로 $y=\log_{\frac{1}{3}}x+1$은 감소함수이다.

즉, $x=\frac{1}{27}$일 때 $y=\log_{\frac{1}{3}}\frac{1}{27}+1=\log_{3^{-1}}3^{-3}+1=4$가 최대,

$x=9$일 때 $y=\log_{\frac{1}{3}}9+1=\log_{3^{-1}}3^2+1=-1$이 최소이다.
따라서 최댓값은 4, 최솟값은 -1이다.

답 최댓값: 4, 최솟값: -1

STEP 2 유형 마스터 ❶

0474

전략 $f(x)$에 $x=3$, $x=27$을 각각 대입한 후 연립하여 a의 값을 구한다.

$f(3)=\log_3 3+a\log_3 9=\log_3 3+a\log_3 3^2=1+2a$

$f(27)=\log_3 27+a\log_{27}9=\log_3 3^3+a\log_{3^3}3^2=3+\frac{2}{3}a$

이때, $f(3)=f(27)$이므로

$1+2a=3+\frac{2}{3}a$, $\frac{4}{3}a=2$ $\quad\therefore a=\frac{3}{2}$

답 ③

0475

$g(2)=2^2=4$, $h(2)=\log_2 2=1$이므로
$(f\circ g)(2)+(g\circ h)(2)=f(g(2))+g(h(2))=f(4)+g(1)$
$=2^4+1^2=17$

답 ①

Lecture

합성함수의 함숫값
두 함수 f, g에 대하여 $(f\circ g)(a)$의 값 구하기
⇨ $(f\circ g)(a)=f(g(a))$이므로 $g(a)$의 값을 구하여 $f(x)$의 x에 대입한다.

0476

$18>1$이므로 $f(18)=\frac{1}{3}\cdot 18=6$

마찬가지로 $(f\circ f)(18)=f(6)=\frac{1}{3}\cdot 6=2$

$(f\circ f\circ f)(18)=f(2)=\frac{1}{3}\cdot 2=\frac{2}{3}$

이때, $f(2)=\frac{2}{3}<1$이므로 $(f\circ f\circ f\circ f)(18)=f\left(\frac{2}{3}\right)=\log_2\frac{2}{3}$

$\therefore 2^{(f\circ f\circ f\circ f)(18)}=2^{\log_2\frac{2}{3}}=\frac{2}{3}$

답 $\frac{2}{3}$

0477

$f(g(x))=x$이므로 함수 $f(x)$와 $g(x)$는 서로 역함수 관계이다.
$g(5)=k$라 하면 $f(k)=5$이므로
$\log_3 k+1=5$, $\log_3 k=4$ $\quad\therefore k=3^4=81$
$\therefore g(5)=81$

답 81

0478

전략 먼저 $y=\log_{\frac{1}{a}}\frac{1}{x}$을 간단히 한다.

$y=\log_{\frac{1}{a}}\frac{1}{x}=\log_{a^{-1}}x^{-1}=\log_a x$이고 $a>1$이므로

① 함수 $y=\log_a x$의 그래프와 일치한다. (참)
② a의 값에 관계없이 그래프는 항상 점 (1, 0)을 지난다. (참)
③ 그래프의 점근선은 직선 $x=0$(y축)이다. (참)
④ $x>0$에서 x의 값이 증가하면 y의 값도 증가한다. (거짓)
⑤ 정의역은 양의 실수 전체의 집합이고, 치역은 실수 전체의 집합이다. (참)

따라서 옳지 않은 것은 ④이다.

답 ④

0479

ㄱ. 두 함수 모두 x의 값이 증가하면 y의 값은 감소하므로 $0<a<1$이다. (참)

ㄴ. $y=a^x$과 $y=\log_a x$는 서로 역함수 관계이므로 두 그래프는 직선 $y=x$에 대하여 대칭이다. (참)

ㄷ. 지수함수 $y=a^x$의 그래프는 점 $(0,\ 1)$을 지나고, 로그함수 $y=\log_a x$의 그래프는 점 $(1,\ 0)$을 지나므로 주어진 그림에서 두 그래프의 교점의 좌표는 $(1,\ 1)$이 아니다. (거짓)

따라서 옳은 것은 ㄱ, ㄴ이다. 답 ㄱ, ㄴ

0480

$y=\log_a bx$의 그래프에서 x의 값이 증가할 때 y의 값은 감소하므로 $0<a<1$

또, $x=1$일 때 $y<0$이므로 $\log_a b<0$

즉, $\log_a b<\log_a 1$이고 $0<a<1$이므로 $b>1$

따라서 함수 $y=\log_b ax$는 x의 값이 증가할 때 y의 값도 증가하고, $x=1$일 때 $y=\log_b a<0$이므로 그래프의 개형은 ①과 같다.

답 ①

0481

|전략| $\log_3 x=y$이면 $x=3^y$임을 이용한다.

주어진 그래프에서 $\log_3 c=b$, $\log_3 d=c$ $\quad\therefore c=3^b$, $d=3^c$

$\therefore \left(\frac{1}{3}\right)^{b-c}=3^{-b+c}=3^{-b}\cdot 3^c=\frac{1}{3^b}\cdot 3^c=\frac{d}{c}$ 답 ③

다른 풀이 $\log_3 c=b$, $\log_3 d=c$이므로

$b-c=\log_3 c-\log_3 d=\log_3 \frac{c}{d}$

따라서 $3^{b-c}=\frac{c}{d}$이므로 $\left(\frac{1}{3}\right)^{b-c}=\frac{d}{c}$

0482

점 B의 좌표를 $(a,\ 0)$이라 하면 정사각형 ABCD의 한 변의 길이가 2이므로 점 A의 좌표는 $(a,\ 2)$

이때, 점 A가 함수 $y=\log_2 x$의 그래프 위의 점이므로

$2=\log_2 a$에서 $a=2^2=4$

따라서 점 B의 좌표는 $(4,\ 0)$이고 $\overline{BC}=2$이므로 점 C의 x좌표는 6이다. 답 6

0483

네 점 A, B, C, D의 좌표는 각각

$A(a,\ \log_3 a)$, $B(a,\ \log_9 a)$, $C(b,\ \log_3 b)$, $D(b,\ \log_9 b)$이므로

$\overline{AB}=\log_3 a-\log_9 a=\log_3 a-\frac{1}{2}\log_3 a=\frac{1}{2}\log_3 a$

$\overline{CD}=\log_3 b-\log_9 b=\log_3 b-\frac{1}{2}\log_3 b=\frac{1}{2}\log_3 b$

이때, $\overline{AB}:\overline{CD}=1:3$이므로 $\overline{CD}=3\overline{AB}$에서

$\frac{1}{2}\log_3 b=\frac{3}{2}\log_3 a$, $\log_3 b=3\log_3 a$

$\log_3 b=\log_3 a^3 \quad\therefore b=a^3$ 답 ④

0484

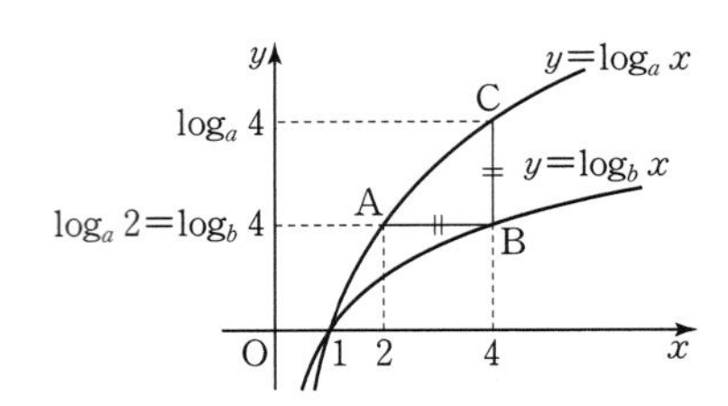

점 A의 x좌표가 2이고, $\overline{AB}=2$이므로 점 B의 x좌표는 4이다.

두 점 B, C는 각각 곡선 $y=\log_b x$, $y=\log_a x$ 위의 점이므로 두 점 B, C의 y좌표는 각각 $\log_b 4$, $\log_a 4$이다.

이때, $\overline{BC}=2$이므로

$\log_a 4-\log_b 4=2$ ······ ㉠

또한, 두 점 A, B의 y좌표가 서로 같으므로

$\log_a 2=\log_b 4$ ······ ㉡

㉡을 ㉠에 대입하면

$\log_a 4-\log_a 2=2$, $2\log_a 2-\log_a 2=2$

$\log_a 2=2 \quad\therefore a^2=2$

$\therefore a=\sqrt{2}\ (\because a>1)$

$a=\sqrt{2}$를 ㉡에 대입하면 $\log_{\sqrt{2}} 2=\log_b 4$, $2=\log_b 4$

$\therefore b^2=4$

$\therefore a^2+b^2=6$ 답 6

0485

$A(1,\ 0)$, $B(b,\ \log_3 b)$, $C(c,\ \log_3 c)\ (0<b<c)$로 놓으면

$\triangle ABC$의 무게중심이 $G\left(\frac{13}{3},\ 1\right)$이므로

$\frac{1+b+c}{3}=\frac{13}{3}$에서 $b+c=12$ ······ ㉠

$\frac{0+\log_3 b+\log_3 c}{3}=1$에서 $\log_3 b+\log_3 c=3$

$\log_3 bc=3 \quad\therefore bc=27$ ······ ㉡

㉠에서 $c=12-b$ ······ ㉢

이것을 ㉡에 대입하면 $b(12-b)=27$

$b^2-12b+27=0$, $(b-3)(b-9)=0$

$\therefore b=3$ 또는 $b=9$

㉢에서 $b=3$일 때 $c=9$, $b=9$일 때 $c=3$이므로

$b=3$, $c=9\ (\because b<c)$

따라서 $B(3,\ 1)$, $C(9,\ 2)$이므로

$\overline{BC}=\sqrt{(9-3)^2+(2-1)^2}=\sqrt{37}$ 답 ②

0486

두 점 P, Q는 직선 $y=x+k$ 위의 점이므로

$P(\alpha,\ \alpha+k)$, $Q(\beta,\ \beta+k)$

$\overline{PQ}=4\sqrt{2}$에서

$\sqrt{(\beta-\alpha)^2+(\beta-\alpha)^2}=4\sqrt{2}$

$\sqrt{2(\beta-\alpha)^2}=4\sqrt{2}$, $(\beta-\alpha)^2=16$

$\therefore \beta-\alpha=4\ (\because \beta>\alpha)$ ······ ㉠ ··· ❶

또, 두 점 P, Q는 함수 $y=\log_4 x$의 그래프 위의 점이므로
$P(\alpha,\ \log_4 \alpha)$, $Q(\beta,\ \log_4 \beta)$

$\therefore \alpha+k=\log_4 \alpha$ ...... ㉡

$\beta+k=\log_4 \beta$ ...... ㉢ … ❷

㉢−㉡을 하면 $\beta-\alpha=\log_4 \beta-\log_4 \alpha$

$4=\log_4 \frac{\beta}{\alpha}$ ($\because$ ㉠)

$\therefore \frac{\beta}{\alpha}=4^4=256$ … ❸

답 256

채점 기준	비율
❶ 두 점 P, Q가 직선 $y=x+k$ 위의 점임을 이용할 수 있다.	40 %
❷ 두 점 P, Q가 함수 $y=\log_4 x$의 그래프 위의 점임을 이용할 수 있다.	30 %
❸ $\frac{\beta}{\alpha}$의 값을 구할 수 있다.	30 %

0487

|전략| $0<a<1$이므로 함수 $y=\log_a x$는 x의 값이 증가하면 y의 값은 감소함을 이용한다.

$0<a<1<b$이므로 $\frac{a}{b}<a$

$\therefore \frac{a}{b}<a<b$ ...... ㉠

㉠의 각 변에 밑이 a인 로그를 취하면 $0<a<1$이므로

$\log_a b<\log_a a<\log_a \frac{a}{b}$

$\therefore B<A<C$ 답 ③

0488

$A=2\log_{0.1} 3\sqrt{3}=\log_{0.1} 27$

$B=\log \frac{1}{25}=-\log 25=\log_{10^{-1}} 25=\log_{0.1} 25$

$C=\log_{0.1} 3-1=\log_{0.1} 3-\log_{0.1} 0.1=\log_{0.1} \frac{3}{0.1}=\log_{0.1} 30$

이때, $0<0.1<1$이고 $25<27<30$이므로

$\log_{0.1} 30<\log_{0.1} 27<\log_{0.1} 25$

$\therefore C<A<B$ 답 ④

0489

$1<x<9$에 밑이 3인 로그를 취하면 $3>1$이므로

$\log_3 1<\log_3 x<\log_3 9$

$\therefore 0<\log_3 x<2$ ...... ㉠

(i) $A-B=\log_3 x^2-(\log_3 x)^2$

$=2\log_3 x-(\log_3 x)^2$

$=\log_3 x(2-\log_3 x)$

㉠에서 $\log_3 x>0$, $2-\log_3 x>0$이므로

$A-B>0 \quad \therefore A>B$

(ii) ㉠에서 $0<\log_3 x<1$일 때, $\log_3(\log_3 x)<0$

└ $y=\log_3 t$의 그래프에서 $0<t<1$일 때 y의 값은 음수이다.

한편, $(\log_3 x)^2>0$이므로

$\log_3(\log_3 x)<(\log_3 x)^2$ ...... ㉡

또, ㉠에서 $1\le\log_3 x<2$일 때, $0\le\log_3(\log_3 x)<1$

└ $1\le\log_3 x<2$의 각 변에 밑이 3인 로그를 취하면 $3>1$이므로 $\log_3 1\le\log_3(\log_3 x)<\log_3 2$ ...... ㉢ $\therefore 0\le\log_3(\log_3 x)<\log_3 2<1$

한편, $(\log_3 x)^2\ge1$이므로

$\log_3(\log_3 x)<(\log_3 x)^2$

㉡, ㉢에서 $C<B$

(i), (ii)에서 $C<B<A$ 답 $C<B<A$

Lecture

$\log_3 x=t$로 놓으면 $1<x<9$, 즉 $0<t<2$일 때
$A=2t$, $B=t^2$, $C=\log_3 t$
즉, $y=2t$, $y=t^2$, $y=\log_3 t$의 그래프는 오른쪽 그림과 같으므로 $C<B<A$임을 알 수 있다.

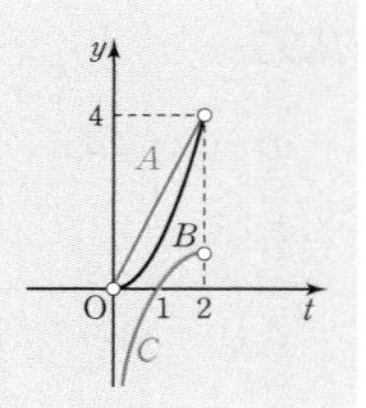

0490

|전략| x축의 방향으로 m만큼, y축의 방향으로 n만큼 평행이동한 경우 x 대신 $x-m$, y 대신 $y-n$을 대입한다.

함수 $y=\log_2 x$의 그래프를 x축의 방향으로 a만큼, y축의 방향으로 b만큼 평행이동한 그래프의 식은

$y=\log_2(x-a)+b$

이 그래프의 점근선의 방정식이 $x=-1$이므로

$a=-1 \quad \therefore y=\log_2(x+1)+b$

또, 이 그래프가 점 $(0,\ 2)$를 지나므로

$2=\log_2(0+1)+b \quad \therefore b=2$

$\therefore b-a=2-(-1)=3$ 답 ④

0491

$y=\log_3\left(\frac{x}{9}-1\right)=\log_3 \frac{x-9}{9}$

$=\log_3(x-9)-\log_3 9$

$=\log_3(x-9)-2$

즉, 함수 $y=\log_3\left(\frac{x}{9}-1\right)$의 그래프는 함수 $y=\log_3 x$의 그래프를 x축의 방향으로 9만큼, y축의 방향으로 -2만큼 평행이동한 것이다.

따라서 $m=9$, $n=-2$이므로 $m-n=11$ 답 ⑤

0492

함수 $y=\log_3(x-1)$의 그래프를 y축의 방향으로 -1만큼 평행이동한 그래프의 식은

$y=\log_3(x-1)-1$

또, 이것을 y축에 대하여 대칭이동한 그래프의 식은

$y=\log_3(-x-1)-1=\log_3 \frac{-x-1}{3}$ … ❶

이것이 함수 $y=\log_3(ax+b)$와 일치해야 하므로

$a=-\frac{1}{3}$, $b=-\frac{1}{3}$ … ❷

$\therefore a+b=-\frac{1}{3}+\left(-\frac{1}{3}\right)=-\frac{2}{3}$ … ❸

답 $-\frac{2}{3}$

4 로그함수

채점 기준	비율
❶ 함수 $y=\log_3(x-1)$의 그래프를 주어진 조건에 따라 평행이동과 대칭이동한 그래프의 식을 구할 수 있다.	60 %
❷ a, b의 값을 구할 수 있다.	30 %
❸ $a+b$의 값을 구할 수 있다.	10 %

0493

ㄱ. $y=\log_2(4x-3)=\log_2 4\left(x-\frac{3}{4}\right)=\log_2\left(x-\frac{3}{4}\right)+2$이므로 $y=\log_2(4x-3)$의 그래프는 $y=\log_2 x$의 그래프를 x축의 방향으로 $\frac{3}{4}$만큼, y축의 방향으로 2만큼 평행이동한 것이다.

ㄴ. $y=\log_4 x^2=\log_{2^2} x^2=\log_2|x|$이므로 $y=\log_4 x^2$의 그래프는 $y=\log_2 x$의 그래프를 평행이동하거나 대칭이동하여도 겹쳐지지 않는다.

ㄷ. $y=\log_{\frac{1}{2}}(-x+1)=\log_{\frac{1}{2}}\{-(x-1)\}=-\log_2\{-(x-1)\}$이므로 $y=\log_{\frac{1}{2}}(-x+1)$의 그래프는 $y=\log_2 x$의 그래프를 원점에 대하여 대칭이동한 후 x축의 방향으로 1만큼 평행이동한 것이다.

따라서 $y=\log_2 x$의 그래프를 평행이동 또는 대칭이동하여 겹쳐질 수 있는 것은 ㄱ, ㄷ이다. 답 ④

0494

오른쪽 그림에서 두 함수 $y=\log_2 x$, $y=\log_2 4x$의 그래프와 두 직선 $x=1$, $x=4$로 둘러싸인 도형의 넓이는 ①+②이다.

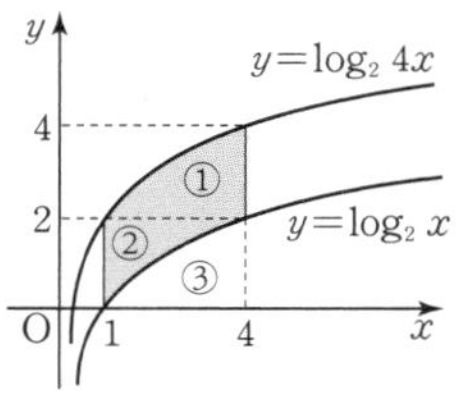

그런데 $y=\log_2 4x=\log_2 x+2$의 그래프는 $y=\log_2 x$의 그래프를 y축의 방향으로 2만큼 평행이동한 것이므로 ①=③이다.
└두 그래프의 모양이 같다.

즉, ①+②=③+②

따라서 구하는 넓이는 $3\cdot2=6$ 답 ①

0495

$\log_3 9x=\log_3 x+2$

$\log_9 27x^2=\log_{3^2} x^2+\log_{3^2} 3^3=\log_3 x+\frac{3}{2}$

즉, 함수 $y=\log_3 9x$의 그래프는 함수 $y=\log_9 27x^2$의 그래프를 y축의 방향으로 $\frac{1}{2}$만큼 평행이동한 것이다.

(정의역이 양의 실수 전체의 집합이므로 $\log_3|x|=\log_3 x$)

따라서 $f(k)$의 값은 k의 값에 관계없이 항상 $\frac{1}{2}$이므로

$f(1)+f(2)+f(3)+\cdots+f(10)=\frac{1}{2}\cdot10=5$ 답 ②

0496

전략 세 점 A, B, H의 좌표를 먼저 구하고, 높이가 같은 두 삼각형의 넓이의 비는 밑변의 길이의 비와 같음을 이용한다.

함수 $y=2^x$의 역함수는 $y=\log_2 x$이므로

$g(x)=\log_2 x$

오른쪽 그림에서 점 A(1, 0)이고, 점 C(1, a)라 하면 점 C는 함수 $y=2^x$의 그래프 위의 점이므로

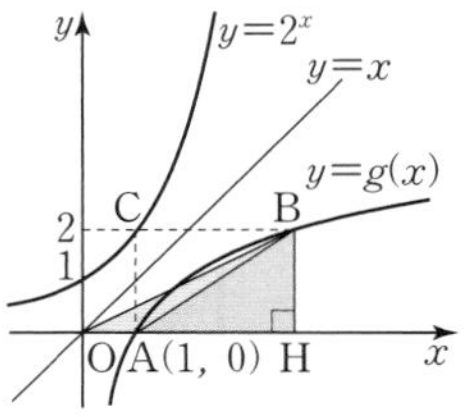

$a=2^1=2$

$\therefore$ C(1, 2)

또, 두 점 B, C의 y좌표는 서로 같으므로 점 B(b, 2)라 하면 점 B는 함수 $y=\log_2 x$의 그래프 위의 점이므로

$2=\log_2 b$에서 $b=2^2=4$

$\therefore$ B(4, 2), H(4, 0)

이때, △OAB와 △AHB의 높이는 $\overline{BH}$로 같으므로 두 삼각형의 넓이의 비는 두 삼각형의 밑변의 길이의 비와 같다.

$\therefore$ △OAB : △AHB $=\overline{OA}:\overline{AH}=1:3$ 답 ②

0497

함수 $y=f(x)$의 그래프와 함수 $y=\log_2(x-1)$의 그래프가 직선 $y=x$에 대하여 대칭이므로 두 함수 $y=f(x)$, $y=\log_2(x-1)$은 서로 역함수 관계이다.

점 P(2, b)는 $y=f(x)$의 그래프 위의 점이므로 점 (b, 2)는 $y=\log_2(x-1)$의 그래프 위의 점이다.

즉, $2=\log_2(b-1)$에서

$b-1=2^2$ $\quad\therefore b=5$

또, 점 Q(a, b), 즉 Q(a, 5)는 $y=\log_2(x-1)$의 그래프 위의 점이므로 $5=\log_2(a-1)$에서

$a-1=2^5$ $\quad\therefore a=33$

$\therefore a+b=33+5=38$ 답 38

다른 풀이 함수 $y=f(x)$는 $y=\log_2(x-1)$의 역함수이므로

$y=\log_2(x-1)$에서

$2^y=x-1$ $\quad\therefore x=2^y+1$

x와 y를 서로 바꾸면

$y=2^x+1$ $\quad\therefore f(x)=2^x+1$

점 P(2, b)는 $y=f(x)$의 그래프 위의 점이므로

$b=2^2+1=5$

또, 점 Q(a, b), 즉 Q(a, 5)는 $y=\log_2(x-1)$의 그래프 위의 점이므로

$5=\log_2(a-1)$에서

$a-1=2^5$ $\quad\therefore a=33$

$\therefore a+b=33+5=38$

0498

$y=2^x-1$에서 $2^x=y+1$

양변에 밑이 2인 로그를 취하면

$x=\log_2(y+1)$

x와 y를 서로 바꾸면

$y=\log_2(x+1)$

즉, 두 함수 $y=2^x-1$, $y=\log_2(x+1)$은 서로 역함수 관계이므로 두 함수의 그래프는 직선 $y=x$에 대하여 대칭이다.

이때, 직선 AB와 직선 $y=x$는 서로 수직이므로 점 $A(2, 3)$의 직선 $y=x$에 대한 대칭점이 점 B이고, 점 B의 좌표는 $B(3, 2)$이다.

└ 직선 AB의 기울기가 -1이고 직선 $y=x$의 기울기는 1이므로 두 직선은 서로 수직이다.

$\therefore C(2, 0), D(3, 0)$

따라서 $\overline{AC}=3$, $\overline{BD}=2$, $\overline{CD}=1$이므로 사각형 ACDB의 넓이는

$\frac{1}{2}\cdot(2+3)\cdot1=\frac{5}{2}$ 답 ①

Lecture

역함수 구하는 순서

(i) 주어진 함수 $y=f(x)$가 일대일대응인지 확인한다.
(ii) $y=f(x)$에서 x를 y에 대한 식으로 나타내어 $x=f^{-1}(y)$ 꼴로 고친다.
(iii) x와 y를 서로 바꾸어 $y=f^{-1}(x)$ 꼴로 나타낸다.
(iv) 주어진 함수 $y=f(x)$의 치역을 역함수 $y=f^{-1}(x)$의 정의역으로 한다.

0499

|전략| 문자가 나타내는 것이 무엇인지 파악하고 문제의 조건을 주어진 관계식에 대입하여 식을 세운다.

$M=-2.81\log P-1.43$에서

변광 주기가 50일인 세페이드 변광성의 광도 M_1은

$M_1=-2.81\log 50-1.43$

변광 주기가 5일인 세페이드 변광성의 광도 M_2는

$M_2=-2.81\log 5-1.43$

$$\begin{aligned}\therefore M_2-M_1&=-2.81\log 5-1.43-(-2.81\log 50-1.43)\\&=-2.81(\log 5-\log 50)\\&=-2.81\times(-1)\\&=2.81\end{aligned}$$

답 ②

0500

$f(t)=50+30\log(t+1)$에서 작품의 성취도가 80일 때, 이 작품을 만드는 데 걸린 시간을 x시간이라 하면

$80=50+30\log(x+1)$

$\log(x+1)=1$

$x+1=10 \qquad \therefore x=9$

따라서 작품을 만드는 데 걸린 시간은 9시간이다. 답 ④

0501

$f(n)=\frac{300n}{1+\log_5 n}$에서

제품 200개를 만들어서 팔았을 때의 순이익금은

$$\begin{aligned}f(200)&=\frac{300\cdot200}{1+\log_5 200}=\frac{60000}{\log_5 1000}\\&=\frac{60000}{3\log_5 10}=\frac{20000}{\log_5 10}\end{aligned}$$

제품 20개를 만들어서 팔았을 때의 순이익금은

$$\begin{aligned}f(20)&=\frac{300\cdot20}{1+\log_5 20}=\frac{6000}{\log_5 100}\\&=\frac{6000}{2\log_5 10}=\frac{3000}{\log_5 10}\end{aligned}$$

$$\therefore \frac{f(200)}{f(20)}=\frac{\frac{20000}{\log_5 10}}{\frac{3000}{\log_5 10}}=\frac{20}{3}$$

따라서 구하는 것은 $\frac{20}{3}$배이다. 답 ③

0502

|전략| 먼저 $f(x)=x^2-2x+1$로 놓고 이차함수 $f(x)$를 완전제곱꼴로 나타낸다.

$y=\log_3(x^2-2x+1)$에서 $f(x)=x^2-2x+1$로 놓으면

$f(x)=(x-1)^2$

$2\le x\le4$에서 $f(2)=1$, $f(4)=9$이므로

$1\le f(x)\le9$

이때, $3>1$이므로 $f(x)$의 값이 최대일 때 y의 값은 최대이고, $f(x)$의 값이 최소일 때 y의 값은 최소이다.

즉, $f(x)=1$일 때 최솟값 $y=\log_3 1=0$,

$f(x)=9$일 때 최댓값 $y=\log_3 9=2$를 가지므로

$M=2$, $m=0$

$\therefore M+m=2$ 답 ④

Lecture

제한된 정의역 $\{x\mid m\le x\le n\}$에서의 로그함수 $y=\log_a f(x)$의 최댓값과 최솟값을 구할 때, $f(x)$가 이차함수이면 주어진 정의역에 꼭짓점의 x좌표가 포함되는지 확인하고 포함될 때에는 정의역의 양 끝 점 $x=m$, $x=n$에서의 함숫값뿐만 아니라 꼭짓점의 x좌표에 대한 함숫값도 구하여 최댓값과 최솟값을 찾아야 한다.

0503

$y=\log_a(x^2-2x+3)$에서 $f(x)=x^2-2x+3$으로 놓으면

$f(x)=(x-1)^2+2$

$0\le x\le3$에서 $f(0)=3$, $f(1)=2$, $f(3)=6$이므로

$2\le f(x)\le6$

이때, $0<a<1$이므로 $f(x)$의 값이 최소일 때 $y=\log_a f(x)$의 값은 최대이다.

즉, $\log_a 2=-1$이므로

$a^{-1}=2 \qquad \therefore a=\frac{1}{2}$ 답 $\frac{1}{2}$

0504

$x+y=10$에서 $y=10-x\ (0<x<10)$

$$\begin{aligned}\therefore \log_5 x+\log_5 y=\log_5 xy&=\log_5\{x(10-x)\}\\&=\log_5(-x^2+10x)\\&=\log_5\{-(x-5)^2+25\}\end{aligned}$$

이때, $5>1$이므로 주어진 식은 $-(x-5)^2+25$의 값이 최대일 때 최댓값을 갖는다.

4 로그함수

$-(x-5)^2+25$는 $x=5$일 때 최댓값 25를 가지므로

$a=5$, $M=\log_5 25=2$

$\therefore a+M=7$ 답 7

다른 풀이 $\log_5 x+\log_5 y=\log_5 xy$에서 $5>1$이므로 $\log_5 xy$의 값은 xy의 값이 최대일 때 최댓값을 갖는다.

$x>0$, $y>0$이므로 $x+y\ge 2\sqrt{xy}$

즉, $10\ge 2\sqrt{xy}$이므로 $xy\le 25$

이때, 등호는 $x=y=5$일 때 성립하므로

$a=5$, $M=\log_5 25=2$ $\therefore a+M=7$

0505

$y=\log_{\frac{1}{5}}|-x^2+4x+1|$에서 $0<\frac{1}{5}<1$이므로

$y=\log_{\frac{1}{5}}|-x^2+4x+1|$은 $|-x^2+4x+1|$의 값이 최대일 때 y는 최솟값을 갖는다.

이때, $f(x)=|-x^2+4x+1|$로 놓으면

$f(x)=|-x^2+4x+1|$

$=|-(x-2)^2+5|$

$y=f(x)$의 그래프는 $y=-(x-2)^2+5$의 그래프에서 $y\ge 0$인 부분은 그대로 두고, $y<0$인 부분을 x축에 대하여 대칭이동한 것이므로 오른쪽 그림과 같다.

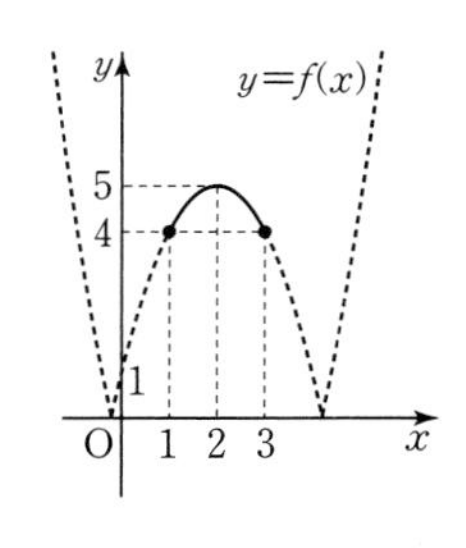

따라서 $1\le x\le 3$에서 $f(x)$의 최댓값은 $x=2$일 때, $f(2)=5$이므로

$y=\log_{\frac{1}{5}}|-x^2+4x+1|$의 최솟값은

$\log_{\frac{1}{5}} 5=-1$ 답 ②

0506

|전략| $\log_{\frac{1}{2}} x=t$로 치환하여 생각한다.

$y=(\log_{\frac{1}{2}} x)^2+2\log_{\frac{1}{2}} x+3$에서 $\log_{\frac{1}{2}} x=t$로 놓으면

$y=t^2+2t+3=(t+1)^2+2$

이때, $\frac{1}{2}<1$이므로 $\frac{1}{2}\le x\le 4$에서

$\log_{\frac{1}{2}} 4\le \log_{\frac{1}{2}} x\le \log_{\frac{1}{2}} \frac{1}{2}$ $\therefore -2\le t\le 1$

따라서 y는 $t=-1$일 때 최솟값 2를 갖고, $t=1$일 때 최댓값 6을 가지므로 최댓값과 최솟값의 합은

$6+2=8$ 답 ④

0507

$x>0$이므로

$y=(\log_3 x)^2+a\log_{27} x^2+b=(\log_3 x)^2+\frac{2}{3}a\log_3 x+b$에서

$\log_3 x=t$로 놓으면 $y=t^2+\frac{2}{3}at+b$ ······ ㉠ ··· ❶

y는 $x=\frac{1}{3}$, 즉 $t=\log_3 \frac{1}{3}=-1$일 때 최솟값 1을 가지므로

$y=(t+1)^2+1=t^2+2t+2$ ······ ㉡ ··· ❷

㉠=㉡이므로 $\frac{2}{3}a=2$, $b=2$ $\therefore a=3$, $b=2$

$\therefore a+b=3+2=5$ ··· ❸

답 5

채점 기준	비율
❶ $\log_3 x=t$로 치환하여 y를 t에 대한 이차식으로 나타낼 수 있다.	30 %
❷ $x=\frac{1}{3}$에서 최솟값 1을 가짐을 이용할 수 있다.	50 %
❸ $a+b$의 값을 구할 수 있다.	20 %

0508

$y=(\log_2 2x)\left(\log_2 \frac{16}{x}\right)$

$=(\log_2 2+\log_2 x)(\log_2 16-\log_2 x)$

$=(1+\log_2 x)(4-\log_2 x)$

$=-(\log_2 x)^2+3\log_2 x+4$

$\log_2 x=t$로 놓으면

$y=-t^2+3t+4=-\left(t-\frac{3}{2}\right)^2+\frac{25}{4}$

이때, $2>1$이므로 $2\le x\le 16$에서

$\log_2 2\le \log_2 x\le \log_2 16$ $\therefore 1\le t\le 4$

따라서 y는 $t=\frac{3}{2}$일 때 최댓값 $M=\frac{25}{4}$를 갖고, $t=4$일 때 최솟값 $m=0$을 가지므로

$M+m=\frac{25}{4}$ 답 $\frac{25}{4}$

0509

$6^{\log x}=x^{\log 6}$이므로

$y=6^{\log x}\cdot x^{\log 6}-6(6^{\log x}+x^{\log 6})$

$=6^{\log x}\cdot 6^{\log x}-6(6^{\log x}+6^{\log x})$

$=(6^{\log x})^2-12\cdot 6^{\log x}$

$6^{\log x}=t$로 놓으면

$y=t^2-12t=(t-6)^2-36$

이때, $x>1$에서 $t>1$

따라서 y는 $t=6$일 때 최솟값 $m=-36$을 갖는다.

한편, $t=6^{\log x}=6$에서 $\log x=1$ $\therefore x=a=10$

$\therefore |a+m|=|10+(-36)|=26$ 답 26

0510

|전략| 지수에 미지수가 있는 식은 양변에 상용로그를 취하여 생각한다.

$y=10x^{2-\log x}$의 양변에 상용로그를 취하면

$\log y=\log 10x^{2-\log x}=\log 10+\log x^{2-\log x}$

$=1+(2-\log x)\log x=-(\log x)^2+2\log x+1$

$\log x=t$로 놓으면

$\log y=-t^2+2t+1=-(t-1)^2+2$

따라서 $\log y$는 $t=1$일 때 최댓값 2를 갖는다.

즉, $\log x=1$에서 $x=a=10$

$\log y=2$에서 $y=b=10^2=100$

$\therefore b-a=100-10=90$ 답 ③

0511

$y=\frac{100x^2}{x^{\log x}}$의 양변에 상용로그를 취하면

$\log y=\log \frac{100x^2}{x^{\log x}}$

$=\log 100+\log x^2-\log x^{\log x}$

$=-(\log x)^2+2\log x+2$ ($\because x>0$)

$\log x=t$로 놓으면

$\log y=-t^2+2t+2=-(t-1)^2+3$

따라서 $\log y$는 $t=1$일 때 최댓값 3을 갖는다.

즉, $\log x=1$에서 $x=a=10$

$\log y=3$에서 $y=b=10^3=1000$

$\therefore \log_a b=\log_{10} 1000=3$ 답 3

0512

|전략| 주어진 범위에서 $\log x>0$, $\log \frac{100}{x}>0$이므로 산술평균과 기하평균의 관계를 이용한다.

$1<x<100$에서 $\log x>0$, $\log \frac{100}{x}>0$이므로 산술평균과 기하평균의 관계에 의하여

$\log x+\log \frac{100}{x} \geq 2\sqrt{\log x \cdot \log \frac{100}{x}}$

이때, $y=\log x \cdot \log \frac{100}{x}$이고

$\log x+\log \frac{100}{x}=\log\left(x\cdot\frac{100}{x}\right)=\log 100=2$이므로

$2\geq 2\sqrt{y}$, $\sqrt{y}\leq 1$ $\therefore 0<y\leq 1$

즉, y의 최댓값은 $m=1$

한편, 등호는 $\log x=\log \frac{100}{x}$일 때 성립하므로

$x=\frac{100}{x}$, $x^2=100$ $\therefore x=a=10$ ($\because 1<x<100$)

$\therefore a-m=10-1=9$ 답 9

0513

$\log_3\left(x+\frac{1}{y}\right)+\log_3\left(y+\frac{4}{x}\right)=\log_3\left\{\left(x+\frac{1}{y}\right)\left(y+\frac{4}{x}\right)\right\}$

$=\log_3\left(xy+\frac{4}{xy}+5\right)$

$3>1$이므로 주어진 식은 $xy+\frac{4}{xy}+5$가 최소일 때 최솟값을 갖는다.

이때, $x>0$, $y>0$에서 $xy>0$, $\frac{4}{xy}>0$이므로 산술평균과 기하평균의 관계에 의하여

$xy+\frac{4}{xy}+5\geq 2\sqrt{xy\cdot\frac{4}{xy}}+5=2\cdot2+5=9$

(단, 등호는 $xy=2$일 때 성립)

따라서 $xy+\frac{4}{xy}+5$의 최솟값은 9이므로 주어진 식의 최솟값은

$\log_3 9=2$ 답 ③

STEP 1 개념 마스터 ❷

0514

진수의 조건에서 $2x+1>0$ $\therefore x>-\frac{1}{2}$ ...... ㉠

$\log_3(2x+1)=2$에서 $2x+1=3^2$

$2x=8$ $\therefore x=4$

$x=4$는 ㉠을 만족시키므로 구하는 해이다. 답 $x=4$

0515

밑의 조건에서 $x+1>0$, $x+1\neq 1$

$\therefore x>-1$, $x\neq 0$ ...... ㉠

$\log_{x+1} 9=2$에서 $(x+1)^2=9$

$x+1=3$ 또는 $x+1=-3$

$\therefore x=2$ 또는 $x=-4$

이때, ㉠에 의하여 $x=2$ 답 $x=2$

0516

진수의 조건에서 $x+3>0$, $2x-3>0$ $\therefore x>\frac{3}{2}$ ...... ㉠

$\log_2(x+3)=\log_2(2x-3)$에서 $x+3=2x-3$ $\therefore x=6$

$x=6$은 ㉠을 만족시키므로 구하는 해이다. 답 $x=6$

0517

진수의 조건에서 $x>0$, $x+2>0$ $\therefore x>0$ ...... ㉠

$\log_3 x+\log_3(x+2)=3\log_3 2$에서

$\log_3\{x(x+2)\}=\log_3 2^3$

즉, $x(x+2)=8$이므로 $x^2+2x-8=0$

$(x+4)(x-2)=0$

$\therefore x=-4$ 또는 $x=2$

이때, ㉠에 의하여 $x=2$ 답 $x=2$

0518

진수의 조건에서 $x-2>0$, $7-2x>0$ $\therefore 2<x<\frac{7}{2}$ ...... ㉠

$\log_3(x-2)=\log_9(7-2x)$에서

$\log_3(x-2)=\frac{1}{2}\log_3(7-2x)$

$2\log_3(x-2)=\log_3(7-2x)$, $\log_3(x-2)^2=\log_3(7-2x)$

즉, $(x-2)^2=7-2x$이므로 $x^2-2x-3=0$

$(x+1)(x-3)=0$ $\therefore x=-1$ 또는 $x=3$

이때, ㉠에 의하여 $x=3$ 답 $x=3$

0519

진수의 조건에서 $x>0$, $x+2>0$ $\therefore x>0$ ...... ㉠

$\log_{\frac{1}{2}} x = \log_{\frac{1}{4}} (x+2)$에서 $\log_{\frac{1}{2}} x = \frac{1}{2} \log_{\frac{1}{2}} (x+2)$

$2 \log_{\frac{1}{2}} x = \log_{\frac{1}{2}} (x+2)$, $\log_{\frac{1}{2}} x^2 = \log_{\frac{1}{2}} (x+2)$

즉, $x^2 = x+2$이므로 $x^2 - x - 2 = 0$

$(x+1)(x-2) = 0$ $\quad \therefore x = -1$ 또는 $x = 2$

이때, ㉠에 의하여 $x=2$ 답 $x=2$

0520

$\log_{x+3} x = \log_{2x+1} x$에서

(i) 밑이 같은 경우

$x+3 = 2x+1$ $\quad \therefore x=2$

(ii) (진수)$=1$인 경우

$x=1$

(i), (ii)에 의하여 $x=1$ 또는 $x=2$ 답 $x=1$ 또는 $x=2$

0521

$\log_{x+2} (2x+1) = \log_{3-x} (2x+1)$에서

(i) 밑이 같은 경우

$x+2 = 3-x$, $2x=1$ $\quad \therefore x = \frac{1}{2}$

(ii) (진수)$=1$인 경우

$2x+1=1$, $2x=0$ $\quad \therefore x=0$

(i), (ii)에 의하여 $x=0$ 또는 $x=\frac{1}{2}$ 답 $x=0$ 또는 $x=\frac{1}{2}$

0522

진수의 조건에서 $x>0$ ⋯⋯ ㉠

$\log x = t$로 놓으면 $t^2 - 3t + 2 = 0$, $(t-1)(t-2)=0$

$\therefore t=1$ 또는 $t=2$

즉, $\log x = 1$ 또는 $\log x = 2$이므로 $x=10$ 또는 $x=10^2=100$

$x=10$, $x=100$은 ㉠을 만족시키므로 구하는 해이다.

답 $x=10$ 또는 $x=100$

0523

진수의 조건에서 $x>0$ ⋯⋯ ㉠

$(\log_3 x)^2 = \log_3 x^3 + 4$에서 $(\log_3 x)^2 = 3\log_3 x + 4$

$(\log_3 x)^2 - 3\log_3 x - 4 = 0$

$\log_3 x = t$로 놓으면 $t^2 - 3t - 4 = 0$, $(t+1)(t-4)=0$

$\therefore t=-1$ 또는 $t=4$

즉, $\log_3 x = -1$ 또는 $\log_3 x = 4$이므로

$x = 3^{-1} = \frac{1}{3}$ 또는 $x = 3^4 = 81$

$x=\frac{1}{3}$, $x=81$은 ㉠을 만족시키므로 구하는 해이다.

답 $x=\frac{1}{3}$ 또는 $x=81$

0524

진수의 조건에서 $x>0$ ⋯⋯ ㉠

$x^{\log x} = x^2$의 양변에 상용로그를 취하면

$\log x^{\log x} = \log x^2$, ((가) $\log x$)$^2 = 2$ (가) $\log x$

(가) $\log x$ $= t$로 놓으면

$t^2 - 2t = 0$, $t(t-2)=0$ $\quad \therefore t=0$ 또는 $t=2$

즉, (가) $\log x$ $=0$ 또는 (가) $\log x$ $=2$이므로

$x = 10^0 =$ (나) 1 또는 $x = 10^2 =$ (다) 100

이것은 ㉠을 만족시키므로 구하는 해이다. 답 (가) $\log x$ (나) 1 (다) 100

0525

진수의 조건에서 $2x-4>0$ $\quad \therefore x>2$ ⋯⋯ ㉠

$\log_2 (2x-4) \le 1$에서 $\log_2 (2x-4) \le \log_2 2$

$2>1$이므로 $2x-4 \le 2$, $2x \le 6$ $\quad \therefore x \le 3$ ⋯⋯ ㉡

㉠, ㉡의 공통 범위를 구하면 $2 < x \le 3$ 답 $2<x\le 3$

0526

진수의 조건에서 $1-x>0$ $\quad \therefore x<1$ ⋯⋯ ㉠

$\log_{\frac{1}{3}} (1-x) \le -2$에서 $\log_{\frac{1}{3}} (1-x) \le \log_{\frac{1}{3}} \left(\frac{1}{3}\right)^{-2}$

$0 < \frac{1}{3} < 1$이므로 $1-x \ge \left(\frac{1}{3}\right)^{-2}$, $1-x \ge 9$

$\therefore x \le -8$ ⋯⋯ ㉡

㉠, ㉡의 공통 범위를 구하면 $x \le -8$ 답 $x\le -8$

0527

$x^2+1>0$이므로 진수는 항상 양수이다.

$\log_5 (x^2+1) \ge 1$에서 $\log_5 (x^2+1) \ge \log_5 5$

$5>1$이므로 $x^2+1 \ge 5$, $x^2-4 \ge 0$, $(x+2)(x-2) \ge 0$

$\therefore x \le -2$ 또는 $x \ge 2$ 답 $x\le -2$ 또는 $x \ge 2$

0528

$x^2+x+2 = \left(x+\frac{1}{2}\right)^2 + \frac{7}{4} > 0$이므로 진수는 항상 양수이다.

$\log_2 (x^2+x+2) > 2$에서 $\log_2 (x^2+x+2) > \log_2 2^2$

$2>1$이므로 $x^2+x+2>4$, $x^2+x-2>0$, $(x-1)(x+2)>0$

$\therefore x<-2$ 또는 $x>1$ 답 $x<-2$ 또는 $x>1$

0529

진수의 조건에서 $2+3x>0$, $1-5x>0$

$\therefore -\frac{2}{3} < x < \frac{1}{5}$ ⋯⋯ ㉠

$\log_2 (2+3x) > \log_2 (1-5x)$에서 $2>1$이므로

$2+3x > 1-5x$, $8x > -1$

$\therefore x > -\frac{1}{8}$ ⋯⋯ ㉡

㉠, ㉡의 공통 범위를 구하면 $-\frac{1}{8} < x < \frac{1}{5}$ 답 $-\frac{1}{8}<x<\frac{1}{5}$

0530

진수의 조건에서 $5x-3>0$, $3x+5>0$

$\therefore x>\frac{3}{5}$ ...... ㉠

$\log_5(5x-3)\geq\log_5(3x+5)$에서 $5>1$이므로

$5x-3\geq3x+5$, $2x\geq8$

$\therefore x\geq4$ ...... ㉡

㉠, ㉡의 공통 범위를 구하면 $x\geq4$ 답 $x\geq4$

0531

진수의 조건에서 $3x-5>0$, $x+1>0$

$\therefore x>\frac{5}{3}$ ...... ㉠

$\log_{\frac{1}{3}}(3x-5)\geq\log_{\frac{1}{3}}(x+1)$에서 $0<\frac{1}{3}<1$이므로

$3x-5\leq x+1$, $2x\leq6$

$\therefore x\leq3$ ...... ㉡

㉠, ㉡의 공통 범위를 구하면 $\frac{5}{3}<x\leq3$ 답 $\frac{5}{3}<x\leq3$

0532

진수의 조건에서 $x^3>0$, $x>0$ $\therefore x>0$ ...... ㉠

$\log_2 x^3+(\log_2 x)^2\leq4$에서 $3\log_2 x+(\log_2 x)^2\leq4$

$\log_2 x=t$로 놓으면 $3t+t^2\leq4$, $t^2+3t-4\leq0$

$(t+4)(t-1)\leq0$ $\therefore -4\leq t\leq1$

즉, $-4\leq\log_2 x\leq1$이므로

$\log_2 2^{-4}\leq\log_2 x\leq\log_2 2$

$2>1$이므로 $\frac{1}{16}\leq x\leq2$ ...... ㉡

㉠, ㉡의 공통 범위를 구하면 $\frac{1}{16}\leq x\leq2$ 답 $\frac{1}{16}\leq x\leq2$

0533

진수의 조건에서 $x>0$, $x^2>0$ $\therefore x>0$ ...... ㉠

$(\log_{\frac{1}{2}} x)^2-\log_{\frac{1}{2}} x^2\leq0$에서 $(\log_{\frac{1}{2}} x)^2-2\log_{\frac{1}{2}} x\leq0$

$\log_{\frac{1}{2}} x=t$로 놓으면 $t^2-2t\leq0$, $t(t-2)\leq0$

$\therefore 0\leq t\leq2$

즉, $0\leq\log_{\frac{1}{2}} x\leq2$이므로

$\log_{\frac{1}{2}}\left(\frac{1}{2}\right)^0\leq\log_{\frac{1}{2}} x\leq\log_{\frac{1}{2}}\left(\frac{1}{2}\right)^2$

$0<\frac{1}{2}<1$이므로 $\frac{1}{4}\leq x\leq1$ ...... ㉡

㉠, ㉡의 공통 범위를 구하면 $\frac{1}{4}\leq x\leq1$ 답 $\frac{1}{4}\leq x\leq1$

0534

진수의 조건에서 $x>0$ ...... ㉠

$\log_{\frac{1}{3}} x=t$로 놓으면 $t^2-t-2>0$, $(t+1)(t-2)>0$

$\therefore t<-1$ 또는 $t>2$

즉, $\log_{\frac{1}{3}} x<-1$ 또는 $\log_{\frac{1}{3}} x>2$이므로

$\log_{\frac{1}{3}} x<\log_{\frac{1}{3}}\left(\frac{1}{3}\right)^{-1}$ 또는 $\log_{\frac{1}{3}} x>\log_{\frac{1}{3}}\left(\frac{1}{3}\right)^2$

$0<\frac{1}{3}<1$이므로 $x>3$ 또는 $x<\frac{1}{9}$ ...... ㉡

㉠, ㉡의 공통 범위를 구하면

$0<x<\frac{1}{9}$ 또는 $x>3$ 답 $0<x<\frac{1}{9}$ 또는 $x>3$

0535

진수의 조건에서 $x>$ (가) 0 ...... ㉠

$x^{\log_3 x}>9x$의 양변에 밑이 3인 로그를 취하면

$\log_3 x^{\log_3 x}>\log_3 9x$, ((나) $\log_3 x$)$^2>$(나) $\log_3 x$ $+2$

(나) $\log_3 x$ $=t$로 놓으면

$t^2>t+2$, $t^2-t-2>0$, $(t+1)(t-2)>0$

$\therefore t<-1$ 또는 $t>2$

즉, (나) $\log_3 x$ <-1 또는 (나) $\log_3 x$ >2이므로

(나) $\log_3 x$ $<\log_3 3^{-1}$ 또는 (나) $\log_3 x$ $>\log_3 3^2$

$3>1$이므로 $x<$ (다) $\frac{1}{3}$ 또는 $x>$ (라) 9 ...... ㉡

㉠, ㉡의 공통 범위를 구하면

(가) 0 $<x<$ (다) $\frac{1}{3}$ 또는 $x>$ (라) 9 답 (가) 0 (나) $\log_3 x$ (다) $\frac{1}{3}$ (라) 9

STEP 2 유형 마스터 ❷

0536

|전략| 주어진 방정식의 밑을 2로 같게 한 후 로그의 성질을 이용한다.

진수의 조건에서 $x-1>0$, $x>0$ $\therefore x>1$ ...... ㉠

$\log_2(x-1)+\log_4 x=\frac{1}{2}$에서

$\log_2(x-1)+\frac{1}{2}\log_2 x=\frac{1}{2}$, $2\log_2(x-1)+\log_2 x=1$

$\log_2\{(x-1)^2x\}=\log_2 2$

$(x-1)^2x=2$, $x^3-2x^2+x-2=0$

$x^2(x-2)+(x-2)=0$, $(x-2)(x^2+1)=0$

$x^2+1>0$이므로 $x=2$

이것은 ㉠을 만족시키므로 구하는 해이다. 답 ①

Lecture

밑이 같지 않은 로그방정식은 밑의 변환 공식을 이용하여 밑을 같게 한 후 푼다.

로그방정식을 푼 후에는 구한 해가 밑과 진수 조건을 만족시키는지 반드시 확인한다. 즉, (밑)>0, (밑)$\neq1$, (진수)>0의 조건을 모두 만족시키는 것만을 근으로 택한다.

0537

진수의 조건에서 $x-4>0$, $5x+4>0$ $\therefore x>4$ ...... ㉠

$\log_3(x-4)=\log_9(5x+4)$에서

$\log_3(x-4)=\frac{1}{2}\log_3(5x+4)$

4 로그함수

$2\log_3(x-4)=\log_3(5x+4)$

$\log_3(x-4)^2=\log_3(5x+4)$

$(x-4)^2=5x+4$

$x^2-13x+12=0$, $(x-1)(x-12)=0$

$\therefore x=1$ 또는 $x=12$

이때, ㉠에 의하여 $x=\alpha=12$ 답 12

0538

진수의 조건에서 $x+3>0$, $(3x+1)^2>0$

$\therefore x>-3$ ...... ㉠

$\frac{1}{2}\log_2(x+3)-\log_4(3x+1)^2=-1$에서

$\frac{1}{2}\log_2(x+3)-\frac{1}{2}\log_2(3x+1)^2=\log_2\frac{1}{2}$

$\log_2(x+3)-\log_2(3x+1)^2=2\log_2\frac{1}{2}$

$\log_2\frac{x+3}{(3x+1)^2}=\log_2\left(\frac{1}{2}\right)^2$

$\frac{x+3}{(3x+1)^2}=\frac{1}{4}$, $4(x+3)=(3x+1)^2$

$9x^2+2x-11=0$, $(9x+11)(x-1)=0$

$\therefore x=-\frac{11}{9}$ 또는 $x=1$

이것은 ㉠을 만족시키므로 구하는 해이다.

답 $x=-\frac{11}{9}$ 또는 $x=1$

0539

밑과 진수의 조건에서 $\left[\begin{array}{l}(x+1+\sqrt{3})(x+1-\sqrt{3})>0\\ \therefore x<-1-\sqrt{3} \text{ 또는 } x>-1+\sqrt{3}\end{array}\right.$

$4x>0$, $4x\neq1$, $\underline{x^2+2x-2>0}$

$\therefore x>-1+\sqrt{3}$ ...... ㉠

$\log_{x^2+4}(x^2+2x-2)=\log_{4x}(x^2+2x-2)$에서

$x^2+4=4x$ 또는 $x^2+2x-2=1$

(i) $x^2+4=4x$일 때, $x^2-4x+4=0$

$(x-2)^2=0$ $\quad\therefore x=2$

$x=2$는 ㉠을 만족시키므로 구하는 해이다.

(ii) $x^2+2x-2=1$일 때, $x^2+2x-3=0$

$(x+3)(x-1)=0$ $\quad\therefore x=-3$ 또는 $x=1$

이때, ㉠에 의하여 $x=1$

(i), (ii)에서 $x=1$ 또는 $x=2$

따라서 주어진 방정식의 모든 근의 합은 $1+2=3$ 답 ③

참고 밑의 조건에서 $x^2+4>0$, $x^2+4\neq1$은 모든 실수 x에 대하여 성립하므로 생각하지 않아도 된다.

0540

전략 $\log x=t$로 치환하여 t에 대한 이차방정식을 푼다.

진수의 조건에서 $x>0$ ...... ㉠

$\log x^2-\log x\cdot\log 2x+\log 4=0$에서

$2\log x-\log x(\log 2+\log x)+\log 4=0$

$(\log x)^2+(\log 2-2)\log x-2\log 2=0$

$\log x=t$로 놓으면 $t^2+(\log 2-2)t-2\log 2=0$

$(t+\log 2)(t-2)=0$ $\quad\therefore t=-\log 2$ 또는 $t=2$

즉, $\log x=-\log 2$ 또는 $\log x=2$이므로

$x=2^{-1}=\frac{1}{2}$ 또는 $x=10^2=100$

이것은 ㉠을 만족시키므로 구하는 해이다.

따라서 주어진 방정식의 모든 근의 곱은 $\frac{1}{2}\cdot100=50$ 답 ④

0541

진수의 조건에서 $x>0$ ...... ㉠

$\log_2 2x\cdot\log_2\frac{x}{2}=3$에서 $(\log_2 x+\log_2 2)(\log_2 x-\log_2 2)=3$

$(\log_2 x+1)(\log_2 x-1)=3$

$\log_2 x=t$로 놓으면 $(t+1)(t-1)=3$

$t^2-1=3$, $t^2=4$ $\quad\therefore t=-2$ 또는 $t=2$

즉, $\log_2 x=-2$ 또는 $\log_2 x=2$이므로

$x=2^{-2}=\frac{1}{4}$ 또는 $x=2^2=4$

이것은 ㉠을 만족시키므로 구하는 해이다. 답 ③

0542

진수의 조건에서 $x>0$ ...... ㉠

$(\log_2 x)^2+\log_2 x^2-8=0$에서 $(\log_2 x)^2+2\log_2 x-8=0$

$\log_2 x=t$로 놓으면 $t^2+2t-8=0$, $(t+4)(t-2)=0$

$\therefore t=-4$ 또는 $t=2$

즉, $\log_2 x=-4$ 또는 $\log_2 x=2$이므로

$x=2^{-4}=\frac{1}{16}$ 또는 $x=2^2=4$

이것은 ㉠을 만족시키므로 구하는 해이다. 따라서 주어진 방정식의 모든 근의 곱은 $\frac{1}{16}\cdot4=\frac{1}{4}$ 답 $\frac{1}{4}$

0543

밑과 진수의 조건에서 $x>0$, $x\neq1$ ...... ㉠

$\log_x 3=\frac{1}{\log_3 x}$이므로 $\log_3 x=2\log_x 3+1$에서

$\log_3 x=\frac{2}{\log_3 x}+1$

$(\log_3 x)^2-\log_3 x-2=0$

$\log_3 x=t\,(t\neq0)$로 놓으면 $t^2-t-2=0$, $(t+1)(t-2)=0$

$\therefore t=-1$ 또는 $t=2$ ... ❶

즉, $\log_3 x=-1$ 또는 $\log_3 x=2$이므로

$x=3^{-1}=\frac{1}{3}$ 또는 $x=3^2=9$

이것은 ㉠을 만족시키므로 구하는 해이다.

그런데 $\alpha>\beta$이므로 $\alpha=9$, $\beta=\frac{1}{3}$ ... ❷

$\therefore \alpha+\frac{1}{\beta}=9+3=12$ ... ❸

답 12

채점 기준	비율
❶ $\log_3 x=t$로 치환하여 t에 대한 이차방정식을 풀 수 있다.	50 %
❷ α, β의 값을 구할 수 있다.	40 %
❸ $\alpha+\frac{1}{\beta}$의 값을 구할 수 있다.	10 %

0544

진수의 조건에서 $a>0$ …… ㉠

이차방정식 $x^2-x\log a+\log a+3=0$의 판별식을 D라 하면

$D=(-\log a)^2-4(\log a+3)=0$

$(\log a)^2-4\log a-12=0$

$\log a=t$로 놓으면 $t^2-4t-12=0$, $(t+2)(t-6)=0$

$\therefore t=-2$ 또는 $t=6$

즉, $\log a=-2$ 또는 $\log a=6$이므로

$a=10^{-2}=\frac{1}{10^2}$ 또는 $a=10^6$

이것은 ㉠을 만족시키므로 구하는 해이다.

따라서 모든 양수 a의 값의 곱은 $\frac{1}{10^2}\cdot 10^6=10^4$ 답 ④

0545

진수의 조건에서 $x>0$ …… ㉠

$5^{\log x}\cdot x^{\log 5}-3(5^{\log x}+x^{\log 5})+5=0$에서 $5^{\log x}=x^{\log 5}$이므로

$(5^{\log x})^2-6\cdot 5^{\log x}+5=0$

$5^{\log x}=t\,(t>0)$로 놓으면 $t^2-6t+5=0$, $(t-1)(t-5)=0$

$\therefore t=1$ 또는 $t=5$

즉, $5^{\log x}=1$ 또는 $5^{\log x}=5$이므로 $\log x=0$ 또는 $\log x=1$

$\therefore x=1$ 또는 $x=10$

이것은 ㉠을 만족시키므로 구하는 해이다.

따라서 주어진 방정식의 모든 근의 합은 $1+10=11$ 답 ⑤

0546

|전략| 진수와 밑이 같은 로그가 나타나도록 주어진 식을 먼저 정리한다.

진수의 조건에서 $x>0$, $y>0$ …… ㉠

$\log_5 x\cdot\log_3 y=\frac{\log x}{\log 5}\cdot\frac{\log y}{\log 3}=\frac{\log x}{\log 3}\cdot\frac{\log y}{\log 5}$

$=\log_3 x\cdot\log_5 y$

이므로 주어진 방정식은 $\begin{cases}\log_3 x+\log_5 y=4\\ \log_3 x\cdot\log_5 y=3\end{cases}$

$\log_3 x=X$, $\log_5 y=Y$로 놓으면 $\begin{cases}X+Y=4 & \cdots\cdots ㉡\\ XY=3 & \cdots\cdots ㉢\end{cases}$

㉡에서 $Y=4-X$ …… ㉣

이것을 ㉢에 대입하면 $X(4-X)=3$

$X^2-4X+3=0$, $(X-1)(X-3)=0$

$\therefore X=1$ 또는 $X=3$

㉣에서 $X=1$일 때 $Y=3$, $X=3$일 때 $Y=1$

즉, $\log_3 x=1$, $\log_5 y=3$ 또는 $\log_3 x=3$, $\log_5 y=1$이므로

$x=3$, $y=5^3=125$ 또는 $x=3^3=27$, $y=5$

이것은 ㉠을 만족시키므로 구하는 해이다.

그런데 $\alpha>\beta$이므로 $\alpha=27$, $\beta=5$

$\therefore \alpha+\beta=32$ 답 ⑤

0547

밑의 조건에서 $x>0$, $x\neq 1$, $y>0$, $y\neq 1$ …… ㉠

$\begin{cases}\log_x 4-\log_y 2=2\\ \log_x 16+\log_y 8=-1\end{cases}$에서 $\begin{cases}\log_x 2^2-\log_y 2=2\\ \log_x 2^4+\log_y 2^3=-1\end{cases}$

$\therefore \begin{cases}2\log_x 2-\log_y 2=2\\ 4\log_x 2+3\log_y 2=-1\end{cases}$

$\log_x 2=X$, $\log_y 2=Y$로 놓으면 $\begin{cases}2X-Y=2 & \cdots\cdots ㉡\\ 4X+3Y=-1 & \cdots\cdots ㉢\end{cases}$

㉡에서 $Y=2X-2$ …… ㉣

㉣을 ㉢에 대입하면 $4X+3(2X-2)=-1$

$10X=5$ $\quad\therefore X=\frac{1}{2}$

이것을 ㉣에 대입하면 $Y=-1$

즉, $\log_x 2=\frac{1}{2}$, $\log_y 2=-1$이므로 $2=x^{\frac{1}{2}}$, $2=y^{-1}$

$\therefore x=4$, $y=\frac{1}{2}$

이것은 ㉠을 만족시키므로 구하는 해이다.

$\therefore xy=4\cdot\frac{1}{2}=2$ 답 2

0548

|전략| 지수에 로그가 있을 때에는 양변에 밑이 같은 로그를 취한다.

진수의 조건에서 $x>0$ …… ㉠

$x^{\log x}=10000x^3$의 양변에 상용로그를 취하면

$\log x^{\log x}=\log 10000x^3$

$\log x\cdot\log x=\log 10000+\log x^3$

$(\log x)^2-3\log x-4=0$

$\log x=t$로 놓으면 $t^2-3t-4=0$, $(t+1)(t-4)=0$

$\therefore t=-1$ 또는 $t=4$

즉, $\log x=-1$ 또는 $\log x=4$이므로

$x=10^{-1}=\frac{1}{10}$ 또는 $x=10^4=10000$

이것은 ㉠을 만족시키므로 구하는 해이다.

이때, $\alpha<\beta$이므로 $\alpha=\frac{1}{10}$, $\beta=10000$

$\therefore \log\frac{\beta}{\alpha}=\log 10^5=5$ 답 ③

0549

$2^{x-1}=3^{x+1}$의 양변에 상용로그를 취하면

$(x-1)\log 2=(x+1)\log 3$

$(\log 2-\log 3)x=\log 3+\log 2$

$\therefore x=\frac{\log 3+\log 2}{\log 2-\log 3}=\frac{\log 6}{\log 2-\log 3}$ 답 ④

4 로그함수

0550

$5^{2x}=2^{4-2x}$의 양변에 상용로그를 취하면

$2x\log 5=(4-2x)\log 2$, $2x(\log 5+\log 2)=4\log 2$

그런데 $\log 5+\log 2=\log 10=1$이므로

$2x=4\log 2$ $\therefore x=2\log 2=\log 4$

따라서 $a=\log 4$이므로 $10^a=10^{\log 4}=4$ 답 ④

0551

진수의 조건에서 $x>0$ ······ ㉠

$x^{\log_3 x}=27x^2$의 양변에 밑이 3인 로그를 취하면

$\log_3 x^{\log_3 x}=\log_3 27x^2$

$\log_3 x\cdot\log_3 x=\log_3 27+\log_3 x^2$

$(\log_3 x)^2-2\log_3 x-3=0$

$\log_3 x=t$로 놓으면 $t^2-2t-3=0$, $(t+1)(t-3)=0$

$\therefore t=-1$ 또는 $t=3$

즉, $\log_3 x=-1$ 또는 $\log_3 x=3$이므로

$x=3^{-1}=\frac{1}{3}$ 또는 $x=3^3=27$

이것은 ㉠을 만족시키므로 구하는 해이다.

따라서 주어진 방정식의 두 근의 곱은 $\frac{1}{3}\cdot 27=9$ 답 ③

0552

$(2x)^{\log_a 2}=(3x)^{\log_a 3}$의 양변에 밑이 a인 로그를 취하면

$\log_a 2\cdot\log_a 2x=\log_a 3\cdot\log_a 3x$

$\log_a 2(\log_a 2+\log_a x)=\log_a 3(\log_a 3+\log_a x)$

$(\log_a 2)^2+\log_a 2\cdot\log_a x=(\log_a 3)^2+\log_a 3\cdot\log_a x$

$(\log_a 3-\log_a 2)\log_a x=(\log_a 2)^2-(\log_a 3)^2$

$$\therefore \log_a x=\frac{-(\log_a 3+\log_a 2)(\log_a 3-\log_a 2)}{\log_a 3-\log_a 2}$$

$$=-(\log_a 3+\log_a 2)=-\log_a 6=\log_a \frac{1}{6}$$

$\therefore x=\frac{1}{6}$ 답 $x=\frac{1}{6}$

0553

|전략| 이차방정식 $ax^2+bx+c=0$의 두 근이 α, β일 때, $\alpha+\beta=-\frac{b}{a}$, $\alpha\beta=\frac{c}{a}$임을 이용한다.

$(\log_2 8x)^2-4\log_2 16x=0$에서

$(\log_2 8+\log_2 x)^2-4(\log_2 16+\log_2 x)=0$

$(3+\log_2 x)^2-4(4+\log_2 x)=0$ ······ ㉠

$\log_2 x=t$로 놓으면 $(3+t)^2-4(4+t)=0$

$\therefore t^2+2t-7=0$ ······ ㉡

방정식 ㉠의 두 근을 α, β라 하면 방정식 ㉡의 두 근은 $\log_2\alpha$, $\log_2\beta$이므로 근과 계수의 관계에 의하여

$\log_2\alpha+\log_2\beta=-2$

즉, $\log_2\alpha\beta=-2$이므로 $\alpha\beta=2^{-2}=\frac{1}{4}$ 답 ②

0554

주어진 방정식의 두 근을 α, β라 하면 $\alpha\beta=9$

$\log_3 x-3\log_x 3+a=0$에서 $\log_x 3=\frac{1}{\log_3 x}$이므로

$\log_3 x-\frac{3}{\log_3 x}+a=0$

$\log_3 x=t(t>0)$로 놓으면 $t-\frac{3}{t}+a=0$

$\therefore t^2+at-3=0$ ··· ❶

이 방정식의 해는 $\log_3\alpha$, $\log_3\beta$이므로 근과 계수의 관계에 의하여

$\log_3\alpha+\log_3\beta=-a$ ··· ❷

$\log_3\alpha\beta=-a$, $\log_3 9=-a$

$\therefore a=-2$ ··· ❸

답 -2

채점 기준	비율
❶ 주어진 방정식을 치환하여 정리할 수 있다.	40 %
❷ 근과 계수의 관계를 이용할 수 있다.	40 %
❸ a의 값을 구할 수 있다.	20 %

0555

$x>0$이므로 $(\log_3 x)^2+\log_3 x^2-1=0$에서

$(\log_3 x)^2+2\log_3 x-1=0$

$\log_3 x=t$로 놓으면 $t^2+2t-1=0$

이 방정식의 두 근이 $\log_3\alpha$, $\log_3\beta$이므로 근과 계수의 관계에 의하여

$\log_3\alpha+\log_3\beta=-2$, $\log_3\alpha\cdot\log_3\beta=-1$

$$\therefore \frac{1}{(\log_3\alpha)^2}+\frac{1}{(\log_3\beta)^2}$$

$$=\frac{(\log_3\alpha)^2+(\log_3\beta)^2}{(\log_3\alpha)^2(\log_3\beta)^2}$$

$$=\frac{(\log_3\alpha+\log_3\beta)^2-2\log_3\alpha\cdot\log_3\beta}{(\log_3\alpha\cdot\log_3\beta)^2}$$

$$=\frac{(-2)^2-2\cdot(-1)}{(-1)^2}=6$$

답 ③

0556

$(\log_2 x)^3+\log_2 x^3=4(\log_2 x)^2+\log_2 x$에서

$(\log_2 x)^3+3\log_2 x=4(\log_2 x)^2+\log_2 x$ ······ ㉠

$\log_2 x=t$로 놓으면 $t^3+3t=4t^2+t$

$\therefore t^3-4t^2+2t=0$ ······ ㉡

방정식 ㉠의 세 근을 α, β, γ라 하면 방정식 ㉡의 세 근은 $\log_2\alpha$, $\log_2\beta$, $\log_2\gamma$이므로 근과 계수의 관계에 의하여

$\log_2\alpha+\log_2\beta+\log_2\gamma=4$

즉, $\log_2\alpha\beta\gamma=4$이므로 주어진 방정식의 모든 근의 곱은

$\alpha\beta\gamma=2^4=16$ 답 ⑤

Lecture

삼차방정식의 근과 계수의 관계

삼차방정식 $ax^3+bx^2+cx+d=0$의 세 근을 α, β, γ라 하면

(1) $\alpha+\beta+\gamma=-\frac{b}{a}$ (2) $\alpha\beta+\beta\gamma+\gamma\alpha=\frac{c}{a}$ (3) $\alpha\beta\gamma=-\frac{d}{a}$

0557

$(\log_3 x)\left(\log_3 \frac{27}{x}\right)=\frac{a}{8}$에서 $(\log_3 x)(\log_3 27-\log_3 x)=\frac{a}{8}$

$(\log_3 x)^2-3\log_3 x+\frac{a}{8}=0$ ······ ㉠

$\log_3 x=t$로 놓으면 $t^2-3t+\frac{a}{8}=0$ ······ ㉡

이때, 방정식 ㉠이 서로 다른 두 양의 근을 가지려면 실수인 $t=\log_3 x$를 근으로 갖는 방정식 ㉡의 해는 서로 다른 두 실근이어야 한다.
따라서 방정식 ㉡의 판별식을 D라 하면

$D=(-3)^2-4\cdot 1\cdot\frac{a}{8}>0,\ 9-\frac{a}{2}>0$ $\quad\therefore a<18$ 답 ①

0558

|전략| 부등식의 각 항의 밑을 4로 같게 한 후 진수끼리 비교하여 푼다.

진수의 조건에서 $x-1>0,\ 5-x^2>0$

즉, $x>1,\ -\sqrt{5}<x<\sqrt{5}$ $\quad\therefore 1<x<\sqrt{5}$ ······ ㉠

$\log_2(x-1)\geq\log_4(5-x^2)$에서 $\log_4(x-1)^2\geq\log_4(5-x^2)$

$4>1$이므로 $(x-1)^2\geq 5-x^2,\ x^2-x-2\geq 0$

$(x+1)(x-2)\geq 0$ $\quad\therefore x\leq -1$ 또는 $x\geq 2$ ······ ㉡

㉠, ㉡의 공통 범위를 구하면 $2\leq x<\sqrt{5}$

따라서 $\alpha=2,\ \beta=\sqrt{5}$이므로 $\alpha^2+\beta^2=2^2+(\sqrt{5})^2=9$ 답 ④

0559

진수의 조건에서 $2x-1>0,\ x-\frac{1}{2}>0$

$\therefore x>\frac{1}{2}$ ······ ㉠

$\log_{\frac{1}{2}}(2x-1)+1>\log_{\frac{1}{4}}\left(x-\frac{1}{2}\right)$에서

$\log_{\frac{1}{4}}(2x-1)^2+1>\log_{\frac{1}{4}}\left(x-\frac{1}{2}\right)$

$\log_{\frac{1}{4}}\frac{1}{4}(2x-1)^2>\log_{\frac{1}{4}}\left(x-\frac{1}{2}\right)$

$0<\frac{1}{4}<1$이므로 $\frac{1}{4}(2x-1)^2<x-\frac{1}{2}$

$(2x-1)^2<4x-2,\ 4x^2-8x+3<0$

$(2x-1)(2x-3)<0$ $\quad\therefore \frac{1}{2}<x<\frac{3}{2}$ ······ ㉡

㉠, ㉡의 공통 범위를 구하면 $\frac{1}{2}<x<\frac{3}{2}$ 답 ②

0560

진수의 조건에서

$x+3>0,\ 1-x>0$ $\quad\therefore -3<x<1$ ······ ㉠

$\log_a(x+3)-\log_a(1-x)-1>0$에서

$\log_a(x+3)>\log_a(1-x)+1$

$\log_a(x+3)>\log_a a(1-x)$

(i) $a>1$일 때, 밑이 1보다 크므로

$x+3>a(1-x),\ (1+a)x>a-3$

$\therefore x>\frac{a-3}{1+a}$ $(\because 1+a>0)$ ······ ㉡

㉠, ㉡의 공통 범위가 주어진 부등식의 해 $-\frac{1}{3}<x<1$이어야 하므로 $\frac{a-3}{1+a}=-\frac{1}{3},\ 1+a=-3(a-3),\ 4a=8$ $\quad\therefore a=2$

(ii) $0<a<1$일 때, 밑이 1보다 작으므로

$x+3<a(1-x),\ (1+a)x<a-3$

$\therefore x<\frac{a-3}{1+a}$ $(\because 1+a>0)$ ······ ㉢

㉠, ㉢의 공통 범위가 주어진 부등식의 해 $-\frac{1}{3}<x<1$이 되도록 하는 a의 값은 존재하지 않는다.

(i), (ii)에서 양수 a의 값은 2이다. 답 ①

0561

(i) $4^x+2^{x+2}-12\leq 0$에서 $(2^x)^2+4\cdot 2^x-12\leq 0$

$2^x=t\,(t>0)$로 놓으면 $t^2+4t-12\leq 0,\ (t+6)(t-2)\leq 0$

$t+6>0$이므로 $t\leq 2$

따라서 $2^x\leq 2$이고 $2>1$이므로 $x\leq 1$

(ii) $2\log_2(x+1)\leq 2+\log_2(x+4)$의 진수의 조건에서

$x+1>0,\ x+4>0$ $\quad\therefore x>-1$ ······ ㉠

$2\log_2(x+1)\leq 2+\log_2(x+4)$에서

$\log_2(x+1)^2\leq\log_2 4(x+4)$

$2>1$이므로 $(x+1)^2\leq 4(x+4)$

$x^2+2x+1\leq 4x+16,\ x^2-2x-15\leq 0$

$(x+3)(x-5)\leq 0$ $\quad\therefore -3\leq x\leq 5$ ······ ㉡

㉠, ㉡의 공통 범위를 구하면 $-1<x\leq 5$

(i), (ii)에 의하여 연립부등식의 해는

$-1<x\leq 1$ 답 $-1<x\leq 1$

0562

진수의 조건에서 $x-1>0$ $\quad\therefore x>1$ ······ ㉠

$|\log_{\frac{1}{2}}(x-1)|<2$에서 $-2<\log_{\frac{1}{2}}(x-1)<2$

$\log_{\frac{1}{2}}\left(\frac{1}{2}\right)^{-2}<\log_{\frac{1}{2}}(x-1)<\log_{\frac{1}{2}}\left(\frac{1}{2}\right)^2$

$0<\frac{1}{2}<1$이므로 $4>x-1>\frac{1}{4}$ $\quad\therefore \frac{5}{4}<x<5$ ······ ㉡

㉠, ㉡의 공통 범위를 구하면 $\frac{5}{4}<x<5$

이때, 해가 $\frac{5}{4}<x<5$이고 x^2의 계수가 2인 이차부등식은

$2\left(x-\frac{5}{4}\right)(x-5)<0$ $\quad\therefore 2x^2-\frac{25}{2}x+\frac{25}{2}<0$

이 부등식이 $2x^2+px+q<0$과 같으므로

$p=-\frac{25}{2},\ q=\frac{25}{2}$

$\therefore q-p=\frac{25}{2}-\left(-\frac{25}{2}\right)=25$ 답 25

Lecture

(1) 해가 $\alpha<x<\beta$인 이차부등식은 ⇨ $a(x-\alpha)(x-\beta)<0$ (단, $a>0$)
(2) 해가 $x<\alpha$ 또는 $x>\beta\,(\alpha<\beta)$인 이차부등식은
⇨ $a(x-\alpha)(x-\beta)>0$ (단, $a>0$)

0563

|전략| 진수의 조건과 부등호의 방향에 주의하여 푼다.

진수의 조건에서 $\log_3 x>0$ $\quad\therefore x>1$ ...... ㉠

$\log_2(\log_3 x)<2$에서 $\log_2(\log_3 x)<\log_2 4$

$2>1$이므로 $\log_3 x<4$ $\quad\therefore x<3^4=81$ ...... ㉡

㉠, ㉡의 공통 범위를 구하면 $1<x<81$

따라서 정수 x는 2, 3, 4, …, 80의 79개이다. 답 ③

0564

(i) 집합 A의 진수의 조건에서 $\log_2 x>0$ $\quad\therefore x>1$ ...... ㉠

$\log_3(\log_2 x)\le 1$에서 $\log_3(\log_2 x)\le\log_3 3$

$3>1$이므로 $\log_2 x\le 3$ $\quad\therefore x\le 2^3=8$ ...... ㉡

㉠, ㉡에서 $A=\{x|1<x\le 8\}$

(ii) 집합 B의 진수의 조건에서 $\log_3 x>0$ $\quad\therefore x>1$ ...... ㉢

$\log_2(\log_3 x)\le 1$에서 $\log_2(\log_3 x)\le\log_2 2$

$2>1$이므로 $\log_3 x\le 2$ $\quad\therefore x\le 3^2=9$ ...... ㉣

㉢, ㉣에서 $B=\{x|1<x\le 9\}$

(i), (ii)에서 $A\subset B$이므로 $A\cap B=A$ 답 ①

Lecture

집합의 연산의 성질과 포함 관계

$A\subset B \Longleftrightarrow A\cap B=A \Longleftrightarrow A\cup B=B$

$\Longleftrightarrow A-B=\varnothing \Longleftrightarrow A\cap B^C=\varnothing$

$\Longleftrightarrow B^C\subset A^C \Longleftrightarrow B^C-A^C=\varnothing$

0565

|전략| $\log_2 x=t$로 치환하여 부등식을 푼다.

진수의 조건에서 $x>0$ ...... ㉠

$(\log_2 x)^2-\log_2 8x^2\le 0$에서 $(\log_2 x)^2-(\log_2 8+\log_2 x^2)\le 0$

$(\log_2 x)^2-2\log_2 x-3\le 0$

$\log_2 x=t$로 놓으면 $t^2-2t-3\le 0$, $(t+1)(t-3)\le 0$

$\therefore -1\le t\le 3$

즉, $-1\le\log_2 x\le 3$이므로 $\log_2 2^{-1}\le\log_2 x\le\log_2 2^3$

$2>1$이므로 $\frac{1}{2}\le x\le 8$ ...... ㉡

㉠, ㉡의 공통 범위를 구하면 $\frac{1}{2}\le x\le 8$

따라서 $\alpha=\frac{1}{2}$, $\beta=8$이므로 $\alpha\beta=4$ 답 ⑤

0566

진수의 조건에서 $\frac{4}{x}>0$, $\frac{x}{8}>0$ $\quad\therefore x>0$ ...... ㉠

$\log_{\frac{1}{2}}\frac{4}{x}\cdot\log_{\frac{1}{2}}\frac{x}{8}\ge -2$에서

$(\log_{\frac{1}{2}}4-\log_{\frac{1}{2}}x)(\log_{\frac{1}{2}}x-\log_{\frac{1}{2}}8)\ge -2$

$(-2+\log_2 x)(-\log_2 x+3)\ge -2$

$(\log_2 x-2)(\log_2 x-3)\le 2$

$\log_2 x=t$로 놓으면 $(t-2)(t-3)\le 2$, $t^2-5t+4\le 0$

$(t-1)(t-4)\le 0$ $\quad\therefore 1\le t\le 4$

즉, $1\le\log_2 x\le 4$이므로 $\log_2 2\le\log_2 x\le\log_2 2^4$

$2>1$이므로 $2\le x\le 16$ ...... ㉡

㉠, ㉡의 공통 범위를 구하면 $2\le x\le 16$

따라서 정수 x는 2, 3, 4, …, 16의 15개이다. 답 ④

0567

$(1+\log_3 x)(a-\log_3 x)>0$에서

$(\log_3 x+1)(\log_3 x-a)<0$

$\log_3 x=t$로 놓으면 $(t+1)(t-a)<0$ ...... ㉠

이때, 부등식의 해가 $\frac{1}{3}<x<9$이고 $3>1$이므로

$\log_3\frac{1}{3}<t<\log_3 9$, $\log_3 3^{-1}<t<\log_3 3^2$

$\therefore -1<t<2$ ...... ㉡

㉠, ㉡에서 $a=2$ 답 2

다른 풀이 부등식 $(1+\log_3 x)(a-\log_3 x)>0$의 해가 $\frac{1}{3}<x<9$이므로

방정식 $(1+\log_3 x)(a-\log_3 x)=0$의 해는 $x=\frac{1}{3}$ 또는 $x=9$이다.

즉, $\log_3 x=-1$ 또는 $\log_3 x=a$에서 $x=\frac{1}{3}$ 또는 $x=3^a$

따라서 $3^a=9$이므로 $a=2$

0568

|전략| $[\log_5 x]=t$로 치환하여 부등식을 푼다.

진수의 조건에서 $x>0$ ...... ㉠

$[\log_5 x]=t$ (t는 정수)로 놓으면 $t^2-t-2<0$

$(t+1)(t-2)<0$ $\quad\therefore -1<t<2$

이때, t는 정수이므로 $t=0, 1$

(i) $[\log_5 x]=0$일 때, $0\le\log_5 x<1$ $\quad\therefore 1\le x<5$

(ii) $[\log_5 x]=1$일 때, $1\le\log_5 x<2$ $\quad\therefore 5\le x<25$

(i), (ii)에서 $1\le x<25$ ...... ㉡

㉠, ㉡의 공통 범위를 구하면 $1\le x<25$ 답 $1\le x<25$

0569

|전략| 지수에 로그가 있을 때에는 양변에 밑이 같은 로그를 취한 후 부등식을 푼다.

진수의 조건에서 $x>0$ ...... ㉠

$x^{\log_2 x}<8x^2$의 양변에 밑이 2인 로그를 취하면

$\log_2 x^{\log_2 x}<\log_2 8x^2$, $\log_2 x\cdot\log_2 x<\log_2 8+\log_2 x^2$

$(\log_2 x)^2-2\log_2 x-3<0$

$\log_2 x=t$로 놓으면 $t^2-2t-3<0$

$(t+1)(t-3)<0$ $\quad\therefore -1<t<3$

즉, $-1<\log_2 x<3$이므로 $\log_2 2^{-1}<\log_2 x<\log_2 2^3$

$2>1$이므로 $\frac{1}{2}<x<8$ ...... ㉡

㉠, ㉡의 공통 범위를 구하면 $\frac{1}{2}<x<8$

따라서 정수 x는 1, 2, 3, …, 7의 7개이다. 답 ⑤

0570

$2^{x+1}>3^{x-1}$의 양변에 상용로그를 취하면

$(x+1)\log 2>(x-1)\log 3$

$x(\log 2-\log 3)>-\log 2-\log 3$

이때, $\log 2<\log 3$이므로 $\log 2-\log 3<0$

$\therefore x<\frac{\log 2+\log 3}{\log 3-\log 2}=\frac{0.3010+0.4771}{0.4771-0.3010}=\frac{0.7781}{0.1761}=4.4\times\times\times$

따라서 이것을 만족시키는 양의 정수 x는 1, 2, 3, 4로 그 합은

$1+2+3+4=10$

답 ①

0571

진수의 조건에서 $x>0$ …… ㉠

$x^{\log_{\frac{1}{2}} x}>4x^3$에서 $\log_{\frac{1}{2}} x=-\log_2 x$이므로 $x^{-\log_2 x}>4x^3$

양변에 밑이 2인 로그를 취하면 $\log_2 x^{-\log_2 x}>\log_2 4x^3$

$-\log_2 x\cdot\log_2 x>\log_2 4+\log_2 x^3$

$(\log_2 x)^2+3\log_2 x+2<0$

$\log_2 x=t$로 놓으면 $t^2+3t+2<0$

$(t+1)(t+2)<0 \qquad \therefore -2<t<-1$

즉, $-2<\log_2 x<-1$이므로 $\log_2 2^{-2}<\log_2 x<\log_2 2^{-1}$

$2>1$이므로 $\frac{1}{4}<x<\frac{1}{2}$ …… ㉡

㉠, ㉡의 공통 범위를 구하면 $\frac{1}{4}<x<\frac{1}{2}$

따라서 $\alpha=\frac{1}{4}$, $\beta=\frac{1}{2}$이므로

$\frac{\alpha+\beta}{\alpha\beta}=\frac{1}{\alpha}+\frac{1}{\beta}=4+2=6$

답 ④

0572

|전략| 계수가 실수인 이차방정식이 실근을 가지려면 (판별식)≥ 0임을 이용한다.

진수의 조건에서 $a>0$ …… ㉠

주어진 이차방정식의 판별식을 D라 하면

$\frac{D}{4}=(2+\log_2 a)^2-1\geq 0$, $(\log_2 a)^2+4\log_2 a+3\geq 0$

$\log_2 a=t$로 놓으면 $t^2+4t+3\geq 0$

$(t+1)(t+3)\geq 0 \qquad \therefore t\leq -3$ 또는 $t\geq -1$

즉, $\log_2 a\leq -3$ 또는 $\log_2 a\geq -1$이므로

$\log_2 a\leq\log_2 2^{-3}$ 또는 $\log_2 a\geq\log_2 2^{-1}$

$2>1$이므로 $a\leq\frac{1}{8}$ 또는 $a\geq\frac{1}{2}$ …… ㉡

㉠, ㉡의 공통 범위를 구하면 $0<a\leq\frac{1}{8}$ 또는 $a\geq\frac{1}{2}$

따라서 구하는 정수 a의 최솟값은 1이다.

답 ③

0573

$x^{\log x}>(100x)^k$의 양변에 상용로그를 취하면

$\log x^{\log x}>\log(100x)^k$, $\log x\cdot\log x>k(\log 100+\log x)$

$(\log x)^2>k(2+\log x)$ … ❶

$\log x=t$로 놓으면 $t^2>k(2+t)$

$\therefore t^2-kt-2k>0$ … ❷

이때, 모든 실수 t에 대하여 이 부등식이 성립해야 하므로 이차방정식 $t^2-kt-2k=0$의 판별식을 D라 하면

$D=k^2+8k<0$, $k(k+8)<0$

$\therefore -8<k<0$ … ❸

답 $-8<k<0$

채점 기준	비율
❶ 주어진 부등식의 양변에 상용로그를 취하여 정리할 수 있다.	30 %
❷ 주어진 부등식을 치환할 수 있다.	30 %
❸ k의 값의 범위를 구할 수 있다.	40 %

0574

진수의 조건에서 $ax^2>0 \qquad \therefore a>0$ …… ㉠

$x>0$이므로 $(\log_2 x)^2\geq\log_2 ax^2$에서 $(\log_2 x)^2\geq\log_2 a+2\log_2 x$

$\log_2 x=t$로 놓으면 $t^2\geq\log_2 a+2t$, $t^2-2t-\log_2 a\geq 0$

이때, 모든 실수 t에 대하여 이 부등식이 성립해야 하므로 이차방정식 $t^2-2t-\log_2 a=0$의 판별식을 D라 하면

$\frac{D}{4}=1+\log_2 a\leq 0$, $\log_2 a\leq -1$, $\log_2 a\leq\log_2 2^{-1}$

$2>1$이므로 $a\leq\frac{1}{2}$ …… ㉡

㉠, ㉡의 공통 범위를 구하면 $0<a\leq\frac{1}{2}$

따라서 실수 a의 최댓값은 $\frac{1}{2}$이다.

답 ②

0575

|전략| 반도체의 금년도 생산량을 a라 하고, 주어진 조건에 맞게 방정식을 세운 후 양변에 상용로그를 취하여 그 해를 구한다.

반도체의 금년도 생산량을 a라 하고, 반도체의 한 해 생산량을 매년 x %씩 증가시켜 20년 후에 금년도의 생산량의 2배가 된다고 하면

$a\left(1+\frac{x}{100}\right)^{20}=2a$, $\left(1+\frac{x}{100}\right)^{20}=2$

양변에 상용로그를 취하면 $20\log\left(1+\frac{x}{100}\right)=\log 2$

$\log\left(1+\frac{x}{100}\right)=\frac{\log 2}{20}=\frac{0.300}{20}=0.015$

즉, $\log\left(1+\frac{x}{100}\right)=\log 1.035$이므로

$1+\frac{x}{100}=1.035$, $\frac{x}{100}=0.035 \qquad \therefore x=3.5$

따라서 이 회사에서는 생산량을 매년 3.5 %씩 증가시켜야 한다.

답 ④

0576

골동품의 금년도의 가격을 a라 하면 n년 후의 가격은 $a(1+0.08)^n$이고 n년 후의 가격이 금년도의 2배 이상이므로

$a(1+0.08)^n\geq 2a$, $1.08^n\geq 2$

양변에 상용로그를 취하면 $n\log 1.08\geq\log 2$

이때, $\log 1.08=\log \frac{2^2\cdot 3^3}{10^2}=2\log 2+3\log 3-2$이므로

$\log 1.08=2\cdot 0.3010+3\cdot 0.4771-2=0.0333$

$\therefore n\ge \frac{\log 2}{\log 1.08}=\frac{0.3010}{0.0333}=9.03\times\times\times$

따라서 최소 10년 후부터 가격이 금년도의 2배 이상이 된다. 답 ③

0577

현재 오염도가 80인 폐수의 n시간 후의 오염도는 $80(1-0.2)^n$이고, 오염도를 10 이하로 줄여야 하므로

$80(1-0.2)^n\le 10$, $8\cdot 0.8^n\le 1$

양변에 상용로그를 취하면 $\log 8+n\log \frac{8}{10}\le 0$

$\log 2^3+n(\log 2^3-\log 10)\le 0$, $3\log 2+n(3\log 2-1)\le 0$

$n(3\log 2-1)\le -3\log 2$

이때, $3\log 2-1<0$이므로

$n\ge \frac{3\log 2}{1-3\log 2}=\frac{3\cdot 0.3010}{1-3\cdot 0.3010}=\frac{0.9030}{0.0970}=9.3\times\times\times$

따라서 최소한 10시간이 지나야 오염도 10 이하의 물로 정화된다.

답 10시간

STEP 3 내신 마스터

0578

유형 01 로그함수의 함숫값

|전략| $(f\circ g)(x)=2x$에 $x=2$를 먼저 대입해 본다.

$(f\circ g)(x)=2x$이므로 $(f\circ g)(2)=f(g(2))=2\cdot 2=4$

이때, 함수 $f(x)=\log_2(x+1)$에서 $f(g(2))=\log_2\{g(2)+1\}$이므로 $4=\log_2\{g(2)+1\}$, $g(2)+1=2^4=16$

$\therefore g(2)=16-1=15$ 답 ②

0579

유형 01 로그함수의 함숫값

|전략| $f^{-1}(a)=b$이면 $f(b)=a$임을 이용한다.

$f^{-1}(4)=a$로 놓으면 $f(a)=4$

$f(x)=\log_3(x^3+17)$이므로 $\log_3(a^3+17)=4$

$a^3+17=3^4$, $a^3=64$ $\therefore a=4$

즉, $f^{-1}(4)=4$

$\therefore (f^{-1}\circ f^{-1}\circ f^{-1})(4)=f^{-1}(f^{-1}(f^{-1}(4)))$

$=f^{-1}(f^{-1}(4))=f^{-1}(4)=4$ 답 ④

0580

유형 03 로그함수의 그래프에서의 함숫값

|전략| 네 점 A, B, C, D의 좌표를 차례로 구해 본다.

점 A의 x좌표가 2이므로 $y=\log_2 2=1$ $\therefore$ A(2, 1)

점 B의 x좌표가 2이므로 $y=\log_{\sqrt{2}} 2=2$ $\therefore$ B(2, 2)

점 C의 y좌표는 점 B의 y좌표와 같으므로 2이고

$\log_2 x=2$에서 $x=4$ $\therefore$ C(4, 2)

또, 점 D의 x좌표는 점 C의 x좌표와 같으므로 4이고

$y=\log_{\sqrt{2}} 4=4$ $\therefore$ D(4, 4)

$\therefore \overline{AB}+\overline{BC}+\overline{CD}=|2-1|+|4-2|+|4-2|$

$=1+2+2=5$ 답 ②

0581

유형 04 로그함수를 이용한 수의 대소 비교

|전략| $0<a<1$일 때, $y=\log_a x$의 그래프는 x의 값이 증가하면 y의 값은 감소함을 이용한다.

$a<b<1$의 각 변에 밑이 a인 로그를 취하면 $0<a<1$이므로

$\log_a a>\log_a b>\log_a 1$

$\therefore 0<\log_a b<1$ ······ ㉠

$a<b<1$의 각 변에 밑이 b인 로그를 취하면 $0<b<1$이므로

$\log_b a>\log_b b>\log_b 1$

$\therefore 0<1<\log_b a$ ······ ㉡

㉠, ㉡에서 $0<\log_a b<1<\log_b a$

따라서 옳은 것은 ㄱ, ㄴ이다. 답 ④

0582

유형 05 로그함수의 그래프의 평행이동과 대칭이동

|전략| 정삼각형의 한 꼭짓점인 점 B에서 $\overline{AC}$에 수선의 발을 그어 본다.

곡선 $y=\log_2 4x$ 위의 점 A와 곡선 $y=\log_2 x$ 위의 점 C에 대하여 선분 AC가 y축에 평행하므로 두 점 A, C의 x좌표를 t라 하면

$A(t, \log_2 4t)$, $C(t, \log_2 t)$

$\therefore \overline{AC}=\log_2 4t-\log_2 t=\log_2 \frac{4t}{t}=\log_2 4=2$

즉, △ABC는 한 변의 길이가 2인 정삼각형이다.

점 B에서 $\overline{AC}$에 내린 수선의 발을 M이라 하면

$\overline{BM}=\frac{\sqrt{3}}{2}\times 2=\sqrt{3}$, $\overline{AM}=\overline{CM}=1$

따라서 점 B는 점 C를 x축의 방향으로 $-\sqrt{3}$만큼, y축의 방향으로 1만큼 평행이동한 것이므로

$B(t-\sqrt{3}, \log_2 t+1)$

이때, 점 B는 함수 $y=\log_2 4x$의 그래프 위의 점이므로

$\log_2 t+1=\log_2 4(t-\sqrt{3})$

$\log_2 t+\log_2 2=\log_2 4(t-\sqrt{3})$

$\log_2 2t=\log_2 4(t-\sqrt{3})$

$2t=4(t-\sqrt{3})$, $t=2(t-\sqrt{3})$

$\therefore t=2\sqrt{3}$

따라서 점 B의 좌표는 $(2\sqrt{3}-\sqrt{3}, \log_2 2\sqrt{3}+1)$

즉, $(\sqrt{3}, \log_2 4\sqrt{3})$이므로

$p=\sqrt{3}$, $q=\log_2 4\sqrt{3}$

$\therefore p^2\times 2^q=(\sqrt{3})^2\times 2^{\log_2 4\sqrt{3}}=3\times 4\sqrt{3}=12\sqrt{3}$ 답 ③

0583

유형 06 지수함수와 로그함수의 관계

|전략| 함수의 그래프와 그 역함수의 그래프의 교점은 함수의 그래프와 직선 $y=x$의 교점과 같음을 이용한다.

함수 $y=\log_a x+k$의 그래프와 그 역함수의 그래프의 교점은 $y=\log_a x+k$의 그래프와 직선 $y=x$의 교점과 같다.
이때, 두 교점의 x좌표가 1, 2이므로 $y=\log_a x+k$의 그래프는 두 점 $(1,\ 1)$, $(2,\ 2)$를 지난다.
$1=\log_a 1+k$에서 $k=1$
$2=\log_a 2+k=\log_a 2+1$에서
$\log_a 2=1\qquad \therefore a=2$
$\therefore a+k=2+1=3$ 답 ③

0584

유형 08 함수의 최대·최소 – $y=\log_a f(x)$ 꼴
|전략| 주어진 범위에서 최댓값과 최솟값을 갖는 경우가 언제인지 생각해 본다.

$0<\frac{1}{2}<1$이므로 $y=\log_{\frac{1}{2}}(x+2)$의 그래프는 x의 값이 증가하면 y의 값은 감소한다.
즉, $x=a$일 때 y의 값은 최대이므로
$\log_{\frac{1}{2}}(a+2)=2,\ a+2=\left(\frac{1}{2}\right)^2\qquad \therefore a=-\frac{7}{4}$
$x=b$일 때 y의 값은 최소이므로
$\log_{\frac{1}{2}}(b+2)=-3,\ b+2=\left(\frac{1}{2}\right)^{-3}\qquad \therefore b=6$
$\therefore a+b=-\frac{7}{4}+6=\frac{17}{4}$ 답 ④

0585

유형 09 함수의 최대·최소 – 치환
|전략| $\log x$와 $\log y$를 각각 치환한다.

$\log x=X$, $\log y=Y$로 놓으면 $x\geq 10$, $y\geq 10$이므로
$X\geq 1,\ Y\geq 1$ …… ㉠
또, $xy=10000$의 양변에 상용로그를 취하면
$\log xy=\log 10000,\ \log x+\log y=4$
즉, $X+Y=4$ …… ㉡
㉠, ㉡에서 $Y=4-X\geq 1$, 즉 $1\leq X\leq 3$
$\therefore f(x,\ y)=\log x\cdot\log y+\log xy$
$=XY+X+Y$
$=X(4-X)+4$
$=-X^2+4X+4$
$=-(X-2)^2+8$
따라서 주어진 식은 $X=2$일 때 최댓값 8, $X=1$ 또는 $X=3$일 때 최솟값 7을 가지므로 최댓값과 최솟값의 합은
$8+7=15$ 답 ②

0586

유형 15 양변에 로그를 취하는 방정식
|전략| 지수에 로그가 있을 때에는 양변에 밑이 같은 로그를 취한 후 방정식을 푼다.

진수의 조건에서 $x>0$ …… ㉠
$x^{\log_2 x}=8x^2$의 양변에 밑이 2인 로그를 취하면
$\log_2 x^{\log_2 x}=\log_2 8x^2$
$\log_2 x\cdot\log_2 x=\log_2 8+\log_2 x^2$
$(\log_2 x)^2-2\log_2 x-3=0\ (\because x>0)$
$\log_2 x=t$로 놓으면
$t^2-2t-3=0,\ (t+1)(t-3)=0$
$\therefore t=-1$ 또는 $t=3$
즉, $\log_2 x=-1$ 또는 $\log_2 x=3$이므로
$x=2^{-1}=\frac{1}{2}$ 또는 $x=2^3=8$
이것은 ㉠을 만족시키므로 구하는 해이다.
따라서 주어진 방정식의 두 실근 α, β는 $\frac{1}{2}$, 8이므로
$\alpha\beta=\frac{1}{2}\cdot 8=4$ 답 ④

다른 풀이 방정식 $x^{\log_2 x}=8x^2$의 양변에 밑이 2인 로그를 취하여 식을 정리하면
$(\log_2 x)^2-2\log_2 x-3=0$
$\log_2 x=t$로 놓으면 $t^2-2t-3=0$
이 방정식의 두 근이 $\log_2\alpha$, $\log_2\beta$이므로 근과 계수의 관계에 의하여
$\log_2\alpha+\log_2\beta=2,\ \log_2\alpha\beta=2$
$\therefore \alpha\beta=2^2=4$

0587

유형 16 로그방정식의 활용
|전략| 먼저 밑을 같게 한 후 치환을 이용하여 방정식을 푼다.

밑과 진수의 조건에서
$x>0,\ x\neq 1$
$\log_9 x^2-\log_x 27-4=0$에서
$\log_{3^2} x^2-\log_x 3^3-4=0,\ \log_3 x-3\log_x 3-4=0$
이때, $\log_x 3=\frac{1}{\log_3 x}$이므로
$\log_3 x-\frac{3}{\log_3 x}-4=0$
$\log_3 x=t\ (t\neq 0)$로 놓으면 $t-\frac{3}{t}-4=0$
($x\neq 1$이므로 $t=\log_3 x\neq 0$)
$\therefore t^2-4t-3=0$
이 방정식의 두 근이 $\log_3\alpha$, $\log_3\beta$이므로 근과 계수의 관계에 의하여
$\log_3\alpha+\log_3\beta=4,\ \log_3\alpha\beta=4$
$\therefore \alpha\beta=3^4=81$ 답 ⑤

0588

유형 17 로그부등식 – 밑을 같게 할 수 있는 경우
|전략| $|x|\leq a\ (a\geq 0)$이면 $-a\leq x\leq a$이다.

진수의 조건에서
$x^2>0,\ |x|>0\qquad \therefore x\neq 0$ …… ㉠
이때, $|x|^2=x^2$이므로 $\log_2 x^2-\log_2|x|\leq 3$에서
$\log_2|x|^2-\log_2|x|\leq 3$
$2\log_2|x|-\log_2|x|\leq 3$

4 로그함수

$\log_2 |x| \le 3$

$2>1$이므로 $|x| \le 2^3=8$ $\quad \therefore -8 \le x \le 8$ ⋯⋯ ㉡

㉠, ㉡의 공통 범위를 구하면

$-8 \le x < 0$ 또는 $0 < x \le 8$

따라서 구하는 정수 x는 $-8, -7, \cdots, -1, 1, \cdots, 7, 8$의 16개이다.

답 ④

0589

유형 20 양변에 로그를 취하는 부등식

|전략| 주어진 부등식의 양변에 상용로그를 취한 후 그 해를 구한다.

$2^{2x} \ge 5^{1-2x}$의 양변에 상용로그를 취하면

$2x \log 2 \ge (1-2x)\log 5$

$2x(\log 2 + \log 5) \ge \log 5$

이때, $\log 2 + \log 5 = \log 10 = 1$이므로

$2x \ge \log 5,\ x \ge \frac{1}{2}\log 5$ $\quad \therefore x \ge \log \sqrt{5}$

즉, $a = \log \sqrt{5}$이므로

$10^a = 10^{\log \sqrt{5}} = \sqrt{5}$

답 ①

0590

유형 21 로그부등식의 활용

|전략| 계수가 실수인 이차방정식이 서로 다른 두 실근을 가지려면 (판별식)>0임을 이용한다.

진수의 조건에서 $a>0$ ⋯⋯ ㉠

또, x^2의 계수가 0이 아니어야 하므로

$3+\log_2 a \ne 0$ $\quad \therefore a \ne \frac{1}{8}$ ⋯⋯ ㉡

주어진 이차방정식의 판별식을 D라 하면

$\frac{D}{4} = (1+\log_2 a)^2 - (3+\log_2 a) > 0$

$(\log_2 a)^2 + \log_2 a - 2 > 0$

$\log_2 a = t$로 놓으면 $t^2+t-2>0$

$(t+2)(t-1)>0$ $\quad \therefore t<-2$ 또는 $t>1$

즉, $\log_2 a < -2$ 또는 $\log_2 a > 1$이므로

$\log_2 a < \log_2 2^{-2}$ 또는 $\log_2 a > \log_2 2^1$

$2>1$이므로 $a<\frac{1}{4}$ 또는 $a>2$ ⋯⋯ ㉢

㉠, ㉡, ㉢의 공통 범위를 구하면

$0<a<\frac{1}{8}$ 또는 $\frac{1}{8}<a<\frac{1}{4}$ 또는 $a>2$

따라서 a의 값이 될 수 없는 것은 ④ $\frac{1}{2}$이다.

답 ④

0591

유형 22 로그방정식 및 로그부등식의 실생활에의 활용

|전략| 주어진 조건에 맞게 부등식을 세운 후 양변에 상용로그를 취하여 그 해를 구한다.

소금물 1 dL를 퍼내고 물 1 dL를 넣으면 소금의 양이 $\frac{1}{10}$씩 줄어들므로 n번 시행하면 남은 소금의 양은 처음 소금의 양의 $\left(\frac{9}{10}\right)^n$배이다.

이때, 농도가 20 %인 소금물을 농도가 10 % 이하가 되게 해야 하므로

$0.9^n \le \frac{1}{2}$

양변에 상용로그를 취하면

$n \log 0.9 \le -\log 2$

$n(2\log 3 - 1) \le -\log 2$

이때, $2\log 3 - 1 < 0$이므로

$n \ge \frac{\log 2}{1-2\log 3} = \frac{0.3010}{1-2\times 0.4771} = \frac{0.3010}{0.0458} = 6.5\times\times\times$

따라서 7번 시행 후 농도가 처음으로 10 % 이하가 된다.

답 ①

0592

유형 11 로그함수의 최대 · 최소 – 산술평균과 기하평균의 관계 이용

|전략| $x>0,\ y>0$이고 두 수의 합이 일정하므로 산술평균과 기하평균의 관계를 이용한다.

$x>0,\ y>0$이므로 산술평균과 기하평균의 관계에 의하여

$2x+y \ge 2\sqrt{2xy}$ (단, 등호는 $2x=y$일 때 성립)

이때, $2x+y=20$이므로

$20 \ge 2\sqrt{2xy},\ \sqrt{2xy} \le 10$ $\quad \therefore 2xy \le 100$ ⋯ ❶

$\therefore \log 2x + \log y = \log 2xy \le \log 100 = 2$

따라서 구하는 최댓값은 2이다. ⋯ ❷

답 2

채점 기준	배점
❶ 산술평균과 기하평균의 관계를 이용하여 $2xy$에 대한 부등식을 세울 수 있다.	3점
❷ $\log 2x + \log y$의 최댓값을 구할 수 있다.	3점

0593

유형 13 로그방정식 – 치환

|전략| 치환을 이용하여 주어진 방정식의 해를 구한다.

진수의 조건에서 $x>0$ ⋯⋯ ㉠

$(\log_3 x)^2 - 6\log_3 \sqrt{x} + 2 = 0$에서

$(\log_3 x)^2 - 3\log_3 x + 2 = 0$

$\log_3 x = t$로 놓으면 $t^2-3t+2=0$

$(t-1)(t-2)=0$ $\quad \therefore t=1$ 또는 $t=2$

즉, $\log_3 x = 1$ 또는 $\log_3 x = 2$이므로

$x=3^1=3$ 또는 $x=3^2=9$

이것은 ㉠을 만족시키므로 구하는 해이다. ⋯ ❶

따라서 주어진 방정식의 서로 다른 두 실근 α, β는 3, 9이므로

$\alpha\beta = 3\cdot 9 = 27$ ⋯ ❷

답 27

채점 기준	배점
❶ 치환을 이용하여 주어진 방정식을 풀 수 있다.	5점
❷ $\alpha\beta$의 값을 구할 수 있다.	1점

다른 풀이 $(\log_3 x)^2 - 6\log_3 \sqrt{x} + 2 = 0$에서

$(\log_3 x)^2 - 3\log_3 x + 2 = 0$

$\log_3 x = t$로 놓으면 $t^2-3t+2=0$

이 방정식의 두 근이 $\log_3 \alpha$, $\log_3 \beta$이므로 근과 계수의 관계에 의하여

$\log_3 \alpha+\log_3 \beta=3$, $\log_3 \alpha\beta=3$

$\therefore \alpha\beta=3^3=27$

0594

유형 19 로그부등식 - 치환

|전략| 로그의 성질을 이용하여 주어진 부등식을 간단히 한 후 치환하여 부등식의 해를 구한다.

진수의 조건에서 $x>0$ …… ㉠

$3^{\log x}\cdot x^{\log 3}-2(3^{\log x}+x^{\log 3})+3<0$에서 $3^{\log x}=x^{\log 3}$이므로

$(3^{\log x})^2-4\cdot 3^{\log x}+3<0$

$3^{\log x}=t$로 놓으면 $t^2-4t+3<0$

$(t-1)(t-3)<0 \quad \therefore 1<t<3$

즉, $1<3^{\log x}<3$이므로 $3^0<3^{\log x}<3^1$

이때, $3>1$이므로 $0<\log x<1$

$\therefore 1<x<10$ …… ㉡

㉠, ㉡의 공통 범위를 구하면 $1<x<10$ … ❶

따라서 $\alpha=1$, $\beta=10$이므로 $\alpha+\beta=11$ … ❷

답 11

채점 기준	배점
❶ 치환을 이용하여 주어진 부등식을 풀 수 있다.	6점
❷ $\alpha+\beta$의 값을 구할 수 있다.	1점

0595

유형 03 로그함수의 그래프에서의 함숫값

|전략| 점 A와 점 D의 y좌표가 서로 같음을 이용한다.

(1) $A(a,\ \log_2 a)$, $G(b,\ \log_2 b)$이고 점 A와 점 D의 y좌표가 같으므로 $D(b,\ \log_2 a)$

$\overline{DG}=1$에서 $\log_2 b-\log_2 a=1$

$\log_2 b=\log_2 a+1=\log_2 2a \quad \therefore b=2a$

(2) 점 E의 x좌표를 k라 할 때, $\overline{AD}:\overline{DE}=2:3$에서

$(b-a):(k-b)=2:3$

$2(k-b)=3(b-a)$, $2k=5b-3a$

$\therefore k=\frac{5}{2}b-\frac{3}{2}a=\frac{7}{2}a\ (\because b=2a)$

(3) □ABCD=□DEFG에서

$(b-a)\log_2 a=k-b$

$a\log_2 a=\frac{3}{2}a\left(\because b=2a,\ k=\frac{7}{2}a\right)$

$\log_2 a=\frac{3}{2} \quad \therefore a=2\sqrt{2} \quad \therefore k=\frac{7}{2}a=7\sqrt{2}$

답 (1) $b=2a$ (2) $\frac{7}{2}a$ (3) $7\sqrt{2}$

채점 기준	배점
(1) a와 b 사이의 관계식을 구할 수 있다.	2점
(2) 점 E의 x좌표를 a로 나타낼 수 있다.	4점
(3) 점 E의 x좌표를 구할 수 있다.	4점

0596

유형 16 로그방정식의 활용

|전략| 계수가 실수인 이차방정식이 실근을 가지려면 (판별식)≥0임을 이용한다.

(1) $(\log_2 x)\left(\log_2 \frac{16}{x}\right)=\frac{m^2}{16}$에서

$(\log_2 x)(\log_2 16-\log_2 x)=\frac{m^2}{16}$

$\log_2 x=t$로 치환하면

$t(4-t)=\frac{m^2}{16}$

$\therefore 16t^2-64t+m^2=0$

(2) (1)의 이차방정식의 판별식을 D라 하면

$\frac{D}{4}=32^2-16m^2\geq 0$

$\therefore m^2-64\leq 0$

(3) 부등식 $m^2-64\leq 0$을 풀면

$(m+8)(m-8)\leq 0$

$\therefore -8\leq m\leq 8$

따라서 구하는 m의 최댓값은 8이다.

답 (1) $16t^2-64t+m^2=0$ (2) $m^2-64\leq 0$ (3) 8

채점 기준	배점
(1) $\log_2 x=t$로 치환하여 t에 대한 방정식으로 나타낼 수 있다.	4점
(2) m에 대한 부등식을 세울 수 있다.	4점
(3) m의 최댓값을 구할 수 있다.	4점

창의·융합 교과서 속 심화문제

0597

|전략| 먼저 지수함수의 그래프의 개형을 이용하여 m, n의 값을 구한다.

$y=ma^{2x}+n$의 그래프의 점근선의 방정식은 $y=n$이므로

$n=2$

또, 주어진 그래프가 점 (0, 1)을 지나므로

$1=m+2 \quad \therefore m=-1$

$x=-1$일 때 y의 값이 음수이므로 $-a^{-2}+2<0$에서

$\frac{1}{a^2}>2$, $a^2<\frac{1}{2} \quad \therefore 0<a<\frac{1}{\sqrt{2}}$ …… ㉠

즉, $y=\log_a(x-n)^{-m}$의 그래프는 $y=\log_a(x-2)$의 그래프와 같다.

이때, ㉠에 의하여 x의 값이 증가할 때 y의 값은 감소하고, 정의역은 $\{x|x>2\}$이고, 점근선의 방정식은 $x=2$이다.

따라서 구하는 그래프의 개형은 오른쪽 그림과 같다.

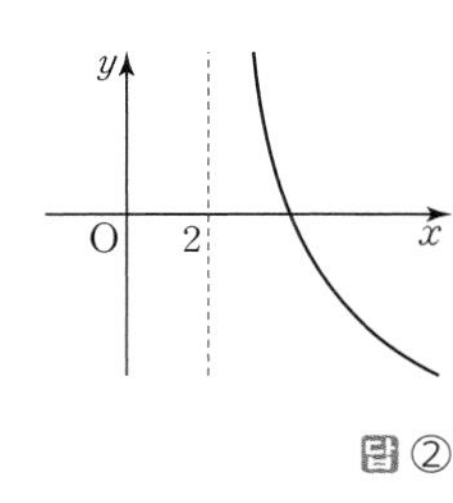

답 ②

0598

|전략| 교점의 좌표를 이용하여 각 보기의 참, 거짓을 판단한다.

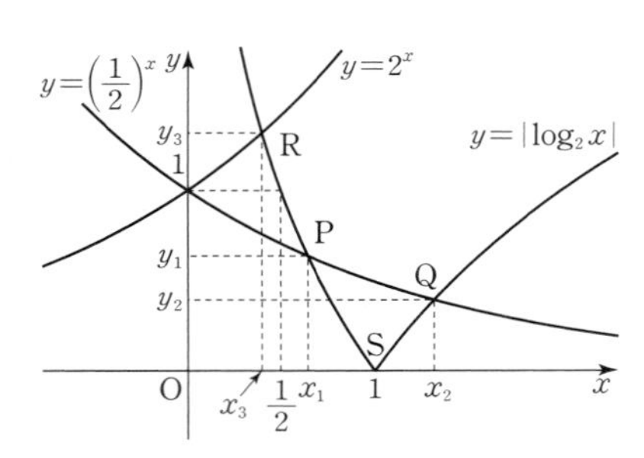

ㄱ. $y=|\log_2 x|=\begin{cases} -\log_2 x \ (0<x<1) \\ \log_2 x \ (x\geq 1)\end{cases}$

위의 그림에서 $x_1<1$이고, $-\log_2 x=1$에서 $x=\frac{1}{2}$이므로

$\frac{1}{2}<x_1<1$ (참)

ㄴ. 두 함수 $y=-\log_2 x=\log_{\frac{1}{2}} x$와 $y=\left(\frac{1}{2}\right)^x$이 서로 역함수 관계이고, 두 함수 $y=\log_2 x$와 $y=2^x$이 서로 역함수 관계이므로 두 점 $Q(x_2,\ y_2)$와 $R(x_3,\ y_3)$은 직선 $y=x$에 대하여 대칭이다.

$\therefore x_2=y_3,\ x_3=y_2 \qquad \therefore x_2y_2-x_3y_3=0$ (참)

ㄷ. 위의 그림에서 점 (1, 0)을 S라 하면

($\overline{RS}$의 기울기)<($\overline{PS}$의 기울기)이므로

$\frac{y_3}{x_3-1}<\frac{y_1}{x_1-1}$이고, ㄴ에서 $x_2=y_3,\ x_3=y_2$이므로

$\frac{x_2}{y_2-1}<\frac{y_1}{x_1-1}$

이때, $x_1-1<0,\ y_2-1<0$이므로

$x_2(x_1-1)<y_1(y_2-1)$ (거짓)

따라서 옳은 것은 ㄱ, ㄴ이다. 답 ③

0599

|전략| $x=n+\alpha$이면 $[x]=n$(n은 정수, $0\leq\alpha<1$)임을 이용한다.

$x>0$이므로 $[\log_3 3x]=[\log_3 x^2]$에서 $[1+\log_3 x]=[2\log_3 x]$

$\log_3 x=n+\alpha$(n은 정수, $0\leq\alpha<1$)로 놓으면

$[1+n+\alpha]=[2(n+\alpha)] \qquad \therefore 1+n=[2n+2\alpha]$

(i) $0\leq\alpha<\frac{1}{2}$일 때, $0\leq 2\alpha<1$이므로 $1+n=2n \qquad \therefore n=1$

이때, $\log_3 x=1+\alpha$에서 $\alpha=\log_3 x-1$이므로

$0\leq\log_3 x-1<\frac{1}{2}$에서 $1\leq\log_3 x<\frac{3}{2}$

따라서 $3>1$이므로 $3\leq x<3\sqrt{3}$

(ii) $\frac{1}{2}\leq\alpha<1$일 때, $1\leq 2\alpha<2$이므로 $1+n=2n+1 \qquad \therefore n=0$

이때, $\log_3 x=\alpha$에서 $\frac{1}{2}\leq\log_3 x<1$

따라서 $3>1$이므로 $\sqrt{3}\leq x<3$

(i), (ii)에서 $\sqrt{3}\leq x<3\sqrt{3}$

따라서 $a=\sqrt{3},\ b=3\sqrt{3}$이므로

$a^2+b^2=(\sqrt{3})^2+(3\sqrt{3})^2=30$ 답 30

0600

|전략| 이차방정식의 두 근이 모두 음수일 조건은 (판별식)≥ 0, (두 근의 합)<0, (두 근의 곱)>0임을 이용한다.

진수의 조건에서 $a>0$ …… ㉠

이차방정식 $x^2-2x\log_3 a+\log_3 a+2=0$의 두 근이 모두 음수이려면 다음 조건을 만족시켜야 한다.

(i) 주어진 이차방정식의 판별식을 D라 하면 $D\geq 0$이어야 하므로

$\frac{D}{4}=(\log_3 a)^2-(\log_3 a+2)\geq 0$

$\log_3 a=t$로 놓으면

$t^2-t-2\geq 0,\ (t-2)(t+1)\geq 0$

$\therefore t\leq -1$ 또는 $t\geq 2$

즉, $\log_3 a\leq -1$ 또는 $\log_3 a\geq 2$이므로

$\log_3 a\leq\log_3 3^{-1}$ 또는 $\log_3 a\geq\log_3 3^2$

$3>1$이므로 $a\leq\frac{1}{3}$ 또는 $a\geq 9$

(ii) (두 근의 합)<0이어야 하므로

$2\log_3 a<0,\ \log_3 a<0 \qquad \therefore a<1$

(iii) (두 근의 곱)>0이어야 하므로

$\log_3 a+2>0,\ \log_3 a>-2,\ \log_3 a>\log_3 3^{-2}$

$3>1$이므로 $a>\frac{1}{9}$

㉠과 (i), (ii), (iii)에서 공통 범위를 구하면 $\frac{1}{9}<a\leq\frac{1}{3}$

답 $\frac{1}{9}<a\leq\frac{1}{3}$

Lecture

이차방정식의 실근의 부호

이차방정식 $ax^2+bx+c=0$의 판별식을 D라 하면

(i) 두 근이 모두 양수일 조건은

$D\geq 0$, (두 근의 합)$=-\frac{b}{a}>0$, (두 근의 곱)$=\frac{c}{a}>0$

(ii) 두 근이 모두 음수일 조건은

$D\geq 0$, (두 근의 합)$=-\frac{b}{a}<0$, (두 근의 곱)$=\frac{c}{a}>0$

(iii) 두 근이 서로 다른 부호일 조건은

(두 근의 곱)$=\frac{c}{a}<0$

0601

|전략| 주어진 조건에 맞게 방정식을 세운 후 양변에 상용로그를 취하여 그 해를 구한다.

원산지 생산 가격을 a, 유통 과정을 한 번 거칠 때마다 가격의 인상 비율을 r라 하자.

유통 과정을 다섯 번 거친 소비자 가격은 원산지 생산 가격의 2.24배이므로

$a(1+r)^5=2.24a,\ (1+r)^5=2.24$

양변에 상용로그를 취하면

$5\log(1+r)=\log 2.24=0.35$

$\log(1+r)=0.07=\log 1.17 \qquad \therefore 1+r=1.17$

따라서 $\frac{a(1+r)}{a(1+r)^5}\times 100=\frac{1.17}{2.24}\times 100=52.2\times\times\times$ 이므로 유통 과정을 한 번만 거친 소비자 가격은 다섯 번 거친 소비자 가격의 약 52 %이다.

답 52 %

5 | 삼각함수

본책 90~103쪽

STEP 1 개념 마스터

0602 답

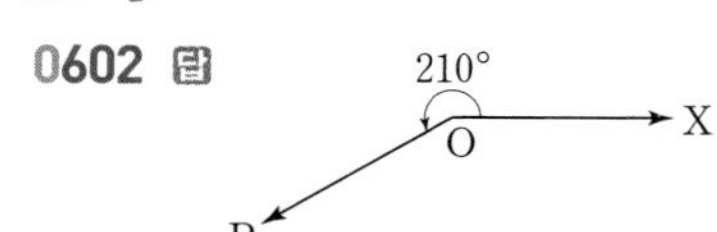

0603 답

0604 답 $\theta=360^\circ\times n+120^\circ$ (단, n은 정수)

0605 답 $\theta=360^\circ\times n+(-60^\circ)$ (단, n은 정수)

0606

$420^\circ=360^\circ\times 1+60^\circ$이므로

$360^\circ\times n+60^\circ$ 답 $360^\circ\times n+60^\circ$

0607

$600^\circ=360^\circ\times 1+240^\circ$이므로

$360^\circ\times n+240^\circ$ 답 $360^\circ\times n+240^\circ$

0608

$-930^\circ=360^\circ\times(-3)+150^\circ$이므로

$360^\circ\times n+150^\circ$ 답 $360^\circ\times n+150^\circ$

0609

$-1100^\circ=360^\circ\times(-4)+340^\circ$이므로

$360^\circ\times n+340^\circ$ 답 $360^\circ\times n+340^\circ$

0610

$1050^\circ=360^\circ\times 2+330^\circ$

따라서 1050°는 제4사분면의 각이다. 답 제4사분면의 각

0611

$-600^\circ=360^\circ\times(-2)+120^\circ$

따라서 -600°는 제2사분면의 각이다. 답 제2사분면의 각

0612

$3270^\circ=360^\circ\times 9+30^\circ$

따라서 3270°는 제1사분면의 각이다. 답 제1사분면의 각

0613

$-5140^\circ=360^\circ\times(-15)+260^\circ$

따라서 -5140°는 제3사분면의 각이다. 답 제3사분면의 각

0614

$1^\circ=\frac{\pi}{180}$라디안이므로

$30^\circ=30\times\frac{\pi}{180}=\frac{\pi}{6}$ 답 $\frac{\pi}{6}$

0615

$120^\circ=120\times\frac{\pi}{180}=\frac{2}{3}\pi$ 답 $\frac{2}{3}\pi$

0616

$225^\circ=225\times\frac{\pi}{180}=\frac{5}{4}\pi$ 답 $\frac{5}{4}\pi$

0617

$-90^\circ=-90\times\frac{\pi}{180}=-\frac{\pi}{2}$ 답 $-\frac{\pi}{2}$

0618

1라디안$=\frac{180^\circ}{\pi}$이므로

$\frac{\pi}{4}=\frac{\pi}{4}\times\frac{180^\circ}{\pi}=45^\circ$ 답 45°

0619

$\frac{5}{6}\pi=\frac{5}{6}\pi\times\frac{180^\circ}{\pi}=150^\circ$ 답 150°

0620

$\frac{3}{2}\pi=\frac{3}{2}\pi\times\frac{180^\circ}{\pi}=270^\circ$ 답 270°

0621

$-\frac{\pi}{3}=-\frac{\pi}{3}\times\frac{180^\circ}{\pi}=-60^\circ$ 답 -60°

0622 답 $2n\pi+\frac{\pi}{2}$

0623 답 $2n\pi+\frac{\pi}{6}$

0624

$\frac{14}{3}\pi=4\pi+\frac{2}{3}\pi$이므로 $2n\pi+\frac{2}{3}\pi$ 답 $2n\pi+\frac{2}{3}\pi$

0625

$-\frac{3}{4}\pi=-2\pi+\frac{5}{4}\pi$이므로 $2n\pi+\frac{5}{4}\pi$ 답 $2n\pi+\frac{5}{4}\pi$

0626

$l=3\cdot\frac{\pi}{5}=\frac{3}{5}\pi$

$S=\frac{1}{2}\cdot3\cdot\frac{3}{5}\pi=\frac{9}{10}\pi$ 또는 $S=\frac{1}{2}\cdot3^2\cdot\frac{\pi}{5}=\frac{9}{10}\pi$

답 $l=\frac{3}{5}\pi$, $S=\frac{9}{10}\pi$

0627

$120^\circ=120\times\frac{\pi}{180}=\frac{2}{3}\pi$이므로

$l=10\cdot\frac{2}{3}\pi=\frac{20}{3}\pi$

$S=\frac{1}{2}\cdot10\cdot\frac{20}{3}\pi=\frac{100}{3}\pi$ 또는 $S=\frac{1}{2}\cdot10^2\cdot\frac{2}{3}\pi=\frac{100}{3}\pi$

답 $l=\frac{20}{3}\pi$, $S=\frac{100}{3}\pi$

0628

부채꼴의 반지름의 길이 $r=10$, 호의 길이 $l=15\pi$이므로

$l=r\theta$에서 $15\pi=10\theta$ $\quad\therefore\ \theta=\frac{3}{2}\pi$

$S=\frac{1}{2}rl$에서 $S=\frac{1}{2}\cdot10\cdot15\pi=75\pi$ 답 $\theta=\frac{3}{2}\pi$, $S=75\pi$

0629

부채꼴의 호의 길이 $l=\frac{\pi}{2}$, 넓이 $S=\frac{3}{4}\pi$이므로

$S=\frac{1}{2}rl$에서 $\frac{3}{4}\pi=\frac{1}{2}r\cdot\frac{\pi}{2}$ $\quad\therefore\ r=3$

$l=r\theta$에서 $\frac{\pi}{2}=3\theta$ $\quad\therefore\ \theta=\frac{\pi}{6}$ 답 $r=3$, $\theta=\frac{\pi}{6}$

0630

$\overline{OP}=\sqrt{(-3)^2+4^2}=5$이므로

(1) $\sin\theta=\frac{4}{5}$ (2) $\cos\theta=-\frac{3}{5}$ (3) $\tan\theta=-\frac{4}{3}$

답 (1) $\frac{4}{5}$ (2) $-\frac{3}{5}$ (3) $-\frac{4}{3}$

0631

$\overline{OP}=\sqrt{12^2+(-5)^2}=13$이므로

(1) $\sin\theta=-\frac{5}{13}$ (2) $\cos\theta=\frac{12}{13}$ (3) $\tan\theta=-\frac{5}{12}$

답 (1) $-\frac{5}{13}$ (2) $\frac{12}{13}$ (3) $-\frac{5}{12}$

0632

오른쪽 그림과 같이 $\theta=\frac{5}{4}\pi$를 나타내는 동경과 원점 O를 중심으로 하는 단위원의 교점을 P라 하고, 점 P에서 x축에 내린 수선의 발을 H라 하자.

반지름의 길이가 1인 원을 단위원이라 한다.

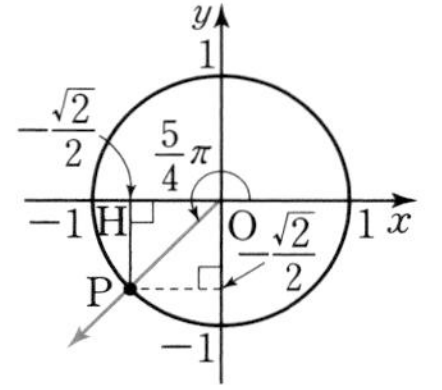

$\overline{OP}=1$이고, $\angle POH=\frac{\pi}{4}$이므로

$P\left(-\frac{\sqrt{2}}{2}, -\frac{\sqrt{2}}{2}\right)$

$\therefore\ \sin\theta=-\frac{\sqrt{2}}{2}$, $\cos\theta=-\frac{\sqrt{2}}{2}$, $\tan\theta=1$

답 $\sin\theta=-\frac{\sqrt{2}}{2}$, $\cos\theta=-\frac{\sqrt{2}}{2}$, $\tan\theta=1$

0633

오른쪽 그림과 같이 $\theta=-\frac{\pi}{3}$를 나타내는 동경과 원점 O를 중심으로 하는 단위원의 교점을 P라 하고, 점 P에서 x축에 내린 수선의 발을 H라 하자.

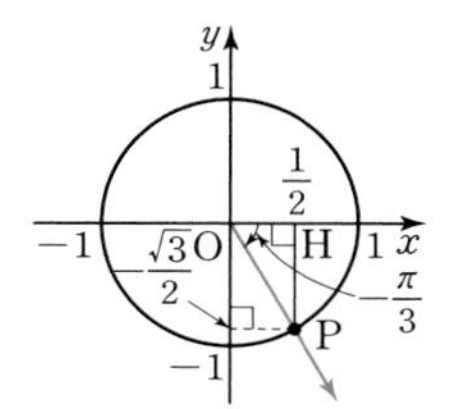

$\overline{OP}=1$이고, $\angle POH=\frac{\pi}{3}$이므로

$P\left(\frac{1}{2}, -\frac{\sqrt{3}}{2}\right)$

$\therefore\ \sin\theta=-\frac{\sqrt{3}}{2}$, $\cos\theta=\frac{1}{2}$, $\tan\theta=-\sqrt{3}$

답 $\sin\theta=-\frac{\sqrt{3}}{2}$, $\cos\theta=\frac{1}{2}$, $\tan\theta=-\sqrt{3}$

0634

$240^\circ=240\times\frac{\pi}{180}=\frac{4}{3}\pi$

오른쪽 그림과 같이 $\theta=\frac{4}{3}\pi$를 나타내는 동경과 원점 O를 중심으로 하는 단위원의 교점을 P라 하고, 점 P에서 x축에 내린 수선의 발을 H라 하자.

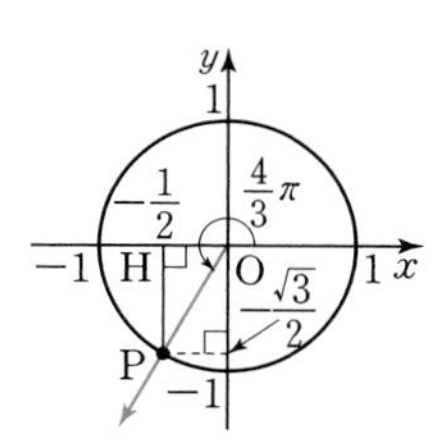

$\overline{OP}=1$이고, $\angle POH=\frac{\pi}{3}$이므로

$P\left(-\frac{1}{2}, -\frac{\sqrt{3}}{2}\right)$

$\therefore \sin\theta=-\frac{\sqrt{3}}{2}, \cos\theta=-\frac{1}{2}, \tan\theta=\sqrt{3}$

답 $\sin\theta=-\frac{\sqrt{3}}{2}, \cos\theta=-\frac{1}{2}, \tan\theta=\sqrt{3}$

0635

$-315^\circ=-315\times\frac{\pi}{180}=-\frac{7}{4}\pi$

오른쪽 그림과 같이 $\theta=-\frac{7}{4}\pi$를 나타내는 동경과 원점 O를 중심으로 하는 단위원의 교점을 P라 하고, 점 P에서 x축에 내린 수선의 발을 H라 하자.

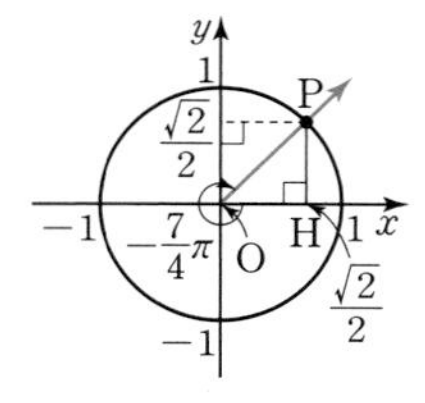

$\overline{OP}=1$이고, $\angle POH=\frac{\pi}{4}$이므로

$P\left(\frac{\sqrt{2}}{2}, \frac{\sqrt{2}}{2}\right)$

$\therefore \sin\theta=\frac{\sqrt{2}}{2}, \cos\theta=\frac{\sqrt{2}}{2}, \tan\theta=1$

답 $\sin\theta=\frac{\sqrt{2}}{2}, \cos\theta=\frac{\sqrt{2}}{2}, \tan\theta=1$

0636

$\theta=\frac{25}{4}\pi=2\pi\times3+\frac{\pi}{4}$에서 θ는 제1사분면의 각이므로

$\sin\theta>0, \cos\theta>0, \tan\theta>0$ 답 $\sin\theta>0, \cos\theta>0, \tan\theta>0$

0637

$\theta=-\frac{7}{3}\pi=2\pi\times(-2)+\frac{5}{3}\pi$에서 θ는 제4사분면의 각이므로

$\sin\theta<0, \cos\theta>0, \tan\theta<0$ 답 $\sin\theta<0, \cos\theta>0, \tan\theta<0$

0638

$\theta=960^\circ=360^\circ\times2+240^\circ$에서 θ는 제3사분면의 각이므로

$\sin\theta<0, \cos\theta<0, \tan\theta>0$ 답 $\sin\theta<0, \cos\theta<0, \tan\theta>0$

0639

$\theta=-560^\circ=360^\circ\times(-2)+160^\circ$에서 θ는 제2사분면의 각이므로

$\sin\theta>0, \cos\theta<0, \tan\theta<0$ 답 $\sin\theta>0, \cos\theta<0, \tan\theta<0$

0640

$\sin\theta>0$이면 θ는 제1사분면 또는 제2사분면의 각이고, $\cos\theta<0$이면 θ는 제2사분면 또는 제3사분면의 각이므로 θ는 제2사분면의 각이다. 답 제2사분면의 각

0641

$\sin\theta<0$이면 θ는 제3사분면 또는 제4사분면의 각이고, $\tan\theta>0$이면 θ는 제1사분면 또는 제3사분면의 각이므로 θ는 제3사분면의 각이다. 답 제3사분면의 각

0642

$\cos\theta\tan\theta>0$에서

$\cos\theta>0, \tan\theta>0$ 또는 $\cos\theta<0, \tan\theta<0$

이므로 θ는 제1사분면 또는 제2사분면의 각이다.

답 제1사분면 또는 제2사분면의 각

0643

$\sin^2\theta+\cos^2\theta=1$이므로

$\left(\frac{1}{4}\right)^2+\cos^2\theta=1, \cos^2\theta=\frac{15}{16}$

이때, θ가 제1사분면의 각이므로 $\cos\theta>0$

$\therefore \cos\theta=\frac{\sqrt{15}}{4}$

$\tan\theta=\frac{\sin\theta}{\cos\theta}$에서

$\tan\theta=\frac{\frac{1}{4}}{\frac{\sqrt{15}}{4}}=\frac{1}{\sqrt{15}}=\frac{\sqrt{15}}{15}$ 답 $\cos\theta=\frac{\sqrt{15}}{4}, \tan\theta=\frac{\sqrt{15}}{15}$

0644

$\sin^2\theta+\cos^2\theta=1$이므로

$\sin^2\theta+\left(-\frac{1}{2}\right)^2=1, \sin^2\theta=\frac{3}{4}$

이때, θ가 제3사분면의 각이므로 $\sin\theta<0$

$\therefore \sin\theta=-\frac{\sqrt{3}}{2}$

$\tan\theta=\frac{\sin\theta}{\cos\theta}$에서

$\tan\theta=\frac{-\frac{\sqrt{3}}{2}}{-\frac{1}{2}}=\sqrt{3}$ 답 $\sin\theta=-\frac{\sqrt{3}}{2}, \tan\theta=\sqrt{3}$

0645

$\sin^2\theta+\cos^2\theta=1$이므로

$\left(\frac{3}{5}\right)^2+\cos^2\theta=1, \cos^2\theta=\frac{16}{25}$

이때, θ가 제2사분면의 각이므로 $\cos\theta<0$

$\therefore \cos\theta=-\frac{4}{5}$

$\tan\theta=\frac{\sin\theta}{\cos\theta}$에서

$\tan\theta=\frac{\frac{3}{5}}{-\frac{4}{5}}=-\frac{3}{4}$ 답 $\cos\theta=-\frac{4}{5}, \tan\theta=-\frac{3}{4}$

0646

$\sin\theta+\cos\theta=\frac{\sqrt{2}}{2}$의 양변을 제곱하면

$\sin^2\theta+\cos^2\theta+2\sin\theta\cos\theta=\frac{1}{2}$

5 삼각함수

$1+2\sin\theta\cos\theta=\frac{1}{2}$ $\quad\therefore \sin\theta\cos\theta=-\frac{1}{4}$ 답 $-\frac{1}{4}$

0647

$\sin\theta+\cos\theta=\frac{1}{3}$의 양변을 제곱하면

$\sin^2\theta+\cos^2\theta+2\sin\theta\cos\theta=\frac{1}{9}$

$1+2\sin\theta\cos\theta=\frac{1}{9}$ $\quad\therefore \sin\theta\cos\theta=-\frac{4}{9}$ 답 $-\frac{4}{9}$

0648

$$\frac{\cos\theta}{\sin\theta}+\frac{\sin\theta}{\cos\theta}=\frac{\cos^2\theta+\sin^2\theta}{\sin\theta\cos\theta}=\frac{1}{\sin\theta\cos\theta}$$
$$=\frac{1}{-\frac{4}{9}}=-\frac{9}{4}$$
답 $-\frac{9}{4}$

0649

$\sin\theta-\cos\theta=\frac{\sqrt{2}}{4}$의 양변을 제곱하면

$\sin^2\theta+\cos^2\theta-2\sin\theta\cos\theta=\frac{1}{8}$

$1-2\sin\theta\cos\theta=\frac{1}{8}$ $\quad\therefore \sin\theta\cos\theta=\frac{7}{16}$ 답 $\frac{7}{16}$

0650

$$(\sin\theta+\cos\theta)^2=\sin^2\theta+\cos^2\theta+2\sin\theta\cos\theta$$
$$=1+2\cdot\frac{7}{16}=\frac{15}{8}$$
답 $\frac{15}{8}$

0651

$(\sin\theta+\cos\theta)^2+(\sin\theta-\cos\theta)^2$

$=(\sin^2\theta+2\sin\theta\cos\theta+\cos^2\theta)+(\sin^2\theta-2\sin\theta\cos\theta+\cos^2\theta)$

$=2(\sin^2\theta+\cos^2\theta)$

$=2\cdot1=2$ 답 2

0652

$\frac{\cos\theta}{1+\sin\theta}+\tan\theta$

$=\frac{\cos\theta}{1+\sin\theta}+\frac{\sin\theta}{\cos\theta}=\frac{\cos^2\theta+(1+\sin\theta)\sin\theta}{(1+\sin\theta)\cos\theta}$

$=\frac{\cos^2\theta+\sin\theta+\sin^2\theta}{(1+\sin\theta)\cos\theta}=\frac{1+\sin\theta}{(1+\sin\theta)\cos\theta}=\frac{1}{\cos\theta}$ 답 $\frac{1}{\cos\theta}$

0653

$\sin^2\theta+\cos^2\theta=1$에서 $1-\sin^2\theta=\cos^2\theta$

$(1-\sin^2\theta)(1+\tan^2\theta)$

$=\cos^2\theta\left(1+\frac{\sin^2\theta}{\cos^2\theta}\right)$

$=\cos^2\theta+\sin^2\theta=1$ 답 1

STEP 2 유형 마스터

0654

|전략| 어떤 각의 동경을 구할 때에는 그 각을 일반각으로 나타낸다.

① $430°=360°\times1+70°$

② $790°=360°\times2+70°$

③ $-290°=360°\times(-1)+70°$

④ $-110°=360°\times(-1)+250°$

⑤ $1150°=360°\times3+70°$

따라서 각을 나타내는 동경이 나머지 넷과 다른 하나는 ④이다.

답 ④

0655

ㄱ. $-30°=360°\times(-1)+330°$

ㄴ. $300°=360°\times0+300°$

ㄷ. $840°=360°\times2+120°$

ㄹ. $-240°=360°\times(-1)+120°$

ㅁ. $150°=360°\times0+150°$

ㅂ. $600°=360°\times1+240°$

따라서 $120°$를 나타내는 동경과 일치하는 것은 ㄷ, ㄹ이다. 답 ㄷ, ㄹ

0656

$91°$를 나타내는 동경 OP가 주어진 조건을 만족시키며 회전한 후 나타내는 각의 크기를 θ라 하면

$\theta=91°-330°+165°=-74°$

$-74°=360°\times(-1)+286°$이므로 동경 OP는 제4사분면에 있다.

답 제4사분면

0657

|전략| θ가 제1사분면의 각임을 이용한다.

θ가 제1사분면의 각이므로

$360°\times n<\theta<360°\times n+90°$ (단, n은 정수)

$\therefore 180°\times n<\frac{\theta}{2}<180°\times n+45°$

(i) $n=2k$ (k는 정수)일 때,

$180°\times 2k<\frac{\theta}{2}<180°\times 2k+45°$

$\therefore 360° \times k < \frac{\theta}{2} < 360° \times k + 45°$

따라서 $\frac{\theta}{2}$는 제1사분면의 각이다.

(ii) $n=2k+1$ (k는 정수)일 때,

$180° \times (2k+1) < \frac{\theta}{2} < 180° \times (2k+1) + 45°$

$\therefore 360° \times k + 180° < \frac{\theta}{2} < 360° \times k + 225°$

따라서 $\frac{\theta}{2}$는 제3사분면의 각이다.

(i), (ii)에서 $\frac{\theta}{2}$를 나타내는 동경이 존재할 수 있는 사분면은 제1, 3사분면이다.

답 제1, 3사분면

0658

2θ가 제3사분면의 각이므로

$360° \times n + 180° < 2\theta < 360° \times n + 270°$ (단, n은 정수)

$\therefore 180° \times n + 90° < \theta < 180° \times n + 135°$

(i) $n=2k$ (k는 정수)일 때,

$180° \times 2k + 90° < \theta < 180° \times 2k + 135°$

$360° \times k + 90° < \theta < 360° \times k + 135°$

따라서 θ는 제2사분면의 각이다.

(ii) $n=2k+1$ (k는 정수)일 때,

$180° \times (2k+1) + 90° < \theta < 180° \times (2k+1) + 135°$

$360° \times k + 270° < \theta < 360° \times k + 315°$

따라서 θ는 제4사분면의 각이다.

(i), (ii)에서 θ는 제2사분면 또는 제4사분면의 각이다.

답 제2사분면 또는 제4사분면

0659

θ가 제4사분면의 각이므로

$360° \times n + 270° < \theta < 360° \times n + 360°$ (단, n은 정수)

$\therefore 120° \times n + 90° < \frac{\theta}{3} < 120° \times n + 120°$ … ❶

(i) $n=3k$ (k는 정수)일 때,

$120° \times 3k + 90° < \frac{\theta}{3} < 120° \times 3k + 120°$

$\therefore 360° \times k + 90° < \frac{\theta}{3} < 360° \times k + 120°$

따라서 $\frac{\theta}{3}$는 제2사분면의 각이다. … ❷

(ii) $n=3k+1$ (k는 정수)일 때,

$120° \times (3k+1) + 90° < \frac{\theta}{3} < 120° \times (3k+1) + 120°$

$\therefore 360° \times k + 210° < \frac{\theta}{3} < 360° \times k + 240°$

따라서 $\frac{\theta}{3}$는 제3사분면의 각이다. … ❸

(iii) $n=3k+2$ (k는 정수)일 때,

$120° \times (3k+2) + 90° < \frac{\theta}{3} < 120° \times (3k+2) + 120°$

$\therefore 360° \times k + 330° < \frac{\theta}{3} < 360° \times k + 360°$

따라서 $\frac{\theta}{3}$는 제4사분면의 각이다. … ❹

(i), (ii), (iii)에서 $\frac{\theta}{3}$는 제2사분면 또는 제3사분면 또는 제4사분면의 각이므로 $\frac{\theta}{3}$를 나타내는 동경은 제1사분면에 존재할 수 없다. … ❺

답 제1사분면

채점 기준	비율
❶ $\frac{\theta}{3}$를 n에 대한 부등식으로 나타낼 수 있다.	20 %
❷ $n=3k$일 때 $\frac{\theta}{3}$가 제몇 사분면의 각인지 구할 수 있다.	20 %
❸ $n=3k+1$일 때 $\frac{\theta}{3}$가 제몇 사분면의 각인지 구할 수 있다.	20 %
❹ $n=3k+2$일 때 $\frac{\theta}{3}$가 제몇 사분면의 각인지 구할 수 있다.	20 %
❺ $\frac{\theta}{3}$를 나타내는 동경이 존재할 수 없는 사분면을 구할 수 있다.	20 %

0660

전략 $1° = \frac{\pi}{180}$라디안, 1라디안$= \frac{180°}{\pi}$임을 이용한다.

ㄱ. $\frac{2}{9}\pi = \frac{2}{9}\pi \times \frac{180°}{\pi} = 40°$

ㄴ. $64° = 64 \times \frac{\pi}{180} = \frac{16}{45}\pi$

ㄷ. $\frac{7}{10}\pi = \frac{7}{10}\pi \times \frac{180°}{\pi} = 126°$

ㄹ. $102° = 102 \times \frac{\pi}{180} = \frac{17}{30}\pi$

ㅁ. $\frac{5}{3}\pi = \frac{5}{3}\pi \times \frac{180°}{\pi} = 300°$

ㅂ. $168° = 168 \times \frac{\pi}{180} = \frac{14}{15}\pi$

따라서 옳은 것은 ㄱ, ㄹ, ㅁ의 3개이다.

답 ③

0661

① $-500° = 360° \times (-2) + 220°$이므로 제3사분면에 속한다.

② $\frac{7}{6}\pi = \frac{7}{6}\pi \times \frac{180°}{\pi} = 210°$이므로 제3사분면에 속한다.

③ $910° = 360° \times 2 + 190°$이므로 제3사분면에 속한다.

④ $-\frac{6}{5}\pi = 2\pi \times (-1) + \frac{4}{5}\pi$

이때, $\frac{4}{5}\pi = \frac{4}{5}\pi \times \frac{180°}{\pi} = 144°$이므로 제2사분면에 속한다.

⑤ $\frac{10}{3}\pi = 2\pi \times 1 + \frac{4}{3}\pi$

이때, $\frac{4}{3}\pi = \frac{4}{3}\pi \times \frac{180°}{\pi} = 240°$이므로 제3사분면에 속한다.

답 ④

0662

ㄱ. $1=\frac{180^\circ}{\pi}$ (거짓)

ㄴ. $-184^\circ=360^\circ\times(-1)+176^\circ$이므로 -184°는 제2사분면의 각이다. (참)

ㄷ. $-290^\circ=360^\circ\times(-1)+70^\circ$, $\frac{79}{18}\pi=2\pi\times2+\frac{7}{18}\pi$

$\frac{115}{18}\pi=2\pi\times3+\frac{7}{18}\pi$

이때, $\frac{7}{18}\pi=\frac{7}{18}\pi\times\frac{180^\circ}{\pi}=70^\circ$이므로 -290°, $\frac{79}{18}\pi$, $\frac{115}{18}\pi$를 나타내는 동경은 모두 일치한다. (참)

따라서 옳은 것은 ㄴ, ㄷ이다. 답 ④

0663

|전략| 두 각 α, β를 나타내는 동경이 일치하면 $\beta-\alpha=2n\pi$ (n은 정수)임을 이용한다.

각 θ를 나타내는 동경과 각 7θ를 나타내는 동경이 일치하므로

$7\theta-\theta=2n\pi$ (단, n은 정수)

$6\theta=2n\pi \qquad \therefore \theta=\frac{n}{3}\pi \qquad \cdots\cdots$ ㉠

$0<\theta<\pi$에서 $0<\frac{n}{3}\pi<\pi$이므로 $0<n<3$

$\therefore n=1$ 또는 $n=2$

이것을 ㉠에 대입하면

$\theta=\frac{\pi}{3}$ 또는 $\theta=\frac{2}{3}\pi$ 답 $\frac{\pi}{3}$, $\frac{2}{3}\pi$

0664

각 8θ를 나타내는 동경과 각 5θ를 나타내는 동경이 일치하므로

$8\theta-5\theta=2n\pi$ (단, n은 정수)

$3\theta=2n\pi \qquad \therefore \theta=\frac{2n}{3}\pi \qquad \cdots\cdots$ ㉠

$\frac{\pi}{2}<\theta<\pi$에서 $\frac{\pi}{2}<\frac{2n}{3}\pi<\pi$이므로 $\frac{3}{4}<n<\frac{3}{2}$

$\therefore n=1$

$n=1$을 ㉠에 대입하면 $\theta=\frac{2}{3}\pi$이므로

$\cos\left(\theta-\frac{\pi}{2}\right)=\cos\left(\frac{2}{3}\pi-\frac{\pi}{2}\right)=\cos\frac{\pi}{6}=\frac{\sqrt{3}}{2}$ 답 $\frac{\sqrt{3}}{2}$

0665

|전략| 두 각 α, β를 나타내는 동경이 원점에 대하여 대칭이면 $\beta-\alpha=(2n+1)\pi$ (n은 정수)임을 이용한다.

각 θ를 나타내는 동경과 각 5θ를 나타내는 동경이 원점에 대하여 대칭이므로

$5\theta-\theta=(2n+1)\pi$ (단, n은 정수)

$4\theta=(2n+1)\pi \qquad \therefore \theta=\frac{2n+1}{4}\pi \qquad \cdots\cdots$ ㉠

$0<\theta<\frac{\pi}{2}$에서 $0<\frac{2n+1}{4}\pi<\frac{\pi}{2}$이므로

$0<2n+1<2$, $-1<2n<1$, $-\frac{1}{2}<n<\frac{1}{2}$

$\therefore n=0$

$n=0$을 ㉠에 대입하면 $\theta=\frac{\pi}{4}$ 답 $\frac{\pi}{4}$

0666

각 3θ를 나타내는 동경과 각 $-\theta$를 나타내는 동경이 일직선 위에 있고 방향이 반대이므로 원점에 대하여 대칭이다.

$3\theta-(-\theta)=(2n+1)\pi$ (단, n은 정수)

$4\theta=(2n+1)\pi \qquad \therefore \theta=\frac{2n+1}{4}\pi \qquad \cdots\cdots$ ㉠

$\pi<\theta<\frac{3}{2}\pi$에서 $\pi<\frac{2n+1}{4}\pi<\frac{3}{2}\pi$이므로

$4<2n+1<6$, $3<2n<5$, $\frac{3}{2}<n<\frac{5}{2}$

$\therefore n=2$

$n=2$를 ㉠에 대입하면 $\theta=\frac{5}{4}\pi$

$\therefore \tan(\theta-\pi)=\tan\left(\frac{5}{4}\pi-\pi\right)=\tan\frac{\pi}{4}=1$ 답 1

0667

|전략| 두 각 α, β를 나타내는 동경이 x축에 대하여 대칭이면 $\alpha+\beta=2n\pi$ (n은 정수)임을 이용한다.

각 5θ를 나타내는 동경과 각 2θ를 나타내는 동경이 x축에 대하여 대칭이므로

$5\theta+2\theta=2n\pi$ (단, n은 정수)

$7\theta=2n\pi \qquad \therefore \theta=\frac{2n}{7}\pi \qquad \cdots\cdots$ ㉠

$0<\theta<\pi$에서 $0<\frac{2n}{7}\pi<\pi$이므로 $0<n<\frac{7}{2}$

$\therefore n=1$ 또는 $n=2$ 또는 $n=3$

이것을 ㉠에 대입하면

$\theta=\frac{2}{7}\pi$ 또는 $\theta=\frac{4}{7}\pi$ 또는 $\theta=\frac{6}{7}\pi$

따라서 각 θ의 개수는 3이다. 답 ③

0668

각 α를 나타내는 동경과 각 β를 나타내는 동경이 직선 $y=x$에 대하여 대칭이므로

$\alpha+\beta=2n\pi+\frac{\pi}{2}$ (단, n은 정수)

따라서 $\alpha+\beta$의 값이 될 수 있는 것은 ② $\frac{\pi}{2}$이다. 답 ②

0669

각 2θ를 나타내는 동경과 각 3θ를 나타내는 동경이 y축에 대하여 대칭이므로

$2\theta+3\theta=(2n+1)\pi$ (단, n은 정수)

$5\theta=(2n+1)\pi \qquad \therefore \theta=\frac{2n+1}{5}\pi \qquad \cdots\cdots$ ㉠

$\frac{\pi}{2}<\theta<\pi$에서 $\frac{\pi}{2}<\frac{2n+1}{5}\pi<\pi$이므로

$\frac{5}{2}<2n+1<5$, $\frac{3}{2}<2n<4$, $\frac{3}{4}<n<2$

$\therefore n=1$

$n=1$을 ㉠에 대입하면 $\theta=\frac{3}{5}\pi$ 답 ①

0670

|전략| 반지름의 길이가 r, 중심각의 크기가 θ(라디안)인 부채꼴의 호의 길이를 l, 넓이를 S라 하면 $l=r\theta$, $S=\frac{1}{2}rl=\frac{1}{2}r^2\theta$임을 이용한다.

호의 길이가 π, 반지름의 길이가 a인 부채꼴의 넓이가 $\frac{5}{2}\pi$이므로

$\frac{1}{2}a\pi=\frac{5}{2}\pi$ $\therefore a=5$

또, 중심각의 크기가 $\frac{\pi}{b}$이고, 부채꼴의 호의 길이가 π이므로

$5\cdot\frac{\pi}{b}=\pi$ $\therefore b=5$

$\therefore a+b=10$ 답 ④

0671

오른쪽 그림에서

$\angle ABO=\angle ACO=90^\circ$

$\cos(\angle AOB)=\frac{1}{2}$이므로

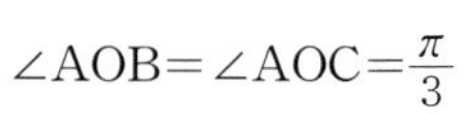

$\angle AOB=\angle AOC=\frac{\pi}{3}$

$\therefore \angle BOC=2\angle AOB=2\cdot\frac{\pi}{3}=\frac{2}{3}\pi$

따라서 색칠한 부분은 중심각의 크기가 $\frac{4}{3}\pi$인 부채꼴이므로 구하는 넓이는

$\frac{1}{2}\cdot2^2\cdot\frac{4}{3}\pi=\frac{8}{3}\pi$ 답 $\frac{8}{3}\pi$

0672

오른쪽 그림에서 두 점 O, P를 연결하면

부채꼴 OBP에서 $\frac{\pi}{3}=1\cdot\angle POB$이므로

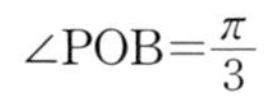

$\angle POB=\frac{\pi}{3}$

점 P에서 선분 AB에 내린 수선의 발을 H라 하면 $\triangle AOP$의 넓이는

$\triangle AOP=\frac{1}{2}\overline{AO}\cdot\overline{PH}=\frac{1}{2}\cdot1\cdot\sin\frac{\pi}{3}=\frac{1}{2}\cdot\frac{\sqrt{3}}{2}=\frac{\sqrt{3}}{4}$

따라서 색칠한 부분의 넓이는

$\triangle AOP+(\text{부채꼴 OBP의 넓이})=\frac{\sqrt{3}}{4}+\frac{1}{2}\cdot1^2\cdot\frac{\pi}{3}$

$=\frac{\sqrt{3}}{4}+\frac{\pi}{6}$ 답 ①

0673

|전략| 부채꼴의 넓이 S를 반지름의 길이 r에 대한 이차식으로 나타내어 이차함수의 최대·최소를 이용한다.

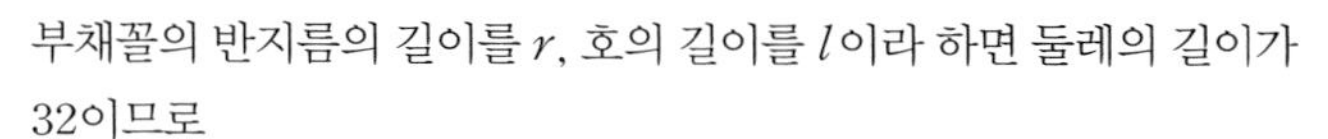

부채꼴의 반지름의 길이를 r, 호의 길이를 l이라 하면 둘레의 길이가 32이므로

$2r+l=32$ $\therefore l=32-2r$ (단, $0<r<16$)

부채꼴의 넓이를 S라 하면

$S=\frac{1}{2}rl=\frac{1}{2}r(32-2r)=-r^2+16r=-(r-8)^2+64$

따라서 $r=8$일 때 S의 최댓값은 64이므로 넓이가 최대인 부채꼴의 반지름의 길이는 8이다. 답 8

0674

부채꼴의 반지름의 길이를 r, 호의 길이를 l이라 하면 둘레의 길이가 a이므로

$2r+l=a$ $\therefore l=a-2r$ $\left(\text{단, } 0<r<\frac{1}{2}a\right)$ … ❶

부채꼴의 넓이를 S라 하면

$S=\frac{1}{2}rl=\frac{1}{2}r(a-2r)=-r^2+\frac{1}{2}ar=-\left(r-\frac{1}{4}a\right)^2+\frac{1}{16}a^2$

따라서 $r=\frac{1}{4}a$일 때 S의 최댓값은 $\frac{1}{16}a^2$이다. … ❷

$r=\frac{1}{4}a$일 때 $l=a-2r=a-\frac{1}{2}a=\frac{1}{2}a$이므로 부채꼴의 중심각의 크기를 θ라 하면

$l=r\theta$에서 $\frac{1}{2}a=\frac{1}{4}a\theta$ $\therefore \theta=2$

따라서 넓이가 최대인 부채꼴의 중심각의 크기는 2이다. … ❸

답 2

채점 기준	비율
❶ l을 a와 r에 대한 식으로 나타낼 수 있다.	20 %
❷ S의 최댓값을 구할 수 있다.	40 %
❸ S의 값이 최대일 때 중심각의 크기를 구할 수 있다.	40 %

0675

|전략| (원뿔의 겉넓이)=(부채꼴의 넓이)+(원의 넓이)임을 이용한다.

부채꼴의 호의 길이는 밑면인 원의 둘레의 길이와 같으므로

$2\pi\cdot4=8\pi$

이때, 옆면인 부채꼴의 넓이는

$\frac{1}{2}\cdot10\cdot8\pi=40\pi$

따라서 원뿔의 겉넓이는

$40\pi+\pi\cdot4^2=56\pi$ 답 56π

0676

|전략| 부채꼴의 둘레의 길이와 원의 둘레의 길이가 같음을 이용한다.

부채꼴 PAB를 원 O와 접하면서 한 바퀴를 굴렸더니 점 P로 되돌아왔으므로 부채꼴 PAB의 둘레의 길이와 원 O의 둘레의 길이는 같다.

부채꼴 PAB의 둘레의 길이는 $2+2+2\theta=4+2\theta$이고, 원 O의 둘레의 길이는 $2\pi\cdot1=2\pi$이므로

$4+2\theta=2\pi$, $2\theta=2\pi-4$

$\therefore \theta=\pi-2$ 답 $\pi-2$

0677

$\overline{OP}=a$라 하면 $120°=\frac{2}{3}\pi$이므로 와이퍼의 블레이드가 닦은 부분의 넓이는

$\frac{1}{2}\cdot70^2\cdot\frac{2}{3}\pi-\frac{1}{2}\cdot a^2\cdot\frac{2}{3}\pi=\frac{1}{3}\pi(4900-a^2)$

이때, 와이퍼의 블레이드가 닦은 부분의 넓이가 1500π이므로

$\frac{1}{3}\pi(4900-a^2)=1500\pi$, $4900-a^2=4500$

$a^2=400$ $\therefore a=20$ ($\because a>0$)

즉, $\overline{PQ}=70-20=50$

또, $\overline{PC}:\overline{QC}=3:2$이므로 $\overline{PC}=50\cdot\frac{3}{5}=30$

따라서 와이퍼의 암 OC의 길이는 $20+30=50$ 답 50

0678

원의 반지름의 길이를 r라 하면 $r=6$인 원의 둘레의 길이는 12π이고 원의 둘레를 한 바퀴 도는 데 걸리는 시간이 3π초이므로 점 P의 속력은

$(\text{속력})=\frac{(\text{거리})}{(\text{시간})}=\frac{12\pi}{3\pi}=4$

점 P가 2초 동안 움직인 호의 길이 l은

$l=(\text{속력})\times(\text{시간})=4\cdot2=8$

이때, $l=ra$에서 $8=6a$ $\therefore a=\frac{4}{3}$

또, 구하는 부채꼴의 넓이 b는 $b=\frac{1}{2}rl=\frac{1}{2}\cdot6\cdot8=24$

$\therefore ab=\frac{4}{3}\cdot24=32$ 답 32

다른 풀이 $ab=a\cdot\frac{1}{2}rl=\frac{1}{2}l\cdot ra=\frac{1}{2}l^2=\frac{1}{2}\cdot8^2=32$

0679

|전략| 점 $P(x, y)$에 대하여 동경 OP가 x축의 양의 방향과 이루는 각의 크기를 θ(라디안)라 하면 $\sin\theta=\frac{y}{\overline{OP}}$, $\cos\theta=\frac{x}{\overline{OP}}$, $\tan\theta=\frac{y}{x}(x\neq0)$임을 이용한다.

$\overline{OP}=\sqrt{2^2+(-1)^2}=\sqrt{5}$이므로

$\sin\theta=-\frac{1}{\sqrt{5}}$, $\cos\theta=\frac{2}{\sqrt{5}}$, $\tan\theta=-\frac{1}{2}$

$\therefore \sqrt{5}\sin\theta-\sqrt{5}\cos\theta+4\tan\theta$

$=\sqrt{5}\cdot\left(-\frac{1}{\sqrt{5}}\right)-\sqrt{5}\cdot\frac{2}{\sqrt{5}}+4\cdot\left(-\frac{1}{2}\right)$

$=-1-2-2=-5$ 답 ①

0680

$x+y-4=0$ ⋯⋯ ㉠, $2x-y-2=0$ ⋯⋯ ㉡에서

㉠, ㉡을 연립하여 풀면 $x=2$, $y=2$

$\therefore P(2, 2)$

따라서 $\overline{OP}=\sqrt{2^2+2^2}=2\sqrt{2}$이므로

$\sin\theta=\frac{2}{2\sqrt{2}}=\frac{1}{\sqrt{2}}$, $\cos\theta=\frac{2}{2\sqrt{2}}=\frac{1}{\sqrt{2}}$, $\tan\theta=\frac{2}{2}=1$

$\therefore \sin\theta\cos\theta-\tan\theta=\frac{1}{\sqrt{2}}\cdot\frac{1}{\sqrt{2}}-1=-\frac{1}{2}$ 답 $-\frac{1}{2}$

0681

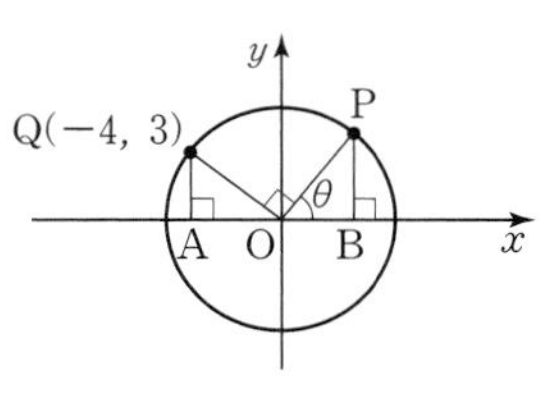

점 Q와 점 P에서 x축에 내린 수선의 발을 각각 A, B라 하면

$\angle QOA+\angle POB=90°$이므로

$\triangle QAO\equiv\triangle OBP$(RHA 합동)

즉, 점 P의 좌표는 $(3, 4)$

따라서 $\overline{OP}=\sqrt{3^2+4^2}=5$이므로

$\sin\theta=\frac{4}{5}$, $\tan\theta=\frac{4}{3}$

$\therefore \sin\theta\tan\theta=\frac{4}{5}\cdot\frac{4}{3}=\frac{16}{15}$ 답 $\frac{16}{15}$

0682

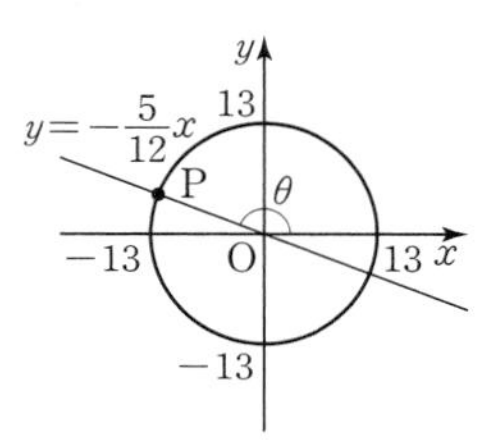

오른쪽 그림과 같이 원점 O를 중심으로 하고 반지름의 길이가 13인 원이 직선 $5x+12y=0$, 즉 $y=-\frac{5}{12}x$와 만나는 점 중에서 제2사분면 위의 점을 P라 하면 $P(-12, 5)$

$\overline{OP}=13$이므로

$\cos\theta=-\frac{12}{13}$, $\tan\theta=-\frac{5}{12}$

$\therefore 13\cos\theta-12\tan\theta=-12+5=-7$ 답 ②

0683

|전략| $ab<0$이면 a와 b의 부호가 서로 다르고, $ab>0$이면 a와 b의 부호가 서로 같음을 이용한다.

(i) $\sin\theta\cos\theta<0$일 때,
 $\sin\theta$와 $\cos\theta$의 값의 부호가 서로 다르므로 θ는 제2사분면 또는 제4사분면의 각이다.

(ii) $\cos\theta\tan\theta>0$일 때,
 $\cos\theta$와 $\tan\theta$의 값의 부호가 서로 같으므로 θ는 제1사분면 또는 제2사분면의 각이다.

(i), (ii)에서 θ는 제2사분면의 각이다. 답 ②

0684

$\frac{\pi}{2}<\theta<\pi$에서 θ는 제2사분면의 각이므로

$\tan\theta<0$, $\cos\theta<0$, $\sin\theta>0$ ⋯ ❶

이때, $|\tan\theta|=-\tan\theta$, $|\cos\theta|=-\cos\theta$, $|\sin\theta|=\sin\theta$ ⋯ ❷

$\therefore$ (주어진 식)

$=-\tan\theta-\cos\theta+\sin\theta+\tan\theta+\cos\theta+\sin\theta$

$=2\sin\theta$ ⋯ ❸

답 $2\sin\theta$

채점 기준	비율
❶ $\sin\theta$, $\cos\theta$, $\tan\theta$의 값의 부호를 알 수 있다.	40 %
❷ $\lvert\sin\theta\rvert$, $\lvert\cos\theta\rvert$, $\lvert\tan\theta\rvert$를 간단히 할 수 있다.	30 %
❸ 주어진 식을 간단히 할 수 있다.	30 %

0685

θ가 제2사분면의 각이므로 $\sin\theta>0$, $\cos\theta<0$

따라서 $\sin\theta-\cos\theta>0$, $\cos\theta-\sin\theta<0$이므로

(주어진 식)$=|\sin\theta-\cos\theta|+|\cos\theta-\sin\theta|$

$=\sin\theta-\cos\theta-(\cos\theta-\sin\theta)$

$=\sin\theta-\cos\theta-\cos\theta+\sin\theta$

$=2(\sin\theta-\cos\theta)$

답 ⑤

0686

$\sqrt{\sin\theta}\sqrt{\cos\theta}=-\sqrt{\sin\theta\cos\theta}$이고 $\sin\theta\cos\theta\neq0$이므로

$\sin\theta<0$, $\cos\theta<0$

즉, θ는 제3사분면의 각이므로 $\tan\theta>0$

따라서 $1-\sin\theta>0$, $1+\tan\theta>0$, $\sin\theta+\cos\theta<0$이므로

(주어진 식)

$=|\tan\theta|+|1-\sin\theta|-|1+\tan\theta|-|\sin\theta+\cos\theta|$

$=\tan\theta+(1-\sin\theta)-(1+\tan\theta)-\{-(\sin\theta+\cos\theta)\}$

$=\tan\theta+1-\sin\theta-1-\tan\theta+\sin\theta+\cos\theta$

$=\cos\theta$

답 $\cos\theta$

0687

|전략| $\tan\theta=\frac{\sin\theta}{\cos\theta}$, $\sin^2\theta+\cos^2\theta=1$임을 이용한다.

$\frac{\cos^2\theta-\sin^2\theta}{1+2\sin\theta\cos\theta}+\frac{\tan\theta-1}{\tan\theta+1}$

$=\frac{\cos^2\theta-\sin^2\theta}{\sin^2\theta+2\sin\theta\cos\theta+\cos^2\theta}+\frac{\frac{\sin\theta}{\cos\theta}-1}{\frac{\sin\theta}{\cos\theta}+1}$

$=\frac{(\cos\theta+\sin\theta)(\cos\theta-\sin\theta)}{(\sin\theta+\cos\theta)^2}+\frac{\sin\theta-\cos\theta}{\sin\theta+\cos\theta}$

$=\frac{\cos\theta-\sin\theta}{\sin\theta+\cos\theta}+\frac{\sin\theta-\cos\theta}{\sin\theta+\cos\theta}$

$=0$

답 ①

0688

ㄱ. $\sin^4\theta-\cos^4\theta=(\sin^2\theta-\cos^2\theta)(\sin^2\theta+\cos^2\theta)$

$=\sin^2\theta-\cos^2\theta$

$=(1-\cos^2\theta)-\cos^2\theta$

$=1-2\times\boxed{\cos^2\theta}$

ㄴ. $\tan^2\theta-\sin^2\theta=\frac{\sin^2\theta}{\cos^2\theta}-\sin^2\theta$

$=\frac{\sin^2\theta-\cos^2\theta\sin^2\theta}{\cos^2\theta}$

$=\frac{\sin^2\theta(1-\cos^2\theta)}{\cos^2\theta}=\frac{\sin^2\theta\times\sin^2\theta}{\cos^2\theta}$

$=\tan^2\theta\times\boxed{\sin^2\theta}$

답 ③

0689

① $\frac{\cos\theta-1}{\sin\theta}-\frac{1}{\tan\theta}=\frac{\cos\theta-1}{\sin\theta}-\frac{\cos\theta}{\sin\theta}=-\frac{1}{\sin\theta}$

② $\frac{1}{\cos^2\theta}+\frac{\tan\theta}{\cos\theta}=\frac{1}{\cos^2\theta}+\frac{\sin\theta}{\cos^2\theta}=\frac{1+\sin\theta}{1-\sin^2\theta}$

$=\frac{1+\sin\theta}{(1+\sin\theta)(1-\sin\theta)}=\frac{1}{1-\sin\theta}$

③ $\frac{2}{\cos\theta}-\frac{\cos\theta}{1-\sin\theta}=\frac{2-2\sin\theta-\cos^2\theta}{\cos\theta(1-\sin\theta)}=\frac{1-2\sin\theta+\sin^2\theta}{\cos\theta(1-\sin\theta)}$

$=\frac{(1-\sin\theta)^2}{\cos\theta(1-\sin\theta)}=\frac{1-\sin\theta}{\cos\theta}$

④ $\frac{\cos^2\theta}{1+\sin\theta}+\frac{\cos^2\theta}{1-\sin\theta}=\cos^2\theta\cdot\frac{1-\sin\theta+1+\sin\theta}{1-\sin^2\theta}$

$=\cos^2\theta\cdot\frac{2}{\cos^2\theta}=2$

⑤ $\cos^4\theta-\sin^4\theta=(\cos^2\theta-\sin^2\theta)(\cos^2\theta+\sin^2\theta)$

$=\cos^2\theta-\sin^2\theta=\cos^2\theta-(1-\cos^2\theta)$

$=2\cos^2\theta-1$

따라서 옳지 않은 것은 ④이다.

답 ④

0690

|전략| $\sin^2\theta=1-\cos^2\theta$, $\frac{1}{\tan\theta}=\frac{\cos\theta}{\sin\theta}$임을 이용한다.

$\sin^2\theta+\cos^2\theta=1$에서

$\sin^2\theta=1-\cos^2\theta=1-\left(-\frac{5}{13}\right)^2=\frac{144}{169}$

이때, θ가 제2사분면의 각이므로 $\sin\theta>0$ $\quad\therefore\sin\theta=\frac{12}{13}$

$\therefore\frac{1}{\sin\theta}+\frac{1}{\tan\theta}=\frac{1}{\sin\theta}+\frac{\cos\theta}{\sin\theta}=\frac{1+\cos\theta}{\sin\theta}$

$=\frac{1-\frac{5}{13}}{\frac{12}{13}}=\frac{8}{12}=\frac{2}{3}$

답 ⑤

0691

$\sin^2\theta+\cos^2\theta=1$의 양변을 $\cos^2\theta$로 나누면

$\tan^2\theta+1=\frac{1}{\cos^2\theta}$

$\therefore\frac{1}{\cos^2\theta}=\left(-\frac{4}{3}\right)^2+1=\frac{25}{9}$ $\quad\therefore\cos^2\theta=\frac{9}{25}$

이때, θ는 제4사분면의 각이므로 $\cos\theta>0$ $\quad\therefore\cos\theta=\frac{3}{5}$

$\tan\theta=\frac{\sin\theta}{\cos\theta}$에서

$\sin\theta=\tan\theta\cos\theta=-\frac{4}{3}\cdot\frac{3}{5}=-\frac{4}{5}$

$\therefore\frac{5\sin\theta+2}{15\cos\theta-6}=\frac{5\cdot\left(-\frac{4}{5}\right)+2}{15\cdot\frac{3}{5}-6}=-\frac{2}{3}$

답 $-\frac{2}{3}$

0692

$\frac{1-\tan\theta}{1+\tan\theta}=2+\sqrt{3}$에서

$1-\tan\theta=(1+\tan\theta)(2+\sqrt{3})$

$-1-\sqrt{3}=(3+\sqrt{3})\tan\theta$

$\therefore \tan\theta=-\frac{1+\sqrt{3}}{3+\sqrt{3}}=-\frac{1}{\sqrt{3}}$

$\sin^2\theta+\cos^2\theta=1$의 양변을 $\sin^2\theta$로 나누면

$1+\frac{1}{\tan^2\theta}=\frac{1}{\sin^2\theta}$

$\therefore \frac{1}{\sin^2\theta}=1+\frac{1}{\left(-\frac{1}{\sqrt{3}}\right)^2}=1+3=4$

$\therefore \sin^2\theta=\frac{1}{4}$

이때, θ는 제2사분면의 각이므로 $\sin\theta>0$ $\quad\therefore \sin\theta=\frac{1}{2}$

$\therefore \sin^2\theta-\sin\theta=\frac{1}{4}-\frac{1}{2}=-\frac{1}{4}$ 답 $-\frac{1}{4}$

0693

$\tan\theta+\frac{1}{\tan\theta}=6$에서

$\frac{\sin\theta}{\cos\theta}+\frac{\cos\theta}{\sin\theta}=6$, $\frac{\sin^2\theta+\cos^2\theta}{\cos\theta\sin\theta}=6$, $\frac{1}{\cos\theta\sin\theta}=6$

$\therefore \cos\theta\sin\theta=\frac{1}{6}$

$\therefore \frac{1}{\cos^2\theta}+\frac{1}{\sin^2\theta}=\frac{\sin^2\theta+\cos^2\theta}{\cos^2\theta\sin^2\theta}=\frac{1}{(\cos\theta\sin\theta)^2}$

$=\frac{1}{\left(\frac{1}{6}\right)^2}=36$ 답 36

0694

|전략| 주어진 식의 양변을 제곱하고 $\sin^2\theta+\cos^2\theta=1$임을 이용한다.

$\sin\theta-\cos\theta=\frac{1}{2}$의 양변을 제곱하면

$\sin^2\theta-2\sin\theta\cos\theta+\cos^2\theta=\frac{1}{4}$

$1-2\sin\theta\cos\theta=\frac{1}{4}$ $\quad\therefore \sin\theta\cos\theta=\frac{3}{8}$

$\therefore \tan\theta+\frac{1}{\tan\theta}=\frac{\sin\theta}{\cos\theta}+\frac{\cos\theta}{\sin\theta}=\frac{\sin^2\theta+\cos^2\theta}{\sin\theta\cos\theta}$

$=\frac{1}{\frac{3}{8}}=\frac{8}{3}$ 답 $\frac{8}{3}$

0695

$\sin\theta+\cos\theta=\frac{2}{3}$의 양변을 제곱하면

$\sin^2\theta+2\sin\theta\cos\theta+\cos^2\theta=\frac{4}{9}$

$1+2\sin\theta\cos\theta=\frac{4}{9}$ $\quad\therefore \sin\theta\cos\theta=-\frac{5}{18}$

$\therefore \sin^3\theta+\cos^3\theta=(\sin\theta+\cos\theta)^3-3\sin\theta\cos\theta(\sin\theta+\cos\theta)$

$=\left(\frac{2}{3}\right)^3-3\cdot\left(-\frac{5}{18}\right)\cdot\frac{2}{3}$

$=\frac{8}{27}+\frac{5}{9}=\frac{23}{27}$ 답 ⑤

다른 풀이

$\sin^3\theta+\cos^3\theta=(\sin\theta+\cos\theta)(\sin^2\theta-\sin\theta\cos\theta+\cos^2\theta)$

$=\frac{2}{3}\left\{1-\left(-\frac{5}{18}\right)\right\}=\frac{23}{27}$

0696

$\sin\theta+\cos\theta=\sqrt{2}$의 양변을 제곱하면

$\sin^2\theta+2\sin\theta\cos\theta+\cos^2\theta=2$

$1+2\sin\theta\cos\theta=2$ $\quad\therefore \sin\theta\cos\theta=\frac{1}{2}$

$\therefore \frac{\sin^3\theta+\cos^3\theta}{(1-\sin\theta)^2+(1-\cos\theta)^2-3}$

$=\frac{\sin^3\theta+\cos^3\theta}{1-2\sin\theta+\sin^2\theta+1-2\cos\theta+\cos^2\theta-3}$

$=\frac{(\sin\theta+\cos\theta)(\sin^2\theta-\sin\theta\cos\theta+\cos^2\theta)}{-2(\sin\theta+\cos\theta)}$

$=\frac{1-\sin\theta\cos\theta}{-2}=\frac{1-\frac{1}{2}}{-2}=-\frac{1}{4}$ 답 $-\frac{1}{4}$

0697

|전략| 이차방정식 $ax^2+bx+c=0$의 두 근이 α, β일 때, $\alpha+\beta=-\frac{b}{a}$, $\alpha\beta=\frac{c}{a}$임을 이용한다.

$x^2+kx+k-1=0$의 두 근이 $\sin\theta$, $\cos\theta$이므로 근과 계수의 관계에 의하여

$\sin\theta+\cos\theta=-k$ ...... ㉠

$\sin\theta\cos\theta=k-1$ ...... ㉡

㉠의 양변을 제곱하면

$\sin^2\theta+2\sin\theta\cos\theta+\cos^2\theta=k^2$

$1+2\sin\theta\cos\theta=k^2$ $\quad\therefore \sin\theta\cos\theta=\frac{k^2-1}{2}$

㉡에서 $k-1=\frac{k^2-1}{2}$

$k^2-2k+1=0$, $(k-1)^2=0$ $\quad\therefore k=1$ 답 1

0698

$x^2-px+q=0$의 두 근이 $\cos\alpha$, $\cos\beta$이므로 근과 계수의 관계에 의하여

$\cos\alpha+\cos\beta=p$, $\cos\alpha\cos\beta=q$

$x^2-rx+s=0$의 두 근이 $\frac{1}{\cos\alpha}$, $\frac{1}{\cos\beta}$이므로 근과 계수의 관계에 의하여

$\frac{1}{\cos\alpha}+\frac{1}{\cos\beta}=r$, $\frac{1}{\cos\alpha}\cdot\frac{1}{\cos\beta}=s$

$\therefore rs=\left(\frac{1}{\cos\alpha}+\frac{1}{\cos\beta}\right)\cdot\frac{1}{\cos\alpha}\cdot\frac{1}{\cos\beta}$

$=\frac{\cos\alpha+\cos\beta}{\cos\alpha\cos\beta}\cdot\frac{1}{\cos\alpha\cos\beta}$

$=\frac{\cos\alpha+\cos\beta}{(\cos\alpha\cos\beta)^2}=\frac{p}{q^2}$ 답 ⑤

0699

$2x^2+\sqrt{2}x+a=0$의 두 근이 $\sin\theta$, $\cos\theta$이므로 근과 계수의 관계에 의하여

$\sin\theta+\cos\theta=-\frac{\sqrt{2}}{2}$ …… ㉠

$\sin\theta\cos\theta=\frac{a}{2}$ …… ㉡ … ❶

㉠의 양변을 제곱하면

$\sin^2\theta+2\sin\theta\cos\theta+\cos^2\theta=\frac{1}{2}$

$1+2\sin\theta\cos\theta=\frac{1}{2}$ $\quad\therefore \sin\theta\cos\theta=-\frac{1}{4}$ … ❷

㉡에서 $\frac{a}{2}=-\frac{1}{4}$ $\quad\therefore a=-\frac{1}{2}$ … ❸

$\therefore \sin^3\theta+\cos^3\theta=(\sin\theta+\cos\theta)^3-3\sin\theta\cos\theta(\sin\theta+\cos\theta)$

$=\left(-\frac{\sqrt{2}}{2}\right)^3-3\cdot\left(-\frac{1}{4}\right)\cdot\left(-\frac{\sqrt{2}}{2}\right)$

$=-\frac{2\sqrt{2}}{8}-\frac{3\sqrt{2}}{8}=-\frac{5\sqrt{2}}{8}$ … ❹

답 $a=-\frac{1}{2}$, $\sin^3\theta+\cos^3\theta=-\frac{5\sqrt{2}}{8}$

채점 기준	비율
❶ 이차방정식의 근과 계수의 관계를 이용하여 삼각함수에 대한 식을 세울 수 있다.	20 %
❷ $\sin\theta\cos\theta$의 값을 구할 수 있다.	20 %
❸ a의 값을 구할 수 있다.	20 %
❹ $\sin^3\theta+\cos^3\theta$의 값을 구할 수 있다.	40 %

STEP 3 내신 마스터

0700

유형 02 사분면의 각

| 전략 | θ가 제2 사분면의 각임을 이용한다.

θ가 제2 사분면의 각이므로

$360°\times n+90°<\theta<360°\times n+180°$ (단, n은 정수)

$\therefore 180°\times n+45°<\frac{\theta}{2}<180°\times n+90°$

(i) $n=2k$ (k는 정수)일 때,

$180°\times 2k+45°<\frac{\theta}{2}<180°\times 2k+90°$

$\therefore 360°\times k+45°<\frac{\theta}{2}<360°\times k+90°$

따라서 $\frac{\theta}{2}$는 제1 사분면의 각이다.

(ii) $n=2k+1$ (k는 정수)일 때,

$180°\times(2k+1)+45°<\frac{\theta}{2}<180°\times(2k+1)+90°$

$\therefore 360°\times k+225°<\frac{\theta}{2}<360°\times k+270°$

따라서 $\frac{\theta}{2}$는 제3 사분면의 각이다.

(i), (ii)에서 $\frac{\theta}{2}$를 나타내는 동경이 존재할 수 있는 사분면은 제1, 3사분면이므로 ㄱ, ㄷ이다.

답 ②

0701

유형 03 육십분법과 호도법

| 전략 | $1°=\frac{\pi}{180}$라디안, 1라디안$=\frac{180°}{\pi}$임을 이용한다.

① $60°=60\times\frac{\pi}{180}=\frac{\pi}{3}$

② $120°=120\times\frac{\pi}{180}=\frac{2}{3}\pi$

③ $\frac{\pi}{4}=\frac{\pi}{4}\times\frac{180°}{\pi}=45°$

④ $\frac{7}{6}\pi=\frac{7}{6}\pi\times\frac{180°}{\pi}=210°$

⑤ $\frac{6}{5}\pi=\frac{6}{5}\pi\times\frac{180°}{\pi}=216°$

따라서 옳지 않은 것은 ④이다.

답 ④

0702

유형 04 두 동경의 위치 관계 – 일치

| 전략 | 두 각 α, β를 나타내는 동경이 일치하면 $\beta-\alpha=2n\pi$ (n은 정수)임을 이용한다.

각 8θ를 나타내는 동경과 각 3θ를 나타내는 동경이 일치하므로

$8\theta-3\theta=2n\pi$ (단, n은 정수)

$5\theta=2n\pi$ $\quad\therefore \theta=\frac{2n}{5}\pi$ …… ㉠

$\frac{\pi}{2}<\theta<\pi$에서 $\frac{\pi}{2}<\frac{2n}{5}\pi<\pi$이므로 $\frac{5}{4}<n<\frac{5}{2}$

$\therefore n=2$

이것을 ㉠에 대입하면 $\theta=\frac{4}{5}\pi$이므로

$\cos\left(\theta-\frac{3}{10}\pi\right)=\cos\frac{\pi}{2}=0$

답 ③

0703

유형 08 부채꼴의 호의 길이와 넓이의 최대·최소

| 전략 | 부채꼴의 넓이 S를 반지름의 길이 r에 대한 이차식으로 나타내어 이차함수의 최대·최소를 이용한다.

부채꼴의 반지름의 길이를 r, 호의 길이를 l이라 하면 둘레의 길이가 12이므로

$2r+l=12$ $\quad\therefore l=12-2r$ (단, $0<r<6$)

부채꼴의 넓이를 S라 하면

$S=\frac{1}{2}rl=\frac{1}{2}r(12-2r)=-r^2+6r=-(r-3)^2+9$

따라서 $r=3$일 때 S의 최댓값은 9이다.

답 ③

0704

유형 09 부채꼴의 호의 길이와 넓이의 활용

| 전략 | (부채꼴의 호의 길이)=(원뿔의 밑면인 원의 둘레의 길이)임을 이용한다.

부채꼴 모양의 종이의 호의 길이는 고깔모자의 밑면인 원의 둘레의 길이와 같으므로 $2\pi\cdot 8=16\pi$ (cm)

따라서 부채꼴 모양의 종이의 넓이는

$\frac{1}{2}\cdot 20\cdot 16\pi=160\pi$ (cm^2)

답 ①

5 삼각함수

다른 풀이 반지름의 길이가 20 cm인 원의 둘레의 길이와 넓이는 각각
$2\pi\cdot 20=40\pi$ (cm), $\pi\cdot 20^2=400\pi$ (cm^2)
따라서 부채꼴 모양의 종이의 넓이를 S라 하면
$16\pi : 40\pi = S : 400\pi$, $40\pi S=6400\pi^2$
$\therefore S=160\pi$ (cm^2)

0705

유형 10 삼각함수의 값

|전략| 점 $P(x, y)$에 대하여 동경 OP가 x축의 양의 방향과 이루는 각의 크기를 θ(라디안)라 하면 $\sin\theta=\frac{y}{\overline{OP}}$, $\cos\theta=\frac{x}{\overline{OP}}$임을 이용한다.

$P'(-4, 1)$이므로 $\overline{OP'}=\sqrt{(-4)^2+1^2}=\sqrt{17}$
$\therefore \sin\theta=\frac{1}{\sqrt{17}}$, $\cos\theta=-\frac{4}{\sqrt{17}}$, $\tan\theta=-\frac{1}{4}$
$\therefore \sin^2\theta+\cos^2\theta\tan\theta=\frac{1}{17}+\left(-\frac{4}{\sqrt{17}}\right)^2\times\left(-\frac{1}{4}\right)=-\frac{3}{17}$

답 ②

0706

유형 11 삼각함수의 값의 부호

|전략| $ab>0$이면 a와 b의 부호가 서로 같고, $ab<0$이면 a와 b의 부호가 서로 다름을 이용한다.

$\sin\theta\cos\theta>0$에서 $\sin\theta$와 $\cos\theta$의 부호가 서로 같으므로 θ는 제1사분면 또는 제3사분면의 각이다.
$\sin\theta\tan\theta<0$에서 $\sin\theta$와 $\tan\theta$의 부호가 서로 다르므로 θ는 제2사분면 또는 제3사분면의 각이다.
따라서 조건을 모두 만족시키는 θ는 제3사분면의 각이므로
$\sin\theta<0$, $\tan\theta>0$
$\therefore \sin\theta+\tan\theta+|\sin\theta|+|\tan\theta|$
$=\sin\theta+\tan\theta-\sin\theta+\tan\theta$
$=2\tan\theta$

답 ⑤

0707

유형 12 삼각함수 사이의 관계를 이용하여 식 간단히 하기

|전략| $\tan\theta=\frac{\sin\theta}{\cos\theta}$, $\sin^2\theta+\cos^2\theta=1$임을 이용한다.

$$\left(\frac{1}{\sin\theta}-\sin\theta\right)^2-\left(\frac{1}{\tan\theta}-\tan\theta\right)^2+\left(\frac{1}{\cos\theta}-\cos\theta\right)^2$$
$$=\left(\frac{1}{\sin^2\theta}+\sin^2\theta-2\right)-\left(\frac{1}{\tan^2\theta}+\tan^2\theta-2\right)+\left(\frac{1}{\cos^2\theta}+\cos^2\theta-2\right)$$
$$=(\sin^2\theta+\cos^2\theta)+\left(\frac{1}{\sin^2\theta}-\frac{1}{\tan^2\theta}\right)+\left(\frac{1}{\cos^2\theta}-\tan^2\theta\right)-2$$
$$=(\sin^2\theta+\cos^2\theta)+\left(\frac{1}{\sin^2\theta}-\frac{\cos^2\theta}{\sin^2\theta}\right)+\left(\frac{1}{\cos^2\theta}-\frac{\sin^2\theta}{\cos^2\theta}\right)-2$$
$$=(\sin^2\theta+\cos^2\theta)+\frac{1-\cos^2\theta}{\sin^2\theta}+\frac{1-\sin^2\theta}{\cos^2\theta}-2$$
$$=1+1+1-2=1$$

답 ④

0708

유형 13 삼각함수 사이의 관계를 이용하여 식의 값 구하기

|전략| $\sin^2\theta+\cos^2\theta=1$의 양변을 $\sin^2\theta$로 나누어 $\sin\theta$의 값을 구한다.

$\sin^2\theta+\cos^2\theta=1$의 양변을 $\sin^2\theta$로 나누면
$1+\frac{1}{\tan^2\theta}=\frac{1}{\sin^2\theta}$
$\therefore \frac{1}{\sin^2\theta}=1+\frac{1}{\left(\frac{5}{12}\right)^2}=\frac{169}{25}$　　$\therefore \sin^2\theta=\frac{25}{169}$
이때, θ는 제3사분면의 각이므로 $\sin\theta<0$
$\therefore \sin\theta=-\frac{5}{13}$
$$\therefore \frac{\sin\theta}{1-\cos\theta}+\frac{\sin\theta}{1+\cos\theta}$$
$$=\frac{\sin\theta(1+\cos\theta)+\sin\theta(1-\cos\theta)}{(1-\cos\theta)(1+\cos\theta)}$$
$$=\frac{\sin\theta+\sin\theta\cos\theta+\sin\theta-\sin\theta\cos\theta}{1-\cos^2\theta}$$
$$=\frac{2\sin\theta}{\sin^2\theta}=\frac{2}{\sin\theta}=\frac{2}{-\frac{5}{13}}=-\frac{26}{5}$$

답 ①

0709

유형 15 삼각함수를 근으로 하는 이차방정식

|전략| 이차방정식 $ax^2+bx+c=0$의 두 근이 α, β일 때, $\alpha+\beta=-\frac{b}{a}$, $\alpha\beta=\frac{c}{a}$임을 이용한다.

$2x^2+ax+1=0$의 두 근이 $\sin\theta$, $\cos\theta$이므로 근과 계수의 관계에 의하여
$\sin\theta+\cos\theta=-\frac{a}{2}$　　…… ㉠
$\sin\theta\cos\theta=\frac{1}{2}$　　…… ㉡
㉠의 양변을 제곱하면
$\sin^2\theta+2\sin\theta\cos\theta+\cos^2\theta=\frac{a^2}{4}$
$1+2\sin\theta\cos\theta=\frac{a^2}{4}$　　$\therefore \sin\theta\cos\theta=\frac{a^2-4}{8}$
㉡에서 $\frac{1}{2}=\frac{a^2-4}{8}$　　$\therefore a=2\sqrt{2}$ ($\because a>0$)
즉, $\sin\theta+\cos\theta=-\sqrt{2}$
한편, $\frac{1}{\sin\theta}$, $\frac{1}{\cos\theta}$을 두 근으로 하고 x^2의 계수가 1인 이차방정식은
$x^2-\left(\frac{1}{\sin\theta}+\frac{1}{\cos\theta}\right)x+\frac{1}{\sin\theta}\cdot\frac{1}{\cos\theta}=0$
이때,
$\frac{1}{\sin\theta}+\frac{1}{\cos\theta}=\frac{\cos\theta+\sin\theta}{\sin\theta\cos\theta}=\frac{-\sqrt{2}}{\frac{1}{2}}=-2\sqrt{2}$
$\frac{1}{\sin\theta}\cdot\frac{1}{\cos\theta}=\frac{1}{\sin\theta\cos\theta}=\frac{1}{\frac{1}{2}}=2$
이므로 구하는 이차방정식은
$x^2-(-2\sqrt{2})x+2=0$　　$\therefore x^2+2\sqrt{2}x+2=0$

따라서 $a=2\sqrt{2}$, $b=2\sqrt{2}$, $c=2$이므로

$abc=2\sqrt{2}\cdot 2\sqrt{2}\cdot 2=16$ 답 ④

0710

유형 06 두 동경의 위치 관계 – 좌표축 또는 직선에 대하여 대칭

| 전략 | 두 각 α, β를 나타내는 동경이 직선 $y=x$에 대하여 대칭이면 $\alpha+\beta=2n\pi+\frac{\pi}{2}$ (n은 정수)임을 이용한다.

각 6θ를 나타내는 동경과 각 4θ를 나타내는 동경이 직선 $y=x$에 대하여 대칭이므로

$6\theta+4\theta=2n\pi+\frac{\pi}{2}$ (단, n은 정수)

$10\theta=2n\pi+\frac{\pi}{2}$ $\quad\therefore \theta=\frac{4n+1}{20}\pi$ ······ ㉠ ··· ❶

$\frac{\pi}{2}<\theta<\pi$에서 $\frac{\pi}{2}<\frac{4n+1}{20}\pi<\pi$이므로

$10<4n+1<20$, $9<4n<19$, $\frac{9}{4}<n<\frac{19}{4}$

$\therefore n=3$ 또는 $n=4$

이것을 ㉠에 대입하면 $\theta=\frac{13}{20}\pi$ 또는 $\theta=\frac{17}{20}\pi$ ··· ❷

따라서 구하는 모든 θ의 값의 합은 $\frac{13}{20}\pi+\frac{17}{20}\pi=\frac{3}{2}\pi$ ··· ❸

답 $\frac{3}{2}\pi$

채점 기준	배점
❶ θ를 n에 대한 식으로 나타낼 수 있다.	3점
❷ θ의 값을 구할 수 있다.	2점
❸ θ의 값의 합을 구할 수 있다.	1점

0711

유형 14 $\sin\theta+\cos\theta$, $\sin\theta\cos\theta$의 관계를 이용하여 식의 값 구하기

| 전략 | 주어진 식의 양변을 제곱하고 $\sin^2\theta+\cos^2\theta=1$임을 이용한다.

$\sin\theta+\cos\theta=-\frac{1}{2}$의 양변을 제곱하면

$\sin^2\theta+2\sin\theta\cos\theta+\cos^2\theta=\frac{1}{4}$

$1+2\sin\theta\cos\theta=\frac{1}{4}$ $\quad\therefore \sin\theta\cos\theta=-\frac{3}{8}$

$\therefore (\sin\theta-\cos\theta)^2=\sin^2\theta+\cos^2\theta-2\sin\theta\cos\theta$

$=1-2\cdot\left(-\frac{3}{8}\right)=\frac{7}{4}$ ··· ❶

이때, θ가 제2사분면의 각이므로 $\sin\theta>0$, $\cos\theta<0$

따라서 $\sin\theta-\cos\theta>0$이므로 $\sin\theta-\cos\theta=\frac{\sqrt{7}}{2}$ ··· ❷

$\therefore \sin^2\theta-\cos^2\theta=(\sin\theta+\cos\theta)(\sin\theta-\cos\theta)$

$=\left(-\frac{1}{2}\right)\cdot\frac{\sqrt{7}}{2}=-\frac{\sqrt{7}}{4}$ ··· ❸

답 $-\frac{\sqrt{7}}{4}$

채점 기준	배점
❶ $(\sin\theta-\cos\theta)^2$의 값을 구할 수 있다.	3점
❷ $\sin\theta-\cos\theta$의 값을 구할 수 있다.	2점
❸ $\sin^2\theta-\cos^2\theta$의 값을 구할 수 있다.	2점

0712

유형 12 삼각함수 사이의 관계를 이용하여 식 간단히 하기

| 전략 | $\sin^2\theta+\cos^2\theta=1$, $\tan\theta=\frac{\sin\theta}{\cos\theta}$임을 이용한다.

(1) $\frac{x}{\cos\theta}=1+\tan\theta$에서 $x=\cos\theta+\cos\theta\tan\theta$

$x=\cos\theta+\cos\theta\cdot\frac{\sin\theta}{\cos\theta}$ $\quad\therefore x=\cos\theta+\sin\theta$ ······ ㉠

$\frac{y}{\cos\theta}=1-\tan\theta$에서 $y=\cos\theta-\cos\theta\tan\theta$

$y=\cos\theta-\cos\theta\cdot\frac{\sin\theta}{\cos\theta}$ $\quad\therefore y=\cos\theta-\sin\theta$ ······ ㉡

㉠$-$㉡에서 $x-y=2\sin\theta$ $\quad\therefore \sin\theta=\frac{x-y}{2}$

㉠$+$㉡에서 $x+y=2\cos\theta$ $\quad\therefore \cos\theta=\frac{x+y}{2}$

(2) $\sin^2\theta+\cos^2\theta=1$이므로

$\left(\frac{x-y}{2}\right)^2+\left(\frac{x+y}{2}\right)^2=1$

$\frac{x^2-2xy+y^2}{4}+\frac{x^2+2xy+y^2}{4}=1$, $2x^2+2y^2=4$

$\therefore x^2+y^2=2$

따라서 점 (x, y)가 그리는 도형은 반지름의 길이가 $\sqrt{2}$인 원이므로 구하는 길이는 $2\sqrt{2}\pi$이다.

답 (1) $\sin\theta=\frac{x-y}{2}$, $\cos\theta=\frac{x+y}{2}$ (2) $2\sqrt{2}\pi$

채점 기준	배점
(1) x와 y를 이용하여 $\sin\theta$와 $\cos\theta$를 나타낼 수 있다.	7점
(2) 점 (x, y)가 그리는 도형의 길이를 구할 수 있다.	5점

창의·융합 교과서 속 심화문제

0713

| 전략 | $\sin\alpha=\frac{y}{r}$임을 이용한다.

단위원 위의 임의의 점을 $\mathrm{P}(x, y)$라 하고, 동경 OP가 x축의 양의 방향과 이루는 각의 크기를 α라 하면 단위원의 반지름의 길이, 즉 r는 1이므로

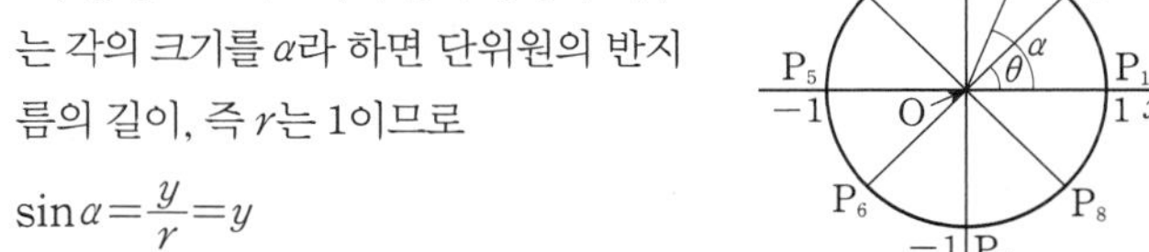

$\sin\alpha=\frac{y}{r}=y$

$\mathrm{P_1}$과 $\mathrm{P_5}$, $\mathrm{P_2}$와 $\mathrm{P_6}$, $\mathrm{P_3}$과 $\mathrm{P_7}$, $\mathrm{P_4}$와 $\mathrm{P_8}$은 각각 원점에 대하여 대칭이므로 y좌표의 합은 0이다.

$\therefore \sin\theta+\sin 2\theta+\cdots+\sin 7\theta+\sin 8\theta$

$=(\sin\theta+\sin 5\theta)+(\sin 2\theta+\sin 6\theta)+(\sin 3\theta+\sin 7\theta)+(\sin 4\theta+\sin 8\theta)$

$=0$ 답 0

0714

|전략| 점 P의 x좌표와 y좌표를 θ로 나타낸다.

점 $P(x,\ y)$가 단위원 위의 점이므로

$x=\cos\theta,\ y=\sin\theta$

$$\therefore \frac{y}{x}+\frac{x}{y}=\frac{\sin\theta}{\cos\theta}+\frac{\cos\theta}{\sin\theta}=\frac{\sin^2\theta+\cos^2\theta}{\sin\theta\cos\theta}=\frac{1}{\sin\theta\cos\theta}$$

즉, $\frac{1}{\sin\theta\cos\theta}=-\frac{5}{2}$이므로 $\sin\theta\cos\theta=-\frac{2}{5}$

$$\therefore (\sin\theta-\cos\theta)^2=\sin^2\theta-2\sin\theta\cos\theta+\cos^2\theta=1-2\sin\theta\cos\theta=1+\frac{4}{5}=\frac{9}{5}$$

이때, θ는 제2사분면의 각이므로 $\sin\theta>0$, $\cos\theta<0$

따라서 $\sin\theta-\cos\theta>0$이므로

$\sin\theta-\cos\theta=\sqrt{\frac{9}{5}}=\frac{3\sqrt{5}}{5}$ 답 ④

0715

|전략| 점 D와 점 E에서 $\overline{AB}$, $\overline{BC}$에 수선의 발을 내린 후 삼각형의 닮음을 이용한다.

오른쪽 그림에서 $\frac{1}{3}\overline{BC}=a$, $\frac{1}{3}\overline{AB}=b$라 하면

$\sin^2 x=a^2+(2b)^2$ …… ㉠

$\cos^2 x=(2a)^2+b^2$ …… ㉡

㉠+㉡에서

$1=5(a^2+b^2)$ $\quad\therefore a^2+b^2=\frac{1}{5}$

$\therefore \overline{AC}=\sqrt{(3a)^2+(3b)^2}=3\sqrt{a^2+b^2}=\frac{3\sqrt{5}}{5}$ 답 $\frac{3\sqrt{5}}{5}$

0716

|전략| 색칠한 도형을 6등분하여 정삼각형과 부채꼴의 넓이를 이용한다.

오른쪽 그림과 같이 색칠한 부분의 넓이를 S, 빗금친 부분의 넓이를 S_1이라 하면 $S=6S_1$

이때, △OAB는 한 변의 길이가 2인 정삼각형이므로

$\triangle OAB=\frac{\sqrt{3}}{4}\cdot 2^2=\sqrt{3}$

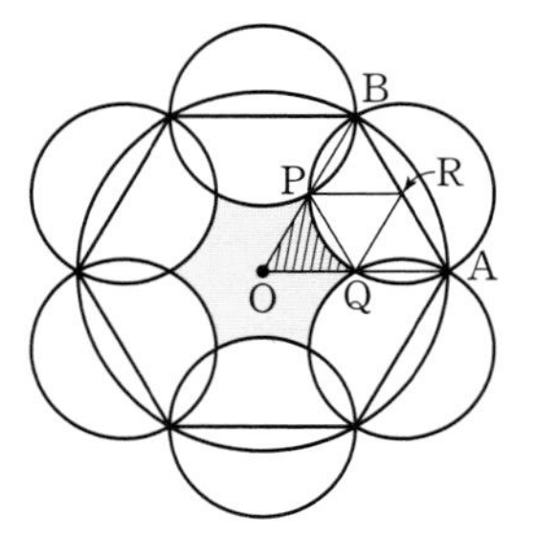

△OAB는 한 변의 길이가 1인 정삼각형으로 4개로 이루어져 있으므로

$\triangle BPR=\triangle RQA=\frac{\sqrt{3}}{4}\cdot 1^2=\frac{\sqrt{3}}{4}$

정삼각형의 한 내각의 크기는 $\frac{\pi}{3}$이므로

(부채꼴 RPQ의 넓이)$=\frac{1}{2}\cdot 1^2\cdot\frac{\pi}{3}=\frac{\pi}{6}$

따라서

$S_1=\triangle OAB-\{\triangle BPR+$(부채꼴 RPQ의 넓이)$+\triangle RQA\}$

$=\sqrt{3}-\left(\frac{\sqrt{3}}{4}+\frac{\pi}{6}+\frac{\sqrt{3}}{4}\right)$

$=\frac{\sqrt{3}}{2}-\frac{\pi}{6}$

$\therefore S=6S_1=6\left(\frac{\sqrt{3}}{2}-\frac{\pi}{6}\right)=3\sqrt{3}-\pi$ 답 ④

0717

|전략| 호의 길이가 5π인 부채꼴의 중심각의 크기를 구한다.

오른쪽 그림과 같이 실의 한 끝을 P, 구의 중심을 O, ∠NOP$=\theta$라 하면 부채꼴 PON에서

$30\theta=5\pi$ $\quad\therefore \theta=\frac{\pi}{6}$

또, 점 P에서 $\overline{NO}$에 내린 수선의 발을 Q, $\overline{PQ}=r$라 하면 △POQ에서

$r=\overline{OP}\times\sin\theta=30\sin\frac{\pi}{6}$

$=30\times\frac{1}{2}=15$

따라서 실 끝의 자취의 길이는 반지름의 길이가 15인 원의 둘레의 길이이므로 $2\pi\times 15=30\pi$ 답 30π

0718

|전략| 이차방정식의 근과 계수의 관계를 이용하여 a와 θ의 값을 구한다.

$x^2-\sqrt{3}x+2a=0$은 계수가 실수인 이차방정식이고 $\sin\theta$, $\cos\theta$가 실수이므로 한 근이 $\sin\theta-i\cos\theta$이면 다른 한 근은 $\sin\theta+i\cos\theta$이다.

근과 계수의 관계에 의하여

$(\sin\theta-i\cos\theta)+(\sin\theta+i\cos\theta)=\sqrt{3}$에서

$\sin\theta=\frac{\sqrt{3}}{2}$ $\quad\therefore \theta=\frac{\pi}{3}\left(\because\ 0<\theta\le\frac{\pi}{2}\right)$

$(\sin\theta-i\cos\theta)(\sin\theta+i\cos\theta)=2a$에서

$\sin^2\theta+\cos^2\theta=2a$ $\quad\therefore a=\frac{1}{2}$

$\therefore a\theta=\frac{1}{2}\times\frac{\pi}{3}=\frac{\pi}{6}$ 답 $\frac{\pi}{6}$

Lecture

계수가 실수인 이차방정식에서 한 근이 $a+bi$이면 다른 한 근은 $a-bi$이다. (단, a, b는 실수, $i=\sqrt{-1}$)

6 | 삼각함수의 그래프

STEP 1 개념 마스터 ❶

0719

함수 $f(x)$의 주기가 3이므로
$f(x+3)=f(x)$
$\therefore f(15)=f(12)=f(9)=\cdots=f(0)=1$

답 1

0720

함수 $f(x)$의 주기가 3이므로
$f(x+3)=f(x)$
$\therefore f(10)=f(7)=f(4)=f(1)$
이때, $0\le x<3$에서 $f(x)=3-x$이므로
$f(10)=f(1)=3-1=2$

답 2

0721 답 (가) -1 (나) 1 (다) 2π (라) π

0722

$y=\sin 3x$의 그래프는 $y=\sin x$의 그래프를 x축의 방향으로 $\frac{1}{3}$배 한 것이므로 오른쪽 그림과 같다.
따라서 치역은 $\{y\mid -1\le y\le 1\}$,
주기는 $\frac{2}{3}\pi$이다.

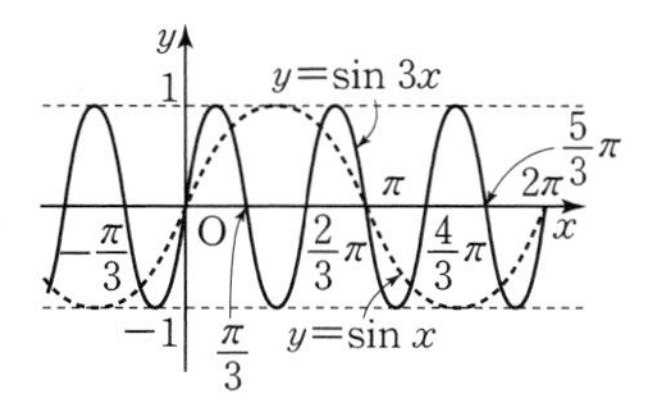

답 풀이 참조

0723

$y=\frac{1}{3}\sin x$의 그래프는 $y=\sin x$의 그래프를 y축의 방향으로 $\frac{1}{3}$배 한 것이므로 오른쪽 그림과 같다.
따라서 치역은 $\left\{y \,\middle|\, -\frac{1}{3}\le y\le \frac{1}{3}\right\}$,
주기는 2π이다.

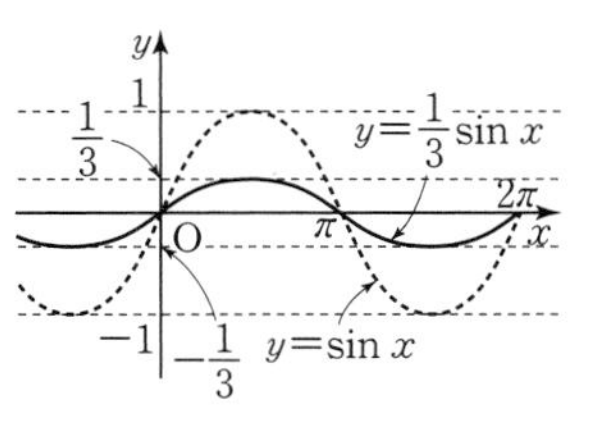

답 풀이 참조

0724

$y=\sin\left(x-\frac{\pi}{2}\right)$의 그래프는
$y=\sin x$의 그래프를 x축의 방향으로 $\frac{\pi}{2}$만큼 평행이동한 것이므로 오른쪽 그림과 같다.
따라서 치역은 $\{y\mid -1\le y\le 1\}$,
주기는 2π이다.

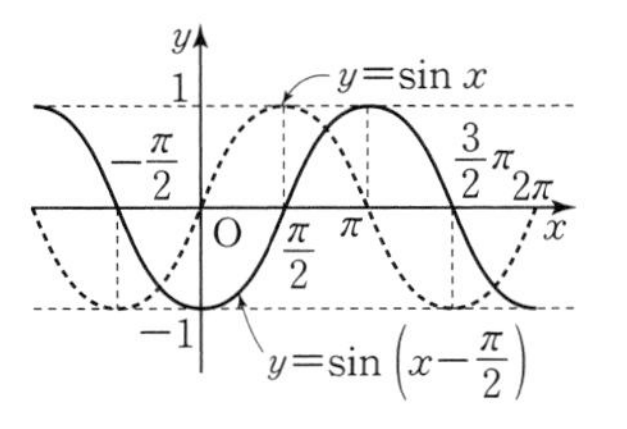

답 풀이 참조

0725

$y=2\sin(2x+\pi)=2\sin 2\left(x+\frac{\pi}{2}\right)$의 그래프는
$y=\sin x$의 그래프를 x축의 방향으로 $\frac{1}{2}$배, y축의 방향으로 2배 한 후 x축의 방향으로 $-\frac{\pi}{2}$만큼 평행이동한 것이므로 오른쪽 그림과 같다.

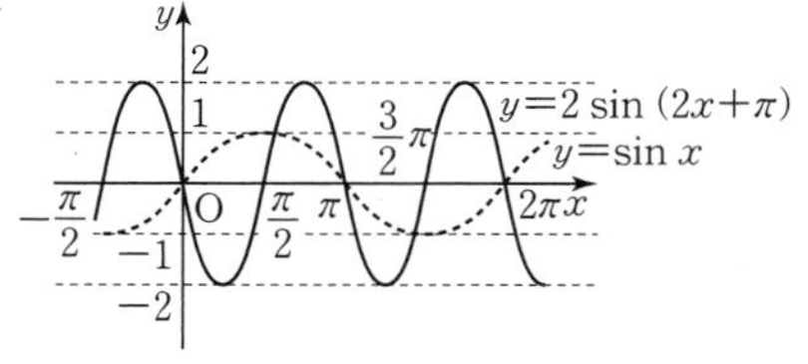

따라서 치역은 $\{y\mid -2\le y\le 2\}$, 주기는 π이다.

답 풀이 참조

0726 답 (가) -2 (나) 2 (다) 2π

0727

$y=3\cos\frac{x}{2}$의 그래프는
$y=\cos x$의 그래프를 x축의 방향으로 2배, y축의 방향으로 3배 한 것이므로 오른쪽 그림과 같다.

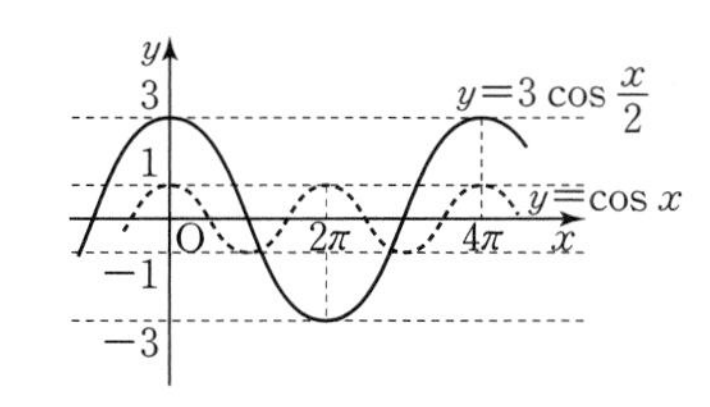

따라서 치역은 $\{y\mid -3\le y\le 3\}$, 주기는 4π이다.

답 풀이 참조

0728

$y=-\cos\left(x-\frac{\pi}{4}\right)$의 그래프는
$y=\cos x$의 그래프를 x축에 대하여 대칭이동한 후 x축의 방향으로 $\frac{\pi}{4}$만큼 평행이동한 것이므로 오른쪽 그림과 같다.

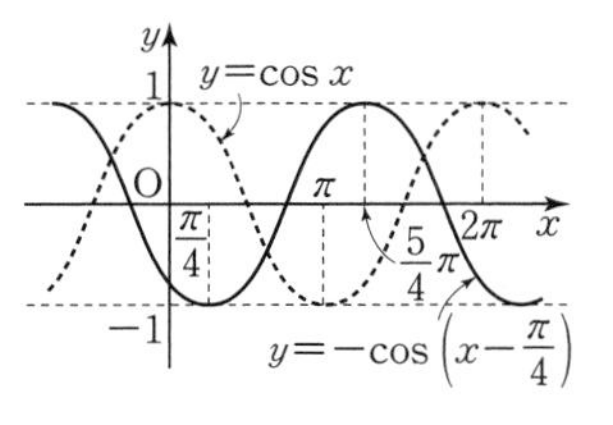

따라서 치역은 $\{y\mid -1\le y\le 1\}$, 주기는 2π이다.

답 풀이 참조

0729

$y=2\cos x+1$의 그래프는
$y=\cos x$의 그래프를 y축의 방향으로 2배 한 후 y축의 방향으로 1만큼 평행이동한 것이므로 오른쪽 그림과 같다.
따라서 치역은 $\{y\mid -1\le y\le 3\}$,
주기는 2π이다.

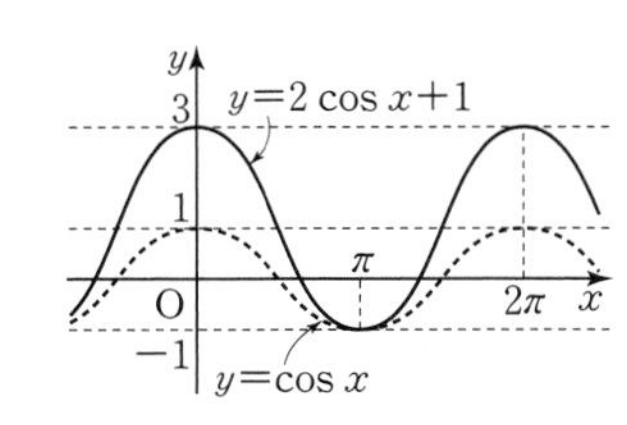

답 풀이 참조

0730

$y=2\cos\left(\frac{x}{2}+\frac{\pi}{2}\right)=2\cos\frac{1}{2}(x+\pi)$의 그래프는
$y=\cos x$의 그래프를 x축의 방향으로 2배, y축의 방향으로 2배 한 후 x축의 방향으로 $-\pi$만큼 평행이동한 것이므로 오른쪽 그림과 같다.
따라서 치역은 $\{y\mid -2\le y\le 2\}$, 주기는 4π이다.

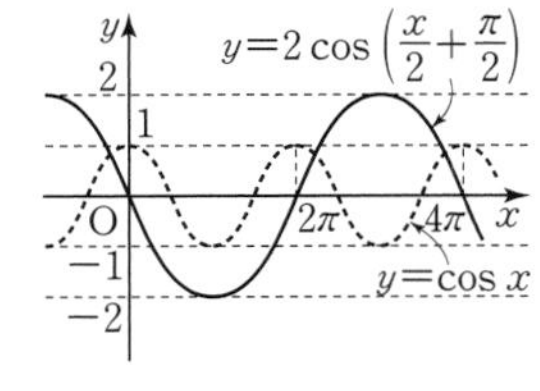

답 풀이 참조

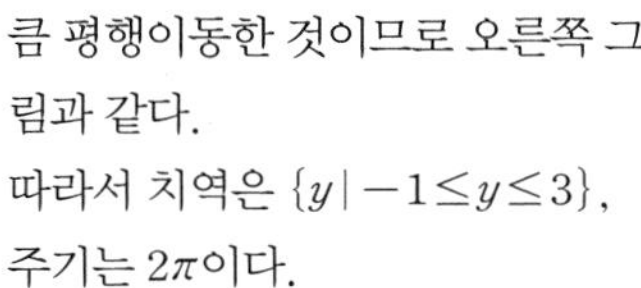

0731 답 (가) π (나) $\frac{\pi}{2}$ (다) $\frac{\pi}{4}$

0732

$y=\tan\frac{x}{2}$의 그래프는

$y=\tan x$의 그래프를 x축의 방향으로 2배 한 것이므로 오른쪽 그림과 같다.

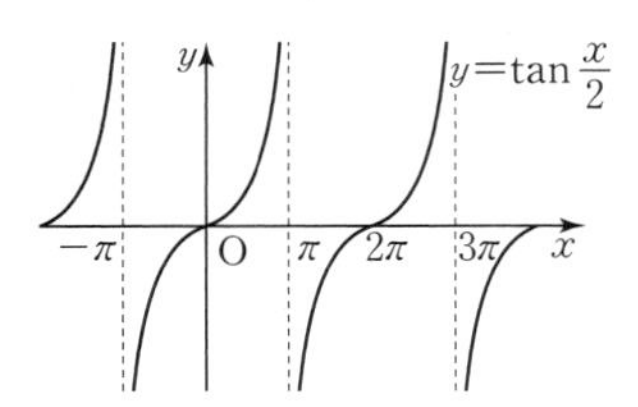

따라서 치역은 실수 전체의 집합, 주기는 2π, 점근선의 방정식은 $x=2n\pi+\pi$(n은 정수)이다.

답 풀이 참조

0733

$y=\frac{1}{3}\tan 3x+1$의 그래프는

$y=\tan x$의 그래프를 x축의 방향으로 $\frac{1}{3}$배, y축의 방향으로 $\frac{1}{3}$배 한 후 y축의 방향으로 1만큼 평행이동한 것이므로 오른쪽 그림과 같다.

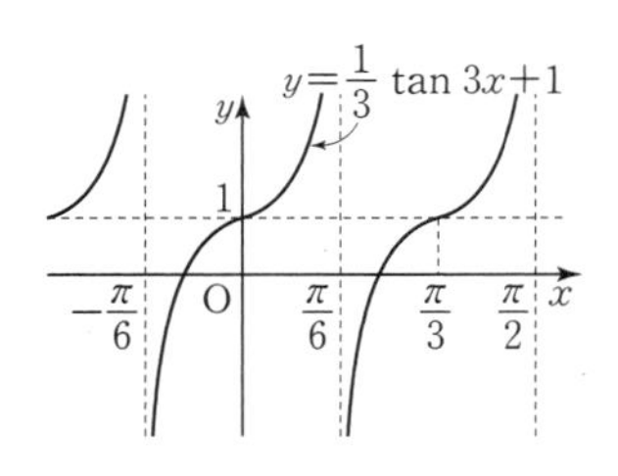

따라서 치역은 실수 전체의 집합, 주기는 $\frac{\pi}{3}$, 점근선의 방정식은

$x=\frac{n}{3}\pi+\frac{\pi}{6}$($n$은 정수)이다.

답 풀이 참조

0734

$y=\tan\left(x-\frac{\pi}{2}\right)+1$의 그래프는

$y=\tan x$의 그래프를 x축의 방향으로 $\frac{\pi}{2}$만큼, y축의 방향으로 1만큼 평행이동한 것이므로 오른쪽 그림과 같다.

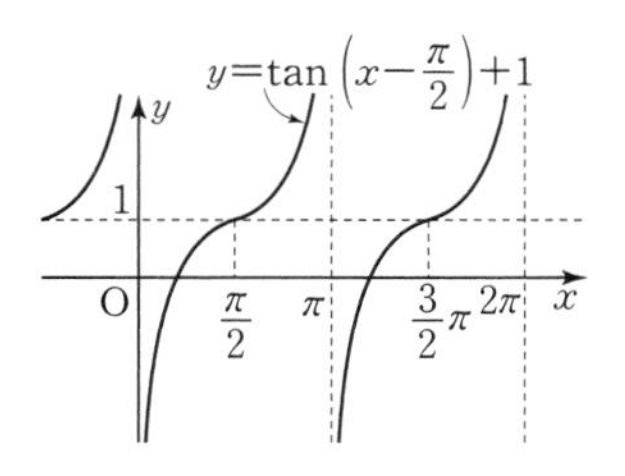

따라서 치역은 실수 전체의 집합, 주기는 π, 점근선의 방정식은 $x=n\pi+\pi$(n은 정수)이다.

답 풀이 참조

0735

$y=3\sin\left(2x+\frac{\pi}{4}\right)$에서

최댓값은 3, 최솟값은 -3

주기는 $\frac{2\pi}{2}=\pi$

답 최댓값: 3, 최솟값: -3, 주기: π

0736

$y=-\cos\left(4x+\frac{\pi}{3}\right)+2$에서

최댓값은 $|-1|+2=3$, 최솟값은 $-|-1|+2=1$

주기는 $\frac{2\pi}{4}=\frac{\pi}{2}$

답 최댓값: 3, 최솟값: 1, 주기: $\frac{\pi}{2}$

0737

$y=4\tan(2\pi x-\pi)+1$에서

최댓값, 최솟값은 없고

주기는 $\frac{\pi}{2\pi}=\frac{1}{2}$

답 최댓값, 최솟값은 없다., 주기: $\frac{1}{2}$

0738

$y=|\sin x|$의 그래프는

$y=\sin x$의 그래프에서 $y\geq 0$인 부분은 그대로 두고 $y<0$인 부분은 x축에 대하여 대칭이동한 것이므로 오른쪽 그림과 같다.

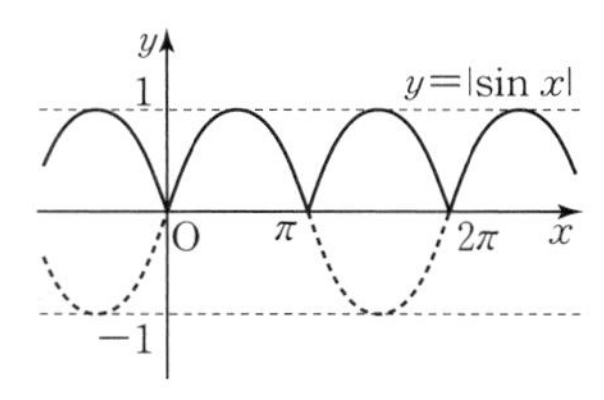

따라서 $y=|\sin x|$의 주기는 π이다.

답 π

절댓값 기호를 포함한 함수의 그래프

(1) $y=|f(x)|$의 그래프

⇨ $y=f(x)$의 그래프에서 $y\geq 0$인 부분은 그대로 두고 $y<0$인 부분은 x축에 대하여 대칭이동한다.

(2) $y=f(|x|)$의 그래프

⇨ $y=f(x)$의 그래프에서 $x\geq 0$인 부분만 그린 후 $x<0$인 부분은 y축에 대하여 대칭이동한다.

0739

$y=\cos|x|$의 그래프는

$y=\cos x$의 그래프에서 $x\geq 0$인 부분만 그린 후 y축에 대하여 대칭이동한 것이므로 오른쪽 그림과 같다.

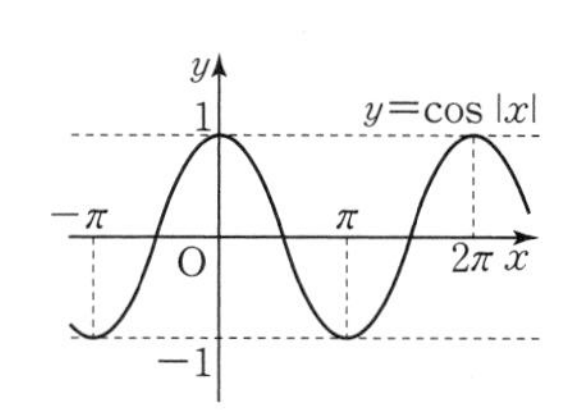

따라서 $y=\cos|x|$의 주기는 2π이다.

답 2π

참고 $y=\cos x$의 그래프는 y축에 대하여 대칭이므로 $y=\cos|x|$와 $y=\cos x$의 그래프는 일치한다.

0740

$y=|\tan x|$의 그래프는

$y=\tan x$의 그래프에서 $y\geq 0$인 부분은 그대로 두고 $y<0$인 부분은 x축에 대하여 대칭이동한 것이므로 오른쪽 그림과 같다.

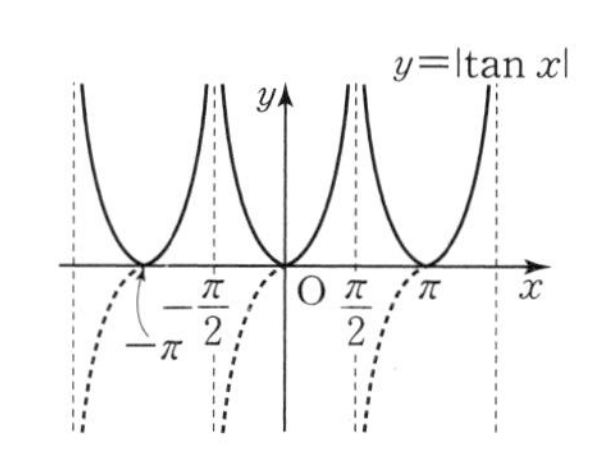

따라서 $y=|\tan x|$의 주기는 π이다.

답 π

0741

(1) $\sin\frac{17}{4}\pi=\sin\left(4\pi+\frac{\pi}{4}\right)=\sin\frac{\pi}{4}=\frac{\sqrt{2}}{2}$

(2) $\cos 750°=\cos(2\cdot 360°+30°)=\cos 30°=\frac{\sqrt{3}}{2}$

답 (1) $\frac{\sqrt{2}}{2}$ (2) $\frac{\sqrt{3}}{2}$

0742

(1) $\cos\frac{5}{3}\pi=\cos\left(2\pi-\frac{\pi}{3}\right)=\cos\frac{\pi}{3}=\frac{1}{2}$

(2) $\tan 315°=\tan(360°-45°)=-\tan 45°=-1$

답 (1) $\frac{1}{2}$ (2) -1

0743

(1) $\sin\frac{7}{6}\pi=\sin\left(\pi+\frac{\pi}{6}\right)=-\sin\frac{\pi}{6}=-\frac{1}{2}$

(2) $\tan 240°=\tan(180°+60°)=\tan 60°=\sqrt{3}$ 답 (1) $-\frac{1}{2}$ (2) $\sqrt{3}$

0744

(1) $\cos\left(\frac{\pi}{2}-\frac{\pi}{3}\right)=\sin\frac{\pi}{3}=\frac{\sqrt{3}}{2}$

(2) $\tan\left(\frac{3}{2}\pi+\frac{\pi}{6}\right)=-\frac{1}{\tan\frac{\pi}{6}}=-\sqrt{3}$ 답 (1) $\frac{\sqrt{3}}{2}$ (2) $-\sqrt{3}$

STEP 2 유형 마스터 ❶

0745

|전략| 함수 $f(x)$가 주기가 p인 주기함수이면 $f(x)=f(x+p)$임을 이용한다.

함수 $f(x)$의 주기가 p이므로 모든 실수 x에 대하여

$f(x+p)=f(x)$

$\therefore f(p)=f(0)=\cos 0+\sin 0+\tan 0=1+0+0=1$ 답 ①

0746

조건 (가)에서 $f(15)=f(11)=f(7)=f(3)$

조건 (나)에서 $f(15)=f(3)=\sin\frac{3}{2}\pi=-1$ 답 -1

0747

모든 실수 x에 대하여 $f(x+1)=f(x-1)$을 만족시키므로 이 식의 양변에 x 대신 $x+1$을 대입하면

$f(x+2)=f(x)$

$\therefore f(150)=f(148)=f(146)=\cdots=f(4)=-3$

$f(181)=f(179)=f(177)=\cdots=f(3)=2$

$\therefore 2f(150)-f(181)=2\cdot(-3)-2=-8$ 답 ①

0748

|전략| 삼각함수의 그래프를 그려서 대소를 비교한다.

$\frac{\pi}{4}<1<\frac{\pi}{2}$이므로 오른쪽 그림에서

$\cos 1<\sin 1<\tan 1$

$\therefore g(1)<f(1)<h(1)$

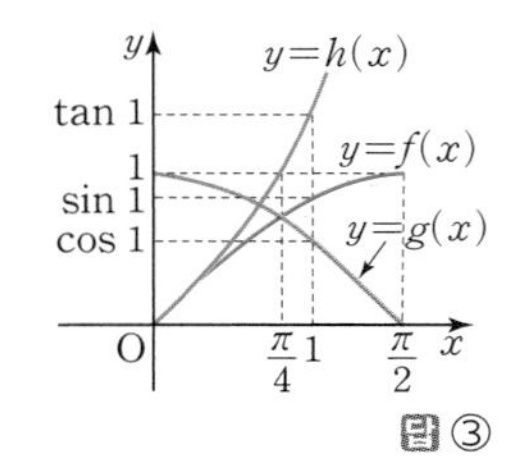

답 ③

0749

$\frac{\pi}{5}<1<\frac{3}{2}<\frac{\pi}{2}$이고 $0<x<\frac{\pi}{2}$에서 x의 값이 증가하면 $\sin x$의 값도 증가하므로

$\sin\frac{\pi}{5}<\sin 1<\sin\frac{3}{2}$ 답 ③

0750

$0\leq x<\frac{\pi}{2}$에서 함수 $y=\tan x$의 그래프는 오른쪽 그림과 같다.

y=tan x, Q(b, tan b), P(a, tan a), O, x, y

$0<a<b<\frac{\pi}{2}$인 곡선 위의 두 점 $\mathrm{P}(a, \tan a)$, $\mathrm{Q}(b, \tan b)$에 대하여

($\overline{\mathrm{OP}}$의 기울기)<($\overline{\mathrm{OQ}}$의 기울기)이고

($\overline{\mathrm{OP}}$의 기울기)$=\frac{\tan a}{a}$, ($\overline{\mathrm{OQ}}$의 기울기)$=\frac{\tan b}{b}$이므로

$0<a<b<\frac{\pi}{2}$인 두 실수 a, b에 대하여

$\frac{\tan a}{a}<\frac{\tan b}{b}$

따라서 $0<\frac{1}{5}<\frac{1}{4}<\frac{1}{3}<\frac{\pi}{2}$이므로

$\frac{\tan\frac{1}{5}}{\frac{1}{5}}<\frac{\tan\frac{1}{4}}{\frac{1}{4}}<\frac{\tan\frac{1}{3}}{\frac{1}{3}}$, $5\tan\frac{1}{5}<4\tan\frac{1}{4}<3\tan\frac{1}{3}$

$\therefore C<B<A$ 답 ⑤

0751

|전략| 삼각함수의 그래프의 대칭성을 이용하여 a와 b, c와 d 사이의 관계식을 세운다.

$y=\sin x$의 그래프에서

$\frac{a+b}{2}=\frac{\pi}{2}$이므로 $a+b=\pi$

$\frac{c+d}{2}=\frac{5}{2}\pi$이므로 $c+d=5\pi$

$\therefore \frac{c+d}{a+b}=\frac{5\pi}{\pi}=5$ 답 5

0752

함수 $y=\cos\frac{\pi}{2}x$의 주기는 $\frac{2\pi}{\frac{\pi}{2}}=4$

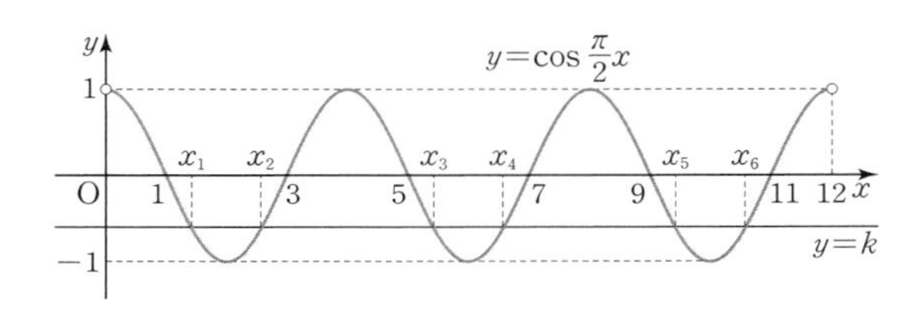

$y=\cos\frac{\pi}{2}x$의 그래프에서

$\frac{x_1+x_2}{2}=2$이므로 $x_1+x_2=4$

$\frac{x_3+x_4}{2}=6$이므로 $x_3+x_4=12$

$\frac{x_5+x_6}{2}=10$이므로 $x_5+x_6=20$

$\therefore x_1+x_2+x_3+x_4+x_5+x_6=36$

따라서 $n=6$이므로 구하는 값은 $\frac{36}{6}=6$ 답 6

0753

$y=\cos x$의 그래프에서

$\frac{a+c}{2}=\pi$이므로 $a+c=2\pi$ ··· ❶

$y=\sin x$의 그래프에서

$\frac{b+d}{2}=\frac{3}{2}\pi$이므로 $b+d=3\pi$ ··· ❷

$\therefore \cos(b-a+d-c)=\cos\{(b+d)-(a+c)\}$

$=\cos(3\pi-2\pi)=\cos\pi=-1$ ··· ❸

답 -1

채점 기준	비율
❶ $a+c$의 값을 구할 수 있다.	40 %
❷ $b+d$의 값을 구할 수 있다.	40 %
❸ $\cos(b-a+d-c)$의 값을 구할 수 있다.	20 %

0754

함수 $y=\sin 2x$의 주기는

$\frac{2\pi}{2}=\pi$

두 점 A, D는 직선 $x=\frac{\pi}{2}$에 대하여 대칭이므로

$\frac{\alpha+\delta}{2}=\frac{\pi}{2}$ $\therefore \alpha+\delta=\pi$

두 점 B, C는 직선 $x=\frac{\pi}{2}$에 대하여 대칭이므로

$\frac{\beta+\gamma}{2}=\frac{\pi}{2}$ $\therefore \beta+\gamma=\pi$

$\therefore \alpha+2\beta+2\gamma+\delta=(\alpha+\delta)+2(\beta+\gamma)$

$=\pi+2\pi=3\pi$ 답 ③

다른 풀이 $y=\sin 2x$의 그래프에서

$\frac{\alpha+\beta}{2}=\frac{\pi}{4}$이므로 $\alpha+\beta=\frac{\pi}{2}$

$\frac{\beta+\gamma}{2}=\frac{\pi}{2}$이므로 $\beta+\gamma=\pi$

$\frac{\gamma+\delta}{2}=\frac{3}{4}\pi$이므로 $\gamma+\delta=\frac{3}{2}\pi$

$\therefore \alpha+2\beta+2\gamma+\delta=(\alpha+\beta)+(\beta+\gamma)+(\gamma+\delta)$

$=\frac{\pi}{2}+\pi+\frac{3}{2}\pi=3\pi$

0755

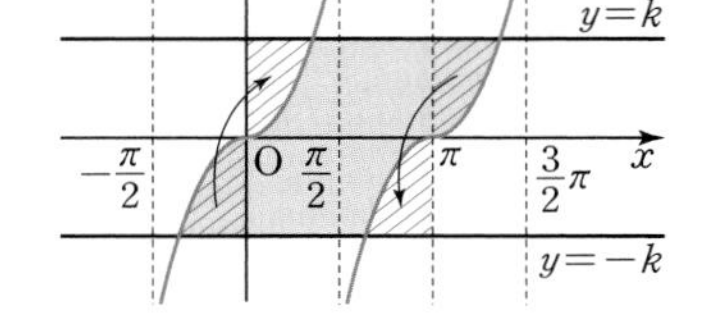

오른쪽 그림에서 빗금 친 부분의 넓이가 모두 같으므로 $y=\tan x\left(-\frac{\pi}{2}<x<\frac{3}{2}\pi\right)$의 그래프와 두 직선 $y=k$, $y=-k$로 둘러싸인 도형의 넓이는 가로의 길이가 π, 세로의 길이가 $2k$인 직사각형의 넓이와 같다.

즉, $2k\pi=6\pi$

$\therefore k=3$ 답 ③

0756

오른쪽 그림에서 빗금 친 부분의 넓이가 모두 같으므로 $y=2\cos\frac{\pi}{3}x\ (-3\le x\le 3)$의 그래프와 직선 $y=-2$로 둘러싸인 도형의 넓이는 가로의 길이가 6, 세로의 길이가 2인 직사각형의 넓이와 같다.

$\therefore$ (구하는 넓이)$=6\cdot 2=12$ 답 12

0757

|전략| 함수 $y=\sin k(x-m)+n$의 그래프는 $y=\sin kx$의 그래프를 x축의 방향으로 m만큼, y축의 방향으로 n만큼 평행이동한 것임을 이용한다.

$y=\sin(2x-b)+3=\sin 2\left(x-\frac{b}{2}\right)+3$의 그래프는 $y=\sin 2x$의 그래프를 x축의 방향으로 $\frac{b}{2}$만큼, y축의 방향으로 3만큼 평행이동한 것이므로

$a=3$, $\frac{b}{2}=1$에서 $b=2$

$\therefore a+b=5$ 답 ③

0758

$y=-\cos\pi x+3$의 그래프를 x축에 대하여 대칭이동한 그래프의 식은

$-y=-\cos\pi x+3$, 즉 $y=\cos\pi x-3$ ··· ❶

이것을 y축의 방향으로 -5만큼 평행이동한 그래프의 식은

$y+5=\cos\pi x-3$

$\therefore y=\cos\pi x-8$ ··· ❷

따라서 $a=1$, $b=-8$이므로

$a-b=9$ ··· ❸

답 9

채점 기준	비율
❶ x축에 대하여 대칭이동한 그래프의 식을 구할 수 있다.	40 %
❷ y축의 방향으로 -5만큼 평행이동한 그래프의 식을 구할 수 있다.	40 %
❸ $a-b$의 값을 구할 수 있다.	20 %

0759

① $y=\cos 2x-1$의 그래프는 $y=\cos 2x$의 그래프를 y축의 방향으로 -1만큼 평행이동한 것이다.

② $y=\cos(2x-\pi)+3=\cos 2\left(x-\frac{\pi}{2}\right)+3$의 그래프는 $y=\cos 2x$의 그래프를 x축의 방향으로 $\frac{\pi}{2}$만큼, y축의 방향으로 3만큼 평행이동한 것이다.

③ $y=-2\cos 2x+5$의 그래프는 $y=\cos 2x$의 그래프를 y축의 방향으로 2배 한 후 x축에 대하여 대칭이동하고, y축의 방향으로 5만큼 평행이동한 것이다.

④ $y=\cos(2x-4\pi)=\cos 2(x-2\pi)$의 그래프는 $y=\cos 2x$의 그래프를 x축의 방향으로 2π만큼 평행이동한 것이다.

⑤ $y=-\cos(2x+3\pi)+1=-\cos 2\left(x+\frac{3}{2}\pi\right)+1$의 그래프는 $y=\cos 2x$의 그래프를 x축에 대하여 대칭이동한 후 x축의 방향으로 $-\frac{3}{2}\pi$만큼, y축의 방향으로 1만큼 평행이동한 것이다.

따라서 $y=\cos 2x$의 그래프를 평행이동 또는 대칭이동하여 일치하는 그래프의 식이 아닌 것은 ③이다. 답 ③

0760

전략 $f(x+p)=f(x)$를 만족시키는 양수 p의 최솟값은 함수 $f(x)$의 주기임을 이용한다.

주어진 함수의 주기를 각각 구하면

① $\frac{\pi}{\sqrt{2}\pi}=\frac{\sqrt{2}}{2}$ ② $\frac{2\pi}{\frac{\sqrt{2}}{2}\pi}=2\sqrt{2}$ ③ $\frac{2\pi}{\frac{\sqrt{2}}{2}\pi}=2\sqrt{2}$

④ $\frac{2\pi}{\sqrt{2}\pi}=\sqrt{2}$ ⑤ $\frac{2\pi}{\pi}=2$

따라서 $f(x+\sqrt{2})=f(x)$를 만족시키는 함수는 ④이다. 답 ④

0761

$p=\frac{2\pi}{|-2\pi|}=1,\ M=|-3|+5=8,\ m=-|-3|+5=2$

$\therefore\ p+M+m=1+8+2=11$ 답 11

0762

주어진 함수의 주기를 각각 구하면

① $\frac{2\pi}{2}=\pi$ ② $\frac{2\pi}{4}=\frac{\pi}{2}$ ③ $\frac{2\pi}{2}=\pi$

④ $\frac{2\pi}{\frac{1}{2}}=4\pi$ ⑤ π

이때, $f(x+\pi)=f(x)$를 만족시키는 함수는 ①, ③, ⑤이고 이 중에서 $-3\le f(x)\le 3$을 만족시키는 함수는 ①, ③이다.

또, $f(-x)=f(x)$에서 $y=f(x)$의 그래프는 y축에 대하여 대칭이므로 구하는 함수는 ①이다. 답 ①

0763

전략 $y=a\sin(bx+c)+d$에서 a, d는 최댓값, 최솟값을 결정하고, b는 주기를 결정함을 이용한다.

① 주기는 $\frac{2\pi}{2}=\pi$이다.

② 최댓값은 $2+2=4$, 최솟값은 $-2+2=0$이다.

③ $f(x)=2\sin\left(2x+\frac{\pi}{3}\right)+2=2\sin 2\left(x+\frac{\pi}{6}\right)+2$이므로 $y=f(x)$의 그래프는 $y=2\sin 2x+2$의 그래프를 x축의 방향으로 $-\frac{\pi}{6}$만큼 평행이동한 것이다.

④ $f\left(\frac{\pi}{3}\right)=2\sin\left(\frac{2}{3}\pi+\frac{\pi}{3}\right)+2=2\sin\pi+2=2$

⑤ $f\left(-\frac{\pi}{6}\right)=2\sin\left(-\frac{\pi}{3}+\frac{\pi}{3}\right)+2=2\sin 0+2=2$

$f\left(\frac{5}{6}\pi\right)=2\sin\left(\frac{5}{3}\pi+\frac{\pi}{3}\right)+2=2\sin 2\pi+2=2$

$\therefore\ f\left(-\frac{\pi}{6}\right)=f\left(\frac{5}{6}\pi\right)=2$

따라서 옳지 않은 것은 ③이다. 답 ③

0764

ㄱ. 주기가 $\frac{2\pi}{2}=\pi$이므로 $f(x+\pi)=f(x)$ (거짓)

ㄴ. 최댓값은 $2-1=1$, 최솟값은 $-2-1=-3$이므로 $-3\le f(x)\le 1$ (참)

ㄷ. $f(x)=2\cos\left(2x-\frac{\pi}{3}\right)-1=2\cos 2\left(x-\frac{\pi}{6}\right)-1$이므로 함수 $y=f(x)$의 그래프는 직선 $x=\frac{\pi}{6}$에 대하여 대칭이다. (참)

따라서 옳은 것은 ㄴ, ㄷ이다. 답 ㄴ, ㄷ

0765

ㄱ. 주기는 $\frac{\pi}{2}$이다. (거짓)

ㄴ. $2x-\frac{\pi}{4}=n\pi+\frac{\pi}{2}$에서 $x=\frac{n}{2}\pi+\frac{3}{8}\pi$이므로 점근선의 방정식은 $x=\frac{n}{2}\pi+\frac{3}{8}\pi$ (n은 정수)이다. (참)

ㄷ. 최댓값은 없다. (거짓)

따라서 옳은 것은 ㄴ이다. 답 ㄴ

Lecture

$y=a\tan(bx+c)+d$의 점근선의 방정식

⇨ $bx+c=n\pi+\frac{\pi}{2}$ (단, n은 정수)

0766

전략 $y=a\cos bx+c$에서 a, c는 최댓값을 결정하고, b는 주기를 결정함을 이용한다.

주어진 함수의 주기가 $\frac{2}{3}\pi$이고 $b>0$이므로

$\frac{2\pi}{b}=\frac{2}{3}\pi \qquad \therefore b=3$

$\therefore f(x)=a\cos 3x+c$

함수의 최댓값이 3이고 $a<0$이므로

$-a+c=3$ …… ㉠

$f\left(\frac{2}{3}\pi\right)=-1$에서 $a\cos 2\pi+c=-1$이므로

$a+c=-1$ …… ㉡

㉠, ㉡을 연립하여 풀면 $a=-2$, $c=1$

$\therefore abc=-2\cdot 3\cdot 1=-6$

답 -6

0767

주어진 함수의 최댓값이 5이고 $a>0$이므로 $a+b=5$ …… ㉠

$f\left(\frac{\pi}{3}\right)=\frac{7}{2}$에서 $a\sin\frac{\pi}{6}+b=\frac{7}{2}$이므로

$\frac{1}{2}a+b=\frac{7}{2}$ …… ㉡

㉠, ㉡을 연립하여 풀면 $a=3$, $b=2$

$\therefore a-b=3-2=1$

답 ①

0768

주어진 함수의 주기가 4π이고 $b>0$이므로

$\frac{2\pi}{\frac{1}{b}}=4\pi \qquad \therefore b=2$

$\therefore f(x)=a\sin\left(\frac{x}{2}-\frac{\pi}{3}\right)-c$

함수의 최댓값이 3이고 $a>0$이므로 $a-c=3$ …… ㉠

$f\left(\frac{\pi}{3}\right)=0$에서 $a\sin\left(-\frac{\pi}{6}\right)-c=0$이고

사인함수는 원점에 대하여 대칭이므로 $\sin\left(-\frac{\pi}{6}\right)=-\sin\frac{\pi}{6}$

$\therefore -\frac{1}{2}a-c=0$ …… ㉡

㉠, ㉡을 연립하여 풀면 $a=2$, $c=-1$

따라서 $f(x)=2\sin\left(\frac{x}{2}-\frac{\pi}{3}\right)+1$이므로 $f(x)$의 최솟값은

$-2+1=-1$

답 -1

0769

주어진 함수의 주기가 2π이고 $a>0$이므로

$\frac{\pi}{a}=2\pi \qquad \therefore a=\frac{1}{2}$ … ❶

$\therefore f(x)=3\tan\left(\frac{x}{2}+b\right)-4$

점근선의 방정식은

$\frac{x}{2}+b=n\pi+\frac{\pi}{2}$에서 $x=2n\pi+\pi-2b$(n은 정수)이므로

$\pi-2b=\frac{\pi}{2}$ ($\because 0<b<\pi$) $\qquad \therefore b=\frac{\pi}{4}$ … ❷

$\therefore ab=\frac{1}{2}\cdot\frac{\pi}{4}=\frac{\pi}{8}$ … ❸

답 $\frac{\pi}{8}$

채점 기준	비율
❶ a의 값을 구할 수 있다.	40 %
❷ b의 값을 구할 수 있다.	50 %
❸ ab의 값을 구할 수 있다.	10 %

0770

|전략| 주어진 그래프에서 주기, 최댓값, 최솟값과 그래프가 지나는 점의 좌표를 구한 후 삼각함수의 미정계수를 구한다.

주어진 함수의 주기가 $2\left(\frac{3}{4}\pi-\frac{\pi}{4}\right)=\pi$이고 $b>0$이므로

$\frac{2\pi}{b}=\pi \qquad \therefore b=2$

함수의 최댓값이 2, 최솟값이 -2이고 $a>0$이므로

$a=2$

$y=2\cos(2x+c)=2\cos 2\left(x+\frac{c}{2}\right)$의 그래프는 $y=2\cos 2x$의 그래프를 x축의 방향으로 $-\frac{c}{2}$만큼 평행이동한 것이다.

이때, $-\pi<c<\pi$에서 $-\frac{\pi}{2}<-\frac{c}{2}<\frac{\pi}{2}$이므로

$-\frac{c}{2}=\frac{\pi}{4} \qquad \therefore c=-\frac{\pi}{2}$

$\therefore a-b+c=2-2-\frac{\pi}{2}=-\frac{\pi}{2}$

답 ②

0771

주어진 함수의 주기가 $\frac{\pi}{3}-\left(-\frac{\pi}{3}\right)=\frac{2}{3}\pi$이고 $b>0$이므로

$\frac{\pi}{b}=\frac{2}{3}\pi \qquad \therefore b=\frac{3}{2}$

답 $\frac{3}{2}$

0772

주어진 함수의 주기가 $\pi-\frac{\pi}{3}=\frac{2}{3}\pi$이고 $b>0$이므로

$\frac{2\pi}{b}=\frac{2}{3}\pi \qquad \therefore b=3$

함수의 최댓값이 3, 최솟값이 -1이고 $a>0$이므로

$a+d=3$, $-a+d=-1$

두 식을 연립하여 풀면 $a=2$, $d=1$

$y=2\sin(3x+c)+1=2\sin 3\left(x+\frac{c}{3}\right)+1$의 그래프는 $y=2\sin 3x$의 그래프를 x축의 방향으로 $-\frac{c}{3}$만큼, y축의 방향으로 1만큼 평행이동한 것이다.

이때, $0<c<2\pi$에서 $-\frac{2}{3}\pi<-\frac{c}{3}<0$이므로

$-\frac{c}{3}=-\frac{\pi}{3} \qquad \therefore c=\pi$

$\therefore abcd=2\cdot 3\cdot \pi\cdot 1=6\pi$

답 6π

0773

주어진 함수 $y=a\cos(bx+c)$의 최댓값과 최솟값이 각각 $\frac{1}{2}$, $-\frac{1}{2}$이고 $a>0$이므로

$a=\frac{1}{2}$

함수 $y=\sin 2x$의 주기는 π이므로 함수 $y=a\cos(bx+c)$의 주기는 $\frac{\pi}{2}$이다.

즉, $\frac{2\pi}{b}=\frac{\pi}{2}$에서

$b=4$ ($\because b>0$)

$y=\frac{1}{2}\cos(4x+c)=\frac{1}{2}\cos 4\left(x+\frac{c}{4}\right)$의 그래프는

$y=\frac{1}{2}\cos 4x$의 그래프를 x축의 방향으로 $-\frac{c}{4}$만큼 평행이동한 것이다.

이때, $0<c<\pi$에서 $-\frac{\pi}{4}<-\frac{c}{4}<0$이므로

$-\frac{c}{4}=-\frac{\pi}{8}$ $\quad\therefore c=\frac{\pi}{2}$

$\therefore abc=\frac{1}{2}\cdot 4\cdot\frac{\pi}{2}=\pi$

답 ②

0774

|전략| 함수 $y=|\cos(ax+b)|$의 주기는 $y=\cos(ax+b)$의 주기의 $\frac{1}{2}$배와 같음을 이용한다.

함수 $f(x)=3\left|\cos\left(\frac{x}{2}+\pi\right)\right|+1$의 주기는

$\frac{2\pi}{\frac{1}{2}}\cdot\frac{1}{2}=2\pi$

$\therefore a=2\pi$

또, $0\le\left|\cos\left(\frac{x}{2}+\pi\right)\right|\le 1$이므로

$0\le 3\left|\cos\left(\frac{x}{2}+\pi\right)\right|\le 3$

$\therefore 1\le 3\left|\cos\left(\frac{x}{2}+\pi\right)\right|+1\le 4$

따라서 최댓값은 4, 최솟값은 1이므로

$b=4$, $c=1$

$\therefore abc=2\pi\cdot 4\cdot 1=8\pi$

답 8π

참고 함수 $f(x)=3\left|\cos\left(\frac{x}{2}+\pi\right)\right|+1$의 주기는 $y=\left|\cos\frac{x}{2}\right|$의 주기와 같다. 그런데 $y=\cos\frac{x}{2}$의 주기가 $\frac{2\pi}{\frac{1}{2}}=4\pi$이므로 $y=\left|\cos\frac{x}{2}\right|$의 주기는 $4\pi\cdot\frac{1}{2}=2\pi$이다.

Lecture

함수 $y=|\cos x|$의 그래프

(1) 최댓값: 1

(2) 최솟값: 0

(3) 주기: π

(4) 대칭성: y축에 대하여 대칭

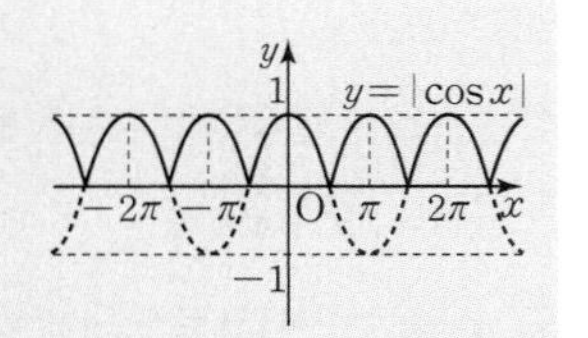

0775

주어진 함수의 주기가 $\frac{\pi}{3}$이고 $b>0$이므로

$\frac{2\pi}{b}\cdot\frac{1}{2}=\frac{\pi}{3}$ $\quad\therefore b=3$

$\therefore f(x)=a|\sin 3x|+c$

함수의 최댓값이 5이고 $a>0$이므로

$a+c=5$ ······ ㉠

$f\left(\frac{\pi}{18}\right)=\frac{7}{2}$에서 $a\left|\sin\frac{\pi}{6}\right|+c=\frac{7}{2}$이므로

$\frac{1}{2}a+c=\frac{7}{2}$ ······ ㉡

㉠, ㉡을 연립하여 풀면 $a=3$, $c=2$

$\therefore a+b-c=3+3-2=4$

답 4

0776

|전략| 각이 $\frac{n}{2}\pi\pm\theta$ 또는 $90^\circ\times n\pm\theta$ (n은 정수) 꼴일 때, 각 삼각함수는 n이 짝수이면 그대로, n이 홀수이면 $\sin\to\cos$, $\cos\to\sin$, $\tan\to\frac{1}{\tan}$로 바뀜을 이용한다.

$\sin\left(-\frac{2}{3}\pi\right)=-\sin\frac{2}{3}\pi=-\sin\left(\pi-\frac{\pi}{3}\right)=-\sin\frac{\pi}{3}=-\frac{\sqrt{3}}{2}$

$\tan\frac{10}{3}\pi=\tan\left(3\pi+\frac{\pi}{3}\right)=\tan\frac{\pi}{3}=\sqrt{3}$

$\cos\frac{13}{4}\pi=\cos\left(3\pi+\frac{\pi}{4}\right)=-\cos\frac{\pi}{4}=-\frac{\sqrt{2}}{2}$

$\sin\frac{7}{4}\pi=\sin\left(2\pi-\frac{\pi}{4}\right)=-\sin\frac{\pi}{4}=-\frac{\sqrt{2}}{2}$

$\therefore A=-\frac{\sqrt{3}}{2}\cdot\sqrt{3}+\left(-\frac{\sqrt{2}}{2}\right)\cdot\left(-\frac{\sqrt{2}}{2}\right)=-1$

$\sin 210^\circ=\sin(180^\circ+30^\circ)=-\sin 30^\circ=-\frac{1}{2}$

$\tan(-135^\circ)=-\tan 135^\circ=-\tan(180^\circ-45^\circ)=\tan 45^\circ=1$

$\therefore B=2\cdot\left(-\frac{1}{2}\right)+2\cdot 1=1$

$\therefore A+B=-1+1=0$

답 0

0777

$\sin\left(\frac{\pi}{2}+\frac{\pi}{6}\right)=\cos\frac{\pi}{6}=\frac{\sqrt{3}}{2}$, $\cos\left(\pi-\frac{\pi}{3}\right)=-\cos\frac{\pi}{3}=-\frac{1}{2}$,

$\cos\left(\frac{3}{2}\pi+\frac{\pi}{6}\right)=\sin\frac{\pi}{6}=\frac{1}{2}$, $\tan\left(\pi+\frac{\pi}{3}\right)=\tan\frac{\pi}{3}=\sqrt{3}$

$\therefore$ (주어진 식)$=\frac{\sqrt{3}}{2}+\left(-\frac{1}{2}\right)+\frac{1}{2}+\sqrt{3}=\frac{3\sqrt{3}}{2}$

답 $\frac{3\sqrt{3}}{2}$

0778

직선 $x-3y+3=0$의 기울기는 $\frac{1}{3}$이므로 $\tan\theta=\frac{1}{3}$ ··· ❶

$\cos(\pi+\theta)=-\cos\theta$, $\sin\left(\frac{\pi}{2}-\theta\right)=\cos\theta$, $\tan(-\theta)=-\tan\theta$ ··· ❷

$\therefore$ (주어진 식)$=-\cos\theta+\cos\theta-\tan\theta=-\tan\theta=-\frac{1}{3}$ ··· ❸

답 $-\frac{1}{3}$

채점 기준	비율
❶ $\tan\theta$의 값을 구할 수 있다.	30 %
❷ 주어진 식의 각 항을 θ에 대한 삼각함수로 나타낼 수 있다.	40 %
❸ 주어진 식의 값을 구할 수 있다.	30 %

0779

$\sin(\pi+\theta)=-\sin\theta$, $\cos(\pi+\theta)=-\cos\theta$,

$\cos\left(\frac{\pi}{2}+\theta\right)=-\sin\theta$, $\tan(\pi-\theta)=-\tan\theta$,

$\sin\left(\frac{3}{2}\pi-\theta\right)=-\cos\theta$

$\therefore$ (주어진 식)$=\frac{-\sin\theta}{-\cos^3\theta}-\frac{-\sin\theta(1+\tan^2\theta)}{-\cos\theta}$

$=\frac{\sin\theta}{\cos^3\theta}-\frac{\sin\theta}{\cos^3\theta}=0$ 답 ③

0780

|전략| $\alpha+\beta=90°$이면 $\sin\alpha=\cos\beta$, $\cos\alpha=\sin\beta$, $\tan\alpha=\frac{1}{\tan\beta}$의 관계가 성립함을 이용하여 주어진 식을 정리한다.

ㄱ. $\sin 1°=\sin(90°-89°)=\cos 89°$

$\sin 2°=\sin(90°-88°)=\cos 88°$

⋮

$\sin 44°=\sin(90°-46°)=\cos 46°$

$\therefore \sin^2 1°+\sin^2 2°+\cdots+\sin^2 89°+\sin^2 90°$

$=(\sin^2 1°+\sin^2 89°)+(\sin^2 2°+\sin^2 88°)+\cdots$
$+(\sin^2 44°+\sin^2 46°)+\sin^2 45°+\sin^2 90°$

$=(\cos^2 89°+\sin^2 89°)+(\cos^2 88°+\sin^2 88°)+\cdots$
$+(\cos^2 46°+\sin^2 46°)+\sin^2 45°+\sin^2 90°$

$=1\cdot 44+\frac{1}{2}+1=\frac{91}{2}$ (거짓)

ㄴ. $\cos 10°=\cos(90°-80°)=\sin 80°$

$\cos 20°=\cos(90°-70°)=\sin 70°$

$\cos 30°=\cos(90°-60°)=\sin 60°$

$\cos 40°=\cos(90°-50°)=\sin 50°$

$\therefore \cos^2 10°+\cos^2 20°+\cdots+\cos^2 70°+\cos^2 80°$

$=(\cos^2 10°+\cos^2 80°)+(\cos^2 20°+\cos^2 70°)$
$+(\cos^2 30°+\cos^2 60°)+(\cos^2 40°+\cos^2 50°)$

$=(\sin^2 80°+\cos^2 80°)+(\sin^2 70°+\cos^2 70°)$
$+(\sin^2 60°+\cos^2 60°)+(\sin^2 50°+\cos^2 50°)$

$=1\cdot 4=4$ (참)

ㄷ. $\tan 1°=\tan(90°-89°)=\frac{1}{\tan 89°}$

$\tan 2°=\tan(90°-88°)=\frac{1}{\tan 88°}$

⋮

$\tan 44°=\tan(90°-46°)=\frac{1}{\tan 46°}$

$\therefore \tan 1°\tan 2°\cdots\tan 88°\tan 89°$

$=(\tan 1°\tan 89°)(\tan 2°\tan 88°)\cdots$
$(\tan 44°\tan 46°)\tan 45°$

$=\left(\frac{1}{\tan 89°}\cdot\tan 89°\right)\left(\frac{1}{\tan 88°}\cdot\tan 88°\right)\cdots$
$\left(\frac{1}{\tan 46°}\cdot\tan 46°\right)\tan 45°$

$=1$ (참)

따라서 옳은 것은 ㄴ, ㄷ이다. 답 ⑤

0781

(주어진 식)

$=\sin^2\frac{\pi}{50}+\sin^2\frac{2}{50}\pi+\sin^2\frac{3}{50}\pi+\cdots+\sin^2\frac{24}{50}\pi$

$=\sin^2\left(\frac{\pi}{2}-\frac{24}{50}\pi\right)+\sin^2\left(\frac{\pi}{2}-\frac{23}{50}\pi\right)+\cdots+\sin^2\left(\frac{\pi}{2}-\frac{13}{50}\pi\right)$
$+\sin^2\frac{13}{50}\pi+\cdots+\sin^2\frac{23}{50}\pi+\sin^2\frac{24}{50}\pi$

$=\cos^2\frac{24}{50}\pi+\cos^2\frac{23}{50}\pi+\cdots+\cos^2\frac{13}{50}\pi$
$+\sin^2\frac{13}{50}\pi+\cdots+\sin^2\frac{23}{50}\pi+\sin^2\frac{24}{50}\pi$

$=\left(\sin^2\frac{13}{50}\pi+\cos^2\frac{13}{50}\pi\right)+\cdots+\left(\sin^2\frac{23}{50}\pi+\cos^2\frac{23}{50}\pi\right)$
$+\left(\sin^2\frac{24}{50}\pi+\cos^2\frac{24}{50}\pi\right)$

$=1\cdot 12=12$ 답 12

0782

$\tan 87°=\tan(90°-3°)=\frac{1}{\tan 3°}$

$\tan 67°=\tan(90°-23°)=\frac{1}{\tan 23°}$

$\tan 47°=\tan(90°-43°)=\frac{1}{\tan 43°}$

$\tan 27°=\tan(90°-63°)=\frac{1}{\tan 63°}$

$\tan 7°=\tan(90°-83°)=\frac{1}{\tan 83°}$

$\therefore AB=(\tan 3°\tan 87°)(\tan 23°\tan 67°)\cdots(\tan 83°\tan 7°)$

$=\left(\tan 3°\cdot\frac{1}{\tan 3°}\right)\left(\tan 23°\cdot\frac{1}{\tan 23°}\right)$
$\cdots\left(\tan 83°\cdot\frac{1}{\tan 83°}\right)$

$=1$ 답 1

0783

|전략| 삼각형 ABC의 세 내각의 크기의 합은 π이므로 $C=\frac{\pi}{2}$이면 $A+B=\frac{\pi}{2}$임을 이용한다.

선분 AB가 원 O의 지름이므로 $\angle ACB=\frac{\pi}{2}$

$\therefore \overline{AB}=\sqrt{3^2+4^2}=5$

또, $\alpha+\beta=\frac{\pi}{2}$이므로 $2\alpha+\beta=2\alpha+\left(\frac{\pi}{2}-\alpha\right)=\frac{\pi}{2}+\alpha$

$\therefore \sin(2\alpha+\beta)=\sin\left(\frac{\pi}{2}+\alpha\right)=\cos\alpha=\frac{\overline{AC}}{\overline{AB}}=\frac{3}{5}$ 답 $\frac{3}{5}$

0784

$A+B+C=\pi$이므로

ㄱ. $\sin\frac{B+C}{2}=\sin\frac{\pi-A}{2}=\sin\left(\frac{\pi}{2}-\frac{A}{2}\right)=\cos\frac{A}{2}$ (참)

ㄴ. $\tan(B+C)=\tan(\pi-A)=-\tan A$ (거짓)

ㄷ. $\cos(B+C)=\cos(\pi-A)=-\cos A$이므로

$-\cos A>0$에서 $\cos A<0$

$\therefore \frac{\pi}{2}<A<\pi$

따라서 삼각형 ABC는 둔각삼각형이다. (거짓)

그러므로 옳은 것은 ㄱ이다. 답 ①

0785

$5\theta=\pi$이므로

$\sin 2\theta+\sin 7\theta+\cos\theta+\cos 4\theta$

$=\sin 2\theta+\sin(\pi+2\theta)+\cos\theta+\cos(\pi-\theta)$

$=\sin 2\theta-\sin 2\theta+\cos\theta-\cos\theta=0$ 답 0

0786

|전략| $-1\le\cos 2x\le 1$임을 이용하여 $a|\cos 2x-1|+b$의 값의 범위를 구한다.

$-1\le\cos 2x\le 1$이므로

$-2\le\cos 2x-1\le 0$, $0\le|\cos 2x-1|\le 2$

$\therefore b\le a|\cos 2x-1|+b\le 2a+b$ ($\because a>0$)

이때, 최댓값은 $2a+b$, 최솟값은 b이므로

$2a+b=6$, $b=-2$ $\therefore a=4$, $b=-2$

$\therefore a+b=2$ 답 2

0787

$-1\le\sin x\le 1$이므로

$-3\le\sin x-2\le -1$, $1\le|\sin x-2|\le 3$

$\therefore -3+k\le -|\sin x-2|+k\le -1+k$

따라서 최댓값은 $-1+k$, 최솟값은 $-3+k$이고 최댓값과 최솟값의 합이 6이므로

$(-1+k)+(-3+k)=6$, $2k-4=6$ $\therefore k=5$ 답 ⑤

0788

$\sin\left(x+\frac{\pi}{2}\right)=\cos x$이므로

$y=\sin\left(x+\frac{\pi}{2}\right)-2\cos x-1$

$=\cos x-2\cos x-1=-\cos x-1$

$-1\le\cos x\le 1$이므로 $-2\le-\cos x-1\le 0$

따라서 최댓값은 0, 최솟값은 -2이므로 구하는 최댓값과 최솟값의 합은 -2이다. 답 ④

0789

|전략| $\sin^2 x+\cos^2 x=1$임을 이용하여 주어진 식을 한 종류의 삼각함수로 통일한 후 삼각함수를 t로 치환한다.

$y=-4\cos^2 x+4\sin x+3=-4(1-\sin^2 x)+4\sin x+3$

$=4\sin^2 x+4\sin x-1$

$\sin x=t$로 놓으면 $-1\le t\le 1$이고

$y=4t^2+4t-1=4\left(t+\frac{1}{2}\right)^2-2$

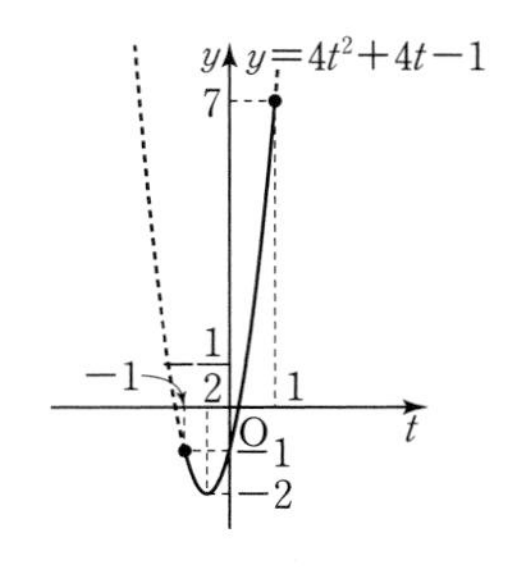

오른쪽 그림에서

$t=1$일 때, 최댓값은 7

$\therefore M=7$

$t=-\frac{1}{2}$일 때, 최솟값은 -2

$\therefore m=-2$

$\therefore M+m=5$ 답 ⑤

0790

$y=\cos^2 x+4\sin x+k$

$=(1-\sin^2 x)+4\sin x+k$

$=-\sin^2 x+4\sin x+k+1$

$\sin x=t$로 놓으면 $-1\le t\le 1$이고

$y=-t^2+4t+k+1$

$=-(t-2)^2+k+5$

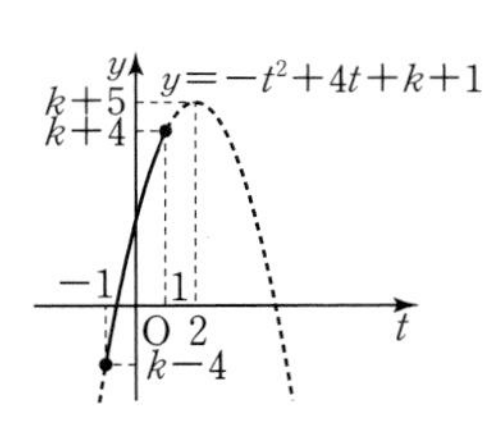

오른쪽 그림에서

$t=1$일 때 최댓값은 $k+4$,

$t=-1$일 때 최솟값은 $k-4$

이때, 최댓값과 최솟값의 합이 4이므로

$(k+4)+(k-4)=4$, $2k=4$

$\therefore k=2$ 답 ②

0791

$y=a\cos^2 x+a\sin x+b$

$=a(1-\sin^2 x)+a\sin x+b$

$=-a\sin^2 x+a\sin x+a+b$

$\sin x=t$로 놓으면 $-1\le t\le 1$이고

$y=-at^2+at+a+b$

$=-a\left(t-\frac{1}{2}\right)^2+\frac{5}{4}a+b$

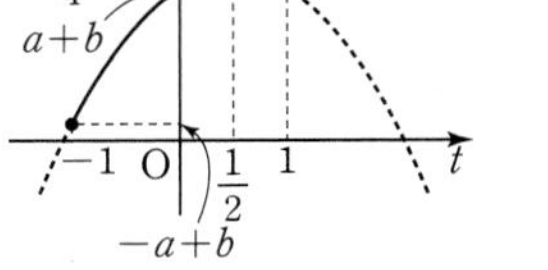

오른쪽 그림에서

$t=\frac{1}{2}$일 때, 최댓값은 $\frac{5}{4}a+b$

$\therefore \frac{5}{4}a+b=10$ ⋯⋯ ㉠

$t=-1$일 때, 최솟값은 $-a+b$

$\therefore -a+b=1$ ⋯⋯ ㉡

㉠, ㉡을 연립하여 풀면 $a=4$, $b=5$

$\therefore a+b=9$ 답 9

0792

$\cos\left(\frac{3}{2}\pi-x\right)=-\sin x$, $\sin(\pi+x)=-\sin x$이므로

$y=\cos^2\left(\frac{3}{2}\pi-x\right)+2\cos^2 x+2\sin(\pi+x)$

$=\sin^2 x+2\cos^2 x-2\sin x$

$=\sin^2 x+2(1-\sin^2 x)-2\sin x$

$=-\sin^2 x-2\sin x+2$ ··· ❶

$\sin x=t$로 놓으면 $-1\le t\le 1$이고

$y=-t^2-2t+2=-(t+1)^2+3$ ··· ❷

오른쪽 그림에서

$t=-1$일 때, 최댓값은 3 $\therefore M=3$

$t=1$일 때, 최솟값은 -1 $\therefore m=-1$ ··· ❸

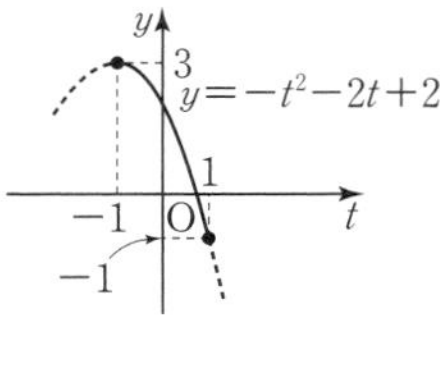

$\therefore M+m=2$ ··· ❹

답 2

채점 기준	비율
❶ 주어진 식을 $\sin x$로 통일할 수 있다.	30 %
❷ $\sin x=t$로 놓고 함수식을 변형할 수 있다.	30 %
❸ M, m의 값을 구할 수 있다.	30 %
❹ $M+m$의 값을 구할 수 있다.	10 %

0793

전략 $\sin x=t$로 놓고 $y=\frac{-t+4}{t+2}$의 최댓값과 최솟값을 구한다.

$\sin x=t$로 놓으면 $-1\le t\le 1$이고

$y=\frac{-t+4}{t+2}=\frac{-(t+2)+6}{t+2}$

$=\frac{6}{t+2}-1$

오른쪽 그림에서

$t=-1$일 때, 최댓값은 5 $\therefore M=5$

$t=1$일 때, 최솟값은 1 $\therefore m=1$

$\therefore M^2+m^2=5^2+1^2=26$

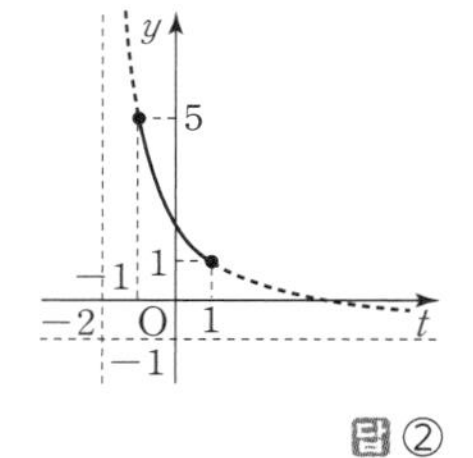

답 ②

0794

$\cos x=t$로 놓으면 $\frac{\pi}{3}\le x\le\frac{\pi}{2}$에서 $0\le t\le\frac{1}{2}$이고

$y=\frac{-t+a}{t-1}=\frac{-(t-1)+a-1}{t-1}$

$=\frac{a-1}{t-1}-1$

이때, $a>1$이므로 $a-1>0$

오른쪽 그림에서

$t=0$일 때, 최댓값은 $-a$이므로

$-a=-2$

$\therefore a=2$

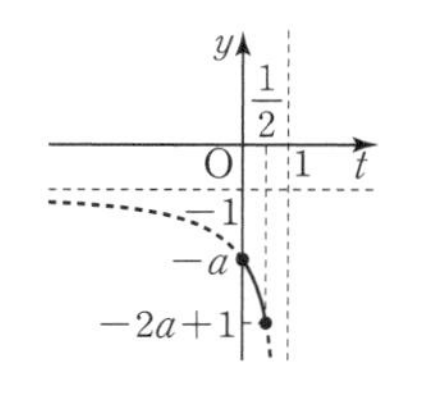

답 2

0795

$\tan x=t$로 놓으면 $0\le x\le\frac{\pi}{6}$에서 $0\le t\le\frac{\sqrt{3}}{3}$이고

$y=\frac{2t+1}{t-1}=\frac{2(t-1)+3}{t-1}=\frac{3}{t-1}+2$

오른쪽 그림에서

$t=0$일 때 최댓값은 -1,

$t=\frac{\sqrt{3}}{3}$일 때 최솟값은 $-\frac{5+3\sqrt{3}}{2}$

이므로 구하는 치역은

$\left\{y\,\middle|\,-\frac{5+3\sqrt{3}}{2}\le y\le -1\right\}$

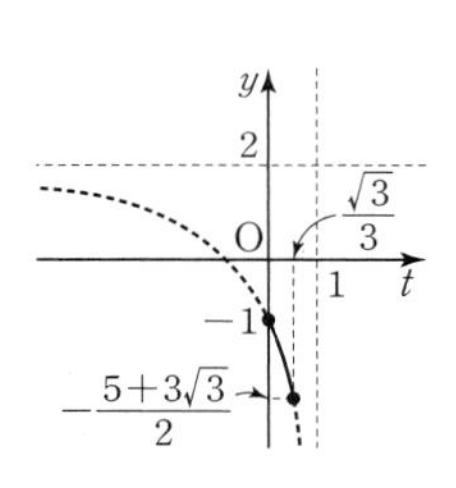

답 $\left\{y\,\middle|\,-\frac{5+3\sqrt{3}}{2}\le y\le -1\right\}$

0796

$|\sin x|=t$로 놓으면 $0\le t\le 1$이고

$y=\frac{t+1}{2t+1}=\frac{\left(t+\frac{1}{2}\right)+\frac{1}{2}}{2\left(t+\frac{1}{2}\right)}=\frac{\frac{1}{2}}{2\left(t+\frac{1}{2}\right)}+\frac{1}{2}$

오른쪽 그림에서

$t=0$일 때 최댓값은 1,

$t=1$일 때 최솟값은 $\frac{2}{3}$

이므로 주어진 함수의 치역은

$\left\{y\,\middle|\,\frac{2}{3}\le y\le 1\right\}$

따라서 $\alpha=\frac{2}{3}$, $\beta=1$이므로

$\beta-\alpha=1-\frac{2}{3}=\frac{1}{3}$

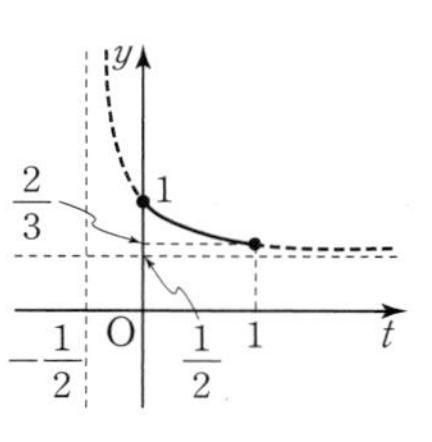

답 ③

STEP 1 개념 마스터 ❷

0797

답 (가) $\frac{\sqrt{2}}{2}$ (나) $\frac{\pi}{4}$ (다) $\frac{3}{4}\pi$

0798

$2\sin x-1=0$에서 $\sin x=\frac{1}{2}$

오른쪽 그림과 같이 $0\le x<2\pi$에서 함수 $y=\sin x$의 그래프와 직선 $y=\frac{1}{2}$의 교점의 x좌표가 $\frac{\pi}{6}$, $\frac{5}{6}\pi$ 이므로

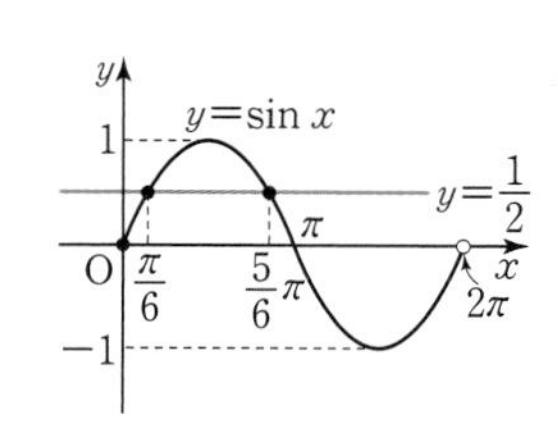

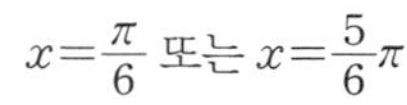

$x=\frac{\pi}{6}$ 또는 $x=\frac{5}{6}\pi$

답 $x=\frac{\pi}{6}$ 또는 $x=\frac{5}{6}\pi$

0799

오른쪽 그림과 같이 $0 \le x < 2\pi$에서 함수 $y=\cos x$의 그래프와 직선 $y=\frac{\sqrt{2}}{2}$의 교점의 x좌표가 $\frac{\pi}{4}$, $\frac{7}{4}\pi$이므로

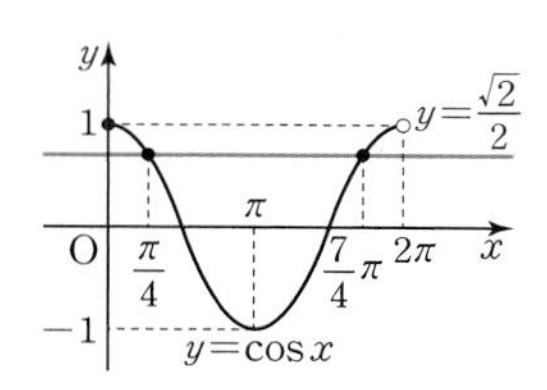

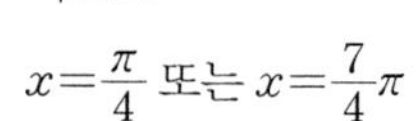

$x=\frac{\pi}{4}$ 또는 $x=\frac{7}{4}\pi$

답 $x=\frac{\pi}{4}$ 또는 $x=\frac{7}{4}\pi$

0800

오른쪽 그림과 같이 $0 \le x < 2\pi$에서 함수 $y=\tan x$의 그래프와 직선 $y=\sqrt{3}$의 교점의 x좌표는 $\frac{\pi}{3}$, $\frac{4}{3}\pi$이므로

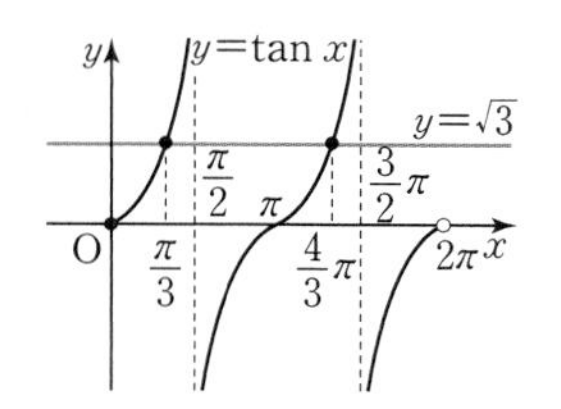

$x=\frac{\pi}{3}$ 또는 $x=\frac{4}{3}\pi$

답 $x=\frac{\pi}{3}$ 또는 $x=\frac{4}{3}\pi$

0801

$2\sin 2x=\sqrt{3}$에서 $\sin 2x=\frac{\sqrt{3}}{2}$

$2x=t$로 놓으면 $0 \le t < 4\pi$

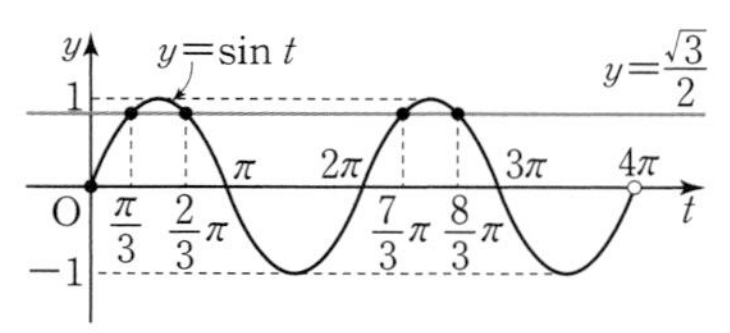

위의 그림과 같이 $0 \le t < 4\pi$에서 함수 $y=\sin t$의 그래프와 직선 $y=\frac{\sqrt{3}}{2}$의 교점의 t좌표가 $\frac{\pi}{3}$, $\frac{2}{3}\pi$, $\frac{7}{3}\pi$, $\frac{8}{3}\pi$이므로

$2x=\frac{\pi}{3}$ 또는 $2x=\frac{2}{3}\pi$ 또는 $2x=\frac{7}{3}\pi$ 또는 $2x=\frac{8}{3}\pi$

$\therefore x=\frac{\pi}{6}$ 또는 $x=\frac{\pi}{3}$ 또는 $x=\frac{7}{6}\pi$ 또는 $x=\frac{4}{3}\pi$

답 $x=\frac{\pi}{6}$ 또는 $x=\frac{\pi}{3}$ 또는 $x=\frac{7}{6}\pi$ 또는 $x=\frac{4}{3}\pi$

0802

$x-\frac{\pi}{4}=t$로 놓으면 $-\frac{\pi}{4} \le t < \frac{7}{4}\pi$

오른쪽 그림과 같이 $-\frac{\pi}{4} \le t < \frac{7}{4}\pi$에서 함수 $y=\cos t$의 그래프와 직선 $y=\frac{\sqrt{2}}{2}$의 교점의 t좌표가 $-\frac{\pi}{4}$, $\frac{\pi}{4}$이므로

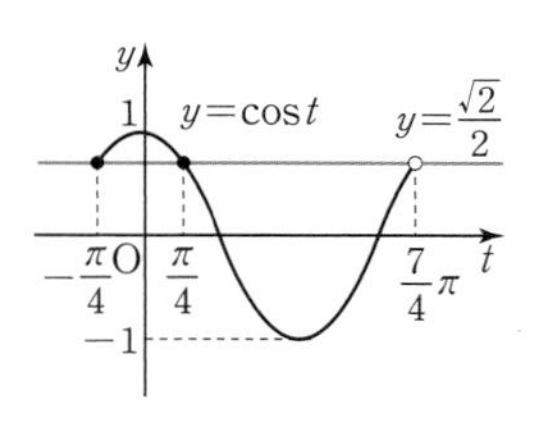

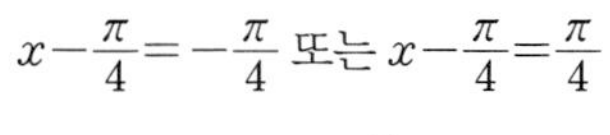

$x-\frac{\pi}{4}=-\frac{\pi}{4}$ 또는 $x-\frac{\pi}{4}=\frac{\pi}{4}$

$\therefore x=0$ 또는 $x=\frac{\pi}{2}$

답 $x=0$ 또는 $x=\frac{\pi}{2}$

0803

$x+\frac{\pi}{3}=t$로 놓으면 $\frac{\pi}{3} \le t < \frac{7}{3}\pi$

오른쪽 그림과 같이 $\frac{\pi}{3} \le t < \frac{7}{3}\pi$에서 함수 $y=\tan t$의 그래프와 직선 $y=1$의 교점의 t좌표가 $\frac{5}{4}\pi$, $\frac{9}{4}\pi$이므로

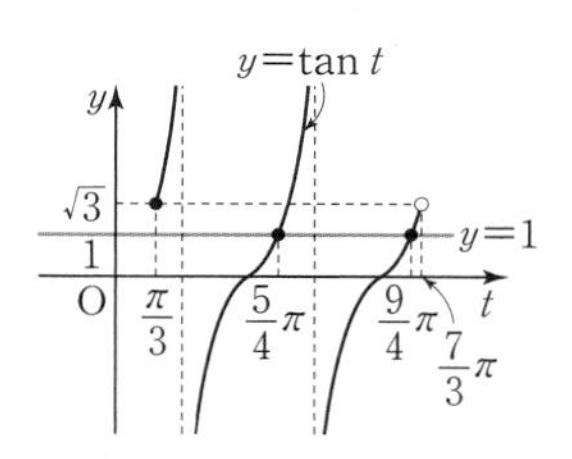

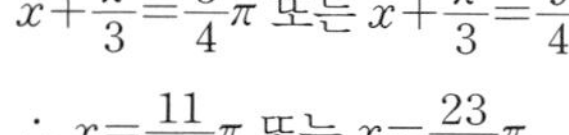

$x+\frac{\pi}{3}=\frac{5}{4}\pi$ 또는 $x+\frac{\pi}{3}=\frac{9}{4}\pi$

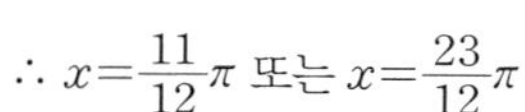

$\therefore x=\frac{11}{12}\pi$ 또는 $x=\frac{23}{12}\pi$

답 $x=\frac{11}{12}\pi$ 또는 $x=\frac{23}{12}\pi$

0804

부등식 $\sin x < \frac{1}{2}$의 해는 함수 $y=\sin x$의 그래프가 직선 $y=\frac{1}{2}$보다 아래쪽에 있는 부분의 x의 값의 범위이므로 오른쪽 그림에서

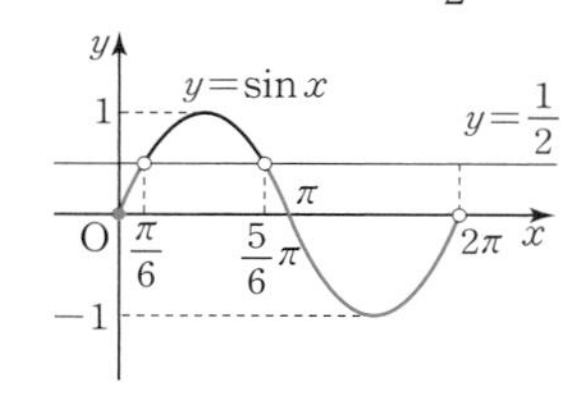

$0 \le x < \frac{\pi}{6}$ 또는 $\frac{5}{6}\pi < x < 2\pi$

답 $0 \le x < \frac{\pi}{6}$ 또는 $\frac{5}{6}\pi < x < 2\pi$

0805

$2\cos x > \sqrt{2}$에서 $\cos x > \frac{\sqrt{2}}{2}$

부등식 $\cos x > \frac{\sqrt{2}}{2}$의 해는 함수 $y=\cos x$의 그래프가 직선 $y=\frac{\sqrt{2}}{2}$보다 위쪽에 있는 부분의 x의 값의 범위이므로 오른쪽 그림에서

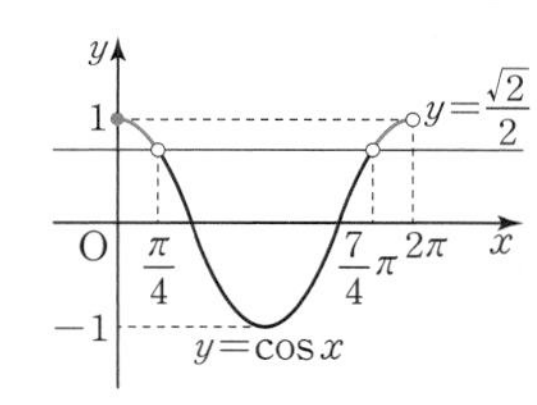

$0 \le x < \frac{\pi}{4}$ 또는 $\frac{7}{4}\pi < x < 2\pi$

답 $0 \le x < \frac{\pi}{4}$ 또는 $\frac{7}{4}\pi < x < 2\pi$

0806

$\tan x-\sqrt{3} \ge 0$에서 $\tan x \ge \sqrt{3}$

부등식 $\tan x \ge \sqrt{3}$의 해는 함수 $y=\tan x$의 그래프가 직선 $y=\sqrt{3}$과 만나거나 직선보다 위쪽에 있는 부분의 x의 값의 범위이므로 오른쪽 그림에서

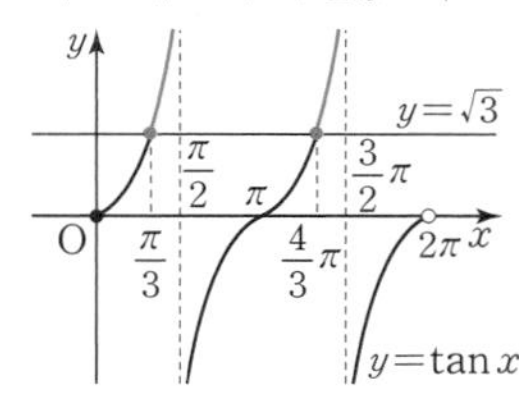

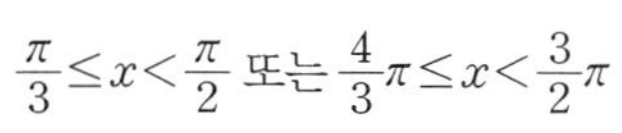

$\frac{\pi}{3} \le x < \frac{\pi}{2}$ 또는 $\frac{4}{3}\pi \le x < \frac{3}{2}\pi$

답 $\frac{\pi}{3} \le x < \frac{\pi}{2}$ 또는 $\frac{4}{3}\pi \le x < \frac{3}{2}\pi$

STEP 2 유형 마스터 ❷

0807

|전략| 방정식 $\sin(ax+b)=k$에서 $ax+b=t$로 놓고 삼각방정식을 푼다.

$\frac{\pi}{3}+x=t$로 놓으면 $0\le x\le 2\pi$에서 $\frac{\pi}{3}\le t\le\frac{7}{3}\pi$이고

주어진 방정식은 $\sin t=\frac{\sqrt{2}}{2}$

$\therefore t=\frac{3}{4}\pi$ 또는 $t=\frac{9}{4}\pi$

즉, $\frac{\pi}{3}+x=\frac{3}{4}\pi$ 또는 $\frac{\pi}{3}+x=\frac{9}{4}\pi$이므로

$x=\frac{5}{12}\pi$ 또는 $x=\frac{23}{12}\pi$

따라서 모든 근의 합은 $\frac{5}{12}\pi+\frac{23}{12}\pi=\frac{7}{3}\pi$ 답 $\frac{7}{3}\pi$

0808

$4x=t$로 놓으면 $0\le x<\frac{\pi}{2}$에서 $0\le t<2\pi$이고

주어진 방정식은 $\cos t=\frac{\sqrt{2}}{2}$

$\therefore t=\frac{\pi}{4}$ 또는 $t=\frac{7}{4}\pi$

즉, $4x=\frac{\pi}{4}$ 또는 $4x=\frac{7}{4}\pi$이므로

$x=\frac{\pi}{16}$ 또는 $x=\frac{7}{16}\pi$

$\therefore \sin(\alpha+\beta)=\sin\left(\frac{\pi}{16}+\frac{7}{16}\pi\right)=\sin\frac{\pi}{2}=1$ 답 1

0809

$\sin x+\cos x=0$에서 $\sin x=-\cos x$
오른쪽 그림과 같이 $0\le x\le 2\pi$에서 두 함수 $y=\sin x$, $y=-\cos x$의 그래프의 교점의 x좌표가 $\frac{3}{4}\pi$, $\frac{7}{4}\pi$이므로

$x=\frac{3}{4}\pi$ 또는 $x=\frac{7}{4}\pi$ 답 ①

다른 풀이 $\sin x+\cos x=0$에서 $\sin x=-\cos x$

$\therefore \tan x=-1$

이때, $0\le x\le 2\pi$에서 $x=\frac{3}{4}\pi$ 또는 $x=\frac{7}{4}\pi$

0810

$\frac{1}{2}x+\frac{\pi}{3}=t$로 놓으면 $2\pi\le x<4\pi$에서 $\frac{4}{3}\pi\le t<\frac{7}{3}\pi$이고

주어진 방정식은 $\sin t=-\frac{\sqrt{3}}{2}$

$\therefore t=\frac{4}{3}\pi$ 또는 $t=\frac{5}{3}\pi$

즉, $\frac{1}{2}x+\frac{\pi}{3}=\frac{4}{3}\pi$ 또는 $\frac{1}{2}x+\frac{\pi}{3}=\frac{5}{3}\pi$이므로

$x=2\pi$ 또는 $x=\frac{8}{3}\pi$

따라서 모든 근의 합은 $2\pi+\frac{8}{3}\pi=\frac{14}{3}\pi$ 답 ④

0811

$|\cos x|=\frac{\sqrt{3}}{2}$에서 $\cos x=\frac{\sqrt{3}}{2}$ 또는 $\cos x=-\frac{\sqrt{3}}{2}$

이때, $0\le x<2\pi$에서

(i) $\cos x=\frac{\sqrt{3}}{2}$일 때, $x=\frac{\pi}{6}$ 또는 $x=\frac{11}{6}\pi$

(ii) $\cos x=-\frac{\sqrt{3}}{2}$일 때, $x=\frac{5}{6}\pi$ 또는 $x=\frac{7}{6}\pi$

따라서 모든 근의 합은 $\frac{\pi}{6}+\frac{5}{6}\pi+\frac{7}{6}\pi+\frac{11}{6}\pi=4\pi$ 답 4π

0812

$\pi\cos x=t$로 놓으면 $0\le x<2\pi$에서

$-1\le\cos x\le 1$, $-\pi\le\pi\cos x\le\pi$

$\therefore -\pi\le t\le\pi$

이때, 주어진 방정식은 $\sin t=1$이므로 $t=\frac{\pi}{2}$

즉, $\pi\cos x=\frac{\pi}{2}$이므로 $\cos x=\frac{1}{2}$

$\therefore x=\frac{\pi}{3}$ 또는 $x=\frac{5}{3}\pi$

따라서 두 근의 차는 $\frac{5}{3}\pi-\frac{\pi}{3}=\frac{4}{3}\pi$ 답 $\frac{4}{3}\pi$

0813

|전략| $\sin^2x+\cos^2x=1$임을 이용하여 주어진 방정식을 한 종류의 삼각함수에 대한 방정식으로 고친다.

$2\cos^2x+\sin x-1=0$에서

$2(1-\sin^2x)+\sin x-1=0$, $(2\sin x+1)(\sin x-1)=0$

$\therefore \sin x=-\frac{1}{2}$ 또는 $\sin x=1$

이때, $0\le x\le 2\pi$에서

(i) $\sin x=-\frac{1}{2}$일 때, $x=\frac{7}{6}\pi$ 또는 $x=\frac{11}{6}\pi$

(ii) $\sin x=1$일 때, $x=\frac{\pi}{2}$

따라서 모든 근의 합은 $\frac{7}{6}\pi+\frac{11}{6}\pi+\frac{\pi}{2}=\frac{7}{2}\pi$ 답 $\frac{7}{2}\pi$

0814

$1-2\cos x=\sqrt{4-4\cos x}$에서

$1-2\cos x\ge 0$, $4-4\cos x\ge 0$이므로 $\cos x\le\frac{1}{2}$ ⋯⋯ ㉠

$1-2\cos x=\sqrt{4-4\cos x}$의 양변을 제곱하면

$1-4\cos x+4\cos^2x=4-4\cos x$, $4\cos^2x-3=0$

$\therefore \cos x=-\frac{\sqrt{3}}{2}$ ($\because$ ㉠)

이때, $0\le x<2\pi$에서

$\cos x=-\frac{\sqrt{3}}{2}$일 때, $x=\frac{5}{6}\pi$ 또는 $x=\frac{7}{6}\pi$

따라서 모든 근의 합은 $\frac{5}{6}\pi+\frac{7}{6}\pi=2\pi$ 답 2π

0815

$\cos x=\sin x-1$의 양변을 제곱하면

$\cos^2 x=\sin^2 x-2\sin x+1$

$1-\sin^2 x=\sin^2 x-2\sin x+1$, $2\sin^2 x-2\sin x=0$

$\sin x(\sin x-1)=0$ $\quad\therefore \sin x=0$ 또는 $\sin x=1$

이때, $0\le x<\pi$에서

(i) $\sin x=0$일 때, $x=0$

(ii) $\sin x=1$일 때, $x=\frac{\pi}{2}$

그런데 $x=0$은 주어진 방정식을 만족시키지 않으므로 $x=\frac{\pi}{2}$ ··· ❶

따라서 $\alpha=\frac{\pi}{2}$이므로

$\sin\left(\alpha+\frac{\pi}{3}\right)=\sin\left(\frac{\pi}{2}+\frac{\pi}{3}\right)=\cos\frac{\pi}{3}=\frac{1}{2}$ ··· ❷

답 $\frac{1}{2}$

채점 기준	비율
❶ 방정식의 해를 구할 수 있다.	70 %
❷ $\sin\left(\alpha+\frac{\pi}{3}\right)$의 값을 구할 수 있다.	30 %

0816

$2\sin^2 A-\sin A\cos A+\cos^2 A=1$에서

$2\sin^2 A-\sin A\cos A+(1-\sin^2 A)=1$

$\sin^2 A-\sin A\cos A=0$

$\sin A(\sin A-\cos A)=0$

이때, $0<A<\pi$에서 $\sin A\neq 0$이므로

$\sin A=\cos A$ $\quad\therefore A=\frac{\pi}{4}$

$A+B+C=\pi$이므로 $B+C=\pi-A$

$\therefore \tan(B+C)=\tan(\pi-A)=-\tan A$

$=-\tan\frac{\pi}{4}=-1$ 답 ②

0817

$\sin^2 x+\cos^2 x=1$이므로

$3\cos^2 x-(\sin^2 x+\cos^2 x)=\sin x\cos x$에서

$2\cos^2 x-\sin x\cos x-\sin^2 x=0$

$(2\cos x+\sin x)(\cos x-\sin x)=0$

이때, $0\le x\le\frac{\pi}{2}$에서 $2\cos x+\sin x>0$이므로

$\cos x=\sin x$ $\quad\therefore x=\frac{\pi}{4}$ 답 ③

0818

|전략| 두 함수 $y=f(x)$, $y=g(x)$의 그래프를 그린 후 서로 다른 교점의 개수를 구한다.

방정식 $\cos x=\frac{1}{8}x$의 실근은 함수 $y=\cos x$의 그래프와 직선 $y=\frac{1}{8}x$의 교점의 x좌표와 같다.

오른쪽 그림에서 두 그래프의 교점의 개수가 5이므로 $\cos x=\frac{1}{8}x$의 서로 다른 실근의 개수는 5이다.

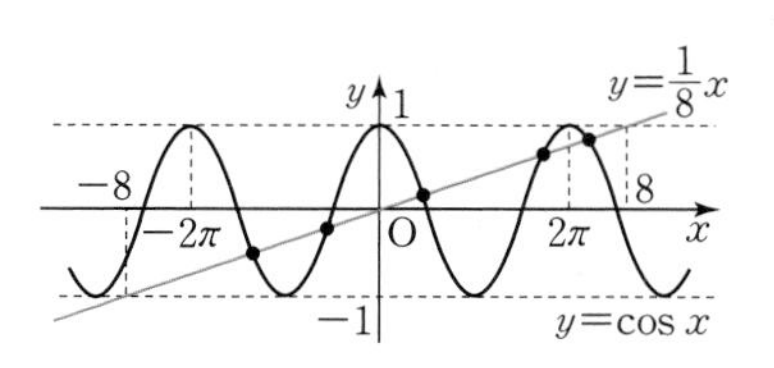

답 ③

0819

방정식 $\sin\pi x=\frac{1}{3}x$의 실근은 함수 $y=\sin\pi x$의 그래프와 직선 $y=\frac{1}{3}x$의 교점의 x좌표와 같다.

오른쪽 그림에서 두 그래프의 교점의 개수가 7이므로 $\sin\pi x=\frac{1}{3}x$의 서로 다른 실근의 개수는 7이다.

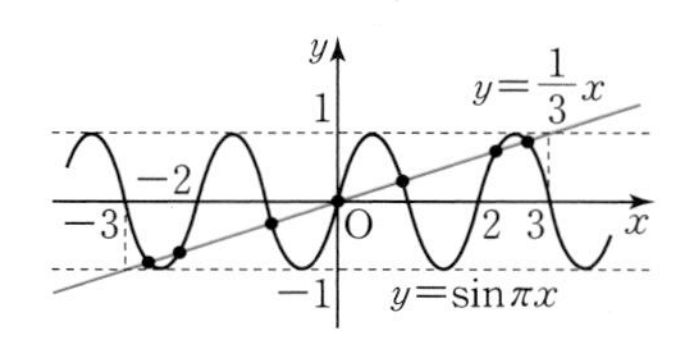

답 ⑤

0820

방정식 $\cos 2x=\sin 4x$의 실근은 두 함수 $y=\cos 2x$, $y=\sin 4x$의 그래프의 교점의 x좌표와 같다.

오른쪽 그림에서 두 그래프의 교점의 개수가 4이므로 $\cos 2x=\sin 4x$의 서로 다른 실근의 개수는 4이다.

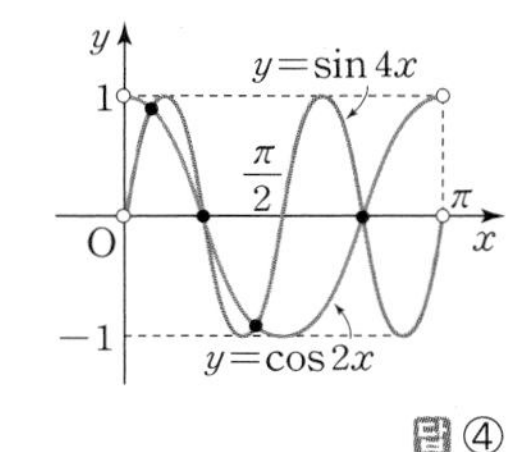

답 ④

0821

방정식 $2\sin|x|=|x|$의 실근은 두 함수 $y=2\sin|x|$, $y=|x|$의 그래프의 교점의 x좌표와 같다.

오른쪽 그림에서 두 그래프의 교점의 개수가 3이므로 $2\sin|x|=|x|$의 서로 다른 실근의 개수는 3이다.

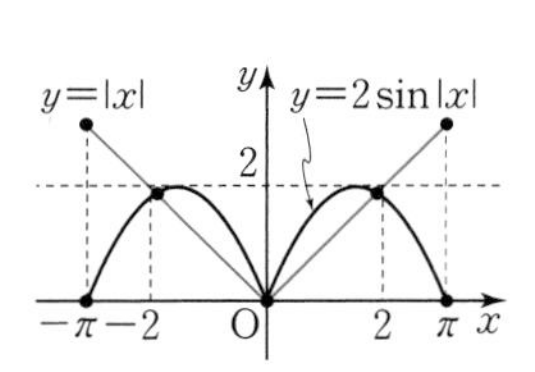

답 3

0822

|전략| 주어진 방정식을 $f(x)=k$ 꼴로 변형한 후 함수 $y=f(x)$의 그래프와 직선 $y=k$가 만나도록 하는 k의 값의 범위를 구한다.

$\sin^2 x-2\cos x+a+2=0$에서 $\sin^2 x-2\cos x+2=-a$

방정식 $\sin^2 x-2\cos x+2=-a$가 실근을 가지려면

$y=\sin^2 x-2\cos x+2$의 그래프와 직선 $y=-a$가 교점을 가져야 한다.

$y=\sin^2 x-2\cos x+2$
$=(1-\cos^2 x)-2\cos x+2$
$=-\cos^2 x-2\cos x+3$
이때, $\cos x=t$로 놓으면 $-1\le t\le 1$이고
$y=-t^2-2t+3=-(t+1)^2+4$
오른쪽 그림에서 주어진 방정식이 실근을 가지려면
$0\le -a\le 4$
$\therefore -4\le a\le 0$

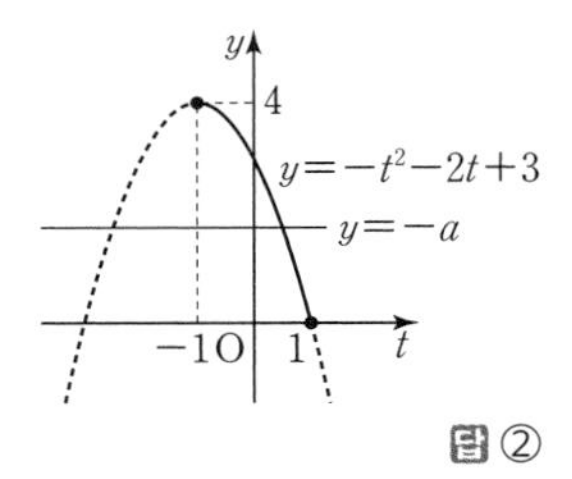

답 ②

0823

$\cos\left(x+\frac{3}{2}\pi\right)=\sin x$이므로 주어진 방정식은
$\sin x=-\sin x+a \qquad \therefore 2\sin x=a$
따라서 주어진 방정식이 하나의 실근을 가지려면 함수 $y=2\sin x$의 그래프와 직선 $y=a$가 한 점에서 만나야 한다.
오른쪽 그림에서 $0\le x<2\pi$일 때, $y=2\sin x$의 그래프와 직선 $y=a$의 교점이 1개이려면
$a=2$ 또는 $a=-2$
따라서 모든 실수 a의 값의 곱은
$2\cdot(-2)=-4$

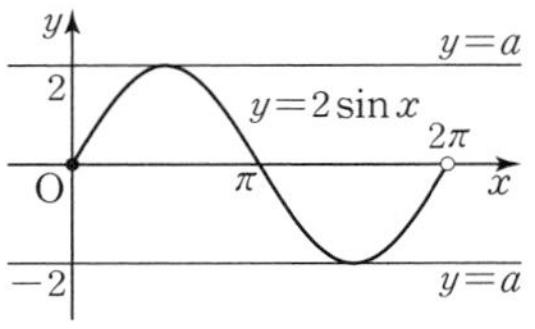

답 ①

0824

$\cos^2 x-\sin(x+\pi)-k=0$에서 $\cos^2 x-\sin(x+\pi)=k$
방정식 $\cos^2 x-\sin(x+\pi)=k$가 실근을 가지려면
$y=\cos^2 x-\sin(x+\pi)$의 그래프와 직선 $y=k$가 교점을 가져야 한다.
$\cos^2 x=1-\sin^2 x$, $\sin(x+\pi)=-\sin x$이므로
$y=\cos^2 x-\sin(x+\pi)$
$=1-\sin^2 x+\sin x$
$=-\sin^2 x+\sin x+1$
이때, $\sin x=t$로 놓으면 $-1\le t\le 1$이고
$y=-t^2+t+1=-\left(t-\frac{1}{2}\right)^2+\frac{5}{4}$
오른쪽 그림에서 주어진 방정식이 실근을 가지려면 $-1\le k\le \frac{5}{4}$
따라서 $M=\frac{5}{4}$, $m=-1$이므로
$M+m=\frac{1}{4}$

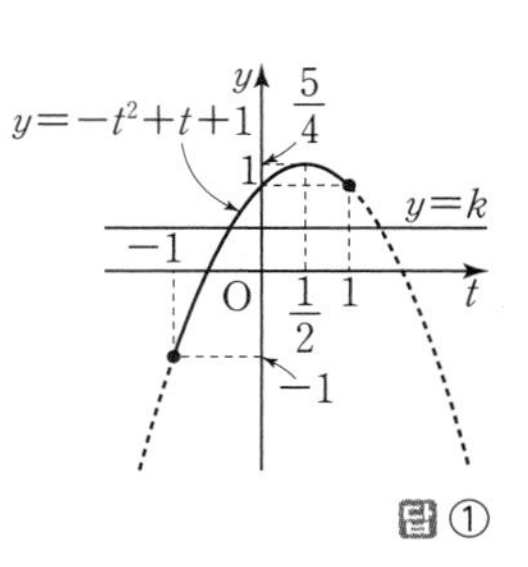

답 ①

0825

[전략] $x-\frac{\pi}{6}=t$로 놓고 함수 $y=\cos t$의 그래프가 직선 $y=-\frac{1}{2}$과 만나거나 그 아래쪽에 있는 t의 값의 범위를 구한다.

$x-\frac{\pi}{6}=t$로 놓으면 $0\le x<2\pi$에서 $-\frac{\pi}{6}\le t<\frac{11}{6}\pi$이고
주어진 부등식은 $\cos t\le -\frac{1}{2}$
오른쪽 그림에서 $\cos t\le -\frac{1}{2}$의 해는
$\frac{2}{3}\pi\le t\le \frac{4}{3}\pi$이므로
$\frac{2}{3}\pi\le x-\frac{\pi}{6}\le \frac{4}{3}\pi$
$\therefore \frac{5}{6}\pi\le x\le \frac{3}{2}\pi$
따라서 $a=\frac{5}{6}\pi$, $b=\frac{3}{2}\pi$이므로
$a+b=\frac{7}{3}\pi$

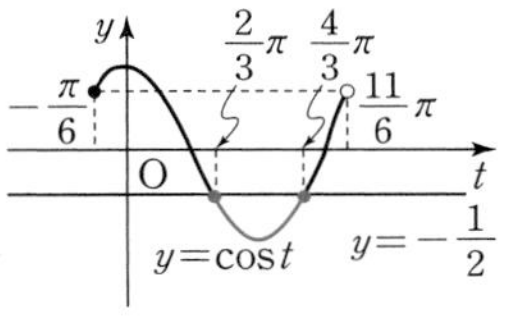

답 $\frac{7}{3}\pi$

0826

$\cos x\ge \sin x$의 해는 $y=\cos x$의 그래프가 $y=\sin x$의 그래프와 만나거나 그 위쪽에 있는 부분의 x의 값의 범위와 같으므로 오른쪽 그림에서
$-\frac{3}{4}\pi\le x\le \frac{\pi}{4}$
따라서 주어진 부등식의 해가 아닌 것은 ① $-\pi$이다.

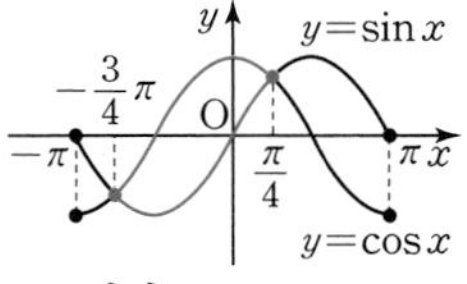

답 ①

0827

$|3\tan x|\le\sqrt{3}$에서 $-\sqrt{3}\le 3\tan x\le\sqrt{3}$
$\therefore -\frac{\sqrt{3}}{3}\le \tan x\le \frac{\sqrt{3}}{3}$
오른쪽 그림에서 부등식
$-\frac{\sqrt{3}}{3}\le \tan x\le \frac{\sqrt{3}}{3}$의 해는
$0\le x\le \frac{\pi}{6}$ 또는 $\frac{5}{6}\pi\le x<\pi$

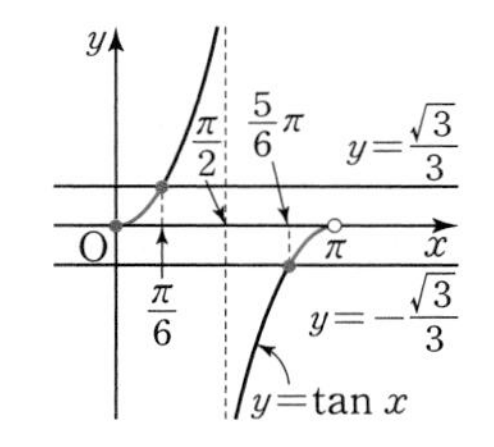

답 ④

0828

[전략] $\sin^2 x+\cos^2 x=1$임을 이용하여 한 종류의 삼각함수에 대한 부등식으로 고친다.

$2\sin^2 x\ge 1-\cos x$에서 $2(1-\cos^2 x)\ge 1-\cos x$
$2\cos^2 x-\cos x-1\le 0$, $(2\cos x+1)(\cos x-1)\le 0$
$\therefore -\frac{1}{2}\le \cos x\le 1$
오른쪽 그림에서 $-\frac{1}{2}\le\cos x\le 1$의 해는
$0\le x\le \frac{2}{3}\pi$ 또는 $\frac{4}{3}\pi\le x\le 2\pi$

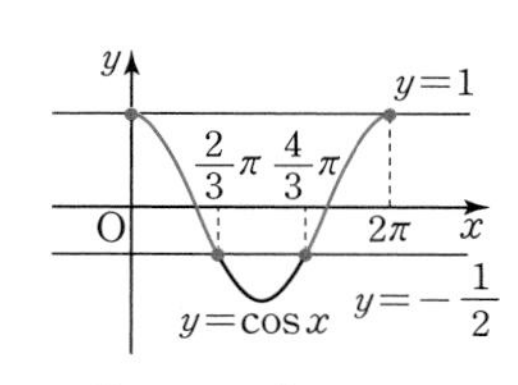

답 $0\le x\le\frac{2}{3}\pi$ 또는 $\frac{4}{3}\pi\le x\le 2\pi$

0829

$-2\cos^2 x+3\le 3\sin x$에서 $-2(1-\sin^2 x)+3\le 3\sin x$

$2\sin^2 x-3\sin x+1\le 0$, $(2\sin x-1)(\sin x-1)\le 0$

$\therefore \frac{1}{2}\le \sin x\le 1$

오른쪽 그림에서 $\frac{1}{2}\le \sin x\le 1$의 해는

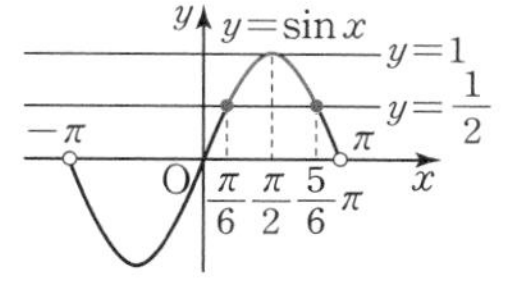

$\frac{\pi}{6}\le x\le \frac{5}{6}\pi$

따라서 $a=\frac{\pi}{6}$, $b=\frac{5}{6}\pi$이므로

$\sin(b-a)=\sin\left(\frac{5}{6}\pi-\frac{\pi}{6}\right)=\sin\frac{2}{3}\pi=\frac{\sqrt{3}}{2}$

답 $\frac{\sqrt{3}}{2}$

0830

$2\cos^2\left(x-\frac{\pi}{3}\right)+\sin\left(x-\frac{\pi}{3}\right)-1\ge 0$에서

$2\left\{1-\sin^2\left(x-\frac{\pi}{3}\right)\right\}+\sin\left(x-\frac{\pi}{3}\right)-1\ge 0$

$2\sin^2\left(x-\frac{\pi}{3}\right)-\sin\left(x-\frac{\pi}{3}\right)-1\le 0$ ⋯ ❶

이때, $x-\frac{\pi}{3}=t$로 놓으면 $0\le x<2\pi$에서 $-\frac{\pi}{3}\le t<\frac{5}{3}\pi$이고

주어진 부등식은

$2\sin^2 t-\sin t-1\le 0$, $(2\sin t+1)(\sin t-1)\le 0$

$\therefore -\frac{1}{2}\le \sin t\le 1$

오른쪽 그림에서 $-\frac{1}{2}\le \sin t\le 1$의

해는 $-\frac{\pi}{6}\le t\le \frac{7}{6}\pi$

즉, $-\frac{\pi}{6}\le x-\frac{\pi}{3}\le \frac{7}{6}\pi$이므로

$\frac{\pi}{6}\le x\le \frac{3}{2}\pi$ ⋯ ❷

따라서 $a=\frac{\pi}{6}$, $b=\frac{3}{2}\pi$이므로

$\frac{b}{a}=\frac{\frac{3}{2}\pi}{\frac{\pi}{6}}=9$ ⋯ ❸

답 9

채점 기준	비율
❶ 한 종류의 삼각함수에 대한 부등식으로 변형할 수 있다.	40 %
❷ x의 값의 범위를 구할 수 있다.	50 %
❸ $\frac{b}{a}$의 값을 구할 수 있다.	10 %

0831

$2\cos^2 x+\sin x+a>0$에서 $2\cos^2 x+\sin x>-a$

$y=2\cos^2 x+\sin x$라 하면

$y=2(1-\sin^2 x)+\sin x=-2\sin^2 x+\sin x+2$

이때, $\sin x=t$로 놓으면 $0\le x\le \pi$에서 $0\le t\le 1$이고

$y=-2t^2+t+2=-2\left(t-\frac{1}{4}\right)^2+\frac{17}{8}$

오른쪽 그림에서 $t=1$일 때, 최솟값 1을 가지므로

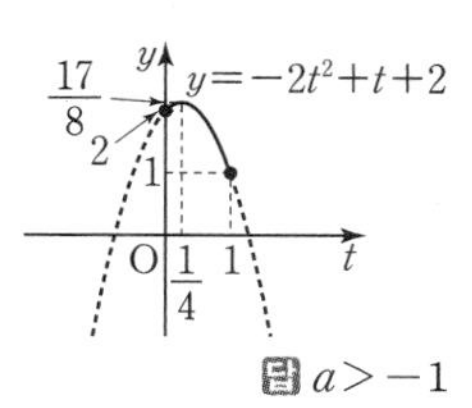

$-a<1$ $\therefore a>-1$

답 $a>-1$

0832

|전략| 이차부등식 $ax^2+bx+c>0$이 모든 실수 x에 대하여 항상 성립하려면 $a>0$, $b^2-4ac<0$이어야 함을 이용한다.

$x^2-4x+2\sin\theta+3>0$이 모든 실수 x에 대하여 항상 성립하므로

$x^2-4x+2\sin\theta+3=0$의 판별식을 D라 하면

$\frac{D}{4}=4-2\sin\theta-3<0$ $\therefore \sin\theta>\frac{1}{2}$

오른쪽 그림에서 $\sin\theta>\frac{1}{2}$의 해는

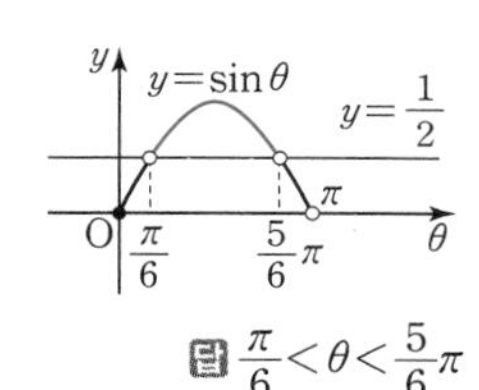

$\frac{\pi}{6}<\theta<\frac{5}{6}\pi$

답 $\frac{\pi}{6}<\theta<\frac{5}{6}\pi$

0833

$x^2+\sqrt{2}x-\cos\theta=0$이 중근을 가지므로 판별식을 D라 하면

$D=2+4\cos\theta=0$ $\therefore \cos\theta=-\frac{1}{2}$

이때, $0\le\theta\le 2\pi$에서 $\theta=\frac{2}{3}\pi$ 또는 $\theta=\frac{4}{3}\pi$

따라서 $\alpha+\beta=\frac{2}{3}\pi+\frac{4}{3}\pi=2\pi$이므로

$\sin\frac{\alpha+\beta}{3}=\sin\frac{2}{3}\pi=\frac{\sqrt{3}}{2}$

답 $\frac{\sqrt{3}}{2}$

0834

$x^2+2x\sin\theta+\cos\theta+1=0$이 실근을 가지므로 판별식을 D라 하면

$\frac{D}{4}=\sin^2\theta-\cos\theta-1\ge 0$

$(1-\cos^2\theta)-\cos\theta-1\ge 0$, $\cos^2\theta+\cos\theta\le 0$

$\cos\theta(\cos\theta+1)\le 0$ $\therefore -1\le\cos\theta\le 0$

오른쪽 그림에서 $-1\le\cos\theta\le 0$의 해는

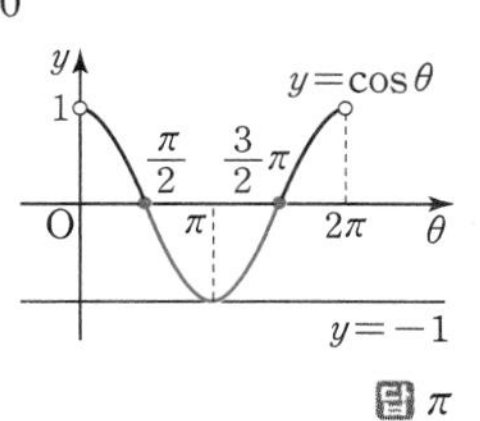

$\frac{\pi}{2}\le\theta\le\frac{3}{2}\pi$

따라서 $a=\frac{\pi}{2}$, $b=\frac{3}{2}\pi$이므로

$b-a=\pi$

답 π

0835

$f(x)=2x^2-\sqrt{2}x\cos 2\theta-1$이라 하면 방정식 $f(x)=0$의 두 근 사이에 1이 있어야 하므로 함수 $y=f(x)$의 그래프는 오른쪽 그림과 같아야 한다.

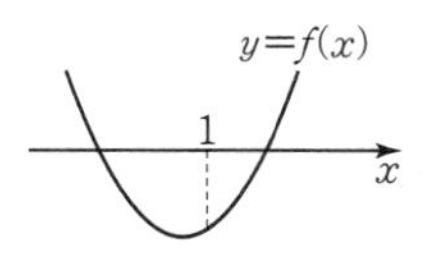

따라서 $f(1)<0$이어야 하므로

$2-\sqrt{2}\cos 2\theta-1<0$에서 $\sqrt{2}\cos 2\theta>1$ $\quad\therefore \cos 2\theta>\dfrac{\sqrt{2}}{2}$

이때, $2\theta=t$로 놓으면 $-\dfrac{\pi}{2}\le\theta\le\dfrac{\pi}{2}$에서 $-\pi\le t\le\pi$이고

주어진 부등식은 $\cos t>\dfrac{\sqrt{2}}{2}$

오른쪽 그림에서 $\cos t>\dfrac{\sqrt{2}}{2}$의 해는

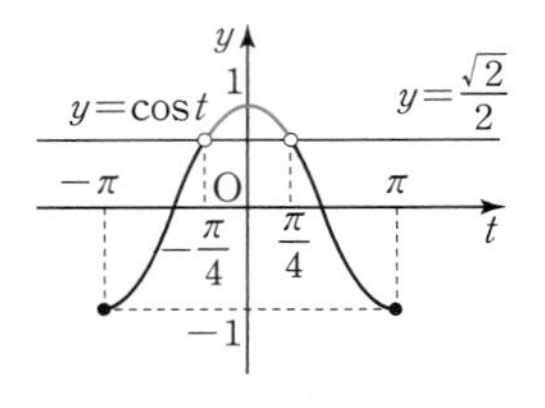

$-\dfrac{\pi}{4}<t<\dfrac{\pi}{4}$

즉, $-\dfrac{\pi}{4}<2\theta<\dfrac{\pi}{4}$이므로

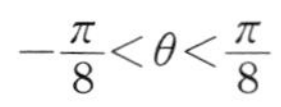

$-\dfrac{\pi}{8}<\theta<\dfrac{\pi}{8}$

따라서 θ의 값이 될 수 있는 것은 ③ $\dfrac{\pi}{10}$이다. 답 ③

STEP 3 내신 마스터

0836

유형 01 주기함수

|전략| 함수 $f(x)$가 $f(x+p)=f(x)$를 만족시키면 $f(x)$는 주기함수임을 이용한다.

$f(x+2)=f(x)$이므로

$f\left(2020-\dfrac{\pi}{4}\right)=f\left(2018-\dfrac{\pi}{4}\right)=f\left(2016-\dfrac{\pi}{4}\right)=\cdots=f\left(2-\dfrac{\pi}{4}\right)$

이때, $0<\dfrac{\pi}{4}<1$이므로 $1<2-\dfrac{\pi}{4}<2$

$\therefore f\left(2-\dfrac{\pi}{4}\right)=\tan\left(2-2+\dfrac{\pi}{4}\right)=\tan\dfrac{\pi}{4}=1$

$f\left(2022+\dfrac{\pi}{4}\right)=f\left(2020+\dfrac{\pi}{4}\right)=f\left(2018+\dfrac{\pi}{4}\right)=\cdots=f\left(\dfrac{\pi}{4}\right)$

이때, $0<\dfrac{\pi}{4}<1$이므로 $f\left(\dfrac{\pi}{4}\right)=\tan\dfrac{\pi}{4}=1$

$\therefore f\left(2020-\dfrac{\pi}{4}\right)+f\left(2022+\dfrac{\pi}{4}\right)=1+1=2$ 답 ⑤

0837

유형 02 삼각함수의 값의 대소 비교

|전략| 삼각함수의 그래프를 그려서 대소를 비교한다.

ㄱ. $\dfrac{\pi}{2}<2<3<\pi<4$이므로 오른쪽 그림에서

$\sin 4<\sin 3<\sin 2$ (거짓)

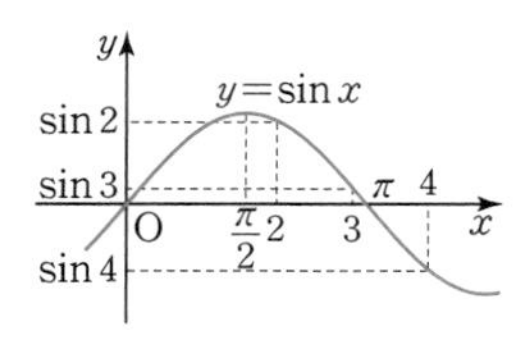

ㄴ. $1<\dfrac{\pi}{2}<2<3<\pi$이므로 오른쪽 그림에서

$\cos 3<\cos 2<\cos 1$ (참)

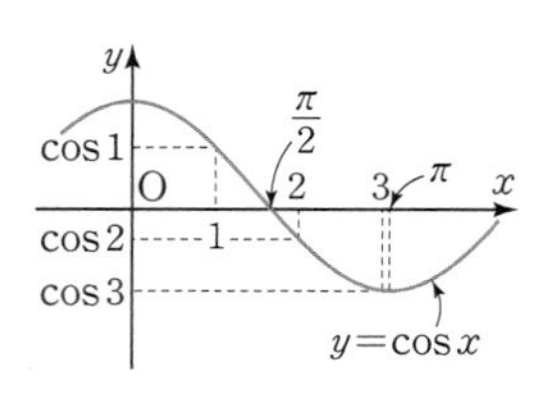

ㄷ. $1<\dfrac{\pi}{2}<2<3<\pi$이므로 오른쪽 그림에서

$\tan 2<\tan 3<\tan 1$ (거짓)

따라서 옳은 것은 ㄴ이다.

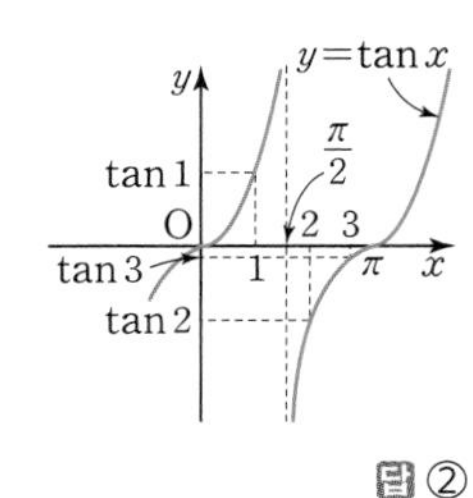

답 ②

0838

유형 04 삼각함수의 그래프의 평행이동과 대칭이동

|전략| 함수 $y=f(x)$의 그래프를 x축의 방향으로 m만큼 평행이동한 그래프의 식은 $y=f(x-m)$임을 이용한다.

$y=\tan\dfrac{\pi}{2}x$의 그래프를 x축의 방향으로 $\dfrac{1}{2}$만큼 평행이동한 그래프의 식은 $y=\tan\dfrac{\pi}{2}\left(x-\dfrac{1}{2}\right)$

이 그래프가 점 $\left(\dfrac{7}{6},\ a\right)$를 지나므로

$a=\tan\dfrac{\pi}{2}\left(\dfrac{7}{6}-\dfrac{1}{2}\right)=\tan\dfrac{\pi}{3}=\sqrt{3}$ 답 ⑤

0839

유형 05 삼각함수의 최대·최소와 주기

|전략| $f(x+p)=f(x)$를 만족시키는 양수 p의 최솟값은 함수 $f(x)$의 주기임을 이용한다.

주어진 함수의 주기를 각각 구하면

① $\dfrac{2\pi}{\pi}=2$ ② $\dfrac{2\pi}{2}=\pi$ ③ $\dfrac{2\pi}{4}=\dfrac{\pi}{2}$

④ $\dfrac{\pi}{2}$ ⑤ $\dfrac{2\pi}{\sqrt{2}\pi}=\sqrt{2}$

따라서 주기가 π인 함수는 ②이다. 답 ②

0840

유형 04 삼각함수의 그래프의 평행이동과 대칭이동 + 08 삼각함수의 미정계수의 결정 – 그래프가 주어진 경우

|전략| 주어진 그래프에서 주기를 이용하여 a의 값을 구한 후 평행이동을 이용하여 b의 값을 구한다.

주기가 $\dfrac{2}{3}\pi-\left(-\dfrac{\pi}{3}\right)=\pi$이고 $a>0$이므로

$\dfrac{2\pi}{a}=\pi$ $\quad\therefore a=2$

$y=\cos 2(x+b)+1$의 그래프는 $y=\cos 2x$의 그래프를 x축의 방향으로 $-b$만큼, y축의 방향으로 1만큼 평행이동한 것이다.

이때, $0<b<\pi$에서 $-\pi<-b<0$이므로

$-b=-\dfrac{\pi}{3}$ $\quad\therefore b=\dfrac{\pi}{3}$

$\therefore ab=2\cdot\dfrac{\pi}{3}=\dfrac{2}{3}\pi$ 답 ①

0841

유형 **06** 삼각함수의 그래프의 성질 + **09** 절댓값 기호를 포함한 삼각함수의 그래프

|전략| 함수 $y=f(|x|)$의 그래프는 함수 $y=f(x)$의 그래프에서 $x\ge0$인 부분만 그린 후 $x<0$인 부분은 y축에 대하여 대칭이동한 것임을 이용한다.

$y=2\tan|x|$의 그래프는 $y=2\tan x$의 그래프에서 $x\ge0$인 부분을 그린 후 $x<0$인 부분은 y축에 대하여 대칭이동한 것이므로 오른쪽 그림과 같다.

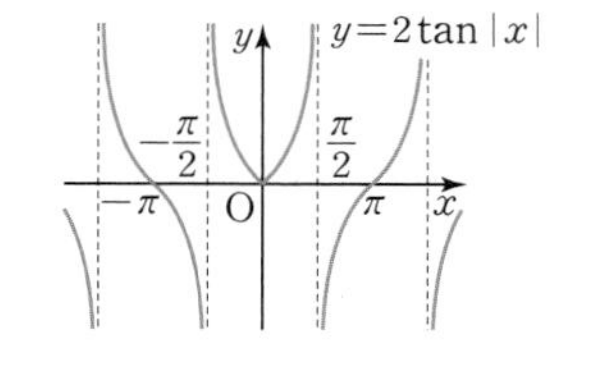

① 정의역은 $x\ne n\pi+\frac{\pi}{2}$(n은 정수)인 실수 전체의 집합이다.

② 그래프는 y축에 대하여 대칭이다.

③ 주기함수가 아니다.

④ 최댓값, 최솟값은 존재하지 않는다.

답 ⑤

0842

유형 **10** 일반각에 대한 삼각함수의 성질

|전략| 주어진 각을 $90°\times n\pm\theta$ (n은 정수) 꼴로 변형한다.

$\sin260°=\sin(90°\times3-10°)=-\cos10°=-0.9848$

$\cos100°=\cos(90°\times1+10°)=-\sin10°=-0.1736$

$\tan190°=\tan(90°\times2+10°)=\tan10°=0.1763$

$\therefore\ \sin260°+\cos100°+\tan190°$

$=-0.9848-0.1736+0.1763$

$=-0.9821$

답 ①

0843

유형 **11** 일반각에 대한 삼각함수의 성질 – 각의 통일

|전략| $\alpha+\beta=\frac{\pi}{2}$이면 $\sin\beta=\sin\left(\frac{\pi}{2}-\alpha\right)=\cos\alpha$의 관계가 성립함을 이용하여 주어진 식을 정리한다.

$\theta=\frac{\pi}{20}$에서 $10\theta=\frac{\pi}{2}$이므로

$\cos9\theta=\cos(10\theta-\theta)=\cos\left(\frac{\pi}{2}-\theta\right)=\sin\theta$

$\cos8\theta=\sin2\theta,\ \cos7\theta=\sin3\theta,\ \cos6\theta=\sin4\theta$

$\cos5\theta=\cos5\cdot\frac{\pi}{20}=\cos\frac{\pi}{4}=\frac{\sqrt2}{2}$

$\sin5\theta=\sin5\cdot\frac{\pi}{20}=\sin\frac{\pi}{4}=\frac{\sqrt2}{2}$

$\sin6\theta=\sin(10\theta-4\theta)=\sin\left(\frac{\pi}{2}-4\theta\right)=\cos4\theta$

$\sin7\theta=\cos3\theta,\ \sin8\theta=\cos2\theta,\ \sin9\theta=\cos\theta$

$\therefore$ (주어진 식)

$=\sin^2\theta+\sin^22\theta+\sin^23\theta+\sin^24\theta+\frac{\sqrt2}{2}\cdot\frac{\sqrt2}{2}+\cos^24\theta+\cos^23\theta+\cos^22\theta+\cos^2\theta$

$=(\sin^2\theta+\cos^2\theta)+(\sin^22\theta+\cos^22\theta)+(\sin^23\theta+\cos^23\theta)+(\sin^24\theta+\cos^24\theta)+\frac{1}{2}$

$=1\cdot4+\frac{1}{2}=\frac{9}{2}$

답 ②

0844

유형 **13** 삼각함수를 포함한 식의 최대·최소 – 일차식 꼴

|전략| $-1\le\sin x\le1$임을 이용하여 $a\sqrt{(\sin x+2)^2}+3$의 값의 범위를 구한다.

$\sqrt{(\sin x+2)^2}=|\sin x+2|$이고 $1\le\sin x+2\le3$이므로

$1\le|\sin x+2|\le3$

$a\le a\sqrt{(\sin x+2)^2}\le3a$ ($\because a>0$)

$\therefore a+3\le a\sqrt{(\sin x+2)^2}+3\le3a+3$

이때, 최댓값이 9이므로

$3a+3=9\qquad\therefore a=2$

따라서 $f(x)=2\sqrt{(\sin x+2)^2}+3$이므로

$f\left(\frac{\pi}{6}\right)=2\sqrt{\left(\sin\frac{\pi}{6}+2\right)^2}+3=2\cdot\frac{5}{2}+3=8$

답 ④

0845

유형 **14** 삼각함수를 포함한 식의 최대·최소 – 이차식 꼴

|전략| $\sin^2x+\cos^2x=1$임을 이용하여 주어진 식을 한 종류의 삼각함수로 통일한 후 삼각함수를 t로 치환한다.

$y=1-2a\cos x-\sin^2x$

$=1-2a\cos x-(1-\cos^2x)$

$=\cos^2x-2a\cos x$

$\cos x=t$로 놓으면 $0\le x\le\pi$에서 $-1\le t\le1$이고

$y=t^2-2at=(t-a)^2-a^2$

(i) $0<a<1$이면 $t=a$일 때 최솟값을 가지므로

$-a^2=-\frac{1}{9}$

$\therefore a=\frac{1}{3}$ ($\because 0<a<1$)

(ii) $a\ge1$이면 $t=1$일 때 최솟값을 가지므로

$1-2a=-\frac{1}{9}\qquad\therefore a=\frac{5}{9}$

그런데 $a=\frac{5}{9}$는 $a\ge1$을 만족시키지 않는다.

(i), (ii)에서 $a=\frac{1}{3}$

$\therefore 12a=4$

답 ③

0846

유형 **15** 삼각함수를 포함한 식의 최대·최소 – 유리식 꼴

|전략| $\frac{\cos x+\sin x}{3\cos x-\sin x}$의 분모, 분자를 $\cos x$로 나눈다.

$0\le x\le\frac{\pi}{4}$에서 $\cos x\ne0$이므로 분모, 분자를 $\cos x$로 나누면

$y=\frac{\cos x+\sin x}{3\cos x-\sin x}=\frac{1+\tan x}{3-\tan x}$

$\tan x=t$로 놓으면 $0\le x\le\frac{\pi}{4}$에서 $0\le t\le1$

$y=\frac{1+t}{3-t}=\frac{(t-3)+4}{-(t-3)}=-\frac{4}{t-3}-1$

오른쪽 그림에서

$t=1$일 때, 최댓값은 1　　$\therefore M=1$

$t=0$일 때, 최솟값은 $\frac{1}{3}$　　$\therefore m=\frac{1}{3}$

$\therefore M+m=\frac{4}{3}$

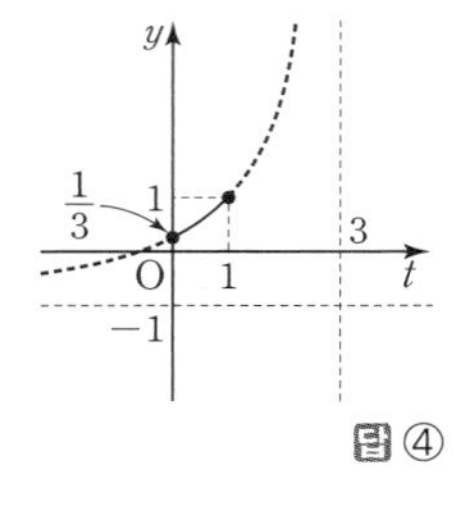

답 ④

0847

유형 17 삼각함수를 포함한 방정식의 풀이 – 이차식 꼴

|전략| 각이 $\frac{\pi}{2}\times n\pm\theta$($n$은 정수) 꼴일 때, 각 삼각함수는 n이 짝수이면 그대로, n이 홀수이면 sin → cos, cos → sin으로 바뀜을 이용하여 주어진 방정식을 한 종류의 삼각함수에 대한 방정식으로 고친다.

$\cos\left(\frac{3}{2}\pi-x\right)=-\sin x$, $\sin(x+\pi)=-\sin x$이므로

$2\cos^2\left(\frac{3}{2}\pi-x\right)=-\sin(x+\pi)$에서 $2\sin^2 x=\sin x$

$2\sin^2 x-\sin x=0$, $\sin x(2\sin x-1)=0$

$\therefore \sin x=0$ 또는 $\sin x=\frac{1}{2}$

이때, $0<x\leq 2\pi$에서

(i) $\sin x=0$일 때, $x=\pi$ 또는 $x=2\pi$

(ii) $\sin x=\frac{1}{2}$일 때, $x=\frac{\pi}{6}$ 또는 $x=\frac{5}{6}\pi$

따라서 모든 근의 합은 $\pi+2\pi+\frac{\pi}{6}+\frac{5}{6}\pi=4\pi$

답 ⑤

0848

유형 19 삼각함수를 포함한 방정식이 실근을 가질 조건

|전략| 주어진 방정식을 $\cos x$에 대한 방정식으로 변형한다.

$3\sin^2 x+(3a-1)\cos x+a-3=0$에서

$3(1-\cos^2 x)+(3a-1)\cos x+a-3=0$

$3\cos^2 x-(3a-1)\cos x-a=0$, $(3\cos x+1)(\cos x-a)=0$

$\therefore \cos x=-\frac{1}{3}$ 또는 $\cos x=a$

주어진 방정식이 서로 다른 3개의 실근을 가져야 하므로 오른쪽 그림에서

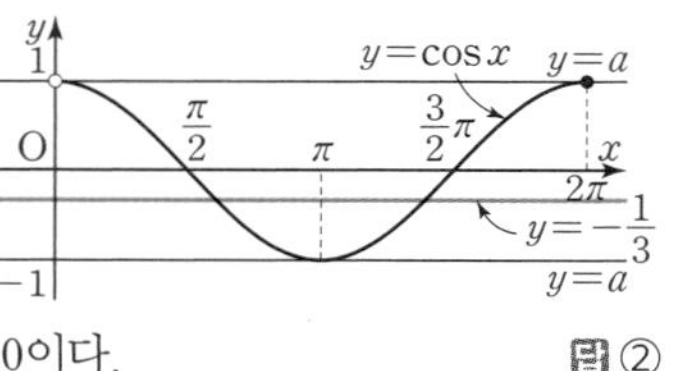

$a=-1$ 또는 $a=1$

따라서 모든 실수 a의 값의 합은 0이다.

답 ②

0849

유형 20 삼각함수를 포함한 부등식의 풀이 – 일차식 꼴

|전략| $\frac{x}{30}\pi=t$로 놓고 주어진 부등식을 푼다.

$\frac{x}{30}\pi=t$로 놓으면 $0<x<60$에서 $0<t<2\pi$

$\sin\left(\frac{\pi}{2}+\frac{x}{30}\pi\right)<0$에서 $\sin\left(\frac{\pi}{2}+t\right)<0$

$\cos t<0$　　$\therefore \frac{\pi}{2}<t<\frac{3}{2}\pi$

$\therefore A=\{x\,|\,15<x<45\}$

$\tan\left(\pi-\frac{x}{30}\pi\right)<0$에서 $\tan(\pi-t)<0$

$-\tan t<0$, $\tan t>0$

$\therefore 0<t<\frac{\pi}{2}$ 또는 $\pi<t<\frac{3}{2}\pi$

$\therefore B=\{x\,|\,0<x<15$ 또는 $30<x<45\}$

따라서 $A\cap B=\{x\,|\,30<x<45\}$이므로 집합 $A\cap B$의 원소 중 자연수의 개수는 14이다.

답 ④

0850

유형 21 삼각함수를 포함한 부등식의 풀이 – 이차식 꼴

|전략| $\sin^2 x+\cos^2 x=1$임을 이용하여 한 종류의 삼각함수에 대한 부등식으로 고친다.

$\sin^2 x+(a-3)\cos x+3a-1<0$에서

$1-\cos^2 x+(a-3)\cos x+3a-1<0$

$\cos^2 x+(3-a)\cos x-3a>0$

$(\cos x+3)(\cos x-a)>0$

이때, $-1\leq\cos x\leq 1$에서 $\cos x+3>0$이므로

$\cos x-a>0$　　$\therefore \cos x>a$　　…… ㉠

모든 실수 x에 대하여 부등식 ㉠이 성립하려면 오른쪽 그림에서 $a<-1$

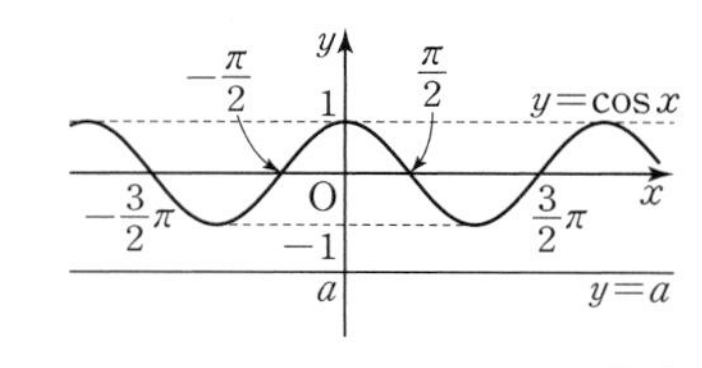

답 ②

0851

유형 03 삼각함수의 그래프의 대칭성 + 10 일반각에 대한 삼각함수의 성질

|전략| 삼각함수의 그래프의 대칭성을 이용하여 α와 β 사이의 관계식을 세운다.

함수 $f(x)=\sin kx$의 주기는 $\frac{2\pi}{k}$　　… ❶

즉, 함수 $y=f(x)$의 그래프는 오른쪽 그림과 같다.

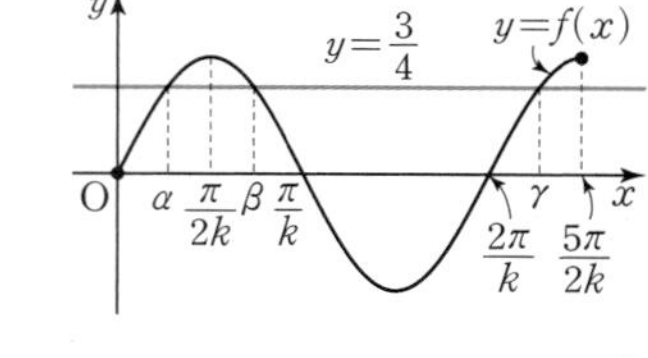

이때, 두 점 $(\alpha,\ 0)$, $(\beta,\ 0)$은 직선 $x=\frac{\pi}{2k}$에 대하여 대칭이므로

$\frac{\alpha+\beta}{2}=\frac{\pi}{2k}$　　$\therefore \alpha+\beta=\frac{\pi}{k}$　　… ❷

$\therefore f(\alpha+\beta+\gamma)=f\left(\frac{\pi}{k}+\gamma\right)=\sin k\left(\frac{\pi}{k}+\gamma\right)=\sin(\pi+k\gamma)$

$=-\sin k\gamma=-f(\gamma)=-\frac{3}{4}$　　… ❸

$\frac{2\pi}{k}<\gamma<\frac{5\pi}{2k}$, $2\pi<k\gamma<\frac{5}{2}\pi$, $3\pi<\pi+k\gamma<\frac{7}{2}\pi$

답 $-\frac{3}{4}$

채점 기준	배점
❶ $f(x)=\sin kx$의 주기를 구할 수 있다.	1점
❷ $\alpha+\beta$의 값을 구할 수 있다.	3점
❸ $f(\alpha+\beta+\gamma)$의 값을 구할 수 있다.	2점

0852

유형 12 일반각에 대한 삼각함수의 성질 – 도형에의 활용

|전략| 원에 내접하는 사각형에서 한 쌍의 대각의 크기의 합은 180°임을 이용한다.

$\cos\alpha=\frac{2\sqrt{5}}{5}>0$에서 α는 예각이므로

$\sin\alpha=\sqrt{1-\cos^2\alpha}=\sqrt{1-\left(\frac{2\sqrt{5}}{5}\right)^2}=\frac{\sqrt{5}}{5}$

$\therefore \tan\alpha=\frac{\sin\alpha}{\cos\alpha}=\frac{1}{2}$ … ❶

한편, 사각형 ABCD가 원에 내접하므로 $\alpha+\beta=\pi$

$\therefore \tan\beta=\tan(\pi-\alpha)=-\tan\alpha=-\frac{1}{2}$ … ❷

답 $-\frac{1}{2}$

채점 기준	배점
❶ $\tan\alpha$의 값을 구할 수 있다.	3점
❷ $\tan\beta$의 값을 구할 수 있다.	3점

Lecture

원에 내접하는 사각형에서 한 쌍의 대각의 크기의 합은 180°이다.

⇨ $\angle A+\angle C=\angle B+\angle D=180^\circ$

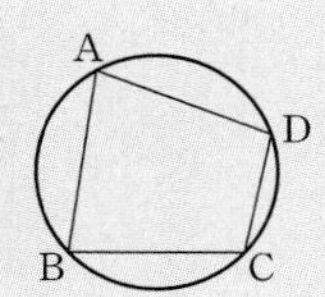

0853

유형 22 삼각함수를 포함한 방정식과 부등식의 활용

|전략| 이차함수 $y=ax^2+bx+c$의 그래프가 x축에 접하면 이차방정식 $ax^2+bx+c=0$이 중근을 가짐을 이용한다.

주어진 이차함수의 그래프가 x축에 접하면 이차방정식 $x^2+2x\cos\theta+\sin^2\theta+\cos\theta=0$이 중근을 가지므로 이 이차방정식의 판별식을 D라 하면

$\frac{D}{4}=\cos^2\theta-(\sin^2\theta+\cos\theta)=0$ … ❶

$\cos^2\theta-(1-\cos^2\theta+\cos\theta)=0$, $2\cos^2\theta-\cos\theta-1=0$

$(2\cos\theta+1)(\cos\theta-1)=0$

이때, $0<\theta<2\pi$에서 $-1\le\cos\theta<1$이므로

$\cos\theta=-\frac{1}{2}$

오른쪽 그림과 같이 $0<\theta<2\pi$에서 함수 $y=\cos\theta$의 그래프와 직선 $y=-\frac{1}{2}$의 교점의 θ좌표가 $\frac{2}{3}\pi$, $\frac{4}{3}\pi$이므로

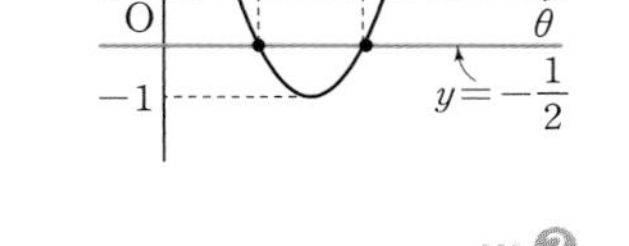

$\theta=\frac{2}{3}\pi$ 또는 $\theta=\frac{4}{3}\pi$ … ❷

따라서 $\theta_1=\frac{2}{3}\pi$, $\theta_2=\frac{4}{3}\pi$이므로 $\theta_2-\theta_1=\frac{2}{3}\pi$ … ❸

답 $\frac{2}{3}\pi$

채점 기준	배점
❶ 판별식을 이용하여 θ에 대한 방정식을 세울 수 있다.	2점
❷ 방정식의 해를 구할 수 있다.	4점
❸ $\theta_2-\theta_1$의 값을 구할 수 있다.	1점

0854

유형 07 삼각함수의 미정계수의 결정 – 조건이 주어진 경우

|전략| $-1\le\sin(ax+b)\le1$임을 이용하여 두 함수 $(g\circ f)(x)$와 $(f\circ g)(x)$의 최댓값과 최솟값을 각각 구한다.

(1) $(g\circ f)(x)=g(f(x))=g(ax+b)=2\sin(ax+b)$

$-1\le\sin(ax+b)\le1$에서 $-2\le2\sin(ax+b)\le2$

$\therefore -2\le(g\circ f)(x)\le2$

따라서 $(g\circ f)(x)$의 최댓값은 2, 최솟값은 -2이다.

(2) $(f\circ g)(x)=f(g(x))=f(2\sin x)=2a\sin x+b$

이때, $a>0$이므로 $-1\le\sin x\le1$에서

$-2a+b\le2a\sin x+b\le2a+b$

$\therefore -2a+b\le(f\circ g)(x)\le2a+b$

따라서 $(f\circ g)(x)$의 최댓값은 $2a+b$, 최솟값은 $-2a+b$이다.

(3) $(g\circ f)(x)$와 $(f\circ g)(x)$의 최댓값과 최솟값이 각각 같으므로

$2a+b=2$, $-2a+b=-2$

두 식을 연립하여 풀면 $a=1$, $b=0$

답 (1) 최댓값: 2, 최솟값: -2 (2) 최댓값: $2a+b$, 최솟값: $-2a+b$ (3) $a=1$, $b=0$

채점 기준	배점
(1) $(g\circ f)(x)$의 최댓값과 최솟값을 구할 수 있다.	5점
(2) $(f\circ g)(x)$의 최댓값과 최솟값을 구할 수 있다.	5점
(3) a, b의 값을 구할 수 있다.	2점

0855

유형 16 삼각함수를 포함한 방정식의 풀이 – 일차식 꼴

|전략| $\sin^2\theta+\cos^2\theta=1$임을 이용하여 이차함수 $y=x^2-2x\cos\theta-\sin^2\theta$의 꼭짓점의 좌표를 구한다.

(1) $y=x^2-2x\cos\theta-\sin^2\theta=(x-\cos\theta)^2-\cos^2\theta-\sin^2\theta$

$=(x-\cos\theta)^2-1$ ($\because \sin^2\theta+\cos^2\theta=1$)

따라서 주어진 곡선의 꼭짓점의 좌표는 $(\cos\theta, -1)$이다.

(2) 점 $(\cos\theta, -1)$이 직선 $y=2x$ 위에 있으므로

$-1=2\cos\theta$ $\quad\therefore \cos\theta=-\frac{1}{2}$

$\therefore \theta=\frac{2}{3}\pi$ 또는 $\theta=\frac{4}{3}\pi$

(3) 모든 θ의 값의 합은 $\frac{2}{3}\pi+\frac{4}{3}\pi=2\pi$

답 (1) $(\cos\theta, -1)$ (2) $\theta=\frac{2}{3}\pi$ 또는 $\theta=\frac{4}{3}\pi$ (3) 2π

채점 기준	배점
(1) 꼭짓점의 좌표를 구할 수 있다.	3점
(2) 주어진 조건을 만족시키는 θ의 값을 구할 수 있다.	5점
(3) 모든 θ의 값의 합을 구할 수 있다.	2점

창의·융합 교과서 속 심화문제

0856

|전략| 삼각함수의 주기와 대칭성을 이용한다.

함수 $y=a\cos bx$의 주기는 $\frac{2\pi}{|b|}$

오른쪽 그림에서 두 점 $(1, 0)$, $(5, 0)$은 직선 $x=\frac{\pi}{|b|}$에 대하여 대칭이므로

$\frac{1+5}{2}=\frac{\pi}{|b|}$, $|b|=\frac{\pi}{3}$

$\therefore b=\pm\frac{\pi}{3}$

직선 l, $x=1$, $x=5$와 x축으로 둘러싸인 직사각형은 가로의 길이가 $5-1=4$, 세로의 길이가 $a\cos b=a\cos\left(\pm\frac{\pi}{3}\right)=a\cos\frac{\pi}{3}=\frac{1}{2}a$, 넓이가 20이므로

$4\cdot\frac{1}{2}a=20$, $2a=20$ $\quad\therefore a=10$

답 $a=10$, $b=\pm\frac{\pi}{3}$

0857

|전략| 두 점 P, Q의 $t(t>0)$초 후의 y좌표를 각각 $f(t)$, $g(t)$로 놓고 두 함수 $y=f(t)$, $y=g(t)$의 그래프를 그려 두 그래프가 만나는 횟수를 구한다.

두 점 P, Q의 $t(t>0)$초 후의 y좌표를 각각 $f(t)$, $g(t)$라 하면 t초 후 두 동경 OP, OQ가 x축의 양의 방향과 이루는 각의 크기는 각각 $\frac{2}{3}\pi t$, $\frac{4}{3}\pi t$이므로

$f(t)=\sin\frac{2}{3}\pi t$, $g(t)=\sin\frac{4}{3}\pi t$

이때, 두 점 P, Q의 y좌표가 같아지는 것은 $f(t)=g(t)$일 때이므로 두 함수 $y=f(t)$, $y=g(t)$의 그래프가 만날 때이다.

함수 $f(t)$의 최댓값은 1, 최솟값은 -1, 주기는 $\frac{2\pi}{\frac{2}{3}\pi}=3$

함수 $g(t)$의 최댓값은 1, 최솟값은 -1, 주기는 $\frac{2\pi}{\frac{4}{3}\pi}=\frac{3}{2}$

즉, 두 함수 $y=f(t)$, $y=g(t)$의 그래프는 다음 그림과 같다.

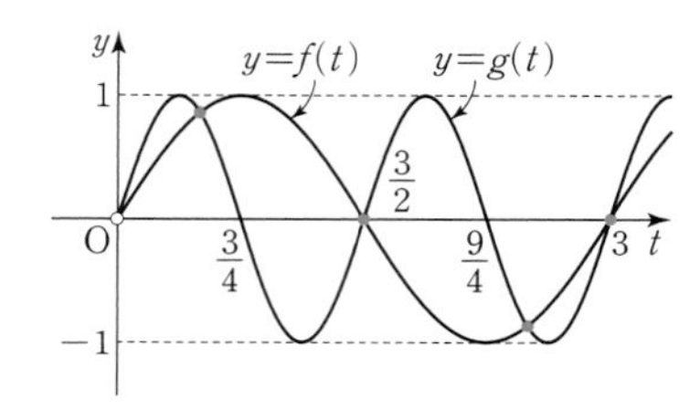

위의 그림에서 두 함수 $y=f(t)$, $y=g(t)$의 그래프는 출발 후 3초가 될 때까지 4번 만나므로 출발 후 99초가 될 때까지 $4\cdot33=132$(번)만난다. 또, 이후 1초 동안 두 함수 $y=f(t)$, $y=g(t)$의 그래프는 1번 만나므로 출발 후 100초가 될 때까지 두 점 P, Q의 y좌표가 같아지는 횟수는

$132+1=133$(번)

답 ②

0858

|전략| 주어진 x와 y의 값의 범위에서 식을 만족시키는 $\sin(\pi\sin x)$와 $\cos(\pi\cos y)$의 값을 찾는다.

$0\le x\le\pi$에서 $0\le\sin x\le1$, $0\le\pi\sin x\le\pi$

$\therefore 0\le\sin(\pi\sin x)\le1$

$0\le y\le\pi$에서 $-1\le\cos y\le1$, $-\pi\le\pi\cos y\le\pi$

$\therefore -1\le\cos(\pi\cos y)\le1$

따라서 $\sin(\pi\sin x)+\cos(\pi\cos y)=2$에서

$\sin(\pi\sin x)=1$, $\cos(\pi\cos y)=1$

$\pi\sin x=\frac{\pi}{2}$, $\pi\cos y=0$, 즉 $\sin x=\frac{1}{2}$, $\cos y=0$

$\sin x=\frac{1}{2}$에서 $x=\frac{\pi}{6}$ 또는 $x=\frac{5}{6}\pi$

$\cos y=0$에서 $y=\frac{\pi}{2}$

$\therefore x+y=\frac{\pi}{6}+\frac{\pi}{2}$ 또는 $x+y=\frac{5}{6}\pi+\frac{\pi}{2}$

(i) $x+y=\frac{\pi}{6}+\frac{\pi}{2}$일 때

$$\begin{aligned}\sin(x+y)+\cos(x+y)&=\sin\left(\frac{\pi}{2}+\frac{\pi}{6}\right)+\cos\left(\frac{\pi}{2}+\frac{\pi}{6}\right)\\&=\cos\frac{\pi}{6}-\sin\frac{\pi}{6}=\frac{\sqrt{3}}{2}-\frac{1}{2}\\&=\frac{\sqrt{3}-1}{2}\end{aligned}$$

(ii) $x+y=\frac{5}{6}\pi+\frac{\pi}{2}$일 때

$$\begin{aligned}\sin(x+y)+\cos(x+y)&=\sin\left(\frac{5}{6}\pi+\frac{\pi}{2}\right)+\cos\left(\frac{5}{6}\pi+\frac{\pi}{2}\right)\\&=\sin\left(\pi+\frac{\pi}{3}\right)+\cos\left(\pi+\frac{\pi}{3}\right)\\&=-\sin\frac{\pi}{3}-\cos\frac{\pi}{3}=-\frac{\sqrt{3}}{2}-\frac{1}{2}\\&=-\frac{\sqrt{3}+1}{2}\end{aligned}$$

(i), (ii)에서 구하는 합은 $\frac{\sqrt{3}-1}{2}-\frac{\sqrt{3}+1}{2}=-1$

답 -1

0859

|전략| $\sin x=a$, $\cos x=b$로 놓고 $\sin^2x+\cos^2x=1$, 즉 $a^2+b^2=1$임을 이용한다.

$\sin x=a$, $\cos x=b$로 놓으면

$-1\le a\le1$, $-1\le b\le1$이고 $a^2+b^2=1$ $\quad\cdots\cdots$ ㉠

$\frac{-\cos x+1}{\sin x+2}=\frac{-b+1}{a+2}=k$ (k는 상수)로 놓으면

$-b+1=k(a+2)$ $\quad\therefore b=-k(a+2)+1$ $\quad\cdots\cdots$ ㉡

직선 ㉡은 k의 값에 관계없이 점 $(-2, 1)$을 지나고, k의 값에 따라 기울기가 변한다.

오른쪽 그림에서 k는 직선 ㉡이 원 ㉠에 접할 때 최댓값과 최솟값을 갖는다. 원점 O(0, 0)과 직선 $ka+b+2k-1=0$ 사이의 거리는 1이므로

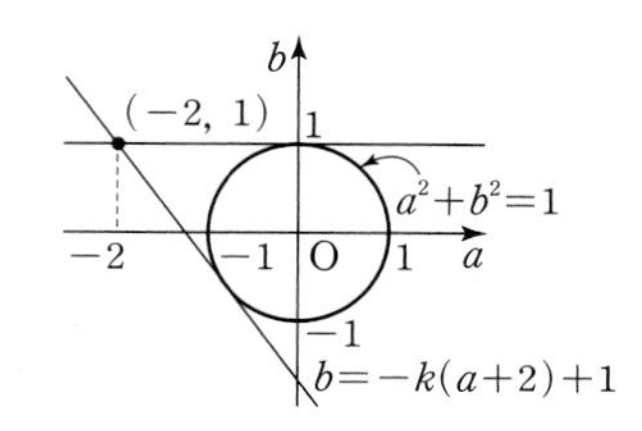

$\frac{|2k-1|}{\sqrt{k^2+1}}=1$, $|2k-1|=\sqrt{k^2+1}$
양변을 제곱하여 정리하면
$3k^2-4k=0$, $k(3k-4)=0$
$\therefore k=0$ 또는 $k=\frac{4}{3}$
따라서 구하는 최댓값과 최솟값의 합은 $\frac{4}{3}$이다. 답 $\frac{4}{3}$

0860

|전략| 정수 n에 대하여 $[\sin x]=n$이면 $n\le\sin x<n+1$임을 이용한다.

$0\le x\le\pi$에서 $0\le\sin x\le1$이므로 $0\le2\sin x\le2$

(i) $0\le2\sin x<1$일 때
$f(x)=[2\sin x]=0$이므로 $1\le f(x)\le2$를 만족시키지 않는다.

(ii) $1\le2\sin x<2$일 때
$f(x)=[2\sin x]=1$이고,
$\frac{1}{2}\le\sin x<1$을 만족시키는 x의 값의 범위는 오른쪽 그림에서

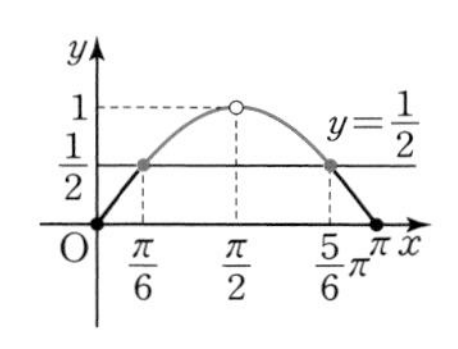

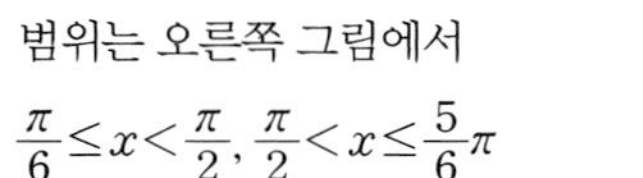
$\frac{\pi}{6}\le x<\frac{\pi}{2}$, $\frac{\pi}{2}<x\le\frac{5}{6}\pi$

(iii) $2\sin x=2$일 때
$f(x)=[2\sin x]=2$
$\sin x=1$ $\quad\therefore x=\frac{\pi}{2}$

(i), (ii), (iii)에서 $1\le f(x)\le2$를 만족시키는 x의 값의 범위는
$\frac{\pi}{6}\le x\le\frac{5}{6}\pi$ 답 $\frac{\pi}{6}\le x\le\frac{5}{6}\pi$

0861

|전략| 방정식 $f(x)=0$이 부호가 서로 다른 두 근을 가지면 두 근의 곱이 0보다 작음을 이용한다.

$x^2-x+1-4\sin^2\theta=0$이 부호가 서로 다른 두 근을 가지므로 두 근의 곱은 0보다 작다.
이차방정식의 근과 계수의 관계에 의하여
$1-4\sin^2\theta<0$에서 $4\sin^2\theta-1>0$
$(2\sin\theta+1)(2\sin\theta-1)>0$
$\therefore \sin\theta<-\frac{1}{2}$ 또는 $\sin\theta>\frac{1}{2}$

오른쪽 그림에서 $\sin\theta<-\frac{1}{2}$ 또는 $\sin\theta>\frac{1}{2}$의 해는
$\frac{\pi}{6}<\theta<\frac{5}{6}\pi$ 또는
$\frac{7}{6}\pi<\theta<\frac{11}{6}\pi$

따라서 $a+b+c+d=\frac{\pi}{6}+\frac{5}{6}\pi+\frac{7}{6}\pi+\frac{11}{6}\pi=4\pi$이므로
$\cos(a+b+c+d)=\cos4\pi=1$ 답 ⑤

본책 128~143쪽

7 | 사인법칙과 코사인법칙

STEP 1 개념 마스터

0862

사인법칙에 의하여
$\frac{a}{\sin60^\circ}=\frac{8}{\sin30^\circ}$이므로
$a\sin30^\circ=8\sin60^\circ$, $\frac{1}{2}a=8\cdot\frac{\sqrt{3}}{2}$
$\therefore a=8\sqrt{3}$ 답 $8\sqrt{3}$

0863

사인법칙에 의하여
$\frac{b}{\sin45^\circ}=\frac{4}{\sin60^\circ}$이므로
$b\sin60^\circ=4\sin45^\circ$, $\frac{\sqrt{3}}{2}b=4\cdot\frac{\sqrt{2}}{2}$
$\therefore b=\frac{4\sqrt{2}}{\sqrt{3}}=\frac{4\sqrt{6}}{3}$ 답 $\frac{4\sqrt{6}}{3}$

0864

$A+B+C=180^\circ$이므로
$C=180^\circ-(105^\circ+45^\circ)=30^\circ$
사인법칙에 의하여 $\frac{10}{\sin45^\circ}=\frac{c}{\sin30^\circ}$이므로
$c\sin45^\circ=10\sin30^\circ$, $\frac{\sqrt{2}}{2}c=10\cdot\frac{1}{2}$
$\therefore c=\frac{10}{\sqrt{2}}=5\sqrt{2}$ 답 $5\sqrt{2}$

0865

사인법칙에 의하여 $\frac{\sqrt{3}}{\sin60^\circ}=\frac{2}{\sin B}$이므로
$\sqrt{3}\sin B=2\sin60^\circ$ $\quad\therefore \sin B=2\cdot\frac{\sqrt{3}}{2}\cdot\frac{1}{\sqrt{3}}=1$
$0^\circ<B<180^\circ$이므로 $B=90^\circ$ 답 90°

0866

사인법칙에 의하여 $\frac{1}{\sin A}=\frac{\sqrt{2}}{\sin135^\circ}$이므로
$\sqrt{2}\sin A=\sin135^\circ$ $\quad\therefore \sin A=\frac{1}{\sqrt{2}}\cdot\frac{\sqrt{2}}{2}=\frac{1}{2}$
$0^\circ<A<180^\circ$이므로 $A=30^\circ$ 또는 $A=150^\circ$
그런데 $A+C<180^\circ$이므로 $A=30^\circ$ 답 30°

0867

사인법칙에 의하여 $\frac{3\sqrt{2}}{\sin30^\circ}=\frac{6}{\sin C}$이므로

$3\sqrt{2}\sin C=6\sin 30^\circ$

$\therefore \sin C=6\cdot\frac{1}{2}\cdot\frac{1}{3\sqrt{2}}=\frac{\sqrt{2}}{2}$

$0^\circ<C<180^\circ$이므로 $C=45^\circ$ 또는 $C=135^\circ$ 답 45° 또는 135°

0868

사인법칙에 의하여 $\frac{4\sqrt{3}}{\sin 30^\circ}=2R$

$\therefore R=\frac{4\sqrt{3}}{\frac{1}{2}}\cdot\frac{1}{2}=4\sqrt{3}$ 답 $4\sqrt{3}$

0869

사인법칙에 의하여 $\frac{6\sqrt{2}}{\sin 45^\circ}=2R$

$\therefore R=\frac{6\sqrt{2}}{\frac{\sqrt{2}}{2}}\cdot\frac{1}{2}=6$ 답 6

0870

$A+B+C=180^\circ$이므로

$B=180^\circ-(60^\circ+75^\circ)=45^\circ$

사인법칙에 의하여 $\frac{3}{\sin 45^\circ}=2R$

$\therefore R=\frac{3}{\frac{\sqrt{2}}{2}}\cdot\frac{1}{2}=\frac{3\sqrt{2}}{2}$ 답 $\frac{3\sqrt{2}}{2}$

0871

$A+B+C=180^\circ$이므로

$A=180^\circ-(45^\circ+75^\circ)=60^\circ$

$\triangle$ABC의 외접원의 반지름의 길이를 R라 하면 사인법칙에 의하여

$\frac{15}{\sin 60^\circ}=2R \qquad \therefore R=\frac{15}{\frac{\sqrt{3}}{2}}\cdot\frac{1}{2}=5\sqrt{3}$

따라서 $\triangle$ABC의 외접원의 넓이는

$\pi\cdot(5\sqrt{3})^2=75\pi$ 답 75π

0872

코사인법칙에 의하여

$a^2=2^2+(\sqrt{3})^2-2\cdot2\cdot\sqrt{3}\cdot\cos 30^\circ$

$=4+3-2\cdot2\cdot\sqrt{3}\cdot\frac{\sqrt{3}}{2}=1$

$a>0$이므로 $a=1$ 답 1

0873

코사인법칙에 의하여

$b^2=(3\sqrt{2})^2+2^2-2\cdot3\sqrt{2}\cdot2\cdot\cos 45^\circ$

$=18+4-2\cdot3\sqrt{2}\cdot2\cdot\frac{\sqrt{2}}{2}=10$

$b>0$이므로 $b=\sqrt{10}$ 답 $\sqrt{10}$

0874

코사인법칙에 의하여

$c^2=5^2+4^2-2\cdot5\cdot4\cdot\cos 60^\circ$

$=25+16-2\cdot5\cdot4\cdot\frac{1}{2}=21$

$c>0$이므로 $c=\sqrt{21}$ 답 $\sqrt{21}$

0875

코사인법칙에 의하여

$\cos A=\frac{3^2+(\sqrt{2})^2-(2\sqrt{2})^2}{2\cdot3\cdot\sqrt{2}}=\frac{1}{2\sqrt{2}}=\frac{\sqrt{2}}{4}$ 답 $\frac{\sqrt{2}}{4}$

0876

코사인법칙에 의하여

$\cos B=\frac{5^2+4^2-(\sqrt{21})^2}{2\cdot5\cdot4}=\frac{1}{2}$ 답 $\frac{1}{2}$

0877

코사인법칙에 의하여

$\cos C=\frac{6^2+7^2-8^2}{2\cdot6\cdot7}=\frac{1}{4}$ 답 $\frac{1}{4}$

0878

코사인법칙에 의하여

$\cos A=\frac{3^2+(\sqrt{2})^2-(\sqrt{5})^2}{2\cdot3\cdot\sqrt{2}}=\frac{\sqrt{2}}{2}$

$0^\circ<A<180^\circ$이므로 $A=45^\circ$ 답 45°

0879

코사인법칙에 의하여

$\cos B=\frac{4^2+6^2-(2\sqrt{7})^2}{2\cdot4\cdot6}=\frac{1}{2}$

$0^\circ<B<180^\circ$이므로 $B=60^\circ$ 답 60°

0880

코사인법칙에 의하여

$\cos C=\frac{7^2+8^2-13^2}{2\cdot7\cdot8}=-\frac{1}{2}$

$0^\circ<C<180^\circ$이므로 $C=120^\circ$ 답 120°

0881

$\triangle ABC=\frac{1}{2}\cdot 10\cdot 6\cdot \sin 45^\circ$

$=\frac{1}{2}\cdot 10\cdot 6\cdot \frac{\sqrt{2}}{2}=15\sqrt{2}$ 　답 $15\sqrt{2}$

0882

$\triangle ABC=\frac{1}{2}\cdot 4\cdot 2\sqrt{2}\cdot \sin 60^\circ$

$=\frac{1}{2}\cdot 4\cdot 2\sqrt{2}\cdot \frac{\sqrt{3}}{2}=2\sqrt{6}$ 　답 $2\sqrt{6}$

0883

$\triangle ABC=\frac{1}{2}\cdot 5\cdot 8\cdot \sin 150^\circ$

$=\frac{1}{2}\cdot 5\cdot 8\cdot \frac{1}{2}=10$ 　답 10

0884

$\triangle ABC=\frac{1}{2}\cdot \sqrt{2}\cdot 4\cdot \sin C=\sqrt{6}$

$\therefore \sin C=\frac{\sqrt{3}}{2}$

$0^\circ<C<180^\circ$이므로 $C=60^\circ$ 또는 $C=120^\circ$

답 60° 또는 120°

0885

(1) 코사인법칙에 의하여

$\cos A=\frac{3^2+5^2-(2\sqrt{6})^2}{2\cdot 3\cdot 5}=\frac{1}{3}$

(2) $\sin^2 A+\cos^2 A=1$에서

$\sin^2 A=1-\cos^2 A$

$=1-\left(\frac{1}{3}\right)^2=\frac{8}{9}$

$\therefore \sin A=\frac{2\sqrt{2}}{3}$ ($\because$ $0^\circ<A<180^\circ$)

(3) $\triangle ABC=\frac{1}{2}\cdot 3\cdot 5\cdot \sin A$

$=\frac{1}{2}\cdot 3\cdot 5\cdot \frac{2\sqrt{2}}{3}=5\sqrt{2}$ 　답 (1) $\frac{1}{3}$ (2) $\frac{2\sqrt{2}}{3}$ (3) $5\sqrt{2}$

0886

$\triangle ABC=\frac{32\sqrt{3}}{4\cdot 2}=4\sqrt{3}$ 　답 $4\sqrt{3}$

0887

$\triangle ABC=\frac{1}{2}\cdot 2(a+b+c)=\frac{1}{2}\cdot 2\cdot 10=10$ 　답 10

0888

내접원의 반지름의 길이를 r라 하면 $\triangle ABC$의 넓이는

$\frac{1}{2}r(a+b+c)=5$, $\frac{1}{2}\cdot r\cdot 15=5$ 　$\therefore r=\frac{2}{3}$ 　답 $\frac{2}{3}$

0889

헤론의 공식을 적용하면

$s=\frac{7+8+9}{\boxed{(가)\ 2}}=\boxed{(나)\ 12}$

따라서 삼각형 ABC의 넓이는

$\sqrt{s(s-7)(s-\boxed{(다)\ 8})(s-9)}=\sqrt{12\cdot 5\cdot 4\cdot 3}=\boxed{(라)\ 12\sqrt{5}}$

답 (가) 2 (나) 12 (다) 8 (라) $12\sqrt{5}$

0890

$\square ABCD=5\cdot 7\cdot \sin 120^\circ$

$=5\cdot 7\cdot \frac{\sqrt{3}}{2}=\frac{35\sqrt{3}}{2}$ 　답 $\frac{35\sqrt{3}}{2}$

0891

$B=D=60^\circ$이므로

$\square ABCD=6\cdot 9\cdot \sin 60^\circ$

$=6\cdot 9\cdot \frac{\sqrt{3}}{2}=27\sqrt{3}$ 　답 $27\sqrt{3}$

0892

$A+B=180^\circ$이므로 $A=180^\circ-135^\circ=45^\circ$

$\therefore \square ABCD=3\cdot 4\cdot \sin 45^\circ$

$=3\cdot 4\cdot \frac{\sqrt{2}}{2}=6\sqrt{2}$ 　답 $6\sqrt{2}$

0893

$\square ABCD=\frac{1}{2}\cdot 5\cdot 8\cdot \sin 30^\circ$

$=\frac{1}{2}\cdot 5\cdot 8\cdot \frac{1}{2}=10$ 　답 10

STEP 2 유형 마스터

0894

|전략| 사인법칙을 이용하여 A의 크기를 구하고, $C=180^\circ-(A+B)$임을 이용한다.

사인법칙에 의하여 $\frac{2\sqrt{3}}{\sin A}=\frac{2}{\sin 30^\circ}$이므로

$\sin A=\frac{2\sqrt{3}}{2}\sin 30^\circ$, $\sin A=\frac{\sqrt{3}}{2}$

$\therefore A=60^\circ$ 또는 $A=120^\circ$ ($\because$ $0^\circ<A<150^\circ$)

(i) $A=60^\circ$일 때, $C=180^\circ-(60^\circ+30^\circ)=90^\circ$

(ii) $A=120^\circ$일 때, $C=180^\circ-(120^\circ+30^\circ)=30^\circ$

이때, C는 예각이므로 $C=30^\circ$ 　답 30°

0895

꼭짓점 A에서 변 BC에 내린 수선의 발을 D라 하면 △ABD는 직각이등변삼각형이므로

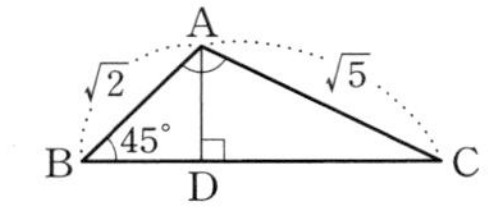

$\overline{BD}=\overline{AD}=1$

피타고라스 정리에 의하여

$\overline{CD}=\sqrt{5-1}=2$

$\therefore \overline{BC}=1+2=3$

△ABC에서 사인법칙에 의하여

$\dfrac{\sqrt{5}}{\sin 45^\circ}=\dfrac{3}{\sin A}$

$\therefore \sin A=\dfrac{3}{\sqrt{5}}\cdot\sin 45^\circ=\dfrac{3\sqrt{5}}{5}\cdot\dfrac{\sqrt{2}}{2}=\dfrac{3\sqrt{10}}{10}$ 답 $\dfrac{3\sqrt{10}}{10}$

0896

△ADC에서 $\overline{CD}=\overline{CA}=a$라 하면

△ABC에서 $A=60^\circ$이므로 사인법칙에 의하여

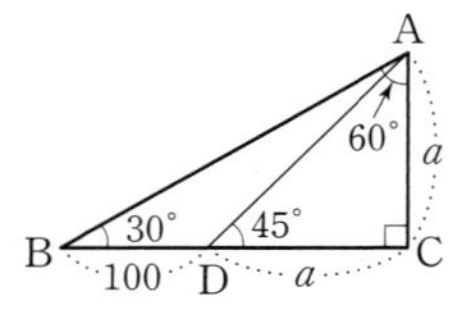

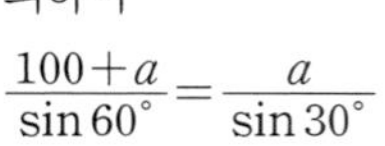

$\dfrac{100+a}{\sin 60^\circ}=\dfrac{a}{\sin 30^\circ}$

$(100+a)\sin 30^\circ=a\sin 60^\circ$

$\dfrac{1}{2}(100+a)=\dfrac{\sqrt{3}}{2}a,\ (\sqrt{3}-1)a=100$

$\therefore a=\dfrac{100}{\sqrt{3}-1}=50(\sqrt{3}+1)$ 답 $50(\sqrt{3}+1)$

0897

$\angle ADB=\theta$라 하면 $\angle ADC=180^\circ-\theta$

△ABD에서 사인법칙에 의하여

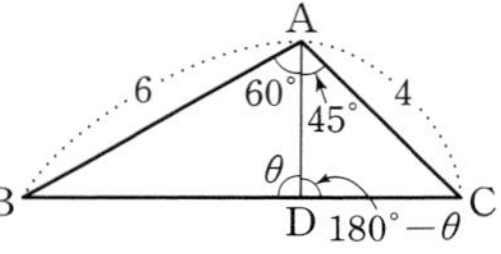

$\dfrac{\overline{BD}}{\sin 60^\circ}=\dfrac{6}{\sin\theta}$이므로

$\overline{BD}=\dfrac{6}{\sin\theta}\cdot\sin 60^\circ=\dfrac{6}{\sin\theta}\cdot\dfrac{\sqrt{3}}{2}=\dfrac{3\sqrt{3}}{\sin\theta}$

△ADC에서 사인법칙에 의하여

$\dfrac{\overline{DC}}{\sin 45^\circ}=\dfrac{4}{\sin(180^\circ-\theta)}$이므로

$\overline{DC}=\dfrac{4}{\sin\theta}\cdot\sin 45^\circ=\dfrac{4}{\sin\theta}\cdot\dfrac{\sqrt{2}}{2}=\dfrac{2\sqrt{2}}{\sin\theta}$

$\therefore \overline{BD}:\overline{DC}=\dfrac{3\sqrt{3}}{\sin\theta}:\dfrac{2\sqrt{2}}{\sin\theta}=3\sqrt{3}:2\sqrt{2}$ 답 ⑤

0898

| 전략 | △ABC의 외접원의 반지름의 길이를 R라 할 때, $\sin A=\dfrac{a}{2R}$, $\sin B=\dfrac{b}{2R}$, $\sin C=\dfrac{c}{2R}$임을 이용한다.

△ABC의 외접원의 반지름의 길이를 R라 하면 사인법칙에 의하여

$\sin A+\sin B+\sin C=\dfrac{a}{2R}+\dfrac{b}{2R}+\dfrac{c}{2R}$

$=\dfrac{a+b+c}{2R}=\dfrac{30}{12}=\dfrac{5}{2}$ 답 $\dfrac{5}{2}$

0899

원에 내접하는 □ABCD에서 $B=D=90^\circ$이므로 $\overline{AC}$는 원의 지름이다.

$\overline{AC}=4$이므로 원의 반지름의 길이를 R라 하면

$2R=4$

△ABD에서 사인법칙에 의하여 $\dfrac{\overline{BD}}{\sin\theta}=2R$이므로

$\overline{BD}=2R\sin\theta=4\sin\theta$ 답 ②

0900

문제를 정리하면 오른쪽 그림과 같으므로 연못의 반지름의 길이를 R m라 하면 사인법칙에 의하여

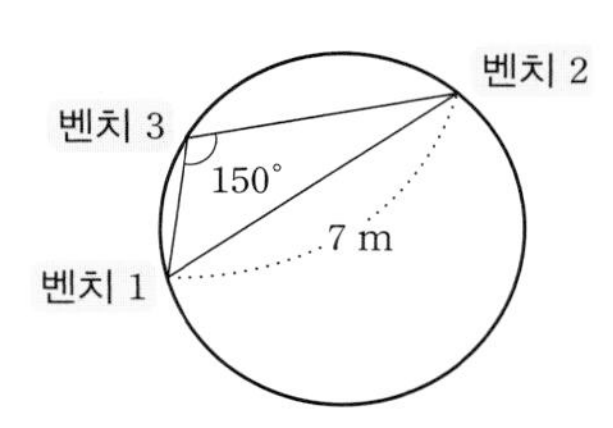

$\dfrac{7}{\sin 150^\circ}=2R,\ 2R=14$

$\therefore R=7\ (\text{m})$

따라서 연못의 넓이는

$\pi\cdot 7^2=49\pi\ (\text{m}^2)$ 답 $49\pi\ \text{m}^2$

0901

| 전략 | $\sin A:\sin B:\sin C$는 △ABC의 세 변의 길이의 비 $a:b:c$와 같음을 이용한다.

$\dfrac{a+b}{5}=\dfrac{b+c}{6}=\dfrac{c+a}{7}=k\,(k>0)$라 하면

$a+b=5k,\ b+c=6k,\ c+a=7k$ …… ㉠

세 식을 모두 변끼리 더하면

$2a+2b+2c=18k$

$\therefore a+b+c=9k$ …… ㉡

㉡에서 ㉠의 각 식을 빼면

$a=3k,\ b=2k,\ c=4k$

$\therefore \sin A:\sin B:\sin C=a:b:c=3:2:4$ 답 ③

0902

△ABC에서 $A+B+C=180^\circ$

$A:B:C=1:1:4$이므로

$A=180^\circ\cdot\dfrac{1}{6}=30^\circ$

$B=180^\circ\cdot\dfrac{1}{6}=30^\circ$

$C=180^\circ\cdot\dfrac{4}{6}=120^\circ$

사인법칙에 의하여

$a:b:c=\sin A:\sin B:\sin C$

$=\sin 30^\circ:\sin 30^\circ:\sin 120^\circ$

$=\dfrac{1}{2}:\dfrac{1}{2}:\dfrac{\sqrt{3}}{2}=1:1:\sqrt{3}$ 답 $1:1:\sqrt{3}$

0903

$a+b-2c=0$ …… ㉠

$a-3b+c=0$ …… ㉡

㉠−㉡을 하면 $4b-3c=0$ $\quad\therefore b=\frac{3}{4}c$

㉠×3+㉡을 하면 $4a-5c=0$ $\quad\therefore a=\frac{5}{4}c$

따라서 $a:b:c=\frac{5}{4}c:\frac{3}{4}c:c=5:3:4$이므로

$\sin A:\sin B:\sin C=a:b:c=5:3:4$ 답 ③

0904

$ab:bc:ca=8:9:12$이므로

$ab=8k^2$ …… ㉠, $bc=9k^2$ …… ㉡, $ca=12k^2$ …… ㉢

으로 놓고 ㉠, ㉡, ㉢을 변끼리 곱하면

$(abc)^2=864k^6$ $\quad\therefore abc=12\sqrt{6}k^3$ ($\because abc>0$) …… ㉣

㉣÷㉠에서 $c=\frac{3\sqrt{6}}{2}k$

㉣÷㉡에서 $a=\frac{4\sqrt{6}}{3}k$

㉣÷㉢에서 $b=\sqrt{6}k$

$\therefore a:b:c=\frac{4\sqrt{6}}{3}k:\sqrt{6}k:\frac{3\sqrt{6}}{2}k=8:6:9$ … ❶

사인법칙에 의하여

$\sin A:\sin B:\sin C=a:b:c=8:6:9$ … ❷

따라서 $\sin A=8m$, $\sin B=6m$, $\sin C=9m\,(m>0)$으로 놓으면

$\frac{\sin A}{\sin B+\sin C}=\frac{8m}{6m+9m}=\frac{8}{15}$ … ❸

답 $\frac{8}{15}$

채점 기준	비율
❶ $a:b:c$를 구할 수 있다.	50 %
❷ 사인법칙을 이용하여 $\sin A:\sin B:\sin C$를 구할 수 있다.	20 %
❸ $\sin A$, $\sin B$, $\sin C$를 한 종류의 문자로 나타낸 후 대입하여 $\frac{\sin A}{\sin B+\sin C}$의 값을 구할 수 있다.	30 %

0905

| 전략 | $\sin A=\frac{a}{2R}$, $\sin B=\frac{b}{2R}$, $\sin C=\frac{c}{2R}$를 주어진 식에 대입하여 a, b, c에 대한 관계식을 구하고 삼각형의 모양을 판별한다.

△ABC의 외접원의 반지름의 길이를 R라 하면 사인법칙에 의하여

$\sin A=\frac{a}{2R}$, $\sin C=\frac{c}{2R}$

이것을 $a\sin A=c\sin C$에 대입하면

$a\cdot\frac{a}{2R}=c\cdot\frac{c}{2R}$ $\quad\therefore a^2=c^2$

$\therefore a=c$ ($\because a>0, c>0$)

따라서 △ABC는 $a=c$인 이등변삼각형이다. 답 ②

Lecture

△ABC에서

(1) $a=b$ ⇨ 이등변삼각형

(2) $a=b=c$ ⇨ 정삼각형

(3) $a^2=b^2+c^2$ ⇨ $A=90°$인 직각삼각형

(4) $b=c$이고 $a^2=b^2+c^2$ ⇨ $A=90°$인 직각이등변삼각형

0906

△ABC의 외접원의 반지름의 길이를 R라 하면 사인법칙에 의하여

$\sin A=\frac{a}{2R}$, $\sin B=\frac{b}{2R}$, $\sin C=\frac{c}{2R}$

이것을 $a\sin^2 A=b\sin^2 B=c\sin^2 C$에 대입하면

$a\times\left(\frac{a}{2R}\right)^2=b\times\left(\frac{b}{2R}\right)^2=c\times\left(\frac{c}{2R}\right)^2$

$\therefore a^3=b^3=c^3$

a, b, c는 실수이므로 $a=b=c$

따라서 △ABC는 정삼각형이다. 답 ①

0907

△ABC의 외접원의 반지름의 길이를 R라 하면 사인법칙에 의하여

$\sin A=\frac{a}{2R}$, $\sin B=\frac{b}{2R}$, $\sin C=\frac{c}{2R}$

이것을 $a\sin A+b\sin B=c\sin C$에 대입하면

$\frac{a^2}{2R}+\frac{b^2}{2R}=\frac{c^2}{2R}$ $\quad\therefore a^2+b^2=c^2$

따라서 △ABC는 $C=90°$인 직각삼각형이다.

$\therefore$ △ABC$=\frac{1}{2}ab$ 답 ①

0908

| 전략 | □ABCD가 원에 내접함을 이용하여 B의 크기를 구하고, △ABC에서 코사인법칙을 이용하여 $\overline{AB}$의 길이를 구한다.

□ABCD가 원에 내접하므로 $B+D=180°$ $\quad\therefore B=150°$

$\overline{AB}:\overline{BC}=1:\sqrt{3}$이므로 $\overline{AB}=a$라 하면 $\overline{BC}=\sqrt{3}a$

△ABC에서 코사인법칙에 의하여

$(\sqrt{14})^2=a^2+(\sqrt{3}a)^2-2\cdot a\cdot\sqrt{3}a\cdot\cos 150°$, $7a^2=14$

$\therefore a=\sqrt{2}$ ($\because a>0$) 답 ②

0909

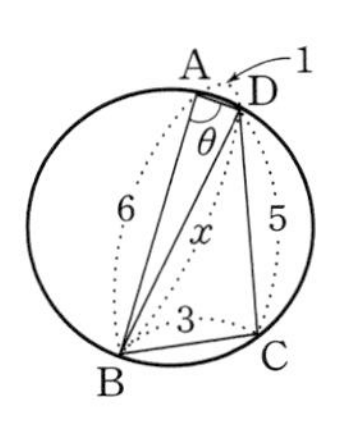

오른쪽 그림의 △ABD에서 $\overline{BD}=x$라 하면

코사인법칙에 의하여

$x^2=6^2+1^2-2\cdot6\cdot1\cdot\cos\theta$

$=37-12\cos\theta$

□ABCD가 원에 내접하므로

$\angle BCD=180^\circ-\theta$
△BCD에서 코사인법칙에 의하여
$x^2=3^2+5^2-2\cdot3\cdot5\cdot\cos(180^\circ-\theta)=34+30\cos\theta$
즉, $37-12\cos\theta=34+30\cos\theta$이므로 $\cos\theta=\frac{1}{14}$
따라서 $m=14$, $n=1$이므로 $m+n=15$ 답 15

0910

오른쪽 그림의 부채꼴 BOP에서
$\overline{OB}=2$, $\widehat{BP}=2\theta$이므로
$2\theta=2\cdot\angle BOP$
$\therefore \angle BOP=\theta$, $\angle AOP=\pi-\theta$
△AOP에서 코사인법칙에 의하여
$\overline{AP}^2=2^2+2^2-2\cdot2\cdot2\cos(\pi-\theta)$
$=8+8\cos\theta$

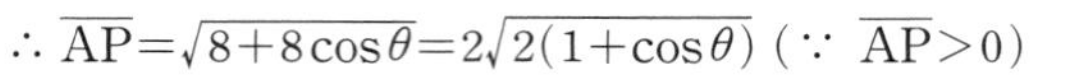

$\therefore \overline{AP}=\sqrt{8+8\cos\theta}=2\sqrt{2(1+\cos\theta)}$ ($\because \overline{AP}>0$) 답 ③

참고 반지름의 길이가 r, 중심각의 크기가 θ인 부채꼴의 호의 길이 l은
⇨ $l=r\theta$

0911

전략 코사인법칙을 이용하여 △ABD에서 $\cos B$의 값을 구한 다음, △ABC에서 $\overline{AC}$의 길이를 구한다.

△ABD에서 코사인법칙에 의하여
$\cos B=\frac{7^2+6^2-5^2}{2\cdot7\cdot6}=\frac{5}{7}$
△ABC에서 코사인법칙에 의하여
$\overline{AC}^2=7^2+9^2-2\cdot7\cdot9\cdot\cos B=130-126\cdot\frac{5}{7}=40$
$\therefore \overline{AC}=2\sqrt{10}$ ($\because \overline{AC}>0$) 답 ②

0912

$\frac{a+c}{b-c}=\frac{b}{a-c}$에서
$(a+c)(a-c)=b(b-c)$, $a^2-c^2=b^2-bc$
$\therefore a^2=b^2+c^2-bc$
코사인법칙에 의하여
$\cos A=\frac{b^2+c^2-a^2}{2bc}=\frac{b^2+c^2-(b^2+c^2-bc)}{2bc}=\frac{1}{2}$
$\therefore A=60^\circ$ ($\because 0^\circ<A<180^\circ$) 답 ③

0913

△ABC에서 $A+B+C=180^\circ$이므로
$A+B=180^\circ-C$
즉, $\sin\frac{A+B-C}{2}=\sin\frac{180^\circ-2C}{2}=\sin(90^\circ-C)=\cos C$
이때, $a:b:c=\sin A:\sin B:\sin C=2:3:4$이므로
$a=2k$, $b=3k$, $c=4k(k>0)$로 놓으면
$\cos C=\frac{a^2+b^2-c^2}{2ab}=\frac{(2k)^2+(3k)^2-(4k)^2}{2\cdot2k\cdot3k}$
$=\frac{-3k^2}{12k^2}=-\frac{1}{4}$ 답 $-\frac{1}{4}$

0914

△ABC에서 코사인법칙에 의하여
$\cos B=\frac{6^2+4^2-6^2}{2\cdot6\cdot4}=\frac{1}{3}$
△BCD가 이등변삼각형이므로 $\angle ADC=\pi-B$
$\therefore \sin(\angle ADC)=\sin(\pi-B)=\sin B$
$=\sqrt{1-\cos^2 B}$ ($\because 0^\circ<B<180^\circ$)
$=\sqrt{1-\left(\frac{1}{3}\right)^2}=\frac{2\sqrt{2}}{3}$ 답 ④

0915

△ABC에서 각의 이등분선의 성질에 의하여
$\overline{AB}:\overline{AC}=\overline{BD}:\overline{CD}$
이때, $\overline{AC}=\overline{BD}$이므로 $12:\overline{AC}=\overline{AC}:3$
즉, $\overline{AC}^2=36$에서 $\overline{AC}=6$ ($\because \overline{AC}>0$)
따라서 △ABC에서 $\overline{BC}=\overline{BD}+\overline{DC}=6+3=9$이므로 코사인법칙에 의하여
$\cos B=\frac{12^2+9^2-6^2}{2\cdot12\cdot9}=\frac{189}{216}=\frac{7}{8}$ 답 $\frac{7}{8}$

Lecture

각의 이등분선의 성질
오른쪽 그림과 같은 △ABC에서 $\overline{AD}$가 ∠A의 이등분선일 때
$\overline{AB}:\overline{AC}=\overline{BD}:\overline{CD}$

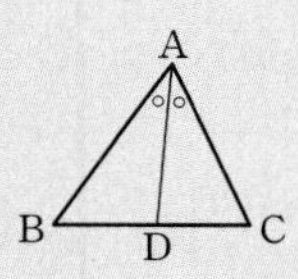

0916

선분 AB가 원 O의 지름이므로
$\angle APB=90^\circ$
$\therefore \overline{BP}=\sqrt{(2\sqrt{3})^2-(2\sqrt{2})^2}=\sqrt{4}=2$
$\angle PAB=\theta$이므로
$\angle POB=2\theta$
따라서 △POB에서 $\overline{OB}=\overline{OP}=\sqrt{3}$이므로 코사인법칙에 의하여
$\cos2\theta=\frac{(\sqrt{3})^2+(\sqrt{3})^2-2^2}{2\cdot\sqrt{3}\cdot\sqrt{3}}=\frac{1}{3}$ 답 $\frac{1}{3}$

Lecture

한 원에서 한 호에 대한 원주각의 크기는 그 호에 대한 중심각의 크기의 $\frac{1}{2}$이다.
즉, $\angle APB=\frac{1}{2}\angle AOB$

0917

|전략| 세 변의 길이를 비교하여 가장 긴 변의 대각이 최대각임을 이용한다.

가장 긴 변의 대각이 최대각이므로 최대각의 크기를 θ라 하면 코사인법칙에 의하여

$$\cos\theta=\frac{3^2+(3\sqrt{2})^2-(\sqrt{45})^2}{2\cdot3\cdot3\sqrt{2}}=-\frac{\sqrt{2}}{2}$$

$\therefore\ \theta=135^\circ\ (\because\ 0^\circ<\theta<180^\circ)$

따라서 $\triangle$ABC의 최대각의 크기는 135°이다. 답 135°

0918

$\sin A:\sin B:\sin C=3:5:7$이므로

$a:b:c=3:5:7$

$a=3k,\ b=5k,\ c=7k\,(k>0)$라 하면

C가 최대각이므로 코사인법칙에 의하여

$$\cos C=\frac{(3k)^2+(5k)^2-(7k)^2}{2\cdot3k\cdot5k}=-\frac{1}{2}$$

$\therefore\ C=120^\circ\ (\because\ 0^\circ<C<180^\circ)$

따라서 $\triangle$ABC의 최대각의 크기는 120°이다. 답 120°

0919

$\sqrt{3}\sin A=\sqrt{2}\sin B=(3+\sqrt{3})\sin C=k\,(k\neq0)$로 놓으면

$$\sin A=\frac{1}{\sqrt{3}}k,\ \sin B=\frac{1}{\sqrt{2}}k,\ \sin C=\frac{1}{3+\sqrt{3}}k$$

이때, $a:b:c=\sin A:\sin B:\sin C$이므로

$$\begin{aligned}a:b:c&=\frac{1}{\sqrt{3}}k:\frac{1}{\sqrt{2}}k:\frac{1}{3+\sqrt{3}}k\\&=\frac{2\sqrt{3}}{6}:\frac{3\sqrt{2}}{6}:\frac{3-\sqrt{3}}{6}\\&=2\sqrt{3}:3\sqrt{2}:(3-\sqrt{3})\end{aligned}$$

$a=2\sqrt{3}\,l,\ b=3\sqrt{2}\,l,\ c=(3-\sqrt{3})l\,(l>0)$로 놓고, 최대각의 크기를 θ라 하면 코사인법칙에 의하여

$$\begin{aligned}\cos\theta&=\frac{(2\sqrt{3}l)^2+(3-\sqrt{3})^2l^2-(3\sqrt{2}l)^2}{2\cdot2\sqrt{3}l\cdot(3-\sqrt{3})l}\\&=\frac{12l^2+(12-6\sqrt{3})l^2-18l^2}{(12\sqrt{3}-12)l^2}\\&=\frac{6(1-\sqrt{3})}{12(\sqrt{3}-1)}=-\frac{1}{2}\end{aligned}$$

$\therefore\ \theta=120^\circ\ (\because\ 0^\circ<\theta<180^\circ)$

따라서 최대각의 크기는 120°이다. 답 120°

참고 $a=2\sqrt{3}l,\ b=3\sqrt{2}l,\ c=(3-\sqrt{3})l$에서

$2\sqrt{3}=\sqrt{12}=3.\times\times\times,\ 3\sqrt{2}=\sqrt{18}=4.\times\times\times,\ 3-\sqrt{3}=1.\times\times\times$이므로

$b>a>c$

0920

코사인법칙에 의하여

$$\cos C=\frac{4^2+x^2-2^2}{2\cdot4\cdot x}=\frac{x^2+12}{8x}=\frac{x}{8}+\frac{3}{2x}$$

이때, $0^\circ<C<180^\circ$에서 $\cos C$는 감소하므로 $\cos C$의 값이 최소일 때, C의 크기는 최대이다.

$x>0$이므로 $\frac{x}{8}>0,\ \frac{3}{2x}>0$

산술평균과 기하평균의 관계에 의하여

$$\cos C=\frac{x}{8}+\frac{3}{2x}\geq2\sqrt{\frac{x}{8}\cdot\frac{3}{2x}}=\frac{\sqrt{3}}{2}$$

이때, 등호는 $\frac{x}{8}=\frac{3}{2x}$일 때 성립하므로

$x^2=12\qquad\therefore\ x=2\sqrt{3}\ (\because\ x>0)$

따라서 C의 크기가 최대일 때, x의 값은 $2\sqrt{3}$이다. 답 ③

> **Lecture**
>
> **산술평균과 기하평균의 관계**
>
> $a>0,\ b>0$일 때,
>
> $\frac{a+b}{2}\geq\sqrt{ab}$ (단, 등호는 $a=b$일 때 성립)

0921

|전략| 사인법칙과 코사인법칙을 이용하여 $a,\ b,\ c$에 대한 관계식을 구하고 삼각형의 모양을 판별한다.

$\triangle$ABC의 외접원의 반지름의 길이를 R라 하면

$\sin A=2\sin B\cos C$에서 사인법칙과 코사인법칙에 의하여

$\frac{a}{2R}=2\cdot\frac{b}{2R}\cdot\frac{a^2+b^2-c^2}{2ab}$이므로

$a^2=a^2+b^2-c^2,\ b^2=c^2$

$\therefore\ b=c\ (\because\ b>0,\ c>0)$

따라서 $\triangle$ABC는 $b=c$인 이등변삼각형이다. 답 ②

0922

$a\cos B=b\cos A$에서 코사인법칙에 의하여

$a\cdot\frac{c^2+a^2-b^2}{2ca}=b\cdot\frac{b^2+c^2-a^2}{2bc}$이므로

$c^2+a^2-b^2=b^2+c^2-a^2,\ a^2=b^2$

$\therefore\ a=b\ (\because\ a>0,\ b>0)$

따라서 $\triangle$ABC는 $a=b$인 이등변삼각형이다. 답 ①

0923

$\tan A\sin^2B=\tan B\sin^2A$에서

$$\frac{\sin A}{\cos A}\times\sin^2B=\frac{\sin B}{\cos B}\times\sin^2A$$

$$\frac{\sin B}{\cos A}=\frac{\sin A}{\cos B}$$

$\therefore\ \sin A\cos A=\sin B\cos B$

$\triangle$ABC의 외접원의 반지름의 길이를 R라 하면 사인법칙과 코사인법칙에 의하여

$\frac{a}{2R}\cdot\frac{b^2+c^2-a^2}{2bc}=\frac{b}{2R}\cdot\frac{c^2+a^2-b^2}{2ca}$이므로

$a^2(b^2+c^2-a^2)=b^2(c^2+a^2-b^2)$

$a^2b^2+a^2c^2-a^4=b^2c^2+a^2b^2-b^4$

$(a^2-b^2)c^2-(a^2+b^2)(a^2-b^2)=0$

$(a^2-b^2)(c^2-a^2-b^2)=0$

$(a+b)(a-b)(c^2-a^2-b^2)=0$

이때, $a+b\neq0$이므로

$a=b$ 또는 $c^2=a^2+b^2$

따라서 △ABC는 $a=b$인 이등변삼각형 또는 $C=90°$인 직각삼각형이므로 △ABC의 모양이 될 수 있는 것은 ㄱ, ㄷ, ㄹ이다. 답 ㄱ, ㄷ, ㄹ

0924

|전략| △ABC에서 코사인법칙을 이용하여 $\overline{AC}$의 길이를 구하고, $\triangle ABC=\frac{1}{2}\overline{AB}\cdot\overline{AC}\cdot\sin A$를 이용하여 △ABC의 넓이를 구한다.

$\overline{AC}=x$라 하면 코사인법칙에 의하여

$(\sqrt{19})^2=2^2+x^2-2\cdot2\cdot x\cdot\cos120°$

$x^2+2x-15=0,\ (x-3)(x+5)=0$

$\therefore x=3\ (\because x>0)$

$\therefore \triangle ABC=\frac{1}{2}\cdot2\cdot3\cdot\sin120°=\frac{3\sqrt{3}}{2}$ 답 ①

0925

$\overline{AB'}$의 길이는 $\overline{AB}$의 길이를 10 % 늘린 것이므로

$\overline{AB'}=\left(1+\frac{10}{100}\right)\overline{AB}=1.1\overline{AB}$

$\overline{AC'}$의 길이는 $\overline{AC}$의 길이를 10 % 줄인 것이므로

$\overline{AC'}=\left(1-\frac{10}{100}\right)\overline{AC}=0.9\overline{AC}$

이때, $\triangle ABC=\frac{1}{2}\overline{AB}\cdot\overline{AC}\cdot\sin A$이므로

$\triangle AB'C'=\frac{1}{2}\overline{AB'}\cdot\overline{AC'}\cdot\sin A$

$=\frac{1}{2}\cdot1.1\overline{AB}\cdot0.9\overline{AC}\cdot\sin A$

$=0.99\cdot\frac{1}{2}\overline{AB}\cdot\overline{AC}\cdot\sin A$

$=0.99\triangle ABC$

따라서 △AB′C′의 넓이는 △ABC의 넓이의 $\frac{99}{100}$배이므로 △ABC의 넓이보다 1 % 감소한다. 답 ①

0926

부채꼴의 호의 길이는 중심각의 크기에 비례하므로 오른쪽 그림에서 원의 중심을 O라 하면

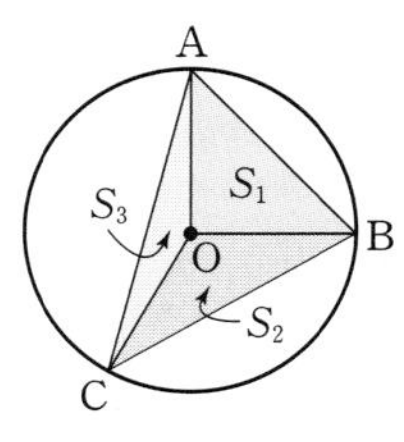

$\angle AOB=360°\cdot\frac{3}{12}=90°$

$\angle BOC=360°\cdot\frac{4}{12}=120°$

$\angle COA=360°\cdot\frac{5}{12}=150°$

$\therefore \triangle ABC=S_1+S_2+S_3$

$=\frac{1}{2}\cdot20\cdot20\cdot\sin90°+\frac{1}{2}\cdot20\cdot20\cdot\sin120°+\frac{1}{2}\cdot20\cdot20\cdot\sin150°$

$=200+100\sqrt{3}+100$

$=100(3+\sqrt{3})$ 답 $100(3+\sqrt{3})$

0927

$\overline{AD}=x$라 하면 △ABC=△ABD+△ADC이므로

$\frac{1}{2}\cdot60\cdot20\cdot\sin120°=\frac{1}{2}\cdot60\cdot x\cdot\sin60°+\frac{1}{2}\cdot20\cdot x\cdot\sin60°$

$300\sqrt{3}=15\sqrt{3}x+5\sqrt{3}x,\ 20\sqrt{3}x=300\sqrt{3}$

$\therefore x=15$ 답 ②

다른 풀이 $\overline{AD}$가 ∠A의 이등분선이므로

$60:20=\overline{BD}:\overline{CD}$

즉, $\overline{BD}:\overline{CD}=3:1$이므로 $\overline{BD}=\frac{3}{4}\overline{BC}$

$\therefore \triangle ABD=\frac{3}{4}\triangle ABC=\frac{3}{4}\cdot\left(\frac{1}{2}\cdot60\cdot20\cdot\sin120°\right)=225\sqrt{3}$

$\overline{AD}=x$라 하면 $\triangle ABD=\frac{1}{2}\cdot60\cdot x\cdot\sin60°=225\sqrt{3}$에서

$15\sqrt{3}x=225\sqrt{3}$

$\therefore x=15$

0928

코사인법칙에 의하여

$7^2=b^2+c^2-2bc\cos120°$

즉, $49=b^2+c^2+bc$ ······ ㉠ ··· ❶

$b^2+c^2=(b+c)^2-2bc$이므로

$b^2+c^2=8^2-2bc=64-2bc$ ······ ㉡ ··· ❷

㉡을 ㉠에 대입하면

$49=64-2bc+bc=64-bc$

$\therefore bc=15$ ··· ❸

따라서 △ABC의 넓이는

$\frac{1}{2}bc\sin A=\frac{1}{2}bc\cdot\sin120°=\frac{1}{2}\cdot15\cdot\frac{\sqrt{3}}{2}=\frac{15\sqrt{3}}{4}$ ··· ❹

답 $\frac{15\sqrt{3}}{4}$

채점 기준	비율
❶ 코사인법칙을 이용하여 b, c에 대한 관계식을 세울 수 있다.	30 %
❷ 곱셈 공식의 변형을 이용하여 b, c에 대한 관계식을 세울 수 있다.	30 %
❸ bc의 값을 구할 수 있다.	20 %
❹ △ABC의 넓이를 구할 수 있다.	20 %

다른 풀이 $b+c=8$이므로 $c=8-b$

코사인법칙에 의하여

$7^2=b^2+(8-b)^2-2\cdot b\cdot(8-b)\cdot\cos120°$

$b^2-8b+15=0,\ (b-3)(b-5)=0$

$\therefore b=3$ 또는 $b=5$

따라서 $b=3$, $c=5$ 또는 $b=5$, $c=3$이므로

$\triangle ABC=\frac{1}{2}\cdot 3\cdot 5\cdot \sin 120°=\frac{15\sqrt{3}}{4}$

0929

오른쪽 그림에서

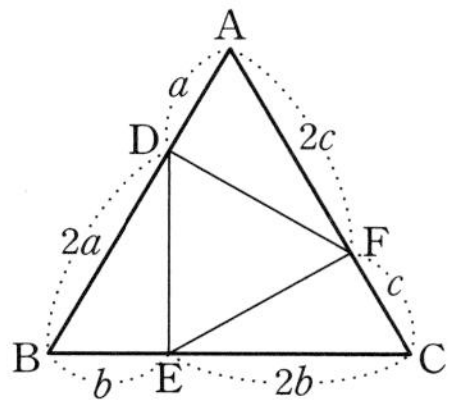

$\overline{AD}=a$, $\overline{BE}=b$, $\overline{CF}=c$라 하면

$\overline{BD}=2a$, $\overline{CE}=2b$, $\overline{AF}=2c$이므로

$\triangle ABC$와 $\triangle ADF$에서

$\triangle ABC=\frac{1}{2}\cdot 3a\cdot 3c\cdot \sin A=\frac{9}{2}ac\sin A$

$\triangle ADF=\frac{1}{2}\cdot a\cdot 2c\cdot \sin A=ac\sin A$

$\therefore \triangle ADF=\frac{2}{9}\triangle ABC$

같은 방법으로

$\triangle BED=\triangle CFE=\frac{2}{9}\triangle ABC$

$\therefore \triangle DEF=\triangle ABC-(\triangle ADF+\triangle BED+\triangle CFE)$

$=\left\{1-\left(\frac{2}{9}+\frac{2}{9}+\frac{2}{9}\right)\right\}\triangle ABC$

$=\frac{1}{3}\triangle ABC$

$\therefore m+n=3+1=4$ 답 ②

0930

|전략| $\triangle ABC$의 외접원의 반지름의 길이를 R라 할 때, $\triangle ABC=2R^2\sin A\sin B\sin C$임을 이용하여 $\triangle ABC$의 넓이를 구한다.

$\triangle ABC$에서 $\overline{AC}=\overline{BC}$이므로 $B=A=30°$

$\therefore C=180°-(30°+30°)=120°$

$\triangle ABC$의 외접원의 반지름의 길이가 6이므로

$\triangle ABC=2\cdot 6^2\cdot \sin 30° \sin 30° \sin 120°=9\sqrt{3}$ 답 $9\sqrt{3}$

0931

$\triangle ABC=\frac{abc}{4\cdot 5}=6$이므로 $abc=120$ 답 120

0932

|전략| $\triangle ABC$의 내접원의 반지름의 길이를 r라 할 때, $\triangle ABC=\frac{1}{2}bc\sin A=\frac{1}{2}r(a+b+c)$임을 이용한다.

$\triangle ABC=\frac{1}{2}\cdot 5\cdot 8\cdot \sin 60°=10\sqrt{3}$ …… ㉠

한편, 코사인법칙에 의하여

$a^2=5^2+8^2-2\cdot 5\cdot 8\cdot \cos 60°=49$ $\therefore a=7$ ($\because a>0$)

$\triangle ABC$의 내접원의 반지름의 길이를 r라 하면

$\triangle ABC=\frac{1}{2}r(7+5+8)=10r$ …… ㉡

㉠=㉡에서 $10\sqrt{3}=10r$ $\therefore r=\sqrt{3}$ 답 $\sqrt{3}$

0933

오른쪽 그림과 같이 삼각형의 세 꼭짓점을 A, B, C라 하면

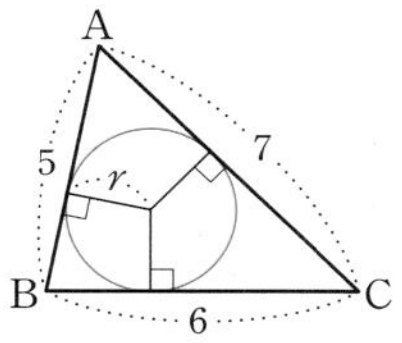

$\cos B=\frac{5^2+6^2-7^2}{2\cdot 5\cdot 6}=\frac{1}{5}$

$\therefore \sin B=\sqrt{1-\left(\frac{1}{5}\right)^2}$

$=\frac{2\sqrt{6}}{5}$ ($\because \sin B>0$)

$\therefore \triangle ABC=\frac{1}{2}\cdot 5\cdot 6\cdot \sin B=15\cdot \frac{2\sqrt{6}}{5}=6\sqrt{6}$ …… ㉠

이때, $\triangle ABC$의 내접원의 반지름의 길이를 r라 하면

$\triangle ABC=\frac{1}{2}r(5+6+7)=9r$ …… ㉡

㉠=㉡에서 $6\sqrt{6}=9r$ $\therefore r=\frac{2\sqrt{6}}{3}$ 답 $\frac{2\sqrt{6}}{3}$

0934

$\triangle ABC$의 외접원의 반지름의 길이를 R라 하면 사인법칙에 의하여

$\sin A=\frac{a}{2R}$, $\sin B=\frac{b}{2R}$, $\sin C=\frac{c}{2R}$이므로

$\sin A+\sin B+\sin C=\frac{a}{2R}+\frac{b}{2R}+\frac{c}{2R}=\frac{a+b+c}{2R}$ … ❶

이때, $R=8$이고 $\sin A+\sin B+\sin C=\frac{5}{2}$이므로

$\frac{5}{2}=\frac{a+b+c}{2\cdot 8}$ $\therefore a+b+c=40$ … ❷

따라서 $\triangle ABC$에서 내접원의 반지름의 길이를 r라 하면 $r=3$이므로

$\triangle ABC=\frac{1}{2}r(a+b+c)=\frac{1}{2}\cdot 3\cdot 40=60$ … ❸

답 60

채점 기준	비율
❶ 사인법칙을 이용하여 $\sin A+\sin B+\sin C$를 세 변 a, b, c로 나타낼 수 있다.	30 %
❷ $a+b+c$의 값을 구할 수 있다.	30 %
❸ $\triangle ABC$의 넓이를 구할 수 있다.	40 %

0935

|전략| $\triangle ABC$의 외접원의 반지름의 길이를 R, 내접원의 반지름의 길이를 r라 할 때, $\frac{abc}{4R}=\frac{1}{2}r(a+b+c)$임을 이용한다.

$\triangle ABC=\frac{4\cdot 7\cdot 9}{4R}=\frac{1}{2}r(4+7+9)$이므로

$\frac{63}{R}=10r$ $\therefore Rr=\frac{63}{10}$ 답 $\frac{63}{10}$

0936

$\triangle ABC=2R^2\sin A\sin B\sin C$ …… ㉠

한편, 사인법칙에 의하여

$\frac{a}{\sin A}=\frac{b}{\sin B}=\frac{c}{\sin C}=2R$이므로

$a=2R\sin A$, $b=2R\sin B$, $c=2R\sin C$

$\therefore a+b+c=2R(\sin A+\sin B+\sin C)$

$\triangle$ABC의 내접원의 반지름의 길이가 r이므로

$\triangle ABC=\frac{1}{2}r(a+b+c)$

$=\frac{1}{2}r\{2R(\sin A+\sin B+\sin C)\}$

$=Rr(\sin A+\sin B+\sin C)$ ...... ㉡

㉠=㉡에서

$2R^2\sin A\sin B\sin C=Rr(\sin A+\sin B+\sin C)$

$\frac{\sin A+\sin B+\sin C}{\sin A\sin B\sin C}=\frac{2R^2}{Rr}=\frac{2R}{r}$

$\therefore k=2$ 답 ②

0937

|전략| 세 변의 길이를 $2k, 3k, 3k(k>0)$로 놓고 헤론의 공식을 이용한다.

세 변의 길이를 $2k, 3k, 3k(k>0)$라 하면

$s=\frac{2k+3k+3k}{2}=4k$이므로

$\triangle ABC=\sqrt{4k(4k-2k)(4k-3k)(4k-3k)}=2\sqrt{2}k^2$

$\triangle$ABC의 넓이가 $18\sqrt{2}$이므로

$2\sqrt{2}k^2=18\sqrt{2}, k^2=9$ $\therefore k=3\ (\because k>0)$

따라서 $\triangle$ABC의 둘레의 길이는

$2k+3k+3k=8k=8\cdot3=24$ 답 24

0938

$a+b=4k, b+c=5k, c+a=6k(k>0)$라 하고 세 식을 모두 변끼리 더하면

$2a+2b+2c=15k$ $\therefore a+b+c=\frac{15}{2}k$

$\triangle$ABC의 둘레의 길이가 45이므로 $\frac{15}{2}k=45$ $\therefore k=6$

따라서 $a+b+c=45, a+b=24, b+c=30, c+a=36$이므로

$a=15, b=9, c=21$

이때, $s=\frac{45}{2}$이므로

$\triangle ABC=\sqrt{\frac{45}{2}\left(\frac{45}{2}-15\right)\left(\frac{45}{2}-9\right)\left(\frac{45}{2}-21\right)}=\frac{135\sqrt{3}}{4}$

답 $\frac{135\sqrt{3}}{4}$

0939

$s=\frac{6+10+14}{2}=15$이므로

$\triangle ABC=\sqrt{15(15-6)(15-10)(15-14)}=15\sqrt{3}$ ...... ㉠

원의 반지름의 길이를 R라 하면

$\triangle ABC=\frac{6\cdot10\cdot14}{4R}=\frac{210}{R}$ ...... ㉡

㉠=㉡에서 $\frac{210}{R}=15\sqrt{3}$ $\therefore R=\frac{14\sqrt{3}}{3}$

따라서 원의 지름의 길이는 $2R=\frac{28\sqrt{3}}{3}$ 답 $\frac{28\sqrt{3}}{3}$

다른 풀이 코사인법칙에 의하여

$\cos A=\frac{6^2+10^2-14^2}{2\cdot6\cdot10}=-\frac{1}{2}$ $\therefore A=120^\circ\ (\because 0^\circ<A<180^\circ)$

$\triangle$ABC의 외접원의 반지름의 길이를 R라 하면

사인법칙에 의하여 $\frac{14}{\sin 120^\circ}=2R$이므로

$2R=\frac{28\sqrt{3}}{3}$

0940

$b+c=7$이므로 $c=7-b$

$s=\frac{a+b+c}{2}=\frac{5+7}{2}=6$이므로

$\triangle ABC=\sqrt{6(6-5)(6-b)(b-1)}=6$

$6(6-b)(b-1)=36, b^2-7b+12=0$

$(b-3)(b-4)=0$ $\therefore b=3$ 또는 $b=4$

$\therefore a=5, b=3, c=4$ 또는 $a=5, b=4, c=3$

이때, $a^2=b^2+c^2$이므로 $A=90^\circ$ 답 90°

0941

|전략| $\triangle ABC=\frac{1}{2}\cdot\overline{AB}\cdot\overline{BC}\cdot\sin B$에서 $\sin B$의 값이 최대일 때, $\triangle$ABC의 넓이가 최대임을 이용한다.

$\triangle ABC=\frac{1}{2}\cdot\overline{AB}\cdot\overline{BC}\cdot\sin B$

$=\frac{1}{2}\cdot5\cdot7\cdot\sin B=\frac{35}{2}\sin B$

$\sin B$의 값이 최대일 때, $\triangle$ABC의 넓이가 최대이므로

$\sin B=1\ (\because 0^\circ<B<180^\circ)$ $\therefore B=90^\circ$

이때, $\triangle$ABC는 직각삼각형이므로 피타고라스 정리에 의하여

$m^2=5^2+7^2=74$ $\therefore m=\sqrt{74}\ (\because m>0)$ 답 $\sqrt{74}$

0942

$\triangle ABC=\frac{1}{2}pq\sin A$에서 $\triangle$ABC의 넓이가 최대이려면 $pq, \sin A$가 모두 최대이어야 한다.

$p>0, q>0$이므로 산술평균과 기하평균의 관계에 의하여

$p^2+q^2\geq2\sqrt{p^2q^2}=2pq$ (단, 등호는 $p=q$일 때 성립)

$8\geq2pq$ $\therefore pq\leq4$

따라서 pq의 최댓값은 4이고, $0^\circ<A<180^\circ$에서 $A=90^\circ$일 때 $\sin A$는 최댓값 1을 가지므로

$\triangle ABC=\frac{1}{2}pq\sin A\leq\frac{1}{2}\cdot4\cdot1=2$

그러므로 $\triangle$ABC의 넓이의 최댓값은 2이다. 답 ③

0943

|전략| 코사인법칙을 이용하여 $\overline{BD}$의 길이를 구하고, $\square ABCD=\triangle ABD+\triangle BCD$임을 이용한다.

$\triangle$ABD에서 코사인법칙에 의하여

$\overline{BD}^2=2^2+4^2-2\cdot2\cdot4\cdot\cos 60°=12$

$\therefore\ \overline{BD}=2\sqrt{3}$ ($\because\ \overline{BD}>0$)

$\triangle ABD=\frac{1}{2}\cdot\overline{AD}\cdot\overline{AB}\cdot\sin 60°=\frac{1}{2}\cdot2\cdot4\cdot\frac{\sqrt{3}}{2}=2\sqrt{3}$

$\triangle BCD=\frac{1}{2}\cdot\overline{BC}\cdot\overline{BD}\cdot\sin 45°=\frac{1}{2}\cdot\sqrt{6}\cdot2\sqrt{3}\cdot\frac{\sqrt{2}}{2}=3$

$\therefore\ \square ABCD=\triangle ABD+\triangle BCD$

$=2\sqrt{3}+3$

답 $2\sqrt{3}+3$

0944

오른쪽 그림에서

$\square ABCD=\triangle ABD+\triangle BCD$

$\triangle$BCD에서 코사인법칙에 의하여

$\overline{BD}^2=3^2+5^2-2\cdot3\cdot5\cdot\cos 120°$

$=34-30\cdot\left(-\frac{1}{2}\right)=49$

$\therefore\ \overline{BD}=7$ ($\because\ \overline{BD}>0$)

$\triangle$ABD에서 코사인법칙에 의하여

$\cos A=\frac{3^2+8^2-7^2}{2\cdot3\cdot8}=\frac{1}{2}$

$\sin A=\sqrt{1-\cos^2 A}=\sqrt{1-\left(\frac{1}{2}\right)^2}=\frac{\sqrt{3}}{2}$ ($\because\ 0°<A<180°$)

$\therefore\ \square ABCD=\triangle ABD+\triangle BCD$

$=\frac{1}{2}\cdot3\cdot8\cdot\sin A+\frac{1}{2}\cdot3\cdot5\cdot\sin 120°$

$=6\sqrt{3}+\frac{15\sqrt{3}}{4}=\frac{39\sqrt{3}}{4}$

답 ③

0945

오른쪽 그림에서

$\square ABCD=\triangle ABC+\triangle ACD$

$\triangle$ACD에서 코사인법칙에 의하여

$\overline{AC}^2=6^2+4^2-2\cdot6\cdot4\cdot\cos 60°=28$

$\therefore\ \overline{AC}=2\sqrt{7}$ ($\because\ \overline{AC}>0$)

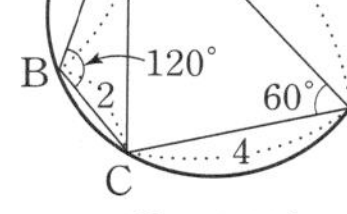

$\square$ABCD가 원에 내접하므로 $B+D=180°$ $\therefore\ B=120°$

$\overline{AB}=x$라 하면 $\triangle$ABC에서 코사인법칙에 의하여

$(2\sqrt{7})^2=x^2+2^2-2\cdot x\cdot2\cdot\cos 120°$, $x^2+2x-24=0$

$(x+6)(x-4)=0$ $\therefore\ x=4$ ($\because\ x>0$)

$\therefore\ \square ABCD=\triangle ABC+\triangle ACD$

$=\frac{1}{2}\cdot4\cdot2\cdot\sin 120°+\frac{1}{2}\cdot6\cdot4\cdot\sin 60°$

$=2\sqrt{3}+6\sqrt{3}=8\sqrt{3}$

답 $8\sqrt{3}$

0946

오른쪽 그림과 같이 사각형 ABCD를 점 O를 꼭짓점으로 갖는 삼각형 4개로 나눌 수 있다.

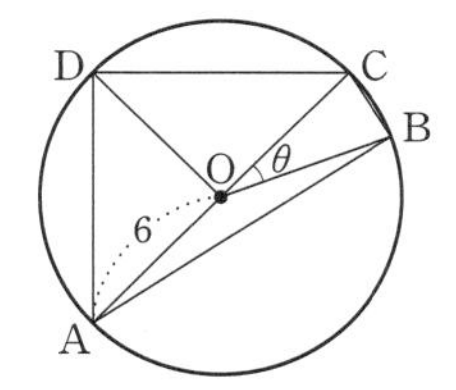

부채꼴의 호의 길이는 중심각의 크기에 비례하므로

$\angle AOB:\angle BOC:\angle COD:\angle DOA=5:1:3:3$

$\angle BOC=\theta$라 하면

$\angle AOB=5\theta$, $\angle COD=\angle DOA=3\theta$

이때, $5\theta+\theta+3\theta+3\theta=12\theta=360°$이므로 $\theta=30°$

$\therefore\ \square ABCD=\triangle OAB+\triangle OBC+\triangle OCD+\triangle ODA$

$=\frac{1}{2}\cdot6^2\cdot\sin 150°+\frac{1}{2}\cdot6^2\cdot\sin 30°$

$+\frac{1}{2}\cdot6^2\cdot\sin 90°+\frac{1}{2}\cdot6^2\cdot\sin 90°$

$=18\left(\frac{1}{2}+\frac{1}{2}+1+1\right)=54$

답 ②

0947

전략 B의 크기를 구하고, $\square ABCD=\overline{AB}\cdot\overline{BC}\cdot\sin B$임을 이용하여 평행사변형 ABCD의 넓이를 구한다.

평행사변형의 성질에 의하여 이웃하는 두 각의 크기의 합은 180°이므로

$B+C=180°$

$\therefore\ B=180°-C=180°-135°=45°$

$\therefore\ \square ABCD=\overline{AB}\cdot\overline{BC}\cdot\sin B$

$=6\cdot8\cdot\sin 45°=24\sqrt{2}$

답 $24\sqrt{2}$

0948

평행사변형 ABCD의 넓이가 $12\sqrt{3}$이므로

$4\cdot6\cdot\sin B=12\sqrt{3}$ $\therefore\ \sin B=\frac{\sqrt{3}}{2}$

$0°<B<90°$이므로 $B=60°$

답 60°

0949

평행사변형 ABCD에서 $\overline{AB}=a$, $\overline{BC}=b$로 놓으면 $\triangle$ABC에서 코사인법칙에 의하여

$(3\sqrt{3})^2=a^2+b^2-2ab\cos 60°$

$27=a^2+b^2-ab$, $27=(a+b)^2-3ab$

이때, $\overline{AB}+\overline{BC}=9$, 즉 $a+b=9$이므로

$27=9^2-3ab$ $\therefore\ ab=18$

$\therefore\ \square ABCD=ab\sin 60°=\frac{\sqrt{3}}{2}ab$

$=\frac{\sqrt{3}}{2}\cdot18=9\sqrt{3}$

답 ④

0950

전략 두 대각선의 길이가 p, q이고, 두 대각선이 이루는 각의 크기가 θ인 사각형 ABCD의 넓이는 $\square ABCD=\frac{1}{2}pq\sin\theta$임을 이용한다.

$\square ABCD=\frac{1}{2}\cdot2\cdot\overline{BD}\cdot\sin 120°=2\sqrt{3}$이므로

$\frac{\sqrt{3}}{2}\overline{BD}=2\sqrt{3}$ $\therefore\ \overline{BD}=4$

답 4

0951

$\sin^2\theta+\cos^2\theta=1$이므로

$\sin^2\theta=1-\cos^2\theta=1-\frac{1}{9}=\frac{8}{9}$

$\therefore \sin\theta=\frac{2\sqrt{2}}{3}$ ($\because$ $0°<\theta<180°$) ⋯ ❶

$\therefore \square ABCD=\frac{1}{2}\cdot 4\cdot 9\cdot\frac{2\sqrt{2}}{3}=12\sqrt{2}$ ⋯ ❷

답 $12\sqrt{2}$

채점 기준	비율
❶ $\sin^2\theta+\cos^2\theta=1$임을 이용하여 $\sin\theta$의 값을 구할 수 있다.	50 %
❷ $\square$ABCD의 넓이를 구할 수 있다.	50 %

0952

$p>0$, $q>0$이므로 산술평균과 기하평균의 관계에 의하여

$p+q\geq 2\sqrt{pq}$, $6\geq 2\sqrt{pq}$

$\therefore pq\leq 9$ (단, 등호는 $p=q$일 때 성립)

$\therefore \square ABCD=\frac{1}{2}pq\sin 60°\leq\frac{1}{2}\cdot 9\cdot\frac{\sqrt{3}}{2}=\frac{9\sqrt{3}}{4}$

답 $\frac{9\sqrt{3}}{4}$

0953

$\square ABCD=2\cdot 4\cdot\sin 60°=4\sqrt{3}$

$\triangle$ABC에서 코사인법칙에 의하여

$\overline{AC}^2=2^2+4^2-2\cdot 2\cdot 4\cdot\cos 60°=12$

$\therefore \overline{AC}=2\sqrt{3}$ ($\because \overline{AC}>0$)

$A=180°-B=180°-60°=120°$이므로

$\triangle$ABD에서 코사인법칙에 의하여

$\overline{BD}^2=2^2+4^2-2\cdot 2\cdot 4\cdot\cos 120°=28$

$\therefore \overline{BD}=2\sqrt{7}$ ($\because \overline{BD}>0$)

따라서 $\square ABCD=\frac{1}{2}\cdot 2\sqrt{3}\cdot 2\sqrt{7}\cdot\sin\theta=4\sqrt{3}$이므로

$\sin\theta=\frac{2\sqrt{7}}{7}$

답 $\frac{2\sqrt{7}}{7}$

STEP 3 내신 마스터

0954

유형 01 사인법칙 – 각과 변의 관계

|전략| 사인법칙을 이용하여 $\overline{CA}$의 길이를 구하고, 점 A에서 $\overline{BC}$에 수선의 발 H를 내려 $\overline{BC}=\overline{BH}+\overline{HC}$임을 이용한다.

사인법칙에 의하여

$\frac{\overline{CA}}{\sin 30°}=\frac{4}{\sin 45°}$이므로

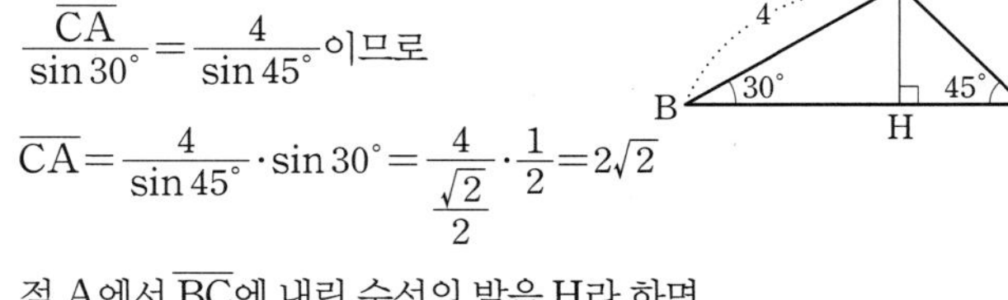

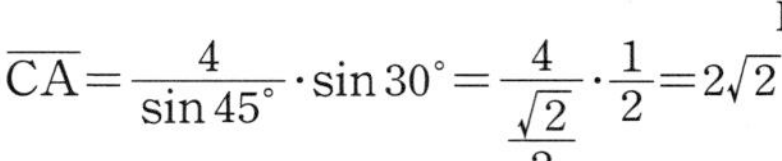

$\overline{CA}=\frac{4}{\sin 45°}\cdot\sin 30°=\frac{4}{\frac{\sqrt{2}}{2}}\cdot\frac{1}{2}=2\sqrt{2}$

점 A에서 $\overline{BC}$에 내린 수선의 발을 H라 하면

$\overline{BC}=\overline{BH}+\overline{HC}=4\cos 30°+2\sqrt{2}\cos 45°$

$=4\cdot\frac{\sqrt{3}}{2}+2\sqrt{2}\cdot\frac{\sqrt{2}}{2}$

$=2\sqrt{3}+2=2(\sqrt{3}+1)$

답 ①

0955

유형 02 사인법칙 – 외접원과의 관계

|전략| C의 크기와 $\overline{AM}$의 길이를 구하고, $\triangle$ACM의 외접원의 반지름의 길이를 R라 하면 사인법칙에 의하여 $\frac{\overline{AM}}{\sin C}=2R$임을 이용한다.

$\triangle$ABC는 직각이등변삼각형이므로 $C=45°$

$\overline{BM}=6\cdot\frac{1}{2}=3$이므로 $\triangle$ABM에서 피타고라스 정리에 의하여

$\overline{AM}^2=6^2+3^2=45$

$\therefore \overline{AM}=3\sqrt{5}$ ($\because \overline{AM}>0$)

$\triangle$ACM의 외접원의 반지름의 길이를 R라 하면 사인법칙에 의하여

$\frac{3\sqrt{5}}{\sin 45°}=2R$

$\therefore R=\frac{3\sqrt{5}}{2\cdot\sin 45°}=\frac{3\sqrt{5}}{2\cdot\frac{\sqrt{2}}{2}}=\frac{3\sqrt{10}}{2}$

답 ③

0956

유형 02 사인법칙 – 외접원과의 관계

|전략| A, B, C의 크기를 구하고, $a+b+c=2R(\sin A+\sin B+\sin C)$임을 이용한다.

$\triangle$ABC에서 $A+B+C=180°$ ⋯⋯ ㉠

$A:B:C=1:2:3$이므로 $A=k$, $B=2k$, $C=3k$ $(k>0)$로 놓으면

$A+B+C=k+2k+3k=6k$ ⋯⋯ ㉡

㉠=㉡에서 $6k=180°$ $\therefore k=30°$

$\therefore A=30°$, $B=60°$, $C=90°$

$\triangle$ABC의 외접원의 반지름의 길이를 R라 하면 사인법칙에 의하여

$a=2R\sin A=2R\sin 30°=R$

$b=2R\sin B=2R\sin 60°=\sqrt{3}R$

$c=2R\sin C=2R\sin 90°=2R$

이때, $a+b+c=6$이므로 $a+b+c=R+\sqrt{3}R+2R$에서

$6=(3+\sqrt{3})R$

$\therefore R=\frac{6}{3+\sqrt{3}}=3-\sqrt{3}$

답 ②

0957

유형 03 사인법칙의 변형 – 변의 길이의 비

|전략| $\sin A:\sin B:\sin C=a:b:c$임을 이용한다.

$2a-b=9k$, $2b-c=k$, $2c-a=4k$ $(k>0)$로 놓고 세 식을 모두 변끼리 더하면

$a+b+c=14k$ ⋯⋯ ㉠

$2a-b=9k$에서 $b=2a-9k$ ⋯⋯ ㉡

$2c-a=4k$에서 $c=\frac{a}{2}+2k$ ⋯⋯ ㉢

㉡, ㉢을 ㉠에 대입하면

$a+(2a-9k)+\left(\frac{a}{2}+2k\right)=14k \qquad \therefore a=6k$

$a=6k$를 ㉡, ㉢에 대입하면

$b=2\cdot 6k-9k=3k,\ c=\frac{6k}{2}+2k=5k$

$\therefore a : b : c=6 : 3 : 5$

$\therefore \sin A : \sin B : \sin C=a : b : c=6 : 3 : 5$ 답 ④

0958

유형 01 사인법칙 – 각과 변의 관계 + 05 코사인법칙

|전략| 사인법칙을 이용하여 $\overline{AP}$의 길이를 구하고, 코사인법칙을 이용하여 $\overline{AB}$의 길이를 구한다.

$\triangle$APC에서 사인법칙에 의하여

$$\frac{\overline{AP}}{\sin 45^\circ}=\frac{\sqrt{3}}{\sin 60^\circ}$$

$$\therefore \overline{AP}=\frac{\sqrt{3}}{\sin 60^\circ}\cdot\sin 45^\circ=\frac{\sqrt{3}}{\frac{\sqrt{3}}{2}}\cdot\frac{\sqrt{2}}{2}=\sqrt{2}$$

$\overline{AP}=\overline{BP}$이므로 $\overline{BP}=\sqrt{2}$

따라서 $\triangle$ABP는 $\overline{AP}=\overline{BP}=\sqrt{2}$이고 $\angle APB=180^\circ-60^\circ=120^\circ$인 이등변삼각형이다.

$\triangle$ABP에서 코사인법칙에 의하여

$$\overline{AB}^2=(\sqrt{2})^2+(\sqrt{2})^2-2\cdot\sqrt{2}\cdot\sqrt{2}\cdot\cos 120^\circ$$

$$=2+2-4\cdot\left(-\frac{1}{2}\right)=6$$

$\therefore \overline{AB}=\sqrt{6}\ (\because \overline{AB}>0)$ 답 ①

다른 풀이 $\triangle$ABP에서 $\overline{AP}=\overline{BP}$, $\angle APC=60^\circ$이므로

$\angle ABP=\angle BAP=30^\circ$

$\triangle$ABC에서 사인법칙에 의하여

$$\frac{\overline{AB}}{\sin 45^\circ}=\frac{\sqrt{3}}{\sin 30^\circ}$$

$$\overline{AB}=\frac{\sqrt{3}}{\sin 30^\circ}\cdot\sin 45^\circ=\frac{\sqrt{3}}{\frac{1}{2}}\cdot\frac{\sqrt{2}}{2}=\sqrt{6}$$

0959

유형 05 코사인법칙 + 06 코사인법칙의 변형

|전략| 코사인법칙을 이용하여 $\triangle$ABC에서 $\cos B$의 값을 구하고 $\triangle$ABD에서 $\overline{AD}$의 길이를 구한다.

$\triangle$ABC에서 코사인법칙에 의하여

$$\cos B=\frac{4^2+6^2-5^2}{2\cdot4\cdot6}=\frac{9}{16}$$

점 D가 $\overline{BC}$를 1:2로 내분하는 점이므로 $\overline{BD}=2$

따라서 $\triangle$ABD에서 코사인법칙에 의하여

$$\overline{AD}^2=4^2+2^2-2\cdot4\cdot2\cdot\cos B=20-16\cdot\frac{9}{16}=11$$

$\therefore \overline{AD}=\sqrt{11}\ (\because \overline{AD}>0)$ 답 ②

0960

유형 07 삼각형의 최대각과 최소각

|전략| 세 변의 길이의 크기를 비교하여 가장 긴 변의 대각이 최대각임을 이용한다.

$\frac{2b-a}{5}=\frac{2c-b}{6}=\frac{2c-a}{7}=k$($k$는 실수)라 하면

$2b-a=5k$ …… ㉠

$2c-b=6k$ …… ㉡

$2c-a=7k$ …… ㉢

㉡−㉢을 하면 $a-b=-k$ …… ㉣

㉠, ㉣을 연립하여 풀면 $a=3k,\ b=4k$

$a=3k$를 ㉢에 대입하여 풀면 $c=5k$

가장 긴 변의 길이가 c이므로 C가 $\triangle$ABC의 최대각이다.

코사인법칙에 의하여

$$\cos C=\frac{(3k)^2+(4k)^2-(5k)^2}{2\cdot3k\cdot4k}=0$$

$\therefore C=90^\circ\ (\because 0^\circ<C<180^\circ)$ 답 ③

0961

유형 08 삼각형의 모양 결정

|전략| (판별식)=0임을 이용하여 식을 정리하고, 사인법칙을 이용하여 a, b, c에 대한 관계식을 구해 삼각형의 모양을 판별한다.

주어진 이차방정식이 중근을 가지므로 판별식을 D라 하면

$$\frac{D}{4}=\sin^2 C-(\cos A-\cos B)(\cos A+\cos B)=0$$

즉, $\sin^2 C-\cos^2 A+\cos^2 B=0$

이때, $\cos^2 A=1-\sin^2 A$, $\cos^2 B=1-\sin^2 B$이므로

$\sin^2 C-(1-\sin^2 A)+(1-\sin^2 B)=0$

$\therefore \sin^2 C+\sin^2 A-\sin^2 B=0$

$\triangle$ABC의 외접원의 반지름의 길이를 R라 하면 사인법칙에 의하여

$$\left(\frac{c}{2R}\right)^2+\left(\frac{a}{2R}\right)^2-\left(\frac{b}{2R}\right)^2=0$$

$\therefore b^2=a^2+c^2$

따라서 $\triangle$ABC는 $B=90^\circ$인 직각삼각형이다. 답 ④

0962

유형 09 삼각형의 넓이

|전략| $\sin\theta=\sqrt{1-\cos^2\theta}$임을 이용하여 $\sin\theta$의 값을 구하고, $\triangle OAB=\frac{1}{2}\cdot\overline{AO}\cdot\overline{BO}\cdot\sin\theta$를 이용하여 $\triangle$OAB의 넓이를 구한다.

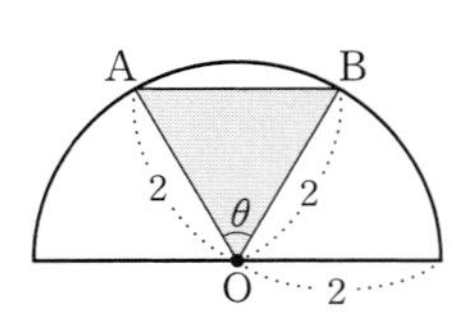

$\sin\theta=\sqrt{1-\cos^2\theta}\ (\because 0^\circ<\theta<180^\circ)$

$$=\sqrt{1-\left(\frac{1}{3}\right)^2}=\frac{2\sqrt{2}}{3}$$

$$\therefore \triangle OAB=\frac{1}{2}\cdot\overline{AO}\cdot\overline{BO}\cdot\sin\theta$$

$$=\frac{1}{2}\cdot2\cdot2\cdot\frac{2\sqrt{2}}{3}$$

$$=\frac{4\sqrt{2}}{3}$$

답 ④

0963

유형 09 삼각형의 넓이

전략 $\overline{AD}=l\,(l>0)$로 놓고 $\triangle ABD$, $\triangle ACD$의 넓이를 구한 다음 $\triangle ABD : \triangle ACD = \overline{BD} : \overline{CD} = 3:2$임을 이용한다.

$\overline{AD}=l\,(l>0)$이라 하면

$\triangle ABD=\frac{1}{2}\cdot 5\cdot l\cdot\sin\theta_1=\frac{5}{2}l\sin\theta_1$

$\triangle ACD=\frac{1}{2}\cdot 4\cdot l\cdot\sin\theta_2=2l\sin\theta_2$

그런데 $\triangle ABD$와 $\triangle ACD$에서 $\overline{BD} : \overline{CD}=3:2$이고 두 삼각형의 높이가 같으므로

$\triangle ABD : \triangle ACD=3:2$

즉, $\frac{5}{2}l\sin\theta_1 : 2l\sin\theta_2=3:2$에서

$5\sin\theta_1=6\sin\theta_2$ $\quad\therefore \frac{\sin\theta_1}{\sin\theta_2}=\frac{6}{5}$ 답 ①

높이가 같은 삼각형의 넓이의 비

높이가 같은 두 삼각형의 넓이의 비는 밑변의 길이의 비와 같다.

0964

유형 11 삼각형의 넓이와 내접원의 반지름의 길이

전략 $\triangle ABC$의 내접원의 반지름의 길이를 r라 할 때, $\triangle ABC=\frac{1}{2}ac\sin B=\frac{1}{2}r(a+b+c)$임을 이용한다.

$\triangle ABC$의 내접원의 반지름의 길이를 r라 하면

$\triangle ABC=\frac{1}{2}\cdot 8\cdot 7\cdot\sin 120^\circ=\frac{1}{2}r(8+13+7)$이므로

$14\sqrt{3}=14r$ $\quad\therefore r=\sqrt{3}$ 답 ③

0965

유형 13 삼각형의 넓이와 헤론의 공식

전략 $\triangle ABC$에서 코사인법칙을 이용하여 a의 값을 구하고, 헤론의 공식을 이용하여 $\triangle ABC$의 넓이를 구한다.

오른쪽 그림의 $\triangle ABC$에서 코사인법칙에 의하여

$$\cos A=\frac{(a-1)^2+(a-2)^2-a^2}{2(a-1)(a-2)}$$
$$=\frac{a^2-6a+5}{2(a-1)(a-2)}$$
$$=\frac{(a-1)(a-5)}{2(a-1)(a-2)}$$
$$=\frac{a-5}{2(a-2)}=\frac{1}{5}$$

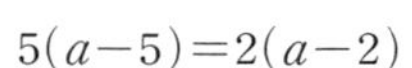

$5(a-5)=2(a-2)$

$3a=21$ $\quad\therefore a=7$

따라서 $\triangle ABC$의 세 변의 길이가 각각 5, 6, 7이므로 헤론의 공식에 의하여

$s=\frac{5+6+7}{2}=9$

$\therefore \triangle ABC=\sqrt{9(9-5)(9-6)(9-7)}=6\sqrt{6}$ 답 ④

0966

유형 16 평행사변형의 넓이

전략 평행사변형의 넓이를 이용하여 $\sin B$의 값을 구하고, $\triangle ABC$에서 코사인법칙을 이용하여 $\overline{AC}$의 길이를 구한다.

평행사변형 ABCD의 넓이가 $10\sqrt{3}$이므로

$4\cdot 5\cdot\sin B=10\sqrt{3}$ $\quad\therefore \sin B=\frac{\sqrt{3}}{2}$

$0^\circ<B<90^\circ$이므로 $B=60^\circ$

따라서 $\triangle ABC$에서 코사인법칙에 의하여

$\overline{AC}^2=4^2+5^2-2\cdot 4\cdot 5\cdot\cos 60^\circ$

$=16+25-2\cdot 4\cdot 5\cdot\frac{1}{2}=21$

$\therefore \overline{AC}=\sqrt{21}$ ($\because \overline{AC}>0$) 답 ②

0967

유형 17 사각형의 넓이

전략 등변사다리꼴의 두 대각선의 길이가 서로 같음을 이용하여 등변사다리꼴 ABCD의 넓이를 구해 본다.

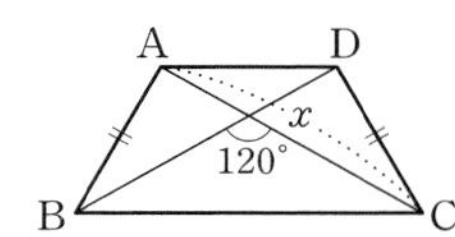

$\overline{AC}=x$라 하면 등변사다리꼴의 두 대각선의 길이가 서로 같으므로

$\overline{BD}=x$

두 대각선이 이루는 각의 크기가 120°이고, 등변사다리꼴 ABCD의 넓이가 $9\sqrt{3}$이므로

$\frac{1}{2}\cdot x\cdot x\cdot\sin 120^\circ=9\sqrt{3}$

$\frac{1}{2}x^2\cdot\frac{\sqrt{3}}{2}=9\sqrt{3}$, $x^2=36$

$\therefore x=6$ ($\because x>0$)

따라서 등변사다리꼴 ABCD의 한 대각선의 길이는 6이다. 답 ③

0968

유형 01 사인법칙 – 각과 변의 관계

전략 사인법칙을 이용하여 $\triangle AQB$에서 $\overline{AQ}$의 길이를 구한 다음, $\triangle PQA$에서 나무의 높이 $\overline{PQ}$를 구한다.

$\angle AQB=180^\circ-(45^\circ+75^\circ)=60^\circ$

$\triangle AQB$에서 사인법칙에 의하여

$\frac{\overline{AQ}}{\sin 45^\circ}=\frac{25}{\sin 60^\circ}$, $\overline{AQ}\sin 60^\circ=25\sin 45^\circ$

$\overline{AQ}\cdot\frac{\sqrt{3}}{2}=25\cdot\frac{\sqrt{2}}{2}$

$\therefore \overline{AQ}=\frac{25\sqrt{6}}{3}$ (m) ⋯ ❶

$\triangle PQA$에서 $\angle PQA=90^\circ$이므로

$\angle QPA=180^\circ-(90^\circ+30^\circ)=60^\circ$

$\triangle PQA$에서 사인법칙에 의하여

$\frac{\overline{AQ}}{\sin 60^\circ}=\frac{\overline{PQ}}{\sin 30^\circ}$, $\overline{PQ}\sin 60^\circ=\overline{AQ}\sin 30^\circ$

$\overline{PQ}\cdot\frac{\sqrt{3}}{2}=\frac{25\sqrt{6}}{3}\cdot\frac{1}{2}$

$\therefore \overline{PQ}=\frac{25\sqrt{2}}{3}$ (m) … ❷

답 $\frac{25\sqrt{2}}{3}$ m

채점 기준	배점
❶ $\overline{AQ}$의 길이를 구할 수 있다.	3점
❷ 나무의 높이 $\overline{PQ}$를 구할 수 있다.	3점

다른 풀이 $\angle AQB=60^\circ$이므로 $\triangle AQB$에서 사인법칙에 의하여

$\frac{\overline{AQ}}{\sin 45^\circ}=\frac{25}{\sin 60^\circ}$

$\therefore \overline{AQ}=\frac{25}{\sin 60^\circ}\cdot\sin 45^\circ=\frac{25\sqrt{6}}{3}$ (m)

따라서 직각삼각형 PQA에서 나무의 높이 $\overline{PQ}$는

$\overline{PQ}=\overline{AQ}\tan 30^\circ=\frac{25\sqrt{6}}{3}\cdot\frac{\sqrt{3}}{3}=\frac{25\sqrt{2}}{3}$ (m)

0969

유형 06 코사인법칙의 변형

| 전략 | $\angle BCA=\angle DAC=\theta$, $\overline{AC}=x$로 놓고 $\triangle ABC$와 $\triangle ACD$에서 $\cos\theta$의 값이 같음을 이용한다.

$\overline{AD}\,/\!/\,\overline{BC}$이므로 $\angle BCA=\angle DAC=\theta$로 놓을 수 있다.

$\overline{AC}=x$라 하면 $\triangle ABC$에서 코사인법칙에 의하여

$\cos\theta=\frac{x^2+9^2-8^2}{2\cdot x\cdot 9}=\frac{x^2+17}{18x}$ … ❶

$\triangle ACD$에서 코사인법칙에 의하여

$\cos\theta=\frac{x^2+3^2-6^2}{2\cdot x\cdot 3}=\frac{x^2-27}{6x}$ … ❷

즉, $\frac{x^2+17}{18x}=\frac{x^2-27}{6x}$이므로

$x^2+17=3x^2-81$

$x^2=49 \qquad \therefore x=7$ ($\because x>0$) … ❸

답 7

채점 기준	배점
❶ $\angle BCA=\angle DAC=\theta$, $\overline{AC}=x$로 놓고 $\triangle ABC$에서 $\cos\theta$의 값을 구할 수 있다.	2점
❷ $\triangle ACD$에서 $\cos\theta$의 값을 구할 수 있다.	2점
❸ ❶, ❷에서 구한 $\cos\theta$의 값이 같음을 이용하여 $\overline{AC}$의 길이를 구할 수 있다.	3점

0970

유형 15 사각형의 넓이 – 삼각형으로 나누기

| 전략 | $\overline{AC}$의 길이와 $\angle ACD$의 크기를 구한 다음 $\square ABCD=\triangle ABC+\triangle ACD$임을 이용하여 $\square ABCD$의 넓이를 구한다.

$\triangle ABC$에서 코사인법칙에 의하여

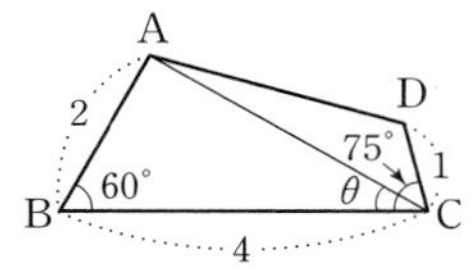

$\overline{AC}^2=2^2+4^2-2\cdot 2\cdot 4\cdot\cos 60^\circ$

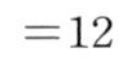

$=12$

$\therefore \overline{AC}=2\sqrt{3}$ ($\because \overline{AC}>0$) … ❶

$\angle ACB=\theta$라 하면 사인법칙에 의하여

$\frac{2}{\sin\theta}=\frac{2\sqrt{3}}{\sin 60^\circ}$이므로

$\sin\theta=\frac{2}{2\sqrt{3}}\cdot\sin 60^\circ=\frac{1}{2}$

$\therefore \theta=30^\circ$ ($\because 0^\circ<\theta<75^\circ$) … ❷

따라서 $\angle ACD=75^\circ-30^\circ=45^\circ$이므로

$\square ABCD=\triangle ABC+\triangle ACD$

$=\frac{1}{2}\cdot 2\cdot 4\cdot\sin 60^\circ+\frac{1}{2}\cdot 2\sqrt{3}\cdot 1\cdot\sin 45^\circ$

$=2\sqrt{3}+\frac{\sqrt{6}}{2}$ … ❸

답 $2\sqrt{3}+\frac{\sqrt{6}}{2}$

채점 기준	배점
❶ 코사인법칙을 이용하여 $\overline{AC}$의 길이를 구할 수 있다.	2점
❷ $\angle ACB=\theta$라 할 때, 사인법칙을 이용하여 θ의 크기를 구할 수 있다.	2점
❸ $\square ABCD=\triangle ABC+\triangle ACD$임을 이용하여 $\square ABCD$의 넓이를 구할 수 있다.	3점

0971

유형 02 사인법칙 – 외접원과의 관계 + 05 코사인법칙

| 전략 | 코사인법칙과 사인법칙을 이용하여 $\overline{BC}$의 길이와 외접원의 반지름의 길이를 구하고, 이를 이용하여 호수의 넓이를 구한다.

(1) 오른쪽 그림의 $\triangle ABC$에서 코사인법칙에 의하여

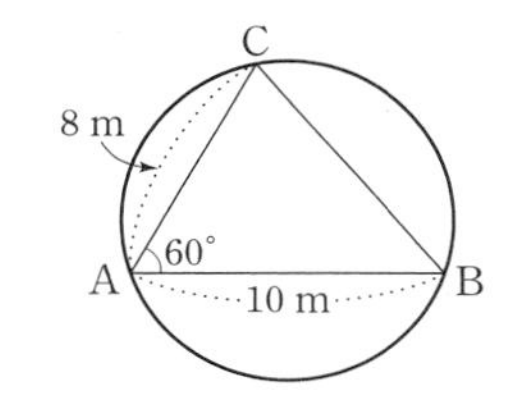

$\overline{BC}^2=8^2+10^2-2\cdot 8\cdot 10\cdot\cos 60^\circ$

$=164-160\cdot\frac{1}{2}=84$

$\therefore \overline{BC}=2\sqrt{21}$ (m)

(2) $\triangle ABC$의 외접원의 반지름의 길이를 R m라 하면 사인법칙에 의하여

$\frac{2\sqrt{21}}{\sin 60^\circ}=2R \qquad \therefore R=\frac{2\sqrt{21}}{2\cdot\frac{\sqrt{3}}{2}}=2\sqrt{7}$ (m)

(3) 호수의 넓이는 $\pi(2\sqrt{7})^2=28\pi$ (m^2)

답 (1) $2\sqrt{21}$ m (2) $2\sqrt{7}$ m (3) 28π m^2

채점 기준	배점
(1) 코사인법칙을 이용하여 $\overline{BC}$의 길이를 구할 수 있다.	4점
(2) 사인법칙을 이용하여 외접원의 반지름의 길이를 구할 수 있다.	4점
(3) 호수의 넓이를 구할 수 있다.	2점

0972

유형 13 삼각형의 넓이와 헤론의 공식

| 전략 | 삼각형의 결정 조건으로 x의 값의 범위를 구하고, 헤론의 공식을 이용하여 $\triangle ABC$의 넓이의 최댓값을 구한다.

(1) 삼각형의 두 변의 길이의 합은 나머지 한 변의 길이보다 크므로

$4+(x+1)>5-x$ …… ㉠

$4+(5-x)>x+1$ …… ㉡

$x+1+(5-x)>4$ …… ㉢

㉠, ㉡, ㉢에서 $0<x<4$

(2) 헤론의 공식에 의하여 $s=\dfrac{4+(x+1)+(5-x)}{2}=5$이므로

$S=\sqrt{5(5-4)\{5-(x+1)\}\{5-(5-x)\}}$

$=\sqrt{-5x^2+20x}=\sqrt{-5(x-2)^2+20}$

(3) $0<x<4$에서 S의 최댓값은 $x=2$일 때 $2\sqrt{5}$이다.

답 (1) $0<x<4$ (2) $S=\sqrt{-5(x-2)^2+20}$ (3) $2\sqrt{5}$

채점 기준	배점
(1) 삼각형이 결정되기 위한 x의 값의 범위를 구할 수 있다.	4점
(2) 헤론의 공식을 이용하여 $\triangle ABC$의 넓이를 x에 대한 식으로 나타낼 수 있다.	6점
(3) S의 최댓값을 구할 수 있다.	2점

창의·융합 교과서 속 심화문제

0973

전략 점 B에서 점 D에 이르는 최단 거리는 직선 거리이므로 대칭이동을 이용한다.

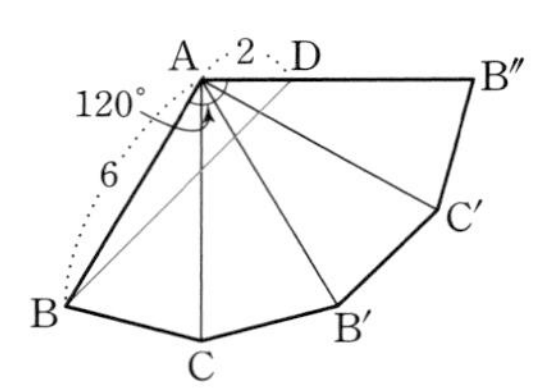

오른쪽 그림과 같이 $\overline{AB}$를 $\overline{AC}$에 대하여 대칭이동한 것을 $\overline{AB'}$, $\overline{AC}$를 $\overline{AB'}$에 대하여 대칭이동한 것을 $\overline{AC'}$, $\overline{AB'}$을 $\overline{AC'}$에 대하여 대칭이동한 것을 $\overline{AB''}$이라고 하자.

점 B를 출발하여 점 D에 이르는 최단 거리는 $\overline{BD}$의 길이와 같다.

$\triangle ABD$에서 코사인법칙에 의하여

$\overline{BD}^2=6^2+2^2-2\cdot6\cdot2\cdot\cos120°=52$

$\therefore \overline{BD}=2\sqrt{13}$ ($\because \overline{BD}>0$)

답 ③

0974

전략 $\angle BFE$의 크기를 구하고, $\triangle EFG$, $\triangle BFG$, $\triangle BFE$에 대하여 사인법칙, 코사인법칙을 적용한다.

ㄱ. $\triangle BFG$에서 $\angle FBG=120°$, $\angle BGF=\theta$이므로

$\angle BFG=60°-\theta$

$\therefore \angle BFE=\angle EFG+\angle BFG=30°+(60°-\theta)$

$=90°-\theta$ (참)

ㄴ. $\triangle EFG$에서 $\angle FGE=30°$, $\angle FEG=180°-(30°+30°)=120°$이므로 사인법칙에 의하여

$\dfrac{\overline{FG}}{\sin120°}=\dfrac{\sqrt{2}}{\sin30°}$

$\therefore \overline{FG}=\dfrac{\sqrt{2}}{\sin30°}\cdot\sin120°=\dfrac{\sqrt{2}}{\frac{1}{2}}\cdot\dfrac{\sqrt{3}}{2}=\sqrt{6}$

따라서 $\triangle BFG$에서 사인법칙에 의하여

$\dfrac{\sqrt{6}}{\sin120°}=\dfrac{\overline{BF}}{\sin\theta}$

$\therefore \overline{BF}=\dfrac{\sqrt{6}}{\sin120°}\cdot\sin\theta=\dfrac{\sqrt{6}}{\frac{\sqrt{3}}{2}}\cdot\sin\theta=2\sqrt{2}\sin\theta$ (거짓)

ㄷ. $\triangle BFE$에서 코사인법칙에 의하여

$\overline{BE}^2=\overline{BF}^2+\overline{EF}^2-2\cdot\overline{BF}\cdot\overline{EF}\cdot\cos(\angle BFE)$

$=(2\sqrt{2}\sin\theta)^2+(\sqrt{2})^2-2\cdot2\sqrt{2}\sin\theta\cdot\sqrt{2}\cdot\cos(90°-\theta)$

$=8\sin^2\theta+2-8\sin^2\theta$ ($\because \cos(90°-\theta)=\sin\theta$)

$=2$

따라서 $\overline{BE}=\sqrt{2}$ ($\because \overline{BE}>0$)로 항상 일정하다. (참)

그러므로 옳은 것은 ㄱ, ㄷ이다.

답 ③

0975

전략 직각삼각형을 이용하여 두 사각형 P, Q가 이루는 각의 sin값을 구한 후 색칠한 삼각형의 넓이를 구한다.

오른쪽 그림과 같이 직각삼각형의 세 꼭짓점을 A, B, C라 하고, 색칠한 삼각형에서 나머지 두 꼭짓점을 D, E라 하자.

또, $\angle DAE=\theta$라 하면

$\angle EAC=\angle DAB=\dfrac{\pi}{2}$이므로

$\theta+\angle BAC=\pi$ $\quad\therefore \theta=\pi-\angle BAC$

$\therefore \sin\theta=\sin(\pi-\angle BAC)=\sin(\angle BAC)$

이때, $\sin(\angle BAC)=\dfrac{2\sqrt{2}}{2\sqrt{3}}=\dfrac{\sqrt{2}}{\sqrt{3}}$

$\therefore \triangle DAE=\dfrac{1}{2}\cdot\overline{AD}\cdot\overline{AE}\cdot\sin\theta$

$=\dfrac{1}{2}\cdot2\cdot2\sqrt{3}\cdot\dfrac{\sqrt{2}}{\sqrt{3}}=2\sqrt{2}$

답 $2\sqrt{2}$

0976

전략 $\angle BPC=\theta$로 놓고 $\triangle PBC$와 $\triangle ABC$의 넓이가 같음을 이용하여 bc를 $\sin\theta$에 대한 식으로 나타낸다.

$\angle BPC=\theta$로 놓으면 $\triangle PBC$의 넓이는 $\triangle ABC$의 넓이와 같으므로

$\dfrac{1}{2}bc\sin\theta=\dfrac{1}{2}\cdot6\cdot3$

$\therefore bc=\dfrac{18}{\sin\theta}$

(i) 점 P가 점 A와 일치할 때

$b=\overline{AB}=3$, $c=\overline{AC}=\sqrt{3^2+6^2}=3\sqrt{5}$

$\therefore \sin\theta=\dfrac{\overline{BC}}{\overline{AC}}=\dfrac{6}{3\sqrt{5}}=\dfrac{2\sqrt{5}}{5}$

(ii) 점 P가 점 D와 일치할 때

$\angle BDE=45°$이고

$\triangle BDE\equiv\triangle CDE$이므로

$\angle CDE=45°$

$\therefore \sin\theta=\sin(\angle CDB)$

$=\sin90°=1$

(i), (ii)에서 $\dfrac{2\sqrt{5}}{5}\le\sin\theta\le1$이므로

$18\le bc\le9\sqrt{5}$

따라서 bc의 최댓값은 $9\sqrt{5}$, 최솟값은 18이다.

답 최댓값: $9\sqrt{5}$, 최솟값: 18

8 | 등차수열과 등비수열

본책 146~167쪽

STEP 1 개념 마스터 ❶

0977

$a_n=10^n-1$에 $n=1, 2, 3, 4, 5$를 차례대로 대입하면

$a_1=10^1-1=9$, $a_2=10^2-1=99$, $a_3=10^3-1=999$,

$a_4=10^4-1=9999$, $a_5=10^5-1=99999$

답 9, 99, 999, 9999, 99999

0978

$a_n=n+2^n$에 $n=1, 2, 3, 4, 5$를 차례대로 대입하면

$a_1=1+2^1=3$, $a_2=2+2^2=6$, $a_3=3+2^3=11$,

$a_4=4+2^4=20$, $a_5=5+2^5=37$ 답 3, 6, 11, 20, 37

0979

$a_n=(n+2)(n-1)$에 $n=1, 2, 3, 4, 5$를 차례대로 대입하면

$a_1=(1+2)(1-1)=0$, $a_2=(2+2)(2-1)=4$,

$a_3=(3+2)(3-1)=10$, $a_4=(4+2)(4-1)=18$,

$a_5=(5+2)(5-1)=28$ 답 0, 4, 10, 18, 28

0980 답 $a_n=(-1)^n$

0981 답 $a_n=n^2$

0982 답 $a_n=\frac{n}{n+1}$

0983

$4-1=3$에서 공차가 3이므로 주어진 수열은

1, 4, $\boxed{7}$, $\boxed{10}$, 13, ⋯ 답 7, 10

0984

$8-12=-4$에서 공차가 -4이므로 주어진 수열은

20, $\boxed{16}$, 12, 8, $\boxed{4}$, ⋯ 답 16, 4

0985

$a_n=4n+1$에서 $a_1=4\cdot1+1=5$이므로 첫째항은 5이다.

또, $a_2=4\cdot2+1=9$이므로 공차는

$a_2-a_1=9-5=4$ 답 첫째항: 5, 공차: 4

0986

첫째항이 -3, 공차가 3이므로

$a_n=-3+(n-1)\cdot3=3n-6$ 답 $a_n=3n-6$

0987

1, -1, -3, -5, -7, ⋯ (각 항 사이 -2, -2, -2, -2)

첫째항이 1, 공차가 -2이므로

$a_n=1+(n-1)\cdot(-2)=-2n+3$ 답 $a_n=-2n+3$

0988

첫째항이 -1, 공차가 3이므로

$a_n=-1+(n-1)\cdot3=3n-4$

$\therefore a_{10}=3\cdot10-4=26$ 답 26

0989

첫째항이 2, 공차가 -4이므로

$a_n=2+(n-1)\cdot(-4)=-4n+6$

$\therefore a_{10}=-4\cdot10+6=-34$ 답 -34

0990

공차를 d라 하면 $a_8=27$에서

$6+7d=27$, $7d=21$

$\therefore d=3$ 답 3

0991

공차를 d라 하면 $a_{10}=-34$에서

$2+9d=-34$, $9d=-36$

$\therefore d=-4$ 답 -4

0992

x가 5와 17의 등차중항이므로

$x=\frac{5+17}{2}=11$ 답 11

0993

x가 3과 -7의 등차중항이므로

$x=\frac{3+(-7)}{2}=-2$ 답 -2

0994

$\frac{22(2+71)}{2}=803$ 답 803

0995

$\frac{10\{2\cdot(-10)+(10-1)\cdot2\}}{2}=-10$ 답 -10

0996

주어진 등차수열의 첫째항이 2, 공차가 4이므로 이 수열의 제n항을 38이라 하면

$38=2+(n-1)\cdot 4$ $\quad\therefore n=10$

$\therefore 2+6+10+\cdots+38=\frac{10(2+38)}{2}=200$ 답 200

0997

주어진 등차수열의 첫째항이 16, 공차가 -5이므로 이 수열의 제n항을 -19라 하면

$-19=16+(n-1)\cdot(-5)$ $\quad\therefore n=8$

$\therefore 16+11+6+\cdots+(-19)=\frac{8\{16+(-19)\}}{2}$

$=-12$ 답 -12

0998

(i) $n=1$일 때, $a_1=S_1=2\cdot 1^2+3\cdot 1=5$

(ii) $n\ge 2$일 때,

$a_n=S_n-S_{n-1}$

$=2n^2+3n-\{2(n-1)^2+3(n-1)\}$

$=2n^2+3n-(2n^2-n-1)$

$=4n+1$ ⋯⋯ ㉠

이때, $a_1=5$는 ㉠에 $n=1$을 대입한 것과 같으므로

$a_n=4n+1$ 답 $a_n=4n+1$

0999

(i) $n=1$일 때, $a_1=S_1=1^2-2\cdot 1+2=1$

(ii) $n\ge 2$일 때,

$a_n=S_n-S_{n-1}$

$=(n^2-2n+2)-\{(n-1)^2-2(n-1)+2\}$

$=(n^2-2n+2)-(n^2-4n+5)$

$=2n-3$

따라서 구하는 수열의 일반항은

$a_1=1,\ a_n=2n-3$ (단, $n\ge 2$) 답 $a_1=1,\ a_n=2n-3$ (단, $n\ge 2$)

1000

(i) $n=1$일 때, $a_1=S_1=1^2+4\cdot 1=5$

(ii) $n\ge 2$일 때,

$a_n=S_n-S_{n-1}$

$=n^2+4n-\{(n-1)^2+4(n-1)\}$

$=n^2+4n-(n^2+2n-3)$

$=2n+3$ ⋯⋯ ㉠

이때, $a_1=5$는 ㉠에 $n=1$을 대입한 것과 같으므로

$a_n=2n+3$

$\therefore a_{10}=2\cdot 10+3=23$ 답 23

다른 풀이 $a_{10}=S_{10}-S_9=(10^2+4\cdot 10)-(9^2+4\cdot 9)=23$

STEP 2 유형 마스터 ❶

1001

전략 공차가 d인 등차수열 $\{a_n\}$에서 $a_n=p$이면 $a_n=a_1+(n-1)d=p$임을 이용한다.

공차를 d라 하면 제4항이 $\log 2^7=7\log 2$이므로

$\log 2+3d=7\log 2$

$3d=7\log 2-\log 2=6\log 2$ $\quad\therefore d=2\log 2$ 답 ②

1002

등차수열 $\{a_n\}$의 공차를 d라 하면

$\{a_n\}$: $a_1,\ a_2,\ a_3,\ a_4,\ a_5,\ a_6,\ a_7,\ \cdots$
$+d\ \ +d\ \ +d\ \ +d\ \ +d\ \ +d$

$\{a_{3n+1}\}$: $a_4,\ a_7,\ a_{10},\ \cdots$ ⇨ 공차가 $3d$인 등차수열
$+3d\ \ +3d$

$\{a_{2n+1}\}$: $a_3,\ a_5,\ a_7,\ \cdots$ ⇨ 공차가 $2d$인 등차수열
$+2d\ \ +2d$

이때, 등차수열 $\{a_n\}$의 공차가 2이므로 $d=2$

등차수열 $\{a_{3n+1}\}$의 공차는 $x=3\cdot 2=6$

등차수열 $\{a_{2n+1}\}$의 공차는 $y=2\cdot 2=4$

$\therefore x-y=6-4=2$ 답 ⑤

1003

①, ② $a_n=pn+q=p+q+(n-1)p$이므로 첫째항이 $p+q$이고 공차가 p인 등차수열이다.

③ $a_1=p+q,\ a_3=3p+q$이므로 $a_1=a_3$이면 $p=0$이다.

④ $p<0$이면 $a_n>a_{n+1}$이다.

⑤ $2a_1-a_2=2(p+q)-(2p+q)=q$ 답 ④

1004

등차수열 $\{a_n\}$의 첫째항을 a, 공차를 d라 하면

$a_3-a_1=a_4-a_2=\cdots=a_{99}-a_{97}=a_{100}-a_{98}=2d$

이므로

$a_{100}+a_{99}-a_{98}-a_{97}=(a_{100}-a_{98})+(a_{99}-a_{97})=4d=8$

따라서 $d=2$이므로

$a_{10}-a_7=(a+9d)-(a+6d)=3d=6$ 답 6

1005

전략 첫째항을 a, 공차를 d라 하고 주어진 조건을 이용하여 방정식을 세운다.

등차수열 $\{a_n\}$의 첫째항을 a, 공차를 d라 하면

$a_5=4a_3$에서 $a+4d=4(a+2d)$

$\therefore 3a+4d=0$ ⋯⋯ ㉠

$a_2+a_4=4$에서 $(a+d)+(a+3d)=4$

$\therefore 2a+4d=4$ ⋯⋯ ㉡

㉠, ㉡을 연립하여 풀면 $a=-4,\ d=3$

따라서 $a_n=-4+(n-1)\cdot 3=3n-7$이므로

$a_6=3\cdot 6-7=11$ 답 ③

1006

등차수열 $\{a_n\}$의 첫째항을 a, 공차를 d라 하면

$a_3=35$에서 $a+2d=35$ ...... ㉠

$a_7=71$에서 $a+6d=71$ ...... ㉡

㉠, ㉡을 연립하여 풀면 $a=17$, $d=9$

$a_n=17+(n-1)\cdot 9=9n+8$이므로 제n항이 197이라 하면

$9n+8=197$, $9n=189$ $\therefore n=21$

따라서 197은 제21항이다. 답 제21항

1007

등차수열 $\{a_n\}$의 첫째항을 a, 공차를 d라 하면

$a_3=11$에서 $a+2d=11$ ...... ㉠

$a_6 : a_{10}=5 : 8$에서 $8a_6=5a_{10}$

$8(a+5d)=5(a+9d)$ $\therefore 3a-5d=0$ ...... ㉡

㉠, ㉡을 연립하여 풀면 $a=5$, $d=3$

따라서 $a_n=5+(n-1)\cdot 3=3n+2$이므로

$a_{20}=3\cdot 20+2=62$ 답 ②

1008

등차수열 $\{a_n\}$의 첫째항을 a, 공차를 d라 하면 a_5와 a_{11}은 절댓값이 같고 부호가 반대이므로

$a_5+a_{11}=0$에서 $(a+4d)+(a+10d)=0$

$\therefore a+7d=0$ ...... ㉠

$a_7=4$에서 $a+6d=4$ ...... ㉡ ... ❶

㉠, ㉡을 연립하여 풀면 $a=28$, $d=-4$ ... ❷

$\therefore a_n=28+(n-1)\cdot(-4)=-4n+32$ ... ❸

$\therefore a_{10}=-4\cdot 10+32=-8$

따라서 제10항은 -8이다. ... ❹

답 -8

채점 기준	비율
❶ a, d에 대한 연립방정식을 세울 수 있다.	40 %
❷ a, d의 값을 구할 수 있다.	20 %
❸ a_n을 구할 수 있다.	20 %
❹ 제10항을 구할 수 있다.	20 %

1009

| 전략 | 첫째항이 a, 공차가 d인 등차수열 $\{a_n\}$에서 $a+(n-1)d>0$을 만족시키는 자연수 n의 최솟값을 구한다.

등차수열 $\{a_n\}$의 첫째항을 a, 공차를 d라 하면

$a_6=17$에서 $a+5d=17$ ...... ㉠

$a_{20}=-25$에서 $a+19d=-25$ ...... ㉡

㉠, ㉡을 연립하여 풀면 $a=32$, $d=-3$

$\therefore a_n=32+(n-1)\cdot(-3)=-3n+35$

제n항에서 처음으로 음수가 나온다고 하면

$-3n+35<0$에서 $3n>35$ $\therefore n>\frac{35}{3}=11.6\times\times\times$

따라서 처음으로 음수가 되는 항은 제12항이다. 답 ②

1010

첫째항이 -40, 공차가 3인 등차수열의 일반항 a_n은

$a_n=-40+(n-1)\cdot 3=3n-43$

제n항에서 처음으로 양수가 나온다고 하면

$3n-43>0$에서 $3n>43$

$\therefore n>\frac{43}{3}=14.3\times\times\times$

따라서 처음으로 양수가 되는 항은 제15항이다. 답 ⑤

1011

등차수열 $\{a_n\}$의 첫째항을 a, 공차를 d라 하면

$a_1+a_2+a_3=-15$에서

$a+(a+d)+(a+2d)=-15$

$\therefore a+d=-5$ ...... ㉠

또, $a_4+a_5+a_6=48$에서

$(a+3d)+(a+4d)+(a+5d)=48$

$\therefore a+4d=16$ ...... ㉡

㉠, ㉡을 연립하여 풀면 $a=-12$, $d=7$

$\therefore a_n=-12+(n-1)\cdot 7=7n-19$

$7n-19>100$에서 $7n>119$

$\therefore n>\frac{119}{7}=17$

따라서 처음으로 100보다 커지는 항은 제18항이다. 답 제18항

1012

$A=\{1, 3, 5, 7, 9, 11, 13, 15, \cdots\}$, $B=\{3, 6, 9, 12, 15, \cdots\}$이므로

$A\cap B=\{3, 9, 15, \cdots\}$

따라서 수열 $\{c_n\}$은 첫째항이 3, 공차가 6인 등차수열이므로

$c_n=3+(n-1)\cdot 6=6n-3$

$6n-3>50$에서 $6n>53$

$\therefore n>\frac{53}{6}=8.8\times\times\times$

따라서 처음으로 50보다 커질 때의 n의 값은 9이다. 답 9

1013

| 전략 | 두 수 a, b 사이에 n개의 수를 넣어서 등차수열을 만들면 a는 첫째항이고, b는 제$(n+2)$항임을 이용한다.

등차수열 23, x_1, x_2, $\cdots$, x_n, 35의 공차를 d라 하면 35는 제$(n+2)$항이므로

$23+(n+1)d=35$

$(n+1)d=12$ $\therefore d=\frac{12}{n+1}$ ...... ㉠

이때, x_1, x_2, $\cdots$, x_n이 자연수이므로 d는 자연수이다.

㉠을 만족시키는 자연수 n, d의 값을 순서쌍 (n, d)로 나타내면

$(1, 6)$, $(2, 4)$, $(3, 3)$, $(5, 2)$, $(11, 1)$

따라서 공차가 될 수 없는 것은 ⑤이다. 답 ⑤

1014

첫째항이 4, 공차가 2인 등차수열의 제$(n+2)$항이 34이므로

$4+(n+1)\cdot 2=34$, $2(n+1)=30$, $n+1=15$

$\therefore n=14$ 답 14

1015

주어진 등차수열의 공차를 d라 하면

수열 $0, a_1, a_2, \cdots, a_m, 10$에서 10은 제$(m+2)$항이므로

$0+(m+1)d=10 \quad \therefore d=\dfrac{10}{m+1}$ …… ㉠

또, 수열 $10, b_1, b_2, \cdots, b_n, 30$에서 10을 첫째항으로 보면 30은 제$(n+2)$항이므로

$10+(n+1)d=30 \quad \therefore d=\dfrac{20}{n+1}$ …… ㉡

㉠, ㉡에서 $\dfrac{10}{m+1}=\dfrac{20}{n+1}$이므로

$10(n+1)=20(m+1)$, $n+1=2m+2$

$\therefore n=2m+1$ 답 ②

1016

전략 | 세 수 a, b, c가 이 순서대로 등차수열을 이루면 $2b=a+c$임을 이용한다.

세 수 $x-1$, x^2+1, $3x+1$이 이 순서대로 등차수열을 이루므로

$2(x^2+1)=(x-1)+(3x+1)$

$x^2-2x+1=0$, $(x-1)^2=0 \quad \therefore x=1$ 답 ④

참고 $x=1$일 때, 주어진 세 수는 0, 2, 4이므로 공차가 2인 등차수열을 이룬다.

1017

다항식 $f(x)$를 $x+1$, $x-1$, $x-2$로 나누었을 때의 나머지는 나머지정리에 의해 각각 $f(-1)$, $f(1)$, $f(2)$이고 이 세 수가 이 순서대로 등차수열을 이루므로

$2f(1)=f(-1)+f(2)$

$2(1+a+b)=(1-a+b)+(4+2a+b)$

$2+2a+2b=5+a+2b \quad \therefore a=3$

한편, $f(x)$는 $x+2$로 나누어떨어지므로

$f(-2)=4-2a+b=0$ …… ㉠

$a=3$을 ㉠에 대입하면

$4-6+b=0 \quad \therefore b=2$

$\therefore a+b=3+2=5$ 답 ③

참고 **나머지정리**

다항식 $f(x)$를 $x-a$로 나누었을 때의 나머지는 $f(a)$이다.

1018

α, β가 이차방정식 $x^2-8x-4=0$의 두 근이므로 근과 계수의 관계에 의하여

$\alpha+\beta=8$, $\alpha\beta=-4$ … ❶

이때, m은 α, β의 등차중항이므로

$m=\dfrac{\alpha+\beta}{2}=\dfrac{8}{2}=4$ … ❷

n은 $\dfrac{1}{\alpha}, \dfrac{1}{\beta}$의 등차중항이므로

$n=\dfrac{1}{2}\left(\dfrac{1}{\alpha}+\dfrac{1}{\beta}\right)=\dfrac{\alpha+\beta}{2\alpha\beta}=\dfrac{8}{2\cdot(-4)}=-1$ … ❸

$\therefore mn=-4$ … ❹

답 -4

채점 기준	비율
❶ 근과 계수의 관계를 이용하여 $\alpha+\beta$, $\alpha\beta$의 값을 구할 수 있다.	30 %
❷ α, β의 등차중항인 m의 값을 구할 수 있다.	30 %
❸ $\dfrac{1}{\alpha}, \dfrac{1}{\beta}$의 등차중항인 n의 값을 구할 수 있다.	30 %
❹ mn의 값을 구할 수 있다.	10 %

1019

a, b, c가 이 순서대로 등차수열을 이루므로

$2b=a+c \quad \therefore b=\dfrac{a+c}{2}$ …… ㉠

또, c^2, a^2, b^2이 이 순서대로 등차수열을 이루므로

$2a^2=c^2+b^2$ …… ㉡

㉠을 ㉡에 대입하면

$2a^2=c^2+\left(\dfrac{a+c}{2}\right)^2$, $7a^2-2ac-5c^2=0$

$(7a+5c)(a-c)=0 \quad \therefore c=-\dfrac{7}{5}a$ ($\because a\neq c$) ← a, b, c는 서로 다른 세 정수이다.

이때, c가 정수이므로 a는 5의 배수이고 $0<a<10$이므로

$a=5$, $c=-7$

이것을 ㉠에 대입하면

$b=\dfrac{5+(-7)}{2}=-1$

$\therefore a+b+c=5-1-7=-3$ 답 -3

1020

전략 | 삼차방정식 $px^3+qx^2+rx+s=0$의 세 실근을 $a-d, a, a+d$로 놓으면 $(a-d)+a+(a+d)=-\dfrac{q}{p}$임을 이용한다.

삼차방정식 $x^3-3x^2+px+q=0$의 세 실근을 $a-d, a, a+d$로 놓으면 삼차방정식의 근과 계수의 관계에 의하여

$(a-d)+a+(a+d)=3$, $3a=3 \quad \therefore a=1$

따라서 주어진 방정식의 한 근이 1이므로 $x=1$을 방정식에 대입하면

$1^3-3\cdot 1^2+p\cdot 1+q=0 \quad \therefore p+q=2$ 답 2

1021

네 수를 $a-3d, a-d, a+d, a+3d$로 놓으면 네 수의 합이 16이므로

$(a-3d)+(a-d)+(a+d)+(a+3d)=16$

$4a=16 \quad \therefore a=4$

또, 가운데 두 수의 곱은 가장 작은 수와 가장 큰 수의 곱보다 8이 크므로

$(a-d)(a+d)=(a-3d)(a+3d)+8$

$a^2-d^2=a^2-9d^2+8$, $8d^2=8$, $d^2=1$

$\therefore d=\pm 1$ ― $d=1$이면 네 수는 1, 3, 5, 7 / $d=-1$이면 네 수는 7, 5, 3, 1

따라서 네 수는 1, 3, 5, 7이므로 구하는 네 수의 곱은

$1\cdot 3\cdot 5\cdot 7=105$ 답 105

1022

세 수를 $a-d$, a, $a+d$로 놓으면

$(a-d)+a+(a+d)=15$ …… ㉠

$(a-d)^2+a^2+(a+d)^2=83$ …… ㉡

㉠에서 $3a=15$ $\therefore a=5$

$a=5$를 ㉡에 대입하면

$(5-d)^2+5^2+(5+d)^2=83$

$2d^2+75=83$, $d^2=4$ $\therefore d=\pm 2$

따라서 세 수는 3, 5, 7이므로 세 수의 곱은

$3\cdot 5\cdot 7=105$ 답 105

1023

5명의 학생이 받은 빵의 개수를 작은 것부터 차례대로 $a-2d$, $a-d$, a, $a+d$, $a+2d$ $(d>0)$로 놓으면

$(a-2d)+(a-d)+a+(a+d)+(a+2d)=120$

$5a=120$ $\therefore a=24$

또, $(a-2d)+(a-d)=\frac{1}{7}\{a+(a+d)+(a+2d)\}$이므로

$7(2a-3d)=3a+3d$ $\therefore 11a=24d$ …… ㉠

$a=24$를 ㉠에 대입하면 $11\cdot 24=24d$ $\therefore d=11$

따라서 가장 많이 받은 학생의 빵의 개수는

$a+2d=24+2\cdot 11=46$ 답 ③

1024

| 전략 | 주어진 항을 이용하여 첫째항 a와 공차 d를 구한 다음 등차수열의 첫째항부터 제n항까지의 합은 $\frac{n\{2a+(n-1)d\}}{2}$임을 이용한다.

등차수열 $\{a_n\}$의 첫째항을 a, 공차를 d라 하면

$a_3=11$에서 $a+2d=11$ …… ㉠

$a_7=35$에서 $a+6d=35$ …… ㉡

㉠, ㉡을 연립하여 풀면 $a=-1$, $d=6$

따라서 첫째항부터 제10항까지의 합은

$\frac{10\{2\cdot(-1)+(10-1)\cdot 6\}}{2}=260$ 답 ④

1025

첫째항이 3, 공차가 4인 등차수열의 첫째항부터 제n항까지의 합이 210이므로

$\frac{n\{2\cdot 3+(n-1)\cdot 4\}}{2}=210$

$2n^2+n-210=0$, $(2n+21)(n-10)=0$

$\therefore n=10$ ($\because$ n은 자연수) 답 ③

1026

첫째항이 100, 제k항이 0인 등차수열의 첫째항부터 제k항까지의 합이 1050이므로

$\frac{k(100+0)}{2}=1050$ $\therefore k=21$ … ❶

즉, $a_{21}=0$이므로 등차수열 $\{a_n\}$의 공차를 d라 하면

$100+20d=0$ $\therefore d=-5$

따라서 공차는 -5이다. … ❷

답 -5

채점 기준	비율
❶ k의 값을 구할 수 있다.	50 %
❷ 공차를 구할 수 있다.	50 %

1027

등차수열 $\{a_n\}$의 첫째항을 a, 공차를 d라 하면

$a_4+a_{10}=(a+3d)+(a+9d)=2a+12d=42$

$\therefore a+6d=21$ …… ㉠

$a_6+a_{14}=(a+5d)+(a+13d)=2a+18d=60$

$\therefore a+9d=30$ …… ㉡

㉠, ㉡을 연립하여 풀면 $a=3$, $d=3$

따라서 $a_1+a_2+\cdots+a_n=\frac{n\{2\cdot 3+(n-1)\cdot 3\}}{2}=165$에서

$n^2+n-110=0$, $(n-10)(n+11)=0$

$\therefore n=10$ ($\because$ n은 자연수) 답 10

1028

등차수열 $\{a_n\}$의 공차를 d라 하면

$a_{10}=31+9d=4$ $\therefore d=-3$

$\therefore a_n=31+(n-1)\cdot(-3)=-3n+34$

제n항에서 처음으로 음수가 나온다고 하면

$a_n<0$에서 $-3n+34<0$ $\therefore n>\frac{34}{3}=11.3\times\times\times$

즉, 수열 $\{a_n\}$은 첫째항부터 제11항까지는 양수이고, 제12항부터 음수이다.

$a_{11}=1$, $a_{12}=-2$, $a_{15}=-11$이므로

$|a_1|+|a_2|+|a_3|+\cdots+|a_{15}|$

$=(a_1+a_2+a_3+\cdots+a_{11})-(a_{12}+a_{13}+a_{14}+a_{15})$

$=\frac{11(31+1)}{2}-\frac{4\{-2+(-11)\}}{2}$

$=176+26=202$ 답 ④

1029

$a_1+b_1=3$, 항수가 100인 등차수열의 합이 550이므로

$S_{100}+T_{100}=\frac{100\{(a_1+b_1)+(a_{100}+b_{100})\}}{2}$

$=50\{3+(a_{100}+b_{100})\}=550$

에서 $3+(a_{100}+b_{100})=11$ $\therefore a_{100}+b_{100}=8$ 답 ①

8 등차수열과 등비수열

다른 풀이 $S_{100}+T_{100}=\frac{100(a_1+a_{100})}{2}+\frac{100(b_1+b_{100})}{2}$

$=50(a_1+a_{100})+50(b_1+b_{100})$

$=50\{(a_1+a_{100})+(b_1+b_{100})\}$

$=50\{(a_1+b_1)+(a_{100}+b_{100})\}$

$=50\{3+(a_{100}+b_{100})\}=550$

이므로 $3+(a_{100}+b_{100})=11$

$\therefore a_{100}+b_{100}=8$

1030

등차수열 $\{a_n\}$, $\{b_n\}$의 공차를 각각 d, d'이라 하면

$a_1+b_1=12$, $d+d'=5$

$\therefore (a_1+a_2+\cdots+a_{30})+(b_1+b_2+\cdots+b_{30})$

$=(a_1+b_1)+(a_2+b_2)+\cdots+(a_{30}+b_{30})$

$=\frac{30\{2\cdot12+(30-1)\cdot5\}}{2}=2535$ 답 2535

다른 풀이 $(a_1+a_2+\cdots+a_{30})+(b_1+b_2+\cdots+b_{30})$

$=\frac{30(2a_1+29d)}{2}+\frac{30(2b_1+29d')}{2}$

$=\frac{30\{2(a_1+b_1)+29(d+d')\}}{2}$

$=\frac{30(2\cdot12+29\cdot5)}{2}=2535$

1031

전략 두 수 a, b 사이에 n개의 수를 넣어서 만든 등차수열의 합은 $\frac{(n+2)(a+b)}{2}$임을 이용한다.

첫째항이 1, 끝항이 39, 항수가 $n+2$인 등차수열의 합이 400이므로

$\frac{(n+2)(1+39)}{2}=400$, $n+2=20$ $\therefore n=18$

이때, 39는 제20항이므로

$1+(20-1)d=39$ $\therefore d=2$ 답 $n=18$, $d=2$

1032

수열 52, a_1, a_2, a_3, $\cdots$, a_{10}, 8은 12개의 항으로 이루어진 등차수열이므로

$52+a_1+a_2+a_3+\cdots+a_{10}+8=\frac{12(52+8)}{2}=360$

$\therefore a_1+a_2+a_3+\cdots+a_{10}=360-(52+8)=300$ 답 ③

1033

첫째항이 24, 끝항이 -44, 항수가 $n+2$인 등차수열의 합은

$\frac{(n+2)\{24+(-44)\}}{2}=-10(n+2)$ …… ㉠

한편,

$24+(a_1+a_2+a_3+\cdots+a_n)+(-44)$

$=24-120-44=-140$ …… ㉡

㉠=㉡이므로 $-10(n+2)=-140$, $n+2=14$

$\therefore n=12$ 답 ③

1034

전략 주어진 등차수열의 합을 이용하여 첫째항과 공차를 구한 다음 제30항까지의 합을 구한다.

등차수열 $\{a_n\}$의 첫째항을 a, 공차를 d라 하면

$S_{10}=\frac{10\{2a+(10-1)d\}}{2}=10$에서

$2a+9d=2$ …… ㉠

$S_{20}=\frac{20\{2a+(20-1)d\}}{2}=40$에서

$2a+19d=4$ …… ㉡

㉠, ㉡을 연립하여 풀면 $a=\frac{1}{10}$, $d=\frac{1}{5}$

$\therefore S_{30}=\frac{30\left\{2\cdot\frac{1}{10}+(30-1)\cdot\frac{1}{5}\right\}}{2}=90$ 답 ⑤

1035

등차수열 $\{a_n\}$의 첫째항을 a, 공차를 d, 첫째항부터 제n항까지의 합을 S_n이라 하면

$S_5=\frac{5\{2a+(5-1)d\}}{2}=50$에서

$2a+4d=20$ …… ㉠

$S_{10}-S_5=\frac{10\{2a+(10-1)d\}}{2}-50=125$에서

$2a+9d=35$ …… ㉡

㉠, ㉡을 연립하여 풀면 $a=4$, $d=3$

따라서 제11항부터 제15항까지의 합은

$S_{15}-S_{10}=\frac{15\{2\cdot4+(15-1)\cdot3\}}{2}-(50+125)$

$=375-175=200$ 답 ⑤

1036

등차수열 $\{a_n\}$의 첫째항을 a, 공차를 d라 하면

$S_{10}=\frac{10\{2a+(10-1)d\}}{2}=120$에서

$2a+9d=24$ …… ㉠

$S_{20}=\frac{20\{2a+(20-1)d\}}{2}=440$에서

$2a+19d=44$ …… ㉡ … ❶

㉠, ㉡을 연립하여 풀면 $a=3$, $d=2$ … ❷

$\therefore a_{11}+a_{12}+\cdots+a_{30}=S_{30}-S_{10}$

$=\frac{30\{2\cdot3+(30-1)\cdot2\}}{2}-120$

$=960-120=840$ … ❸

답 840

채점 기준	비율
❶ a, d에 대한 연립방정식을 세울 수 있다.	50 %
❷ a, d의 값을 구할 수 있다.	10 %
❸ $a_{11}+a_{12}+\cdots+a_{30}$의 값을 구할 수 있다.	40 %

1037

| 전략 | 등차수열 $\{a_n\}$의 첫째항부터 제n항까지의 합을 S_n이라 할 때 $a_k>0$, $a_{k+1}<0$이면 S_n의 최댓값은 S_k임을 이용한다.

등차수열 $\{a_n\}$의 첫째항을 a, 공차를 d라 하면

$a_7=4$에서 $a+6d=4$ …… ㉠

$a_{10}=-5$에서 $a+9d=-5$ …… ㉡

㉠, ㉡을 연립하여 풀면 $a=22$, $d=-3$

$\therefore a_n=22+(n-1)\cdot(-3)=-3n+25$

제n항에서 처음으로 음수가 나온다고 하면

$-3n+25<0$에서 $3n>25$

$\therefore n>\frac{25}{3}=8.3\times\times\times$

즉, 수열 $\{a_n\}$은 제9항부터 음수이므로 첫째항부터 제8항까지의 합이 최대이다.

따라서 구하는 최댓값은

$S_8=\frac{8\{2\cdot22+7\cdot(-3)\}}{2}=92$ 답 92

1038

첫째항이 30, 공차가 -4인 등차수열 $\{a_n\}$의 일반항 a_n은

$a_n=30+(n-1)\cdot(-4)=-4n+34$

제n항에서 처음으로 음수가 나온다고 하면

$-4n+34<0$에서 $4n>34$

$\therefore n>\frac{34}{4}=8.5$

따라서 수열 $\{a_n\}$은 제9항부터 음수이므로 S_n이 최대가 되는 n의 값은 8이다. 답 ②

다른 풀이 $S_n=\frac{n\{2\cdot30+(n-1)\cdot(-4)\}}{2}$

$=-2n^2+32n=-2(n-8)^2+128$

따라서 S_n이 최대가 되는 n의 값은 8이다.

1039

등차수열 $\{a_n\}$의 공차를 d라 하면

$S_4=\frac{4(2\cdot10+3d)}{2}=6d+40$

$S_7=\frac{7(2\cdot10+6d)}{2}=21d+70$

$S_4=S_7$에서 $6d+40=21d+70$

$-15d=30 \quad \therefore d=-2$

$\therefore a_n=10+(n-1)\cdot(-2)=-2n+12$

제n항에서 처음으로 음수가 나온다고 하면

$-2n+12<0$에서 $n>6$

즉, 수열 $\{a_n\}$은 제7항부터 음수이므로 첫째항부터 제6항까지의 합이 최대이다.

따라서 구하는 최댓값은

$S_6=\frac{6\{2\cdot10+5\cdot(-2)\}}{2}=30$ 답 ⑤

1040

등차수열 $\{a_n\}$의 공차를 d라 하면

$a_n=17+(n-1)d$

이때, S_9의 값이 최대이므로 $a_9>0$, $a_{10}<0$이어야 한다.

$a_9=17+8d>0$에서 $d>-\frac{17}{8}$

$a_{10}=17+9d<0$에서 $d<-\frac{17}{9}$

$\therefore -\frac{17}{8}<d<-\frac{17}{9}$

그런데 d는 정수이므로 $d=-2$

$\therefore S_9=\frac{9\{2\cdot17+8\cdot(-2)\}}{2}=81$ 답 81

1041

| 전략 | 자연수 d로 나누었을 때의 나머지가 $a(0\le a<d)$인 자연수를 작은 것부터 차례대로 나열하면 첫째항이 a, 공차가 d인 등차수열임을 이용한다.

1부터 100까지의 자연수 중에서 7로 나누었을 때의 나머지가 2인 수들은

2, 9, 16, ⋯, 100

이 수열은 첫째항이 2이고 공차가 7인 등차수열이므로 일반항을 a_n이라 하면

$a_n=2+(n-1)\cdot7=7n-5$

이때, 끝항 100은 $100=7\cdot15-5$에서 제15항이므로 구하는 등차수열의 합은

$\frac{15(2+100)}{2}=765$ 답 765

1042

100 이상 300 이하의 자연수 중에서 4의 배수는

100, 104, 108, ⋯, 300

이 수열은 첫째항이 100, 공차가 4인 등차수열이므로 일반항을 a_n이라 하면

$a_n=100+(n-1)\cdot4=4n+96$

이때, 끝항 300은 $300=4\cdot51+96$에서 제51항이므로 구하는 등차수열의 합은

$\frac{51(100+300)}{2}=10200$ 답 ③

1043

100부터 200까지의 자연수 중에서 3의 배수는

102, 105, 108, ⋯, 198

이 수열은 첫째항이 102, 끝항이 198, 항수가 33인 등차수열이므로 그 합은

(끝항이 198이므로 $102+(n-1)\cdot3=198$에서 $n=33$ 따라서 항수는 33이다.)

$\frac{33(102+198)}{2}=4950$

100부터 200까지의 자연수 중에서 4의 배수는

100, 104, 108, ⋯, 200

8 등차수열과 등비수열

이 수열은 첫째항이 100, 끝항이 200, 항수가 26인 등차수열이므로 그 합은

└ 끝항이 200이므로 $100+(n-1)\cdot 4=200$에서 $n=26$ 따라서 항수는 26이다.

$\frac{26(100+200)}{2}=3900$

한편, 100부터 200까지의 자연수 중에서 12의 배수는

108, 120, 132, ⋯, 192

이 수열은 첫째항이 108, 끝항이 192, 항수가 8인 등차수열이므로 그 합은

└ 끝항이 192이므로 $108+(n-1)\cdot 12=192$에서 $n=8$ 따라서 항수는 8이다.

$\frac{8(108+192)}{2}=1200$

따라서 100부터 200까지의 자연수 중에서 3 또는 4로 나누어떨어지는 수의 총합은

$4950+3900-1200=7650$ 답 ④

1044

|전략| n각형의 외각의 크기의 총합은 $360°$임을 이용한다.

n각형의 내각의 크기는 공차가 $10°$인 등차수열을 이루고 최대각의 크기가 $170°$이므로 n개의 외각의 크기는 첫째항이 $180°-170°=10°$, 공차가 $10°$인 등차수열을 이룬다.

(외각의 크기의 총합)$=\frac{n\{2\times 10°+(n-1)\times 10°\}}{2}=360°$

이므로 $n(n+1)=72$, $n^2+n-72=0$, $(n+9)(n-8)=0$

그런데 n은 3보다 크거나 같은 자연수이므로 $n=8$ 답 8

1045

직선 $x=n(n=1, 2, \cdots, 10)$과 두 곡선 $y=x^2+10$, $y=x^2-4x+10$과의 교점을 이은 선분의 길이는

$(n^2+10)-(n^2-4n+10)=4n$

따라서 직선 $x=1$, $x=2$, ⋯, $x=10$과 두 곡선의 교점을 이은 10개의 선분의 길이는 첫째항이 4, 공차가 4인 등차수열을 이룬다.

이때 첫째항은 4, 끝항은 40, 항수는 10이므로 등차수열의 합은

$\frac{10(4+40)}{2}=220$

따라서 구하는 선분의 길이의 합은 220이다. 답 ②

1046

점 A, B, C, D, E의 좌표를 각각

$A(-a, 0)$, $B(0, b)$, $C(c, 0)$, $D(0, -d)$, $E(-e, 0)$

이라 하면

└ $a>0, d>0, e>0$으로 하기 위해 $-a, -d, -e$로 놓는다.

$\triangle ABO$, $\triangle BCO$, $\triangle CDO$, $\triangle DEO$는 서로 닮음이므로

$\frac{\overline{OB}}{\overline{OA}}=\frac{\overline{OC}}{\overline{OB}}=\frac{\overline{OD}}{\overline{OC}}=\frac{\overline{OE}}{\overline{OD}}$에서

$\frac{b}{a}=\frac{c}{b}=\frac{d}{c}=\frac{e}{d}$ ⋯⋯ ㉠

$\overline{OA}$, $\overline{OC}$, $\overline{EA}$의 길이가 이 순서대로 등차수열을 이루므로

$\overline{OA}+\overline{EA}=2\overline{OC}$, 즉 $\overline{OE}=2\overline{OC}$

$\therefore e=2c$

$e=2c$를 ㉠의 $\frac{d}{c}=\frac{e}{d}$에 대입하면

$\frac{d}{c}=\frac{2c}{d}$에서 $\frac{d^2}{c^2}=2$

$\therefore \frac{d}{c}=\sqrt{2}$ ($\because c>0, d>0$)

따라서 직선 AB의 기울기는 $\frac{b}{a}=\frac{d}{c}=\sqrt{2}$ 답 $\sqrt{2}$

1047

|전략| $a_1=S_1$이고, $a_n=S_n-S_{n-1}(n\ge 2)$임을 이용한다.

$S_n=-2n^2+3n$이므로

$a_1=S_1=-2\cdot 1^2+3\cdot 1=1$

$a_{10}=S_{10}-S_9$

$=(-2\cdot 10^2+3\cdot 10)-(-2\cdot 9^2+3\cdot 9)=-35$

$\therefore a_1+a_{10}=1-35=-34$ 답 ②

다른 풀이 (i) $n=1$일 때, $a_1=S_1=-2\cdot 1^2+3\cdot 1=1$

(ii) $n\ge 2$일 때,

$a_n=S_n-S_{n-1}$

$=-2n^2+3n-\{-2(n-1)^2+3(n-1)\}$

$=-2n^2+3n-(-2n^2+7n-5)$

$=-4n+5$ ⋯⋯ ㉠

이때, $a_1=1$은 ㉠에 $n=1$을 대입한 것과 같으므로

$a_n=-4n+5$

$\therefore a_1+a_{10}=1+(-4\cdot 10+5)=-34$

1048

$S_n=n^2+n$이라 하면

$a_5=S_5-S_4=(5^2+5)-(4^2+4)=10$

$T_n=2n^2-kn$이라 하면

$b_5=T_5-T_4=(2\cdot 5^2-k\cdot 5)-(2\cdot 4^2-k\cdot 4)=18-k$

이때, $a_5=b_5$이므로

$10=18-k$ $\therefore k=8$ 답 8

1049

$S_n=n^2+3n$에서

(i) $n=1$일 때, $a_1=S_1=1^2+3\cdot 1=4$

(ii) $n\ge 2$일 때,

$a_n=S_n-S_{n-1}$

$=n^2+3n-\{(n-1)^2+3(n-1)\}$

$=2n+2$ ⋯⋯ ㉠

이때, $a_1=4$는 ㉠에 $n=1$을 대입한 것과 같으므로

$a_n=2n+2$ $\therefore a_{2n}=4n+2$

$a_2+a_4+a_6+\cdots+a_{2n}$은 첫째항이 $a_2=6$, 끝항이 $a_{2n}=4n+2$, 항수가 n인 등차수열의 합이고, 그 값은 336이므로

$a_2+a_4+a_6+\cdots+a_{2n}=\frac{n\{6+(4n+2)\}}{2}$

$=2n^2+4n=336$

$n^2+2n-168=0$, $(n+14)(n-12)=0$

$\therefore n=12$ ($\because n$은 자연수) 답 ②

1050

ㄱ. $n=1$일 때, $a_1=S_1=-2\cdot1^2+11\cdot1-7=2$ (참)

ㄴ. $n\ge2$일 때,

$a_n=S_n-S_{n-1}$

$=(-2n^2+11n-7)-\{-2(n-1)^2+11(n-1)-7\}$

$=(-2n^2+11n-7)-(-2n^2+15n-20)$

$=-4n+13$

따라서 구하는 수열의 일반항은

$a_1=2$, $a_n=-4n+13(n\ge2)$이므로 수열 $\{a_n\}$은 제2항부터 등차수열이다. (거짓)

ㄷ. 제n항에서 처음으로 음수가 나온다고 하면

$-4n+13<0$에서 $4n>13$

$\therefore n>\frac{13}{4}=3.25$

즉, 수열 $\{a_n\}$은 제4항부터 음수이므로 첫째항부터 제3항까지의 합이 최대이다. (거짓)

따라서 옳은 것은 ㄱ이다. 답 ①

STEP 1 개념 마스터 ❷

1051

$\frac{4}{2}=2$에서 공비가 2이므로 주어진 수열은

2, 4, [8], [16], 32, ⋯ 답 8, 16

1052

$\frac{-2}{2}=-1$에서 공비가 -1이므로 주어진 수열은

2, [-2], 2, -2, [2], ⋯ 답 -2, 2

1053

첫째항이 -1, 공비가 4이므로

$a_n=-1\cdot4^{n-1}=-4^{n-1}$ 답 $a_n=-4^{n-1}$

1054

$1,\ -\frac{1}{2},\ \frac{1}{4},\ -\frac{1}{8},\ \frac{1}{16},\ \cdots$

$\times\left(-\frac{1}{2}\right)\ \times\left(-\frac{1}{2}\right)\ \times\left(-\frac{1}{2}\right)\ \times\left(-\frac{1}{2}\right)$

첫째항이 1, 공비가 $-\frac{1}{2}$이므로

$a_n=1\cdot\left(-\frac{1}{2}\right)^{n-1}=\left(-\frac{1}{2}\right)^{n-1}$ 답 $a_n=\left(-\frac{1}{2}\right)^{n-1}$

1055

첫째항이 64, 공비가 $-\frac{1}{2}$이므로

$a_n=64\cdot\left(-\frac{1}{2}\right)^{n-1}$

$\therefore a_8=64\cdot\left(-\frac{1}{2}\right)^7=2^6\cdot\left(-\frac{1}{2^7}\right)=-\frac{1}{2}$ 답 $-\frac{1}{2}$

1056

첫째항이 $\sqrt{2}$, 공비가 $\sqrt{2}$이므로

$a_n=\sqrt{2}\cdot(\sqrt{2})^{n-1}=(\sqrt{2})^n$

$\therefore a_8=(\sqrt{2})^8=\{(\sqrt{2})^2\}^4=16$ 답 16

1057

공비를 r라 하면 $a_4=5$에서

$625\cdot r^3=5$, $r^3=\frac{1}{125}$

이때, r는 실수이므로 $r=\frac{1}{5}$ 답 $\frac{1}{5}$

1058

공비를 r라 하면 $a_5=-128$에서

$\left(-\frac{1}{2}\right)\cdot r^4=-128$, $r^4=256$

이때, r는 실수이므로 $r=\pm4$ 답 -4 또는 4

1059

x가 3과 75의 등비중항이므로

$x^2=3\cdot75=225$ $\therefore x=\pm15$ 답 -15 또는 15

$x=15$이면 공비가 5
$x=-15$이면 공비가 -5
인 등비수열이다.

1060

x가 1과 $\frac{1}{9}$의 등비중항이므로

$x^2=1\cdot\frac{1}{9}=\frac{1}{9}$ $\therefore x=\pm\frac{1}{3}$ 답 $-\frac{1}{3}$ 또는 $\frac{1}{3}$

1061

$\frac{2(3^5-1)}{3-1}=3^5-1=242$ 답 242

1062

첫째항이 1, 공비가 $-\frac{1}{3}$인 등비수열의 첫째항부터 제10항까지의 합이므로

$1-\frac{1}{3}+\frac{1}{9}-\frac{1}{27}+\cdots+\left(-\frac{1}{3}\right)^9$

$=\frac{1\cdot\left\{1-\left(-\frac{1}{3}\right)^{10}\right\}}{1-\left(-\frac{1}{3}\right)}=\frac{3}{4}\left\{1-\left(-\frac{1}{3}\right)^{10}\right\}$ 답 $\frac{3}{4}\left\{1-\left(-\frac{1}{3}\right)^{10}\right\}$

1063

첫째항이 0.2, 공비가 0.1인 등비수열의 첫째항부터 제8항까지의 합이므로

$0.2+0.02+0.002+\cdots+0.00000002$

$=\frac{0.2(1-0.1^8)}{1-0.1}$

$=\frac{2}{9}(1-0.1^8)$ 답 $\frac{2}{9}(1-0.1^8)$

STEP 2 유형 마스터 ❷

1064

|전략| 등비수열 $\{a_n\}$의 공비는 $r=\frac{a_2}{a_1}$임을 이용한다.

$a_n=3\times\frac{1}{2^{2n-1}}$에서

$a_1=3\times\frac{1}{2^1}=\frac{3}{2}$, $a_2=3\times\frac{1}{2^3}=\frac{3}{8}$

이때, 공비는 $\frac{a_2}{a_1}=\frac{\frac{3}{8}}{\frac{3}{2}}=\frac{1}{4}$

따라서 등비수열 $\{a_n\}$의 첫째항과 공비는 각각 $\frac{3}{2}$, $\frac{1}{4}$이다. 답 ②

1065

$8,\ 4\sqrt{2},\ 4,\ \cdots$ ($\times\frac{1}{\sqrt{2}}$, $\times\frac{1}{\sqrt{2}}$)

첫째항이 8, 공비가 $\frac{1}{\sqrt{2}}$이므로 일반항을 a_n이라 하면

$a_n=8\cdot\left(\frac{1}{\sqrt{2}}\right)^{n-1}=\frac{8}{(\sqrt{2})^{n-1}}$

$\therefore a_9=\frac{8}{(\sqrt{2})^8}=\frac{1}{2}$

즉, $\sin\theta=\frac{1}{2}$에서 $0°<\theta\leq 90°$이므로 $\theta=30°$ 답 30°

1066

|전략| 첫째항을 a, 공비를 r라 하고 주어진 조건을 이용하여 방정식을 세운다.

등비수열 $\{a_n\}$의 첫째항을 a, 공비를 r라 하면

$a_3+a_4=24$에서 $ar^2+ar^3=24$ ······ ㉠

$a_3 : a_4=2 : 1$에서 $\frac{a_4}{a_3}=\frac{1}{2}$

$\therefore r=\frac{1}{2}$

$r=\frac{1}{2}$을 ㉠에 대입하면 $\frac{a}{4}+\frac{a}{8}=24$

$\frac{3}{8}a=24$ $\therefore a=64$

$a_n=64\cdot\left(\frac{1}{2}\right)^{n-1}$이므로 제$n$항이 $\frac{1}{128}$이라 하면

$64\cdot\left(\frac{1}{2}\right)^{n-1}=\frac{1}{128}$

$\left(\frac{1}{2}\right)^{n-1}=\frac{1}{128}\cdot\frac{1}{64}=\frac{1}{2^7}\cdot\frac{1}{2^6}=\frac{1}{2^{13}}=\left(\frac{1}{2}\right)^{13}$

$n-1=13$ $\therefore n=14$

따라서 $\frac{1}{128}$은 제14항이다. 답 ④

1067

등비수열 $\{a_n\}$의 첫째항을 a, 공비를 $r(r>0)$라 하면

$a_5=24$에서 $ar^4=24$ ······ ㉠

$a_7=96$에서 $ar^6=96$ ······ ㉡

㉡÷㉠을 하면 $r^2=4$ $\therefore r=2$ ($\because r>0$)

$r=2$를 ㉠에 대입하면 $a\cdot 2^4=24$

$\therefore a=\frac{3}{2}$

따라서 $a_n=\frac{3}{2}\cdot 2^{n-1}$이므로

$a_{10}=\frac{3}{2}\cdot 2^9=768$ 답 ⑤

1068

등비수열 $\{a_n\}$의 첫째항을 $a(a>0)$, 공비를 $r(r>0)$라 하면

${a_1}^2+{a_2}^2=10$에서 $a^2+(ar)^2=10$

$\therefore a^2(1+r^2)=10$ ······ ㉠

${a_3}^2+{a_4}^2=160$에서 $(ar^2)^2+(ar^3)^2=160$

$\therefore a^2r^4(1+r^2)=160$ ······ ㉡

㉡÷㉠을 하면 $r^4=16$ $\therefore r=2$ ($\because r>0$)

$r=2$를 ㉠에 대입하면

$a^2(1+4)=10,\ a^2=2$ $\therefore a=\sqrt{2}$ ($\because a>0$)

$\therefore \frac{{a_5}^2}{a_2}=\frac{(ar^4)^2}{ar}=ar^7=\sqrt{2}\cdot 2^7=128\sqrt{2}$ 답 $128\sqrt{2}$

1069

등비수열 $\{a_n\}$의 첫째항을 a, 공비를 r라 하면

$a_1+a_2+a_3=3$에서 $a+ar+ar^2=3$

$\therefore a(1+r+r^2)=3$ ······ ㉠

$a_4+a_5+a_6=12$에서 $ar^3+ar^4+ar^5=12$

$\therefore ar^3(1+r+r^2)=12$ ······ ㉡ ··· ❶

㉡÷㉠을 하면 $r^3=4$ ··· ❷

$\therefore \frac{a_4+a_6}{a_1+a_3}=\frac{ar^3+ar^5}{a+ar^2}=\frac{ar^3(1+r^2)}{a(1+r^2)}=r^3=4$ ··· ❸

답 4

채점 기준	비율
❶ a, r에 대한 연립방정식을 세울 수 있다.	40 %
❷ r^3의 값을 구할 수 있다.	30 %
❸ $\frac{a_4+a_6}{a_1+a_3}$의 값을 구할 수 있다.	30 %

1070

등비수열 $\{a_n\}$의 첫째항을 a, 공비를 $r(r\neq0)$라 하면

$\frac{a_2}{a_1}+\frac{a_4}{a_2}+\frac{a_6}{a_3}=\frac{ar}{a}+\frac{ar^3}{ar}+\frac{ar^5}{ar^2}=r+r^2+r^3=0$

$r(1+r+r^2)=0$에서 $r\neq0$이므로 $1+r+r^2=0$

양변에 $1-r$를 곱하면

$(1-r)(1+r+r^2)=0$, $1-r^3=0$ $\quad\therefore r^3=1$

$\therefore \frac{a_{20}}{a_{10}}+\frac{a_{40}}{a_{20}}+\frac{a_{60}}{a_{30}}=\frac{ar^{19}}{ar^9}+\frac{ar^{39}}{ar^{19}}+\frac{ar^{59}}{ar^{29}}$

$=r^{10}+r^{20}+r^{30}=r+r^2+1=0$ 답 ③

1071

|전략| 첫째항이 a, 공비가 r인 등비수열 $\{a_n\}$에서 $ar^{n-1}>k$를 만족시키는 자연수 n의 최솟값을 구한다.

등비수열 $\{a_n\}$의 첫째항을 a, 공비를 r라 하면

$a_2=9$에서 $ar=9$ ...... ㉠

$a_5=243$에서 $ar^4=243$ ...... ㉡

㉡÷㉠을 하면 $r^3=27$ $\quad\therefore r=3$ ($\because$ r는 실수)

$r=3$을 ㉠에 대입하면 $a\cdot3=9$ $\quad\therefore a=3$

$\therefore a_n=3\cdot3^{n-1}=3^n$

$3^n>3000$에서 $3^7=2187$, $3^8=6561$이므로 $n\geq8$

따라서 처음으로 3000보다 커지는 항은 제8항이다. 답 ③

1072

등비수열 $\{a_n\}$의 첫째항을 a, 공비를 r라 하면

$a_2+a_4=10$에서 $ar+ar^3=10$

$\therefore ar(1+r^2)=10$ ...... ㉠

$a_3+a_5=20$에서 $ar^2+ar^4=20$

$\therefore ar^2(1+r^2)=20$ ...... ㉡

㉡÷㉠을 하면 $r=2$

$r=2$를 ㉠에 대입하면 $10a=10$ $\quad\therefore a=1$

$\therefore a_n=1\cdot2^{n-1}=2^{n-1}$

$2^{n-1}>1000$에서 $2^9=512$, $2^{10}=1024$이므로

$n-1\geq10$ $\quad\therefore n\geq11$

따라서 처음으로 1000보다 커지는 항은 제11항이다. 답 ②

1073

등비수열 $\{a_n\}$의 첫째항이 1, 공비가 $\frac{1}{2}$이므로

$a_n=\left(\frac{1}{2}\right)^{n-1}$

$|a_{n+1}-a_n|<\frac{1}{500}$에서

$\left|\left(\frac{1}{2}\right)^n-\left(\frac{1}{2}\right)^{n-1}\right|<\frac{1}{500}$, $\left|\left(\frac{1}{2}\right)^n-2\cdot\left(\frac{1}{2}\right)^n\right|<\frac{1}{500}$

$\left|-\left(\frac{1}{2}\right)^n\right|<\frac{1}{500}$, $\left(\frac{1}{2}\right)^n<\frac{1}{500}$, $2^n>500$

이때, $2^8=256$, $2^9=512$이므로 $n\geq9$

따라서 구하는 자연수 n의 최솟값은 9이다. 답 ②

1074

|전략| 두 수 a, b 사이에 n개의 수를 넣어서 등비수열을 만들면 a는 첫째항이고, b는 제$(n+2)$항임을 이용한다.

공비를 r라 하면 첫째항이 3, 제12항이 30이므로

$3r^{11}=30$ $\quad\therefore r^{11}=10$

이때, a_1, a_{10}은 각각 제2항, 제11항이므로

$a_1=3r$, $a_{10}=3r^{10}$

$\therefore a_1a_{10}=3r\cdot3r^{10}=9r^{11}=9\cdot10=90$ 답 ⑤

1075

$\frac{4}{729}$는 제$(n+2)$항이므로 $36\cdot\left(\frac{1}{3}\right)^{n+1}=\frac{4}{729}$

$\left(\frac{1}{3}\right)^{n+1}=\frac{4}{3^6}\cdot\frac{1}{36}=\frac{1}{3^6}\cdot\frac{1}{3^2}=\frac{1}{3^8}=\left(\frac{1}{3}\right)^8$

$n+1=8$ $\quad\therefore n=7$ 답 ②

1076

공비를 $r(r>0)$라 하면 첫째항이 12, 제5항이 972이므로

$12r^4=972$, $r^4=81$ $\quad\therefore r=3$ ($\because r>0$)

$\therefore c-a=12\cdot3^3-12\cdot3=288$ 답 288

1077

공비를 r라 하면 첫째항이 8, 제$(n+2)$항이 128이므로

$8\cdot r^{n+1}=128$

$\therefore r^{n+1}=16=2^4$

이를 만족시키는 자연수 r과 n의 순서쌍 (r, n)은

$(2, 3)$, $(4, 1)$

이때, $a_1=8r$이므로 r의 값이 최대일 때, a_1의 값이 최대이다.

따라서 $r=4$이므로 $a_1=8\cdot4=32$ 답 32

1078

|전략| 세 수 a, b, c가 이 순서대로 등비수열을 이루면 $b^2=ac$임을 이용한다.

x, $x+6$, $9x$가 이 순서대로 등비수열을 이루므로

$(x+6)^2=x\cdot9x$, $x^2+12x+36=9x^2$

$8x^2-12x-36=0$, $2x^2-3x-9=0$

$(2x+3)(x-3)=0$ $\quad\therefore x=3$ ($\because x>0$) 답 ③

1079

$\cos\theta$, $2\sin\theta$, $\frac{1}{\cos\theta}$이 이 순서대로 등비수열을 이루므로

$(2\sin\theta)^2=\cos\theta\cdot\frac{1}{\cos\theta}$

$4\sin^2\theta=1$, $\sin^2\theta=\frac{1}{4}$

그런데 $0^\circ<\theta<90^\circ$이므로 $0<\sin\theta<1$

$\therefore \sin\theta=\frac{1}{2}$ $\quad\therefore \theta=30^\circ$ 답 ②

1080

이차방정식의 근과 계수의 관계에 의하여

$\alpha+\beta=k,\ \alpha\beta=125$ …… ㉠ … ❶

$\alpha,\ \beta-\alpha,\ \beta$가 이 순서대로 등비수열을 이루므로

$(\beta-\alpha)^2=\alpha\beta$ … ❷

이때, $(\beta-\alpha)^2=(\beta+\alpha)^2-4\alpha\beta$이므로

$(\beta+\alpha)^2=5\alpha\beta$ …… ㉡

㉠을 ㉡에 대입하면 $k^2=5\cdot125=25^2$

$\therefore k=25\ (\because k>0)$ … ❸

답 25

채점 기준	비율
❶ 근과 계수의 관계를 이용하여 $\alpha+\beta$, $\alpha\beta$의 값을 구할 수 있다.	30 %
❷ 등비중항을 이용하여 α, β 사이의 관계식을 구할 수 있다.	30 %
❸ k의 값을 구할 수 있다.	40 %

1081

다항식 $f(x)$를 $x+1$, $x-1$, $x-2$로 나누었을 때의 나머지는 나머지정리에 의해 각각 $f(-1)$, $f(1)$, $f(2)$이고 이 세 수가 이 순서대로 등비수열을 이루므로

$\{f(1)\}^2=f(-1)\cdot f(2)$

$f(x)=x^2+2x+a$에서 $(a+3)^2=(a-1)(a+8)$

$a^2+6a+9=a^2+7a-8 \quad \therefore a=17$

따라서 $f(x)=x^2+2x+17$이므로 $f(x)$를 $x+2$로 나누었을 때의 나머지는 $f(-2)=17$

답 ②

1082

| 전략 | 세 수 a, b, c가 이 순서대로 등차수열을 이루면 $2b=a+c$이고, 등비수열을 이루면 $b^2=ac$임을 이용한다.

$8,\ a,\ b$가 이 순서대로 등차수열을 이루므로

$2a=8+b$ …… ㉠

$a,\ b,\ 36$이 이 순서대로 등비수열을 이루므로

$b^2=36a$ …… ㉡

㉠을 ㉡에 대입하면

$b^2=18(8+b),\ b^2-18b-144=0$

$(b+6)(b-24)=0 \quad \therefore b=24\ (\because b>0)$

$b=24$를 ㉠에 대입하면 $2a=32 \quad \therefore a=16$

$\therefore a+b=16+24=40$

답 40

1083

$a,\ b,\ 4$가 이 순서대로 등비수열을 이루므로

$b^2=4a$ …… ㉠

$24,\ a,\ b$가 이 순서대로 등차수열을 이루므로

$2a=24+b$ …… ㉡

㉡을 ㉠에 대입하면

$b^2=2(24+b),\ b^2-2b-48=0$

$(b+6)(b-8)=0 \quad \therefore b=8\ (\because b$는 자연수$)$

$b=8$을 ㉡에 대입하면 $2a=32 \quad \therefore a=16$

답 ②

1084

$a,\ x,\ b$가 이 순서대로 등차수열을 이루므로 $2x=a+b$

$a,\ y,\ b$가 이 순서대로 등비수열을 이루므로 $y^2=ab$

$\frac{1}{a},\ \frac{1}{z},\ \frac{1}{b}$이 이 순서대로 등차수열을 이루므로

$\frac{2}{z}=\frac{1}{a}+\frac{1}{b}$에서 $\frac{2}{z}=\frac{a+b}{ab} \quad \therefore z=\frac{2ab}{a+b}$

이때, $xz=\frac{a+b}{2}\cdot\frac{2ab}{a+b}=ab=y^2$이므로

$y^2-xz=0$

답 0

참고 $y^2=xz$에서 y는 x와 z의 등비중항이므로 세 수 $x,\ y,\ z$ (또는 $z,\ y,\ x$)는 이 순서대로 등비수열을 이루고 있음을 알 수 있다.

1085

| 전략 | 등비수열을 이루는 세 수를 $a,\ ar,\ ar^2$으로 놓는다.

세 실수를 $a,\ ar,\ ar^2$으로 놓으면

$a+ar+ar^2=26 \quad \therefore a(1+r+r^2)=26$ …… ㉠

$a\cdot ar\cdot ar^2=216,\ (ar)^3=216 \quad \therefore ar=6$ …… ㉡

㉡에서 $a=\frac{6}{r}$을 ㉠에 대입하면

$\frac{6}{r}(1+r+r^2)=26,\ 3r^2-10r+3=0$

$(3r-1)(r-3)=0 \quad \therefore r=\frac{1}{3}$ 또는 $r=3$

$r=\frac{1}{3}$일 때 $a=18$, $r=3$일 때 $a=2$이므로 세 실수는 2, 6, 18이다.

따라서 가장 큰 수는 18이다.

답 18

1086

곡선 $y=-x^3+6x^2+24x$와 직선 $y=k$의 교점의 x좌표는 방정식 $-x^3+6x^2+24x=k$, 즉 $x^3-6x^2-24x+k=0$의 실근이다.

삼차방정식 $x^3-6x^2-24x+k=0$의 서로 다른 세 실근을 $a,\ ar,\ ar^2$이라 하면 삼차방정식의 근과 계수의 관계에 의하여

$a+ar+ar^2=6 \quad \therefore a(1+r+r^2)=6$ …… ㉠

$a^2r+a^2r^2+a^2r^3=-24 \quad \therefore a^2r(1+r+r^2)=-24$ …… ㉡

$a\cdot ar\cdot ar^2=-k,\ a^3r^3=-k \quad \therefore (ar)^3=-k$ …… ㉢

㉡÷㉠을 하면 $ar=-4$

$ar=-4$를 ㉢에 대입하면

$(-4)^3=-k \quad \therefore k=64$

답 64

1087

| 전략 | 삼각형의 닮음비를 이용하여 수열 $\{a_n\}$을 구한다.

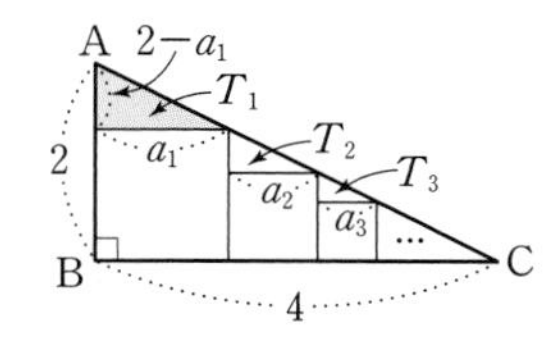

오른쪽 그림의 색칠한 삼각형 T_1과 삼각형 ABC는 닮음이므로

$(2-a_1):a_1=2:4$에서

$8-4a_1=2a_1 \quad \therefore a_1=\frac{4}{3}$

삼각형 T_2와 삼각형 ABC는 닮음이므로

$(a_1-a_2):a_2=2:4$에서

$4a_1-4a_2=2a_2 \qquad \therefore a_2=\frac{2}{3}a_1=\frac{2}{3}\cdot\frac{4}{3}$

같은 방법으로 $(a_2-a_3):a_3=2:4$에서

$4a_2-4a_3=2a_3 \qquad \therefore a_3=\frac{2}{3}a_2=\left(\frac{2}{3}\right)^2\cdot\frac{4}{3}$

따라서 수열 $\{a_n\}$은 첫째항이 $\frac{4}{3}$, 공비가 $\frac{2}{3}$인 등비수열이므로

$a_n=\frac{4}{3}\cdot\left(\frac{2}{3}\right)^{n-1}$

$\therefore a_7=\frac{4}{3}\cdot\left(\frac{2}{3}\right)^6=2\cdot\left(\frac{2}{3}\right)^7$ 답 $2\cdot\left(\frac{2}{3}\right)^7$

1088

정사각형 T_1의 넓이가 4이므로 한 변의 길이는 $\sqrt{4}=2$ ($8\cdot\frac{1}{2}=4$)

정사각형 T_2의 넓이가 2이므로 한 변의 길이는 $\sqrt{2}$ ($4\cdot\frac{1}{2}=2$)

정사각형 T_3의 넓이가 1이므로 한 변의 길이는 1 ($2\cdot\frac{1}{2}=1$)

⋮

따라서 정사각형 T_n의 한 변의 길이는 $2\cdot\left(\frac{1}{\sqrt{2}}\right)^{n-1}$

$\therefore a=\frac{1}{\sqrt{2}}=\frac{\sqrt{2}}{2}$ 답 $\frac{\sqrt{2}}{2}$

다른 풀이 주어진 정사각형의 넓이가 8이므로 한 변의 길이는 $\sqrt{8}=2\sqrt{2}$

정사각형 T_1의 한 변의 길이는 $\sqrt{(\sqrt{2})^2+(\sqrt{2})^2}=2$

정사각형 T_2의 한 변의 길이는 $\sqrt{1^2+1^2}=\sqrt{2}$

정사각형 T_3의 한 변의 길이는 $\sqrt{\left(\frac{\sqrt{2}}{2}\right)^2+\left(\frac{\sqrt{2}}{2}\right)^2}=1$

⋮

따라서 정사각형 T_n의 한 변의 길이는 $2\cdot\left(\frac{1}{\sqrt{2}}\right)^{n-1}$이므로

$a=\frac{\sqrt{2}}{2}$

1089

사각형 A_1의 넓이는 $\frac{1}{2}\cdot2\cdot1=1$

사각형 A_2의 넓이는 $\frac{1}{2}\cdot1=\frac{1}{2}$

사각형 A_3의 넓이는 $\frac{1}{2}\cdot\frac{1}{2}=\left(\frac{1}{2}\right)^2$

사각형 A_4의 넓이는 $\frac{1}{2}\cdot\left(\frac{1}{2}\right)^2=\left(\frac{1}{2}\right)^3$

⋮

사각형 A_n의 넓이는 $\left(\frac{1}{2}\right)^{n-1}$

이때 $\left(\frac{1}{2}\right)^{n-1}<\frac{1}{100}$, 즉 $2^{n-1}>100$에서 $2^6=64$, $2^7=128$이므로

$n-1\ge7 \qquad \therefore n\ge8$

따라서 구하는 n의 값은 8이다. 답 8

1090

| **전략** | 한 변의 길이가 a인 정삼각형의 넓이는 $\frac{\sqrt{3}}{4}a^2$임을 이용한다.

한 변의 길이가 1인 정삼각형의 넓이는

$\frac{\sqrt{3}}{4}$

1회 시행에서 색칠하게 되는 정삼각형의 넓이는

$\frac{\sqrt{3}}{4}\cdot\frac{1}{4}=\frac{\sqrt{3}}{16}$

2회 시행에서 색칠하게 되는 정삼각형의 넓이는

$\frac{\sqrt{3}}{16}\cdot\frac{3}{4}$

3회 시행에서 색칠하게 되는 정삼각형의 넓이는

$\frac{\sqrt{3}}{16}\cdot\left(\frac{3}{4}\right)^2$

⋮

n회 시행에서 색칠하게 되는 정삼각형의 넓이는

$\frac{\sqrt{3}}{16}\cdot\left(\frac{3}{4}\right)^{n-1}$

따라서 11회 시행에서 색칠하게 되는 정삼각형의 넓이는

$\frac{\sqrt{3}}{16}\cdot\left(\frac{3}{4}\right)^{10}$이므로 $n=10$ 답 10

1091

| **전략** | 처음의 양 a가 매일 일정한 비율 p %로 감소하면 n일 후의 양은 $a\left(1-\frac{p}{100}\right)^n$임을 이용한다.

처음 사용 가능한 시간은 20시간이고 한 번 충전할 때마다 성능이 1 %씩 감소하므로 100번 충전할 때 사용 가능한 시간은

$20\left(1-\frac{1}{100}\right)^{100}=20\times0.99^{100}=20\times0.36=7.2$(시간)

따라서 사용 가능한 시간은 7시간 12분이다. 답 ②

1092

처음 개체의 수를 a, 매일 증가하는 비율을 p %라 하면 n일간 증가한 개체의 수는

$a\left(1+\frac{p}{100}\right)^n$

20일간 44 % 증가하였으므로

$a\left(1+\frac{p}{100}\right)^{20}=1.44a$, $\left(1+\frac{p}{100}\right)^{20}=1.44$

또, 10일 후의 개체의 수는 $a\left(1+\frac{p}{100}\right)^{10}$이므로

$a\left(1+\frac{p}{100}\right)^{10}=a\sqrt{\left(1+\frac{p}{100}\right)^{20}}=1.2a$

즉, 10일 후의 개체의 수는 $1.2a$가 되었으므로 증가율은

$(1.2-1)\times100=20$ (%) 답 ②

1093

여과 장치를 통과하기 전의 처음 유해 세포 A의 양을 a개, 여과 장치를 통과할 때마다 매회 감소되는 일정한 비율을 r라 하면 n회 통과했을 때의 유해 세포 A의 양은 ar^n개이다.

10회 통과했을 때의 유해 세포 A의 양은 16만 개이므로

$ar^{10}=1.6\times10^5$ …… ㉠

20회 통과했을 때의 유해 세포 A의 양은 1만 개이므로

$ar^{20}=0.1\times10^5$ …… ㉡

㉡÷㉠을 하면 $r^{10}=\frac{1}{16}$ …… ㉢

$\therefore r^5=\frac{1}{4}$

㉢을 ㉠에 대입하면 $\frac{1}{16}a=1.6\times10^5$ $\quad\therefore a=2.56\times10^6$

따라서 15회 통과했을 때의 유해 세포 A의 양은

$ar^{15}=2.56\times10^6\times\left(\frac{1}{4}\right)^3=0.4\times10^5$

이므로 4만 개로 예상할 수 있다. 답 4만 개

1094

|전략| 첫째항이 a이고, 공비가 $r(r\neq1)$인 등비수열의 첫째항부터 제n항까지의 합은 $\frac{a(1-r^n)}{1-r}$임을 이용한다.

등비수열 $\{a_n\}$의 첫째항을 a, 공비를 $r(r<0)$라 하면

$a_4=24$에서 $ar^3=24$ …… ㉠

$a_8=384$에서 $ar^7=384$ …… ㉡

㉡÷㉠을 하면 $r^4=16$ $\quad\therefore r=-2\ (\because r<0)$

$r=-2$를 ㉠에 대입하면 $-8a=24$ $\quad\therefore a=-3$

따라서 주어진 수열의 첫째항부터 제8항까지의 합은

$\frac{-3\{1-(-2)^8\}}{1-(-2)}=255$ 답 255

1095

첫째항이 1이고, 공비가 $1+x(x\neq0)$인 등비수열의 첫째항부터 제n항까지의 합이므로

$1+(1+x)+(1+x)^2+(1+x)^3+\cdots+(1+x)^{n-1}$

$=\frac{1\{(1+x)^n-1\}}{(1+x)-1}=\frac{(1+x)^n-1}{x}$ 답 ④

1096

등비수열의 첫째항을 a라 하면 공비가 4이므로 첫째항부터 제5항까지의 합은

$\frac{a(4^5-1)}{4-1}=1023$, $\frac{1023}{3}a=1023$

$\therefore a=3$ 답 ③

1097

등비수열 $\{a_n\}$의 첫째항이 1, 공비가 3이므로 수열 a_1+a_2, a_2+a_3, a_3+a_4, …는 첫째항이 $a_1+a_2=1+1\cdot3=4$,

공비가 $\frac{a_2+a_3}{a_1+a_2}=\frac{1\cdot3+1\cdot3^2}{1+1\cdot3}=3$인 등비수열이다.

따라서 주어진 수열의 첫째항부터 제11항까지의 합은

$\frac{4(3^{11}-1)}{3-1}=2(3^{11}-1)$ 답 ③

Lecture

등비수열 $\{a_n\}$의 공비가 r일 때

(1) 수열 $\{a_n+a_{n+1}\}$: $a_1+a_2, a_2+a_3, a_3+a_4, \cdots$

⇨ 공비가 r인 등비수열

(2) 수열 $\{a_{2n-1}+a_{2n}\}$: $a_1+a_2, a_3+a_4, a_5+a_6, \cdots$

⇨ 공비가 r^2인 등비수열

1098

등차수열 $\{a_n\}$의 일반항이 $a_n=1+(n-1)\cdot2=2n-1$이므로 수열 $\{b_n\}$의 일반항은 $b_n=3^{2n-1}$

$b_1=3, b_2=3^3, b_3=3^5, \cdots, b_{10}=3^{19}$

따라서 수열 $\{b_n\}$은 첫째항이 3, 공비가 3^2인 등비수열이므로

$b_1+b_2+b_3+\cdots+b_{10}=\frac{3\{(3^2)^{10}-1\}}{3^2-1}=\frac{3^{21}-3}{8}$

$\therefore p=21$ 답 21

1099

주어진 수열에서 첫째항부터 제10항까지 더하면

$\left(2+\frac{1}{2}\right)+\left(4+\frac{1}{4}\right)+\left(6+\frac{1}{8}\right)+\cdots+\left(20+\frac{1}{2^{10}}\right)$

$=(2+4+6+\cdots+20)+\left(\frac{1}{2}+\frac{1}{4}+\frac{1}{8}+\cdots+\frac{1}{2^{10}}\right)$

$=\frac{10(2+20)}{2}+\frac{\frac{1}{2}\left\{1-\left(\frac{1}{2}\right)^{10}\right\}}{1-\frac{1}{2}}$

$=110+1-\left(\frac{1}{2}\right)^{10}=111-\frac{1}{2^{10}}$ 답 ②

1100

주어진 수열에서 첫째항부터 제10항까지 더하면

$9+99+999+\cdots+\underbrace{99\cdots9}_{10\text{개}}$

$=(10-1)+(10^2-1)+(10^3-1)+\cdots+(10^{10}-1)$

$=(10+10^2+10^3+\cdots+10^{10})-10$

$=\frac{10(10^{10}-1)}{10-1}-10$

$=\frac{100}{9}(10^9-1)$ 답 ①

1101

|전략| $S_{2n}\div S_n=r^n+1(r\neq1)$임을 이용한다.

등비수열 $\{a_n\}$의 첫째항을 a, 공비를 r, 첫째항부터 제n항까지의 합을 S_n이라 하면

$$S_5=\frac{a(r^5-1)}{r-1}=10 \quad \cdots\cdots ㉠$$

$$S_{10}=\frac{a(r^{10}-1)}{r-1}=\frac{a(r^5-1)}{r-1}\cdot(r^5+1)=30 \quad \cdots\cdots ㉡$$

㉠, ㉡에서 $10(r^5+1)=30$

$r^5+1=3 \qquad \therefore r^5=2$

$$\therefore S_{15}=\frac{a(r^{15}-1)}{r-1}=\frac{a(r^5-1)}{r-1}\cdot(r^{10}+r^5+1)$$

$$=10(2^2+2+1)=10\cdot7=70$$

답 70

1102

등비수열 $\{a_n\}$의 첫째항을 a, 공비를 $r(r>0)$, 첫째항부터 제n항까지의 합을 S_n이라 하면

$$S_4=\frac{a(r^4-1)}{r-1}=45 \quad \cdots\cdots ㉠$$

$$S_8=\frac{a(r^8-1)}{r-1}=\frac{a(r^4-1)}{r-1}\cdot(r^4+1)=765 \quad \cdots\cdots ㉡ \quad \cdots ❶$$

㉠, ㉡에서 $45(r^4+1)=765$, $r^4+1=17$

$r^4=16 \qquad \therefore r=2\ (\because r>0)$ … ❷

$r=2$를 ㉠에 대입하여 정리하면

$15a=45 \qquad \therefore a=3$ … ❸

따라서 $a_n=3\cdot2^{n-1}$이므로

$a_3=3\cdot2^2=12$ … ❹

답 12

채점 기준	비율
❶ S_4, S_8을 a, r에 대한 식으로 나타낼 수 있다.	40 %
❷ r의 값을 구할 수 있다.	20 %
❸ a의 값을 구할 수 있다.	20 %
❹ a_3의 값을 구할 수 있다.	20 %

1103

등비수열 $\{a_n\}$의 첫째항을 a, 공비를 $r(r>0)$, 첫째항부터 제n항까지의 합을 S_n이라 하면

$$a_1+a_2+\cdots+a_6=S_6=\frac{a(r^6-1)}{r-1}=26 \quad \cdots\cdots ㉠$$

이때, $a_7+a_8+\cdots+a_{12}=S_{12}-S_6$이므로

$S_{12}=S_6+702=26+702=728$

$$\therefore S_{12}=\frac{a(r^{12}-1)}{r-1}=\frac{a(r^6-1)}{r-1}\cdot(r^6+1)=728 \quad \cdots\cdots ㉡$$

㉠, ㉡에서 $26(r^6+1)=728$, $r^6+1=28$

$r^6=27$, $r^2=3$ ($\because$ r는 실수)

$\therefore r=\sqrt{3}\ (\because r>0)$

답 $\sqrt{3}$

다른 풀이 등비수열 $\{a_n\}$의 첫째항을 a, 공비를 $r(r>0)$라 하면

$$a_1+a_2+\cdots+a_6=a+ar+\cdots+ar^5$$
$$=a(1+r+\cdots+r^5)=26 \quad \cdots\cdots ㉠$$

$$a_7+a_8+\cdots+a_{12}=ar^6+ar^7+\cdots+ar^{11}$$
$$=ar^6(1+r+\cdots+r^5)=702 \quad \cdots\cdots ㉡$$

㉠, ㉡에서 $26r^6=702$, $r^6=27$

$r^2=3$ ($\because$ r는 실수) $\qquad \therefore r=\sqrt{3}\ (\because r>0)$

1104

등비수열 $\{a_n\}$의 첫째항을 a, 공비를 $r(r>0)$라 하면

$$a_1+a_2+a_3+\cdots+a_n=\frac{a(1-r^n)}{1-r}=20 \quad \cdots\cdots ㉠$$

$$a_{2n+1}+a_{2n+2}+a_{2n+3}+\cdots+a_{3n}$$
$$=ar^{2n}+ar^{2n+1}+ar^{2n+2}+\cdots+ar^{3n-1}$$
$$=\frac{ar^{2n}(1-r^n)}{1-r}=\frac{a(1-r^n)}{1-r}\cdot r^{2n}=180 \quad \cdots\cdots ㉡$$

㉠, ㉡에서 $20r^{2n}=180$, $r^{2n}=9$, $(r^n)^2=9$

등비수열 $\{a_n\}$의 공비가 양수이므로 $r^n=3$

$$\therefore a_{n+1}+a_{n+2}+a_{n+3}+\cdots+a_{2n}$$
$$=ar^n+ar^{n+1}+ar^{n+2}+\cdots+ar^{2n-1}$$
$$=\frac{ar^n(1-r^n)}{1-r}=\frac{a(1-r^n)}{1-r}\cdot r^n=20\cdot3=60$$

답 ①

1105

| 전략 | $a_n=S_n-S_{n-1}(n\ge2)$임을 이용한다.

$S_n=2^n-1$이므로

$$\frac{a_{10}}{a_2}=\frac{S_{10}-S_9}{S_2-S_1}=\frac{(2^{10}-1)-(2^9-1)}{(2^2-1)-(2^1-1)}$$
$$=\frac{2^{10}-2^9}{2^2-2^1}=\frac{2^9(2-1)}{2(2-1)}=2^8$$

답 ③

1106

ㄱ. (i) $n=1$일 때, $a_1=S_1=3^1-1=2$

(ii) $n\ge2$일 때,

$$a_n=S_n-S_{n-1}=(3^n-1)-(3^{n-1}-1)$$
$$=3^{n-1}(3-1)=2\cdot3^{n-1} \quad \cdots\cdots ㉠$$

이때, $a_1=2$는 ㉠에 $n=1$을 대입한 것과 같으므로

$a_n=2\cdot3^{n-1}$ (참)

ㄴ. $a_1+a_3+a_5+a_7=2+2\cdot3^2+2\cdot3^4+2\cdot3^6$

$$=2(1+3^2+3^4+3^6)$$
$$=2\cdot\frac{1\cdot\{(3^2)^4-1\}}{3^2-1}$$
$$=\frac{1}{4}(3^8-1)\ \text{(참)}$$

ㄷ. 수열 $\{a_{2n}\}$: $a_2, a_4, a_6, \cdots$의 공비는

$$\frac{a_4}{a_2}=\frac{2\cdot3^3}{2\cdot3}=3^2=9\ \text{(거짓)}$$

따라서 옳은 것은 ㄱ, ㄴ이다.

답 ④

1107

$\log_2 S_n=n+1$에서 $S_n=2^{n+1}$

(i) $n=1$일 때, $a_1=S_1=4$

(ii) $n\ge2$일 때,

$a_n=S_n-S_{n-1}=2^{n+1}-2^n=2^n$

따라서 $a_1=4$, $a_5=2^5$, $a_{10}=2^{10}$이므로

$a_1+a_5+a_{10}=4+2^5+2^{10}$ 답 ④

1108

(ⅰ) $n=1$일 때, $a_1=S_1=3\cdot2^2+k=12+k$ …… ㉠ … ❶

(ⅱ) $n\geq2$일 때,

$$a_n=S_n-S_{n-1}=3\cdot2^{n+1}+k-(3\cdot2^n+k)$$
$$=3\cdot2^n(2-1)=3\cdot2^n \quad \cdots\cdots ㉡$$ … ❷

이때, 이 수열이 첫째항부터 등비수열을 이루려면 ㉡에 $n=1$을 대입한 것과 ㉠이 같아야 하므로

$3\cdot2=12+k \qquad \therefore k=-6$ … ❸

답 -6

채점 기준	비율
❶ a_1을 k에 대한 식으로 나타낼 수 있다.	30 %
❷ $n\geq2$일 때, a_n을 구할 수 있다.	30 %
❸ k의 값을 구할 수 있다.	40 %

1109

| 전략 | 파이프의 길이가 일정하게 감소하므로 등비수열임을 알고, 주어진 조건을 이용하여 공비를 구해 본다.

팬파이프의 첫 번째 파이프의 길이를 a m, 전 파이프에 비해 감소하는 길이의 비를 r, 첫 번째 파이프부터 n번째 파이프까지의 길이의 합을 S_n m라 하면

$$S_8=\frac{a(1-r^8)}{1-r}=3 \quad \cdots\cdots ㉠$$

또, $ar^8+ar^9+\cdots+ar^{15}=S_{16}-S_8$이므로

$$S_{16}=\frac{3}{2}+3=\frac{9}{2}$$

$$\therefore S_{16}=\frac{a(1-r^{16})}{1-r}=\frac{a(1-r^8)}{1-r}\cdot(1+r^8)=\frac{9}{2} \quad \cdots\cdots ㉡$$

㉠, ㉡에서 $3(1+r^8)=\frac{9}{2}$

$1+r^8=\frac{3}{2} \qquad \therefore r^8=\frac{1}{2}$

$$\therefore S_{24}=\frac{a(1-r^{24})}{1-r}=\frac{a(1-r^8)}{1-r}\cdot(1+r^8+r^{16})$$
$$=3\left\{1+\frac{1}{2}+\left(\frac{1}{2}\right)^2\right\}=\frac{21}{4}\text{ (m)}$$

따라서 첫 번째 파이프부터 24번째 파이프까지의 길이의 합은 $\frac{21}{4}$ m이므로 파이프의 총 길이는 $\frac{21}{4}$ m이다. 답 $\frac{21}{4}$ m

1110

A지역의 연간 자동차 휘발유 소비량이 매년 r배 감소한다고 하면 4년 후의 휘발유의 소비량은 $768r^4$톤이므로

$768r^4=48$, $r^4=\frac{1}{16} \qquad \therefore r=\frac{1}{2}\ (\because r>0)$

따라서 8년 동안 사용되는 자동차 휘발유 소비량의 총합은

$$768+768r+768r^2+\cdots+768r^7=\frac{768(1-r^8)}{1-r}$$
$$=\frac{768\left\{1-\left(\frac{1}{2}\right)^8\right\}}{1-\frac{1}{2}}=1530\text{(톤)}$$

답 1530톤

1111

1회 시행 시 버린 조각의 넓이는 $\frac{1}{4}\cdot4\cdot4=4$

2회 시행 시 버린 조각의 넓이는 $4\cdot\frac{3}{4}$

3회 시행 시 버린 조각의 넓이는 $4\cdot\left(\frac{3}{4}\right)^2$

⋮

n회 시행 시 버린 조각의 넓이는 $4\cdot\left(\frac{3}{4}\right)^{n-1}$

따라서 10회 시행하였을 때, 버린 조각의 넓이의 합은

$$\frac{4\cdot\left\{1-\left(\frac{3}{4}\right)^{10}\right\}}{1-\frac{3}{4}}=16\cdot\left\{1-\left(\frac{3}{4}\right)^{10}\right\}$$ 답 ④

1112

| 전략 | 연이율 r의 복리로 매년 초에 a원씩 n년간 적립할 때, n년 후의 원리합계는 $a(1+r)+a(1+r)^2+\cdots+a(1+r)^n$임을 이용한다.

매년 초에 a원씩 적립한다고 하면 12년 후의 원리합계는

$$a(1+0.06)+a(1+0.06)^2+\cdots+a(1+0.06)^{12}$$
$$=\frac{a\times1.06(1.06^{12}-1)}{0.06}=\frac{a\times1.06(2.01-1)}{0.06}$$
$$=\frac{1.06\times1.01\times a}{0.06}=1000000$$
$$\therefore a=\frac{1000000\times0.06}{1.06\times1.01}\fallingdotseq56000\text{(원)}$$

따라서 매년 초에 56000원씩 적립하면 된다. 답 ③

1113

매년 초에 적립하는 10만 원의 원리합계를 그림으로 나타내면

(단위: 만 원)

초1 초	초2 초	초3 초	…	고2 초	고3 초	고3 말
10	10	10	…	10	10	

- $10(1+0.05)^{12}$
- $10(1+0.05)^{11}$
- $10(1+0.05)^{10}$
- ⋮
- $10(1+0.05)^2$
- $10(1+0.05)$

따라서 고등학교 3학년 연말에 은정이가 찾을 돈은

$$10(1+0.05)+10(1+0.05)^2+\cdots+10(1+0.05)^{12}$$
$$=\frac{10\times1.05(1.05^{12}-1)}{0.05}=\frac{10\times1.05(1.8-1)}{0.05}$$
$$=168\text{(만 원)}$$

답 168만 원

1114

매년 1월 1일에 적립하는 금액의 원리합계를 그림으로 나타내면

(단위: 조 원)

2011년 1월 1일	2012년 1월 1일	2013년 1월 1일	…	2020년 1월 1일	2020년 12월 31일
10	10×1.06	10×1.06^2	…	10×1.06^9	
					10×1.06^{10}
					10×1.06^{10}
					10×1.06^{10}
					⋮
					10×1.06^{10}

따라서 2020년 12월 31일까지 적립되는 금액의 원리합계는

$10\times1.06^{10}\times10=10\times1.8\times10=180$(조 원) 답 ③

1115

|전략| a원을 n년에 걸쳐 상환할 때

(a원의 n년 후의 원리합계)=(n년 동안 상환한 금액의 원리합계)임을 이용한다.

갚아야 할 100만 원의 10개월 후의 원리합계는

$100(1+0.02)^{10}=100\times1.02^{10}$

$=100\times1.2=120$(만 원) …… ㉠

매달 초에 a만 원씩 10개월 동안 갚는다고 할 때의 원리합계는

$a+a(1+0.02)+\cdots+a(1+0.02)^9$

$=\dfrac{a(1.02^{10}-1)}{1.02-1}=\dfrac{a(1.2-1)}{0.02}$

$=10a$(만 원) …… ㉡

㉠과 ㉡이 같아야 하므로

$120=10a\qquad\therefore a=12$(만 원)

따라서 매달 갚아야 할 금액은 12만 원이다. 답 12만 원

1116

매년 말에 800만 원씩 10년 동안 연이율 5 %의 복리로 적립한 금액의 원리합계는

$800+800\times1.05+\cdots+800\times1.05^9$

$=\dfrac{800(1.05^{10}-1)}{1.05-1}=\dfrac{800(1.6-1)}{0.05}$

$=9600$(만 원) …… ㉠

올해 초에 한꺼번에 연금 a만 원을 받는다고 하면 a만 원의 10년 후의 원리합계는

$a\times1.05^{10}=1.6a$(만 원) …… ㉡

㉠과 ㉡이 같아야 하므로

$9600=1.6a\qquad\therefore a=6000$(만 원)

따라서 올해 초에 한꺼번에 받는 금액은 6000만 원이다. 답 ①

1117

3000만 원을 12년 동안 예금할 때의 원리합계는

$3000(1+0.06)^{12}=3000\times1.06^{12}$

$=3000\times2=6000$(만 원) …… ㉠

올해 말부터 a만 원씩 12년 동안 갚는다고 할 때의 원리합계는

$a+a(1+0.06)+\cdots+a(1+0.06)^{11}$

$=\dfrac{a(1.06^{12}-1)}{1.06-1}=\dfrac{a(2-1)}{0.06}$

$=\dfrac{50}{3}a$(만 원) …… ㉡

㉠과 ㉡이 같아야 하므로

$6000=\dfrac{50}{3}a\qquad\therefore a=360$(만 원)

따라서 매년 말에 갚아야 할 금액은 360만 원이다. 답 360만 원

STEP 3 내신 마스터

1118

유형 02 항 또는 항 사이의 관계가 주어진 등차수열

|전략| 첫째항을 a, 공차를 d라 하고 주어진 조건을 이용하여 방정식을 세운다.

등차수열 $\{a_n\}$의 첫째항을 a, 공차를 d라 하면

$a_3=11$에서 $a+2d=11$ …… ㉠

$a_{10}=32$에서 $a+9d=32$ …… ㉡

㉠, ㉡을 연립하여 풀면 $a=5$, $d=3$

$a_n=5+(n-1)\cdot3=3n+2$이므로 제n항이 1211이라 하면

$3n+2=1211$, $3n=1209\qquad\therefore n=403$

따라서 1211은 제403항이다. 답 ③

1119

유형 03 조건을 만족시키는 등차수열

|전략| 등차수열 $\{a_n\}$의 일반항을 구하고, 부등식을 이용하여 처음으로 100보다 크게 되는 항을 찾는다.

등차수열 $\{a_n\}$의 첫째항을 a, 공차를 d라 하면

$a_7=24$에서 $a+6d=24$ …… ㉠

$a_5:a_{15}=3:8$에서 $8a_5=3a_{15}$, $8(a+4d)=3(a+14d)$

$5a-10d=0\qquad\therefore a-2d=0$ …… ㉡

㉠, ㉡을 연립하여 풀면 $a=6$, $d=3$

$\therefore a_n=6+(n-1)\cdot3=3n+3$

$3n+3>100$에서 $3n>97\qquad\therefore n>\dfrac{97}{3}=32.3\times\times\times$

따라서 처음으로 100보다 크게 되는 항은 제33항이다. 답 ③

1120

유형 04 두 수 사이에 수를 넣어서 만든 등차수열

|전략| 두 수 a, b 사이에 n개의 수를 넣어서 등차수열을 만들면 a는 첫째항이고, b는 제$(n+2)$항임을 이용한다.

등차수열 $2, a_1, a_2, a_3, \cdots, a_{100}, 305$에서 공차를 d_1이라 하면 305는 제102항이므로 $305=2+101d_1\qquad\therefore d_1=3$

등차수열 $3, b_1, b_2, b_3, \cdots, b_{50}, 309$에서 공차를 d_2라 하면 309는 제52항이므로 $309=3+51d_2\qquad\therefore d_2=6$

$\therefore \dfrac{b_2-b_1}{a_{100}-a_{99}}=\dfrac{d_2}{d_1}=\dfrac{6}{3}=2$ 답 ②

1121

유형 05 등차중항

|전략| 세 수 a, b, c가 이 순서대로 등차수열을 이루면 $2b=a+c$임을 이용한다.

a, b, d가 이 순서대로 등차수열을 이루므로

$2b=a+d$ ⋯⋯ ㉠

또, b, c, d가 이 순서대로 등차수열을 이루므로

$2c=b+d \quad \therefore b=2c-d$ ⋯⋯ ㉡

㉡을 ㉠에 대입하여 d에 대하여 풀면

$2(2c-d)=a+d, 3d=4c-a$

$\therefore d=\frac{4c-a}{3}=\frac{4c-a}{4-1}$

따라서 점 D(d)는 $\overline{AC}$를 4 : 1로 외분한다. 답 ①

다른 풀이 a, b, d가 이 순서대로 등차수열을 이루므로

$b-a=d-b$에서 $\overline{AB}=\overline{BD}$

또, b, c, d가 이 순서대로 등차수열을 이루므로

$c-b=d-c$ 에서 $\overline{BC}=\overline{CD}$

따라서 $\overline{AC}:\overline{CD}=3:1$이므로 점 D$(d)$는 $\overline{AC}$를 4 : 1로 외분한다.

1122

유형 06 등차수열을 이루는 수

|전략| 세 변의 길이를 $a-d, a, a+d\left(0<d<\frac{a}{2}\right)$로 놓고 피타고라스 정리를 이용한다.

등차수열을 이루는 직각삼각형의 세 변의 길이를

$a-d, a, a+d\left(0<d<\frac{a}{2}\right)$ — 삼각형의 결정조건에 의하여 $(a-d)+a>a+d \quad \therefore 0<d<\frac{a}{2}$

로 놓으면 피타고라스 정리에 의하여

$(a+d)^2=a^2+(a-d)^2, a(a-4d)=0$

$\therefore a=4d \ (\because a>0)$

조건 (나)에서 $a+d=25$이므로

$4d+d=25, 5d=25 \qquad \therefore d=5$

따라서 직각삼각형의 세 변의 길이는 15, 20, 25이므로 직각삼각형의 넓이는

($a-d=20-5=15$, $a=20$, $a+d=20+5=25$)

$\frac{1}{2}\cdot 15\cdot 20=150$ 답 ③

1123

유형 07 등차수열의 합

|전략| 세 수열 $\{a_n\}, \{b_n\}, \{c_n\}$이 등차수열이면 $\{a_n+b_n+c_n\}$도 등차수열임을 이용한다.

세 수열 $\{a_n\}, \{b_n\}, \{c_n\}$이 등차수열이므로 수열 $\{a_n+b_n+c_n\}$도 등차수열이다.

$(a_1+a_2+\cdots+a_{100})+(b_1+b_2+\cdots+b_{100})+(c_1+c_2+\cdots+c_{100})$

$=(a_1+b_1+c_1)+(a_2+b_2+c_2)+\cdots+(a_{100}+b_{100}+c_{100})$

이므로 주어진 식은 첫째항이 24, 끝항이 26, 항수가 100인 등차수열의 합이다.

$\therefore$ (주어진 식)$=\frac{100(24+26)}{2}=50^2$ 답 ③

Lecture

등차수열 $\{a_n\}, \{b_n\}, \{c_n\}$의 공차가 각각 d_1, d_2, d_3일 때

(1) 수열 $\{a_n+b_n+c_n\}$: $a_1+b_1+c_1, a_2+b_2+c_2, a_3+b_3+c_3, \cdots$

⇨ 공차가 $d_1+d_2+d_3$인 등차수열

(2) 수열 $\{a_{2n-1}\}$: $a_1, a_3, a_5, \cdots$

수열 $\{a_{2n}\}$: $a_2, a_4, a_6, \cdots$

⇨ 공차가 $2d_1$인 등차수열

1124

유형 11 등차수열과 배수의 합

|전략| 자연수 d로 나누었을 때의 나머지가 $a(0\le a<d)$인 자연수를 작은 것부터 차례대로 나열하면 첫째항이 a, 공차가 d인 등차수열임을 이용한다.

4로 나누었을 때의 나머지가 1인 자연수를 작은 것부터 차례대로 나열하면

1, 5, 9, 13, 17, 21, 25, 29, 33, 37, 41, 45, 49, ⋯

5로 나누었을 때의 나머지가 4인 자연수를 작은 것부터 차례대로 나열하면

4, 9, 14, 19, 24, 29, 34, 39, 44, 49, ⋯

$\therefore \{a_n\}$: 9, 29, 49, ⋯

수열 $\{a_n\}$은 첫째항이 9이고 공차가 20인 등차수열이므로 구하는 합은 (20: 4와 5의 최소공배수)

$\frac{10\{2\cdot 9+(10-1)\cdot 20\}}{2}=990$ 답 ①

1125

유형 13 등차수열의 합과 일반항 사이의 관계

|전략| $a_n=S_n-S_{n-1}(n\ge 2)$임을 이용한다.

$S_n=an^2+2n-5$이므로

$a_7=S_7-S_6$

$=(a\cdot 7^2+2\cdot 7-5)-(a\cdot 6^2+2\cdot 6-5)=13a+2$

$a_7=28$이므로 $13a+2=28 \qquad \therefore a=2$ 답 ②

1126

유형 14 등비수열의 일반항과 공비

|전략| 등비수열 $\{a_n\}$의 일반항을 구하고, 이를 이용하여 식의 값을 구한다.

$a_n=a\cdot 2^{n-1}$이므로

$\frac{a_{11}+a_{13}+a_{15}+a_{17}+a_{19}}{a_1+a_3+a_5+a_7+a_9}$

$=\frac{a\cdot 2^{10}+a\cdot 2^{12}+a\cdot 2^{14}+a\cdot 2^{16}+a\cdot 2^{18}}{a+a\cdot 2^2+a\cdot 2^4+a\cdot 2^6+a\cdot 2^8}$

$=\frac{2^{10}(a+a\cdot 2^2+a\cdot 2^4+a\cdot 2^6+a\cdot 2^8)}{a+a\cdot 2^2+a\cdot 2^4+a\cdot 2^6+a\cdot 2^8}=2^{10}$ 답 ②

1127

유형 16 조건을 만족시키는 등비수열

|전략| 첫째항이 a, 공비가 r인 등비수열 $\{a_n\}$에서 $ar^{n-1}<k$를 만족시키는 자연수 n의 최솟값을 구한다.

등비수열 $\{a_n\}$의 첫째항을 a, 공비를 r라 하면

$a_5=\frac{3}{16}$에서 $ar^4=\frac{3}{16}$ …… ㉠

$a_8=\frac{3}{128}$에서 $ar^7=\frac{3}{128}$ …… ㉡

㉡÷㉠을 하면 $r^3=\frac{1}{8}$ $\therefore r=\frac{1}{2}$ ($\because$ r는 실수)

$r=\frac{1}{2}$을 ㉠에 대입하면 $a\cdot\frac{1}{16}=\frac{3}{16}$ $\therefore a=3$

$\therefore a_n=3\cdot\left(\frac{1}{2}\right)^{n-1}$

$3\cdot\left(\frac{1}{2}\right)^{n-1}<\frac{1}{1000}$에서 $\frac{1}{2^{n-1}}<\frac{1}{3000}$, $2^{n-1}>3000$

이때, $2^{11}=2048$, $2^{12}=4096$이므로

$n-1\geq 12$ $\therefore n\geq 13$

따라서 처음으로 $\frac{1}{1000}$보다 작아지는 항은 제13항이다. 답 ③

1128

유형 18 등비중항

|전략| 세 수 a, b, c가 이 순서대로 등비수열을 이루면 $b^2=ac$임을 이용한다.

x가 3과 48의 등비중항이므로

$x^2=3\cdot 48$ $\therefore x=\pm 12$

48이 x와 y의 등비중항이므로

$48^2=xy$ $\therefore y=\frac{48^2}{x}$ …… ㉠

㉠에 $x=\pm 12$를 대입하면 $y=\pm\frac{48^2}{12}=\pm 192$ (복호동순)

따라서 양의 실수 y의 값은 192이다. 답 ④

1129

유형 21 등비수열의 활용 – 도형

|전략| 몇 개의 항을 나열하여 규칙성을 파악한다.

처음 정사각형의 넓이는 $3\cdot 3=9$

1회 시행 후 남아 있는 종이의 넓이는 $9\cdot\frac{8}{9}$

2회 시행 후 남아 있는 종이의 넓이는 $9\cdot\left(\frac{8}{9}\right)^2$

3회 시행 후 남아 있는 종이의 넓이는 $9\cdot\left(\frac{8}{9}\right)^3$

⋮

n회 시행 후 남아 있는 종이의 넓이는 $9\cdot\left(\frac{8}{9}\right)^n$

따라서 10회 시행 후 남아 있는 종이의 넓이는 $9\cdot\left(\frac{8}{9}\right)^{10}=\frac{8^{10}}{9^9}$

답 ②

1130

유형 24 부분의 합이 주어진 등비수열의 합

|전략| $S_{2n}\div S_n=r^n+1\,(r\neq 1)$임을 이용한다.

등비수열 $\{a_n\}$의 첫째항을 a, 공비를 $r\,(r\neq 1)$라 하면

$S_{10}=3S_5$에서

$\frac{a(1-r^{10})}{1-r}=3\cdot\frac{a(1-r^5)}{1-r}$

$\frac{a(1-r^5)(1+r^5)}{1-r}=3\cdot\frac{a(1-r^5)}{1-r}$

$1+r^5=3$ $\therefore r^5=2$ …… ㉠

$S_{20}=\frac{a(1-r^{20})}{1-r}=\frac{a(1-r^{10})(1+r^{10})}{1-r}$

$=\frac{a(1-r^5)}{1-r}\cdot(1+r^5)(1+r^{10})$

$=S_5(1+2)(1+2^2)$ ($\because$ ㉠)

$=15S_5$

$\therefore k=15$ 답 ③

1131

유형 28 상환·연금과 등비수열

|전략| (a원씩 n년 동안 적립한 금액의 원리합계)
=(일시불로 받은 금액의 n년 후의 원리합계)임을 이용한다.

매년 초에 900만 원씩 20년 동안 연이율 6 %의 복리로 적립한 금액의 원리합계는

$900+900\times 1.06+\cdots+900\times 1.06^{19}$

$=\frac{900(1.06^{20}-1)}{1.06-1}=\frac{900(3.2-1)}{0.06}=33000$(만 원) …… ㉠

2021년 초에 한꺼번에 연금 a만 원을 받는다고 하면 a만 원의 19년 후의 원리합계는

$a\times 1.06^{19}=3.0a$(만 원) …… ㉡

㉠과 ㉡이 같아야 하므로

$33000=3.0a$ $\therefore a=11000$(만 원)

따라서 2021년 초에 한꺼번에 받는 금액은 1억 1천만 원이다. 답 ①

1132

유형 10 등차수열의 합의 최대·최소

|전략| 등차수열 $\{a_n\}$의 첫째항부터 제n항까지의 합을 S_n이라 할 때 $a_k>0$, $a_{k+1}<0$이면 S_n의 최댓값은 S_k임을 이용한다.

$S_{402}\cdot S_{404}<0$에서 $d<0$이므로 $S_{402}>0$, $S_{404}<0$

$S_{402}=\frac{402(2\cdot 2011+401d)}{2}>0$, $401d>-4022$

$\therefore d>-10.0\times\times\times$

$S_{404}=\frac{404(2\cdot 2011+403d)}{2}<0$, $403d<-4022$

$\therefore d<-9.9\times\times\times$

이때, d는 정수이므로 $d=-10$ … ❶

$\therefore a_n=2011+(n-1)\cdot(-10)=-10n+2021$ … ❷

제n항에서 처음으로 음수가 나온다고 하면

$-10n+2021<0$에서 $10n>2021$ $\therefore n>202.1$

따라서 수열 $\{a_n\}$은 제203항부터 음수이므로 S_n이 최대가 되는 n의 값은 202이다. … ❸

답 202

채점 기준	배점
❶ d의 값을 구할 수 있다.	3점
❷ a_n을 구할 수 있다.	1점
❸ S_n이 최대가 되는 n의 값을 구할 수 있다.	3점

1133

유형 19 등차중항과 등비중항

| 전략 | 세 수 a, b, c가 이 순서대로 등차수열을 이루면 $2b=a+c$이고, 등비수열을 이루면 $b^2=ac$임을 이용한다.

4, a, b가 이 순서대로 등차수열을 이루므로

$2a=4+b \quad \therefore b=2a-4$ …… ㉠

a, b, 4가 이 순서대로 등비수열을 이루므로

$b^2=4a$ …… ㉡ … ❶

㉠을 ㉡에 대입하면

$(2a-4)^2=4a$, $a^2-5a+4=0$

$(a-1)(a-4)=0 \quad \therefore a=1$ 또는 $a=4$

$a=1$을 ㉠에 대입하면 $b=-2$

$a=4$를 ㉠에 대입하면 $b=4$

이때, 4, a, b는 서로 다른 수이므로

$a=1$, $b=-2$ … ❷

$\therefore ab=-2$ … ❸

답 -2

채점 기준	배점
❶ a, b에 대한 연립방정식을 세울 수 있다.	3점
❷ a, b의 값을 구할 수 있다.	2점
❸ ab의 값을 구할 수 있다.	1점

1134

유형 23 등비수열의 합

| 전략 | 다항식 $f(x)$를 $x-a$로 나눌 때의 나머지는 $f(a)$임을 이용한다.

$f(x)=1+x+x^2+x^3+\cdots+x^{2046}$이라 하면

$f(x)$를 $2x-1$로 나눈 나머지는 나머지정리에 의하여

$f\left(\frac{1}{2}\right)=1+\frac{1}{2}+\left(\frac{1}{2}\right)^2+\left(\frac{1}{2}\right)^3+\cdots+\left(\frac{1}{2}\right)^{2046}$ … ❶

위의 식의 우변은 첫째항이 1, 공비가 $\frac{1}{2}$인 등비수열의 첫째항부터 제2047항까지의 합이므로 구하는 나머지는

$$\frac{1\cdot\left\{1-\left(\frac{1}{2}\right)^{2047}\right\}}{1-\frac{1}{2}}=2-\left(\frac{1}{2}\right)^{2046}$$ … ❷

답 $2-\left(\frac{1}{2}\right)^{2046}$

채점 기준	배점
❶ 나머지정리를 이용하여 나머지를 식으로 나타낼 수 있다.	4점
❷ 나머지를 구할 수 있다.	3점

1135

유형 09 부분의 합이 주어진 등차수열의 합

| 전략 | 등차수열의 공차가 d일 때, 홀수 번째 항으로 이루어진 수열은 공차가 $2d$임을 이용한다.

(1) 주어진 등차수열의 홀수 번째 항으로 이루어진 수열

$a_1, a_3, a_5, \cdots, a_{47}$은 첫째항이 a, 공차가 $2d$, 항수가 24개인 등차수열이므로

$$a_1+a_3+a_5+\cdots+a_{47}=\frac{24\{2a+(24-1)\cdot 2d\}}{2}=1272$$

$\therefore a+23d=53$

(2) $$a_1+a_2+a_3+\cdots+a_{47}=\frac{47\{2a+(47-1)\cdot d\}}{2}$$

$=47(a+23d)=47\cdot 53=2491$

답 (1) $a+23d=53$ (2) 2491

채점 기준	배점
(1) a, d 사이의 관계식을 구할 수 있다.	4점
(2) 첫째항부터 제47항까지의 합을 구할 수 있다.	6점

1136

유형 24 부분의 합이 주어진 등비수열의 합

| 전략 | 제m항부터 제n항까지의 합은 S_n-S_{m-1}임을 이용한다.

(1) 제m항부터 제n항까지의 합이 720이므로 $S_n-S_{m-1}=720$

$$\frac{2(3^n-1)}{3-1}-\frac{2(3^{m-1}-1)}{3-1}=720$$

$3^n-3^{m-1}=720$

$3^{m-1}(3^{n-m+1}-1)=3^2\cdot 80$

(2) m은 자연수이므로 $3^{m-1}=3^2$

따라서 $m-1=2 \quad \therefore m=3$

(3) n은 자연수이므로 $3^{n-m+1}=81=3^4$

따라서 $n-m+1=4$이고, $m=3$이므로 $n=6$

답 (1) $3^{m-1}(3^{n-m+1}-1)=3^2\cdot 80$ (2) 3 (3) 6

채점 기준	배점
(1) m, n 사이의 관계식을 구할 수 있다.	5점
(2) m의 값을 구할 수 있다.	5점
(3) n의 값을 구할 수 있다.	2점

창의·융합 교과서 속 심화문제

1137

| 전략 | 등차수열을 이루는 다섯 수를 $a-2d, a-d, a, a+d, a+2d$로 놓는다.

5개의 부채꼴의 넓이를 작은 것부터 차례대로

$a-2d, a-d, a, a+d, a+2d\,(d>0)$라 하면 5개의 부채꼴의 넓이의 합은 원의 넓이이므로

$5a=15^2\pi \quad \therefore a=45\pi$

또, 가장 큰 부채꼴의 넓이가 가장 작은 부채꼴의 넓이의 2배이므로

$a+2d=2(a-2d)$에서 $d=\frac{a}{6}=\frac{15}{2}\pi$

따라서 가장 큰 부채꼴의 넓이는

$a+2d=45\pi+2\cdot\frac{15}{2}\pi=60\pi \quad \therefore k=60$

답 60

1138

| 전략 | 등차수열 $\{a_n\}$에 대하여 $a_1>0$이고, $S_{20}=S_{40}$이려면 $d<0$이고, $a_k>0$, $a_{k+1}<0$이면 S_n의 최댓값은 S_k임을 이용한다.

ㄱ. $S_{20}=S_{40}$이므로

$a_{21}+a_{22}+a_{23}+\cdots+a_{40}=S_{40}-S_{20}=0$ (참)

ㄴ. $a_{21}+a_{22}+a_{23}+\cdots+a_{40}=10(a_{21}+a_{40})$

$=\cdots$

$=10(a_{25}+a_{36})$

$=\cdots$

$=10(a_{30}+a_{31})=0$

이때, $a_{25}+a_{36}=0$이므로 $|a_{25}|=|a_{36}|$ (참)

ㄷ. $a_1>0$이고 ㄴ에 의하여 등차수열 $\{a_n\}$의 공차 d는 $d<0$이다. ($d\geq0$이면 $a_{25}+a_{36}>0$)

이때, $a_{30}+a_{31}=0$이므로

$a_1>a_2>\cdots>a_{30}>0>a_{31}>a_{32}>\cdots$

가 성립한다.

즉, $n=30$일 때, S_n은 최댓값을 갖는다. (거짓)

따라서 옳은 것은 ㄱ, ㄴ이다. 답 ②

1139

|전략| 등차수열의 합과 이차함수의 성질을 이용한다.

등차수열 $\{a_n\}$의 공차를 d(d는 정수)라 하면

$T_{16}<T_{17}$, $T_{17}>T_{18}$이므로 $a_{17}>0$, $a_{18}<0$ …… ㉠

㉠에서 $a_{17}=50+16d>0$이므로 $d>-\frac{25}{8}$

$a_{18}=50+17d<0$이므로 $d<-\frac{50}{17}$

따라서 $-\frac{25}{8}<d<-\frac{50}{17}$에서 $d=-3$ ($\because$ d는 정수)

$\therefore T_n=\left|\frac{n\{100+(n-1)\cdot(-3)\}}{2}\right|=\frac{|3n^2-103n|}{2}$

이때, $f(x)=\frac{|3x^2-103x|}{2}$ $(x\geq1)$

이라 하면 함수 $y=f(x)$의 그래프는 오른쪽 그림과 같다.

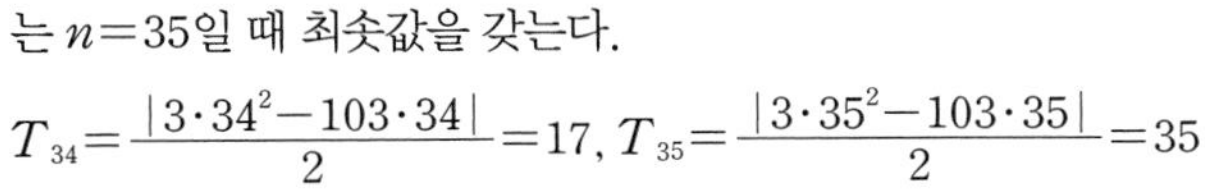

$34<\frac{103}{3}<35$이므로 T_n은 $n=34$ 또는 $n=35$일 때 최솟값을 갖는다.

$T_{34}=\frac{|3\cdot34^2-103\cdot34|}{2}=17$, $T_{35}=\frac{|3\cdot35^2-103\cdot35|}{2}=35$ …… ㉡

㉠, ㉡에서 $T_n>T_{n+1}$을 만족시키는 n은

$n=17, 18, 19, \cdots, 33$

따라서 구하는 n의 최댓값은 33이다. 답 33

1140

|전략| 주어진 지수함수와 로그함수의 그래프를 이용하여 a, b, c, d 사이의 관계식을 찾는다.

$\log_{\frac{1}{2}}d=a$에서 $d=\left(\frac{1}{2}\right)^a$ …… ㉠, $2^c=d$ …… ㉡

$\log_{\frac{1}{2}}b=c$에서 $b=\left(\frac{1}{2}\right)^c$ …… ㉢

㉠, ㉡에서 $c=-a$

㉠, ㉢에서 $bd=\left(\frac{1}{2}\right)^{a+c}=1$ ($\because$ $c=-a$)

$b, 2c, 5d$가 이 순서대로 등비수열이므로 $4c^2=5bd=5$

$\therefore a^2=c^2=\frac{5}{4}$ ($\because$ $c=-a$)

$\therefore a=-\frac{\sqrt{5}}{2}$ ($\because$ $a<0$) 답 ②

1141

|전략| 연속한 세 원의 반지름의 길이를 각각 r_1, r_2, r_3으로 놓고, 직각삼각형의 닮음비를 이용한다.

다음 그림과 같이 연속한 세 원의 중심을 각각 O_1, O_2, O_3이라 하고 반지름의 길이를 각각 $r_1, r_2, r_3(r_1<r_2<r_3)$이라 하자.

이때, 점 O_2에서 점 O_1을 지나고 직선 l_2에 평행한 직선에 내린 수선의 발을 H_1, 점 O_3에서 점 O_2를 지나고 직선 l_2에 평행한 직선에 내린 수선의 발을 H_2라 하면

$\triangle O_1H_1O_2 \backsim \triangle O_2H_2O_3$

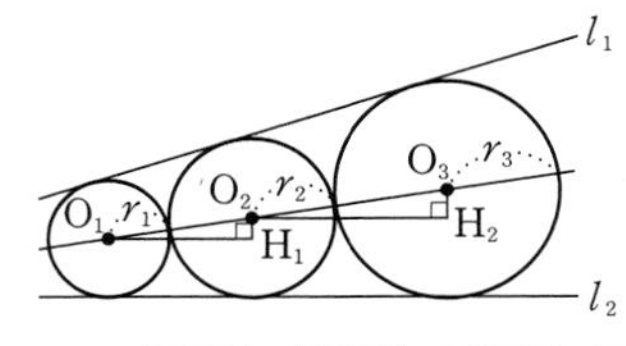

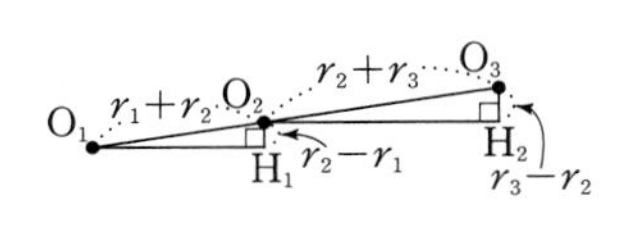

따라서 $\overline{O_1O_2}:\overline{O_2O_3}=\overline{O_2H_1}:\overline{O_3H_2}$이므로

$(r_1+r_2):(r_2+r_3)=(r_2-r_1):(r_3-r_2)$

$(r_1+r_2)(r_3-r_2)=(r_2+r_3)(r_2-r_1)$

$\therefore r_2{}^2=r_1r_3$

즉, r_1, r_2, r_3 (또는 r_3, r_2, r_1)은 이 순서대로 등비수열을 이룬다.

따라서 한가운데에 있는 원의 반지름의 길이를 r라 하면 $8, r, 18$ (또는 $18, r, 8$)은 이 순서대로 등비수열을 이루므로

$r^2=8\times18$ $\therefore r=12$ ($\because$ $r>0$) 답 12

Lecture

등비수열 $\{a_n\}$의 공비가 r일 때

수열 $\{a_{2n-1}\}$: $a_1, a_3, a_5, \cdots$

수열 $\{a_{2n}\}$: $a_2, a_4, a_6, \cdots$

⇨ 공비가 r^2인 등비수열

1142

|전략| $N=p^l\cdot q^m$(p, q는 서로 다른 소수, l, m은 자연수)일 때, N의 양의 약수의 총합은 $(1+p+\cdots+p^l)(1+q+\cdots+q^m)$임을 이용한다.

$ab=2^{100}\cdot3^{100}$의 양의 약수의 총합은

$(1+2+\cdots+2^{100})(1+3+\cdots+3^{100})$

$=\frac{1\cdot(2^{101}-1)}{2-1}\cdot\frac{1\cdot(3^{101}-1)}{3-1}$

$=(2^{101}-1)\cdot\frac{3^{101}-1}{2}$

$=\frac{1}{2}(2\cdot2^{100}-1)(3\cdot3^{100}-1)$

$=\frac{1}{2}(2a-1)(3b-1)$ 답 ①

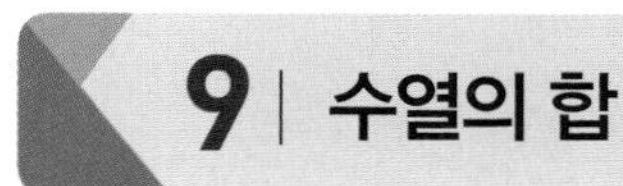

본책 170~183쪽

9 | 수열의 합

STEP 1 개념 마스터 ❶

1143

$\sum_{k=1}^{5} 3k=3\cdot1+3\cdot2+3\cdot3+3\cdot4+3\cdot5$
$=3+6+9+12+15$

답 $3+6+9+12+15$

1144

$\sum_{n=1}^{8} 2^n=2^1+2^2+2^3+\cdots+2^8$
$=2+4+8+\cdots+256$

답 $2+4+8+\cdots+256$

1145

$\sum_{i=1}^{n}(5i-2)=(5\cdot1-2)+(5\cdot2-2)+(5\cdot3-2)+\cdots+(5n-2)$
$=3+8+13+\cdots+(5n-2)$

답 $3+8+13+\cdots+(5n-2)$

1146

$\sum_{j=1}^{n} j(2j+1)=1\cdot3+2\cdot5+3\cdot7+\cdots+n(2n+1)$
$=3+10+21+\cdots+n(2n+1)$

답 $3+10+21+\cdots+n(2n+1)$

1147

$1+4+9+16+\cdots+n^2=\sum_{k=1}^{n} k^2$

답 $\sum_{k=1}^{n} k^2$

1148

$1+\frac{1}{2}+\frac{1}{3}+\cdots+\frac{1}{n}=\sum_{k=1}^{n}\frac{1}{k}$

답 $\sum_{k=1}^{n}\frac{1}{k}$

1149

주어진 수열의 제k항을 a_k라 하면
$a_k=2+(k-1)\cdot2=2k$
$2k=20$에서 $k=10$
$\therefore 2+4+6+\cdots+20=\sum_{k=1}^{10} 2k$

답 $\sum_{k=1}^{10} 2k$

1150

주어진 수열의 제k항을 a_k라 하면
$a_k=1+(k-1)\cdot3=3k-2$
$3k-2=100$에서 $3k=102$ $\quad\therefore k=34$
$\therefore 1+4+7+\cdots+100=\sum_{k=1}^{34}(3k-2)$

답 $\sum_{k=1}^{34}(3k-2)$

1151

주어진 수열의 제k항을 a_k라 하면
$a_k=3\cdot3^{k-1}=3^k$
$3^k=729=3^6$에서 $k=6$
$\therefore 3+9+27+\cdots+729=\sum_{k=1}^{6} 3^k$

답 $\sum_{k=1}^{6} 3^k$

1152

$\sum_{k=1}^{10}(5a_k+2)=5\sum_{k=1}^{10}a_k+\sum_{k=1}^{10}2=5\cdot3+2\cdot10=35$

답 35

1153

$\sum_{k=1}^{10}(2a_k+b_k)=2\sum_{k=1}^{10}a_k+\sum_{k=1}^{10}b_k=2\cdot3+2=8$

답 8

1154

$\sum_{k=1}^{10}(a_k-b_k+1)=\sum_{k=1}^{10}a_k-\sum_{k=1}^{10}b_k+\sum_{k=1}^{10}1$
$=3-2+1\cdot10=11$

답 11

1155

$\sum_{k=1}^{10}(3a_k+2b_k-2)=3\sum_{k=1}^{10}a_k+2\sum_{k=1}^{10}b_k-\sum_{k=1}^{10}2$
$=3\cdot3+2\cdot2-2\cdot10=-7$

답 -7

1156

$\sum_{k=1}^{10}(a_k+1)(a_k-1)=\sum_{k=1}^{10}(a_k{}^2-1)$
$=\sum_{k=1}^{10}a_k{}^2-\sum_{k=1}^{10}1$
$=20-1\cdot10=10$

답 10

1157

$\sum_{k=1}^{10}(2a_k-1)^2=\sum_{k=1}^{10}(4a_k{}^2-4a_k+1)$
$=4\sum_{k=1}^{10}a_k{}^2-4\sum_{k=1}^{10}a_k+\sum_{k=1}^{10}1$
$=4\cdot20-4\cdot10+1\cdot10=50$

답 50

1158

$\sum_{k=1}^{10}(k^2+1)-\sum_{k=1}^{10}(k^2-3)=\sum_{k=1}^{10}\{(k^2+1)-(k^2-3)\}$
$=\sum_{k=1}^{10}4=4\cdot10=40$

답 40

1159

$\sum_{k=1}^{20}(k-1)^2-\sum_{k=1}^{20}(k^2-2k)=\sum_{k=1}^{20}\{(k-1)^2-(k^2-2k)\}$
$=\sum_{k=1}^{20}\{(k^2-2k+1)-(k^2-2k)\}$
$=\sum_{k=1}^{20}1=1\cdot20=20$

답 20

1160

$$\sum_{k=1}^{10}(2k-1)=2\sum_{k=1}^{10}k-\sum_{k=1}^{10}1=2\cdot\frac{10\cdot 11}{2}-1\cdot 10$$
$$=110-10=100$$

답 100

1161

$$\sum_{k=1}^{10}(k^3+k^2-4)=\sum_{k=1}^{10}k^3+\sum_{k=1}^{10}k^2-\sum_{k=1}^{10}4$$
$$=\left(\frac{10\cdot 11}{2}\right)^2+\frac{10\cdot 11\cdot 21}{6}-4\cdot 10$$
$$=3025+385-40=3370$$

답 3370

1162

$$\sum_{k=1}^{10}(2k+3)^2=\sum_{k=1}^{10}(4k^2+12k+9)=4\sum_{k=1}^{10}k^2+12\sum_{k=1}^{10}k+\sum_{k=1}^{10}9$$
$$=4\cdot\frac{10\cdot 11\cdot 21}{6}+12\cdot\frac{10\cdot 11}{2}+9\cdot 10$$
$$=1540+660+90=2290$$

답 2290

1163

(1) $a_n=n(n+1)$

(2) $a_k=110$에서 $k(k+1)=110=10\cdot 11$

$\therefore k=10$

(3) $$1\cdot 2+2\cdot 3+3\cdot 4+\cdots+10\cdot 11=\sum_{k=1}^{10}k(k+1)=\sum_{k=1}^{10}(k^2+k)$$
$$=\sum_{k=1}^{10}k^2+\sum_{k=1}^{10}k$$
$$=\frac{10\cdot 11\cdot 21}{6}+\frac{10\cdot 11}{2}$$
$$=385+55=440$$

답 (1) $a_n=n(n+1)$ (2) 10 (3) 440

1164

주어진 수열의 제k항을 a_k라 하면 $a_k=2k$

$2k=30$에서 $k=15$

$$\therefore (\text{주어진 식})=\sum_{k=1}^{15}2k=2\sum_{k=1}^{15}k$$
$$=2\cdot\frac{15\cdot 16}{2}=240$$

답 240

1165

주어진 수열의 제k항을 a_k라 하면 $a_k=(k+3)^2$

$(k+3)^2=15^2$에서 $k+3=15$ $\quad\therefore k=12$

$$\therefore (\text{주어진 식})=\sum_{k=1}^{12}(k+3)^2=\sum_{k=1}^{12}(k^2+6k+9)$$
$$=\sum_{k=1}^{12}k^2+6\sum_{k=1}^{12}k+\sum_{k=1}^{12}9$$
$$=\frac{12\cdot 13\cdot 25}{6}+6\cdot\frac{12\cdot 13}{2}+9\cdot 12$$
$$=650+468+108=1226$$

답 1226

다른 풀이

$$4^2+5^2+6^2+\cdots+15^2=\sum_{k=4}^{15}k^2=\sum_{k=1}^{15}k^2-\sum_{k=1}^{3}k^2$$
$$=\frac{15\cdot 16\cdot 31}{6}-\frac{3\cdot 4\cdot 7}{6}$$
$$=1240-14=1226$$

1166

$$\frac{1}{1\cdot 2}+\frac{1}{2\cdot 3}+\frac{1}{3\cdot 4}+\cdots+\frac{1}{n(n+1)}$$
$$=\sum_{k=1}^{n}\frac{1}{k(k+1)}=\sum_{k=1}^{n}\left(\frac{1}{k}-\frac{1}{k+1}\right)$$
$$=\left(1-\frac{1}{2}\right)+\left(\frac{1}{2}-\frac{1}{3}\right)+\left(\frac{1}{3}-\frac{1}{4}\right)+\cdots+\left(\frac{1}{n}-\frac{1}{n+1}\right)$$
$$=1-\frac{1}{n+1}=\frac{n}{n+1}$$

답 $\frac{n}{n+1}$

1167

$$\frac{1}{1\cdot 3}+\frac{1}{3\cdot 5}+\frac{1}{5\cdot 7}+\cdots+\frac{1}{(2n-1)(2n+1)}$$
$$=\sum_{k=1}^{n}\frac{1}{(2k-1)(2k+1)}=\frac{1}{2}\sum_{k=1}^{n}\left(\frac{1}{2k-1}-\frac{1}{2k+1}\right)$$
$$=\frac{1}{2}\left\{\left(1-\frac{1}{3}\right)+\left(\frac{1}{3}-\frac{1}{5}\right)+\left(\frac{1}{5}-\frac{1}{7}\right)+\cdots+\left(\frac{1}{2n-1}-\frac{1}{2n+1}\right)\right\}$$
$$=\frac{1}{2}\left(1-\frac{1}{2n+1}\right)=\frac{n}{2n+1}$$

답 $\frac{n}{2n+1}$

1168

$$\frac{1}{2\cdot 4}+\frac{1}{3\cdot 5}+\frac{1}{4\cdot 6}+\cdots+\frac{1}{(n+1)(n+3)}$$
$$=\sum_{k=1}^{n}\frac{1}{(k+1)(k+3)}=\frac{1}{2}\sum_{k=1}^{n}\left(\frac{1}{k+1}-\frac{1}{k+3}\right)$$
$$=\frac{1}{2}\left\{\left(\frac{1}{2}-\frac{1}{4}\right)+\left(\frac{1}{3}-\frac{1}{5}\right)+\left(\frac{1}{4}-\frac{1}{6}\right)\right.$$
$$\left.+\cdots+\left(\frac{1}{n}-\frac{1}{n+2}\right)+\left(\frac{1}{n+1}-\frac{1}{n+3}\right)\right\}$$
$$=\frac{1}{2}\left(\frac{1}{2}+\frac{1}{3}-\frac{1}{n+2}-\frac{1}{n+3}\right)$$
$$=\frac{1}{2}\cdot\frac{5(n+2)(n+3)-6(n+3)-6(n+2)}{6(n+2)(n+3)}$$
$$=\frac{5n^2+13n}{12(n+2)(n+3)}$$

답 $\frac{5n^2+13n}{12(n+2)(n+3)}$

1169

$$\frac{2}{1+\sqrt{2}}+\frac{2}{\sqrt{2}+\sqrt{3}}+\frac{2}{\sqrt{3}+\sqrt{4}}+\cdots+\frac{2}{\sqrt{n}+\sqrt{n+1}}$$
$$=\sum_{k=1}^{n}\frac{2}{\sqrt{k}+\sqrt{k+1}}=2\sum_{k=1}^{n}\frac{\sqrt{k}-\sqrt{k+1}}{(\sqrt{k}+\sqrt{k+1})(\sqrt{k}-\sqrt{k+1})}$$
$$=2\sum_{k=1}^{n}(\sqrt{k+1}-\sqrt{k})$$
$$=2\{(\sqrt{2}-1)+(\sqrt{3}-\sqrt{2})+(\sqrt{4}-\sqrt{3})+\cdots+(\sqrt{n+1}-\sqrt{n})\}$$
$$=2(\sqrt{n+1}-1)$$

답 $2(\sqrt{n+1}-1)$

1170

$$\frac{1}{1+\sqrt{3}}+\frac{1}{\sqrt{3}+\sqrt{5}}+\frac{1}{\sqrt{5}+\sqrt{7}}+\cdots+\frac{1}{\sqrt{2n-1}+\sqrt{2n+1}}$$
$$=\sum_{k=1}^{n}\frac{1}{\sqrt{2k-1}+\sqrt{2k+1}}$$
$$=\sum_{k=1}^{n}\frac{\sqrt{2k-1}-\sqrt{2k+1}}{(\sqrt{2k-1}+\sqrt{2k+1})(\sqrt{2k-1}-\sqrt{2k+1})}$$
$$=\frac{1}{2}\sum_{k=1}^{n}(\sqrt{2k+1}-\sqrt{2k-1})$$
$$=\frac{1}{2}\{(\sqrt{3}-1)+(\sqrt{5}-\sqrt{3})+(\sqrt{7}-\sqrt{5})+\cdots+(\sqrt{2n+1}-\sqrt{2n-1})\}$$
$$=\frac{1}{2}(\sqrt{2n+1}-1)$$

답 $\frac{1}{2}(\sqrt{2n+1}-1)$

1171

$$\sum_{k=1}^{10}\frac{2}{(2k+1)(2k+3)}$$
$$=\sum_{k=1}^{10}\left(\frac{1}{2k+1}-\frac{1}{2k+3}\right)$$
$$=\left(\frac{1}{3}-\frac{1}{5}\right)+\left(\frac{1}{5}-\frac{1}{7}\right)+\left(\frac{1}{7}-\frac{1}{9}\right)+\cdots+\left(\frac{1}{19}-\frac{1}{21}\right)+\left(\frac{1}{21}-\frac{1}{23}\right)$$
$$=\frac{1}{3}-\frac{1}{23}=\frac{20}{69}$$

답 $\frac{20}{69}$

1172

$$\sum_{k=1}^{20}\frac{1}{k(k+2)}$$
$$=\frac{1}{2}\sum_{k=1}^{20}\left(\frac{1}{k}-\frac{1}{k+2}\right)$$
$$=\frac{1}{2}\left\{\left(1-\frac{1}{3}\right)+\left(\frac{1}{2}-\frac{1}{4}\right)+\left(\frac{1}{3}-\frac{1}{5}\right)+\cdots+\left(\frac{1}{19}-\frac{1}{21}\right)+\left(\frac{1}{20}-\frac{1}{22}\right)\right\}$$
$$=\frac{1}{2}\left(1+\frac{1}{2}-\frac{1}{21}-\frac{1}{22}\right)=\frac{325}{462}$$

답 $\frac{325}{462}$

1173

$$\sum_{k=1}^{15}\frac{1}{\sqrt{k}+\sqrt{k+1}}$$
$$=\sum_{k=1}^{15}\frac{\sqrt{k}-\sqrt{k+1}}{(\sqrt{k}+\sqrt{k+1})(\sqrt{k}-\sqrt{k+1})}$$
$$=\sum_{k=1}^{15}(\sqrt{k+1}-\sqrt{k})$$
$$=(\sqrt{2}-1)+(\sqrt{3}-\sqrt{2})+(\sqrt{4}-\sqrt{3})+\cdots+(\sqrt{16}-\sqrt{15})$$
$$=-1+\sqrt{16}=-1+4=3$$

답 3

1174

$$\sum_{k=1}^{7}\frac{2}{\sqrt{k}+\sqrt{k+2}}$$
$$=\sum_{k=1}^{7}\frac{2(\sqrt{k}-\sqrt{k+2})}{(\sqrt{k}+\sqrt{k+2})(\sqrt{k}-\sqrt{k+2})}$$
$$=\sum_{k=1}^{7}(\sqrt{k+2}-\sqrt{k})$$
$$=(\sqrt{3}-1)+(\sqrt{4}-\sqrt{2})+(\sqrt{5}-\sqrt{3})+\cdots+(\sqrt{8}-\sqrt{6})+(\sqrt{9}-\sqrt{7})$$
$$=-1-\sqrt{2}+\sqrt{8}+\sqrt{9}=2+\sqrt{2}$$

답 $2+\sqrt{2}$

1175

주어진 식을 S로 놓으면

$S=1\cdot 2+2\cdot 2^2+3\cdot 2^3+\cdots+n\cdot 2^n$ …… ㉠

㉠의 양변에 (가) 2 를 곱하면

(가) 2 $S=1\cdot 2^2+2\cdot 2^3+\cdots+(n-1)\cdot 2^n+n\cdot 2^{n+1}$ …… ㉡

㉠−㉡을 하면

$-S=2+2^2+2^3+\cdots+$ (나) 2^n $-n\cdot 2^{n+1}$

$=\frac{2(2^n-1)}{2-1}-n\cdot 2^{n+1}=(1-n)\cdot 2^{n+1}-2$

$\therefore S=$ (다) $(n-1)\cdot 2^{n+1}+2$

답 (가) 2 (나) 2^n (다) $(n-1)\cdot 2^{n+1}+2$

1176

(1) 제 n 군의 첫째항은 n이므로 제 10 군의 첫째항은 10이다.

(2) 제 n 군은 첫째항이 n, 공차가 -1이고, 항수가 n인 등차수열이므로 제 n 군의 합을 S_n이라 하면

$$S_n=\frac{n\{2\cdot n+(n-1)\cdot(-1)\}}{2}=\frac{n^2+n}{2}$$

따라서 제 10 군의 합은 $\frac{10^2+10}{2}=55$

(3) 8이 처음으로 나타나는 것은 제 8 군의 첫째항이고, 제 n 군의 항수는 n이므로 제 1 군부터 제 7 군까지의 항수는

$$\sum_{k=1}^{7}k=\frac{7\cdot 8}{2}=28$$

따라서 8이 처음으로 나타나는 것은 제 29 항이다.

답 (1) 10 (2) 55 (3) 제 29 항

STEP 2 유형 마스터

1177

|전략| $\sum_{k=1}^{n}(a_{2k-1}+a_{2k})$를 $\sum$를 사용하지 않은 합의 꼴로 나타내어 보고, $\sum$를 사용하여 간단히 정리한다.

$\sum_{k=1}^{n}(a_{2k-1}+a_{2k})=(a_1+a_2)+(a_3+a_4)+\cdots+(a_{2n-1}+a_{2n})=\sum_{k=1}^{2n}a_k$

이므로

$\sum_{k=1}^{2n}a_k=3n^2$

이 식의 양변에 $n=5$를 대입하면

$\sum_{k=1}^{10} a_k = 3\cdot 5^2 = 75$ 답 ①

1178

$$\sum_{k=1}^{199} a_{k+1} - \sum_{k=2}^{200} a_{k-1} = (a_2+a_3+\cdots+a_{200}) - (a_1+a_2+\cdots+a_{199})$$
$$= a_{200} - a_1 = 55-5 = 50$$ 답 50

1179

ㄱ. $\sum_{k=1}^{n} k^2 = 1^2+2^2+3^2+\cdots+n^2$, $\sum_{k=0}^{n} k^2 = 0^2+1^2+2^2+3^2+\cdots+n^2$

$\therefore \sum_{k=1}^{n} k^2 = \sum_{k=0}^{n} k^2$

ㄴ. $\sum_{k=1}^{n} 2^k = 2^1+2^2+2^3+\cdots+2^n$, $\sum_{k=0}^{n} 2^k = 1+2^1+2^2+2^3+\cdots+2^n$

$\therefore \sum_{k=1}^{n} 2^k \neq \sum_{k=0}^{n} 2^k$

ㄷ. $\sum_{i=1}^{m} a_i + \sum_{j=m+1}^{n} a_j$

$= (a_1+a_2+\cdots+a_m) + (a_{m+1}+a_{m+2}+\cdots+a_n)$

$= \sum_{k=1}^{n} a_k$

따라서 옳은 것은 ㄱ, ㄷ의 2개이다. 답 2

1180

$\sum_{k=1}^{10} (2k)^2 + \sum_{k=1}^{10} (2k-1)^2$

$= (2^2+4^2+6^2+\cdots+20^2) + (1^2+3^2+5^2+\cdots+19^2)$

$= 1^2+2^2+3^2+\cdots+19^2+20^2$

$= \sum_{k=1}^{20} k^2 = \sum_{k=0}^{19} (k+1)^2$ 답 ②

1181

| 전략 | Σ의 성질을 이용한다.

$\sum_{k=1}^{10} (2a_k+1) = 2\sum_{k=1}^{10} a_k + \sum_{k=1}^{10} 1 = 2\sum_{k=1}^{10} a_k + 1\cdot 10 = 30$

에서 $\sum_{k=1}^{10} a_k = 10$

$\sum_{k=1}^{10} (a_k+1)(a_k-1) = \sum_{k=1}^{10} (a_k^2-1) = \sum_{k=1}^{10} a_k^2 - \sum_{k=1}^{10} 1$

$= \sum_{k=1}^{10} a_k^2 - 1\cdot 10 = 50$

에서 $\sum_{k=1}^{10} a_k^2 = 60$

$\therefore \sum_{k=1}^{10} (2a_k+1)^2 = \sum_{k=1}^{10} (4a_k^2+4a_k+1) = 4\sum_{k=1}^{10} a_k^2 + 4\sum_{k=1}^{10} a_k + \sum_{k=1}^{10} 1$

$= 4\cdot 60 + 4\cdot 10 + 1\cdot 10 = 290$ 답 290

1182

$\sum_{k=1}^{n} (a_k+b_k)^2 = \sum_{k=1}^{n} (a_k^2+2a_kb_k+b_k^2)$

$= \sum_{k=1}^{n} (a_k^2+b_k^2) + 2\sum_{k=1}^{n} a_kb_k$ … ❶

이므로 $50 = 30 + 2\sum_{k=1}^{n} a_kb_k$

$\therefore \sum_{k=1}^{n} a_kb_k = 10$ … ❷

답 10

채점 기준	비율
❶ $\sum_{k=1}^{n} (a_k+b_k)^2$을 변형할 수 있다.	50 %
❷ $\sum_{k=1}^{n} a_kb_k$의 값을 구할 수 있다.	50 %

1183

$\sum_{k=1}^{n} a_k = n^2$, $\sum_{k=1}^{n} b_k = 2n$에 $n=20$을 각각 대입하면

$\sum_{k=1}^{20} a_k = 20^2 = 400$, $\sum_{k=1}^{20} b_k = 2\cdot 20 = 40$

$\therefore \sum_{k=1}^{20} (a_k-6b_k+2) = \sum_{k=1}^{20} a_k - 6\sum_{k=1}^{20} b_k + \sum_{k=1}^{20} 2$

$= 400 - 6\cdot 40 + 2\cdot 20 = 200$ 답 200

1184

$\sum_{k=11}^{20} (2a_k+b_k) = 2\sum_{k=11}^{20} a_k + \sum_{k=11}^{20} b_k$

$= 2\left(\sum_{k=1}^{20} a_k - \sum_{k=1}^{10} a_k\right) + \left(\sum_{k=1}^{20} b_k - \sum_{k=1}^{10} b_k\right)$

$= 2(45-25) + (30-15)$

$= 40+15 = 55$ 답 ⑤

1185

| 전략 | Σ의 성질과 등비수열의 합의 공식을 이용하여 수열의 합을 구한다.

$$\sum_{k=1}^{2010} \frac{2^k+(-1)^k}{3^k} = \sum_{k=1}^{2010} \left(\frac{2}{3}\right)^k + \sum_{k=1}^{2010} \left(-\frac{1}{3}\right)^k$$

$$= \frac{\frac{2}{3}\left\{1-\left(\frac{2}{3}\right)^{2010}\right\}}{1-\frac{2}{3}} + \frac{-\frac{1}{3}\left\{1-\left(-\frac{1}{3}\right)^{2010}\right\}}{1-\left(-\frac{1}{3}\right)}$$

$$= 2\left\{1-\left(\frac{2}{3}\right)^{2010}\right\} - \frac{1}{4}\left\{1-\left(-\frac{1}{3}\right)^{2010}\right\}$$

$$= \frac{7}{4} - 2\left(\frac{2}{3}\right)^{2010} + \frac{1}{4}\left(-\frac{1}{3}\right)^{2010}$$

따라서 $a=7$, $b=2$, $c=1$이므로

$a+b+c=10$ 답 10

1186

주어진 수열의 제k항을 a_k라 하면 (첫째항이 1, 공비가 3인 등비수열의 첫째항부터 제k항까지의 합이다.)

$a_k = 1+3+3^2+\cdots+3^{k-1} = \frac{1\cdot(3^k-1)}{3-1} = \frac{3^k-1}{2}$

따라서 주어진 수열의 합은 첫째항부터 제11항까지의 합이므로

$\sum_{k=1}^{11} a_k = \sum_{k=1}^{11} \frac{3^k-1}{2} = \frac{1}{2}\left(\sum_{k=1}^{11} 3^k - \sum_{k=1}^{11} 1\right)$

$= \frac{1}{2}\left\{\frac{3(3^{11}-1)}{3-1} - 1\cdot 11\right\} = \frac{3^{12}-25}{4}$ 답 ②

9 수열의 합

1187

$4+44+444+\cdots+\underbrace{444\cdots4}_{20\text{개}}$

$=\frac{4}{9}(9+99+999+\cdots+\underbrace{999\cdots9}_{20\text{개}})$

$=\frac{4}{9}\{(10-1)+(10^2-1)+(10^3-1)+\cdots+(10^{20}-1)\}$

$=\frac{4}{9}\sum_{k=1}^{20}(10^k-1)=\frac{4}{9}\left(\sum_{k=1}^{20}10^k-\sum_{k=1}^{20}1\right)$

$=\frac{4}{9}\left\{\frac{10(10^{20}-1)}{10-1}-1\cdot20\right\}=\frac{40\cdot10^{20}-760}{81}$

따라서 $a=40$, $b=760$이므로 $a+b=800$ 답 ③

Lecture

a가 한 자리의 자연수일 때,

$a+aa+aaa+\cdots+\underbrace{aaa\cdots a}_{n\text{개}}$

$=\frac{a}{9}(9+99+999+\cdots+\underbrace{999\cdots9}_{n\text{개}})$

$=\frac{a}{9}\{(10-1)+(10^2-1)+(10^3-1)+\cdots+(10^n-1)\}$

$=\frac{a}{9}\sum_{k=1}^{n}(10^k-1)$

1188

| 전략 | 로그의 성질을 이용하여 식을 간단히 정리하고, 자연수의 거듭제곱의 합을 이용한다.

$\log_4 2+\log_4 2^2+\log_4 2^3+\cdots+\log_4 2^{20}$

$=\log_4(2\cdot2^2\cdot2^3\cdot\cdots\cdot2^{20})=\log_4 2^{1+2+3+\cdots+20}$

$=\log_4 2^{\sum_{k=1}^{20}k}=\frac{1}{2}\sum_{k=1}^{20}k=\frac{1}{2}\cdot\frac{20\cdot21}{2}=105$ 답 105

1189

$\sum_{k=1}^{n-1}(2k+3)=2\sum_{k=1}^{n-1}k+\sum_{k=1}^{n-1}3$

$=2\cdot\frac{n(n-1)}{2}+3(n-1)$

$=n^2+2n-3$

즉, $n^2+2n-3=96$이므로 $n^2+2n-99=0$

$(n-9)(n+11)=0$ $\therefore n=9$ ($\because n$은 자연수) 답 ②

1190

이차방정식 $x^2-(n+1)x-(n+2)=0$의 두 근이 α_n, β_n이므로 근과 계수의 관계에 의하여

$\alpha_n+\beta_n=n+1$, $\alpha_n\beta_n=-(n+2)$

$\therefore \alpha_n^2+\beta_n^2=(\alpha_n+\beta_n)^2-2\alpha_n\beta_n$

$=(n+1)^2+2(n+2)=n^2+4n+5$

$\therefore \sum_{n=1}^{10}(\alpha_n^2+\beta_n^2)=\sum_{n=1}^{10}(n^2+4n+5)$

$=\sum_{n=1}^{10}n^2+4\sum_{n=1}^{10}n+\sum_{n=1}^{10}5$

$=\frac{10\cdot11\cdot21}{6}+4\cdot\frac{10\cdot11}{2}+5\cdot10$

$=385+220+50=655$ 답 655

1191

$f(x)=\sum_{k=1}^{11}(x-k)^2=\sum_{k=1}^{11}(k^2-2xk+x^2)$

$=\sum_{k=1}^{11}k^2-2x\sum_{k=1}^{11}k+\sum_{k=1}^{11}x^2$

$=\frac{11\cdot12\cdot23}{6}-2x\cdot\frac{11\cdot12}{2}+11x^2$

$=11x^2-132x+506=11(x-6)^2+110$

따라서 $f(x)$가 최소가 되도록 하는 x의 값은 6이다. 답 ③

1192

| 전략 | 일반항에서 상수인 것과 상수가 아닌 것을 구별하여 안쪽에 있는 $\sum$부터 차례로 계산한다.

$\sum_{n=1}^{5}\left(\sum_{m=1}^{n}mn\right)=\sum_{n=1}^{5}\left(n\sum_{m=1}^{n}m\right)=\sum_{n=1}^{5}\left\{n\cdot\frac{n(n+1)}{2}\right\}$

$=\frac{1}{2}\left(\sum_{n=1}^{5}n^3+\sum_{n=1}^{5}n^2\right)$

$=\frac{1}{2}\left\{\left(\frac{5\cdot6}{2}\right)^2+\frac{5\cdot6\cdot11}{6}\right\}=140$ 답 ⑤

1193

$\sum_{m=1}^{n}\left(\sum_{k=1}^{m}k\right)=\sum_{m=1}^{n}\frac{m(m+1)}{2}=\frac{1}{2}\left(\sum_{m=1}^{n}m^2+\sum_{m=1}^{n}m\right)$

$=\frac{1}{2}\left\{\frac{n(n+1)(2n+1)}{6}+\frac{n(n+1)}{2}\right\}$

$=\frac{n(n+1)(n+2)}{6}=120$

즉, $n(n+1)(n+2)=720=8\cdot9\cdot10$이므로

$n=8$ 답 ③

1194

$\sum_{m=1}^{n}\left\{\sum_{l=1}^{m}\left(\sum_{k=1}^{l}12\right)\right\}=\sum_{m=1}^{n}\left(\sum_{l=1}^{m}12l\right)$

$=\sum_{m=1}^{n}\left\{12\cdot\frac{m(m+1)}{2}\right\}=6\left(\sum_{m=1}^{n}m^2+\sum_{m=1}^{n}m\right)$

$=6\left\{\frac{n(n+1)(2n+1)}{6}+\frac{n(n+1)}{2}\right\}$

$=2n(n+1)(n+2)$ 답 ①

1195

이차방정식 $x^2-8x+12=0$의 두 근이 m, n이므로 근과 계수의 관계에 의하여 $m+n=8$, $mn=12$ ··· ❶

$\therefore \sum_{k=1}^{m}\left\{\sum_{l=1}^{n}(k+l)\right\}=\sum_{k=1}^{m}\left(\sum_{l=1}^{n}k+\sum_{l=1}^{n}l\right)=\sum_{k=1}^{m}\left\{kn+\frac{n(n+1)}{2}\right\}$

$=n\sum_{k=1}^{m}k+\sum_{k=1}^{m}\frac{n(n+1)}{2}$

$=n\cdot\frac{m(m+1)}{2}+\frac{n(n+1)}{2}\cdot m$

$=\frac{mn}{2}(m+n+2)$ ··· ❷

$=\frac{12}{2}(8+2)=60$ ··· ❸

답 60

채점 기준	비율
❶ $m+n$, mn의 값을 구할 수 있다.	20 %
❷ $\sum_{k=1}^{m}\left\{\sum_{l=1}^{n}(k+l)\right\}$을 m, n에 대한 식으로 나타낼 수 있다.	60 %
❸ $\sum_{k=1}^{m}\left\{\sum_{l=1}^{n}(k+l)\right\}$의 값을 구할 수 있다.	20 %

1196

|전략| 주어진 수열의 제k항 a_k를 k에 대한 식으로 나타내고, $\sum$의 성질과 자연수의 거듭제곱의 합을 이용하여 수열의 합을 구한다.

주어진 수열의 제k항을 a_k라 하면

$a_k=k(k+1)=k^2+k$

주어진 식은 수열 $\{a_n\}$의 첫째항부터 제20항까지의 합이므로

$$(\text{주어진 식})=\sum_{k=1}^{20}a_k=\sum_{k=1}^{20}(k^2+k)=\sum_{k=1}^{20}k^2+\sum_{k=1}^{20}k$$
$$=\frac{20\cdot21\cdot41}{6}+\frac{20\cdot21}{2}$$
$$=2870+210=3080$$

답 3080

1197

주어진 수열의 제k항을 a_k라 하면

$a_k=(2k-1)\cdot(3k)^2=18k^3-9k^2$

주어진 식은 수열 $\{a_n\}$의 첫째항부터 제5항까지의 합이므로

$$(\text{주어진 식})=\sum_{k=1}^{5}a_k=\sum_{k=1}^{5}(18k^3-9k^2)$$
$$=18\sum_{k=1}^{5}k^3-9\sum_{k=1}^{5}k^2$$
$$=18\cdot\left(\frac{5\cdot6}{2}\right)^2-9\cdot\frac{5\cdot6\cdot11}{6}$$
$$=4050-495=3555$$

답 ①

1198

|전략| $\sum_{k=1}^{n}a_k$에서 a_k가 n을 포함한 식인 경우에는 n을 상수로 생각한다.

주어진 수열의 제k항을 a_k라 하면

$a_k=k\{n-(k-1)\}$

따라서 주어진 수열의 합은

$$\sum_{k=1}^{n}a_k=\sum_{k=1}^{n}k\{n-(k-1)\}$$
$$=\sum_{k=1}^{n}(nk-k^2+k)$$
$$=(n+1)\sum_{k=1}^{n}k-\sum_{k=1}^{n}k^2$$
$$=(n+1)\cdot\frac{n(n+1)}{2}-\frac{n(n+1)(2n+1)}{6}$$
$$=\frac{n(n+1)(n+2)}{6}$$

답 $\frac{n(n+1)(n+2)}{6}$

1199

주어진 수열의 제k항을 a_k라 하면

$$a_k=\left(\frac{k+n}{n}\right)^2=\left(\frac{k}{n}+1\right)^2=\frac{k^2}{n^2}+\frac{2k}{n}+1$$

따라서 주어진 수열의 합은

$$\sum_{k=1}^{n}a_k=\sum_{k=1}^{n}\left(\frac{k^2}{n^2}+\frac{2k}{n}+1\right)=\frac{1}{n^2}\sum_{k=1}^{n}k^2+\frac{2}{n}\sum_{k=1}^{n}k+\sum_{k=1}^{n}1$$
$$=\frac{1}{n^2}\cdot\frac{n(n+1)(2n+1)}{6}+\frac{2}{n}\cdot\frac{n(n+1)}{2}+1\cdot n$$
$$=\frac{(2n+1)(7n+1)}{6n}$$

답 $\frac{(2n+1)(7n+1)}{6n}$

1200

|전략| 수열 $\{x_i\}$의 100개의 항 중 1, 2의 값을 갖는 항수를 각각 a, b로 놓고 생각한다.

$x_1, x_2, x_3, \cdots, x_{100}$의 100개의 항 중 1이 a개, 2가 b개 있다고 하면

$\sum_{i=1}^{100}x_i=1\cdot a+2\cdot b=95$ $\quad\therefore a+2b=95$ ······ ㉠

$\sum_{i=1}^{100}x_i^2=1^2\cdot a+2^2\cdot b=145$ $\quad\therefore a+4b=145$ ······ ㉡

㉠, ㉡을 연립하여 풀면 $a=45$, $b=25$

$\therefore \sum_{i=1}^{100}x_i^3=1^3\cdot a+2^3\cdot b=1\cdot45+8\cdot25=245$

답 ②

1201

$3^1=3$을 5로 나누었을 때의 나머지는 3이므로 $a_1=3$

$3^2=9$를 5로 나누었을 때의 나머지는 4이므로 $a_2=4$

$3^3=27$을 5로 나누었을 때의 나머지는 2이므로 $a_3=2$

$3^4=81$을 5로 나누었을 때의 나머지는 1이므로 $a_4=1$

$3^5=243$을 5로 나누었을 때의 나머지는 3이므로 $a_5=3$

$3^6=729$를 5로 나누었을 때의 나머지는 4이므로 $a_6=4$

⋮

즉, $a_{4k-3}=3$, $a_{4k-2}=4$, $a_{4k-1}=2$, $a_{4k}=1$

└ 3^n을 5로 나누었을 때의 나머지는 3, 4, 2, 1이 이 순서대로 반복됨을 나타낸다.

$$\therefore \sum_{k=1}^{100}a_k=\sum_{k=1}^{25}(a_{4k-3}+a_{4k-2}+a_{4k-1}+a_{4k})$$
$$=\sum_{k=1}^{25}(3+4+2+1)=\sum_{k=1}^{25}10=10\cdot25=250$$

답 ④

1202

$1\le k<3$일 때, $\frac{1}{3}\le\frac{k}{3}<1$이므로 $\left[\frac{k}{3}\right]=0$

$3\le k<6$일 때, $1\le\frac{k}{3}<2$이므로 $\left[\frac{k}{3}\right]=1$

$6\le k<9$일 때, $2\le\frac{k}{3}<3$이므로 $\left[\frac{k}{3}\right]=2$

⋮

$96\le k<99$일 때, $32\le\frac{k}{3}<33$이므로 $\left[\frac{k}{3}\right]=32$

$k=99$일 때, $\frac{k}{3}=33$이므로 $\left[\frac{k}{3}\right]=33$ ··· ❶

$$\therefore \sum_{k=1}^{99}\left[\frac{k}{3}\right]=0\cdot2+1\cdot3+2\cdot3+\cdots+32\cdot3+33$$
$$=3(1+2+\cdots+32)+33$$
$$=3\sum_{n=1}^{32}n+33=3\cdot\frac{32\cdot33}{2}+33=1617$$ ··· ❷

답 1617

9 수열의 합

채점 기준	비율
❶ k의 값의 범위에 따른 $\left[\frac{k}{3}\right]$의 값을 구할 수 있다.	40 %
❷ $\sum_{k=1}^{99}\left[\frac{k}{3}\right]$의 값을 구할 수 있다.	60 %

1203

| 전략 | 주어진 수열의 제 k항 a_k를 구하고, 부분분수로 변형한다.

주어진 수열의 제k항을 a_k라 하면

$$a_k=\frac{1}{(2k+1)^2-1}=\frac{1}{4k^2+4k}=\frac{1}{4k(k+1)}$$

따라서 주어진 수열의 첫째항부터 제20항까지의 합은

$$\sum_{k=1}^{20}a_k=\sum_{k=1}^{20}\frac{1}{4k(k+1)}=\frac{1}{4}\sum_{k=1}^{20}\left(\frac{1}{k}-\frac{1}{k+1}\right)$$
$$=\frac{1}{4}\left\{\left(1-\frac{1}{2}\right)+\left(\frac{1}{2}-\frac{1}{3}\right)+\cdots+\left(\frac{1}{20}-\frac{1}{21}\right)\right\}$$
$$=\frac{1}{4}\left(1-\frac{1}{21}\right)=\frac{1}{4}\cdot\frac{20}{21}=\frac{5}{21}$$

답 $\frac{5}{21}$

1204

$a_n=\sum_{k=1}^{n}k^2=\frac{n(n+1)(2n+1)}{6}$이므로

$$(\text{주어진 식})=\sum_{k=1}^{10}\frac{2k+1}{a_k}=\sum_{k=1}^{10}\frac{2k+1}{\frac{k(k+1)(2k+1)}{6}}$$
$$=\sum_{k=1}^{10}\frac{6}{k(k+1)}=6\sum_{k=1}^{10}\left(\frac{1}{k}-\frac{1}{k+1}\right)$$
$$=6\left\{\left(1-\frac{1}{2}\right)+\left(\frac{1}{2}-\frac{1}{3}\right)+\cdots+\left(\frac{1}{10}-\frac{1}{11}\right)\right\}$$
$$=6\left(1-\frac{1}{11}\right)=\frac{60}{11}$$

답 ⑤

1205

이차방정식 $x^2+4x-(4n^2-1)=0$의 두 근이 α_n, β_n이므로 근과 계수의 관계에 의하여

$\alpha_n+\beta_n=-4$, $\alpha_n\beta_n=-(4n^2-1)$

이때, $\frac{1}{\alpha_n}+\frac{1}{\beta_n}=\frac{\alpha_n+\beta_n}{\alpha_n\beta_n}=\frac{-4}{-(4n^2-1)}=\frac{4}{(2n-1)(2n+1)}$

$$\therefore \sum_{n=1}^{10}\left(\frac{1}{\alpha_n}+\frac{1}{\beta_n}\right)=\sum_{n=1}^{10}\frac{4}{(2n-1)(2n+1)}$$
$$=\frac{4}{2}\sum_{n=1}^{10}\left(\frac{1}{2n-1}-\frac{1}{2n+1}\right)$$
$$=2\left\{\left(1-\frac{1}{3}\right)+\left(\frac{1}{3}-\frac{1}{5}\right)+\cdots+\left(\frac{1}{19}-\frac{1}{21}\right)\right\}$$
$$=2\left(1-\frac{1}{21}\right)=\frac{40}{21}$$

답 $\frac{40}{21}$

1206

$$(f\circ g)(n)=f(g(n))=f(2n+1)$$
$$=(2n+1+3)(2n+1-1)$$
$$=(2n+4)\cdot 2n=4n(n+2)$$

$$\therefore \sum_{n=1}^{10}\frac{8}{(f\circ g)(n)}$$
$$=\sum_{n=1}^{10}\frac{8}{4n(n+2)}=\sum_{n=1}^{10}\left(\frac{1}{n}-\frac{1}{n+2}\right)$$
$$=\left(1-\frac{1}{3}\right)+\left(\frac{1}{2}-\frac{1}{4}\right)+\left(\frac{1}{3}-\frac{1}{5}\right)$$
$$+\cdots+\left(\frac{1}{9}-\frac{1}{11}\right)+\left(\frac{1}{10}-\frac{1}{12}\right)$$
$$=1+\frac{1}{2}-\frac{1}{11}-\frac{1}{12}=\frac{175}{132}$$

답 $\frac{175}{132}$

1207

| 전략 | 주어진 수열의 제k 항 a_k를 구하고, a_k의 분모를 유리화한다.

$\frac{1}{\sqrt{3}+\sqrt{4}}$, $\frac{1}{\sqrt{4}+\sqrt{5}}$, $\frac{1}{\sqrt{5}+\sqrt{6}}$, $\cdots$, $\frac{1}{\sqrt{50}+\sqrt{51}}$의 제$k$항을 a_k라 하면

$$a_k=\frac{1}{\sqrt{k+2}+\sqrt{k+3}}$$
$$=\frac{\sqrt{k+2}-\sqrt{k+3}}{(\sqrt{k+2}+\sqrt{k+3})(\sqrt{k+2}-\sqrt{k+3})}$$
$$=\sqrt{k+3}-\sqrt{k+2}$$

주어진 식은 수열 $\{a_n\}$의 첫째항부터 제48항까지의 합이므로

$$\sum_{k=1}^{48}a_k=\sum_{k=1}^{48}(\sqrt{k+3}-\sqrt{k+2})$$
$$=(\sqrt{4}-\sqrt{3})+(\sqrt{5}-\sqrt{4})+\cdots+(\sqrt{51}-\sqrt{50})$$
$$=\sqrt{51}-\sqrt{3}$$

답 $\sqrt{51}-\sqrt{3}$

1208

$$\sum_{k=1}^{n}\frac{1}{f(k)}=\sum_{k=1}^{n}\frac{1}{\sqrt{k+1}+\sqrt{k+2}}$$
$$=\sum_{k=1}^{n}\frac{\sqrt{k+1}-\sqrt{k+2}}{(\sqrt{k+1}+\sqrt{k+2})(\sqrt{k+1}-\sqrt{k+2})}$$
$$=\sum_{k=1}^{n}(\sqrt{k+2}-\sqrt{k+1})$$
$$=(\sqrt{3}-\sqrt{2})+(\sqrt{4}-\sqrt{3})+\cdots+(\sqrt{n+2}-\sqrt{n+1})$$
$$=\sqrt{n+2}-\sqrt{2}$$

즉, $\sqrt{n+2}-\sqrt{2}=2\sqrt{2}$이므로

$\sqrt{n+2}=3\sqrt{2}$, $n+2=18$ $\quad\therefore n=16$

답 ⑤

1209

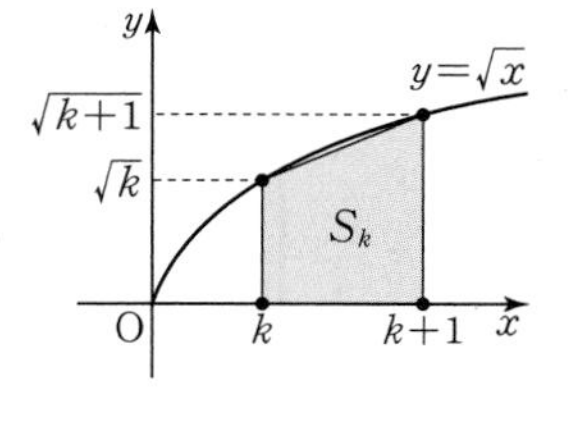

오른쪽 그림과 같이 네 점 $(k, 0)$, $(k+1, 0)$, $(k, \sqrt{k})$, $(k+1, \sqrt{k+1})$을 꼭짓점으로 하는 사각형은 윗변의 길이가 $\sqrt{k}$, 아랫변의 길이가 $\sqrt{k+1}$, 높이가 1인 사다리꼴이므로 넓이 S_k는

$$S_k=\frac{1}{2}\cdot(\sqrt{k}+\sqrt{k+1})\cdot 1$$
$$=\frac{\sqrt{k}+\sqrt{k+1}}{2}$$

$$\therefore \sum_{k=1}^{99}\frac{1}{S_k}=\sum_{k=1}^{99}\frac{2}{\sqrt{k}+\sqrt{k+1}}$$
$$=\sum_{k=1}^{99}\frac{2(\sqrt{k}-\sqrt{k+1})}{(\sqrt{k}+\sqrt{k+1})(\sqrt{k}-\sqrt{k+1})}$$
$$=2\sum_{k=1}^{99}(\sqrt{k+1}-\sqrt{k})$$
$$=2\{(\sqrt{2}-1)+(\sqrt{3}-\sqrt{2})+\cdots+(\sqrt{100}-\sqrt{99})\}$$
$$=2(\sqrt{100}-1)=18$$

답 18

1210

|전략| 일반항을 두 로그의 차로 나타내고, $k=1, 2, \cdots, 99$를 대입하여 주어진 식의 값을 구한다.

$$\sum_{k=1}^{99}\log\left(1+\frac{1}{k}\right)=\sum_{k=1}^{99}\log\frac{k+1}{k}=\sum_{k=1}^{99}\{\log(k+1)-\log k\}$$
$$=(\log 2-\log 1)+(\log 3-\log 2)+\cdots+(\log 100-\log 99)$$
$$=\log 100-\log 1$$
$$=\log 10^2-0=2-0=2$$

답 ⑤

다른 풀이

$$\sum_{k=1}^{99}\log\left(1+\frac{1}{k}\right)=\sum_{k=1}^{99}\log\frac{k+1}{k}$$
$$=\log\frac{2}{1}+\log\frac{3}{2}+\log\frac{4}{3}+\cdots+\log\frac{100}{99}$$
$$=\log\left(\frac{2}{1}\cdot\frac{3}{2}\cdot\frac{4}{3}\cdot\cdots\cdot\frac{100}{99}\right)$$
$$=\log 100=\log 10^2=2$$

1211

$$\sum_{k=1}^{n}\log_2\frac{\sqrt{k+1}}{\sqrt{k}}=\sum_{k=1}^{n}(\log_2\sqrt{k+1}-\log_2\sqrt{k})$$
$$=(\log_2\sqrt{2}-\log_2\sqrt{1})+(\log_2\sqrt{3}-\log_2\sqrt{2})+\cdots+(\log_2\sqrt{n+1}-\log_2\sqrt{n})$$
$$=\log_2\sqrt{n+1}-\log_2\sqrt{1}$$
$$=\log_2\sqrt{n+1}$$

즉, $\log_2\sqrt{n+1}=3$이므로

$\sqrt{n+1}=2^3$, $n+1=2^6$ $\quad\therefore n=63$

답 ③

1212

$$\sum_{k=2}^{50}\log\left(1-\frac{1}{k^2}\right)=\sum_{k=2}^{50}\log\frac{(k-1)(k+1)}{k^2}$$
$$=\sum_{k=2}^{50}\left(\log\frac{k-1}{k}+\log\frac{k+1}{k}\right)$$
$$=\sum_{k=2}^{50}\left(\log\frac{k-1}{k}-\log\frac{k}{k+1}\right)$$
$$=\left(\log\frac{1}{2}-\log\frac{2}{3}\right)+\left(\log\frac{2}{3}-\log\frac{3}{4}\right)+\cdots+\left(\log\frac{49}{50}-\log\frac{50}{51}\right)$$
$$=\log\frac{1}{2}-\log\frac{50}{51}=\log\frac{51}{100}=\log 51-2$$

답 ②

다른 풀이

$$\sum_{k=2}^{50}\log\left(1-\frac{1}{k^2}\right)=\sum_{k=2}^{50}\log\frac{(k-1)(k+1)}{k^2}$$
$$=\sum_{k=2}^{50}\log\left(\frac{k-1}{k}\cdot\frac{k+1}{k}\right)$$
$$=\log\left(\frac{1}{2}\cdot\frac{3}{2}\right)+\log\left(\frac{2}{3}\cdot\frac{4}{3}\right)+\log\left(\frac{3}{4}\cdot\frac{5}{4}\right)+\cdots+\log\left(\frac{49}{50}\cdot\frac{51}{50}\right)$$
$$=\log\left\{\left(\frac{1}{2}\cdot\frac{3}{2}\right)\cdot\left(\frac{2}{3}\cdot\frac{4}{3}\right)\cdot\left(\frac{3}{4}\cdot\frac{5}{4}\right)\cdot\cdots\cdot\left(\frac{49}{50}\cdot\frac{51}{50}\right)\right\}$$
$$=\log\left(\frac{1}{2}\cdot\frac{51}{50}\right)=\log\frac{51}{100}=\log 51-2$$

1213

$a_{2n-1}=2^n$, $a_{2n}=5^n$이므로

$$\sum_{k=1}^{10}\log a_k=\sum_{k=1}^{5}(\log a_{2k-1}+\log a_{2k})=\sum_{k=1}^{5}\log a_{2k-1}+\sum_{k=1}^{5}\log a_{2k}$$
$$=\sum_{k=1}^{5}\log 2^k+\sum_{k=1}^{5}\log 5^k=\sum_{k=1}^{5}k\log 2+\sum_{k=1}^{5}k\log 5$$
$$=\log 2\cdot\sum_{k=1}^{5}k+\log 5\cdot\sum_{k=1}^{5}k=(\log 2+\log 5)\sum_{k=1}^{5}k$$
$$=\log 10\cdot\sum_{k=1}^{5}k=\sum_{k=1}^{5}k$$
$$=\frac{5\cdot 6}{2}=15$$

답 15

다른 풀이 $a_{2n-1}a_{2n}=2^n\cdot 5^n=10^n$

$$\therefore \sum_{k=1}^{10}\log a_k=\log a_1+\log a_2+\cdots+\log a_{10}$$
$$=(\log a_1+\log a_2)+(\log a_3+\log a_4)+\cdots+(\log a_9+\log a_{10})$$
$$=\log a_1a_2+\log a_3a_4+\cdots+\log a_9a_{10}$$
$$=\log 10+\log 10^2+\cdots+\log 10^5$$
$$=1+2+3+4+5=15$$

1214

|전략| $S_n=\sum_{k=1}^{n}a_k$로 놓고 $a_1=S_1$, $a_n=S_n-S_{n-1}(n\ge 2)$임을 이용하여 일반항 a_n을 구한다.

$S_n=\sum_{k=1}^{n}a_k=n^2+2n$이라 하면

(i) $n=1$일 때, $a_1=S_1=1^2+2\cdot 1=3$

(ii) $n\ge 2$일 때,

$$a_n=S_n-S_{n-1}$$
$$=n^2+2n-\{(n-1)^2+2(n-1)\}$$
$$=2n+1 \quad \cdots\cdots ㉠$$

이때, $a_1=3$은 ㉠에 $n=1$을 대입한 것과 같으므로

$a_n=2n+1$

따라서 $a_{3n}=2\cdot 3n+1=6n+1$이므로

$$\sum_{k=1}^{10}ka_{3k}=\sum_{k=1}^{10}k(6k+1)=6\sum_{k=1}^{10}k^2+\sum_{k=1}^{10}k$$
$$=6\cdot\frac{10\cdot 11\cdot 21}{6}+\frac{10\cdot 11}{2}=2365$$

답 ④

9 수열의 합

1215

$S_n=\sum_{k=1}^{n} a_k=\frac{n}{n+1}$이라 하면

(i) $n=1$일 때, $a_1=S_1=\frac{1}{1+1}=\frac{1}{2}$

(ii) $n\geq 2$일 때,

$$a_n=S_n-S_{n-1}$$
$$=\frac{n}{n+1}-\frac{n-1}{n}=\frac{n^2-(n+1)(n-1)}{n(n+1)}$$
$$=\frac{n^2-(n^2-1)}{n(n+1)}=\frac{1}{n(n+1)} \quad \cdots\cdots ㉠$$

이때, $a_1=\frac{1}{2}$은 ㉠에 $n=1$을 대입한 것과 같으므로

$$a_n=\frac{1}{n(n+1)}$$

$$\therefore \sum_{k=1}^{6}\frac{1}{a_k}=\sum_{k=1}^{6}k(k+1)=\sum_{k=1}^{6}k^2+\sum_{k=1}^{6}k$$
$$=\frac{6\cdot 7\cdot 13}{6}+\frac{6\cdot 7}{2}=112$$

답 ③

1216

$S_n=\sum_{k=1}^{n} a_k=n^2+3n$이라 하면

(i) $n=1$일 때, $a_1=S_1=1^2+3\cdot 1=4$

(ii) $n\geq 2$일 때,

$$a_n=S_n-S_{n-1}$$
$$=n^2+3n-\{(n-1)^2+3(n-1)\}$$
$$=2n+2 \quad \cdots\cdots ㉠$$

이때, $a_1=4$는 ㉠에 $n=1$을 대입한 것과 같으므로

$a_n=2n+2$ … ❶

따라서 $a_na_{n+1}=(2n+2)(2n+4)=4(n+1)(n+2)$이므로 … ❷

$$\sum_{k=1}^{8}\frac{1}{a_ka_{k+1}}=\sum_{k=1}^{8}\frac{1}{4(k+1)(k+2)}$$
$$=\frac{1}{4}\sum_{k=1}^{8}\left(\frac{1}{k+1}-\frac{1}{k+2}\right)$$
$$=\frac{1}{4}\left\{\left(\frac{1}{2}-\frac{1}{3}\right)+\left(\frac{1}{3}-\frac{1}{4}\right)+\cdots+\left(\frac{1}{9}-\frac{1}{10}\right)\right\}$$
$$=\frac{1}{4}\left(\frac{1}{2}-\frac{1}{10}\right)=\frac{1}{10}$$ … ❸

답 $\frac{1}{10}$

채점 기준	비율
❶ $S_n=\sum_{k=1}^{n} a_k$로 놓고 일반항 a_n을 구할 수 있다.	40 %
❷ a_na_{n+1}을 구할 수 있다.	20 %
❸ $\sum_{k=1}^{8}\frac{1}{a_ka_{k+1}}$의 값을 구할 수 있다.	40 %

1217

$S_n=a_1+2a_2+3a_3+\cdots+na_n=n(n+1)(n+2)$라 하면

(i) $n=1$일 때, $a_1=S_1=6$

(ii) $n\geq 2$일 때,

$$na_n=S_n-S_{n-1}$$
$$=n(n+1)(n+2)-(n-1)n(n+1)$$
$$=3n(n+1) \quad \cdots\cdots ㉠$$

이때, $a_1=6$은 ㉠에 $n=1$을 대입한 것과 같으므로

$na_n=3n(n+1)$

따라서 $a_n=3(n+1)$이므로

$$\sum_{k=1}^{10}a_k=\sum_{k=1}^{10}3(k+1)=3\sum_{k=1}^{10}k+\sum_{k=1}^{10}3$$
$$=3\cdot\frac{10\cdot 11}{2}+3\cdot 10=195$$

답 195

1218

|전략| 주어진 수열의 합 S에 등비수열의 공비 $\frac{1}{2}$을 곱하고 $S-\frac{1}{2}S$를 계산하여 S의 값을 구한다.

$S=\sum_{k=1}^{10}\frac{k}{2^{k-1}}$이므로

$$S=1+\frac{2}{2}+\frac{3}{2^2}+\frac{4}{2^3}+\cdots+\frac{10}{2^9} \quad \cdots\cdots ㉠$$

㉠의 양변에 $\frac{1}{2}$을 곱하면

$$\frac{1}{2}S=\quad\frac{1}{2}+\frac{2}{2^2}+\frac{3}{2^3}+\cdots+\frac{9}{2^9}+\frac{10}{2^{10}} \quad \cdots\cdots ㉡$$

㉠－㉡을 하면

$$\frac{1}{2}S=1+\frac{1}{2}+\frac{1}{2^2}+\frac{1}{2^3}+\cdots+\frac{1}{2^9}-\frac{10}{2^{10}}$$
$$=\frac{1\cdot\left\{1-\left(\frac{1}{2}\right)^{10}\right\}}{1-\frac{1}{2}}-\frac{10}{2^{10}}=2\left\{1-\left(\frac{1}{2}\right)^{10}\right\}-\frac{10}{2^{10}}$$
$$=2-\frac{12}{2^{10}}=2-3\left(\frac{1}{2}\right)^8$$

$\frac{12}{2^{10}}=\frac{3\cdot 4}{2^{10}}=\frac{3\cdot 2^2}{2^{10}}=\frac{3}{2^8}$

$$\therefore S=4-3\left(\frac{1}{2}\right)^7$$

따라서 $a=4$, $b=7$이므로

$|a-b|=3$

답 3

1219

$$S=1+2\cdot 2+3\cdot 2^2+4\cdot 2^3+\cdots+10\cdot 2^9 \quad \cdots\cdots ㉠$$

㉠의 양변에 2를 곱하면

$$2S=\quad 1\cdot 2+2\cdot 2^2+3\cdot 2^3+\cdots+9\cdot 2^9+10\cdot 2^{10} \quad \cdots\cdots ㉡$$

㉠－㉡을 하면

$$-S=1+2+2^2+2^3+\cdots+2^9-10\cdot 2^{10}$$
$$=\frac{1\cdot(2^{10}-1)}{2-1}-10\cdot 2^{10}$$
$$=-9\cdot 2^{10}-1$$

$$\therefore S=1+9\cdot 2^{10}$$

따라서 $a=1$, $b=9$, $c=10$이므로

$a+b+c=20$

답 20

1220

| 전략 | 주어진 수열을 각 군의 첫째항과 끝항이 1이 되도록 군으로 묶는다.

주어진 수열을 각 군의 첫째항과 끝항이 1이 되도록

$(1), (1, 2, 1), (1, 2, 3, 2, 1), (1, 2, 3, 4, 3, 2, 1), \cdots$

과 같이 군으로 묶으면 제n군은 $(1, 2, \cdots, n-1, n, n-1, \cdots, 2, 1)$이다.

제n군의 항수는 $2n-1$이므로 제1군부터 제n군까지의 항수는

$\sum_{k=1}^{n}(2k-1)=2\cdot\frac{n(n+1)}{2}-1\cdot n=n^2$

$n=9$일 때, $9^2=81$이므로 a_{90}은 제10군의 9번째 항이다.

이때, 제10군은 $(1, 2, \cdots, 9, 10, 9, \cdots, 2, 1)$이므로

$a_{90}=9$ 답 9

1221

주어진 수열을

$(1), (3, 3), (5, 5, 5), (7, 7, 7, 7), \cdots$

과 같이 군으로 묶으면 제n군의 첫째항은 $2n-1$이고, 제n군의 항수는 n이므로 제1군부터 제n군까지의 항수는

$\sum_{k=1}^{n}k=\frac{n(n+1)}{2}$

한편, $19=2n-1$에서 $n=10$이므로 19는 제10군이고, 제10군의 첫째항부터 10번째 항까지 계속된다.

따라서 제1군부터 제9군까지의 항수는 $\frac{9\cdot 10}{2}=45$이므로

$a=45+1=46$, $b=45+10=55$

$\therefore a+b=101$ 답 101

제9군 $(17, 17, \cdots, 17)$ 45번째
제10군 $(19, 19, \cdots, 19)$ 46번째, 10개

1222

주어진 수열을 각 군의 첫째항과 끝항이 1이 되도록

$(1), (1, 2, 1), (1, 2, 2^2, 2, 1), (1, 2, 2^2, 2^3, 2^2, 2, 1), \cdots$

과 같이 군으로 묶으면 2^n은 제$(n+1)$군에서 처음으로 나타나므로 2^{10}은 제11군에서 처음으로 나타난다.

이때, 제11군에서 제13군까지 살펴보면

제11군 $(1, 2, \cdots, 2^{10}, \cdots, 2, 1)$

제12군 $(1, 2, \cdots, 2^{10}, 2^{11}, 2^{10}, \cdots, 2, 1)$

제13군 $(1, 2, \cdots, 2^{10}, 2^{11}, 2^{12}, 2^{11}, 2^{10}, \cdots, 2, 1)$

이므로 2^{10}이 다섯 번째로 나타나는 항은 제13군의 15번째 항이다.

제n군의 항수는 $2n-1$이므로 제1군부터 제12군까지의 항수는

$\sum_{k=1}^{12}(2k-1)=2\cdot\frac{12\cdot 13}{2}-1\cdot 12=144$

제n군 $(1, 2, \cdots, 2^{n-2}, 2^{n-1}, 2^{n-2}, \cdots, 2, 1)$ (n개)
$\therefore (1, 2, \cdots, 2^{11}, 2^{12}, 2^{11}, 2^{10}, \cdots, 2, 1)$ (13개, 14번째, 15번째)

따라서 2^{10}이 다섯 번째로 나타나는 항은

$144+15=159$이므로 제159항이다. 답 제159항

1223

주어진 수열을 각 군의 차수가 같도록

$(a, b), (a^2, ab, b^2), (a^3, a^2b, ab^2, b^3), \cdots$

과 같이 군으로 묶으면 제n군에 있는 각 항의 차수는 n이다.

이때, 제n군의 항수는 $n+1$이므로 제1군부터 제n군까지의 항수는

$\sum_{k=1}^{n}(k+1)=\frac{n(n+1)}{2}+n=\frac{n^2+3n}{2}$

$n=9$일 때, $\frac{9^2+3\cdot 9}{2}=54$이므로 제60항은 제10군의 6번째 항이다.

따라서 제n군의 k번째 항은 $a^{n-k+1}b^{k-1}$이므로 제10군의 6번째 항은

$a^{10-6+1}b^{6-1}=a^5b^5$ 답 ⑤

1224

| 전략 | 주어진 수열을 분모가 같은 항끼리 군으로 묶는다.

주어진 수열을 분모가 같은 항끼리 군으로 묶으면

$\left(\frac{1}{2}\right), \left(\frac{1}{3}, \frac{2}{3}\right), \left(\frac{1}{4}, \frac{2}{4}, \frac{3}{4}\right), \left(\frac{1}{5}, \frac{2}{5}, \frac{3}{5}, \frac{4}{5}\right), \cdots$

제n군의 항수는 n이므로 제1군부터 제n군까지의 항수는

$\sum_{k=1}^{n}k=\frac{n(n+1)}{2}$

$n=15$일 때, $\frac{15\cdot 16}{2}=120$이므로 제125항은 제16군의 5번째 항이다.

이때, 제16군은 $\left(\frac{1}{17}, \frac{2}{17}, \frac{3}{17}, \cdots, \frac{15}{17}, \frac{16}{17}\right)$이므로 제125항은 $\frac{5}{17}$이다. 답 $\frac{5}{17}$

참고 제n군의 k번째 항은 $\frac{k}{n+1}$이고, 제125항은 제16군의 5번째 항이므로 $\frac{5}{16+1}=\frac{5}{17}$

1225

주어진 수열을 분모가 같은 항끼리 군으로 묶으면

$\left(\frac{1}{2}\right), \left(\frac{3}{4}, \frac{1}{4}\right), \left(\frac{7}{8}, \frac{5}{8}, \frac{3}{8}, \frac{1}{8}\right), \cdots$

제n군의 항수는 2^{n-1}이므로 제1군부터 제n군까지의 항수는

$\sum_{k=1}^{n}2^{k-1}=\frac{1\cdot(2^n-1)}{2-1}=2^n-1$

$n=6$일 때, $2^6-1=63$이므로 제100항은 제7군의 37번째 항이다.

이때, 제7군은 첫째항이 $\frac{2^7-1}{2^7}=\frac{127}{128}$이고, 공차가 $-\frac{2}{128}=-\frac{1}{64}$인 등차수열을 이루므로 제100항은

$\frac{127}{128}+(37-1)\cdot\left(-\frac{1}{64}\right)=\frac{55}{128}$ 답 ①

참고 제n군은 첫째항이 $\frac{2^n-1}{2^n}$이고, 공차가 $-\frac{2}{2^n}$인 등차수열을 이룬다.

1226

주어진 수열을 (분모)+(분자)의 값이 같은 항끼리 군으로 묶으면

$\left(\frac{1}{1}\right), \left(\frac{2}{1}, \frac{1}{2}\right), \left(\frac{3}{1}, \frac{2}{2}, \frac{1}{3}\right), \left(\frac{4}{1}, \frac{3}{2}, \frac{2}{3}, \frac{1}{4}\right), \cdots$ ··· ❶

제n군의 k번째 항은 분모와 분자의 합이 $n+1$이고 분모가 k이므로 $\frac{4}{18}$는 제21군의 18번째 항이다. … ❷

이때, 제n군의 항수는 n이므로 제1군부터 제20군까지의 항수는

$\sum_{k=1}^{20} k=\frac{20\cdot 21}{2}=210$

따라서 $210+18=228$이므로 $\frac{4}{18}$는 제228항이다. … ❸

답 제228항

채점 기준	비율
❶ 주어진 수열을 (분모)+(분자)의 값이 같은 항끼리 군으로 묶을 수 있다.	20 %
❷ $\frac{4}{18}$가 제몇 군의 몇 번째 항인지 구할 수 있다.	40 %
❸ $\frac{4}{18}$가 제몇 항인지 구할 수 있다.	40 %

1227

주어진 수열을 분모가 같은 항끼리 군으로 묶으면

$\left(\frac{1}{2}\right), \left(\frac{2}{3}, \frac{1}{3}\right), \left(\frac{3}{4}, \frac{2}{4}, \frac{1}{4}\right), \left(\frac{4}{5}, \frac{3}{5}, \frac{2}{5}, \frac{1}{5}\right), \cdots$

제n군의 항수는 n이므로 제1군부터 제n군까지의 항수는

$\sum_{k=1}^{n} k=\frac{n(n+1)}{2}$

$n=10$일 때, $\frac{10\cdot 11}{2}=55$이므로 제55항은 제10군의 10번째 항이다.

이때, 제n군은

$\left(\frac{n}{n+1}, \frac{n-1}{n+1}, \frac{n-2}{n+1}, \cdots, \frac{1}{n+1}\right)$

이므로 제n군의 항의 합을 a_n이라 하면

$a_n=\frac{\sum_{k=1}^{n} k}{n+1}=\frac{\frac{n(n+1)}{2}}{n+1}=\frac{n}{2}$

따라서 첫째항부터 제55항까지의 합은 제1군부터 제10군까지 항의 합이므로

$\sum_{k=1}^{10} a_k=\sum_{k=1}^{10} \frac{k}{2}=\frac{1}{2}\cdot\frac{10\cdot 11}{2}=\frac{55}{2}$

답 $\frac{55}{2}$

1228

전략 주어진 수열을 두 수의 합이 같은 순서쌍끼리 군으로 묶는다.

주어진 수열을 두 수의 합이 같은 순서쌍끼리 군으로 묶으면

$\{(1, 1)\}, \{(2, 1), (1, 2)\}, \{(3, 1), (2, 2), (1, 3)\},$

$\{(4, 1), (3, 2), (2, 3), (1, 4)\}, \cdots$

제n군의 순서쌍의 두 수의 합은 $n+1$이므로 $(14, 17)$은 제30군의 17번째 항이다.

이때, 제n군의 항수는 n이므로 제1군부터 제29군까지의 항수는

$\sum_{k=1}^{29} k=\frac{29\cdot 30}{2}=435$

따라서 $435+17=452$이므로 $(14, 17)$은 제452항이다.

답 제452항

참고 순서쌍 (a, b)에서 $a+b-1$은 제몇 군인지, b는 군 안에서의 순서를 나타낸다.

1229

주어진 수열을 두 수의 곱이 같은 순서쌍끼리 군으로 묶으면

$\{(1, 3), (3, 1)\}, \{(1, 9), (3, 3), (9, 1)\},$

$\{(1, 27), (3, 9), (9, 3), (27, 1)\}, \cdots$

제n군의 항수는 $n+1$이고 순서쌍의 두 수의 곱은 3^n이다.

따라서 제1군부터 제n군까지의 항수는

$\sum_{k=1}^{n} (k+1)=\frac{n(n+1)}{2}+n=\frac{n(n+3)}{2}$

$n=8$일 때, $\frac{8\cdot 11}{2}=44$이므로 제50항은 제9군의 6번째 항이다.

이때, 제n군의 k번째 항은 $(3^{k-1}, 3^{n-k+1})$이므로 제9군의 6번째 항은 $(3^5, 3^4)$, 즉 $(243, 81)$이다.

답 $(243, 81)$

1230

전략 각 줄을 하나의 군으로 묶는다.

각 줄을 군으로 묶으면

$(1), (2, 3, 4), (9, 8, 7, 6, 5), (10, 11, 12, 13, 14, 15, 16), \cdots$

제n군의 항수는 $2n-1$이므로 제1군부터 제n군까지의 항수는

$\sum_{k=1}^{n} (2k-1)=2\cdot\frac{n(n+1)}{2}-1\cdot n=n^2$

$n=10$일 때, $n^2=100$이므로 111은 제11군에 속한다.

그런데 제11군의 첫째항은 $11^2=121$이고 홀수 번째 군에서는 첫째항부터 차례로 1씩 감소하므로 111은 제11군의 11번째 항이다.

따라서 111은 위에서 11번째 줄의 왼쪽에서 11번째에 있으므로

$p=11, q=11$

$\therefore p+q=22$

답 22

1231

각 줄을 군으로 묶으면

$(1), (2, 3, 4), (5, 6, 7, 8, 9), \cdots$

이때, 제n군의 항수는 $2n-1$이므로 제1군부터 제9군까지의 항수는

$\sum_{k=1}^{9} (2k-1)=2\cdot\frac{9\cdot 10}{2}-1\cdot 9=81$

따라서 위에서부터 10번째 줄의 왼쪽에서 7번째에 있는 수는 제10군의 7번째 항이므로 $81+7=88$이다.

답 88

1232

각 줄을 군으로 묶으면

$(1), (2, 4), (3, 6, 9), (4, 8, 12, 16), \cdots$

이때, 제n군은 첫째항이 n, 공차가 n이고, 항수가 n인 등차수열이므로 제n군의 항의 합을 a_n이라 하면

$a_n=n+2n+3n+\cdots+n\cdot n$

$=n(1+2+3+\cdots+n)$

$=n\sum_{k=1}^{n} k=n\cdot\frac{n(n+1)}{2}=\frac{n^3+n^2}{2}$

따라서 첫 번째 줄부터 10번째 줄까지 나열된 수의 합은 제1군부터 제10군까지의 수의 합이므로

$$\sum_{k=1}^{10} a_k=\sum_{k=1}^{10} \frac{k^3+k^2}{2}=\frac{1}{2}\left(\sum_{k=1}^{10} k^3+\sum_{k=1}^{10} k^2\right)$$

$$=\frac{1}{2}\left\{\left(\frac{10\cdot 11}{2}\right)^2+\frac{10\cdot 11\cdot 21}{6}\right\}=1705$$

답 1705

1233

|전략| 수가 나열되는 방향에 따른 규칙을 찾는다.

첫 번째 줄의 수는 왼쪽에서부터 차례로 1, 4, 9, 16, ⋯, 즉 1^2, 2^2, 3^2, 4^2, ⋯이므로 첫 번째 줄의 왼쪽에서 15번째에 있는 수는 15^2이다.

첫 번째 줄의 15번째에 있는 수부터 15번째 줄의 15번째에 있는 수까지 각 줄의 15번째에 있는 수는 1씩 작아지므로 9번째 줄의 15번째에 있는 수는

$15^2-8=217$

답 ③

1234

2번째 줄부터 나열된 수의 규칙을 살펴보면

2번째 줄: 1, 2, 3, 4, 5, ⋯ ― 공차가 1인 등차수열

3번째 줄: 1, 3, 5, 7, 9, ⋯ ― 공차가 2인 등차수열

4번째 줄: 1, 4, 7, 10, 13, ⋯ ― 공차가 3인 등차수열

⋮

이므로 10번째 줄에 나열된 수는 공차가 9인 등차수열을 이룬다.

10번째 줄의 왼쪽에서 n번째에 나열된 수를 a_n이라 하면

$a_n=1+(n-1)\cdot 9=9n-8$

따라서 10번째 줄의 왼쪽에서 8번째에 있는 수는

$a_8=9\cdot 8-8=64$

답 ④

1235

가로줄의 개수와 세로줄의 개수를 각각 n이라 하면 오른쪽과 같이 왼쪽 위에서 오른쪽 아래로의 대각선의 수는 차례로 1^2, 2^2, 3^2, 4^2, ⋯, n^2이고, n^2의 위와 왼쪽에 있는 수는 각각 n^2-n이다.

1^2	2	3	4	5	⋯		
2	2^2	6	8	10			
3	6	3^2	12	15			
4	8	12	4^2	20			
5	10	15	20	5^2			
⋮					⋱		
						a	b
						c	d

즉, $a=(n-1)^2$, $b=n^2-n$, $c=n^2-n$, $d=n^2$이므로

$a+b+c+d=(n-1)^2+2(n^2-n)+n^2$

$=4n^2-4n+1$

이때, $a+b+c+d=361$이므로

$4n^2-4n+1=361$, $4n^2-4n=360$, $n^2-n=90$

$n(n-1)=10\cdot 9 \quad \therefore n=10$

따라서 a, b, c, d 중 가장 큰 수는 $d=100$, 가장 작은 수는 $a=81$이므로 구하는 값은

$100-81=19$

답 19

STEP 3 내신 마스터

1236

유형 01 합의 기호 $\sum$

|전략| $\sum_{k=1}^{n} a_k=a_1+a_2+a_3+\cdots+a_n$임을 이용한다.

$\sum_{k=1}^{100} ka_k=a_1+2a_2+3a_3+\cdots+99a_{99}+100a_{100}=200$ ⋯⋯ ㉠

$\sum_{k=1}^{99} ka_{k+1}=a_2+2a_3+3a_4+\cdots+98a_{99}+99a_{100}=100$ ⋯⋯ ㉡

㉠−㉡을 하면

$a_1+a_2+a_3+\cdots+a_{99}+a_{100}=100$

$\therefore \sum_{k=1}^{100} a_k=100$

답 ②

1237

유형 03 r^n을 포함한 수열의 합

|전략| 나머지정리를 이용하여 a_n을 구한다.

다항식 $f(x)=x^{n-1}(x-3)$을 $x-5$로 나누었을 때의 나머지는 나머지정리에 의하여 $f(5)$이므로

$a_n=5^{n-1}\cdot(5-3)=2\cdot 5^{n-1}$

$\therefore \sum_{k=1}^{n} a_k=\sum_{k=1}^{n} 2\cdot 5^{k-1}=2\sum_{k=1}^{n} 5^{k-1}=2\cdot\frac{1\cdot(5^n-1)}{5-1}=\frac{5^n-1}{2}$

답 ①

Lecture

나머지정리

다항식 $f(x)$를 일차식 $x-\alpha$로 나누었을 때의 나머지 R는

⇨ $R=f(\alpha)$

1238

유형 04 자연수의 거듭제곱의 합

|전략| $\sum$의 성질을 이용하여 식을 간단히 정리하고, 자연수의 거듭제곱의 합을 이용한다.

$\sum_{k=1}^{20} a_k=a_1+a_2+a_3+a_4+\cdots+a_{19}+a_{20}$

$=(a_1+a_3+\cdots+a_{19})+(a_2+a_4+\cdots+a_{20})$

$=(2\cdot 1+2\cdot 3+\cdots+2\cdot 19)+\{-2+(-4)+\cdots+(-20)\}$

$=\sum_{k=1}^{10} 2(2k-1)+\sum_{k=1}^{10}(-2k)$

$=4\sum_{k=1}^{10} k-\sum_{k=1}^{10} 2-2\sum_{k=1}^{10} k=2\sum_{k=1}^{10} k-2\cdot 10$

$=2\cdot\frac{10\cdot 11}{2}-20=90$

답 ③

1239

유형 05 여러 개의 $\sum$를 포함한 식의 계산

|전략| 일반항에서 상수인 것과 상수가 아닌 것을 구별하여 안쪽에 있는 $\sum$부터 계산한다.

$\sum_{n=1}^{20}\left\{\sum_{k=1}^{n}(-1)^{n-1}\cdot(2k-1)\right\}=\sum_{n=1}^{20}\left\{(-1)^{n-1}\sum_{k=1}^{n}(2k-1)\right\}$

$\sum_{k=1}^{n}(2k-1)=2\cdot\frac{n(n+1)}{2}-1\cdot n=n^2$이므로

9 수열의 합

$$(\text{주어진 식})=\sum_{n=1}^{20}\{(-1)^{n-1}\cdot n^2\}$$
$$=1^2-2^2+3^2-4^2+\cdots+19^2-20^2$$
$$=(1-2)(1+2)+(3-4)(3+4)+\cdots+(19-20)(19+20)$$
$$=-\underbrace{(1+2+3+4+\cdots+19+20)}_{\sum_{k=1}^{20}k}$$
$$=-\frac{20\cdot 21}{2}=-210$$

답 ③

1240

유형 07 제k항이 n에 대한 식일 때의 수열의 합

|전략| 주어진 수열의 제k항 a_k를 k와 n에 대한 식으로 나타내고, $\sum_{k=1}^{n}a_k$에서 n은 상수임에 유의하여 수열의 합을 구한다.

수열의 합 $1\cdot(2n-1)+2\cdot(2n-3)+3\cdot(2n-5)+\cdots+n\cdot 1$에서 수열의 제$k$항을 a_k라 하면 $a_k=k\{2n-(2k-1)\}$

이때, 수열의 합은

$$\sum_{k=1}^{n}a_k=\sum_{k=1}^{n}k\{2n-(2k-1)\}=\sum_{k=1}^{n}\{(2n+1)k-2k^2\}$$
$$=(2n+1)\sum_{k=1}^{n}k-2\sum_{k=1}^{n}k^2$$
$$=(2n+1)\cdot\frac{n(n+1)}{2}-2\cdot\frac{n(n+1)(2n+1)}{6}$$
$$=\frac{n(n+1)(2n+1)}{6}$$

따라서 $a=1$, $b=2$, $c=1$이므로 $a+b+c=4$

답 ②

1241

유형 08 여러 가지 수열의 합

|전략| k의 값의 범위에 따른 $[\sqrt{k}]$의 값을 구한 다음 $\sum_{k=1}^{50}[\sqrt{k}]$의 값을 구한다.

$1\le k<4$일 때, $1\le\sqrt{k}<2$이므로 $[\sqrt{k}]=1$

$4\le k<9$일 때, $2\le\sqrt{k}<3$이므로 $[\sqrt{k}]=2$

$9\le k<16$일 때, $3\le\sqrt{k}<4$이므로 $[\sqrt{k}]=3$

⋮

$36\le k<49$일 때, $6\le\sqrt{k}<7$이므로 $[\sqrt{k}]=6$

$k=49, 50$일 때, $[\sqrt{k}]=7$

$$\therefore \sum_{k=1}^{50}[\sqrt{k}]=1\cdot 3+2\cdot 5+3\cdot 7+\cdots+6\cdot 13+7\cdot 2$$
$$=\sum_{k=1}^{6}k(2k+1)+14=2\sum_{k=1}^{6}k^2+\sum_{k=1}^{6}k+14$$
$$=2\cdot\frac{6\cdot 7\cdot 13}{6}+\frac{6\cdot 7}{2}+14$$
$$=182+21+14=217$$

답 ④

1242

유형 10 분모에 근호가 포함된 수열의 합

|전략| 주어진 등차수열의 일반항 a_n을 구하고, 이를 이용하여 수열 $\left\{\frac{1}{\sqrt{a_n}+\sqrt{a_{n+1}}}\right\}$의 제$k$항 $\frac{1}{\sqrt{a_k}+\sqrt{a_{k+1}}}$의 분모를 유리화한다.

첫째항이 9, 공차가 3인 등차수열 $\{a_n\}$의 일반항 a_n은

$a_n=9+(n-1)\cdot 3=3n+6$이므로

$$\frac{1}{\sqrt{a_k}+\sqrt{a_{k+1}}}=\frac{1}{\sqrt{3k+6}+\sqrt{3k+9}}$$
$$=\frac{\sqrt{3k+6}-\sqrt{3k+9}}{(\sqrt{3k+6}+\sqrt{3k+9})(\sqrt{3k+6}-\sqrt{3k+9})}$$
$$=\frac{\sqrt{3k+9}-\sqrt{3k+6}}{3}$$

$$\therefore S_9=\sum_{k=1}^{9}\frac{1}{\sqrt{a_k}+\sqrt{a_{k+1}}}$$
$$=\frac{1}{3}\sum_{k=1}^{9}(\sqrt{3k+9}-\sqrt{3k+6})$$
$$=\frac{1}{3}\{(\sqrt{12}-\sqrt{9})+(\sqrt{15}-\sqrt{12})+\cdots+(\sqrt{36}-\sqrt{33})\}$$
$$=\frac{1}{3}(\sqrt{36}-\sqrt{9})=1$$

답 ②

1243

유형 11 로그가 포함된 수열의 합

|전략| 일반항 a_n의 로그의 진수를 변형하고, $k=1, 2, \cdots, n$을 대입하여 $\sum_{k=1}^{n}a_k$를 구한다.

$$a_n=\log_2\left(1+\frac{1}{n}\right)=\log_2\frac{n+1}{n}$$

$$\therefore \sum_{k=1}^{n}a_k=\sum_{k=1}^{n}\log_2\frac{k+1}{k}$$
$$=\log_2\frac{2}{1}+\log_2\frac{3}{2}+\log_2\frac{4}{3}+\cdots+\log_2\frac{n+1}{n}$$
$$=\log_2\left(\frac{2}{1}\cdot\frac{3}{2}\cdot\frac{4}{3}\cdot\cdots\cdot\frac{n+1}{n}\right)$$
$$=\log_2(n+1)$$

이때, $\sum_{k=1}^{n}a_k=5$이므로 $\log_2(n+1)=5$

로그의 정의에 의하여 $n+1=2^5=32$

$\therefore n=31$

답 ③

1244

유형 12 $\sum$로 표현된 수열의 합과 일반항 사이의 관계

|전략| $S_n=\sum_{k=1}^{n}a_k$로 놓고 $a_1=S_1$, $a_n=S_n-S_{n-1}(n\ge 2)$임을 이용하여 일반항 a_n을 구한다.

$S_n=\sum_{k=1}^{n}a_k=\frac{1}{3}n(n+1)(n+2)$라 하면

(i) $n=1$일 때, $a_1=S_1=\frac{1}{3}\cdot 1\cdot(1+1)(1+2)=2$

(ii) $n\ge 2$일 때,

$$a_n=S_n-S_{n-1}$$
$$=\frac{1}{3}n(n+1)(n+2)-\frac{1}{3}(n-1)n(n+1)$$
$$=\frac{1}{3}n(n+1)\{n+2-(n-1)\}$$
$$=n(n+1) \quad \cdots\cdots ㉠$$

이때, $a_1=2$는 ㉠에 $n=1$을 대입한 것과 같으므로

$a_n=n(n+1)$

$$\therefore \sum_{k=1}^{n}\frac{1}{a_k}=\sum_{k=1}^{n}\frac{1}{k(k+1)}$$
$$=\sum_{k=1}^{n}\left(\frac{1}{k}-\frac{1}{k+1}\right)$$
$$=\left(1-\frac{1}{2}\right)+\left(\frac{1}{2}-\frac{1}{3}\right)+\cdots+\left(\frac{1}{n}-\frac{1}{n+1}\right)$$
$$=1-\frac{1}{n+1}=\frac{n}{n+1}$$

답 ⑤

1245

유형 14 정수로 이루어진 군수열

| 전략 | 주어진 수열을 자릿수에 따라 군으로 묶는다.

주어진 수열을 자릿수에 따라

(1), (10, 11), (100, 101, 110, 111), ⋯

과 같이 군으로 묶으면 제n군은 0과 1로 이루어진 n자리의 수이다.

제n군의 항수는 2^{n-1}이므로 제1군부터 제n군까지의 항수는

$$\sum_{k=1}^{n}2^{k-1}=\frac{1\cdot(2^n-1)}{2-1}=2^n-1$$

$n=6$일 때, $2^6-1=63$이므로 제65항은 제7군의 2번째 항이다.

이때, 제7군은 (1000000, 1000001, ⋯)이므로 제65항은 1000001이다.

답 ④

1246

유형 18 바둑판 모양으로 주어진 군수열

| 전략 | 1에서부터 1의 오른쪽 대각선 아래 방향에 적힌 수를 차례로 살펴보고 규칙을 찾는다.

1에서부터 1의 오른쪽 대각선 아래 방향에 적힌 수는 차례로 1, 9, 25, ⋯, 즉 $1^2, 3^2, 5^2, \cdots$이므로 k번째 수는 $(2k-1)^2$이다.

또, $k-1$번째 수는 $(2k-3)^2$이므로 $(2k-1)^2$의 바로 위에 오는 수는 $(2k-3)^2+1$이다.

이때, $121=11^2$이므로 $2k-1=11$ $\quad\therefore k=6$

따라서 121 바로 위에 오는 수는 $(2k-3)^2+1$에 $k=6$을 대입한 것과 같으므로

$(2\cdot6-3)^2+1=82$

답 ②

1247

유형 06 제k항을 찾아 수열의 합 구하기

| 전략 | 주어진 수열의 제k항 a_k를 k에 대한 식으로 나타내고, $\sum$의 성질을 이용하여 수열의 합을 구한다.

$a_1=1$

$a_2=2+2\cdot2$

$a_3=3+2\cdot3+3\cdot3$

$a_4=4+2\cdot4+3\cdot4+4\cdot4$

⋮

이므로

$$a_n=n+2n+3n+\cdots+n\cdot n$$
$$=\sum_{k=1}^{n}kn=n\sum_{k=1}^{n}k$$
$$=n\cdot\frac{n(n+1)}{2}=\frac{n^3+n^2}{2}$$ ⋯ ❶

$$\therefore \sum_{k=1}^{9}a_k=\sum_{k=1}^{9}\frac{k^3+k^2}{2}=\frac{1}{2}\left(\sum_{k=1}^{9}k^3+\sum_{k=1}^{9}k^2\right)$$
$$=\frac{1}{2}\left\{\left(\frac{9\cdot10}{2}\right)^2+\frac{9\cdot10\cdot19}{6}\right\}$$
$$=\frac{1}{2}(2025+285)=1155$$ ⋯ ❷

답 1155

채점 기준	배점
❶ a_n을 구할 수 있다.	3점
❷ $\sum_{k=1}^{9}a_k$의 값을 구할 수 있다.	3점

1248

유형 16 순서쌍으로 이루어진 군수열

| 전략 | x좌표와 y좌표의 합이 같은 순서쌍끼리 군으로 묶는다.

x좌표와 y좌표의 합이 같은 순서쌍끼리 군으로 묶으면

{(1, 1)}, {(1, 2), (2, 1)}, {(1, 3), (2, 2), (3, 1)},

{(1, 4), (2, 3), (3, 2), (4, 1)}, ⋯

점 A_{50}은 주어진 수열의 제50항, 점 A_{200}은 제200항이다.

제n군의 항수는 n이므로 제1군부터 제n군까지의 항수는

$$\sum_{k=1}^{n}k=\frac{n(n+1)}{2}$$

$n=9$일 때 $\frac{9\cdot10}{2}=45$이므로 제50항은 제10군의 5번째 항이고,

$n=19$일 때 $\frac{19\cdot20}{2}=190$이므로 제200항은 제20군의 10번째 항이다. ⋯ ❶

이때, 제n군의 k번째 항은 $(k, n-k+1)$이므로 제10군의 5번째 항은 (5, 6)이고, 제20군의 10번째 항은 (10, 11)이다. ⋯ ❷

따라서 두 점 $A_{50}(5, 6)$과 $A_{200}(10, 11)$ 사이의 거리는

$\sqrt{(10-5)^2+(11-6)^2}=5\sqrt{2}$ ⋯ ❸

답 $5\sqrt{2}$

채점 기준	배점
❶ 제50항과 제200항이 제몇 군의 몇 번째 항인지 구할 수 있다.	3점
❷ 제50항과 제200항을 구할 수 있다.	2점
❸ 두 점 A_{50}과 A_{200} 사이의 거리를 구할 수 있다.	2점

Lecture

두 점 사이의 거리

좌표평면 위의 두 점 $A(x_1, y_1)$, $B(x_2, y_2)$에 대하여

⇨ $\overline{AB}=\sqrt{(x_2-x_1)^2+(y_2-y_1)^2}$

1249

유형 15 분수로 이루어진 군수열

| **전략** | 1이 첫째항이 되도록 하나의 군으로 묶어 제1군부터 제n군까지의 항수를 파악한다.

(1) 주어진 수열을 1이 첫째항이 되도록

$\left(1, \frac{1}{3}\right), \left(1, \frac{1}{3}, \frac{1}{9}\right), \left(1, \frac{1}{3}, \frac{1}{9}, \frac{1}{27}\right), \cdots$

과 같이 군으로 묶으면 제n군의 항수는 $n+1$이므로 제1군부터 제n군까지의 항수는

$\sum_{k=1}^{n}(k+1)=\frac{n(n+1)}{2}+n=\frac{n(n+3)}{2}$

$n=10$일 때, $\frac{10\cdot 13}{2}=65$이므로 제65항은 제10군의 마지막 항, 즉 제10군의 11번째 항이다.

(2) 제1군부터 제10군까지의 항의 곱은

$\left(\frac{1}{3}\right)^{10}\cdot\left(\frac{1}{3^2}\right)^{9}\cdot\left(\frac{1}{3^3}\right)^{8}\cdot\cdots\cdot\left(\frac{1}{3^{10}}\right)^{1}$

$=\left(\frac{1}{3}\right)^{1\cdot 10+2\cdot 9+3\cdot 8+\cdots+10\cdot 1}$

$\therefore a=1\cdot 10+2\cdot 9+3\cdot 8+\cdots+10\cdot 1$

$=\sum_{k=1}^{10}k(11-k)=11\sum_{k=1}^{10}k-\sum_{k=1}^{10}k^2$

$=11\cdot\frac{10\cdot 11}{2}-\frac{10\cdot 11\cdot 21}{6}=605-385=220$

답 (1) 제10군의 11번째 항 (2) 220

채점 기준	배점
(1) 제65항이 제몇 군의 몇 번째 항인지 구할 수 있다.	4점
(2) a의 값을 구할 수 있다.	6점

다른 풀이 (2) 제n군의 항의 곱은

$1\cdot\frac{1}{3}\cdot\frac{1}{3^2}\cdot\cdots\cdot\frac{1}{3^n}=\left(\frac{1}{3}\right)^{1+2+\cdots+n}=\left(\frac{1}{3}\right)^{\frac{n(n+1)}{2}}$

이므로 제1군부터 제n군까지의 항의 곱은

$\left(\frac{1}{3}\right)^{\frac{1\cdot 2}{2}}\cdot\left(\frac{1}{3}\right)^{\frac{2\cdot 3}{2}}\cdot\cdots\cdot\left(\frac{1}{3}\right)^{\frac{n(n+1)}{2}}=\left(\frac{1}{3}\right)^{\frac{1\cdot 2}{2}+\frac{2\cdot 3}{2}+\cdots+\frac{n(n+1)}{2}}$

$\therefore a=\sum_{k=1}^{10}\frac{k(k+1)}{2}=\frac{1}{2}\left(\sum_{k=1}^{10}k^2+\sum_{k=1}^{10}k\right)$

$=\frac{1}{2}\left(\frac{10\cdot 11\cdot 21}{6}+\frac{10\cdot 11}{2}\right)=\frac{1}{2}(385+55)=220$

창의·융합 교과서 속 심화문제

1250

| **전략** | $n=2, 3, 4, \cdots$일 때, $f(n)$의 값을 구하여 규칙을 찾는다.

$n=2$일 때, $\{3, 3^3\}$에서 $S=\{3^4\}$이므로

$f(2)=1$

$n=3$일 때, $\{3, 3^3, 3^5\}$에서 $S=\{3^4, 3^6, 3^8\}$이므로

$f(3)=3$

$n=4$일 때, $\{3, 3^3, 3^5, 3^7\}$에서 $S=\{3^4, 3^6, 3^8, 3^{10}, 3^{12}\}$이므로

$f(4)=5$

$n=5$일 때, $\{3, 3^3, 3^5, 3^7, 3^9\}$에서 $S=\{3^4, 3^6, 3^8, 3^{10}, 3^{12}, 3^{14}, 3^{16}\}$이므로

$f(5)=7$

$\vdots$

$\therefore f(n)=1+(n-2)\cdot 2=2n-3\ (n\ge 2)$

$\therefore \sum_{n=2}^{11}f(n)=\sum_{n=2}^{11}(2n-3)$

$=1+3+5+\cdots+19$

$=\frac{10(1+19)}{2}=100$

답 100

다른 풀이

$\sum_{n=2}^{11}f(n)=\sum_{n=2}^{11}(2n-3)=\sum_{n=1}^{10}(2n-1)$

$=2\sum_{n=1}^{10}n-\sum_{n=1}^{10}1=2\cdot\frac{10\cdot 11}{2}-1\cdot 10=100$

1251

| **전략** | n이 홀수일 때와 짝수일 때로 나누어 a_n(n은 자연수)을 각각 구한다.

함수 $y=k\sqrt{x}$의 그래프가 정사각형 A_n과 만날 필요충분조건은 두 점 $(4n^2, n^2)$, $(n^2, 4n^2)$을 양 끝점으로 하는 선분과 만날 때이다.
(정사각형 A_n의 대각선)

함수 $y=k\sqrt{x}$의 그래프가 점 $(4n^2, n^2)$을 지날 조건은

$n^2=k\sqrt{4n^2}\qquad \therefore k=\frac{n}{2}\ (\because n$은 자연수)

함수 $y=k\sqrt{x}$의 그래프가 점 $(n^2, 4n^2)$을 지날 조건은

$4n^2=k\sqrt{n^2}\qquad \therefore k=4n\ (\because n$은 자연수)

따라서 a_n은 부등식 $\frac{n}{2}\le k\le 4n$을 만족시키는 자연수 k의 개수이다.

(i) n이 홀수일 때, $\frac{n}{2}$이 자연수가 아니므로 a_n은 $\frac{n}{2}+\frac{1}{2}, \frac{n}{2}+\frac{1}{2}+1, \cdots, 4n$의 개수이다.

$\therefore a_n=4n-\left(\frac{n}{2}+\frac{1}{2}\right)+1=\frac{7}{2}n+\frac{1}{2}$

(ii) n이 짝수일 때, $\frac{n}{2}$이 자연수이므로 a_n은 $\frac{n}{2}, \frac{n}{2}+1, \cdots, 4n$의 개수이다.

$\therefore a_n=4n-\frac{n}{2}+1=\frac{7}{2}n+1$

(i), (ii)에 의하여

$a_n=\begin{cases}\frac{7}{2}n+\frac{1}{2} & (n\text{은 홀수})\\ \frac{7}{2}n+1 & (n\text{은 짝수})\end{cases}$

$\therefore \sum_{k=1}^{10}a_k=(a_1+a_2)+(a_3+a_4)+\cdots+(a_9+a_{10})$

$=\sum_{k=1}^{5}(a_{2k-1}+a_{2k})$

$a_{2k-1}=\frac{7}{2}(2k-1)+\frac{1}{2}=7k-3$,

$a_{2k}=\frac{7}{2}\cdot 2k+1=7k+1$

이므로 $a_{2k-1}+a_{2k}=14k-2$

$\therefore \sum_{k=1}^{5}(a_{2k-1}+a_{2k})=\sum_{k=1}^{5}(14k-2)$

$=14\cdot\frac{5\cdot 6}{2}-2\cdot 5=200$

답 200

1252

| 전략 | 2^n을 10으로 나누었을 때의 몫과 나머지를 가우스 기호를 사용하여 나타내어 본다.

2^n을 10으로 나누었을 때 $\left[\frac{2^n}{10}\right]$은 몫이 되고

$2^n=10\cdot$(몫)$+$(나머지)에서

$2^n=10\left[\frac{2^n}{10}\right]+$(나머지)이므로 $a_n=2^n-10\left[\frac{2^n}{10}\right]$은 2^n을 10으로 나누었을 때의 나머지, 즉 2^n의 일의 자리의 숫자를 나타낸다.

이때, 2^1, 2^2, 2^3, 2^4, …을 10으로 나누었을 때의 나머지를 차례로 구해 보면 2, 4, 8, 6이 이 순서대로 반복되므로

$\sum_{k=1}^{40} a_k=(2+4+8+6)\cdot 10=200$ 답 200

Lecture

가우스 기호를 사용한 나머지의 표현

두 자연수 m, n에 대하여 m을 $n(n\neq 0)$으로 나누었을 때의 몫을 q, 나머지를 r라 하면

$m=nq+r$ (단, $0\le r<n$) …… ㉠

양변을 n으로 나누면

$\frac{m}{n}=q+\frac{r}{n}$ $\left(단, 0\le\frac{r}{n}<1\right)$ $\therefore q=\left[\frac{m}{n}\right]$ …… ㉡

㉡을 ㉠에 대입하면

$m=n\left[\frac{m}{n}\right]+r$ $\therefore r=m-n\left[\frac{m}{n}\right]$

1253

| 전략 | $\log_5 n$의 값의 범위에 따라 소수점 아래 첫째 자리에서 반올림한 수 a_n을 구해 본다.

n이 자연수이므로

$\log_5 n\ge 0$

$\log_5 n$의 값의 범위에 따라 소수점 아래 첫째 자리에서 반올림한 수 a_n을 구해 보면

(i) $0\le\log_5 n<\frac{1}{2}$일 때

$a_n=0$이고 이를 만족시키는 n의 값의 범위는

$1\le n<\sqrt{5}$

$\therefore a_1=a_2=0$

(ii) $\frac{1}{2}\le\log_5 n<\frac{3}{2}$일 때

$a_n=1$이고 이를 만족시키는 n의 값의 범위는

$\sqrt{5}\le n<5\sqrt{5}=\sqrt{125}$

$\therefore a_3=a_4=\cdots=a_{11}=1$

(iii) $\frac{3}{2}\le\log_5 n<\frac{5}{2}$일 때

$a_n=2$이고 이를 만족시키는 n의 값의 범위는

$\sqrt{125}\le n<25\sqrt{5}=\sqrt{3125}$

$\therefore a_{12}=a_{13}=\cdots=a_{50}=2$

(i), (ii), (iii)에 의하여

$\sum_{n=1}^{50} a_n=2\cdot 0+9\cdot 1+39\cdot 2=87$ 답 87

1254

| 전략 | $f(x)=\sum_{k=1}^{10}(x-a_k)^2$이라 하고, $f(x)$가 최솟값을 가질 때의 x의 값을 구해 본다.

$f(x)=\sum_{k=1}^{10}(x-a_k)^2$이라 하면

$$f(x)=\sum_{k=1}^{10}(x^2-2a_k\cdot x+a_k^2)$$
$$=\sum_{k=1}^{10}x^2-2\left(\sum_{k=1}^{10}a_k\right)x+\sum_{k=1}^{10}a_k^2$$
$$=10x^2-2\left(\sum_{k=1}^{10}a_k\right)x+\sum_{k=1}^{10}a_k^2$$

이때, $f(x)$는 x에 대한 이차함수이고 x^2의 계수가 양수이므로 꼭짓점의 y좌표가 최솟값이 된다.

따라서 $f(x)$가 최솟값을 가질 때의 x의 값은 포물선의 꼭짓점의 x좌표이고, 이차함수 $y=ax^2+bx+c$의 그래프의 꼭짓점의 x좌표는 $-\frac{b}{2a}$이므로

$$\alpha=-\frac{-2\left(\sum_{k=1}^{10}a_k\right)}{2\cdot 10}$$
$$=\frac{1}{10}\sum_{k=1}^{10}a_k$$
$$=\frac{1}{10}\sum_{k=1}^{10}\frac{1}{k(k+1)}$$
$$=\frac{1}{10}\sum_{k=1}^{10}\left(\frac{1}{k}-\frac{1}{k+1}\right)$$
$$=\frac{1}{10}\left\{\left(1-\frac{1}{2}\right)+\left(\frac{1}{2}-\frac{1}{3}\right)+\left(\frac{1}{3}-\frac{1}{4}\right)+\cdots+\left(\frac{1}{10}-\frac{1}{11}\right)\right\}$$
$$=\frac{1}{10}\left(1-\frac{1}{11}\right)=\frac{1}{11}$$

답 ①

1255

| 전략 | 주어진 수열에서 분모가 같은 것끼리 군으로 묶는다.

주어진 수열을 분모가 같은 항끼리 군으로 묶으면

$\left(\frac{1}{2^2}, \frac{3}{2^2}\right)$, $\left(\frac{1}{2^3}, \frac{3}{2^3}, \frac{5}{2^3}, \frac{7}{2^3}\right)$, $\left(\frac{1}{2^4}, \frac{3}{2^4}, \frac{5}{2^4}, \cdots, \frac{15}{2^4}\right)$, …

이때, 제n군의 항수는 2^n이므로 제1군부터 제n군까지의 항수는

$\sum_{k=1}^{n}2^k=\frac{2(2^n-1)}{2-1}=2(2^n-1)$

$n=6$일 때, $2(2^6-1)=126$이므로 제1군부터 제6군까지의 항수는 126이다.

즉, 구하는 합은 제1군부터 제6군까지의 항의 합이다.

그런데 제n군의 분모는 2^{n+1}이고, 분자의 합은

$$\sum_{k=1}^{2^n}(2k-1)=2\sum_{k=1}^{2^n}k-\sum_{k=1}^{2^n}1$$
$$=2\cdot\frac{2^n(2^n+1)}{2}-1\cdot 2^n=2^{2n}$$

이므로 제n군의 항의 합은

$\frac{2^{2n}}{2^{n+1}}=\frac{2^n\cdot 2^n}{2^n\cdot 2}=\frac{2^n}{2}=2^{n-1}$

따라서 구하는 합은

$\sum_{n=1}^{6}2^{n-1}=\frac{1\cdot(2^6-1)}{2-1}=63$ 답 63

9 수열의 합

본책 186~203쪽

10 | 수학적 귀납법

1256

$a_{n+1}=2a_n+n$에서

$a_2=2a_1+1=2\cdot(-1)+1=-1$

$a_3=2a_2+2=2\cdot(-1)+2=0$

$a_4=2a_3+3=2\cdot0+3=3$

$\therefore a_5=2a_4+4=2\cdot3+4=10$

답 10

1257

$a_{n+1}=\frac{1}{a_n}+1$에서

$a_2=\frac{1}{a_1}+1=\frac{1}{1}+1=2$

$a_3=\frac{1}{a_2}+1=\frac{1}{2}+1=\frac{3}{2}$

$a_4=\frac{1}{a_3}+1=\frac{2}{3}+1=\frac{5}{3}$

$\therefore a_5=\frac{1}{a_4}+1=\frac{3}{5}+1=\frac{8}{5}$

답 $\frac{8}{5}$

1258

$a_{n+1}=na_n$에서

$a_2=1\cdot a_1=1\cdot2=2$

$a_3=2a_2=2\cdot2=4$

$a_4=3a_3=3\cdot4=12$

$\therefore a_5=4a_4=4\cdot12=48$

답 48

1259

$a_{n+2}=a_{n+1}+a_n$에서

$a_3=a_2+a_1=5+2=7$

$a_4=a_3+a_2=7+5=12$

$\therefore a_5=a_4+a_3=12+7=19$

답 19

1260

$a_{n+2}=a_{n+1}a_n$에서

$a_3=a_2a_1=2\cdot(-2)=-4$

$a_4=a_3a_2=(-4)\cdot2=-8$

$\therefore a_5=a_4a_3=(-8)\cdot(-4)=32$

답 32

1261

$a_{n+2}=\frac{3a_{n+1}}{a_n}$에서

$a_3=\frac{3a_2}{a_1}=\frac{3\cdot3}{1}=9$

$a_4=\frac{3a_3}{a_2}=\frac{3\cdot9}{3}=9$

$\therefore a_5=\frac{3a_4}{a_3}=\frac{3\cdot9}{9}=3$

답 3

1262

답 $a_1=-2$, $a_{n+1}=a_n+5$ (단, $n=1, 2, 3, \cdots$)

1263

답 $a_1=4$, $a_{n+1}=a_n-\frac{1}{4}$ (단, $n=1, 2, 3, \cdots$)

1264

첫째항 a_1은 $a_1=1$이고, 이웃하는 항들 사이의 관계를 살펴보면

$a_2-a_1=3-1=2$

$a_3-a_2=5-3=2$

$a_4-a_3=7-5=2$

$\vdots$

$a_{n+1}-a_n=2$ (단, $n\ge1$)

따라서 수열 $\{a_n\}$을 귀납적으로 정의하면

$a_1=1$, $a_{n+1}=a_n+2$ (단, $n=1, 2, 3, \cdots$)

답 $a_1=1$, $a_{n+1}=a_n+2$ (단, $n=1, 2, 3, \cdots$)

1265

첫째항 a_1은 $a_1=3$이고, 이웃하는 항들 사이의 관계를 살펴보면

$a_2-a_1=10-3=7$

$a_3-a_2=17-10=7$

$a_4-a_3=24-17=7$

$\vdots$

$a_{n+1}-a_n=7$ (단, $n\ge1$)

따라서 수열 $\{a_n\}$을 귀납적으로 정의하면

$a_1=3$, $a_{n+1}=a_n+7$ (단, $n=1, 2, 3, \cdots$)

답 $a_1=3$, $a_{n+1}=a_n+7$ (단, $n=1, 2, 3, \cdots$)

1266

첫째항 a_1은 $a_1=8$이고, 이웃하는 항들 사이의 관계를 살펴보면

$a_2-a_1=5-8=-3$

$a_3-a_2=2-5=-3$

$a_4-a_3=-1-2=-3$

$\vdots$

$a_{n+1}-a_n=-3$ (단, $n\ge1$)

따라서 수열 $\{a_n\}$을 귀납적으로 정의하면

$a_1=8$, $a_{n+1}=a_n-3$ (단, $n=1, 2, 3, \cdots$)

답 $a_1=8$, $a_{n+1}=a_n-3$ (단, $n=1, 2, 3, \cdots$)

1267
첫째항 a_1은 $a_1=26$이고, 이웃하는 항들 사이의 관계를 살펴보면
$a_2-a_1=21-26=-5$
$a_3-a_2=16-21=-5$
$a_4-a_3=11-16=-5$
$\vdots$
$a_{n+1}-a_n=-5$ (단, $n\geq1$)
따라서 수열 $\{a_n\}$을 귀납적으로 정의하면
$a_1=26,\ a_{n+1}=a_n-5$ (단, $n=1,\ 2,\ 3,\ \cdots$)
답 $a_1=26,\ a_{n+1}=a_n-5$ (단, $n=1,\ 2,\ 3,\ \cdots$)

1268
$a_{n+1}-a_n=-3$에서 주어진 수열은 공차가 -3인 등차수열이다.
이때, 첫째항이 $a_1=3$이므로
$a_n=3+(n-1)\cdot(-3)=-3n+6$ 답 $a_n=-3n+6$

1269
$a_{n+1}=a_n+4$에서 주어진 수열은 공차가 4인 등차수열이다.
이때, 첫째항이 $a_1=4$이므로
$a_n=4+(n-1)\cdot4=4n$ 답 $a_n=4n$

1270
$2a_{n+1}=a_n+a_{n+2}$에서 주어진 수열은 등차수열이고,
$a_1=2,\ a_2-a_1=5-2=3$
이므로 첫째항이 2, 공차가 3이다.
$\therefore\ a_n=2+(n-1)\cdot3=3n-1$ 답 $a_n=3n-1$

1271
$a_{n+2}-a_{n+1}=a_{n+1}-a_n$에서 주어진 수열은 등차수열이고,
$a_1=3,\ a_2-a_1=-1-3=-4$
이므로 첫째항이 3, 공차가 -4이다.
$\therefore\ a_n=3+(n-1)\cdot(-4)=-4n+7$ 답 $a_n=-4n+7$

1272 답 $a_1=1,\ a_{n+1}=4a_n$ (단, $n=1,\ 2,\ 3,\ \cdots$)

1273 답 $a_1=9,\ a_{n+1}=\frac{1}{3}a_n$ (단, $n=1,\ 2,\ 3,\ \cdots$)

1274
첫째항 a_1은 $a_1=2$이고, 이웃하는 항들 사이의 관계를 살펴보면
$a_2\div a_1=6\div2=3$
$a_3\div a_2=18\div6=3$
$a_4\div a_3=54\div18=3$
$\vdots$
$a_{n+1}\div a_n=3$ (단, $n\geq1$)
따라서 수열 $\{a_n\}$을 귀납적으로 정의하면
$a_1=2,\ a_{n+1}=3a_n$ (단, $n=1,\ 2,\ 3,\ \cdots$)
답 $a_1=2,\ a_{n+1}=3a_n$ (단, $n=1,\ 2,\ 3,\ \cdots$)

1275
첫째항 a_1은 $a_1=81$이고, 이웃하는 항들 사이의 관계를 살펴보면
$a_2\div a_1=27\div81=\frac{1}{3}$
$a_3\div a_2=9\div27=\frac{1}{3}$
$a_4\div a_3=3\div9=\frac{1}{3}$
$\vdots$
$a_{n+1}\div a_n=\frac{1}{3}$ (단, $n\geq1$)
따라서 수열 $\{a_n\}$을 귀납적으로 정의하면
$a_1=81,\ a_{n+1}=\frac{1}{3}a_n$ (단, $n=1,\ 2,\ 3,\ \cdots$)
답 $a_1=81,\ a_{n+1}=\frac{1}{3}a_n$ (단, $n=1,\ 2,\ 3,\ \cdots$)

1276
첫째항 a_1은 $a_1=3$이고, 이웃하는 항들 사이의 관계를 살펴보면
$a_2\div a_1=(-6)\div3=-2$
$a_3\div a_2=12\div(-6)=-2$
$a_4\div a_3=(-24)\div12=-2$
$\vdots$
$a_{n+1}\div a_n=-2$ (단, $n\geq1$)
따라서 수열 $\{a_n\}$을 귀납적으로 정의하면
$a_1=3,\ a_{n+1}=-2a_n$ (단, $n=1,\ 2,\ 3,\ \cdots$)
답 $a_1=3,\ a_{n+1}=-2a_n$ (단, $n=1,\ 2,\ 3,\ \cdots$)

1277
첫째항 a_1은 $a_1=4$이고, 이웃하는 항들 사이의 관계를 살펴보면
$a_2\div a_1=(-2)\div4=-\frac{1}{2}$
$a_3\div a_2=1\div(-2)=-\frac{1}{2}$
$a_4\div a_3=\left(-\frac{1}{2}\right)\div1=-\frac{1}{2}$
$\vdots$
$a_{n+1}\div a_n=-\frac{1}{2}$ (단, $n\geq1$)
따라서 수열 $\{a_n\}$을 귀납적으로 정의하면
$a_1=4,\ a_{n+1}=-\frac{1}{2}a_n$ (단, $n=1,\ 2,\ 3,\ \cdots$)
답 $a_1=4,\ a_{n+1}=-\frac{1}{2}a_n$ (단, $n=1,\ 2,\ 3,\ \cdots$)

1278

$a_{n+1} \div a_n = 2$에서 주어진 수열은 공비가 2인 등비수열이다.
이때, 첫째항이 $a_1 = -3$이므로
$a_n = -3 \cdot 2^{n-1}$ 답 $a_n = -3 \cdot 2^{n-1}$

1279

$a_{n+1} = \frac{1}{4}a_n$에서 주어진 수열은 공비가 $\frac{1}{4}$인 등비수열이다.
이때, 첫째항이 $a_1 = 4$이므로
$a_n = 4 \cdot \left(\frac{1}{4}\right)^{n-1} = \left(\frac{1}{4}\right)^{n-2}$ 답 $a_n = \left(\frac{1}{4}\right)^{n-2}$

1280

$a_{n+1} = -5a_n$에서 주어진 수열은 공비가 -5인 등비수열이다.
이때, 첫째항이 $a_1 = 3$이므로
$a_n = 3 \cdot (-5)^{n-1}$ 답 $a_n = 3 \cdot (-5)^{n-1}$

1281

$\frac{a_{n+1}}{a_n} = \frac{a_{n+2}}{a_{n+1}}$에서 주어진 수열은 등비수열이고,
$a_1 = -48$, $a_2 \div a_1 = 16 \div (-48) = -\frac{1}{3}$
이므로 첫째항이 -48, 공비가 $-\frac{1}{3}$이다.
$\therefore a_n = -48 \cdot \left(-\frac{1}{3}\right)^{n-1}$ 답 $a_n = -48 \cdot \left(-\frac{1}{3}\right)^{n-1}$

1282

${a_{n+1}}^2 = a_n a_{n+2}$에서 주어진 수열은 등비수열이고,
$a_1 = 1$, $a_2 \div a_1 = 5 \div 1 = 5$
이므로 첫째항이 1, 공비가 5이다.
$\therefore a_n = 1 \cdot 5^{n-1} = 5^{n-1}$ 답 $a_n = 5^{n-1}$

1283

$a_{n+1} = a_n + n$의 n에 $1, 2, 3, \cdots, n-1$을 차례로 대입하여 변끼리 더하면

$$\begin{aligned} a_2 &= a_1 + 1 \\ a_3 &= a_2 + 2 \\ a_4 &= a_3 + 3 \\ &\vdots \\ +)\ a_n &= a_{n-1} + n - 1 \\ \hline a_n &= a_1 + \sum_{k=1}^{n-1} k = 1 + \frac{(n-1)n}{2} \\ &= \frac{n^2 - n + 2}{2} \end{aligned}$$

답 $a_n = \frac{n^2-n+2}{2}$

1284

$a_{n+1} = a_n + 2n + 1$의 n에 $1, 2, 3, \cdots, n-1$을 차례로 대입하여 변끼리 더하면

$$\begin{aligned} a_2 &= a_1 + 2 \cdot 1 + 1 \\ a_3 &= a_2 + 2 \cdot 2 + 1 \\ a_4 &= a_3 + 2 \cdot 3 + 1 \\ &\vdots \\ +)\ a_n &= a_{n-1} + 2 \cdot (n-1) + 1 \\ \hline a_n &= a_1 + \sum_{k=1}^{n-1} (2k+1) \\ &= 1 + 2 \cdot \frac{(n-1)n}{2} + (n-1) \\ &= n^2 \end{aligned}$$

답 $a_n = n^2$

1285

$a_{n+1} - a_n = 2^n$의 n에 $1, 2, 3, \cdots, n-1$을 차례로 대입하여 변끼리 더하면

$$\begin{aligned} a_2 - a_1 &= 2 \\ a_3 - a_2 &= 2^2 \\ a_4 - a_3 &= 2^3 \\ &\vdots \\ +)\ a_n - a_{n-1} &= 2^{n-1} \\ \hline a_n - a_1 &= \sum_{k=1}^{n-1} 2^k \\ &= \frac{2(2^{n-1}-1)}{2-1} = 2^n - 2 \end{aligned}$$

$\therefore a_n = 2 + 2^n - 2 = 2^n$ 답 $a_n = 2^n$

1286

$a_{n+1} = \frac{n}{n+1}a_n$의 n에 $1, 2, 3, \cdots, n-1$을 차례로 대입하여 변끼리 곱하면

$$\begin{aligned} a_2 &= \frac{1}{2}a_1 \\ a_3 &= \frac{2}{3}a_2 \\ a_4 &= \frac{3}{4}a_3 \\ &\vdots \\ \times)\ a_n &= \frac{n-1}{n}a_{n-1} \\ \hline a_n &= \frac{1}{2} \cdot \frac{2}{3} \cdot \frac{3}{4} \cdot \cdots \cdot \frac{n-1}{n} \cdot a_1 \\ &= \frac{1}{n} \cdot 3 = \frac{3}{n} \end{aligned}$$

답 $a_n = \frac{3}{n}$

1287

$a_{n+1} = 3^n a_n$의 n에 $1, 2, 3, \cdots, n-1$을 차례로 대입하여 변끼리 곱하면

$a_2=3a_1$

$a_3=3^2a_2$

$a_4=3^3a_3$

$\vdots$

$\times$) $a_n=3^{n-1}a_{n-1}$

$a_n=3\cdot 3^2\cdot 3^3\cdot \cdots \cdot 3^{n-1}\cdot a_1=3^{1+2+3+\cdots+(n-1)}\cdot 1$

$=3^{\frac{n(n-1)}{2}}$

답 $a_n=3^{\frac{n(n-1)}{2}}$

1288

(1) $a_{n+1}=3a_n+2$에서 $a_{n+1}+1=3(a_n+1)$

$\therefore \alpha=-1$

(2) 수열 $\{a_n+1\}$은 첫째항이 $a_1+1=3$이고 공비가 3인 등비수열이므로

$a_n+1=3\cdot 3^{n-1}=3^n$

$\therefore a_n=3^n-1$

답 (1) -1 (2) $a_n=3^n-1$

1289

$a_{n+1}=2a_n+1$에서 $a_{n+1}+1=2(a_n+1)$

수열 $\{a_n+1\}$은 첫째항이 $a_1+1=3$이고 공비가 2인 등비수열이므로

$a_n+1=3\cdot 2^{n-1}$ $\therefore a_n=3\cdot 2^{n-1}-1$

답 $a_n=3\cdot 2^{n-1}-1$

1290

$a_{n+1}=\frac{1}{3}a_n+2$에서 $a_{n+1}-3=\frac{1}{3}(a_n-3)$

수열 $\{a_n-3\}$은 첫째항이 $a_1-3=1$, 공비가 $\frac{1}{3}$인 등비수열이므로

$a_n-3=1\cdot\left(\frac{1}{3}\right)^{n-1}=\left(\frac{1}{3}\right)^{n-1}$

$\therefore a_n=\left(\frac{1}{3}\right)^{n-1}+3$

답 $a_n=\left(\frac{1}{3}\right)^{n-1}+3$

1291

$a_{n+2}-4a_{n+1}+3a_n=0$에서 $a_{n+2}-a_{n+1}=3(a_{n+1}-a_n)$

수열 $\{a_{n+1}-a_n\}$은 첫째항이 $a_2-a_1=1$이고 공비가 3인 등비수열이므로

$a_{n+1}-a_n=1\cdot 3^{n-1}=3^{n-1}$

이 식의 n에 1, 2, 3, $\cdots$, $n-1$을 차례로 대입하여 변끼리 더하면

$a_2-a_1=1$ ($3^0=1$)

$a_3-a_2=3$

$a_4-a_3=3^2$

$\vdots$

$+$) $a_n-a_{n-1}=3^{n-2}$

$a_n-a_1=\sum_{k=1}^{n-1}3^{k-1}=\frac{1\cdot(3^{n-1}-1)}{3-1}=\frac{3^{n-1}-1}{2}$

$\therefore a_n=1+\frac{3^{n-1}-1}{2}=\frac{3^{n-1}+1}{2}$

답 $a_n=\frac{3^{n-1}+1}{2}$

1292

$2a_{n+2}-3a_{n+1}+a_n=0$에서 $2(a_{n+2}-a_{n+1})=a_{n+1}-a_n$

$\therefore a_{n+2}-a_{n+1}=\frac{1}{2}(a_{n+1}-a_n)$

수열 $\{a_{n+1}-a_n\}$은 첫째항이 $a_2-a_1=1$이고 공비가 $\frac{1}{2}$인 등비수열이므로

$a_{n+1}-a_n=1\cdot\left(\frac{1}{2}\right)^{n-1}=\left(\frac{1}{2}\right)^{n-1}$

이 식의 n에 1, 2, 3, $\cdots$, $n-1$을 차례로 대입하여 변끼리 더하면

$a_2-a_1=1$ ($\left(\frac{1}{2}\right)^0=1$)

$a_3-a_2=\frac{1}{2}$

$a_4-a_3=\left(\frac{1}{2}\right)^2$

$\vdots$

$+$) $a_n-a_{n-1}=\left(\frac{1}{2}\right)^{n-2}$

$a_n-a_1=\sum_{k=1}^{n-1}\left(\frac{1}{2}\right)^{k-1}=\frac{1\cdot\left\{1-\left(\frac{1}{2}\right)^{n-1}\right\}}{1-\frac{1}{2}}$

$=2-2\cdot\left(\frac{1}{2}\right)^{n-1}=2-\left(\frac{1}{2}\right)^{n-2}$

$\therefore a_n=1+2-\left(\frac{1}{2}\right)^{n-2}=3-\left(\frac{1}{2}\right)^{n-2}$

답 $a_n=3-\left(\frac{1}{2}\right)^{n-2}$

1293

$a_{n+1}=\frac{a_n}{1+3a_n}$에서 $\frac{1}{a_{n+1}}=\frac{1+3a_n}{a_n}=\frac{1}{a_n}+3$

$\frac{1}{a_n}=b_n$으로 놓으면 $b_{n+1}=b_n+3$

수열 $\{b_n\}$은 첫째항이 $b_1=\frac{1}{a_1}=1$이고 공차가 3인 등차수열이므로

$b_n=1+(n-1)\cdot 3=3n-2$

$\therefore a_n=\frac{1}{b_n}=\frac{1}{3n-2}$

답 $a_n=\frac{1}{3n-2}$

1294

$a_{n+1}=\frac{a_n}{a_n+2}$에서 $\frac{1}{a_{n+1}}=\frac{a_n+2}{a_n}=\frac{2}{a_n}+1$

$\frac{1}{a_n}=b_n$으로 놓으면 $b_{n+1}=2b_n+1$

$\therefore b_{n+1}+1=2(b_n+1)$

수열 $\{b_n+1\}$은 첫째항이 $b_1+1=\frac{1}{a_1}+1=3$이고 공비가 2인 등비수열이므로

$b_n+1=3\cdot 2^{n-1}$

$\therefore b_n=3\cdot 2^{n-1}-1$

$\therefore a_n=\frac{1}{b_n}=\frac{1}{3\cdot 2^{n-1}-1}$

답 $a_n=\frac{1}{3\cdot 2^{n-1}-1}$

1295

(ii) $n=k$일 때, ㉠이 성립한다고 가정하면

$1+3+5+\cdots+(2k-1)=k^2$ …… ㉡

이므로 ㉡의 양변에 (가) $2k+1$을 더하면

$1+3+5+\cdots+(2k-1)+($(가) $2k+1)$

$=k^2+$(가) $2k+1=$(나) $(k+1)^2$

따라서 $n=k+1$일 때도 ㉠이 성립한다. 답 (가) $2k+1$ (나) $(k+1)^2$

1296

(ii) $n=k$일 때, ㉠이 성립한다고 가정하면

$1+2+3+\cdots+k=\frac{k(k+1)}{2}$ …… ㉡

이므로 ㉡의 양변에 (가) $k+1$을 더하면

$1+2+3+\cdots+k+$(가) $k+1$

$=\frac{k(k+1)}{2}+$(가) $k+1$

$=($(가) $k+1)\left(\right.$(나) $\frac{k}{2}+1\left.\right)$

$=$(다) $\frac{(k+1)(k+2)}{2}$

따라서 $n=k+1$일 때도 ㉠이 성립한다.

답 (가) $k+1$ (나) $\frac{k}{2}$ (다) $\frac{(k+1)(k+2)}{2}$

STEP 2 유형 마스터

1297

| 전략 | $a_{n+1}-a_n=d$이면 수열 $\{a_n\}$은 공차가 d인 등차수열임을 이용한다.

$a_{n+1}-a_n=-4$이므로 수열 $\{a_n\}$은 공차가 -4인 등차수열이다.

이때, 첫째항이 $a_1=300$이므로

$a_n=300+(n-1)\cdot(-4)=-4n+304$

$a_k=88$에서 $-4k+304=88$

$4k=216$ $\therefore k=54$ 답 ④

1298

$a_{n+2}-2a_{n+1}+a_n=0$에서 $a_{n+2}-a_{n+1}=a_{n+1}-a_n$이므로 수열 $\{a_n\}$은 등차수열이고

$a_1=2,\ a_2-a_1=4-2=2$

이므로 첫째항이 2, 공차가 2이다.

$\therefore a_n=2+(n-1)\cdot2=2n$

$\therefore \sum_{k=1}^{20}\frac{1}{a_ka_{k+1}}=\sum_{k=1}^{20}\frac{1}{2k\cdot2(k+1)}$

$=\frac{1}{4}\sum_{k=1}^{20}\left(\frac{1}{k}-\frac{1}{k+1}\right)$

$=\frac{1}{4}\left\{\left(1-\frac{1}{2}\right)+\left(\frac{1}{2}-\frac{1}{3}\right)+\cdots+\left(\frac{1}{20}-\frac{1}{21}\right)\right\}$

$=\frac{1}{4}\left(1-\frac{1}{21}\right)=\frac{5}{21}$ 답 ③

참고 부분분수로의 변형

$\frac{1}{AB}=\frac{1}{B-A}\left(\frac{1}{A}-\frac{1}{B}\right)$ (단, $A\neq B$)

1299

$a_{n+2}-a_{n+1}=a_{n+1}-a_n$에서 수열 $\{a_n\}$은 등차수열이므로 첫째항을 a, 공차를 d라 하면

$a_2=a+d=-16$ …… ㉠

$a_5=a+4d=-7$ …… ㉡

㉠, ㉡을 연립하여 풀면 $a=-19,\ d=3$

$\therefore a_n=-19+(n-1)\cdot3=3n-22$

이때, $3n-22>0$에서 $n>\frac{22}{3}=7.3\times\times\times$

따라서 수열 $\{a_n\}$은 제8항부터 양수이므로 첫째항부터 제7항까지의 합이 최소가 된다. (└ 음수인 항만 모두 더한 것)

$\therefore n=7$ 답 ③

1300

| 전략 | $a_{n+1}=ra_n$에서 수열 $\{a_n\}$은 공비가 r인 등비수열임을 이용한다.

$a_{n+1}=2a_n$에서 수열 $\{a_n\}$은 공비가 2인 등비수열이다.

이때, 첫째항이 $a_1=4$이므로

$a_n=4\cdot2^{n-1}=2^{n+1}$

$a_8=2^9=512,\ a_9=2^{10}=1024$이므로 처음으로 1000 이상이 되는 항은 제9항이다. 답 ②

1301

${a_{n+1}}^2=a_na_{n+2}$에서 수열 $\{a_n\}$은 등비수열이다. … ❶

수열 $\{a_n\}$의 공비를 r라 하면

$\frac{a_{11}}{a_1}=\frac{a_{13}}{a_3}=\frac{a_{15}}{a_5}=r^{10}$이므로

$\frac{a_{11}}{a_1}+\frac{a_{13}}{a_3}+\frac{a_{15}}{a_5}=r^{10}+r^{10}+r^{10}=9$ $\therefore r^{10}=3$ … ❷

$\therefore \frac{a_{30}}{a_{10}}=r^{20}=(r^{10})^2=3^2=9$ … ❸

답 9

채점 기준	비율
❶ 수열 $\{a_n\}$이 등비수열임을 알 수 있다.	40 %
❷ r^{10}의 값을 구할 수 있다.	30 %
❸ $\frac{a_{30}}{a_{10}}$의 값을 구할 수 있다.	30 %

1302

$2\log a_{n+1}=\log a_n+\log a_{n+2}$에서 ${a_{n+1}}^2=a_na_{n+2}$

즉, 수열 $\{a_n\}$은 등비수열이고 $a_1=1,\ \frac{a_2}{a_1}=3$이므로 첫째항이 1, 공비가 3이다.

$\therefore a_n=1\cdot3^{n-1}=3^{n-1}$

따라서 $a_{2k-1}=3^{(2k-1)-1}=9^{k-1}$이므로

$\sum_{k=1}^{10} a_{2k-1}=\sum_{k=1}^{10} 9^{k-1}=\frac{1\cdot(9^{10}-1)}{9-1}=\frac{1}{8}(9^{10}-1)$ 답 $\frac{1}{8}(9^{10}-1)$

1303

이차방정식 $a_nx^2-2a_{n+1}x+a_{n+2}=0$이 중근을 가지므로 이 이차방정식의 판별식을 D라 하면

$\frac{D}{4}=a_{n+1}{}^2-a_na_{n+2}=0$

$\therefore a_{n+1}{}^2=a_na_{n+2}$ ...... ㉠

즉, 수열 $\{a_n\}$은 등비수열이고 $\frac{a_2}{a_1}=\frac{1}{2}$이므로 공비가 $\frac{1}{2}$이다.

$\therefore \frac{a_{n+1}}{a_n}=\frac{1}{2}$

주어진 이차방정식에서 근은 근의 공식에 의하여

$x=\frac{a_{n+1}\pm\sqrt{a_{n+1}{}^2-a_na_{n+2}}}{a_n}=\frac{a_{n+1}}{a_n}$ ($\because$ ㉠)$=\frac{1}{2}$ (중근)

이때, 주어진 이차방정식의 중근이 b_n이므로 $b_n=\frac{1}{2}$

$\therefore \sum_{k=1}^{100} b_k=\sum_{k=1}^{100}\frac{1}{2}=100\cdot\frac{1}{2}=50$ 답 50

다른 풀이 $a_n=2\cdot\left(\frac{1}{2}\right)^{n-1}=\left(\frac{1}{2}\right)^{n-2}$이므로

$a_{n+1}=\left(\frac{1}{2}\right)^{n-1}$, $a_{n+2}=\left(\frac{1}{2}\right)^{n}$

따라서 주어진 이차방정식은

$\left(\frac{1}{2}\right)^{n-2}x^2-2\cdot\left(\frac{1}{2}\right)^{n-1}x+\left(\frac{1}{2}\right)^{n}=0$

이 식의 양변에 2^n을 곱하면

$4x^2-4x+1=0$, $(2x-1)^2=0$ $\therefore x=b_n=\frac{1}{2}$

1304

| 전략 | 주어진 식의 n에 $1, 2, 3, \cdots, n-1$을 차례로 대입하여 변끼리 더한다.

$a_{n+1}=a_n+2n-1$의 n에 $1, 2, 3, \cdots, n-1$을 차례로 대입하여 변끼리 더하면

$$\begin{aligned}
a_2&=a_1+2\cdot1-1\\
a_3&=a_2+2\cdot2-1\\
a_4&=a_3+2\cdot3-1\\
&\vdots\\
+)\ a_n&=a_{n-1}+2\cdot(n-1)-1\\
\hline
a_n&=a_1+\sum_{k=1}^{n-1}(2k-1)\\
&=a_1+2\cdot\frac{(n-1)n}{2}-(n-1)\\
&=a_1+(n-1)^2
\end{aligned}$$

$a_8=50$에서 $a_1+(8-1)^2=50$ $\therefore a_1=1$

$\therefore a_n=(n-1)^2+1$

$\therefore a_4=(4-1)^2+1=10$ 답 ③

1305

$a_{n+1}=a_n-f(n)$의 n에 $1, 2, 3, \cdots, n-1$을 차례로 대입하여 변끼리 더하면

$$\begin{aligned}
a_2&=a_1-f(1)\\
a_3&=a_2-f(2)\\
a_4&=a_3-f(3)\\
&\vdots\\
+)\ a_n&=a_{n-1}-f(n-1)\\
\hline
a_n&=a_1-\sum_{k=1}^{n-1}f(k)=-1-\{(n-1)^2-1\}\\
&=-(n-1)^2
\end{aligned}$$

$\therefore a_{20}=-(20-1)^2=-361$ 답 -361

1306

$a_{n+1}=a_n+2^n$의 n에 $1, 2, 3, \cdots, n-1$을 차례로 대입하여 변끼리 더하면

$$\begin{aligned}
a_2&=a_1+2^1\\
a_3&=a_2+2^2\\
a_4&=a_3+2^3\\
&\vdots\\
+)\ a_n&=a_{n-1}+2^{n-1}\\
\hline
a_n&=a_1+\sum_{k=1}^{n-1}2^k=1+\frac{2(2^{n-1}-1)}{2-1}=2^n-1
\end{aligned}$$

$a_k=1023$에서 $2^k-1=1023$

$2^k=1024=2^{10}$ $\therefore k=10$ 답 10

1307

$\frac{1}{\sqrt{n+1}+\sqrt{n}}=\frac{\sqrt{n+1}-\sqrt{n}}{(\sqrt{n+1}+\sqrt{n})(\sqrt{n+1}-\sqrt{n})}=\sqrt{n+1}-\sqrt{n}$

$a_{n+1}=a_n+\sqrt{n+1}-\sqrt{n}$의 n에 $1, 2, 3, \cdots, n-1$을 차례로 대입하여 변끼리 더하면

$$\begin{aligned}
a_2&=a_1+\sqrt{2}-\sqrt{1}\\
a_3&=a_2+\sqrt{3}-\sqrt{2}\\
a_4&=a_3+\sqrt{4}-\sqrt{3}\\
&\vdots\\
+)\ a_n&=a_{n-1}+\sqrt{n}-\sqrt{n-1}\\
\hline
a_n&=a_1+\sqrt{n}-\sqrt{1}=1+\sqrt{n}-1=\sqrt{n}
\end{aligned}$$

$\therefore a_{100}=\sqrt{100}=10$ 답 ⑤

1308

| 전략 | 주어진 식의 n에 $1, 2, 3, \cdots, n-1$을 차례로 대입하여 변끼리 곱한다.

$a_{n+1}=\frac{n+2}{n+1}a_n$의 n에 $1, 2, 3, \cdots, n-1$을 차례로 대입하여 변끼리 곱하면

10 수학적 귀납법

$a_2=\frac{3}{2}a_1$

$a_3=\frac{4}{3}a_2$

$a_4=\frac{5}{4}a_3$

$\vdots$

$\times)\ a_n=\frac{n+1}{n}a_{n-1}$

$a_n=\frac{3}{2}\cdot\frac{4}{3}\cdot\frac{5}{4}\cdot\cdots\cdot\frac{n+1}{n}\cdot a_1=\frac{n+1}{2}\cdot 2=n+1$

$\therefore a_{99}=99+1=100$ 답 ③

1309

$\sqrt{n+1}a_{n+1}=\sqrt{n}a_n$에서 $a_{n+1}=\sqrt{\frac{n}{n+1}}a_n$

이 식의 n에 $1, 2, 3, \cdots, n-1$을 차례로 대입하여 변끼리 곱하면

$a_2=\sqrt{\frac{1}{2}}a_1$

$a_3=\sqrt{\frac{2}{3}}a_2$

$a_4=\sqrt{\frac{3}{4}}a_3$

$\vdots$

$\times)\ a_n=\sqrt{\frac{n-1}{n}}a_{n-1}$

$a_n=\sqrt{\frac{1}{2}}\cdot\sqrt{\frac{2}{3}}\cdot\sqrt{\frac{3}{4}}\cdot\cdots\cdot\sqrt{\frac{n-1}{n}}\cdot a_1=\sqrt{\frac{1}{n}}\cdot 1=\frac{1}{\sqrt{n}}$

$$\therefore \sum_{k=1}^{10}(a_ka_{k+1})^2=\sum_{k=1}^{10}\left(\frac{1}{\sqrt{k}}\cdot\frac{1}{\sqrt{k+1}}\right)^2=\sum_{k=1}^{10}\frac{1}{k(k+1)}$$

$$=\sum_{k=1}^{10}\left(\frac{1}{k}-\frac{1}{k+1}\right)$$

$$=\left(1-\frac{1}{2}\right)+\left(\frac{1}{2}-\frac{1}{3}\right)+\ \cdots\ +\left(\frac{1}{10}-\frac{1}{11}\right)$$

$$=1-\frac{1}{11}=\frac{10}{11}$$

답 $\frac{10}{11}$

1310

$\frac{a_{n+1}}{a_n}=2^n$에서 $a_{n+1}=2^na_n$

이 식의 n에 $1, 2, 3, \cdots, n-1$을 차례로 대입하여 변끼리 곱하면

$a_2=2a_1$

$a_3=2^2a_2$

$a_4=2^3a_3$

$\vdots$

$\times)\ a_n=2^{n-1}a_{n-1}$

$a_n=2\cdot 2^2\cdot 2^3\cdot\cdots\cdot 2^{n-1}\cdot a_1=2^{1+2+3+\cdots+(n-1)}\cdot 1$

$=2^{\frac{n(n-1)}{2}}$

$a_k=2^{55}$에서 $2^{\frac{k(k-1)}{2}}=2^{55}$

$\frac{k(k-1)}{2}=55$, $k^2-k-110=0$

$(k+10)(k-11)=0$ $\quad\therefore k=11$ ($\because k$는 자연수) 답 11

1311

$a_{n+1}=\frac{n^2+2n}{(n+1)^2}a_n=\frac{n(n+2)}{(n+1)^2}a_n=\frac{n}{n+1}\cdot\frac{n+2}{n+1}a_n$

이 식의 n에 $1, 2, 3, \cdots, n-1$을 차례로 대입하여 변끼리 곱하면

$a_2=\frac{1}{2}\cdot\frac{3}{2}a_1$

$a_3=\frac{2}{3}\cdot\frac{4}{3}a_2$

$a_4=\frac{3}{4}\cdot\frac{5}{4}a_3$

$\vdots$

$\times)\ a_n=\frac{n-1}{n}\cdot\frac{n+1}{n}a_{n-1}$

$a_n=\frac{1}{2}\cdot\frac{3}{2}\cdot\frac{2}{3}\cdot\frac{4}{3}\cdot\frac{3}{4}\cdot\frac{5}{4}\cdot\cdots\cdot\frac{n-1}{n}\cdot\frac{n+1}{n}\cdot a_1$

$=\frac{n+1}{2n}\cdot 2=\frac{n+1}{n}$

$\therefore a_{10}=\frac{11}{10}$ 답 $\frac{11}{10}$

1312

| 전략 | 주어진 식을 $a_{n+1}-\alpha=p(a_n-\alpha)$ 꼴로 변형한다.

$a_{n+1}=3a_n+2$에서 $a_{n+1}+1=3(a_n+1)$

수열 $\{a_n+1\}$은 첫째항이 $a_1+1=2$이고 공비가 3인 등비수열이므로

$a_n+1=2\cdot 3^{n-1}$ $\quad\therefore a_n=2\cdot 3^{n-1}-1$

$\therefore a_{10}=2\cdot 3^9-1$ 답 ③

1313

$a_{n+1}=\frac{1}{2}a_n+1$에서 $a_{n+1}-2=\frac{1}{2}(a_n-2)$

수열 $\{a_n-2\}$는 첫째항이 $a_1-2=1$이고 공비가 $\frac{1}{2}$인 등비수열이므로

$a_n-2=1\cdot\left(\frac{1}{2}\right)^{n-1}=\left(\frac{1}{2}\right)^{n-1}$ $\quad\therefore a_n=2+\left(\frac{1}{2}\right)^{n-1}$

따라서 $p=2$, $q=\frac{1}{2}$이므로 $p+q=\frac{5}{2}$ 답 $\frac{5}{2}$

1314

$a_{n+1}-2a_n=-1$에서 $a_{n+1}-1=2(a_n-1)$

수열 $\{a_n-1\}$은 첫째항이 $a_1-1=2$이고 공비가 2인 등비수열이므로

$a_n-1=2\cdot 2^{n-1}=2^n$ $\quad\therefore a_n=2^n+1$

$\therefore S_n=\sum_{k=1}^{n}(2^k+1)=\frac{2(2^n-1)}{2-1}+n=2^{n+1}+n-2$

답 $S_n=2^{n+1}+n-2$

1315

$a_{n+1}-3a_n+4=0$에서 $a_{n+1}-2=3(a_n-2)$

수열 $\{a_n-2\}$는 첫째항이 $a_1-2=2$이고 공비가 3인 등비수열이므로

$a_n-2=2\cdot 3^{n-1}$ $\quad\therefore a_n=2\cdot 3^{n-1}+2$

이때, $a_{n+1}-a_n \geq 100$에서

$(2\cdot3^n+2)-(2\cdot3^{n-1}+2)=(6-2)\cdot3^{n-1}=4\cdot3^{n-1}\geq100$

└ $2\cdot3^n-2\cdot3^{n-1}=6\cdot3^{n-1}-2\cdot3^{n-1}=(6-2)\cdot3^{n-1}$

$\therefore 3^{n-1}\geq25$

$3^2=9$, $3^3=27$이므로 $a_{n+1}-a_n\geq100$을 만족시키는 자연수 n의 최솟값은 4이다. 답 ④

1316

|전략| 주어진 식을 $a_{n+2}-a_{n+1}=\frac{r}{p}(a_{n+1}-a_n)$ 꼴로 변형한다.

$3a_{n+2}=5a_{n+1}-2a_n$에서 $3(a_{n+2}-a_{n+1})=2(a_{n+1}-a_n)$

$\therefore a_{n+2}-a_{n+1}=\frac{2}{3}(a_{n+1}-a_n)$

수열 $\{a_{n+1}-a_n\}$은 첫째항이 $a_2-a_1=1$이고 공비가 $\frac{2}{3}$인 등비수열이므로

$a_{n+1}-a_n=1\cdot\left(\frac{2}{3}\right)^{n-1}=\left(\frac{2}{3}\right)^{n-1}$

이 식의 n에 1, 2, 3, …, $n-1$을 차례로 대입하여 변끼리 더하면

$a_2-a_1=1$ └ $\left(\frac{2}{3}\right)^0=1$

$a_3-a_2=\frac{2}{3}$

$a_4-a_3=\left(\frac{2}{3}\right)^2$

⋮

$+)\ a_n-a_{n-1}=\left(\frac{2}{3}\right)^{n-2}$

$a_n-a_1=\sum_{k=1}^{n-1}\left(\frac{2}{3}\right)^{k-1}=\frac{1\cdot\left\{1-\left(\frac{2}{3}\right)^{n-1}\right\}}{1-\frac{2}{3}}$

$=3\left\{1-\left(\frac{2}{3}\right)^{n-1}\right\}$

$\therefore a_n=1+3\left\{1-\left(\frac{2}{3}\right)^{n-1}\right\}=4-3\cdot\left(\frac{2}{3}\right)^{n-1}$ 답 $a_n=4-3\cdot\left(\frac{2}{3}\right)^{n-1}$

1317

$a_{n+2}=5a_{n+1}-4a_n$에서 $a_{n+2}-a_{n+1}=4(a_{n+1}-a_n)$

수열 $\{a_{n+1}-a_n\}$은 첫째항이 $a_2-a_1=3$이고 공비가 4인 등비수열이므로

$a_{n+1}-a_n=3\cdot4^{n-1}$

이 식의 n에 1, 2, 3, …, $n-1$을 차례로 대입하여 변끼리 더하면

$a_2-a_1=3\cdot1$ └ $4^0=1$

$a_3-a_2=3\cdot4$

$a_4-a_3=3\cdot4^2$

⋮

$+)\ a_n-a_{n-1}=3\cdot4^{n-2}$

$a_n-a_1=\sum_{k=1}^{n-1}3\cdot4^{k-1}=\frac{3(4^{n-1}-1)}{4-1}$

$=4^{n-1}-1$

$\therefore a_n=1+4^{n-1}-1=4^{n-1}$

$a_k=256$에서 $4^{k-1}=256=4^4$

$k-1=4$ $\therefore k=5$ 답 ①

1318

$a_{n+2}-3a_{n+1}+2a_n=0$에서 $a_{n+2}-a_{n+1}=2(a_{n+1}-a_n)$

수열 $\{a_{n+1}-a_n\}$은 첫째항이 $a_2-a_1=3a_1-a_1=2a_1$이고 공비가 2인 등비수열이므로

$a_{n+1}-a_n=2a_1\cdot2^{n-1}=a_1\cdot2^n$

이 식의 n에 1, 2, 3, …, $n-1$을 차례로 대입하여 변끼리 더하면

$a_2-a_1=a_1\cdot2$

$a_3-a_2=a_1\cdot2^2$

$a_4-a_3=a_1\cdot2^3$

⋮

$+)\ a_n-a_{n-1}=a_1\cdot2^{n-1}$

$a_n-a_1=\sum_{k=1}^{n-1}a_1\cdot2^k=a_1\cdot\frac{2(2^{n-1}-1)}{2-1}$

$=a_1(2^n-2)$

$\therefore a_n=a_1+a_1(2^n-2)=a_1(2^n-1)$

이때, $a_6=21$이므로 $a_1(2^6-1)=21$

$63a_1=21$ $\therefore a_1=\frac{1}{3}$

따라서 $a_n=\frac{1}{3}(2^n-1)$이므로

$a_4=\frac{1}{3}(2^4-1)=\frac{1}{3}\cdot15=5$ 답 ③

1319

|전략| 주어진 식의 양변에 역수를 취하여 수열 $\left\{\frac{1}{a_n}\right\}$의 일반항을 구한다.

$a_{n+1}=\frac{a_n}{1+2a_n}$에서 $\frac{1}{a_{n+1}}=\frac{1+2a_n}{a_n}=\frac{1}{a_n}+2$

$\frac{1}{a_n}=b_n$으로 놓으면 $b_{n+1}=b_n+2$

수열 $\{b_n\}$은 첫째항이 $b_1=\frac{1}{a_1}=3$이고 공차가 2인 등차수열이므로

$b_n=3+(n-1)\cdot2=2n+1$

따라서 $a_n=\frac{1}{b_n}=\frac{1}{2n+1}$이므로

$a_{10}=\frac{1}{2\cdot10+1}=\frac{1}{21}$ 답 ④

1320

$a_{n+1}=\frac{a_n}{3-2a_n}$에서

$\frac{1}{a_{n+1}}=\frac{3-2a_n}{a_n}=3\cdot\frac{1}{a_n}-2$ ⋯ ①

$\frac{1}{a_n}=b_n$으로 놓으면 $b_{n+1}=3b_n-2$

$\therefore b_{n+1}-1=3(b_n-1)$

수열 $\{b_n-1\}$은 첫째항이 $b_1-1=\frac{1}{a_1}-1=1$이고 공비가 3인 등비수열이므로

10 수학적 귀납법

$b_n-1=1\cdot 3^{n-1}=3^{n-1}$ $\therefore b_n=3^{n-1}+1$ … ❷

$\therefore a_n=\dfrac{1}{b_n}=\dfrac{1}{3^{n-1}+1}$ … ❸

답 $a_n=\dfrac{1}{3^{n-1}+1}$

채점 기준	비율
❶ 주어진 식의 양변에 역수를 취하여 $\frac{1}{a_{n+1}}=\frac{q}{r}\cdot\frac{1}{a_n}+\frac{p}{r}$ 꼴로 변형할 수 있다.	30 %
❷ $\frac{1}{a_n}=b_n$으로 놓고, 수열 $\{b_n\}$의 일반항을 구할 수 있다.	50 %
❸ 수열 $\{a_n\}$의 일반항을 구할 수 있다.	20 %

1321

$a_{n+1}=\dfrac{a_n}{1+na_n}$에서 $\dfrac{1}{a_{n+1}}=\dfrac{1+na_n}{a_n}=\dfrac{1}{a_n}+n$

$\dfrac{1}{a_n}=b_n$으로 놓으면 $b_{n+1}=b_n+n$

이 식의 n에 1, 2, 3, …, $n-1$을 차례로 대입하여 변끼리 더하면

$b_2=b_1+1$

$b_3=b_2+2$

$b_4=b_3+3$

⋮

$+\underline{)\ b_n=b_{n-1}+(n-1)}$

$b_n=b_1+\sum_{k=1}^{n-1}k=1+\dfrac{(n-1)n}{2}=\dfrac{2+(n-1)n}{2}$

$b_1=\frac{1}{a_1}=1$

따라서 $a_n=\dfrac{1}{b_n}=\dfrac{2}{2+(n-1)n}$이므로

$a_{200}=\dfrac{2}{2+199\cdot 200}=\dfrac{1}{1+100\cdot 199}$ 답 ③

1322

|전략| 주어진 식의 n에 1, 2, 3, …, $n-1$을 차례로 대입하여 항의 규칙을 찾는다.

$a_1+a_2=-1$에서 $a_2=-2$

$a_2+a_3=1$에서 $a_3=3$

$a_3+a_4=-1$에서 $a_4=-4$

⋮

따라서 $a_n=(-1)^{n-1}\cdot n$이므로

$a_{10}=-10$ 답 -10

다른 풀이 $a_n+a_{n+1}=(-1)^n$에 $n=1, 3, 5, 7, 9$를 차례로 대입하여 변끼리 더하면

$a_1+a_2=-1$

$a_3+a_4=-1$

$a_5+a_6=-1$

$a_7+a_8=-1$

$+\underline{)\ a_9+a_{10}=-1}$

$a_1+a_2+\cdots+a_{10}=-5$ …… ㉠

$a_n+a_{n+1}=(-1)^n$에 $n=2, 4, 6, 8$을 차례로 대입하여 변끼리 더하면

$a_2+a_3=1$

$a_4+a_5=1$

$a_6+a_7=1$

$+\underline{)\ a_8+a_9=1}$

$a_2+a_3+\cdots+a_9=4$ …… ㉡

㉠−㉡을 하면

$a_1+a_{10}=-9$

$\therefore a_{10}=-9-1=-10$

1323

$a_1=1$, $a_2=2$이므로 $a_{n+2}=a_{n+1}-a_n$에서

$a_3=a_2-a_1=2-1=1$

$a_4=a_3-a_2=1-2=-1$

$a_5=a_4-a_3=-1-1=-2$

$a_6=a_5-a_4=-2-(-1)=-1$

$a_7=a_6-a_5=-1-(-2)=1$

$a_8=a_7-a_6=1-(-1)=2$

연속한 두 값이 a_1, a_2와 같은 값이 나올 때까지 구한다.

⋮

따라서 수열 $\{a_n\}$은 1, 2, 1, −1, −2, −1이 이 순서대로 반복되고,

$2018=6\cdot 336+2$이므로

$\sum_{k=1}^{2018}a_k=336\{1+2+1+(-1)+(-2)+(-1)\}+1+2=3$

답 3

1324

$a_1=3$, $a_2=2$이므로 $a_{n+2}=\dfrac{a_{n+1}+1}{a_n}$에서

$a_3=\dfrac{a_2+1}{a_1}=\dfrac{2+1}{3}=1$

$a_4=\dfrac{a_3+1}{a_2}=\dfrac{1+1}{2}=1$

$a_5=\dfrac{a_4+1}{a_3}=\dfrac{1+1}{1}=2$

$a_6=\dfrac{a_5+1}{a_4}=\dfrac{2+1}{1}=3$

$a_7=\dfrac{a_6+1}{a_5}=\dfrac{3+1}{2}=2$

⋮

따라서 수열 $\{a_n\}$은 3, 2, 1, 1, 2가 이 순서대로 반복되고,

$111=5\cdot 22+1$이므로 $a_{111}=a_1=3$ 답 3

1325

$a_1a_2a_3=a_2a_3a_4=1$이므로 $a_1=a_4$

$a_2a_3a_4=a_3a_4a_5=1$이므로 $a_2=a_5$

$a_3a_4a_5=a_4a_5a_6=1$이므로 $a_3=a_6$

⋮

따라서 수열 $\{a_n\}$은 a_1, a_2, a_3이 이 순서대로 반복된다.

이때, $10=3\cdot3+1$, $17=3\cdot5+2$이므로

$a_1=a_{10}=1$, $a_2=a_{17}=4$

한편, $a_1a_2a_3=1$에서

$$a_3=\frac{1}{a_1a_2}=\frac{1}{1\cdot4}=\frac{1}{4}$$

따라서 $200=3\cdot66+2$, $201=3\cdot67$이므로

$a_{200}a_{201}=a_2a_3=4\cdot\frac{1}{4}=1$ 답 ③

1326

|전략| 주어진 식의 양변을 2^{n+1}으로 나누어 식을 변형한다.

$a_{n+1}=2a_n+2^{n+1}$의 양변을 2^{n+1}으로 나누면

$$\frac{a_{n+1}}{2^{n+1}}=\frac{a_n}{2^n}+1$$

$\frac{a_n}{2^n}=b_n$으로 놓으면

$b_{n+1}=b_n+1$

수열 $\{b_n\}$은 첫째항이 $b_1=\frac{a_1}{2}=2$이고 공차가 1인 등차수열이므로

$b_n=2+(n-1)\cdot1=n+1$

따라서 $a^n=2^nb_n=2^n(n+1)$이므로

$a_{50}=2^{50}(50+1)=51\cdot2^{50}$ 답 $51\cdot2^{50}$

1327

$9a_na_{n+1}=a_n-2a_{n+1}$의 양변을 a_na_{n+1}로 나누면

$$9=\frac{1}{a_{n+1}}-2\cdot\frac{1}{a_n}$$

$\frac{1}{a_n}=b_n$으로 놓으면 $9=b_{n+1}-2b_n$

$\therefore b_{n+1}+9=2(b_n+9)$

수열 $\{b_n+9\}$는 첫째항이 $b_1+9=\frac{1}{a_1}+9=10$이고 공비가 2인 등비수열이므로

$b_n+9=10\cdot2^{n-1}$ $\therefore b_n=5\cdot2^n-9$

$\therefore a_n=\frac{1}{b_n}=\frac{1}{5\cdot2^n-9}$ 답 ②

1328

$a_1=4$, $a_{n+1}=4{a_n}^3$이므로 $a_n>0$ (단, $n\ge1$)

$a_{n+1}=4{a_n}^3$의 양변에 밑이 4인 로그를 취하면

$\log_4 a_{n+1}=\log_4 4{a_n}^3$, $\log_4 a_{n+1}=\log_4 4+\log_4 {a_n}^3$

$\log_4 a_{n+1}=1+3\log_4 a_n$ … ❶

$\log_4 a_n=b_n$으로 놓으면 $b_{n+1}=3b_n+1$

$\therefore b_{n+1}+\frac{1}{2}=3\left(b_n+\frac{1}{2}\right)$

수열 $\left\{b_n+\frac{1}{2}\right\}$은 첫째항이 $b_1+\frac{1}{2}=\log_4 a_1+\frac{1}{2}=\frac{3}{2}$, 공비가 3인 등비수열이므로

$$b_n+\frac{1}{2}=\frac{3}{2}\cdot3^{n-1}=\frac{1}{2}\cdot3^n$$

따라서 $\log_4 a_n=b_n$이므로

$\log_4 a_n+\frac{1}{2}=\frac{1}{2}\cdot3^n$ … ❷

$\therefore \log_3(1+2\log_4 a_{10})=\log_3\left\{2\cdot\left(\frac{1}{2}+\log_4 a_{10}\right)\right\}=\log_3 3^{10}=10$ … ❸

답 10

채점 기준	배점
❶ 양변에 밑이 4인 로그를 취하여 a_n과 a_{n+1} 사이의 관계식을 구할 수 있다.	40 %
❷ 수열 $\left\{\log_4 a_n+\frac{1}{2}\right\}$의 일반항을 구할 수 있다.	40 %
❸ $\log_3(1+2\log_4 a_{10})$의 값을 구할 수 있다.	20 %

Lecture

로그의 성질

$a>0$, $a\ne1$, $x>0$, $y>0$일 때

(1) $\log_a 1=0$, $\log_a a=1$

(2) $\log_a xy=\log_a x+\log_a y$

(3) $\log_a \frac{x}{y}=\log_a x-\log_a y$

(4) $\log_a x^n=n\log_a x$ (단, n은 실수)

1329

$a_{n+1}=a_1+2a_2+\cdots+na_n$ ······ ㉠

㉠의 n 대신 $n-1$을 대입하면

$a_n=a_1+2a_2+\cdots+(n-1)a_{n-1}$ ······ ㉡

㉠－㉡을 하면

$a_{n+1}-a_n=na_n$, $a_{n+1}=(n+1)a_n$

$\therefore \frac{a_{n+1}}{a_n}=n+1$

$\therefore \frac{a_{50}}{a_{49}}=49+1=50$ 답 50

1330

|전략| $a_1=S_1$, $a_{n+1}=S_{n+1}-S_n(n\ge1)$임을 이용하여 주어진 등식을 a_n, a_{n+1}에 대한 식으로 변형한다.

$S_n=2a_n+2n(n=1, 2, 3, \cdots)$에서

$S_{n+1}=2a_{n+1}+2(n+1)$

이때, $a_{n+1}=S_{n+1}-S_n(n=1, 2, 3, \cdots)$이므로

$a_{n+1}=2a_{n+1}+2(n+1)-(2a_n+2n)$

$a_{n+1}=2a_n-2$ $\therefore a_{n+1}-2=2(a_n-2)$

수열 $\{a_n-2\}$는 첫째항이 $a_1-2=-4$이고 공비가 2인 등비수열이므로

$a_n-2=-4\cdot2^{n-1}=-2^{n+1}$ $\therefore a_n=2-2^{n+1}$

$\therefore a_{20}=2-2^{21}$ 답 $2-2^{21}$

10 수학적 귀납법

1331

$S_{n+1}=3S_n+2(n=1, 2, 3, \cdots)$에서 $S_{n+1}+1=3(S_n+1)$

수열 $\{S_n+1\}$은 첫째항이 $S_1+1=3$이고 공비가 3인 등비수열이므로

$S_n+1=3\cdot 3^{n-1}=3^n \qquad \therefore S_n=3^n-1$

$\therefore a_{49}=S_{49}-S_{48}=3^{49}-1-(3^{48}-1)=2\cdot 3^{48}$

답 $2\cdot 3^{48}$

1332

$a_1+a_2+a_3+\cdots+a_n=S_n$이라 하면

$S_1=a_1=3,\ a_{n+1}=S_n(n=1,\ 2,\ 3,\ \cdots)$

이때, $a_{n+1}=S_{n+1}-S_n(n=1,\ 2,\ 3,\ \cdots)$이므로

$S_n=S_{n+1}-S_n \qquad \therefore S_{n+1}=2S_n(n=1,\ 2,\ 3,\ \cdots)$

수열 $\{S_n\}$은 첫째항이 $S_1=3$이고 공비가 2인 등비수열이므로

$S_n=3\cdot 2^{n-1}$

$\therefore a_9+a_{10}=(S_9-S_8)+(S_{10}-S_9)=S_{10}-S_8$

$=3\cdot 2^9-3\cdot 2^7=9\cdot 2^7=1152$

답 ③

다른 풀이 $a_{n+1}=S_n(n=1, 2, 3, \cdots)$이므로

$a_9+a_{10}=S_8+S_9=3\cdot 2^7+3\cdot 2^8$

$=9\cdot 2^7=1152$

1333

$2S_n=na_{n+1}(n\geq 1)$ ...... ㉠

$2S_{n-1}=(n-1)a_n(n\geq 2)$ ...... ㉡

㉠−㉡을 하면

$2(S_n-S_{n-1})=na_{n+1}-(n-1)a_n(n\geq 2)$

$2a_n=na_{n+1}-(n-1)a_n,\ na_{n+1}=(n+1)a_n$

$\therefore a_{n+1}=\dfrac{n+1}{n}a_n(n\geq 2)$ ··· ❶

이 식의 n에 $2, 3, \cdots, n-1$을 차례로 대입하여 변끼리 곱하면

$a_3=\dfrac{3}{2}a_2$

$a_4=\dfrac{4}{3}a_3$

$a_5=\dfrac{5}{4}a_4$

$\vdots$

$\times)\ a_n=\dfrac{n}{n-1}a_{n-1}$

$a_n=\dfrac{3}{2}\cdot\dfrac{4}{3}\cdot\dfrac{5}{4}\cdot\cdots\cdot\dfrac{n}{n-1}\cdot a_2$

$=\dfrac{n}{2}a_2$

$2S_n=na_{n+1}$에 $n=1$을 대입하면 $2S_1=a_2$

$S_1=a_1$이므로 $a_2=2S_1=2a_1=2$

$\therefore a_n=\dfrac{n}{2}\cdot 2=n$ ··· ❷

$a_k=100$에서 $k=100$ ··· ❸

답 100

채점 기준	비율
❶ a_n과 a_{n+1} 사이의 관계식을 구할 수 있다.	40 %
❷ 수열 $\{a_n\}$의 일반항을 구할 수 있다.	40 %
❸ k의 값을 구할 수 있다.	20 %

1334

| 전략 | n일째 되는 날 물탱크 속의 물의 양을 a_n L로 놓고, a_n과 a_{n+1} 사이의 관계식을 구한다.

n일째 되는 날 물탱크 속의 물의 양을 a_n L라 하면

$a_{n+1}=2(a_n-3) \qquad \therefore a_{n+1}-6=2(a_n-6)$

수열 $\{a_n-6\}$은 첫째항이 $a_1-6=10-6=4$이고 공비가 2인 등비수열이므로

$a_n-6=4\cdot 2^{n-1}=2^{n+1} \qquad \therefore a_n=2^{n+1}+6$

이때, $a_8=2^9+6=518,\ a_9=2^{10}+6=1030$이므로 1000 L들이 물탱크를 가득 채울 수 있는 것은 9일째이다.

답 9일째

1335

$x=a_n$을 $y=2x$에 대입했을 때의 y의 값과 $x=a_{n+1}$을 $y=x+1$에 대입했을 때의 y의 값이 같으므로

$2a_n=a_{n+1}+1 \qquad \therefore a_{n+1}-1=2(a_n-1)$

수열 $\{a_n-1\}$은 첫째항이 $a_1-1=1$이고 공비가 2인 등비수열이므로

$a_n-1=1\cdot 2^{n-1}=2^{n-1} \qquad \therefore a_n=2^{n-1}+1$

$\therefore S_{10}=\sum_{k=1}^{10}a_k=\sum_{k=1}^{10}(2^{k-1}+1)$

$=\dfrac{1\cdot(2^{10}-1)}{2-1}+10=1033$

답 ①

1336

n시간 후 측정한 세포의 수를 a_n이라 하면

$a_{n+1}=2(a_n-2) \qquad \therefore a_{n+1}-4=2(a_n-4)$

수열 $\{a_n-4\}$는 첫째항이 $a_1-4=2$이고 공비가 2인 등비수열이므로 $(5-2)\cdot 2=6$

$a_n-4=2\cdot 2^{n-1} \qquad \therefore a_n=2^n+4$

이때, $2^n+4=2052$에서

$2^n=2048=2^{11} \qquad \therefore n=11$

따라서 세포의 수가 2052개가 되는 것은 11시간 후이다.

답 11시간 후

1337

점 P_n의 좌표를 a_n이라 하면

$a_{n+2}=\dfrac{3a_{n+1}-2a_n}{3-2}=3a_{n+1}-2a_n$

$\therefore a_{n+2}-a_{n+1}=2(a_{n+1}-a_n)$

수열 $\{a_{n+1}-a_n\}$은 첫째항이 $a_2-a_1=4$이고 공비가 2인 등비수열이므로

$a_{n+1}-a_n=4\cdot 2^{n-1}=2^{n+1}$

이 식의 n에 $1, 2, 3, \cdots, n-1$을 차례로 대입하여 변끼리 더하면

$$a_2-a_1=2^2$$
$$a_3-a_2=2^3$$
$$a_4-a_3=2^4$$
$$\vdots$$
$$+)\ a_n-a_{n-1}=2^n$$
$$a_n-a_1=\sum_{k=1}^{n-1}2^{k+1}=\frac{4(2^{n-1}-1)}{2-1}=2^{n+1}-4$$

$\therefore\ a_n=1+2^{n+1}-4=2^{n+1}-3$

이때, $a_5=2^6-3=61$, $a_6=2^7-3=125$이므로 좌표가 처음으로 100보다 큰 값이 되는 점은 P_6이다. 답 ②

1338

n개의 직선이 그려진 평면에 조건에 알맞은 1개의 직선을 추가하면 이 직선은 기존의 n개의 직선과 각각 한 번씩 만나므로 $(n+1)$개의 새로운 평면이 생긴다. 즉, $(n+1)$개의 직선에 의해 분할된 평면은 n개의 직선에 의해 분할된 평면보다 $(n+1)$개가 많으므로

$a_{n+1}=a_n+n+1$

이 식의 n에 1, 2, 3, ⋯, $n-1$을 차례로 대입하여 변끼리 더하면

$$a_2=a_1+1+1$$
$$a_3=a_2+2+1$$
$$a_4=a_3+3+1$$
$$\vdots$$
$$+)\ a_n=a_{n-1}+(n-1)+1$$
$$a_n=\underset{2}{a_1}+\sum_{k=1}^{n-1}(k+1)=\frac{n(n-1)}{2}+n+1$$

$\therefore\ a_{15}=\frac{15\cdot14}{2}+15+1=121$ 답 ④

1339

a_n %의 소금물 100 g에 들어 있는 소금의 양은 a_n g, 30 %의 소금물 100 g에 들어 있는 소금의 양은 30 g이므로

$a_{n+1}=\frac{a_n+30}{200}\cdot100=\frac{1}{2}a_n+15$

$\therefore\ a_{n+1}-30=\frac{1}{2}(a_n-30)$

즉, 수열 $\{a_n-30\}$은 첫째항이 $a_1-30=10$이고 공비가 $\frac{1}{2}$인 등비수열이므로 (└ $\frac{50+30}{200}\cdot100=40$)

$a_n-30=10\cdot\left(\frac{1}{2}\right)^{n-1}$ $\quad\therefore\ a_n=10\cdot\left(\frac{1}{2}\right)^{n-1}+30$

따라서 $a_{10}=10\cdot\left(\frac{1}{2}\right)^9+30=5\left(6+\frac{1}{2^8}\right)$이므로

$p=5,\ q=8$ $\quad\therefore\ p+q=13$ 답 13

1340

|전략| 주어진 조건에 의하여 음이 아닌 정수 a, b에 대하여 $p(3^a\cdot5^b)$은 참임을 이용한다.

주어진 조건에 의하여 음이 아닌 정수 a, b에 대하여 $p(3^a\cdot5^b)$은 참이다.

① $p(30)=p(2\cdot3\cdot5)$ ② $p(60)=p(2^2\cdot3\cdot5)$
③ $p(75)=p(3\cdot5^2)$ ④ $p(90)=p(2\cdot3^2\cdot5)$
⑤ $p(105)=p(3\cdot5\cdot7)$

따라서 반드시 참인 명제는 ③ $p(75)$이다. 답 ③

Lecture

(가), (나)에서 $p(1)$, $p(3)$, $p(3^2)$, ⋯이 참이다.
이때, (다)에서
$p(1)$, $p(5)$, $p(5^2)$, ⋯이 참이다.
$p(3)$, $p(3\cdot5)$, $p(3\cdot5^2)$, ⋯이 참이다.
$p(3^2)$, $p(3^2\cdot5)$, $p(3^2\cdot5^2)$, ⋯이 참이다.
⋮
따라서 음이 아닌 정수 a, b에 대하여 $p(3^a\cdot5^b)$이 참이다.

1341

ㄱ. $p(1)$이 참이면 주어진 조건에 의하여
$p(3)$, $p(5)$, $p(7)$, ⋯
이 모두 참이지만 모든 2의 양의 배수 k에 대하여 $p(k)$가 참인지는 알 수 없다.

ㄴ. $p(2)$가 참이면 주어진 조건에 의하여
$p(3)$, $p(4)$, $p(5)$, ⋯가 모두 참이므로 모든 2의 양의 배수 k에 대하여 $p(k)$가 참이다.

ㄷ. $p(2)$가 참이면 ㄴ에서 2 이상인 모든 자연수 m에 대하여 $p(m)$이 참이므로 $p(1)$이 참이면 모든 자연수 k에 대하여 $p(k)$가 참이다.

따라서 옳은 것은 ㄴ, ㄷ이다. 답 ㄴ, ㄷ

1342

명제 $p(n)$이 $n=3, 5, 7, 9, \cdots$일 때 참임을 보이려면

(i) $n=$ [(가) 3]일 때, $p(n)$이 참이다.

(ii) $5=3+2$, $7=5+2$, $9=7+2$이므로
$n=k(k\geq$ [(가) 3])일 때 $p(n)$이 참이라 가정하면
$n=$ [(나) $k+2$]일 때도 $p(n)$이 참임을 보인다.

따라서 $a=3$, $f(k)=k+2$이므로

$f(a)=f(3)=5$ 답 5

1343

|전략| $n=k$일 때 주어진 식의 양변에 $(k+1)(k+2)$를 더하여 $n=k+1$일 때에도 식이 성립함을 보인다.

(ii) $n=k$일 때, ㉠이 성립한다고 가정하면

$1\cdot2+2\cdot3+3\cdot4+\cdots+k(k+1)=\frac{1}{3}k(k+1)(k+2)$ ⋯⋯ ㉡

㉡의 양변에 [(가) $(k+1)(k+2)$]를 더하면

$1\cdot2+2\cdot3+3\cdot4+\cdots+k(k+1)+$ [(가) $(k+1)(k+2)$]

$=\frac{1}{3}k(k+1)(k+2)+$ [(가) $(k+1)(k+2)$]

10 수학적 귀납법

$=(k+1)(k+2)\left(\frac{1}{3}k+1\right)$

$=$ (나) $\frac{1}{3}(k+1)(k+2)(k+3)$

따라서 $n=k+1$일 때도 ㉠이 성립한다. 답 ④

1344

$\left(1+\frac{1}{1}\right)\left(1+\frac{1}{2}\right)\left(1+\frac{1}{3}\right)\cdots\left(1+\frac{1}{n}\right)=n+1$ ...... ㉠

(i) $n=1$일 때,

(좌변)$=1+\frac{1}{1}=2$, (우변)$=1+1=2$

따라서 $n=1$일 때 ㉠이 성립한다.

(ii) $n=k$일 때, ㉠이 성립한다고 가정하면

$\left(1+\frac{1}{1}\right)\left(1+\frac{1}{2}\right)\left(1+\frac{1}{3}\right)\cdots\left(1+\frac{1}{k}\right)=k+1$ ...... ㉡

㉡의 양변에 $1+\frac{1}{k+1}$을 곱하면

$\left(1+\frac{1}{1}\right)\left(1+\frac{1}{2}\right)\left(1+\frac{1}{3}\right)\cdots\left(1+\frac{1}{k}\right)\left(1+\frac{1}{k+1}\right)$

$=(k+1)\left(1+\frac{1}{k+1}\right)=(k+1)+1$

따라서 $n=k+1$일 때도 ㉠이 성립한다.

(i), (ii)에 의하여 ㉠은 모든 자연수 n에 대하여 성립한다.

답 풀이 참조

1345

(ii) $n=k$일 때, $a_k=$ (가) $\frac{k}{k+1}$ 라 가정하면

$a_{k+1}=\frac{1}{2-a_k}=\frac{1}{2-\text{(가) }\frac{k}{k+1}}$

$=\frac{k+1}{2(k+1)-k}=\frac{k+1}{\text{(나) }k+2}$

따라서 $n=k+1$일 때도 $a_n=\frac{n}{n+1}$이 성립한다.

이때, $f(k)=\frac{k}{k+1}$, $g(k)=k+2$이므로

$f(3)g(6)=\frac{3}{4}\cdot 8=6$ 답 ①

1346

|전략| $4^{2k+1}+3^{k+2}=13N$ (N은 자연수)을 이용하기 위해 $4^{2k+3}+3^{k+3}$을 적절히 변형한다.

(ii) $n=k$일 때, $4^{2n+1}+3^{n+2}$이 13의 배수라 가정하면

$4^{2k+1}+3^{k+2}=13N$ (N은 자연수)

으로 놓을 수 있다.

이때, $n=k+1$이면

$4^{2k+3}+3^{k+3}=4^2\cdot 4^{2k+1}+3\cdot$ (가) 3^{k+2}

$=16(4^{2k+1}+3^{k+2})-13\cdot 3^{k+2}$

$=16\cdot$ (나) $13N$ $-13\cdot$ (가) 3^{k+2}

$=13($(다) $16N-3^{k+2}$$)$

따라서 $n=k+1$일 때도 $4^{2n+1}+3^{n+2}$이 13의 배수이다. 답 ④

1347

(ii) $n=k(k\geq 2)$일 때, 4^n-3n-1이 9의 배수라 가정하면

$4^k-3k-1=9N$ (N은 자연수)

으로 놓을 수 있다.

이때, $n=k+1$이면

$4^{k+1}-3(k+1)-1=$ (가) $4\cdot 4^k$ $-3k-4$

$=4(4^k-3k-1)+$ (나) $9k$

$=4\cdot 9N+$ (나) $9k$

$=9($(다) $4N+k$$)$

따라서 $n=k+1$일 때도 4^n-3n-1이 9의 배수이다. 답 ⑤

1348

(i) $n=1$일 때,

$7+1=8=2\cdot 4$ ($5^0=1$)

이므로 2의 배수이다.

(ii) $n=k$일 때, 7^n+5^{n-1}이 2의 배수라 가정하면

$7^k+5^{k-1}=2N$ (N은 자연수)

으로 놓을 수 있다.

이때, $n=k+1$이면

$7^{k+1}+5^k=7\cdot 7^k+5\cdot 5^{k-1}$

$=7(7^k+5^{k-1})-2\cdot 5^{k-1}$

$=7\cdot 2N-2\cdot 5^{k-1}$

$=2(7N-5^{k-1})$

따라서 $n=k+1$일 때도 7^n+5^{n-1}이 2의 배수이다.

(i), (ii)에 의하여 모든 자연수 n에 대하여 7^n+5^{n-1}은 2의 배수이다.

답 풀이 참조

1349

|전략| $n=k(k\geq 2)$일 때 주어진 부등식의 양변에 $1+h$를 곱하여 $n=k+1$일 때도 부등식이 성립함을 보인다.

(i) $n=$ (가) 2 일 때,

(좌변)$=(1+h)^2=1+2h+h^2>1+2h=$(우변)

따라서 $n=$ (가) 2 일 때 ㉠이 성립한다.

(ii) $n=k(k\geq 2)$일 때, ㉠이 성립한다고 가정하면

$(1+h)^k>1+kh$ ...... ㉡

㉡의 양변에 (나) $1+h$ 를 곱하면

$(1+h)^{k+1}>(1+kh)($(나) $1+h$$)=1+(k+1)h+kh^2$

그런데 $kh^2>0$이므로

$1+(k+1)h+kh^2>1+(k+1)h$

$\therefore (1+h)^{k+1}>$ (다) $1+(k+1)h$

따라서 $n=k+1$일 때도 ㉠이 성립한다. 답 ⑤

1350

(ii) $n=k(k\geq 2)$일 때, ㉠이 성립한다고 가정하면

$$1+\frac{1}{2}+\frac{1}{3}+\cdots+\frac{1}{k}>\frac{2k}{k+1} \quad \cdots\cdots ㉡$$

㉡의 양변에 $\boxed{(가)\ \frac{1}{k+1}}$을 더하면

$$1+\frac{1}{2}+\frac{1}{3}+\cdots+\frac{1}{k}+\boxed{(가)\ \frac{1}{k+1}}$$

$$>\frac{2k}{k+1}+\boxed{(가)\ \frac{1}{k+1}}=\frac{2k+1}{k+1}$$

그런데

$$\frac{2k+1}{k+1}-\boxed{(나)\ \frac{2(k+1)}{(k+1)+1}}=\frac{(2k+1)(k+2)-2(k+1)^2}{(k+1)(k+2)}$$

$$=\frac{k}{(k+1)(k+2)}>0\ (\because k\geq 2)$$

이므로 $\frac{2k+1}{k+1}>\boxed{(나)\ \frac{2(k+1)}{(k+1)+1}}$

$$\therefore 1+\frac{1}{2}+\frac{1}{3}+\cdots+\frac{1}{k}+\boxed{(가)\ \frac{1}{k+1}}>\boxed{(나)\ \frac{2(k+1)}{(k+1)+1}}$$

따라서 $n=k+1$일 때도 ㉠이 성립한다. 답 ②

1351

(ii) $n=k$일 때, ㉠이 성립한다고 가정하면

$$\frac{1}{2}\cdot\frac{3}{4}\cdot\frac{5}{6}\cdot\cdots\cdot\frac{2k-1}{2k}<\sqrt{\frac{1}{2k+1}} \quad \cdots\cdots ㉡$$

㉡의 양변에 $\boxed{(가)\ \frac{2k+1}{2k+2}}$을 곱하면

$$\frac{1}{2}\cdot\frac{3}{4}\cdot\frac{5}{6}\cdot\cdots\cdot\frac{2k-1}{2k}\cdot\boxed{(가)\ \frac{2k+1}{2k+2}}$$

$$<\sqrt{\frac{1}{2k+1}}\cdot\boxed{(가)\ \frac{2k+1}{2k+2}}=\sqrt{\frac{2k+1}{4(k+1)^2}}$$

그런데

$$\frac{2k+1}{4(k+1)^2}-\boxed{(나)\ \frac{1}{2k+3}}=\frac{(2k+1)(2k+3)-4(k+1)^2}{4(k+1)^2(2k+3)}$$

$$=\frac{-1}{4(k+1)^2(2k+3)}<0$$

($\because k$는 자연수)

이므로 $\frac{2k+1}{4(k+1)^2}<\boxed{(나)\ \frac{1}{2k+3}}$

$$\therefore \frac{1}{2}\cdot\frac{3}{4}\cdot\frac{5}{6}\cdot\cdots\cdot\frac{2k-1}{2k}\cdot\boxed{(가)\ \frac{2k+1}{2k+2}}<\sqrt{\boxed{(나)\ \frac{1}{2k+3}}}$$

따라서 $n=k+1$일 때도 ㉠이 성립한다. 답 ⑤

STEP 3 내신 마스터

1352

유형 01 등차수열의 귀납적 정의

| 전략 | $2a_{n+1}=a_n+a_{n+2}$이면 수열 $\{a_n\}$은 등차수열임을 이용한다.

$2a_{n+1}=a_n+a_{n+2}$에서 수열 $\{a_n\}$은 등차수열이다.

수열 $\{a_n\}$의 첫째항을 a, 공차를 d라 하면

$a_5=a+4d=11$ ······ ㉠

$a_9=a+8d=19$ ······ ㉡

㉠, ㉡을 연립하여 풀면 $a=3$, $d=2$

$\therefore a_n=3+(n-1)\cdot 2=2n+1$

$\therefore a_{20}=2\cdot 20+1=41$ 답 ①

1353

유형 02 등비수열의 귀납적 정의

| 전략 | $\frac{a_{n+1}}{a_n}=\frac{a_{n+2}}{a_{n+1}}$에서 수열 $\{a_n\}$은 등비수열임을 이용한다.

$\frac{a_{n+1}}{a_n}=\frac{a_{n+2}}{a_{n+1}}$에서 ${a_{n+1}}^2=a_na_{n+2}$

즉, 수열 $\{a_n\}$은 등비수열이고 첫째항이 $a_1=3$, 공비가 $\frac{a_2}{a_1}=2$이므로 $a_n=3\cdot 2^{n-1}$

이때, $a_k=3\cdot 2^{k-1}=768$이므로

$2^{k-1}=256=2^8 \quad \therefore k=9$ 답 ④

1354

유형 03 $a_{n+1}=a_n+f(n)$ 꼴로 정의된 수열

| 전략 | 주어진 식의 n에 $1, 2, 3, \cdots, n-1$을 차례로 대입하여 변끼리 더한다.

$a_{n+1}=a_n+\frac{1}{n(n+1)}$에서 $a_{n+1}=a_n+\frac{1}{n}-\frac{1}{n+1}$

이 식의 n에 $1, 2, 3, \cdots, n-1$을 차례로 대입하여 변끼리 더하면

$$a_2=a_1+1-\frac{1}{2}$$
$$a_3=a_2+\frac{1}{2}-\frac{1}{3}$$
$$a_4=a_3+\frac{1}{3}-\frac{1}{4}$$
$$\vdots$$
$$+\big)\ a_n=a_{n-1}+\frac{1}{n-1}-\frac{1}{n}$$

$$a_n=a_1+1-\frac{1}{n}=-2+1-\frac{1}{n}=-\frac{n+1}{n}$$

$$\therefore a_{20}-a_{10}=-\frac{21}{20}-\left(-\frac{11}{10}\right)=\frac{1}{20}$$ 답 ①

1355

유형 04 $a_{n+1}=a_nf(n)$ 꼴로 정의된 수열

| 전략 | 주어진 식의 n에 $1, 2, 3, \cdots, n-1$을 차례로 대입하여 변끼리 곱한다.

$a_{n+1}=(n+1)a_n$의 n에 $1, 2, 3, \cdots, n-1$을 차례로 대입하여 변끼리 곱하면

$$a_2=2a_1$$
$$a_3=3a_2$$
$$a_4=4a_3$$
$$\vdots$$
$$\times\big)\ a_n=na_{n-1}$$

$$a_n=2\cdot 3\cdot 4\cdot\cdots\cdot n\cdot a_1=1\cdot 2\cdot 3\cdot 4\cdot\cdots\cdot n\ (\because a_1=1)$$

10 수학적 귀납법

이때, $n\geq5$인 a_n은 모두 10의 배수이므로 $a_3+a_4+a_5+\cdots+a_{2018}$을 10으로 나누었을 때의 나머지는 a_3+a_4를 10으로 나누었을 때의 나머지와 같다.

따라서 $a_3+a_4=6+24=30$이므로 구하는 나머지는 0이다. 답 ①

1356

유형 06 $pa_{n+2}+qa_{n+1}+ra_n=0\,(p+q+r=0,\ pqr\neq0)$ 꼴로 정의된 수열

|전략| 주어진 식을 $a_{n+2}-a_{n+1}=\frac{r}{p}(a_{n+1}-a_n)$ 꼴로 변형한다.

$3a_{n+2}-4a_{n+1}+a_n=0$에서

$3(a_{n+2}-a_{n+1})=a_{n+1}-a_n$

$\therefore a_{n+2}-a_{n+1}=\frac{1}{3}(a_{n+1}-a_n)$

수열 $\{a_{n+1}-a_n\}$은 첫째항이 $a_2-a_1=1$이고 공비가 $\frac{1}{3}$인 등비수열이므로

$a_{n+1}-a_n=1\cdot\left(\frac{1}{3}\right)^{n-1}=\left(\frac{1}{3}\right)^{n-1}$

이 식의 n에 $1, 2, 3, \cdots, n-1$을 차례로 대입하여 변끼리 더하면

$$\begin{aligned} a_2-a_1&=1\\ a_3-a_2&=\frac{1}{3}\\ a_4-a_3&=\left(\frac{1}{3}\right)^2\\ &\ \vdots\\ +)\ a_n-a_{n-1}&=\left(\frac{1}{3}\right)^{n-2} \end{aligned}$$

$$a_n-a_1=\sum_{k=1}^{n-1}\left(\frac{1}{3}\right)^{k-1}=\frac{1\cdot\left\{1-\left(\frac{1}{3}\right)^{n-1}\right\}}{1-\frac{1}{3}}$$

$$=\frac{3}{2}\left\{1-\left(\frac{1}{3}\right)^{n-1}\right\}$$

$\therefore a_n=1+\frac{3}{2}\left\{1-\left(\frac{1}{3}\right)^{n-1}\right\}=\frac{5}{2}-\frac{3}{2}\cdot\left(\frac{1}{3}\right)^{n-1}$

이때,

$5-2a_n=5-5+3\cdot\left(\frac{1}{3}\right)^{n-1}=\left(\frac{1}{3}\right)^{n-2}$

이므로

$\log_3(5-2a_n)=\log_3\left(\frac{1}{3}\right)^{n-2}$

$=2-n$

$\therefore \sum_{k=1}^{10}\log_3(5-2a_k)=\sum_{k=1}^{10}(2-k)$

$=2\cdot10-\frac{10\cdot11}{2}$

$=-35$ 답 ②

1357

유형 07 $a_{n+1}=\frac{ra_n}{pa_n+q}\,(pqr\neq0)$ 꼴로 정의된 수열

|전략| 주어진 식의 양변에 역수를 취하여 수열 $\left\{\frac{1}{a_n}\right\}$의 일반항을 구한다.

$a_{n+1}=\frac{a_n}{3a_n+4}$에서

$\frac{1}{a_{n+1}}=\frac{3a_n+4}{a_n}=\frac{4}{a_n}+3$

$\frac{1}{a_n}=b_n$으로 놓으면

$b_{n+1}=4b_n+3\qquad\therefore b_{n+1}+1=4(b_n+1)$

수열 $\{b_n+1\}$은 첫째항이 $b_1+1=\frac{1}{a_1}+1=16$이고 공비가 4인 등비수열이므로

$b_n+1=16\cdot4^{n-1}=4^{n+1}\qquad\therefore b_n=4^{n+1}-1$

$\therefore a_n=\frac{1}{4^{n+1}-1}$

이때, $a_k<\frac{1}{1000}$에서 $\frac{1}{4^{k+1}-1}<\frac{1}{1000}$

$4^{k+1}-1>1000,\ 2^{2k+2}>1001$

그런데 $2^9<1001<2^{10}$이므로

$2k+2\geq10\qquad\therefore k\geq4$

따라서 구하는 자연수 k의 최솟값은 4이다. 답 ④

1358

유형 08 특수한 꼴 – 항이 반복되는 경우

|전략| 주어진 식의 n에 $5, 6, 7, 8, \cdots$을 차례로 대입하여 수열의 항의 규칙을 찾는다.

$a_5=5$에서

$a_6=a_5+3=8,\ a_7=\frac{1}{2}a_6=4,\ a_8=\frac{1}{2}a_7=2,\ a_9=\frac{1}{2}a_8=1,$

$a_{10}=a_9+3=4,\ a_{11}=\frac{1}{2}a_{10}=2,\ a_{12}=\frac{1}{2}a_{11}=1,\ \cdots$

따라서 수열 $\{a_n\}$은 a_7부터 4, 2, 1이 반복되므로

$$a_n=\begin{cases}4\ (n=3m-2)\\ 2\ (n=3m-1)\ \ (m\geq3\text{인 자연수})\\ 1\ (n=3m)\end{cases}$$

$\therefore a_{101}+a_{102}+a_{103}+\cdots+a_{120}$

$=(a_{101}+a_{102}+a_{103})+(a_{104}+a_{105}+a_{106})+\cdots+(a_{116}+a_{117}+a_{118})+a_{119}+a_{120}$

$=(2+1+4)\cdot6+2+1=45$ 답 ⑤

1359

유형 09 특수한 꼴 – 식을 변형하는 경우

|전략| 주어진 식의 양변을 $n(n+1)$로 나누어 식을 변형한다.

$(n+1)a_n=na_{n+1}-1$의 양변을 $n(n+1)$로 나누면

$\frac{a_n}{n}=\frac{a_{n+1}}{n+1}-\frac{1}{n(n+1)}$

$\frac{a_n}{n}=b_n$으로 놓으면 $b_n=b_{n+1}-\frac{1}{n(n+1)}$

$\therefore b_{n+1}-b_n=\frac{1}{n}-\frac{1}{n+1}$

이 식의 n에 $1, 2, 3, \cdots, n-1$을 차례로 대입하여 변끼리 더하면

$$b_2-b_1=1-\frac{1}{2}$$
$$b_3-b_2=\frac{1}{2}-\frac{1}{3}$$
$$b_4-b_3=\frac{1}{3}-\frac{1}{4}$$
$$\vdots$$
$$+)\ b_n-b_{n-1}=\frac{1}{n-1}-\frac{1}{n}$$
$$b_n-b_1=1-\frac{1}{n}$$
$b_1=\frac{a_1}{1}=1$

$\therefore b_n=1+1-\frac{1}{n}=\frac{2n-1}{n}$

따라서 $a_n=nb_n=2n-1$이므로

$\sum_{k=1}^{10} a_k=\sum_{k=1}^{10}(2k-1)$

$=2\cdot\frac{10\cdot 11}{2}-10=100$ 답 ⑤

1360

유형 10 수열의 합 S_n이 포함된 귀납적 정의

| 전략 | $S_{n+2}-S_n=a_{n+2}+a_{n+1}$임을 이용한다.

$S_{n+2}-S_n=a_{n+2}+a_{n+1}$이므로 $(S_{n+2}-S_n)^2=4a_{n+1}a_{n+2}+9$에서

$(a_{n+2}+a_{n+1})^2=4a_{n+1}a_{n+2}+9$

$a_{n+2}^2+2a_{n+2}a_{n+1}+a_{n+1}^2=4a_{n+2}a_{n+1}+9$

$a_{n+2}^2-2a_{n+2}a_{n+1}+a_{n+1}^2=9$

$(a_{n+2}-a_{n+1})^2=9$

$\therefore a_{n+2}-a_{n+1}=3$ ($\because a_{n+2}-a_{n+1}>0$)

따라서 수열 $\{a_n\}$은 첫째항이 1이고 공차가 3인 등차수열이므로

$a_n=1+(n-1)\cdot 3=3n-2$

$\therefore a_{10}=3\cdot 10-2=28$ 답 ④

1361

유형 12 수학적 귀납법

| 전략 | 주어진 조건에 의하여 음이 아닌 정수 a, b에 대하여 $p(3^a\cdot 4^b)$은 참임을 이용한다.

주어진 조건에 의하여 음이 아닌 정수 a, b에 대하여 $p(3^a\cdot 4^b)$은 참이다.

① $p(120)=p(2\cdot 3\cdot 4\cdot 5)$

② $p(130)=p(2\cdot 5\cdot 13)$

③ $p(144)=p(3^2\cdot 4^2)$

④ $p(216)=p(2\cdot 3^3\cdot 4)$

⑤ $p(288)=p(2\cdot 3^2\cdot 4^2)$

따라서 반드시 참인 명제는 ③ $p(144)$이다. 답 ③

Lecture

$p(1)$이 참이면 $p(3\cdot 1)$, 즉 $p(3)$이 참이다.
$p(3)$이 참이면 $p(3\cdot 3)$, 즉 $p(9)$가 참이다.
$p(9)$가 참이면 $p(4\cdot 9)$, 즉 $p(36)$이 참이다.
$p(36)$이 참이면 $p(4\cdot 36)$, 즉 $p(144)$가 참이다.

1362

유형 14 수학적 귀납법을 이용한 배수의 증명

| 전략 | $k(k^2+5)$가 6의 배수임을 이용하기 위해 $(k+1)\{(k+1)^2+5\}$를 적절히 변형한다.

(ii) $n=k$일 때, $n(n^2+5)$가 6의 배수라 가정하면

$k(k^2+5)=6N$ (N은 자연수)

으로 놓을 수 있다.

이때, $n=k+1$이면

$(k+1)\{(k+1)^2+5\}=k^3+3k^2+$ (가) $8k+6$

$=$ (나) k^3+5k $+6+3k(k+1)$

$=6N+6+3k(k+1)$

$=$ (다) 6 $(N+1)+3k(k+1)$

이고, $3k(k+1)$이 (다) 6 의 배수이므로 $n=k+1$일 때도 $n(n^2+5)$가 6의 배수이다. 답 ④

참고 $3k(k+1)$에서 $k(k+1)$은 연속하는 두 자연수의 곱이므로 2의 배수이다. 따라서 $3k(k+1)$은 6의 배수이다.

1363

유형 15 수학적 귀납법을 이용한 부등식의 증명

| 전략 | $n=k(k\geq 4)$일 때 주어진 부등식의 양변에 2를 곱하여 $n=k+1$일 때도 부등식이 성립함을 보인다.

(ii) $n=k(k\geq 4)$일 때, ㉠이 성립한다고 가정하면

$2^k\geq k^2$ ······ ㉡

㉡의 양변에 2를 곱하면 $2^{k+1}\geq 2k^2$

그런데 $k\geq 4$이면

$k^2-2k-1=$ (가) $(k-1)^2$ $-2>0$

이므로 $k^2>2k+1$

$\therefore 2^{k+1}\geq 2k^2=k^2+k^2$

$>k^2+2k+1=$ (나) $(k+1)^2$

따라서 $n=k+1$일 때도 ㉠이 성립한다. 답 ④

1364

유형 05 $a_{n+1}=pa_n+q(p\neq 1, pq\neq 0)$ 꼴로 정의된 수열

| 전략 | 주어진 관계식을 $a_{n+1}-\alpha=p(a_n-\alpha)$ 꼴로 변형한다.

$a_{n+1}=2a_n+2$에서 $a_{n+1}+2=2(a_n+2)$

수열 $\{a_n+2\}$는 첫째항이 $a_1+2=5$이고 공비가 2인 등비수열이므로

$a_n+2=5\cdot 2^{n-1}$ ··· ❶

$\therefore a_n=5\cdot 2^{n-1}-2$ ··· ❷

$a_{k+1}-a_k=160$에서

$(5\cdot 2^k-2)-(5\cdot 2^{k-1}-2)=160$

$5\cdot 2^{k-1}=160$, $2^{k-1}=32=2^5$, $k-1=5$ $\therefore k=6$ ··· ❸

답 6

채점 기준	배점
❶ 수열 $\{a_n+2\}$의 일반항을 구할 수 있다.	3점
❷ 수열 $\{a_n\}$의 일반항을 구할 수 있다.	1점
❸ k의 값을 구할 수 있다.	2점

1365

유형 11 수열의 귀납적 정의의 활용

|전략| a_n과 a_{n+1} 사이의 관계식을 구한다.

n개의 원이 그려진 평면에 조건에 알맞은 1개의 원을 추가하면 이 원은 기존의 n개의 원과 각각 2개의 점에서 만나므로 $2n$개의 새로운 교점이 생긴다. 즉, $(n+1)$개의 원의 교점은 n개의 원의 교점보다 $2n$개가 많으므로

$a_{n+1}=a_n+2n$ … ❶

이 식의 n에 1, 2, 3, ⋯, $n-1$을 차례로 대입하여 변끼리 더하면

$$a_2=a_1+2\cdot1$$
$$a_3=a_2+2\cdot2$$
$$a_4=a_3+2\cdot3$$
$$\vdots$$
$$+)\ a_n=a_{n-1}+2\cdot(n-1)$$

$$a_n=\underset{0}{a_1}+\sum_{k=1}^{n-1}2k=2\cdot\frac{(n-1)n}{2}=n(n-1) \quad \cdots ❷$$

$\therefore a_{10}=10\cdot9=90$ … ❸

답 90

채점 기준	배점
❶ a_n과 a_{n+1} 사이의 관계식을 구할 수 있다.	3점
❷ 수열 $\{a_n\}$의 일반항을 구할 수 있다.	3점
❸ a_{10}의 값을 구할 수 있다.	1점

1366

유형 13 수학적 귀납법을 이용한 등식의 증명

|전략| $n=1$일 때 주어진 등식이 성립함을 보인 다음 $n=k$일 때 주어진 등식이 성립한다고 가정하고 $n=k+1$일 때도 등식이 성립함을 보인다.

$$\frac{1}{1\cdot2}+\frac{1}{2\cdot3}+\frac{1}{3\cdot4}+\cdots+\frac{1}{n(n+1)}=\frac{n}{n+1} \quad \cdots\cdots ㉠$$

(1) $n=1$일 때,

(좌변)$=\frac{1}{1\cdot2}=\frac{1}{2}$, (우변)$=\frac{1}{1+1}=\frac{1}{2}$

따라서 $n=1$일 때 ㉠이 성립한다.

(2) $n=k$일 때 ㉠이 성립한다고 가정하면

$$\frac{1}{1\cdot2}+\frac{1}{2\cdot3}+\frac{1}{3\cdot4}+\cdots+\frac{1}{k(k+1)}=\frac{k}{k+1} \quad \cdots\cdots ㉡$$

㉡의 양변에 $\frac{1}{(k+1)(k+2)}$을 더하면

$$\frac{1}{1\cdot2}+\frac{1}{2\cdot3}+\frac{1}{3\cdot4}+\cdots+\frac{1}{k(k+1)}+\frac{1}{(k+1)(k+2)}$$
$$=\frac{k}{k+1}+\frac{1}{(k+1)(k+2)}$$
$$=\frac{k^2+2k+1}{(k+1)(k+2)}=\frac{(k+1)^2}{(k+1)(k+2)}$$
$$=\frac{k+1}{k+2}$$

따라서 $n=k+1$일 때도 ㉠이 성립한다.

답 (1) 풀이 참조 (2) 풀이 참조

채점 기준	배점
(1) $n=1$일 때, 주어진 등식이 성립함을 보일 수 있다.	3점
(2) $n=k$일 때 주어진 등식이 성립한다고 가정하고, $n=k+1$일 때도 등식이 성립함을 보일 수 있다.	7점

창의·융합 교과서 속 심화문제

1367

|전략| 주어진 두 등식을 더하고 빼서 수열 $\{a_n+b_n\}$, $\{a_n-b_n\}$의 일반항을 구한다.

$a_{n+1}=3a_n+2b_n$ …… ㉠

$b_{n+1}=2a_n+3b_n$ …… ㉡

㉠+㉡을 하면

$a_{n+1}+b_{n+1}=5(a_n+b_n)$

따라서 수열 $\{a_n+b_n\}$은 첫째항이 $a_1+b_1=5$이고 공비가 5인 등비수열이므로

$a_n+b_n=5\cdot5^{n-1}=5^n$ …… ㉢

㉠−㉡을 하면

$a_{n+1}-b_{n+1}=a_n-b_n$

따라서 수열 $\{a_n-b_n\}$은 첫째항이 $a_1-b_1=1$이고 공비가 1인 등비수열이므로

$a_n-b_n=1$ …… ㉣

㉢+㉣을 하면

$2a_n=5^n+1 \quad \therefore a_n=\frac{5^n+1}{2}$

㉢−㉣을 하면

$2b_n=5^n-1 \quad \therefore b_n=\frac{5^n-1}{2}$

$\therefore a_{10}+b_{11}=\frac{5^{10}+1}{2}+\frac{5^{11}-1}{2}=\frac{5^{10}(1+5)}{2}=3\cdot5^{10}$

답 $3\cdot5^{10}$

1368

|전략| $\overline{P_nP_{n+1}}=a_n$으로 놓고 S_n을 구한다.

$\overline{P_nP_{n+1}}=a_n(n=1, 2, 3, \cdots)$이라 하면

$\overline{P_{n+1}P_{n+2}}=\frac{n}{n+2}\overline{P_nP_{n+1}}$에서 $a_{n+1}=\frac{n}{n+2}a_n$ …… ㉠

㉠의 n에 1, 2, 3, ⋯ , $n-1$을 차례로 대입하여 변끼리 곱하면

$$a_2=\frac{1}{3}a_1$$
$$a_3=\frac{2}{4}a_2$$
$$a_4=\frac{3}{5}a_3$$
$$\vdots$$
$$a_{n-1}=\frac{n-2}{n}a_{n-2}$$
$$\times)\ a_n=\frac{n-1}{n+1}a_{n-1}$$

$$a_n=\frac{1}{3}\cdot\frac{2}{4}\cdot\frac{3}{5}\cdot\cdots\cdot\frac{n-2}{n}\cdot\frac{n-1}{n+1}\cdot a_1=\frac{2}{n(n+1)}a_1$$

이때, $a_1=\overline{P_1P_2}=1$이므로

$$a_n=\frac{2}{n(n+1)}$$

$$\therefore S_n=\frac{1}{2}\cdot a_n\cdot 1=\frac{1}{2}\cdot\frac{2}{n(n+1)}\cdot 1$$

$$=\frac{1}{n(n+1)}$$

$$\therefore \sum_{n=1}^{50}S_n=\sum_{n=1}^{50}\frac{1}{n(n+1)}=\sum_{n=1}^{50}\left(\frac{1}{n}-\frac{1}{n+1}\right)$$

$$=\left(1-\frac{1}{2}\right)+\left(\frac{1}{2}-\frac{1}{3}\right)+\cdots+\left(\frac{1}{50}-\frac{1}{51}\right)$$

$$=1-\frac{1}{51}=\frac{50}{51}$$

따라서 $p=51$, $q=50$이므로

$p+q=101$ 답 101

1369

|전략| 제품 P_n을 한 개 만드는 데 필요한 비용을 a_n으로 놓고 a_n과 a_{n+1} 사이의 관계식을 세운다.

제품 P_n을 한 개 만드는 데 필요한 비용을 $a_n(n=1, 2, 3, \cdots)$이라 하면

$a_1=1$, $a_{n+1}=3a_n+2^n$

$a_{n+1}=3a_n+2^n$의 양변을 3^{n+1}으로 나누면

$$\frac{a_{n+1}}{3^{n+1}}=\frac{a_n}{3^n}+\frac{2^n}{3^{n+1}}$$

이때, $\frac{a_n}{3^n}=b_n$으로 놓으면

$$b_{n+1}=b_n+\frac{1}{3}\cdot\left(\frac{2}{3}\right)^n$$

이 식의 n에 $1, 2, 3, \cdots, n-1$을 차례로 대입하여 변끼리 더하면

$$b_2=b_1+\frac{1}{3}\cdot\frac{2}{3}$$
$$b_3=b_2+\frac{1}{3}\cdot\left(\frac{2}{3}\right)^2$$
$$b_4=b_3+\frac{1}{3}\cdot\left(\frac{2}{3}\right)^3$$
$$\vdots$$
$$+)\ b_n=b_{n-1}+\frac{1}{3}\cdot\left(\frac{2}{3}\right)^{n-1}$$

$$b_n=b_1+\sum_{k=1}^{n-1}\frac{1}{3}\cdot\left(\frac{2}{3}\right)^k$$

$$=\frac{a_1}{3}+\frac{1}{3}\cdot\frac{\frac{2}{3}\left\{1-\left(\frac{2}{3}\right)^{n-1}\right\}}{1-\frac{2}{3}}$$

$$=\frac{1}{3}+\frac{2}{3}-\left(\frac{2}{3}\right)^n$$

$$=1-\left(\frac{2}{3}\right)^n$$

$\therefore a_n=3^n\cdot b_n=3^n-2^n$

따라서 제품 P_{10}을 한 개 만드는 데 필요한 비용은

$a_{10}=3^{10}-2^{10}$ 답 $3^{10}-2^{10}$

1370

|전략| 주어진 과정을 따라가면서 빈칸에 알맞은 식을 추론한다.

$n\geq 2$인 자연수 n에 대하여 $a_{n+1}=S_{n+1}-S_n$이므로 주어진 식

$a_{n+1}=\frac{S_n^2}{S_{n-1}}+(2n-1)S_n$으로부터

$$S_{n+1}-S_n=\frac{S_n^2}{S_{n-1}}+(2n-1)S_n$$

$$\therefore S_{n+1}=\frac{S_n^2}{S_{n-1}}+2nS_n(n\geq 2) \quad\cdots\cdots ㉠$$

㉠의 양변을 S_n으로 나누면

$$\frac{S_{n+1}}{S_n}=\frac{S_n}{S_{n-1}}+2n$$

$b_n=\frac{S_{n+1}}{S_n}$로 놓으면

$S_1=a_1=1$, $S_2=a_1+a_2=1+1=2$이므로

$$b_1=\frac{S_2}{S_1}=2,\ b_n=b_{n-1}+2n(n\geq 2) \quad\cdots\cdots ㉡$$

㉡의 n에 $2, 3, 4, \cdots, n$을 차례로 대입하여 변끼리 더하면

$$b_2=b_1+2\cdot 2$$
$$b_3=b_2+2\cdot 3$$
$$b_4=b_3+2\cdot 4$$
$$\vdots$$
$$+)\ b_n=b_{n-1}+2n$$

$$b_n=b_1+2\cdot 2+2\cdot 3+2\cdot 4+\cdots+2n$$

(2)

$$=2(1+2+3+4+\cdots+n)$$

$$=2\cdot\frac{n(n+1)}{2}=n(n+1)(n\geq 2) \quad\cdots\cdots ㉢$$

이때, $b_1=2$는 ㉢에 $n=1$을 대입한 것과 같으므로

$b_n=$ (가) n $\cdot(n+1)(n\geq 1)$

$b_n=\frac{S_{n+1}}{S_n}$에서

$$S_{n+1}=b_nS_n \qquad \therefore S_{n+1}=n(n+1)\cdot S_n \quad\cdots\cdots ㉣$$

㉣의 n에 $1, 2, 3, \cdots, n-1$을 차례로 대입하여 변끼리 곱하면

$$S_2=1\cdot 2\cdot S_1$$
$$S_3=2\cdot 3\cdot S_2$$
$$S_4=3\cdot 4\cdot S_3$$
$$\vdots$$
$$\times)\ S_n=(n-1)\cdot n\cdot S_{n-1}$$

$$S_n=S_1\cdot 1\cdot 2^2\cdot 3^2\cdot 4^2\cdot\cdots\cdot(n-1)^2\cdot n$$

($S_1=a_1=1$)

$=$ (가) n $\cdot\{(n-1)!\}^2(n\geq 1)$

따라서 $a_1=1$이고, $n\geq 2$일 때

$$a_n=S_n-S_{n-1}$$
$$=n\{(n-1)!\}^2-(n-1)\{(n-2)!\}^2$$
$$=\{n(n-1)^2-(n-1)\}\cdot\{(n-2)!\}^2$$
$$=[(n-1)\{n(n-1)-1\}]\cdot\{(n-2)!\}^2$$

$=$ (나) $(n-1)(n^2-n-1)$ $\cdot\{(n-2)!\}^2$

따라서 $f(n)=n$, $g(n)=(n-1)(n^2-n-1)$이므로

$$f(10)+g(6)=10+(6-1)(6^2-6-1)$$
$$=10+5\cdot 29=155$$

답 ④

10 수학적 귀납법

Memo